ISBN 978-0-483-13692-2
PIBN 11295509

This book is a reproduction of an important historical work. Forgotten Books uses state-of-the-art technology to digitally reconstruct the work, preserving the original format whilst repairing imperfections present in the aged copy. In rare cases, an imperfection in the original, such as a blemish or missing page, may be replicated in our edition. We do, however, repair the vast majority of imperfections successfully; any imperfections that remain are intentionally left to preserve the state of such historical works.

1 MONTH OF
FREE
READING

at

www.ForgottenBooks.com

By purchasing this book you are eligible for one month membership to ForgottenBooks.com, giving you unlimited access to our entire collection of over 1,000,000 titles via our web site and mobile apps.

To claim your free month visit:

www.forgottenbooks.com/free1295509

English
Français
Deutsche
Italiano
Español
Português

www.forgottenbooks.com

Mythology Photography **Fiction**
Fishing Christianity **Art** Cooking
Essays Buddhism Freemasonry
Medicine **Biology** Music **Ancient
Egypt** Evolution Carpentry Physics
Dance Geology **Mathematics** Fitness
Shakespeare **Folklore** Yoga Marketing
Confidence Immortality Biographies
Poetry **Psychology** Witchcraft
Electronics Chemistry History **Law**
Accounting **Philosophy** Anthropology
Alchemy Drama Quantum Mechanics
Atheism Sexual Health **Ancient History**
Entrepreneurship Languages Sport
Paleontology Needlework Islam
Metaphysics Investment Archaeology
Parenting Statistics Criminology
Motivational

Polytechnisches Journal.

Herausgegeben
von
D. Johann Gottfried Dingler,

Chemiker und Fabrikanten in Augsburg, ordentliches Mitglied der Gesellschaft zur Beförderung der gesammten Naturwissenschaften zu Marburg, korrespondirendes Mitglied der niederländischen ökonomischen Gesellschaft zu Harlem, der Senkenbergischen naturforschenden Gesellschaft zu Frankfurt a. M., der Gesellschaft zur Beförderung der nützlichen Künste und ihrer Hülfswissenschaften daselbst, der Société industrielle in Mülhausen, so wie der schlesischen Gesellschaft für vaterländische Kultur; Ehrenmitgliede der naturwissenschaftlichen Gesellschaft in Gröningen, der märkischen ökonomischen Gesellschaft in Potsdam, der ökonomischen Gesellschaft im Königreiche Sachsen, der Gesellschaft zur Vervollkommnung der Künste und Gewerbe zu Würzburg, der Leipziger polytechnischen Gesellschaft, der Apotheker-Vereine in Bayern und im nördlichen Deutschland, auswärtigem Mitgliede des Kunst-, Industrie- und Gewerbe-Vereins in Coburg, Ausschußmitglied des landwirthschaftlichen Vereins des Oberdonaukreises ꝛc.

Unter Mitredaction von
D. Emil Maximilian Dingler,
Chemiker und Fabrikanten in Augsburg,

und
D. Julius Hermann Schultes.

Neue Folge. Vierzehnter Band.

Jahrgang 1837.

Mit VI Kupfertafeln und mehreren Tabellen.

Stuttgart.
Verlag der J. G. Cotta'schen Buchhandlung.

Polytechnisches Journal.

Herausgegeben
von
Dr. Johann Gottfried Dingler,

Chemiker und Fabrikanten in Augsburg, ordentliches Mitglied der Gesellschaft zur Beförderung der gesammten Naturwissenschaften zu Marburg, korrespondirendes Mitglied der niederländischen ökonomischen Gesellschaft zu Harlem, der Senkenbergischen naturforschenden Gesellschaft zu Frankfurt a. M., der Gesellschaft zur Beförderung der nützlichen Künste und ihrer Hülfswissenschaften daselbst, der Société industrielle zu Mülhausen, so wie der schlesischen Gesellschaft für vaterländische Kultur; Ehrenmitglieder der naturwissenschaftlichen Gesellschaft in Gröningen, der märkischen ökonomischen Gesellschaft in Potsdam, der ökonomischen Gesellschaft im Königreiche Sachsen, der Gesellschaft zur Vervollkommnung der Künste und Gewerbe zu Würzburg, der Leipziger polytechnischen Gesellschaft, der Apotheker-Vereine in Bayern und im nördlichen Deutschland, auswärtigem Mitgliede des Kunst-, Industrie- und Gewerbe-Vereins in Coburg, Ausschußmitglied des landwirthschaftlichen Vereins des Oberdonaukreises ꝛc.

Unter Mitredaction von
Dr. Emil Maximilian Dingler,
Chemiker und Fabrikanten in Augsburg,
und
Dr. Julius Hermann Schultes.

Vierundsechzigster Band.

Jahrgang 1837.

Mit VI Kupfertafeln und mehreren Tabellen.

Stuttgart.
Verlag der J. G. Cotta'schen Buchhandlung.

Inhalt des vierundsechzigsten Bandes.

Erstes Heft.

2 *

XXII. Verbesserungen an den Maschinen und Apparaten zum Reinigen

Patente S. 149. Preisaufgaben, den Krapp betreffend. 150. Pearce's
Signallaterne für Dampfboote. 151. Einfache Methode das Rauchen der Schornsteine bei Dampfmaschinen zu verhindern. 151. Ueber den Gang der Arbeiten
am Themse-Tunnel. 151. Eisenbahnen durch London geführt. 152. Ueber
Hrn. Sire's Eisenschmelzproceß. 152. Oberflächliche Verstählung des Stabeisens. 153. Löthen des Zints nach Mohr. 153. Aezwasser für Stahl. 153.
Leichte Bereitungsart des Platinmohrs. 153. Mason's Verbesserungen in
der Fabrication von Schießgewehren. 154. Ueber die Erzeugung von verschiedenen Dessins im Holze. 154. Ueber eine blaue und eine gelbe Mahlerfarbe aus Wolfram. 154. Ueber Kautschukauflösungen zu Wasserdichtmachun-
gen von Leder und Zeugen. 155. Ueber die Anwendung des Kautschuks zur
Verfertigung wasserdichter Feuersprizenschläuche. 156. Ueber die Art des Ger-
bens von Pelzwerk in Marocco. 157. Fabrication von Bittersalz aus Magnesit.
157. Einmaischungsmethode für das Branntweinbrennen aus Kartoffeln. 157.
Amerikanisches Patent um das Sauerwerden des Biers zu verhindern. 158.
Prüfungsmittel bei Verfälschung des Mehles mit Kartoffelsazmehl. 158. Entschlichtung baumwollener und leinener Gewebe mit Pfeifenthon. 159. Baumwollenausfuhr aus Amerika und aus Ostindien. 159. Verschiedenheit der
Milch nach der Zeit, zu der sie gemelkt wird. 159. Ueber das Abpflüken
der Blüthen der Kartoffelpflanzen. 160. Mittel gegen den Brand des Getreides. 160. Ersprießliche Folgen der Vertheilung der Gemeindegüter. 160.

Dritter Theil.

Bein, Schiefer, Marmor und andere dazu geeignete Substanzen, welche nicht als Töpferwaare, Porzellan, Glas oder dergl. benutzt werden, zu übertragen, worauf sich William Wainwright Potts und William Machin, beide Porzellan= und Töpferwaaren=Fabrikanten, und William Bourne, Aufseher, sämmtlich von Burslem in der Grafschaft Stafford, am 2. Jul. 1836 ein Patent ertheilen ließen.   218

tionale in der Generalsitzung vom 4. Januar 1837 für die Jahre 1837, 1838, 1839, 1840 und 1844 ausgeschriebenen Preise. S. 231.

I. Mechanische Künste. S. 231. II. Chemische Künste. 231. III. Oekonomische Künste. 233. IV. Landwirthschaft. 235.

Ueber die verbesserten Dampfmaschinen des Hrn. Collier. S. 233. Davaine's dynamometrischer Zählapparat. 234. Anwendung der Chronometer zum Messen des verbrauchten Leuchtgases. 235. Dupuis de Grandpré's Bugsier= oder Anhohlmethode. 235. Ueber Hrn. Lory's Lampe mit Uhrwerk. 236. Ueber einige neuere Tull= oder Bobbinetmaschinen. 236. Guilote's Verbesserungen an den Bandwebestühlen. 237. Einfache Methode viele kleine stählerne Gegenstände auf ein Mal zu poliren. 238. Vorschriften zur Fabrication von emaillirten, als Täfelwerk zu benutzenden Thonplatten. 238. Knallpulver der HH. Gengembre und Gottö e. 238. Ueber die Reinigung des Wallraths oder Spermacet. 238. Ueber das Cappahbraun, eine neue Farbe für Maler und Anstreicher. 239. Schützenbach's Rübenzuckerbereitung. 240. Keraudren's Wachholderbier für Schiffe. 240. Vorschriften zur Bereitung einer Masse zum Versiegeln von Weinflaschen. 240.

Inhalt

Fünftes Heft.

Polytechnisches Journal.

Achtzehnter Jahrgang, siebentes Heft.

I.

Ueber ein Eisenbahnsystem mit hölzernen Längenbalken als Unterlage. Bericht von Hrn. Chas. Vignoles Esq., Civilingenieur, an die Directoren der Midland Counties Railway erstattet.

Aus dem Mechanics' Magazine, No. 700, S. 258.

Mit Abbildungen auf Tab. I.

Ich sehe mich veranlaßt, die Gesellschaft wiederholt auf ein Eisenbahnsystem aufmerksam zu machen, nach welchem sich meiner Ueberzeugung nach die Ueberbauten (upper works) der Eisenbahnen auf eine wohlfeilere und besseren Weise ausführen ließen, als dieß an der London-Birmingham und mehreren anderen gegenwärtig im Baue begriffenen Bahnen der Fall ist. Ich meine nämlich die Annahme von Schienen, die, wenn sie gleich leichter sind, doch einen Durchschnitt von besonderer Stärke darbieten, und die auf halben, der Länge nach gelegten, kyanisirten (kyanised) [1] hölzernen Balken so befestigt werden sollen, daß sie ihrer ganzen Länge nach auf den Balken ruhen; und zwar entweder ohne alle Schienenstühle (chairs) oder unter lediglicher Anwendung solcher Stühle an den Verbindungsstellen (joints).

Ich habe bereits früher gezeigt, daß auf einer solchen Bahn die Bewegung der Wagen mit größerer Leichtigkeit und Ruhe von Statten gehen würde, und glaube, daß dieß auch bereits allerwärts zugestanden ist. Allein eine derlei Bahn wird überdieß auch weit geringere Unterhaltungskosten veranlassen, so wie auch die Maschinen und Wagen weit weniger durch Erschütterungen Schaden leiden werden.

Ich habe diesen Gegenstand längere Zeit über aufmerksam studirt, und habe mich durch die 18monatliche Erfahrung, welche ich an der Dublin-Kingstown-Eisenbahn machte, immer mehr und mehr überzeugt, daß das wahre, bei den Ueberbauten zu befolgende Princip darin besteht: die Schienen in ihrer ganzen Länge durch Holz

---

[1] Mit dem Namen kyanisirtes Holz (kyanized timber) bezeichnen die Ingenieurs und Architekten Englands gegenwärtig solches Holz, welches nach Hrn. Kyan's Methode mit Quecksilbersublimat behandelt wurde, um es gegen die sogenannte trokene Fäule zu schützen. Wir haben dieses Verfahren im Polyt. Journal Bd. XLIX. S. 456, Bd. L. S. 292, und Bd. LVI. S. 152 ausführlich beschrieben und beleuchtet, und verweisen daher hier nur darauf. A. d. R.

Dingler's polyt. Journ. Bd. LXIV. H. 1.   1

zu unterstüzen. Ist dieß Princip ein Mal zugegeben, so folgt hier=
aus, daß die gußeisernen Schienen mit den schmiedeisernen in Con=
currenz treten, oder sogar vorzugsweise vor lezteren angewendet wer=
den können.

Der Haupteinwurf gegen die gußeisernen Schienen lag immer in
der großen Anzahl von Verbindungsstellen oder Gefügen, welche hie=
bei nöthig werden würden; allein ich habe mich in dieser Hinsicht
überzeugt, daß man sehr wohl Schienen von der von mir empfohle=
nen Gestalt gießen kann, die selbst bei einer Länge von 12 Fuß in
Bezug auf Genauigkeit nichts zu wünschen übrig lassen. Als Beweis
hiefür erwähne ich, daß ich bereits einen Lieferungscontract für solche
Schienen, die sich durchaus nicht geworfen haben dürfen, abgeschlos=
sen habe. Ist dieser Punkt ein Mal im Reinen, so ist kein Zweifel,
daß das Gußeisen mehrere solche Vorzüge vor dem Schmiedeisen
voraus hat, daß die Anwendung gußeiserner, auf die angegebene
Weise durchaus unterstüzter Schienen bei dem Baue der Eisenbahnen
vollkommen gerechtfertigt ist. Das Verschwinden aller Laminirung
an der Tragoberfläche, so wie auch der Umstand, daß die Fabrikanten
von Schmied= und Gußeisen in größere Concurrenz miteinander tre=
ten könnten, wären wichtige, hieraus erwachsende Punkte.

Wenn es für Jemanden, der selbst ein Urtheil zu fällen ver=
mag, von Belang seyn könnte, so würde ich mich darauf berufen,
daß drei Eisenbahncompagnien, die mich als Ingenieur gewählt ha=
ben, und die demnächst bei dem Parliamente die erforderliche Bill
nachsuchen werden, als Princip annahmen, daß die Schienen auf
hölzerne Balken gelegt werden sollen; und daß ich dasselbe System
auch noch mehreren anderen Compagnien, von denen ich zu Rathe
gezogen wurde, empfahl.

Die Zusammenstellung, welche ich hier vorlege, und bei der ich
mir alle Mühe gab, die einzelnen Kosten so genau als möglich ab=
zuschäzen, wird zeigen, auf welche Weise ich eine bedeutende Erspar=
niß erziele. Uebrigens bin ich überzeugt, daß an der Midland=Coun=
ties=Eisenbahn die Kosten der Steinblöke sowohl, als jene des Bal=
lastes bedeutend höher ausfallen werden, indem es in mehreren Ge=
genden, durch welche die Bahn führt, an Material hiezu fehlt; des=
sen ungeachtet dürfte sich die Ersparniß am Ende aber immer noch
auf 2000 Pfd. Sterl. per engl. Meile belaufen. In einigen ande=
ren, aus aufgeschwemmtem Lande bestehenden Districten Englands
dürfte sich sogar eine noch größere Abweichung von meinem Kosten=
anschlage ergeben. Die Ersparniß von 2000 Pfd. per Meile gibt
für die ganze, 60 Meilen messende Bahn eine Ersparniß von

120,000 Pfd. Sterl.; eine Summe, welche zu bedeutend ist, als daß sie von Seite der Unternehmer nicht reiflich erwogen werden müßte.

Selbst wenn man die Frage aber im übelsten Lichte betrachten wollte, so kann aus der Annahme des von mir vorgeschlagenen Systemes nur ein höchst unbedeutender oder gar kein Verlust erwachsen. Wenn man nämlich annimmt, daß das Holz alle sieben Jahre erneuert werden muß, so werden die Gesammtkosten nach 20 Jahren kaum höher ausfallen, als die gegenwärtige positive Auslage, so daß also wenigstens die Interessen der Ersparniß bei der ersten Capitalanlage uns zu Gute kommen. Uebrigens brechen auch Steinblöke und Schienenstühle; so wie es denn gar nicht in Frage gezogen werden kann, daß die jährlichen Unterhaltungskosten einer Bahn, wie ich sie vorschlage, weit geringer ausfallen werden, abgesehen von der weit geringeren Abnuzung der Maschinen und Wagen.

Der Vorzug, den man allenfalls dem Schmiedeisen vor dem Gußeisen einräumen dürfte, hat mit meinem Principe, welches hauptsächlich nur darin besteht, daß ich unter den Schienen eine fortlaufende hölzerne Unterlage, bei der die Schienenstühle unnöthig werden, anbringe, eigentlich durchaus nichts zu schaffen. Bei der Anwendung von Schmiedeisen kann man sich allerdings leichterer Schienen bedienen; allein die Ersparniß wird bei solchen Schienen dessen ungeachtet um 200 bis 400 Pfd. Sterl. per engl. Meile geringer ausfallen, als bei der Anwendung gußeiserner Schienen.

Ich habe bei der unten folgenden vergleichenden Zusammenstellung die Kosten der Eisenbahn so angenommen, als wäre sie auf Steinblöke und Tragbalken (sleepers) gelegt; indem ich das Recht habe anzunehmen, daß dieß gleich beim ersten Baue geschehe; in der Praxis wird aber diese Schäzung höher ausfallen, indem hier die Tragbalken auf Dammbauten gelegt werden, die zugestandener Maßen nach einigen Jahren durch Steinblöke ersezt werden sollen.

Das von mir angenommene Maaß der Balken ergab sich aus der Bestimmung der Ersparniß, die sich aus der Anwendung von sogenanntem Brak- oder zweitem Memelbauholze ergeben würde. Man kann sich nämlich dieses in Balken verschaffen, die beinahe durchaus einen gleichen Durchschnitt geben, so daß sie nur von 13½ bis zu 14 Zoll im Gevierte wechseln. Die in Fig. 31 gegebene Zeichnung gibt an, wie ein solcher Balken ohne Verlust in vier Stüke 1, 2, 3, 4 geschnitten werden kann, von denen jedes bei 9 Zoll Breite 4½ Zoll Höhe oder Dike hat. Dabei bleibt an der

1 *

einen Eke noch ein Theil, der zu Spannstüken (gauge or tie-pieces) verwendet werden kann. Die Spannstüke kommen auf diese Weise beinahe auf gar nichts zu stehen; sollte sich übrigens bei einer anderen Methode die Balken zu zersägen eine gleiche Ersparniß ergeben, so könnte man, um die Schienenbahn auf gleichem Niveau zu erhalten, anstatt dieser Spannstüke in Entfernungen von 3 bis 4 Yards auch schmiedeiserne Stangen von kleinem Durchmesser anwenden.

Die von mir gewählte Schiene wiegt in Gußeisen gegen 48 Pfd. per linearen Yard; nimmt man Schmiedeisen, so kann man dieses Gewicht dadurch, daß man der unteren Tragfläche eine geringere Dike gibt, bis auf 42 Pfd. per Yard vermindern. Fig. 32 zeigt einen Durchschnitt einer derlei Schiene, welche sich durch besondere Festigkeit auszeichnet; ihre Basis mißt 5 Zoll, während der obere Theil oder der sogenannte Knopf so breit ist, wie an den schwersten der bisher angewendeten Schienen. Wenn der hölzerne Balken auf seine breite Seite gelegt worden ist, so nagelt man die Schienen darauf. Der Parallelismus und das Niveau zwischen den beiden Schienen wird durch zweizöllige Spannstüke von 7 Fuß 6 Zoll Länge, die in Entfernungen von 7½ Fuß in die Längenbalken eingezapft werden, erhalten. Fig. 33 und 34 geben einen Grundriß und einen Durchschnitt einer auf solche Weise gebauten Bahn.

Folgende Tabelle enthält eine Zusammenstellung der Kosten der gegenwärtig gebräuchlichen Methode, die Schienen auf Steinblöke oder auf hölzerne Tragbalken (sleepers) zu legen im Vergleiche mit den Kosten der von mir vorgeschlagenen Methode. Diese Tabelle kann für alle in England und Irland zu bauenden Bahnen als Maaßstab dienen, indem man nur die durch verschiedene Localverhältnisse bedingten Unterschiede im Preise des Materiales und der Fracht in Anschlag zu bringen braucht.

				Summa
			S. D.	Sch. D.

Ballast mit dem Bahn per Yard Schienen, Yard, u ß nenstühle 20 Pfd. gibt also 10 Pfd. schluß d 8 Nägel, brücke h segen (cl zu 2¾ Legen de e

4 Fuß von eine doppe

jeden zu 4 S. 6 D., e in Entfernungen von be gelegt werden. Zwei für nbahn macht per Yard laß der Waffenzüge in Kubit Yards zu 2 S.

zu 4 Sch., in Entfernungen von 4 Fuß angebracht, gibt per Yard eine doppelten Schienenbahn 12 0

Ballaft, mit Einschluß der Waffenzüge in dem Bette der Bahn, 5 Kubit Yards zu 2 Sch. per Yard, macht 10 0

Schienen, schmiedeiferne zu 62 Pfd. per Yard u. zu 13 Pfd. St. per Tonne. Schienenstühle zu 18 Pfd. und Gefußstühle zu 20 Pfd. in Zwischenräumen von 4 Fuß, gibt also per Yard 14 Pfd. Gußeisen, die Tonne zu 10 Pfd. St. macht mit Einschluß der Fract 33 10

8 Nägel, jeder zu 3 D.; 4 zusammengebrückte hölzerne Keile, jeder zu 4½ D.; 4 Filge, jeder zu 4 D.; Segen und Bohren von 4 Steinblöcken, einen zu 3 D.; macht zusammen per Yard 3 7

Legen der Schienen sammt Befestigung und Abjustirung 2 7

Totalfumme per Yard einer doppelten Bahn 62 0 oder 5456 Pfd. St. per Meile.

Die Tragbalken werden als ein temporäres Aushülfsmittel betrachtet, weßhalb darauf angetragen wird, sie nach Ablauf einer bestimmten Zeit durch Steinblöcke zu ersetzen. Gesetzt nun, ein Drittheil der Bahn werde zuerst auf Tragbalken gelegt, so wird der Verlust 8 Sch. 7 D. per Yard, oder da nur ein Drittheil gelegt wird, 2 Sch. 10 D. per Yard oder 210 Pfd. St. per Meile betragen, welche Summe der Totalsumme beigezählt werden muß, so daß sich also 6½ Sch. 10 D. per Yard oder 5606 Pfd. St. per Meile ergeben.

Die Herstellungskosten einer Bahn, die zu ⅔ auf Steinblöcke und zu ⅓ auf hölzerne Balken Mit e

Hieraus ergibt sich folgende Zusammenstellung der Totalkosten der Ueberbauten einer Eisenbahn nach den verschiedenen oben angedeuteten Systemen, für eine englische Meile berechnet.

Pfd. St.

Totalkosten einer doppelten, nach dem gegenwärtigen Systeme auf Steinblöke und mit schmiedeisernen Schienen von 62 Pfd. gelegten Bahnlinie; in der Voraussezung, daß ein Drittheil der Bahn temporär auf Tragbalken aus Lerchenholz gelegt wurde, und daß man diese später durch Steinblöke ersezte   5666

Kosten einer Bahn, die gleich von Anfang mit gleichen Schienen ganz auf Steinblöke gelegt wurde .   .   .   5456

Kosten einer Bahn, die mit gleichen Schienen zu ⅔ auf Steinblöke und zu ⅓ auf Balken aus Lerchenholz gelegt wurde   5192

Kosten einer Bahn, die mit gleichen Schienen, ganz auf Balken aus Lerchenholz gelegt wurde   4664

Kosten einer Bahn, welche nach dem von mir vorgeschlagenen Systeme mit schmiedeisernen Schienen von 48 Pfd. auf Längenbalken aus Memel-Föhrenholz gelegt wurde   3879

Kosten einer ähnlichen Bahn mit 45pfündigen Schienen   3762

Kosten einer ähnlichen Bahn mit 42pfündigen schmiedeisernen Schienen   3637

Kosten einer ähnlichen Bahn mit 48pfündigen gußeisernen Schienen   3432

Es erhellt demnach, daß die Ersparniß von 800 bis zu 2000 Pfd. Sterl. per engl. Meile wechselt, und daß selbst im ungünstigsten Falle zu Gunsten des von mir vorgeschlagenen Planes eine Ersparniß erwächst, wodurch eine einmalige gänzliche Erneuerung der Längenbalken gestattet ist.

Anhang.

Der interessante Bericht des Hrn. Vignoles, den wir hier mittheilten, scheint in den englischen Blättern, und namentlich im Mechanics' Magazine, mehrere dafür und dagegen sprechende Artikel zu Tage bringen zu wollen. Wir werden versuchen für unsere Leser das Wichtigste aus denselben zu sammeln, denn, wie uns scheint, dürfte sich das Princip, welchem nunmehr Hr. Vignoles anhängt, und welches schon früher sowohl in Amerika als in Europa praktische Anwendung fand, bei den Eisenbahnbauten Deutschlands noch eher günstige Aufnahme finden, als in England.

Wir beginnen: 1. mit einem Auszuge dessen, was Hr. Thomas

Parkin, der bekannte Besizer eines bis jezt noch nicht publicirten
Patentes auf eine verbesserte Unterlage für Eisenbahnen, im Mechanics' Magazine, No. 702 über die Angaben des Hrn. Bignoles
bemerkt.

Ich stimme Hrn. Bignoles, beginnt Hr. Parkin, vollkommen bei, wenn er sagt, daß die Directoren der London-Birmingham-
sowohl, als jene anderer Eisenbahn-Compagnien, eine wohlfeilere und
bessere Baumethode hätten einschlagen können, als jene, der sie gegen
den Bericht des Hrn. Barlow und gegen die Warnungen anderer
anzuhängen das Mißgeschik haben. Ja ich zweifle keinen Augenblik,
daß die Actienbesizer jener Unternehmungen in Kürze von den Directoren erfahren werden, daß der Bau neue Kräfte erheische, welche
entweder durch eine neue Actienausgabe oder zum Nachtheile der
Besizer durch Entlehnung von Capitalien gegen Pfandbriefe herzu-
schaffen seyn werden. Wenn es aber auch für diese Unternehmungen
leider zu spät ist, so mögen doch andere den ihnen gegebenen Wink
benuzen, um eine Klippe zu vermeiden, an welcher ihre unerfahrenen,
um nicht zu sagen eigensinnigen Vorgänger so großen Schaden
nahmen.

„Hr. Bignoles scheint sich übrigens besser auf Theorien, als
auf Berechnungen und Kostenanschläge zu verstehen. Als Beleg hiefür führe ich nur an, daß er einen Steinblok von 5 Kubikfuß, welcher 6 bis 7 Centner wiegt, zu 4 Schill. anschlägt; während ein
solcher an keinen Punkt der London-Birmingham-Bahn mit Einschluß
der Fracht für weniger als 6 Schill. 6 D. gestellt werden kann;
und während man an der Themse für dergleichen Steinblöke aus
dem Yorkshire, die doch nicht aus Granit bestehen, 7 Schill. 6 D.
verlangt.

„Da Hr. Bignoles sich für eine continuirliche Unterlage der
Schienen ausspricht, und hiezu Holz, und zwar Föhrenholz, empfiehlt,
so kommt es mir sonderbar vor, daß er nicht auch meiner Methode
erwähnte, die doch im Wesentlichen auf diesen beiden Punkten beruht.

„Hr. B. will die beiden für eine jede Schienenbahn erforderlichen Längenbalken durch hölzerne Bindebalken, welche in geringen
Entfernungen von einander angebracht werden, zusammenhalten, so
daß also das ganze Gerippt gleichsam eine große plumpe Leiter vorstellen würde. Ob nun aber lose Steine eine solide continuirliche
Grundlage bilden können, besonders auf thoniger oder irgend einer
anderen welchen Erde; und ob man sich auf die Stabilität und
Festigkeit eines Gebälkes verlassen könne, welches unter solchen Umständen den schweren Prüfungen einer Eisenbahn ausgesezt werden
soll, darüber mag das Publicum entscheiden. Ich für meinen Theil

hege die Ueberzeugung, daß offenbar jenen Unterlagen der Vorzug
gebühre, welche nach meinem Systeme in ein, zwei oder mehrere
Fuß breites und tiefes Bett aus Steinmörtel (concrete) eingesezt
und auf diese Weise consolidirt werden, denn ein derlei Bau wird in
Beziehung auf Solidität, Stärke und Dauerhaftigkeit beinahe einer
aus einer ununterbrochenen Steinmasse bestehenden Bahn gleichkommen.

Was die Wahl der Holzart, die zur Unterlage für die Schienen
dienen soll, betrifft, so ist Hr. V. für kyanisirtes Föhrenholz, welches
seiner Ansicht nach 7 Jahre lang dauern soll; ich dagegen bin für
Eichenholz, welches, wenn es nach Kyan's Verfahren behandelt
worden ist, wohl sieben Mal sieben Jahre dauern dürfte. Außerdem
will V. die Schienen mit Nägeln an den Unterlagen befestigen: eine
Methode, die gewiß weit ungünstiger ist, als die von mir empfohlene
Befestigung mit Schrauben, bei der die Witterung durchaus keinen
so nachtheiligen Einfluß übt.

„In Hinsicht auf die Kosten endlich berechnet Hr. Vignoles
den Yard auf 11 Schill., während das Maximum der Kosten nach
meinem Systeme nur 10 Schill. per Yard, in manchen Gegenden
Englands selbst nur 7 und 8 Schill. per Yard betragen wird. Der
Grund dieser geringeren Kosten beruht darauf, daß die Schienen
des Hrn. V. 5 Schill. 7 D. per Yard kosten, während die meinigen
nur 1 Schill. kosten, und daß ich da, wo er 4 Kubikfuß Föhrenholz
braucht, nur 1 Fuß Eichenholz brauche. Schließlich bemerke ich nur
noch, daß bei meinem Systeme die Ausdehnung und Zusammenziehung beim Wechsel der Temperatur in Anschlag gebracht ist, worauf
in Hrn. Vignoles's Vorschlag keine Rüksicht genommen ist."

II. Holzbahnensystem des Hrn. W. J. Curtis in Deptford.

Ich lege hiemit, sagt Hr. Curtis im Mechanics' Magazine,
No. 702, den Plan meiner Holzbahn vor, so wie ich sie vor 3 Jahren in Mexico ausführte, und wie sie in einer kurzen Streke 8 Monate hindurch auch auf den Bauplätzen der London-Greenwich-Eisen-
bahn-Compagnie benuzt wurde, ohne daß sie innerhalb dieser Zeit
irgend Schaden gelitten hätte. Daß Leute, die auch nicht die geringste Notiz von einander haben, auf ähnliche Methoden kommen
gewisse Ideen auszuführen, ist etwas Alltägliches; allein das Verlangen sich die Priorität zu sichern, ist eben so natürlich. Das Publicum möge hienach urtheilen, in wie weit Hr. Vignoles und ich
im Principe übereinstimmen, und worin wir von einander abweichen.

Ich muß, bevor ich zur Beschreibung der Abbildung übergehe,
bemerken, daß ich das Klima in Mexico eben so heiß fand, wie

jenes auf Jamaica; und daß sich, obwohl ich das Holz grün anwenden mußte, die Gefüge doch so vollkommen zeigten, daß sie durch
· die allem Holze eigene Neigung sich zu drehen nur noch fester wurden. Bei einer Länge der Balken von 10 Fuß sind keine queren
Spannbalken erforderlich, wie dieß bei einer größeren Länge der
Fall ist. Meine Schienen bestehen übrigens aus 9zölligen, auf die
Kante gelegten Dielen, so wie auch die Querbalken und Spannhölzer
aus Dielen gebildet sind.

Fig. 35 gibt eine seitliche Ansicht meiner Bahn, woran a, a die
Längenschienen, b die Querbalken und c die queren Spannhölzer
vorstellen. An den übrigen Figuren ist dieselbe Bezeichnung beibehalten. Die Art der Zusammenfügung dieser Theile erhellt aus
Fig. 36, woraus man ersieht, daß ich die beiden Schienen und den
Querbalken durch eine einzige Operation befestige. Der untere Zapfen a' wird nämlich zur Hälfte in das Zapfenloch des Querbalkens
b eingelassen, und die Schiene a hierauf in den Ausschnitt bei a'
gestekt, wobei deren Zapfen gleichfalls durch das Zapfenloch von b
geführt wird. Der Querbalken wird daher auf diese Weise zwischen
beiden Schienen festgehalten, so daß zur gehörigen Befestigung des
ganzen Gefüges nur mehr zwei Bolzen hindurch gestekt zu werden
brauchen. Auf der oberen Fläche der Holzschiene oder Diele wird
mit versenkten Holzschrauben eine Eisenschiene von ¼ Zoll Dike auf
2 Zoll Breite, welche nur 6 Pfd. per Yard wiegt, befestigt. Ich
habe gefunden, daß Schienenbahnen dieser Art, selbst wenn zum Be-
schlagen nur Reifeisen von ⅛ Zoll Dike genommen worden ist, auch
unter den schwersten Lastwagen nicht die geringste Biegung und Abweichung erleiden. Das Eisen wird nämlich zwischen seinen Stüz-
punkten festgehalten, so daß also die Last nicht dahin trachtet dasselbe zu zermalmen, sondern nur ausstrekend darauf wirkt. Was
hieraus folgt, erhellt daraus, daß ein Eisenstab von einem Quadratzoll im Durchschnitt nach seiner Längenrichtung eine beinahe 50 Mal
größere Last zu tragen vermag, als dieß der Fall ist, wenn seine
beiden Enden nicht befestigt sind.

Fig. 37 gibt einen Grundriß des Gerippes, an welchem, wenn
die Bahn eine doppelte werden soll, die Tragbalken b so lang seyn
müssen, daß beide Bahnen darauf ruhen können. c ist hier der
Spannriegel mit seinen Keilen. Fig. 38 zeigt dieselbe Art von Bahn
auf einem Dammwerke angebracht. Die Tragbalken b sind verlängert; auch sind in sie die aufrechten Theile f, f eingezapft, an deren
Scheitel eine Schiene g genagelt ist. Es wird auf diese Weise eine
sehr kräftige Brustwehre gebildet, und zwar für geringere Kosten, als
dieß nach irgend einer anderen Methode möglich ist. Die Streben h, h

geben dem Ganzen eine solche Festigkeit, daß ich vollkommen überzeugt bin, daß unter gewöhnlichen Umständen eine Locomotivmaschine
nimmer mehr durch eine solche Bahn brechen kann.

Ich habe schließlich nur noch zu bemerken, daß nach dieser Art
von Bau der Yard auf 25 Schill. oder die engl. Meile auf 2200
Pfd. Sterl. zu stehen kommt.

III. Holzbahnensystem des Hrn. Joseph Jopling Esq., Architekten.

Man kann gegen die hölzernen Längenbalken des Hrn. Vignoles einwenden, daß sie weder ein eben so großes Lager, noch ein
solches Gewicht per Yard haben, wie die an der London-Birmingham-Eisenbahn gebräuchlichen Steinblöke. Allein, wenn man die
Längenbalken durch eine hinreichende Anzahl gehörig starker Querhölzer verbindet, so läßt sich deren Festigkeit vermittelst Ballast und
Steinmörtel bedeutend erhöhen. Ich habe hiezu nur zu bemerken,
daß man allerdings unter die Balken eine Lage Steinmörtel legen
kann, daß sich aber für den oberen Theil Ballast weit besser eignen
dürfte, indem die Balken nicht wohl in Steinmörtel eingebettet werden können, so lange eine Senkung der Dammwerke Statt findet,
und so lange folglich die Balken und die Schienen eine Adjustirung
erheischen.

Es dürfte noch zu untersuchen seyn, ob der aus der Anwendung
von langem fremden Bauholze erwachsende Vortheil so groß ist, daß
er die dadurch bedingten größeren Kosten rechtfertigt; und ob nicht auch
englisches Holz durch Behandlung desselben nach Kyan's Methode oder
durch eine Art von Verkohlung, die wohl leicht ausfindig zu machen
seyn dürfte, als tauglich erscheinen würde. Auch vermuthe ich, daß
runde Balken, bei denen alles Sägen oder Behauen wegfällt, sowohl
bei dem ersten Einlegen derselben, als auch bei allen weiteren, durch
die Senkung der Dammbauten 2c. bedingten Adjustirungen, vor den
viereligen Balken Einiges voraus haben; besonders da sie gewiß dieselbe Stätigkeit darbieten, wenn sie gehörig durch Querstüke verbunden und in Steinmörtel oder Ballast eingebettet werden. Alle die
Nachtheile, die aus den zahlreicheren Gefügen, welche kürzere Hölzer
nöthig machen, erwachsen, werden, wie es scheint, durch die leichtere
Anwendung und Adjustirung derselben aufgewogen; besonders wenn
man bedenkt, daß sich doch wohl eine sehr einfache Methode zwei
Stüke ohne Verlust an einander zu fügen ausfindig machen lassen
dürfte.

Ich schlage vor, daß man cylindrische Schienen, welche unter
zwei Zoll im Durchmesser haben können, anwenden soll. Ueber die

Länge dieser Art von Schienen kann ich mich dermalen noch nicht aussprechen; allein, wenn man sie, wie Fig. 39 zeigt, zum Theil in das Holz oder auch in das sonstige als Unterlage dienende Material einlassen würde, so möchte dieß wegen der hieraus erwachsenden seitlichen Unterstützung wohl eine größere Länge der Schienen zulassen, als bei dem bloßen Aufliegen derselben füglich möglich ist. Eine solche cylindrische Schiene dürfte sich, wie es scheint, eben so fest und mit noch größerer Stätigkeit an ihrer Unterlage anbringen lassen, als irgend eine Schiene mit Randvorsprüngen oder Stühlen. Ich habe mit Schienen von einem Zoll im Durchmesser für Wagen mit zwei Tonnen Ladung Versuche angestellt, und sie schienen gute Dienste zu leisten. Man kann mancherlei Befestigungsmittel für diese Schienen angeben; am besten däucht mir jedoch eine Methode, bei der das Rad, wenn sichs auf der Schiene befindet, die Tendenz bekommt, auf die Befestigung zu drüken, während es, wenn sichs auf der Befestigungsstelle befindet, die Tendenz bekommt auf die Schiene zu drüken. Beide müßten also auf den Tragbalken oder Blöken ruhen, und zwar so, daß der Ausdehnung und Zusammenziehung gehöriger Spielraum gestattet wäre. Ferner verdienen jene Befestigungsmittel, die das Holz, den Schiefer, oder die Steinmasse zu comprimiren trachten, vor jenen, die das Material zu zersprengen streben, den Vorzug. Weiter sind jene Befestigungen als die besten zu betrachten, deren Anwendung die einfachsten Werkzeuge erheischt, und welche mit der größten Leichtigkeit, ohne Verlust an Material und ohne daß andere Theile der Bahn als jene, an denen Ausbesserungen nöthig sind, in Unordnung gerathen, angebracht und wieder abgenommen werden können. Die Reifen der für solche Schienen bestimmten Räder müssen concav seyn, und diese Concavität müßte etwas größer seyn, als die Convexität der Schiene. Uebrigens schlage ich vor, daß die Concavität eine solche sey, oder durch irgend eine Vorrichtung zu einer solchen gemacht werden könne, daß sie beim Hinan- oder Hinabsteigen über schiefe Flächen mit irgend einer Gewalt gegen die Seiten der Schiene drüke, damit das Rad auf diese Weise die Schiene fester ergreife.

Was den Durchmesser der Räder anbelangt, so wäre zu prüfen, ob dieser nicht mit Vortheil um ein Bedeutendes erhöht werden könnte; z. B. wenigstens auf 5 Fuß 3 Zoll oder 16½ Fuß im Umfange oder auf einen bestimmten Theil einer Meile. Alle Räder sollen ganz mit einem Gehäuse umgeben (encased) werden, und über ihnen wäre ein Gestell oder Gebälke anzubringen, an welchem rings herum, sowohl hinten und vorne, als auch dazwischen und an den Seiten, Wagen aufgehängt werden könnten.

In Fig. 39 ist A ein Querdurchschnitt der Schiene, B ein Durchschnitt des Längenbalkens. C stellt den queren Spannriegel vor; D, D ein Bett aus Steinmörtel und E, E die Ballastmasse. Die an dem Durchschnitte der Schiene bemerkbaren Halbmesserlinien zeigen, daß wenn man jede dieser Linien abwechselnd nach Aufwärts richtet, nach und nach die ganze Oberfläche der Schiene in Anspruch genommen wird. (Mechanics' Magazine No. 705.)

IV. Holzbahnensystem des Hrn. W. Thorold, Civilingenieur in Norwich.

Es scheint mir, daß nach der von Hrn. Vignoles in Vorschlag gebrachten Methode das zu den Längenbalken dienende Holz nicht auf solche Weise angewendet ist, daß dasselbe seine größte Stärke äußern kann. Ich schlage daher vor, den Föhrenbalken nach den Diagonalen zu durchsägen, wodurch gleichfalls 4 Stüke zum Vorscheine kommen werden, wie nach Hrn. Vignoles's Methode; allein die Fläche, mit der sie aufruhen, wird hier 13 anstatt 9 Zoll haben, und die Höhe wird 6½ anstatt 4½ Zoll betragen. Zugleich wird die Gestalt der Balken hiebei jener am nächsten kommen, die bei dem geringsten Aufwande an Material anerkannt als die stärkste gilt.

Fig. 40 zeigt die Linien, nach denen der vierekige Föhrenbalken in 4 Stüke zersägt werden soll. Fig. 41 zeigt einen der hiedurch erzielten dreikantigen Balken mit einer darauf reitenden Schiene von 48 Pfd. per Yard.

Fig. 42 deutet an, wie man aus einem einzigen vierekigen Balken ihrer acht dreikantige schneiden kann, indem man jedes der vier zuerst geschnittenen Stüke nur nach der Linie a nochmals entzwei zu schneiden braucht.

Ich glaube übrigens nicht, daß Balken von der zulezt angegebenen Dimension eine hinreichende Stärke besizen dürften. Ich deutete sie nur an, weil sie dieselbe Tragfläche und dieselbe Höhe besizen, wie die Vignoles'schen Balken, und weil sie auf festem Grunde eben so anwendbar seyn dürften, wie diese.

Hr. Vignoles sagte in seinem Berichte, daß wenn die Balken auf eine andere Weise, als er sie angab, mit gleicher Ersparniß gesägt werden könnten, schmiedeiserne Stangen anstatt der hölzernen Spannbalken anzuwenden wären. Dieser Fall würde hier bei meinem Vorschlage eintreten. (Mechanics' Magazine No. 704.)

II.

Ueber die neueren Verbesserungen an der pneumatischen Eisenbahn des Hrn. Pinkus. [2]

Aus dem Mechanics' Magazine, No. 702, S. 501.

Mit Abbildungen auf Tab. I.

Hr. Pinkus hat, nachdem er sich überzeugt, daß sein früheres Project nicht ausführbar sey, und nachdem er gesehen, daß auch mehrere jener, die einst zu seinen Anhängern gehörten, derselben Ansicht beizupflichten beginnen, einen neuen, angeblich verbesserten Plan zu Tage gefördert, und auch auf diesen wieder ein Patent genommen. Nach dieser neuen Methode sollte zum Versuche neben dem Kensingtoncanale eine kurze Bahn ausgeführt werden; allein der ganze Bau blieb, nachdem die Luftröhren oder Tunnels einige Zeit über gelegen und rostig geworden waren, eingestellt.

Wir sind nicht ganz darüber einig, ob es der Mühe lohnt, in die Details eines Planes einzugehen, der schon in seiner Grundlage als absurd zu betrachten ist. Da Hr. Pinkus jedoch bei seiner neuen Erfindung großen Scharfsinn beurkundet, so wollen wir doch auf eine kurze Darstellung derselben eingehen.

An dem neuen Apparate ist die bewegliche Scheidewand ganz weggelassen, und der Durchmesser des Luftröhres auf den vierten Theil seiner früheren Größe vermindert, so daß die Anwendung dieses Rohres oder Tunnels eigentlich das Einzige ist, was der ältere und der neue Plan miteinander gemein haben. Die Bahn soll in Abtheilungen von je 5 englischen Meilen eingetheilt werden, und auf jede dieser Abtheilungen soll eine fixirte, zur Bewegung der Luftpumpen dienende Dampfmaschine kommen. Der Durchmesser des Hauptluftrohres soll an den den Stationen zunächst liegenden 1¼ Meilen 11 Zoll, an den dazwischen gelegenen mittleren 2½ Meilen dagegen nur 9 Zoll betragen. Die Luftpumpen sollen die Luft in dem Rohre fortwährend und in dem Maaße verdünnen, als sie durch den Betrieb des Locomotivapparates in dasselbe hineingelangt. An der oberen Seite dieses Rohres soll sich eine 2 Zoll breite Oeffnung

2) Die früher von Hrn. Pinkus projectirte pneumatische Eisenbahn findet man im polyt. Journal Bd. LVII. S. 1 hinreichend beleuchtet. Da alle Versuche, welche damit angestellt wurden, scheiterten, so hielten wir es nicht nöthig, auf die mehrere Bogen lange Beschreibung des Patentes, die das London Journal im Jahrgange 1835 bekannt machte, zurückzukommen. Eben so wird, wie uns dünkt, bei der praktischen Unbrauchbarkeit des neuen Vorschlages, gegenwärtiger Aufsaz genügen, um in geschichtlicher Hinsicht den Anforderungen zu entsprechen, welche man an unsere Zeitschrift zu machen berechtigt ist. A. d. R.

befinden, an deren Rändern Platten angebracht sind, welche nach
Hrn. Pinkus ein sogenanntes metallisches Ventil bilden. Diese
Platten bestehen aus einer Legirung von Eisen und Kupfer, welche,
um ihr Elasticität zu geben, hart gewalzt wird; sie haben an dem
unteren Rande ⅛, an dem oberen dagegen, dessen Innerseite polirt
seyn muß, ¹⁄₁₆ Zoll Dike und 4 Zoll Höhe. Fig. 43 zeigt einen
Grundriß dieses Ventiles. Fig. 44 hingegen ist ein Querdurchschnitt
durch das Luftrohr mit dem dazu gehörigen Ventile und der zwischen
dessen Platten befindlichen, später näher zu bezeichnenden Zunge.
a, a sind die Platten oder Lippen des Ventiles, welche vermöge ihrer
Elasticität gegen einander drüken, und auf diese Weise nach der gan=
zen Länge des Luftrohrs ein luftdicht schließendes Gefüge bilden.
Zwischen diesen Platten oder Lippen bewegt sich aber eine hohle me=
tallene Zunge b, deren Gestalt aus Fig. 43 deutlich erhellt. Die
mit den Lippen in Berührung stehenden Ränder dieser Zunge sind
polirt; die Federkraft, womit die Lippen gegen diese Ränder ange=
drükt werden, bewirkt, daß das Gefüge auch während der Bewegung
der Zunge luftdicht geschlossen bleibt. Die hohle Zunge communicirt
vermittelst Drosselventilen mit einem Verdichter oder Vacuumgefäße;
und dieses leztere communicirt vermöge ähnlicher Vorrichtungen, wie
man sich ihrer an den Dampfcylindern bedient, und die durch ein
Excentricum von der Kurbelwelle her in Bewegung gesezt werden,
abwechselnd mit zwei Cylindern, worin sich Kolben bewegen, deren
Stangen zum Umdrehen der Kniehebel dienen, womit die Räder der
Locomotivmaschine umgetrieben werden. Der ganze Betrieb soll fol=
gender Maßen von Statten gehen. Die in dem Hauptluftrohre be=
findliche Luft wird durch die an jedem Ende angebrachte Luftpumpe
verdünnt erhalten. Wenn nun zwischen dem Rohre und dem Va=
cuumgefäße durch Oeffnung des Drosselventiles, und zwischen dem
Vacuumgefäße und dem Cylinder durch den verschiebbaren Canal
eine Communication hergestellt wird, so entsteht unter dem Kolben
ein theilweises Vacuum, so daß der Kolben also durch den Druk der
atmosphärischen Luft herabgedrükt und hiemit der Kniehebel um
einen halben Umgang umgetrieben wird. Werden dann die Luftcanäle
umgewechselt, so gelangt der andere Kolben auf gleiche Weise in
Bewegung, womit eine Umdrehung des Kniehebels und folglich auch
des Wagenrades vollendet ist. Die Luft, welche den Cylinder er=
füllte, geht, nachdem sie den Kolben herabgedrükt hat, in das Va=
cuumgefäß und aus diesem durch die hohle Zunge in das Haupt=
luftrohr über, aus welchem sie durch die an den Stationen befind=
lichen Pumpen wieder ausgepumpt wird. So wie sich die Zunge
zwischen den Lippen des Ventiles vorwärts bewegt, eröffnet sie sich

einen Durchgang, welcher hinter ihr in Folge der Elasticität der
Platten alsogleich wieder geschlossen wird. Damit sich die Zunge in
Folge der hiebei Statt findenden Reibung nicht erhizen kann, läuft
von den Cylindern her beständig ein Strom kalten Waffers durch sie.

Dieß dürfte so ziemlich Alles seyn, was nöthig ist, um sich
eine Idee von den neuen Erfindungen des Hrn. Pinkus zu schaffen.
Man wird hieraus ersehen, daß diese sogenannten Verbesserungen wo
möglich noch schlechter ausgefallen sind, als der ursprüngliche Plan;
indem die Maschinerie dadurch nur complicirter und schwerer wurde.
Würde Hr. Pinkus sein Vacuum nach Savery's Methode erzeugen, so würde er dazu nur eines Keffels und eines Ofens bedürfen,
wornach die an den einzelnen Stationen erforderlichen Luftpumpen
und Dampfmaschinen wegfallen könnten. Uebrigens glauben wir,
daß auf der pneumatischen Eisenbahn nie auch nur ein Wagen laufen wird, so lange Hr. Pinkus nicht im Stande ist, der atmosphärischen Luft Eigenschaften zu geben, die sie nicht besizt; oder ihr
eine der Eigenschaften, die ihr wirklich zukommen, nämlich die Elasticität, zu nehmen.

III.

Ueber das Gießen und Schleifen von Spiegeln für Teleskope. Von Wm. Laffell jun. in Liverpool.

Aus dem Mechanics' Magazine, No. 697, 700 und 701.

Mit Abbildungen auf Tab. I.

Ich habe mich mehrere Jahre hindurch in meinen Mußestunden
mit der Verfertigung von Teleskopen oder Reflectoren beschäftigt,
und dabei einen so günstigen Erfolg gehabt, daß ich mir erlaube
über einige der hiebei vorkommenden Operationen meine Beobachtungen vorzulegen.

Man hat gesagt, daß das Gießen der Spiegel größere Schwierigkeiten darbietet, als das Formen und Schleifen derselben: eine
Behauptung, der ich nicht beistimmen kann. Ich brachte es wenigstens nach der Methode, die ich hier beschreiben will, zu einer solchen
Vollkommenheit im Gießen, daß in dieser wohl wenig mehr zu wünschen übrig seyn dürfte.

Das Metall, aus welchem man die Spiegel zu verfertigen pflegt,
besteht dem Gewichte nach aus 32 Theilen Kupfer, 15 bis 16 Theilen Körner- oder Stangenzinn, und 1½ Theilen Arsenik. Seine
Eigenschaften sind eine außerordentliche Härte, Sprödigkeit und Weiße,

so wie auch die Fähigkeit einen hohen Grad von Politur anzunehmen.
Alle diese Eigenschaften hängen jedoch, was ihren höchsten Grad be=
trifft, von der Genauigkeit der Mischungsverhältniße zwischen dem
Kupfer und dem Zinne ab. Es scheint, daß verschiedene Qualitäten
des Kupfers einen verschiedenen Zusaz von Zinn erheischen, wenn
man den höchsten Grad von Vollkommenheit erreichen will. Aus
diesem Grunde schwankt auch das Verhältniß des Zinnes von 15 bis
zu 16 Theilen auf 32 Theile Kupfer. Ist das Kupfer rein und
gut, so kann man ziemlich sicher seyn eine gute Legirung zu erhalten,
wenn man 15¼ Zinn anwendet; und dann die gehörige Quantität
Arsenik zusezt. Am besten bleibt es aber immer sich durch einen
kleinen Versuch von der Qualität des Metalles, womit man es zu
thun hat, zu überzeugen. Alte kupferne Schiffsbolzen eignen sich
sehr gut zum Einschmelzen.

Man hat zuerst die geeignete Quantität Kupfer in einem Tiegel
vollkommen in Fluß zu bringen. Das Zinn muß in einem eigenen
Tiegel geschmolzen werden; man soll es, wenn der Tiegel mit dem
Kupfer aus dem Ofen genommen worden ist, in das flüssige Kupfer
gießen, und durch gutes Umrühren mit einem reinen Eisenstabe oder
mit einem trokenen Holzspane damit in Verbindung bringen. Da
die hiedurch entstehende Legirung viel leichtflüssiger ist, als das Ku=
pfer für sich allein, so wird sie nach dem Umrühren, und nachdem
sie aus dem Ofen genommen worden ist, noch heiß genug seyn,
um in die Model gegossen werden zu können. Obwohl ich mir nach
diesem Verfahren sehr gutes Metall verschafft habe, so halte ich es,
damit die Legirung eine größere Dichtheit und weniger Poren be=
komme, doch für besser sie noch ein Mal zu schmelzen, bevor man
sie zum Gießen verwendet. Ich gieße daher die Legirung unmittel=
bar nachdem sie bereitet und gut umgerührt worden ist, über einen
Birkenbesen in einen großen mit Waßer gefüllten Trog, in welchem
das Metall augenbliklich abgekühlt und gekörnt wird. Dadurch ver=
hütet man, daß nichts von dem Zinne durch die längere Dauer der
starken Hize, welche ihm von dem Kupfer mitgetheilt wird, oxydirt
wird. Man soll bei dem ersten Schmelzen nicht gleich die volle
Quantität Zinn zusezen, sondern nur 15 Theile auf 32 Kupfer neh=
men. Beim zweiten Schmelzen soll man, wenn die Legirung zum
Guße bereit ist, eine kleine Quantität davon mit einem Löffel her=
ausnehmen und schnell in Waßer abkühlen, wobei sie in Stüke zer=
springen oder wenigstens so spröde werden wird, daß man sie mit
den Fingern zerdrüken kann. Erscheint der Bruch hiebei so weiß
und glänzend wie Quekſilber, so kann man den Arsenik in Papier
eingewikelt zusezen, worauf man dann so lange umrührt, bis sich

keine Dämpfe mehr entwikeln. Wahrscheinlich verträgt jedoch die
Legirung noch einen kleinen Zusaz von Zinn; und um diesen, wenn
es nöthig ist, bis auf das Verhältniß von 16 Theilen Zinn bringen
zu können, soll man den lezten Theil Zinn in Zehntheile abgetheilt
vorräthig halten. Sehr kleine Quantitäten Zinn bewirken schon eine
bedeutende Veränderung des Bruches; gut dürfte es seyn über das
Non plus ultra des Glanzes hinaus noch eine Dosis Zinn mehr zuzusezen, um ein etwas dichteres Gefüge zu erzielen. Man wird bei
einiger Uebung aus dem Bruche mit ziemlich vollkommener Gewißheit beurtheilen lernen, ob das Zinn in gehöriger Menge in der Legirung enthalten ist. Nie soll das Kupfer vorherrschen, weil sonst das
Metall leichter trüb wird; ein Ueberschuß an Zinn dagegen macht
den Bruch matt und körnig; auch wird das Metall dadurch zähe und
schwerer zu behandeln. Ich halte den Zusaz des Arseniks nicht für
durchaus nöthig; denn ich habe auch ohne ihn gute Metalle erzielt;
so weit jedoch meine Erfahrung reicht, gibt er dem Metalle einen
höheren Grad von Weiße, so daß er beinahe dasselbe leistet, wie ein
kleiner Zusaz von Zinn.

Der Ofen, dessen ich mich bediene, ist in der eilften Ausgabe
von Henry's Chemie Bd. I. S. 680 beschrieben und als die Erfindung des Hrn. Knight von Foster-lane ausgegeben. Sein Bau
verdient hauptsächlich deßwegen Empfehlung, weil die Arsenikdämpfe,
die sonst leicht nachtheilig werden könnten, abgeleitet werden.

Was die Bildung der Model betrifft, so sollen die Gießflaschen
jenen ähnlich seyn, deren sich die Gelbgießer gewöhnlich bedienen:
mit dem Unterschiede jedoch, daß ihr oberer Theil tiefer ist, als der
untere, indem ersterer das Metall und den Blok enthält. Fig. 45
ist ein Durchschnitt einer zum Gießen bereiten Flasche: a bezeichnet das Metall und b einen großen kegelförmigen Holzblok, dessen
Scheitel weggeschnitten ist und an dessen einer Seite gleichfalls ein
kleines Stük senkrecht weggeschnitten ist. Der Zwek dieses Blokes b
ist, einen Behälter für das Metall, welches sich beim Erstarren zu-
sammenzieht, zu liefern; und da der Blok wegen seiner Größe immer
noch einige Zeit über flüssig bleibt, nachdem der Guß selbst nicht
mehr flüssig ist, so dient er zur Speisung des lezteren, wodurch dessen
Zerspringen oder das Zurüksinken auf den Rüken verhindert wird.
Diesen Zwek erfüllt er so vollkommen, daß er, wenn man ihn aus
dem Sande nimmt, kaum mehr als ein Gehäuse bildet, dessen Durchschnitt dem durch die punktirte Linie b bezeichneten ähnlich ist. Diese
wesentliche Verbesserung in der Kunst zu gießen, so wie noch einige
andere Rathschläge verdanke ich meinem Freunde Carnfield von
Northampton. Alle Versuche Metalle nur mit einem kleinen Gieß-

loche zu gießen, ſind vergeblich, indem man ſie beim Oeffnen der
Flaſchen jedes Mal zerſprungen finden wird. In dem unteren Theile
der Flaſche wird ein Stük Holz modellirt, deſſen Form und Größe
man in Fig. 45 und 47 bei c angedeutet ſieht. d, Fig. 46, zeigt
das untere Ende der Gießröhre. e, Fig. 47, iſt ein kleiner,
in dem unteren Theile der Flaſche angebrachter Ausſchnitt, der beim
Gießen zur Aufnahme des erſten Metallguſſes dient. f iſt ein Canal,
in welchem das Metall von dem Eingießloche an den Blok fließt,
um dann in den für den Spiegel beſtimmten Model zu gelangen.

Beim Modelliren ſelbſt verfahre ich auf folgende Weiſe. Ich
lege die Patrizen a und b in der aus Fig. 45 erſichtlichen Stellung
auf ein glattes Brett, deſſen Dimenſionen etwas größer ſind, als
jene der Flaſchen; die flache, dem Spiegel zunächſt liegende Seite
des Blokes darf denſelben nicht berühren, aber auch nicht um mehr
dann einen Viertelzoll davon entfernt ſeyn. Auf gleiche Weiſe ſeze
ich in einer Entfernung von einigen Zollen von dem Bloke ein Stük
Holz, von der in Fig. 45 bei g angedeuteten Form aufrecht in die
Flaſche; dieſes Holz, welches genau ſo lang ſeyn ſoll, als der obere
Theil der Flaſche tief iſt, dient zur Bildung der Röhre oder des
Eingießloches. Hierauf fülle ich die Flaſche mit feuchtem Formſande,
wie ihn die Gelbgießer anzuwenden pflegen. Ich drüke den Sand
hiebei mäßig ein, damit er die gehörige Feſtigkeit, aber auch keine
zu große Härte bekömmt; die obere Fläche des Sandes muß voll=
kommen eben ſeyn und ganz genau mit dem oberen Rande der Flaſche
zuſammen fallen. Auf dieſe obere Fläche lege ich dann ein Brett,
welches dem unteren ähnlich iſt; und wenn ich hierauf das Ganze
mitſammt dieſem Brette umgekehrt, ſo nehme ich jenes Brett, wel=
ches vorher das untere war, ab, und ſiebe etwas trokene Aſche durch
ein feines Sieb auf die Oberfläche des Sandes, jedoch ſo: daß ſo
wenig als möglich davon auf die vordere Fläche der Patrize gelangt.
Hierauf lege ich die kleine Patrize o genau auf den Blok: am leich=
teſten kann dieß geſchehen, wenn ſich an dieſer Patrize zwei Zapfen
befinden, die in entſprechende Löcher des Blokes einpaſſen. Nunmehr
fülle ich den unteren Theil der Flaſche genau ſo wie den oberen,
um ihn dann, nachdem ein Brett auf deſſen Scheitel gelegt worden
iſt, von dem oberen Theile abzuheben und umgekehrt bei Seite zu
ſtellen. In dieſem Zuſtande befeuchte ich den Sand rings um die
Patrizen herum mit etwas Waſſer, worauf ich die Blokpatrize ſorg=
fältig herausnehme und einen Theil des zwiſchen dem Bloke und
dem Metalle befindlichen Sandes wegnehme; jedoch ſo, daß die Oeff=
nung nur um ſehr Weniges größer ausfälle, als die halbe Dike des
Metalles, obſchon übrigens ⅔ der Dike mit aller Sicherheit weg=

genommen werden können. Beim Eindruken des Sandes in den
ersten Theil der Flasche ist besonders darauf zu sehen, daß der Sand
zwischen dem Spiegel und dem Bloke die gehörige Festigkeit bekommt.
Nunmehr entferne ich auf dieselbe Weise die Patrize des Spiegels
und bringe über dem Scheitel des Blokes und sonst nirgends mit
einer starken Striknadel mehrere Luftlöcher in dem Sande an. Wenn
dann aus dem unteren Theile der Flasche auch die kleine Patrize,
welche für den unteren Theil des Blokes bestimmt ist, herausgenom=
men worden ist, so grabe ich mit Hülfe einer kleinen Modellirkelle
den Canal f in den Sand, wobei ich den Ausschnitt e genau unter
jener Stelle anbringe, an welche das Eingießloch zu kommen hat.
Um diesen Canal und den Ausschnitt nicht ausgraben zu müssen,
kann man, wie ich hier bemerken muß, auch hiefür eine hölzerne
Patrize anbringen; denn auf diese Weise läßt sich dasselbe viel voll=
kommener und mit weit weniger Mühe erzielen. Ist alles dieß
geschehen, so überstreue ich beide Sandoberflächen mit etwas Mehl,
damit das Metall leichter von dem Sande losgeht; und wenn hier=
auf beide Theile der Flasche auf die Kante gestellt worden sind, so
blase ich alle losen Sandtheilchen mit einem Blasbalge weg. Es
bleibt dann nichts mehr weiter zu thun, als beide Theile sorgfältig
zusammen zu bringen; man muß hiebei ein Paar hölzerner Schrau=
ben so anwenden, daß der in dem oberen Flaschentheile befindliche
Sand durch die Metallsäule nicht emporgetrieben wird; daß aber
auch zugleich kein Druk nach Unten Statt findet. Um dieß zu be=
werkstelligen ist einige Sorgfalt nöthig.

Das Metall muß, nachdem es mit dem Tiegel aus dem Ofen
genommen worden ist, umgerührt, und damit es nicht auskühlt, so
schnell als möglich gut abgeschäumt werden. Es ist schwer den
Hizgrad, welchen das Metall haben soll, genau anzugeben; so viel
ist gewiß, daß es vollkommen genügt, wenn das Metall so lange
flüssig bleibt, bis der Model damit gefüllt ist; und daß jede größere
Hize nachtheilig ist. Die Flaschen müssen, nachdem der Guß voll=
bracht ist, unberührt bleiben, bis der Scheitel des Eingießloches g
schwarz geworden, und bis man sich mit einem dünnen Eisenstäbchen,
welches man durch die über dem Bloke befindliche dünne Sandschichte
stößt, überzeugt hat, daß das Metall daselbst fest geworden ist. Ist
dieß der Fall, so ist es Zeit die Flaschen aus einander zu nehmen;
und damit der obere Theil zu diesem Zwek abgenommen werden
kann, ohne daß man zu besorgen hat, daß das heiße Metall sich
verbiege oder werfe, nehme ich den Sand an dem Eingießloche und
dem Bloke sorgfältig ab. Der Spiegel soll, wenn er sichtbar wird,
dunkel rothglühend erscheinen. Um den Gießcanal von dem Metalle

2 *

und dem Bloke zu trennen, lege ich auf diesen Canal beiläufig einen
Zoll weit von dem Bloke entfernt einen in kaltes Waffer getauchten
Lumpen, indem er dann an dieser Stelle abspringen wird. Bevor
dieß jedoch geschieht, müssen alle zum Anlaffen nöthigen Vorkehrun=
gen getroffen worden seyn.

Dieses Anlaffen wird am besten in einem gesonderten Ofen vor=
genommen, welcher zwar eben so gebaut ist, wie der Schmelzofen,
der aber etwas größere Dimensionen haben muß. Wenn dieser Ofen
auf einen hohen Grad von Hiza gebracht worden ist, so senke ich
ein Stük Gußeisen von der aus Fig. 48 ersichtlichen Gestalt und
von beiläufig einem Zoll Dike, auf welchem vorher trokener Sand
aufgehäuft worden ist, mit eisernen Ketten oder mit Eisenstäben, die
in den Löchern a, a, a befestigt worden sind, so lange in den Ofen
hinab, bis es daselbst zum hellen Rothglühen gekommen ist. Wenn
dann das Metall mit dem Bloke aus dem Formsande genommen
und von dem Gießcanale losgemacht worden ist, so bringe ich es
schnell und mit Sorgfalt auf diese erhizte gußeiserne Platte, auf
der der Sand so ausgebreitet worden ist, daß er eine gehörige Un=
terlage für das Metall bildet, und daß dieses gegen das Werfen ge=
schüzt ist. Ist dieß geschehen, so bedeke ich das Ganze dik mit dun=
kel rothglühendem Sande und senke es wieder in den Ofen hinab.
Dabei brauche ich die Vorsicht, daß ich die Platte auf einen im
Grunde des Ofens befindlichen Dachziegel seze, indem sie bei der
großen Hize, auf die sie gebracht werden muß, das Aufhängen an
Ketten wahrscheinlich nicht gut vertragen würde. Wenn dann die
im Schmelzofen befindlichen glühenden Kohlen, und wenn es nöthig
ist, auch etwas frische Kohlen eingetragen worden sind, so hebe ich,
nachdem das Metall zum hellen Rothglühen gekommen ist, allen
Zug im Ofen auf, indem ich zu diesem Behufe das Aschenloch ver=
schließe und verkitte. Kann der Schornstein und der Scheitel des
Ofens gleichfalls so verschloffen werden, daß der Zutritt der Luft
hiedurch verhütet ist, so soll auch dieß geschehen, weil dann um so
sicherer einem abermaligen Schmelzen des Metalles vorgebeugt ist.
In diesem Zustande belaffe ich das Metall so lange, bis es ganz
kalt geworden ist, was, wenn der Proceß gut geleitet wurde, erst
nach 18 bis 24 Stunden der Fall seyn wird.

Die schwierigste Aufgabe beim Anlaffen ist: das Metall so nahe
als möglich bis an den Schmelzpunkt zu erhizen, ohne diesen selbst
zu erreichen, und es dann ganz allmählich wieder abzukühlen. Daß
dieß durchaus nöthig ist, ergibt sich daraus, daß ein Metall, welches
zufällig so stark erhizt wurde, daß es an einem seiner Ränder zum
Schmelzen kam, besonders schön und glänzend ausfiel.

Wenn das Metall aus dem Anlaßofen genommen worden ist, so hat man vor Allem den Ansaz, wodurch es mit dem Bloke in Verbindung steht, zu beseitigen, was man mit großer Sorgfalt mit Hülfe einer scharfen Feile zu bewerkstelligen suchen soll. Man soll versuchen diesen Ansaz hart an dem Rande des Spiegels wegzubrechen, indem man ihn rings herum sachte anfeilt; dabei soll man zuerst die vordere Seite angehen, indem der erste Krazer gewöhnlich auch die Stelle des Bruches bezeichnet. Bei dieser Operation soll sowohl das Metall als der Blok gehörig unterstüzt seyn, damit der Ansaz nicht in Folge der Schwere des einen oder des anderen abbricht, bevor noch die Bruchstelle gehörig durch die Feile bestimmt worden ist. Ist dieß geschehen, so kehre man das Metall mit seiner vorderen Fläche nach Aufwärts, lasse den Blok ununterstüzt, und fahre noch eine kurze Zeit über mit sorgfältiger Anwendung der Feile fort, wo dann der Blok gewöhnlich abfallen wird, ohne daß ein Schlag auf denselben nöthig ist.

Ich habe hiemit so kurz als ich konnte die beste mir bekannte Methode Spiegel für Teleskope zu gießen beschrieben; und wenn diese Methode auch in mehrfacher Hinsicht von jener abweicht, die einige der ersten Künstler Londons befolgen, so habe ich doch, abgesehen von meiner eigenen Erfahrung, auch das Zeugniß mehrerer ganz competenter Richter bezüglich der Vortrefflichkeit der von mir verfertigten Spiegel für mich.

Eine der vorzüglichsten Eigenschaften, welche das Spiegelmetall nächst der Fähigkeit eine ganz feine Politur anzunehmen, haben soll, besteht darin, daß es diese Politur lange Zeit über und selbst unter nicht ganz günstigen atmosphärischen Einflüssen beizubehalten hat. Die nach den oben gegebenen Vorschriften gegossenen Spiegel halten nun in dieser Hinsicht schwere Proben aus. Ich schüze nämlich meine Spiegel in ihren Röhren auf keine andere Weise, als durch die an den Enden dieser Röhren angebrachten Dekel oder Hütchen, und lasse sie in diesem Zustande auch bei dem feuchtesten Wetter Jahre lang in Vorbauten stehen, ohne daß sie hiedurch matt werden, und ohne daß je eine bei den Beobachtungen bemerkbare Trübung daraus erfolgte. Nie war ich gezwungen einen Spiegel lediglich wegen Mattigkeit allein, die sich an ihm erzeugte, frisch zu poliren. Es ist sehr zu bedauern, daß die von dem seligen Sir William Herschel verfertigten Spiegel, so ausgezeichnet sie auch in Hinsicht auf Form waren, dem Mattwerden sehr ausgesezt waren, so daß man sich ihrer oft nach kurzer Zeit nicht mehr bedienen konnte. Selbst Sir John Herschel schreibt jezt noch vom Vorgebirge der guten Hoffnung, daß er die Spiegel seines 20 Fuß langen Reflectors öfter auswechseln und frisch poliren muß, weil deren Oberflächen trüb werden.

Schließlich habe ich nur noch zu bemerken, daß öfteres Umschmelzen dem Spiegelmetalle nachtheilig wird; und daß man daher alle Vorsichtsmaßregeln brauchen soll, damit die Spiegel gleich beim ersten Gusse gelingen. Wenn man eine frische Quantität Metalllegirung zusezt, so kann man zwar ein zweimaliges Umschmelzen vornehmen, ohne daß merkliche Nachtheile daraus erwachsen; im Allgemeinen ist jedoch eine geringe Quantität Zinn mehr nöthig, um dem Bruche des Metalles wieder seinen vollen Glanz zu geben.

IV.

Verbesserungen an den Maschinen und Apparaten zum Ausprägen und Pressen von Metallen und anderen Substanzen, worauf sich Francis Gybbon Spilsbury, Ingenieur von Newman Street in der City of London, am 22. März 1836 ein Patent ertheilen ließ.

Aus dem Repertory of Patent-Invontions. Februar 1837, S. 81.
Mit Abbildungen auf Tab. I.

Meine Erfindung beruht darauf, daß ich einen der metallenen Model, deren man sich gewöhnlich bedient, um Metallplatten erhaben zu prägen, durch eine Wasserfläche oder durch die Oberfläche irgend einer anderen Flüssigkeit erseze. Nach der gewöhnlichen Methode dünne Metallplatten in erhabenen Dessins auszupressen, legt man das Metall zwischen zwei einander entsprechende metallene Model, von denen der eine concav, der andere convex ist, und von denen der obere mit solcher Gewalt in den unteren eingepreßt wird, daß die dazwischen gelegte Metallplatte den Dessin des Models bekommt. Nach meiner Erfindung soll nun einer der Model (und zwar am besten der obere) wegfallen, und durch eine Masse Wassers oder durch irgend eine andere Flüssigkeit, welche sich in einem geschlossenen Gefäße befindet, und welche mit einem Kolben communicirt, ersezt werden. Läßt man irgend eine Kraft auf diesen Kolben wirken, so wird das Wasser oder die sonstige Flüssigkeit die Metallplatte in den Model eindrüken, auf welchem sie aufruht, damit auf ihr der Dessin erhaben erscheint. Die Zeichnung wird die von mir hiezu ausgedachte Maschinerie anschaulich machen.

Fig. 49 und 50 sind Durchschnitte einer und derselben Presse. Fig. 49 zeigt die Presse mit herabgedrücktem Model und zur Aufnahme der auszuprägenden Platte bereit. Fig. 50 zeigt dieselbe

Presse; allein hier ist der Model und die Platte mit der Flüssigkeit in Berührung gebracht, und in dem Momente dargestellt, in welchem die Platte in den Model eingepreßt wird. An beiden Figuren sind gleiche Theile mit gleichen Buchstaben bezeichnet.

A, A ist ein flaches Lager, welches die Grundlage der Presse bildet, und fest auf einem gehörigen Träger firirt werden muß. Aus dem Mittelpunkte dieses Lagers, und ein Stük mit ihm bildend steigt ein starker hohler Cylinder B, B empor. Dieser ist an seinem oberen Ende mit einer Stopfbüchse C ausgestattet, durch die ein Kolben D läuft. Auf lezteren fällt zu Zeiten ein Gewicht (wie z. B. ein Rammblok oder eine sogenannte Raze), welches an einem über die Rolle G laufenden Taue F aufgehängt ist, und welches sich zwischen den beiden aufrechten Pfosten H, H, H, H auf und nieder bewegt. Das untere Ende des Kolbens D ist kegelförmig und wirkt vermöge eines entsprechenden eingezogenen Theiles I als ein Bentil, womit die Communication zwischen der in der oberen Aushöhlung von B, B und der in der kegelförmigen Erweiterung K enthaltenen Flüssigkeit abgesperrt wird. Der Raum K durchbohrt, wie man sieht, das Lager der Presse A, A; damit jedoch deßhalb kein Wasser entweichen kann, ist über dessen Mündung eine Kautschukplatte M, oder auch irgend ein anderer dünner, elastischer und wasserdichter Stoff gespannt, und mittelst eines kreisrunden Ringes, den man bei L, L im Durchschnitte sieht, daran befestigt. Der Ring wird an die Platte A, A geschraubt, und der Kautschuk auf diese Weise zwischen beiden so fest eingezwängt, daß ein vollkommen wasserdichtes Gefüge entsteht. N, N sind zwei starke, gußeiserne, an der unteren Fläche des Lagers A, A festgemachte Doken, welche miteinander verbunden sind, und die den hohlen Cylinder O, O tragen. In diesem Cylinder befindet sich gleichfalls eine Stopfbüchse R und ein hohler Raum S, welcher Wasser oder eine andere Flüssigkeit enthält. Durch die Stopfbüchse R bewegt sich ein massiver Kolben Q, dessen oberes Ende, um ihm mehr Stärke zu geben, eine größere Breite besizt; und der sich mit Leichtigkeit in dem oberen Theile von O, O, O, O schiebt. T, T ist eine starke Metallscheibe, deren obere Fläche vollkommen eben und flach abgedreht ist, und in deren Mittelpunkt sich eine zur Aufnahme des Models U bestimmte Concavität befindet, damit die gravirte Oberfläche des Models um so vieles tiefer stehe als die ebene Oberfläche von T, T, als die Dike des auszuprägenden Metalles V beträgt. W, X, Y, Z ist der Durchschnitt der Pumpe einer gewöhnlichen hydraulischen Presse, an der W den Griff, Z den Kolben, X, X den Stiefel, und Y die Röhre vorstellt, die mit dem Wasserbehälter communicirt, und vermöge eines Ventiles Wasser eintreten

läßt; so oft der Kolben emporgehoben wird. a ist eine Röhre, die
an dem einen Ende mit dem hohlen Raume S des Cylinders O, O, O,
an dem anderen hingegen mit einer Röhre b, b communicirt, welche
ihrerseits wieder mit der Röhre d, d in Verbindung steht. Leztere
communicirt selbst an dem einen Ende mit dem Inneren des Cylinders B, an dem anderen hingegen mit dem Inneren der Pumpe X,
so daß also durch diese drei Röhren a, b, d eine freie Communication
zwischen den drei Cylindern S, B und X hergestellt ist. In der
Röhre d ist bei d ein Ventil angebracht, welches gestattet, daß die
Flüssigkeit aus der Pumpe X in die beiden anderen Cylinder B und S
getrieben werden, aber nicht umgekehrt aus diesen wieder zurüktreten
kann. In der Röhre b, b befindet sich ein ähnliches Ventil, welches
die Flüssigkeit wohl gegen S hin, aber nicht wieder zurükströmen läßt.

Wenn sich nun die hier beschriebene Presse in der aus Fig. 49
ersichtlichen Stellung befindet, so wird zuerst eine Metallplatte V auf
die Model U gelegt, und hierauf die Pumpe X, X mittelst des Griffes W, W in Bewegung gesezt. Die Folge hievon ist, daß durch
die Communicationsröhren d, b und a Wasser in die beiden Cylinder B und S getrieben wird; und da diese schon im Voraus mit
Wasser gefüllt sind, so muß etwas nachgeben: d. h. es wird entweder der Kolben Q oder der Kolben D gehoben. Da jedoch lezterer
einen kleineren Durchmesser hat als ersterer; und da überdieß auch
noch eine schwerere Last E auf demselben ruht, so wird zuerst der
Kolben R emporsteigen. Das Spiel der Pumpe wird so lange fortgesezt, bis die Scheibe T, T mit Gewalt mit der unteren Fläche des
Lagers A, A in Berührung ist, wobei die Kautschukplatte so fest angedrükt wird, daß ein wasserdichtes Gefüge entsteht, wie man es in
Fig. 50 sieht. Wird nun noch weiter Wasser eingetrieben, so erhellt
offenbar, daß, indem der Kolben Q nicht mehr höher emporsteigen
kann, irgend etwas Anderes nachgeben muß. Sobald die angewendete Kraft entspricht, steigt dann auch wirklich der Kolben D empor, wodurch die mit der glokenförmigen Kammer K communicirende
Mündung I geöffnet wird. Die erste Folge hievon ist, daß die Kraft
der Pumpe auf den Kautschuk M und die unterhalb befindliche Metallplatte V wirkt; durch eine weitere Thätigkeit der Drukpumpe hingegen wird der Kolben D in die aus Fig. 50 ersichtliche Stellung
gehoben, wobei die auszuprägende Metallplatte durch einfachen Druk
roh die Umrisse des Models mitgetheilt erhält. Die erforderliche
Schärfe der Umrisse kann jedoch nur durch einen Schlag oder durch
eine Percussion hervorgebracht werden; daher hört das Spiel der
Pumpe nunmehr auf, und anstatt dessen wird der Rammblok oder
die Kaze E mittelst des über die Rolle G geführten Sailes E em-

vorgehoben, damit er beim Nachlassen dieses lezteren auf den Kopf des Kolbens D wirke. Durch diesen Schlag wird der Kolben gleich einem Keile in das in dem Cylinder B enthaltene Wasser eingetrieben; und da diese Wassermasse nur durch eine dünne elastische Kautschukoberfläche M von der Metallplatte geschieden ist, so wird die ihr mitgetheilte Compression nothwendig auf die Oberfläche der auf dem Model U liegenden Metallplatte vertheilt werden: vorausgesezt, daß die Wände des Cylinders B stark genug sind, um dem Druke zu widerstehen. Die Schläge des Rammblokes E kann man so oft wiederholen, als man es für nöthig findet.

In der Röhre b, b befindet sich ein Sperrventil u, welches, wenn es geöffnet wird, die Flüssigkeit entweichen läßt. Die Folge hievon ist, daß der Kolben D zuerst auf seinen Plaz herabsinkt und durch sein kegelförmiges Ende die Mündung I verschließt; so daß das in K befindliche Wasser die Kautschukplatte nicht durchbrechen kann. Hierauf kehrt dann I, I' in seine frühere Stellung zurük, worauf auch der Kolben P, Q seiner Schwere gemäß herabsinkt, bis er wieder in seine ursprüngliche, aus Fig. 49 ersichtliche Stellung b zurükgelangt. In diesem Zustande kann die ausgeprägte Metallplatte aus der Presse genommen und dafür eine neue eingelegt werden.

Die Scheibe T, T schraubt sich an den Kolben P, und läßt sich, wenn Model von verschiedener Größe angewendet werden, gegen eine andere austauschen, deren Cavität dem angewendeten Model entspricht. Die Pumpe X, X läßt sich von dem Ende der Pumpe abnehmen und in irgend einer beliebigen Entfernung davon anbringen; auch kann man mit einer einzigen Pumpe, wenn dieselbe mit den gehörigen Röhren und Communicationsventilen ausgestattet ist, mehrere Pressen zugleich bedienen.

V.

Verbesserter Apparat zur Speisung der hydraulischen Abtritte mit Wasser, worauf sich James Findon, Kutschenbauer von Black Horse Yard, High Holborn, in der Grafschaft Middlesex, am 23. April 1836 ein Patent ertheilen ließ.

Aus dem Repertory of Patent-Inventions. Januar 1837, S. 9.

Mit Abbildungen auf Tab. I.

Fig. 20 zeigt meinen verbesserten hydraulischen Abtritt mit dem dazu gehörigen irdenen Beken von der Seite dargestellt. In Fig. 21

sieht man denselben von Vorne, jedoch mit Hinweglassung des irdenen Bekens. Fig. 22 ist eine Ansicht von Oben, woran die Stellung des Bekens durch punktirte Linien angedeutet ist.

Das irdene Beken A, A ist auf einer gußeisernen Kammer b, b fixirt, in die, wie in Fig. 21 durch punktirte Linien angedeutet ist, eine gußeiserne Röhre einmündet; diese Röhre ist solcher Maßen aufgebogen, daß sie ein hydraulisches Gefüge bildet. d ist ein kupfernes Beken, welches in Fig. 20 und 21 bloß durch Punkte anschaulich gemacht, und an der Achse oder Spindel e, e festgemacht ist: leztere ruht in den Zapfenlagern f, f. Der Winkelhebel g wird wie gewöhnlich mittelst des Hebels h und des Griffes i, i in Bewegung gesezt, um das kupferne Beken auszuleeren und wieder emporzuheben. An der Kammer b ist mittelst der Arme k, k eine Speisungsröhre oder ein Behälter j, j mit einer Luftröhre befestigt; und an dieser Speisungsröhre ist ein Hahn l angebracht, der durch ein Gefüge m mit der von dem Wasserbehälter herführenden Röhre n in Verbindung steht. Der Hahn wird durch dieselbe Bewegung, die das Beken d bewegt, gedreht: so zwar, daß er geöffnet ist, wenn das Beken herabsinkt. Das hintere Ende der Spindel e ragt zu diesem Behufe durch die Kammer b, damit ein Kniehebel o, der durch eine Stange p mit dem Arme q des Hahnes in Verbindung steht, an dasselbe gestekt werden kann. Von der Speisungsröhre oder dem Behälter j laufen in diesem Falle zwei Röhren r, s aus, die durch den Rüken des irdenen Bekens einmünden. Die Röhre r ist eine Luftröhre, die, wie durch punktirte Linien angedeutet ist, innerhalb beinahe bis zum Scheitel des Behälters j emporsteigt; sie liefert, wenn der Hahn geöffnet ist, eben so gut wie die Röhre s Wasser; ist der Hahn hingegen geschlossen, so wird sie zur Luftröhre, damit die Röhre s jene Quantität Wasser liefern kann, die in dem irdenen Beken zu verbleiben hat. Diese Methode den Hahn in Bewegung zu sezen und die Speisungsröhre oder den Behälter j dicht an den irdenen Behälter zu bringen, gewährt eine so dauerhafte Verbindung der Theile, daß nicht leicht etwas davon in Unordnung geräth. Da sich jedoch der Hahn mit der Zeit so ausarbeiten könnte, daß er etwas aussikern läßt, so bringe ich, um dieß unschädlich zu machen, unter ihm das Beken t an, von welchem eine Röhre u ausläuft, der eine solche Krümmung gegeben ist, daß sie ein hydraulisches Gefüge bildet. In einigen Fällen lasse ich bloß die Röhre s durch den Rüken des irdenen Bekens treten, während ich die Luftröhre über dem Scheitel dieses Bekens anbringe. Oder ich führe auch wohl die Luftröhre bis auf gleiche Höhe mit dem Scheitel des Wasserbehälters empor; wo dann entweder die Speisungsröhre j oder die Länge oder

der Durchmesser des unteren Theiles der Luftröhre jenes Wasser zu fassen hat, welches später in dem irdenen Beken verbleiben soll.

Hält man es für passender, den Speisungshahn an der entgegengesezten Seite anzubringen, so verlängere ich den Schwanz des Hebels h, und seze den Hahn dann von hier aus mittelst eines Hebels v in Bewegung, wie dieß aus Fig. 23 und 24 erhellt. Zuweilen wende ich diese Methode, den Hahn zu bewegen, an ersterer Seite an, wo ich dann, anstatt den Hahn mit der Spindel o zu verbinden, den Schwanz des Hebels v in das Loch y, welches sich in der Nähe des beschwerten Endes des Hebels h befindet, einsenke. In Fig. 21 ist w eine Stange, die durch zwei der vorderen Schrauben an der Kammer b festgehalten ist, und deren obere Enden man nur durch punktirte Linien angedeutet sieht. Der vordere Theil des Sizes ist auf diese Enden geschraubt; während der Dekel des Speisungsbehälters j mit zwei Vorsprüngen versehen ist, auf denen der hintere Theil des Sizes festgeschraubt werden kann.

Die Bewegung des Bekens läßt sich auf verschiedene Weise mit jener des Speisungshahnes in Verbindung bringen. Ich will hier einige dieser Methoden angeben, um zu zeigen, wie sich ein selbstthätiger hydraulischer Abtritt herstellen läßt.

In Fig. 25 ist l ein dem früher beschriebenen ähnlicher Speisungshahn; die Verbindungsstange p bildet jedoch hier ein Gefüge mit dem Hebel 1, an welchem das Gewicht 2 aufgehängt ist. Dieses Gewicht ist so schwer, daß es den Hahn in Bewegung sezen, den Dekel mittelst des Armes 3 emporheben, und das Beken d herabsenken kann, indem der Haken 4 den an der Achse oder Spindel e des Bekens befindlichen Arm o erfaßt. Der Hahn l macht eine Viertelsumdrehung.

Fig. 26 zeigt die Fig. 25 entsprechende Stellung des Hahnes, wobei der Siz, wovon ein Theil durch 5 angedeutet ist, als herabgesenkt; das Beken d hingegen als emporgehoben dargestellt ist. Das Wasser fließt durch die Röhre n in die Speisungsröhre j; auch kann man bewirken, daß ein kleiner Theil die ganze Zeit über durch eine kleine dritte Oeffnung 6, welche in dem Zapfen des Hahnes angebracht ist, und durch die Röhre s in das irdene Beken fließt. Wenn man dem Size gestattet emporzusteigen, so treibt der Haken 4 den Arm o empor, wo dann das Beken herabfällt und seinen Inhalt ausleert; während zu gleicher Zeit der Zapfen des Hahnes in die aus Fig. 27 ersichtliche Stellung gelangt, den Zufluß des Wassers aus der Röhre n unterbricht, und dafür dessen Uebertritt aus der Speisungsröhre j in die Austrittsröhre s, und aus dieser in das irdene Beken gestattet.

Fig. 28 gibt eine Ansicht dieses Apparates von der Seite. 7 ist hier das vorne an dem Size 5 befindliche Angelgewinde. Der hintere Theil dieses Sizes wird durch das Herabsinken des Gewichtes 2 emporgehoben.

Aus Fig. 29 ersieht man den beschwerten Hebel h, der das Beken d empörhebt. Er unterscheidet sich dadurch von dem in Fig. 21 dargestellten Hebel, daß er durch ein Gelenkstük 8 mit dem Arme g in Verbindung steht. Wenn das Beken d herabgesunken ist und seinen Inhalt entleert hat, so wird es viel leichter, und das Gelenkstük 8 kommt dann der Achse oder Spindel e um so viel näher, daß die Wirkung des Gewichtes h in entsprechendem Verhältnisse vermindert wird. Die Folge hievon ist, daß, wenn der Haken 4, Fig. 25, den Arm o losläßt, das Beken ohne alle Heftigkeit emporbewegt wird. Unter jedem der Gewichte h und 2 bringe ich ein Kissen an, damit alles Geräusch vermieden wird.

Ich weiß sehr gut, daß die Speisungsröhren der hydraulischen Abtritte schon früher in der Nähe der Size, auf die man sich niederläßt, mit Hähnen versehen wurden, welche man mit der Hand in Bewegung zu sezen pflegte. Ich gründe daher meine Patentansprüche lediglich auf die Verbindung der Bewegung des Bekens mit jener des Hahnes, wodurch eine und dieselbe Bewegung das Beken ausleert und zugleich auch den Hahn umtreibt, damit das irdene Beken mit frischem Wasservorrath versehen wird. Zu meinen Erfindungen zähle ich ferner aber auch noch die Speisungsröhre oder den Behälter j, so wie ich ihn oben beschrieben habe.

VI.

Verbesserungen an den Hüten, Kappen und Müzen, worauf sich Thomas Cockerell Hogan, von Castle Street, Holborn, in der Grafschaft Middlesex, am 29. März 1836 ein Patent ertheilen ließ.

Aus dem Repertory of Patent-Inventions. März 1837, S. 155.

Meine Erfindungen bestehen in mehreren verschiedenen Processen, und zwar:

1) darin, daß ich aus Roßhaar einen ausdehnbaren Hutkörper erzeuge, welchen ich den inneren Hut oder die innere Müze nenne, und der als elastische biegsame Unterlage für den äußeren Ueberzug oder den sogenannten äußeren Hut, welcher aus Seide, Baumwolle, Mertonbiber, Biber, Pelzwerk oder irgend einer anderen zu Hüten, Kappen und Müzen verwendbaren Substanz bestehen kann, dient;

2) darin, daß ich den äußeren Ueberzug auf der inneren elastischen Unterlage anbringe und befestige, zu welchem Zweke ich mich
entweder der in Londons Kaufläden vorräthigen Kautschukauflösungen,
oder auch irgend eines anderen entsprechenden elastischen Kittes oder
Cementes bediene, damit das Ganze einen elastischen Hut, eine derlei Kappe oder eine solche Müze-bilde, welche ohne Nachtheil einen
Druk aushalten, und nach Entfernung dieses Drukes ihre frühere
Gestalt wieder annehmen kann;

3) darin, daß ich anstatt der Roßhaare auch Fischbein, welches
in haarförmige Fasern geschnitten worden ist, anwende; und daß ich
diese Fischbeinfasern mit Roßhaar, Wolle, Seide, Baumwolle, Flachs
oder anderen vegetabilischen Fasern zu einem Stoffe oder Zeuge, aus
welchem der erwähnte Körper meiner leichten Kopfbedekungen verfertigt werden kann, verwebe, verstrike oder verflechte;

4) darin, daß ich Roß= oder anderes Haar auf verschiedene
Weise mit Wolle, Seide, Baumwolle, Flachs, Fischbeinfasern, Wei-
den= und anderen zähen biegsamen Pflanzen= oder Holzfasern verbinde, um daraus Stoffe oder Zeuge zu fabriciren, welche zu dem
eben erwähnten Zweke bestimmt sind;

5) darin, daß ich eine elastische Unterlage oder einen inneren
Hut durch Weben, Striken oder Flechten von Roßhaar oder einem
anderen der erwähnten Faserstoffe über einen Blok von gehöriger
Form erzeuge;

6) endlich darin, daß ich einen Hut, eine Kappe oder eine Müze
ganz aus Roßhaar, oder aus Roßhaar, welches mit Seide, Wolle,
Flachs oder Baumwolle vermengt worden ist, verfertige; und zwar
indem ich dasselbe über einen gehörig geformten Blok webe, strike
oder flechte.

Was den ersten, dritten und vierten Theil dieser meiner Verbesserungen betrifft, so webe ich den Stoff vorzugsweise in Blättern,
welche sowohl in der Kette als im Eintrage aus dem besten Roßhaare bestehen; indem dieses Material bei einem bestimmten gegebenen Gewichte den höchsten Grad von Elasticität gewährt. Manchmal webe, strike oder flechte ich den Stoff jedoch, sowohl in der
Kette als im Eintrage, abwechselnd aus Seide und Roßhaar, oder
aus Baumwolle und Roßhaar, oder aus Flachs und Roßhaar.
Manchmal fabricire ich die Blätter des Stoffes aus einem Gemenge von Baumwoll= oder Flachsfaden, Roß= oder anderem Haar,
Fischbein=, Weiden= oder anderen zähen Fasern; und zwar in solchen
Verbindungen und Verhältnissen, wie es die Mode erheischt. Manchmal endlich verbinde ich mit dem aus Seide, Wolle, Flachs, Baumwolle, Pelzwerk oder gefilztem Tuche bestehenden Stoffe durch Nähen oder

Ankleben so viel Roß= oder anderes Haar, als nöthig ist, um ihm die gewünschte Elasticität zu geben.

Aus welchem dieser Zeuge oder Stoffe der elastische Körper meiner Kopfbedekungen auch verfertigt werden mag, so erhellt so viel von selbst, daß das beim Ausschneiden und Zusammensezen derselben zu befolgende Verfahren nach dem immerwährenden Wechsel der Mode; oder nach der Qualität, die die Kopfbedekung in Hinsicht auf Leichtigkeit, Elasticität, Wasserdichtheit, oder auch in Hinsicht auf die Eigenschaft Luft durchzulassen bekommen soll, ein verschiedenes seyn muß. Die Details einer einzigen jener Methoden, nach denen ich bei der Verfertigung eines Männerhutes von gewöhnlicher Form verfahre, werden genügen, um jeden Sachverständigen in den Stand zu sezen auch allen Anforderungen der Mode ꝛc. zu entsprechen.

Ich schneide, um den angegebenen elastischen Körper oder inneren Hut zu verfertigen, aus einem der erwähnten Gewebe oder Stoffe für den oberen oder flachen Theil der Krone ein kreisrundes oder je nach der Mode auch ein ovales Stük aus, und leime um dessen Rand herum mittelst Kautschukauflösung ein Band oder einen Streifen Leinen= oder Baumwollzeuges an, damit dieser Theil der Krone, den man den Dekel nennt, mit größerer Sicherheit und Festigkeit an den seitlichen oder cylindrischen Theil genäht werden kann. Den Seitentheil schneide ich aus demselben Stoffe, und gebe ihm dabei eine Länge, welche um 2 oder 3 Zoll mehr beträgt, als der Umfang der Krone und eine Breite, welche der Höhe der Krone gleichkommt. An den oberen und unteren Rand dieses Seitentheiles leime ich gleichfalls ein Band oder einen Leinen= oder Baumwollzeugstreifen, damit er mit gehöriger Festigkeit an den Dekel und an die Krempe genäht werden kann. Die beiden über einander geschlagenen Ränder des Seitentheiles leime ich gleichfalls mit Hülfe der erwähnten Kautschukauflösung zusammen; zuweilen verstärke ich diese Vereinigungsstelle auch noch durch einen schmalen Streifen Musselingazes oder eines anderen derlei Zeuges, welchen ich darüber leime. Endlich leime ich auch noch über die ganze Krone eine Schichte dünnen Musselins oder Gazes. Die Krempe verfertige ich aus einer oder mehreren Schichten der oben beschriebenen Gewebe oder Zeuge und aus einer oder mehreren Schichten Baumwollen= oder Leinenzeuges, oder dünnen Filzes, oder irgend eines anderen geeigneten Fabricates; worauf ich, nachdem ich ihm über einem dazu bestimmten Bloke die gewünschte Gestalt gegeben, sowohl an seinen inneren als an seinen äußeren Rand auf die bei der Krone beschriebene Weise ein Band oder einen Streifen, welcher aus einem entsprechenden Zeuge geschnitten ist, leime. Endlich nähe ich die Krone an den inneren Rand der Krempe und fixire das Ganze

auf einem Bloke, der seiner Form entspricht. Sollte man die Krempe
steif und nur die Krone elastisch haben wollen, so verfertige ich er=
stere auf die gewöhnliche Art, um sie dann mit einer nach meiner
Methode gearbeiteten Krone zu verbinden.

Nachdem ich auf diese Weise den inneren Hut oder elastischen
Körper vollendet, und nachdem mittler Weile der äußere Hut oder
Ueberzug aus irgend einem entsprechenden Seiden=, Baumwollen=
oder anderen Filz= oder Pelzwerk ähnlichen Fabricate ausgeschnitten
und gehörig zusammengenäht worden ist, trage ich auf den Dekel
des inneren Hutes mit Hülfe einer Bürste eine Schichte Kautschuk=
auflösung auf, worauf ich alsogleich die innere Seite des Dekels des
äußeren Hutes, dessen innere Seite zu diesem Zweke nach Außen ge=
kehrt seyn muß, darauf lege. Dann bestreiche ich nach und nach
rings herum den cylindrischen Theil des inneren Hutes mit derselben
Auflösung, und ziehe in demselben Maaße den cylindrischen Theil
des äußeren Hutes darüber, bis endlich der innere Hut ganz von
dem äußeren überzogen ist. Wenn die Sache so weit gediehen ist,
so seze ich den Hut mit dem Dekel auf einen flachen Tisch, damit
die flachen Theile der Krone miteinandre in Berührung erhalten wer=
den; und nachdem er je nach der Geschwindigkeit, mit der die Kaut=
schukauflösung troknet, eine Stunde oder darüber so gestanden hat, leime
ich die Ränder des äußeren und des inneren Hutes und ein Stük
der äußeren Substanz an der unteren Seite der Krempe zusammen,
wo dann der Hut fertig ist, und nach vollkommener Troknung nur
mehr auf die gewöhnliche Weise gebügelt, gekrempelt, gebürstet ꝛc.
zu werden braucht.

Wollte man sich zum Leimen elastischer Kitte, welche in der
Hize klebend werden, wie z. B. der Oehlfirniße oder anderer lang=
sam troknender Compositionen bedienen, so könnte man den inneren
Hut damit überstreichen, ihn troknen lassen, nach dem Troknen den
äußeren Hut darüber ziehen, und endlich das Ankleben durch die
Anwendung eines heißen Eisens bewirken.

Um nach dem fünften Theile meiner im Eingange erwähnten
Erfindungen einen Hut von gewöhnlicher Form und Größe zu ver=
fertigen, nehme ich Roßhaare von ¾ Yards oder darüber in der
Länge, und bilde damit in einem Webstuhle eine Kette von 7 Zoll
Breite. Dann beginne ich in einer Entfernung von 3½ Zoll von
der Mitte der Länge der Kette den Einschuß, welcher aus Haaren
von derselben Länge zu bestehen hat, einzutragen, wobei ich anfangs
nur einige der mittleren Haare der Kette mit dem mittleren Theile
der Haare des Einschusses verwebe: so zwar, daß die Enden dieses
lezteren zu beiden Seiten der Kette gleichweit herabhängen. In dem

Maaße, als die Quantität des Einschusses steigt, in dem Maaße verwebe ich ihn auch in größerer Breite mit der Kette; dabei leite ich das allmähliche Zunehmen solcher Maßen, daß, wenn 3½ Zoll des Einschusses eingetragen sind, der aus der Kette und dem Eintrage gewebte Theil die Gestalt eines Halbkreises von 3½ Zoll Halbmesser bekommt. Hierauf lasse ich an den drei übrigen 3½ Zoll des Einschusses die Breite seiner Verschlingung mit der Kette in demselben Maaße abnehmen, in welchem sie an der ersten Hälfte zunahm; damit, wenn 7 Zoll des Einschusses eingewebt worden sind, das Gewebe einen vollkommenen Kreis von 7 Zoll im Durchmesser und aus der Mitte der Haarlänge bestehend bilde, während die übrigen Haare unverflochten bleiben, und von dem Umfange des Gewebes rings herum beinahe gleichweit herabhängen. Um nun den Körper für einen Hut zu bilden, lege ich den kreisrunden Theil des eben beschriebenen Gewebes auf das Ende einer Hutform oder eines Hutblokes von demselben Durchmesser, und nagle mit Nägeln, welche so fein und spizig seyn müssen, daß die Haare keinen Schaden dadurch leiden, eine hölzerne oder metallene Scheibe von gleichem Durchmesser darauf. Ist dieß geschehen, so flechte ich die losen Haare rings um den cylindrischen Theil des Blokes herum zusammen, und seze das Ganze auf einen Krempenblok, worauf ich die Enden der Haare vollends ausflechte, so daß sie auf den Blok zu liegen kommen und die Krempe des Hutkörpers bilden, um deren Rand herum ich endlich ein Band leime.

Ich flechte übrigens die Haare nicht immer über der cylindrischen Oberfläche des Hutblokes zusammen, sondern ich lege sie wohl auch längs des Cylinders und parallel mit ihm, worauf ich sie mit Seiden- oder anderen Faden, die ich spiralförmig herumführe, miteinander verbinde. An der Krempe angelangt, lege ich die Haare dann so, daß sie strahlenförmig auslaufen, worauf ich mit dem Einziehen des Einschusses in spiralförmiger Richtung fortfahre, bis ich den Rand der Krempe erreicht habe, und bis ich um diesen endlich einen Bandstreifen leimen kann.

Der nach einer dieser beiden Methoden verfertigte innere Hut oder Hutkörper wird dann auf dieselbe Weise überzogen, welche ich oben bei der ersten Art von Hüten beschrieben habe. Uebrigens muß ich bemerken, daß ich nach diesen Methoden auch ganze Hüte, Kappen oder Mützen verfertige, die ohne allen Ueberzug, mit Ausnahme einer um die Krempe laufenden Binde, getragen werden können.

Ich erkläre ausdrüklich, daß ich die Anwendung von Roßhaar, Seiden-, Wollen- oder Baumwollenfäden, Fischbein- oder Holzfasern oder irgend einer Verbindung dieser Substanzen zur Verfertigung der

äußeren oder sichtbaren Oberfläche von Hüten, Kappen oder Müzen
nur dann als meine Erfindung in Anspruch nehme, wenn das Roß=
haar meiner sechsten Erfindung gemäß über einen Blok gewebt oder
geflochten wird.   Dagegen beschränke ich mich auf die Verbindung
von Roßhaar mit Seiden=, Wolle=, Baumwolle=, Leinenfaden oder
mit Fischbein= und elastischen Holzfasern, um daraus auf die ange=
gebene Weise den Körper eines Hutes zu verfertigen, über den dann
ein äußerer Ueberzug von Seide, Baumwolle, Mertonbiber, Biber,
Plüsch, Sammet, Pelzwerk ꝛc. gezogen und mit gewöhnlicher Kaut=
schukauflösung oder mit irgend einem anderen elastischen Kitte daran
befestigt wird, damit auf diese Weise Hüte, Kappen oder Müzen er=
zeugt werden, die in Folge ihrer eigenen Elasticität wieder ihre frü=
here Gestalt annehmen, wenn sie dieselbe auch durch irgend einen
Druk verloren haben sollten.   Die Form meiner Fabricate ist natür=
lich als der Mode unterliegend gleichgültig.

VII.

Das Seilbohren im Kalkgebirge; von Friedrich von Al= berti, königl. würtemb. Bergrathe und Salinenverwal= ter in Wilhelmshall.

Mit Abbildungen auf Tab. I.

Das Auffinden des Steinsalzes am Nekar gab Veranlassung zu
einer Menge Bohrarbeiten in und außer Deutschland.   Durch die
Maße von Versuchen, namentlich auch durch die Bemühungen von
Flachet u. a. wurde die Kunst des Bohrens auf einen früher nie
gekannten Standpunkt gebracht.   Bei all diesen Unternehmungen
diente das Gestänge und die Vorrichtungen, welche Garnier,
Selbmann, Langsdorf, Schimming, Boner, Blume,
Baldauf, Spezler, Gugler, v. Jacquin, Poppe, v. Bruck=
mann u. a. mehr oder weniger gut beschrieben und abgebildet haben.
     Imbert [3]) gab uns Nachrichten über die chinesischen Bohr=
brunnen, welche 5 bis 6 Zoll weit mit einer Rammkeule, d. h. ei=
nem Kronenbohrer von 3 bis 4 Cntr. Schwere niedergeschlagen wer=
den.   Diese ist mittelst eines Rotangseiles an dem kurzen Arme eines
Hebels aufgehängt, welcher niedergedrükt und dann seinem Gewichte
überlassen wird.   Das Seil wird beim Heben des Bohrers gedreht,
und das Bohrmehl sammelt sich in einer nach Oben geöffneten Höh=
lung des Bohrers.   So wie man mit lezterem 3 Zoll weit vorgerükt

---

3) Annales de l'Association pour la propagation de la foi, No. 16,
Janvier 1829.

ist, wird Wasser in das Bohrloch geschüttet. Auf diese Weise werden bei guter Beschaffenheit des Gesteins in 24 Stunden 2 Schuh
gebohrt. Einzelne dieser Bohrlöcher, deren es in der Provinz Szu
Tchhouan viele Tausende geben soll, sind bis 3000 Schuh tief.

Aus diesen sehr unvollständigen Nachrichten geht hervor, daß
das Gebirge über den Salzquellen in Szu Tchhouan sehr wasserleer
ist, eine gleiche, mäßige Festigkeit hat, und daß, weil sich so tief
bohren läßt, wenig Gestein nachrollt. Bei diesen Umständen mögen
die Vorrichtungen der Chinesen ganz zweckmäßig seyn. Ob sie aber
auch eine Anwendung auf unser Salzgebirge zulassen, fing ich an im
Jahre 1832 zu versuchen. Meine Maschine bestand aus einem
Haspel zum Seile; von diesem aus ging lezteres über eine Rolle,
welche an einem federnden Balken befestigt war, ins Bohrloch. An
dem Seile über der Bohrbühne war ein Krükchen (Handhebe) angebracht. Da nun das Seil am Haspel mittelst eines Nagels fest-
gestekt war, so mußte, wenn das Krükchen unter sich gedrükt wurde,
auch der federnde Balken herabgedrükt werden. Dieser ging in seine alte
Lage zurük, wenn am Krükchen losgelassen wurde. Bei mehr oder
weniger Anspannung des Seils konnte der Hub vergrößert oder verkleinert werden. Nach der Tiefe des Bohrlochs wurde das Hypo-
mochlion des federnden Balkens verändert. Diese Vorrichtung war
außerordentlich einfach, und sie eignet sich auch wohl für wenig
tiefe Bohrlöcher; mit der Tiefe wachsen jedoch die Schwierigkeiten,
und ich mußte zu anderen Vorrichtungen schreiten.

Im Jahre 1833 und 1834 machte Hr. Sello [4] seine Versuche
über Seilbohren bekannt. Seine Ideen wurden von Hrn. Frommann [5] weiter ausgeführt. Zur Beurtheilung ihrer Leistungen ist zu
bemerken:

1) daß die Versuche in Kohlensandstein mit den diesem unter-
geordneten Schiefern und in buntem Sandsteine in beim Bohren wenig nachrollenden und so weichen Gesteinen angestellt sind, daß in
12 Stunden 3 bis 7 Schuh, täglich also 6 bis 14 Schuh nieder-
gebracht wurden;

2) daß die geringste Weite eines Sello'schen Bohrloches 4½ Zoll
rheinl., die eines von Frommann 7 Zoll betragen habe, und

3) daß die Versuche des ersteren nur eine Tiefe von 163 Sch.
10 Zoll, die des lezteren von 266 Sch. 10 Zoll erreicht haben.

Ob bei einem viel weicheren Gebirge als in Szu Tchhouan mit

---

4) Karsten's Archiv VI. Bd. S. 543 — 569, ebendas. Bd. VII. 2. H.,
S. 526 — 555.
5) Die Bohrmethode der Chinesen, oder das Seilbohren. Coblenz 1835.

ähnlichen Instrumenten so tief als dort gebohrt werden könnte, muß dahin gestellt bleiben.

Mein Augenmerk ging dahin, das Seilbohren für enge und tiefe Bohrlöcher im Muschelkalkgebirge in Anwendung zu bringen, und bald fand ich, daß von den chinesischen Werkzeugen und den Vorrichtungen der HH. Sello und Frommann für mich nur das Seil anwendbar blieb. Der Scheibenhaspel der lezteren dient nur für wenig tiefe Bohrlöcher; die Wülste an den Leitstangen, welche das ganze Bohrloch ausfüllen, so daß beim Nachrollen von Steinchen, was bei festem Gebirge oft geschieht, das Gestänge sich einkeilen würde, konnten mir nicht taugen; die gußeisernen Werkzeuge nehmen im festen Gesteine ein schlechtes Ende, und die Kronbohrer aus einem Stüke bestehend zerfallen zulezt in Stüke, da, wenn der Bohrer öfters ins Feuer kommt, die Schweißen der Verstählung ganz abstehen. Die Bohrer mit Kernstüken und Schließen sind hier eben so wenig tauglich, indem durch die heftigen Schläge die Meißel ihrer Länge nach gestaucht und lose werden. Die Instrumente endlich, an denen Bohrer und Löffel zugleich angebracht sind, würden in engen Bohrlöchern sehr hinderlich seyn.

In Nachstehendem will ich

1) eine Beschreibung meines Bohrapparates und der Behandlung desselben;

2) der Schwierigkeiten beim Seilbohren;

3) Notizen über den Effect und die Kosten der beschriebenen Methode, so wie

4) über das Erweitern der Bohrlöcher mittelst des Seils geben.

Der Bohrapparat besteht aus Bohrer, Gestänge, Seil; Rad sammt Bremsvorrichtung, Schwengel, Büchse und Löffel.

Die Schneide des Bohrers hat, Fig. 1, a, die Form eines Z; Fig. 1 b, c zeigt die Vorder= und Seitenansicht desselben. Dieser Bohrer hat den Vortheil, daß er großen Theils die Stelle der Büchse versieht, so daß diese nur wenig mehr zu thun hat; daß er mehr Angriffspunkte darbietet, sich selten stekt, und kleinere Stükchen Gebirg durch ihn fallen können. Er muß übrigens natürlich wie alle Bohrer für festes Gestein gut gehärtet seyn.

An dem Bohrer ist ein gewöhnliches Gestänge von nur 1 Zoll Dike angeschraubt. An diesem wird so lange gebohrt, bis es etwa 4 Ctnr. schwer ist; bei dem Versuch, welchen ich unten näher beschreiben werde, wurden 6 Stangen zu 80 Schuh Länge angewendet.

Die Scheibe a, Fig. 3, und der Bohrteichel s sind so weit von einander entfernt, daß bequem 2 Stangen zugleich ausgezogen werden können. [6]

An der obersten Stange ist ein Wirbel, Fig. 2, angeschraubt, an dem das Seil befestigt ist. Wenn das Gestänge gerade gerichtet und gehalten wird, kann das Bohrloch nie schief werden, so tief es auch niedergesenkt werden soll. Dieß ist ein großer Vorzug, welchen diese Bohrweise vor der chinesischen voraus hat, wo nicht selten die senkrechte Richtung des Bohrloches verloren geht, und das Bohren dann eingestellt werden muß.

Das Seil ist einen schwachen Zoll dick, aus langem Schleißhanf gut geschlagen. Gegen Einwirkung des Wassers wird es durch eine Salbe von Unschlitt, Wachs und Oehl geschützt. Zu einem Seile von 600 Schuh Länge wurden 10 Pfd. Unschlitt, 5 Pfd. Wachs und 4½ Maaß Oehl, Alles wohl unter einander gemischt und in heißem Zustande angewendet verbraucht. Durch diese Salbe erhält es viel mehr Geschmeidigkeit als durch Theer. Das Seil leidet vorzüglich da, wo es am Wirbel befestigt ist; deßhalb wird es hier mit Draht wohl umflochten, und dennoch bricht es zuweilen an dieser Stelle. Leidet dasselbe sonst wo Noth, so wird es mit Schnüren fleißig umwickelt. Zu dem 502½ Schuh tiefen Bohrloche wurden 2 Seile gebraucht, von denen das erste 262 Pfd. schwer nicht ganz gut gemacht, das zweite 306 Pfd. schwer nach Vollendung der Arbeit noch vollkommen gut war, so daß anzunehmen ist, daß im günstigen Falle mit einem guten Seile 500 Schuh tief in festem Gebirge niedergeschlagen werden kann.

Das Rad, 10 Schuh hoch, ist in Fig. 3 von Vorne, in Fig. 4 von der Seite, und in Fig. 5 von Oben abgebildet. Der Kranz besteht aus doppelt zweizölligen Dielen, in welche hölzerne Nägel eingezapft sind, an denen die Arbeiter das Rad in Bewegung setzen. Auf dem Wellbaume desselben ist das Bohrseil aufgelegt, welches von da über die Scheibe a (Fig. 3, 4, 5) ins Bohrloch geht.

Die Bremsvorrichtung dient dazu, das Rad zu arretiren, oder Gestänge und Seil geschwinder oder langsamer einlassen zu können. Bei b, Fig. 3, ist ein eichenes Stück Holz in Form eines Radschuhs, welches sperrt, wenn der Hebel c, Fig. 6, welcher bei h in einem Nagel läuft, und mittelst einer in eisernen Gewerken laufenden Stelze d, d mit dem Hebel e in Verbindung steht, herabgelassen wird. Der Hebel c wird mittelst eines Seiles f über der Rolle g aufgezogen.

Der Schwengel ist in Fig. 3 i von der Seite, in Fig. 7 aber

_____

6) Bei einem demnächst zu beginnenden Bohrloche werde ich einen Standbaum aufstellen lassen, um das Ausziehen von 80 Schuh Gestänge mit einem Zuge zu bewerkstelligen.

vergrößert sowohl von der Seite (A) als von Vorne (B) dargestellt. Er besteht aus einem Hebel, welcher sich nach Vorne in einen Krümmling endet. Der Hub kann durch Verrüken der Bohrdoke h, h in Fig. 3 verändert werden; zu diesem Ende sind auch im Schwängel, Fig. 7 A, bei o, o Löcher angebracht.

Für die ganze Tiefe von mehr als 500 Schuh wurde das Verhältniß des Hebelarmes der Kraft zu dem der Last = 8½ : 2 = 4,25 : 1 beibehalten, wodurch 1 Schuh Hub erzielt wurde. Da das Gewicht der Bohrstangen 2c. = 400 Pfd. betrug, und 1 Mann mit 50 Pfd. Kraft wirkt, so waren erforderlich $\frac{400}{4,25 \times 50} = 1,88$ Arbeiter; zur Erleichterung des Geschäfts wegen der Reibung bei Bewegung des Schwengels und des Gestänges, wegen des Gewichts und der Elasticität des Seils, und weil bei der Manipulation so viel Leute unentbehrlich sind, wurden jedoch während des Absenkens des ganzen Bohrloches 3 Mann in 1 Schicht unterhalten.

Aus Fig. 7, B sieht man, daß bei h am Zirkelabschnitte des Krümmlings eine Hohlkehle angebracht ist. Soll gebohrt werden, so wird das Seil in diese Hohlkehle gerükt und über dasselbe ein ausgekehltes Stük Eisen i, i, i gelegt, welches bei k durch einen eingestekten Nagel gehalten wird, worauf man vor dasselbe eine Platte l, l sezt, und mit der Schraube m, m die Platte und eiserne Hohlkehle gegen das Seil drükt, so daß dieses arretirt ist. Damit die Platte nicht nachgeben kann, ist bei n eine Schließe vorgestelt.

In Fig. 8 ist die Büchse von Vorne und von Unten abgebildet. Sie ist aus einem Stüke verfertigt und an der Peripherie scharf und gut gestählt. Damit nachrollende Steinchen sie nicht einklemmen, hat sie vier Ausschnitte p, p, p, p, so daß sie die Form eines Kreuzes erhält, woher die Benennung Kreuzbüchse.

Der Löffel zum Reinigen des Bohrloches ist ein hohler 6 bis 8 Schuh langer, etwa 2 Zoll im Lichten weiter Cylinder von starkem Messingblech, welcher unten ein Ventil, oben ein Gewinde hat, in das der Wirbel (Fig. 2) paßt.

Die Manipulation beim Bohren ist folgende: das Seil wird auf den Wellbaum über die Scheibe a, Fig. 3, gelegt, mittelst des Wirbels an Stangen und Bohrer angeschraubt und durch das Rad eingelassen. Sizt der Bohrer im Tiefsten auf, so wird, wenn das Seil schraff angezogen ist, gebremst, der Schwengel eingesezt, das Seil in die Hohlkehle h, Fig. 7 B gerükt, die eiserne Hohlkehle i, i mittelst des Nagels k, k darauf gesezt, die Platte l, l mit der Schraube m angezogen, und so das Seil arretirt. Die Bremse wird nun aufgezogen, das Seil lose gemacht und mittelst des Schwengels gebohrt.

Damit das Seil sich nicht zu sehr krümmt, ist am Ende des langen
Hebels ein Prellriemen q. q. Fig. 3. angebracht, welcher den Schwengel auf gewisser Höhe erhält, und so wird fortgefahren bis entweder
der Bohrer stumpf zu seyn scheint, oder gelöffelt oder gebüchst werden muß.

Je nach der Festigkeit des Gesteins müssen die Bohrer in 8
Stunden 1 bis 4 Mal ausgewechselt werden. Je weicher das Gebirge, desto mehr muß natürlich gelöffelt werden. Gebüchst wird
regelmäßig ein Mal wöchentlich.

Beim Einhängen und Ausziehen des Seils ist zum Auf- und
Abschrauben 1 Mann, am Rade aber sind 2 Arbeiter beschäftigt.
Beim Bohren selbst sind, da sich das Seil beim Anziehen immer so
viel dreht, daß der Bohrer keine Füchse stehen läßt, alle 3
am Schwengel.

Die Mannschaft wurde alle 8 Stunden gewechselt; in jeder
Schichte waren ein Obmann mit 40 kr. und zwei gemeine Arbeiter mit
je 30 kr. Schichtlohn. Zur Aufmunterung des Fleißes wurde ihnen
von 100 zu 100 Schuh, wenn sie auf eine bestimmte Zeit ihre
Aufgabe erfüllten, Prämien ertheilt.

So einfach der beschriebene Bohrapparat und die Manipulation
ist, so müssen doch die Schwierigkeiten nicht übersehen werden,
welche das Bohren am Seile im Gefolge hat. Sehr groß sind
diese, wenn viel Gestein nachrollt. Kommt dieß Nachrollen nur hie
und da vor, so läßt sich dieser Uebelstand durch Geduld und Vorsicht leicht überwinden. Fällt ein Stein nach, so wird der Bohrer
eingeklemmt; läßt sich durch Rütteln der Stein nicht entfernen, so
darf keine Gewalt gebraucht werden, wodurch das Seil zerreißen
könnte, sondern dasselbe muß vom Wellbaume abgenommen, im Bohrloche schraff angezogen, das Gestängseil aufgelegt und neben dem
Seile ein dünnes Bohrgestänge eingehängt werden, an dem unten
ein einfacher Haken Fig. 9 (a von Unten, b von der Seite)
angeschraubt ist. Das Gestäng wird bis zum Wirbel unter dem
Seile eingelassen, dieses gepackt, das Gestäng angefesselt, und der
Bohrer sammt dem Seile herausgezogen. Dieser Fall kam sechs
Mal vor.

Weil das Bohrloch nur 3 Zoll weit war, so litt ungeachtet des
Einbindens mit Draht das Seil am Wirbel Noth; deßhalb brach
es auch zwei Mal an demselben, ohne daß die Arbeit jedoch aufgehalten wurde, da mit dem oben beschriebenen Haken der Wirbel bald
gefaßt und somit das Gestänge ausgezogen werden konnte.

Fällt ein Bruch vor, so wird zuerst mit einem hohlen mit Letten
angefüllten Cylinder, Lettenbüchse genannt, ein Abdruk von dem

Bruche genommen und dann je nach den Umständen ein Fanginstrument angewendet.

Mehrmals schraubten sich Stangen los, welche mit der Fangbüchse[7]) ausgebracht wurden.

Zwei Mal brach auch der Wirbel entzwei; ein Mal konnte er mit der Fangbüchse gepakt werden, das andere Mal wurde er in die Lettenbüchse eingestaucht.

Wenn nicht zu viel Gestein nachrollt, so ist das Seilbohren mit weniger Gefahr als das Bohren am Gestänge verknüpft. Sehr erleichtert wird das Fangen, wenn das Bohrloch ½ Zoll weiter, also auf 3½ Zoll gebohrt wird. Bei Schwenningen lasse ich gegenwärtig eines von dieser Dimension niederschlagen, und glaube, daß wenn hier noch so viel nachrollt, dieß die Arbeit nicht wesentlich stören werde.

Da die Rammkeule, mit der in China gebohrt wird, das ganze Bohrloch ausfüllt, so kann sie, wenn der Ring zerbricht, an welchem sie hängt, nicht mit Fanginstrumenten gepakt werden. Imbert sagt, daß man dann 5 bis 6 Monate brauche, um sie mit anderen Rammkeulen zu zermalmen.

Von der Schattenseite, von den Gefahren, welchen das Seilbohren unterworfen ist, welche es aber vollkommen mit dem Bohren am Gestänge gemein hat, komme ich auf die Glanzseite, auf den Effect desselben.

Um diesen richtig beurtheilen zu können, muß bemerkt werden, daß die ersten 250 Schuh beim Bohrloche Nr. 6 in Wilhelmshall bei Rottenmünster, mit anderen weniger zwekmäßigen Vorrichtungen abgebohrt wurden, und daß bis zu dieser Tiefe mit dem bösen Willen der Arbeiter zu kämpfen war; deßhalb wurde sie auch erst in 645 Schichten oder in 215 Tagen erreicht, während man in dem 80 Schuh entfernten Bohrloche Nr. 5 zu derselben Tiefe in 412 Schichten oder 137½ Tagen mit dem Gestänge gelangte. Einen ganz anderen Gang nahm die Arbeit nach Erreichung der ersten 250 Schuh.

Von dieser Tiefe an wurden gebohrt:

In den unteren Schichten des Kalksteins von Friedrichshall, welche sich gegen unten bleichen, sehr fest sind, und nur selten einzelne Mergelschichten führen bis   288 Schuh

in gelben festen Kalkmergeln   .   .   .   .   328 —

Thon mit sehr festen Gypslagen und festen Kalksteinschichten   .   .   .   .   .   .   383 —

---

7) Abgebildet in der Schrift: „Ueber artesische Brunnen von Bruckmann" Tab. IV. Fig. 8, 9, 10.

Thongyps	433 Schuh
in sehr festem Anhydrit	452 —
Salzthon	476 —
Steinsalz	502½ —

Diese 252½ Schuh wurden erreicht:

	bei Nr. 6 mit dem Seile	bei Nr. 5 mit dem Gestänge
und zwar die 6ten 50 Schuh in	87 Schichten . .	89 Schichten
— 7t. 50 — —	71 — . .	102 —
— 8t. 50 — —	68 — . .	121 —
— 9t. 50 — —	99 — . .	161 —
— 10t. 50 — —	91 — . .	95 —

zusammen bei Nr. 6 in 416 Schichten oder 138⅔ Tagen.

Bei Nr. 5 in 568 Schichten oder 189⅓ Tagen; folglich wurden täglich im Durchschnitte und zwar bei gleicher Weite des Bohrloches und gleichem Gesteine gebohrt

bei Nr. 6 1,80 Schuh
— Nr. 5 1,32 —

Die 10ten 50 Schuh sind deßhalb im Verhältnisse langsamer wiedergeschlagen worden, weil der Salzthon sich sehr anhängte und hier ein größeres Gewicht des Gestänges vortheilhaft gewesen wäre.

Nun haben gekostet

	bei Nr. 6 mit dem Seile:	Nr. 5 mit dem Gestänge:
Das Abteufen und Verbauen des Schachtes		
bei Nr. 6 . . .	131 fl. 30 kr.	
bei Nr. 5 . . .	189 fl. 38 kr.	
Dieser Unterschied ist zufällig, ich nehme daher die Kosten für beide Bohrlöcher gleich an, zu . . .	131 fl. 30 kr.	131 fl. 30 kr.
Das Bohren auf 502½ Schuh	1885 fl. 35 kr.	2663 fl. 50 kr.
Die Prämien . . .	122 fl. — —	295 fl. — [8]
Zimmerarbeiten (Reparaturen)	36 fl. 40 kr.	33 fl. 25 kr.
Schmiedarbeit . .	70 fl. 35 kr.	138 fl. 23 kr.
Seile	302 fl. 56 kr.	134 fl. — —
Materialien . .	338 fl. 38 kr.	526 fl. 26 kr.
	2887 fl. 54 kr.	
Nach Vollendung des Bohrloches war 1 Seil noch werth wenigstens	80 fl.	
Folglich die ganzen Kosten	2807 fl. 54 kr.	3922 fl. 34 kr.
Nr. 6 hat also weniger gekostet als Nr. 5		1114 fl. 40 kr.

8) Die Prämien für Nr. 6 sind, da nur 5 Mann in einer Schicht waren, während es beim Bohren am Gestänge bei 500 Schuh 10 Mann seyn müssen, für 1 Mann größer als bei Nr. 5.

Das Bohren am Seile kostete bis 250 Schuh Tiefe mehr als das am Gestänge — 270 fl. 45 kr. Wäre von Anfang an das Bohren behandelt worden wie zulezt, so ist mit Bestimmtheit anzunehmen, daß weiter gewonnen worden wären — 550 fl.; Nr. 6 hätte daher nur gekostet — 2257 fl. 54 kr. oder 1664 fl. 40 kr. oder etwa ⅖ weniger als Nr. 5.

Aus Vorstehendem ergibt sich, daß bis zu 80 Schuh Tiefe mit dem Gestänge gebohrt werden muß, und von da an erst das Bohren am Seile beginnen kann.

Da beim Bohren mit dem Gestänge die Zahl der Arbeiter von 50 zu 50 Schuh vermehrt werden muß, und je tiefer das Bohrloch wird, desto beschwerlicher und langwieriger auch das Ausziehen des Gestänges, desto stärker das Anschlagen des lezteren und das Nachrollen von Gestein wird, während beim Bohren am Seile die Zahl der Arbeiter immer 3 bleibt, das Ausziehen nicht viel langsamer geht und die Angriffsfläche des Gestängs gegen die Wände des Bohrlochs nicht größer wird, lezteres mag mehr oder weniger tief seyn, das Nachrollen des Gesteins daher auch ungleich geringer ist, so wächst natürlich mit der Tiefe der Gewinn, welchen das Seilbohren gewährt.

Auf die hier beschriebene Weise lassen sich Bohrlöcher von allen Dimensionen ansezen, nur muß im Verhältniß zur Weite die Schwere des Gestängs und damit die Zahl der Arbeiter wachsen.

Soll ein vollendetes Bohrloch von etwa 500 Schuh Tiefe, wie es bei den zur Soolenförderung benuzten geschieht, bis auf eine gewisse Tiefe, etwa auf 200 Schuh erweitert werden, so ist zuerst ein Abschluß des Bohrlochs auf etwa 220 Schuh Tiefe nöthig, um den beim Erweitern sich erzeugenden Bohrschlamm nicht aus der Tiefe von 500 Schuh ausfördern zu müssen, sowie um beim Erweitern vorfallende Brüche unschädlich zu machen, oder bei artesischen Brunnen vorliegende Quellen nicht zu verschütten, wodurch lezteren nicht selten ein anderer Abfluß gegeben wird. Im Jahre 1824 fing ich an diesen Abschluß mittelst eines Keils zu versuchen und habe seitdem das Experiment, ohne den mindesten Anstand, 11 Mal wiederholen lassen.

Dieser Keil ist in Fig. 10 abgebildet. a ist ein abgekürzter Kegel von Tannenholz, welcher, wenn das Bohrloch 3 Zoll weit ist, unten 2¾, oben 1½ Zoll Durchmesser hat. Mittelst einer links geschnittenen Holzschraube b wird dieser Keil mit dem Bohrgestänge b' verbunden; c, c, c, c ist der Durchschnitt eines hohlen Cylinders ebenfalls von weichem Holze, welcher oben und unten mit schwachem Draht gebunden wird, damit er nicht auseinander fällt. Dieser hohle

Cylinder ist mit Schnüren d, d, welche angenagelt sind, an den Keil befestigt, so daß er nicht über sich gehen kann. Ueber der Schnur ist ein Stük Sohlleder e, e angenagelt, das einen starken Zoll mehr im Durchmesser als das Bohrloch hat.

Der Keil a wird zuerst langsam am Gestänge niedergelassen; der hohle Cylinder folgt ihm durch die Schnüre gezwungen und das Leder rutscht aufgestülpt nach. Ist nun die gewünschte Tiefe erreicht, so wird das Bohrgestänge b' angezogen. Beim Aufziehen sperrt das Leder, der Keil wird, da die Schnüre und die zusammenhalten= den Drähte zerreißen, im Cylinder aufgezogen, und da derselbe mit jenem mehr als 3 Zoll einnimmt, so wird das Bohrloch durch diesen Keil vollkommen geschlossen. Da das Gestänge ein rechtes Gewinde hat, so läßt sich die Holzschraube leicht abschrauben. Ist das Bohr= loch nachgeschlagen, so wird der Keil zusammengebohrt, womit selten mehr als eine Schichte zugebracht wird. [9]

Nach hergestelltem Verschluß beginnt die Erweiterung. Gesezt sie soll auf 5 Zoll geschehen, so ist der in Fig. 11, 12, 13, 14, 15 abgebildete Bohrer zu empfehlen. Er besteht aus einer eisernen Scheibe, die in Fig. 11 a, a von Unten und in Fig. 12 a, a von der Seite abgebildet ist; in sie sind die z Meißel b, b, b, b eingesezt. Leztere wurden in Fig. 13 von Vorne und in Fig. 11 bei b, b, b, b von Unten abgebildet, und zwar in verschiedener Länge, wie sie wegen des Bügels der Hauptstange d, d, Fig. 12 und 14, erfordert werden; die Seitenansicht ist wie die des z Bohrers in Fig. 1, c. Diese Bohrer haben, wie aus Fig. 13 ersichtlich ist, oben Gewinde, wor= über die Hülsen c, c, c, Fig. 12, geschraubt sind; leztere können, da= mit sie sich nicht losmachen, oben noch durch eine eiserne Scheibe gesperrt werden. Damit der Bohrer das enge Loch nicht verlassen kann, befindet sich unten von starkem Blech der Zapfen e, in Fig. 12 und 15 ersichtlich. Derselbe ist mittelst der Scheibe f, f mit dem Bohrer verbunden und leztere, damit die Meißel hindurchgehen, wie die Scheibe a, a, Fig. 11, durchlocht.

In Fig. 16 ist der Schlüssel abgebildet, womit die Bohrer an= geschraubt werden.

Dieser Bohrer, dessen Bahnen, wenn sie auf einer Seite stumpf sind, gedreht werden können, wird wie ein anderer aus Gestänge angeschraubt, und mit lezterem so lange fortgearbeitet, bis die Last mit dem Bohrer 5 bis 6 Centner beträgt; dann wird mit dem Seile

---

9) Mit demselben Keil wurde 1824 in Wilhelmshall bei Schwenningen eine über 500 Schuh lange, 4000 Pfd. schwere messingene Pumpe, welche ins Bohr= loch eingeschossen war, glüklich herausgebracht.

gebohrt, und der oben beschriebene Proceß wiederholt sich in allen seinen Theilen.

Ich habe die kurze Beschreibung meiner Erfahrungen über das Seilbohren hauptsächlich deßwegen mitgetheilt, um andere zu bestimmen, dieses Verfahren nachzuahmen und weiter auszubilden. Sehr folgenreich können solche Bemühungen werden. Das Seilbohren geht viel schneller als das Bohren am Gestänge von Statten, auch empfiehlt es sich durch bedeutend geringeren Kostenaufwand und durch dasselbe wird daher die Anzahl der Bohrarbeiten vermehrt werden. Wenn es wegen der Schwere des Gestänges, wegen des großen Zeitverlustes beim Aus- und Einhängen desselben, wegen der sich immer mehr häufenden Brüche beinahe unmöglich wird, tiefer zu bohren, so hindert nichts, mit dem Seile doch noch in eine größere Tiefe vorzudringen; welchen Gewinn verspricht daher die allgemeinere Anwendung des Seilbohrens für Naturkunde und Technik! —

VIII.

Ueber die vielkammerigen, nicht schlagenden Schießgewehre des Hrn. John Webster Cochran aus New-Hampshire.

Im Auszuge aus dem American Railroad Journal und aus dem Mechanics' Magazine, No. 707.

Hr. John Webster Cochran, der Sohn eines Kaufmannes in Enfield im Staate New-Hampshire, machte in seinem achtzehnten Jahre eine neue, auf alle Arten von Schießgewehren, von der Flinte bis zur Kanone, anwendbare Erfindung. Nachdem er sich drei Jahre mit deren Vollendung beschäftigt hatte, begab er sich damit in den Jahren 1833 und 34 nach England und Frankreich, wo er sie vergeblich den dortigen Armeeministerien anbot. Auf die Einladung des türkischen Gesandten machte er vor diesem in Woolwich mehrere Versuche, welche so gut ausfielen, daß Hr. Cochran aufgefordert ward, sich nach Constantinopel zu begeben, wo er im Februar 1836 anlangte. Er ward dem Sultan vorgestellt, und diesem gefiel das Modell so gut, daß er den Erfinder beauftragte, einige Zwölfpfünder nach demselben zu gießen. Dieser schwierigen Aufgabe unterzog sich Cochran, obwohl er keinen Unterricht im Maschinenbaue genossen, und obwohl er wegen Mangels an einer entsprechenden Stückgießerei und an Mechanikern gezwungen war, selbst überall Hand anzulegen. Der Guß und das Bohren zweier einpfündiger Kanonen gelangen ihm, und dasselbe Glück verließ ihn auch nicht bei der Herstellung eines Zwölfpfünders, den er auf das Vollkommenste zu Stande

brachte. Mit diesem lezteren stellte er in Gegenwart der türkischen
Großoffiziere Proben an, bei denen er 100 Schüsse in 15 Minuten
machte, und die einen so günstigen Bericht veranlaßten, daß der
Sultan selbst einer abermaligen Probe beizuwohnen wünschte. Bei
lezterer, bei der gleichfalls 100 Schüsse in 15 Minuten fielen, erreichte der Lauf oder das Rohr eine Temperatur von 650° F., während der umlaufende Cylinder, der zur Aufnahme der Ladungen bestimmt ist, nur eine Temperatur von 250° F. annahm. Reich be-
schenkt von dem höchst befriedigten Sultan und beauftragt mehrere
Kanonen nach demselben Principe zu liefern, kehrte Cochran in
sein Vaterland zurük, wo er seine Erfindungen nun seinen Landsleuten
im American Institute schauen läßt.

Die ausgestellten Gegenstände bestehen in einem Kanonenmodelle,
ähnlich dem dem Sultan vorgelegten, und in einer Büchse, die er
bereits 1200 Mal, und zwar 500 Mal rasch hinter einander abgefeuert hat, ohne daß irgend eine Ausdehnung der Kammern des
Cylinders oder eine größere Erhizung derselben als bis auf 100° F.
dabei Statt gefunden hätte. Der Cylinder dieser Büchse besteht
aus einem massiven Stük Eisen, welches sich in der Fläche des Laufes umdreht, und welches mit der Basis des Laufes in inniger Berührung steht; er hat beiläufig 4 Zoll im Durchmesser und ½ Zoll
in der Dike. Die 9 Kammern, die er hat, und die zum Behufe
der Aufnahme der Ladungen offen sind, sind an ihrem Umfange
durchlöchert, und convergiren gleich Radien gegen den Mittelpunkt
hin. Die Kegel, auf die die Zündkapseln gestekt werden, bilden
gleichfalls Radien, welche mit den eben erwähnten concentrisch sind;
und sämmtliche Kapseln sind durch metallene Scheidewände von einander geschieden. Jeder der für die Zündkapseln bestimmten Kegel
communicirt mit seiner Kammer, in deren Mittelpunkt er sich öffnet,
so daß die ganze Pulverladung mit einem Mal entzündet wird. Die
Folge hievon ist, daß das Pulver in der Hälfte jener Zeit explodirt,
welche an den gewöhnlichen Büchsen hiezu nöthig ist; daß also eine
größere Kraft entsteht, und daß mithin eine weit geringere Ladung
erforderlich wird. Die für jede Kammer nöthige Ladung beträgt
auch wirklich nur 1½ Gran; indem, abgesehen von der eben angegebenen Ursache, auch noch dadurch bedeutend an Kraft gewonnen wird,
daß die ganze Gewalt der Ladung bis zum Austritte der Kugel aus
dem Laufe hinter derselben bleibt. In dem Augenblik, wo eine
Kammer beim Umlaufen des Cylinders genau in die Linie des Laufes geräth, fällt der Hahn auf die Zündkapsel, wo dann augenbliklich die Entzündung erfolgt. Dabei werden die Kammern, so wie
sie genau in die nöthige Stellung gelangt sind, durch einen so-

genannten Regulator (regulating dog), welcher da an dem Cylinder angebracht ist, wo dieser an die Schwanzschraube stößt, momentan in dieser Stellung erhalten; und zwar indem die Zapfen oder Stifte dieses Regulators in die kleinen Löcher einfallen, die in gleichen Entfernungen von einander zu deren Aufnahme ausgebohrt sind. Der Hahn kann nicht eher auf die Zündkapsel schlagen, als bis sich diese genau in der erforderlichen Stellung befindet; denn wenn die Kammer nicht genau an ihrer gehörigen Stelle ist, so bietet die Scheibe, in welche der Hammer des Hahnes fällt, demselben nur die metallenen, zwischen den Regeln befindlichen Theile dar, so daß, indem der Hammer auf diese fällt, keine Entzündung erfolgen kann. Die Explosion oder Entzündung jener Kammern, die nicht mit dem Laufe zusammenfallen, ist unmöglich; und wenn sich auch ja eine solche ereignen könnte, so ist die Richtung dieser Kammern eine solche, daß nicht wohl ein Unglük aus der Entzündung erwachsen kann. Die Entzündung und Explosion kann sich unmöglich von der mit dem Büchsenlaufe zusammenfallenden Kammer auf die benachbarten Kammern fortpflanzen, indem die Kammern luftdicht an den Lauf passen.

Bei einer Ladung von 1¼ Gran Pulver sind Kugeln nöthig, wovon 50 auf das Pfund gehen. Die Triebkraft ist hiebei so groß, daß die Kugeln in einer Entfernung von 60 Fuß durch 8 zolldike Bretter geschlagen werden. Die für die neue Art von Büchse bestimmten Kugeln haben einen Durchmesser, welcher ganz genau der Kammer entspricht, dagegen aber den Durchmesser des Laufes um so viel übertrifft, als die Tiefe der spiralförmigen Furchen der sogenannten gezogenen Läufe beträgt. Es ist daher keine solche Pflasterung der Kugeln nöthig, wie an den gewöhnlichen Büchsen; denn die Kugel wird so in den Lauf getrieben, daß sie genau in denselben paßt, und eine cylindrische Gestalt und Furchen bekommt, welche den Spiralen des Laufes entsprechen. Hieraus folgt, daß die Kugel fest in ihrer Bahn erhalten wird, und eine so ruhige und sichere Bewegung bekommt, wie dieß nicht leicht mit einer anderen Art von Büchse der Fall ist. Die Pflasterung der Kugel nüzt sich nämlich auf dem Laufe durch die Büchse ab, wodurch nothwendig eine Unregelmäßigkeit in der Bewegung der Kugel entstehen muß. Als Beweis für die Genauigkeit, womit die Büchse des Hrn. Cochran schießt, mag angeführt werden, daß ihr Erfinder auf einer Bärenjagd zum großen Erstaunen seiner Jagdfreunde dem auf ihn zukommenden ergrimmten Thiere nicht weniger als 9 Kugeln hintereinander in den Kopf jagte.

IX.

Verbesserter Apparat zur Erzeugung von Eis und zum Abkühlen von Flüssigkeiten, worauf sich Jakob Perkins, Ingenieur von Fleetstreet in der City of London, am 14. August 1835 ein Patent ertheilen ließ.

Aus dem Repertory of Patent-Inventions. Januar 1837, S. 15.

Mit Abbildungen auf Tab. I.

Es ist bekannt, daß wenn man auf der Oberfläche von Gefäßen, in denen eine Flüssigkeit enthalten ist, eine flüchtige Flüssigkeit schnell verdünsten läßt, die Temperatur im Inneren des Gefäßes bedeutend vermindert wird. Bei diesem Verdünsten geht aber die flüchtige Flüssigkeit verloren, und wegen der hieraus erwachsenden Kosten war dieses Verfahren bisher nicht anwendbar, um im Großen Flüssigkeiten bis auf einen bedeutenden Grad abzukühlen. Ich beabsichtige nun durch meine Erfindung diesem Mangel abzuhelfen, und die zur Abkühlung verwendete und verdünstete Flüssigkeit wieder zu condensiren, damit sie neuerdings wieder zu demselben Zweke benutzt werden kann. Der Apparat, dessen ich mich zu diesem Behufe bediene, erhellt aus Fig. 30.

a ist ein Behälter, worin sich das Wasser oder die sonstige Flüssigkeit, welche abgekühlt oder auch in Eis verwandelt werden soll, befindet. Er muß gut geschlossen und mit einem schlechten Wärmeleiter umgeben seyn, damit weder die Luft noch die sonstigen ihn umgebenden Körper Wärmestoff an ihn abgeben können. b ist das Gefäß für die flüchtige Flüssigkeit, welche verdünstet werden soll. Die Flüssigkeit, die ich hiezu empfehle, ist Aether; theils weil er sich schon unter den gewöhnlichen Umständen bei sehr niedriger Temperatur verflüchtigt; theils weil dieß unter jenen Umständen, die weiter unten erläutert werden sollen, selbst bei noch niedrigerem Temperaturgrade zu bewirken ist. c ist eine gewöhnliche Pumpe, die ich die Dunst- oder Dampfpumpe nenne, weil sie dazu bestimmt ist, den in dem Gefäße b erzeugten Dampf aufzusaugen, um ihn dann durch die in dem Kühlgefäße e enthaltenen Röhren auszutreiben. Das Kühlgefäß e muß fortwährend mit kaltem Wasser versehen werden, damit der in die Röhren d gelangende Dampf gehörig abgekühlt wird. f ist eine Röhre, die von dem Gefäße b an die Pumpe führt, und die an ihrer Einmündung in die Pumpe mit einem Ventile versehen ist, welches bei der Rückkehr des Kolbens das Zurückdrängen des Dampfes oder Dunstes in das Gefäß b verhütet. g ist eine Röhre, die mit einem Ventile ausgestattet ist, welches sich von der

Pumpe nach Auswärts öffnet; sie bringt die Pumpe mit den Ver=
dichtungsröhren d in Verbindung.   Hieraus folgt, daß der in die
Pumpe gelangende Dampf in die Röhren d getrieben wird, um hier
verdichtet zu werden, und dann in flüssigem Zustande in das Gefäß b
zurük zu fließen.   Um mich der Verdichtung noch mehr zu versichern,
bringe ich ein mäßig belastetes (z. B. dem atmosphärischen Druk
ausgeseztes) Ventil h an, welches die Rükkehr des Aethers so lange
verhindert, bis derselbe gehörig comprimirt und gezwungen worden
ist, seinen Wärmestoff an das die Verdichtungsröhren umfließende
Wasser abzugeben.   Dieses Ventil h ist zwischen dem Verdichtungs=
apparate und dem Gefäße b angebracht, wie aus der Zeichnung
deutlich ersichtlich ist.

Um mich der hier beschriebenen Vorrichtung zu bedienen, fülle
ich den ganzen Apparat vorläufig mit Aether, um auf diese Weise
alle atmosphärische Luft auszutreiben; und wenn dieß geschehen ist,
so pumpe ich mit Hülfe einer kleinen, an dem Ventile h angebrach=
ten Pumpe wenigstens die Hälfte dieser Flüssigkeit wieder aus, da=
mit hinlänglich Raum für den Dampf geschafft werde.   Die nun=
mehr erfolgende Verdünstung der Flüssigkeit in dem Gefäße b wird
dann von der Quantität des Dampfes, die durch die Pumpe auf=
gesogen wird, so wie auch von der Quantität Wärmestoff, die sie
der das Gefäß b umgebenden Flüssigkeit entzieht, abhängen; und
das endliche Resultat wird eine Abkühlung dieser lezteren Flüssigkeit,
die selbst bis zum Gefrieren getrieben werden kann, seyn.

Ich gründe keine Ansprüche auf die Anwendung des Aethers
zum Abkühlen von Flüssigkeiten, und beschränke mich auch keines=
wegs auf die Anwendung von Aether allein, obschon ich dieser Flüs=
sigkeit sowohl ihres Preises wegen, als auch wegen der Leichtigkeit,
mit der sie selbst bei sehr niederen Temperaturen verdünstet, den
Vorzug gebe.   Meine Erfindung besteht, wie gesagt, lediglich darin,
daß ich die zum Abkühlen angewendete Flüssigkeit nicht verloren
gehen lasse, sondern daß ich sie, um sie neuerdings verwenden zu
können, in tropfbar flüssigen Zustand verdichte.

X.

Beschreibung der Großherzoglichen Brauerei in Oberweimar. Mitgetheilt von Hrn. C. Zeller, Sekretär des Großh. bad. landw. Vereins in Carlsruhe, und Lehrer der Landwirthschaft am dortigen Schullehrerseminar.

Mit Abbildungen auf Tab. I.

Diese Brauerei ist ganz auf den im nördlichen Deutschland üblichen Betrieb der Ober=Gährung eingerichtet und unterscheidet sich daher wesentlich von den bayerischen Brauereianlagen, steht übrigens sowohl wegen vorzüglicher Qualität ihrer Producte als der für einen Betrieb jener Art musterhaften Einrichtung in großem Rufe; dieß bewog mich auch, sie auf meiner Reise aufzusuchen, und da ich wirklich Gelegenheit fand, die Brauerei=Einrichtung durch die bekannte Gefälligkeit des Hrn. Kammerraths Brand in Weimar vollständig kennen zu lernen, so glaube ich mich zu einer näheren Beschreibung derselben wohl in Stand gesezt.

Das Bräuhaus ist ein langes hohes Gebäude mit der Fronte gegen Mittag und wenige Schritte von dem vorbeifließenden Bache, der Ilm, entfernt, aus dem das zum Brauereibetrieb nöthige Wasser geschöpft wird.

Die Einrichtung des Brauereigebäudes geht aus den, gegenwärtiger Beschreibung beigelegten Rissen hervor. Diese sind:

Fig. 17 der Grundriß desselben zur ebenen Erde;
Fig. 18 der Grundriß der ersten Etage und
Fig. 19 der Längendurchschnitt ohne den Dachstuhl.

Das ganze Gebäude selbst theilt sich ab in

A das eigentliche Brauereigebäude,
B das Gähr= und
C das Lagerhaus.

Die Locale des Gährhauses sind gewölbt und durch eine massive Wand von dem Braulocal getrennt. Oberhalb des ersteren befinden sich die Schüttböden. So weit das Gewölbe reicht, ist auch die Umfassungswand massiv. Weiter oben besteht sie dagegen aus Riegelwandungen und bildet zwei Etagen, die zu Schüttböden verwendet werden, so daß das Gährhaus mit den zwei weiteren im Dach befindlichen, 4 Schüttböden enthält.

Grundriß zu ebener Erde.

Dieser zeigt unter

a die Malzkammer, in der das Malz vor dem Schroten an

gefeuchtet wird. Sie steht durch einen Schlauch mit dem im zweiten Stok des Gährhauses befindlichen Malzvorrathsboden in Verbindung.

b einen Wasserbottich;

c die bereits erwähnte Pumpmaschine, welche durch ein Pferd mittelst eines, im nebenliegenden Schrotmühlgebäude befindlichen Tretrads in Bewegung gesezt wird und sowohl das zum Betriebe nöthige Wasser aus dem hinter dem Braugebäude vorbeifließenden Bache, als auch die Würze in die Höhe schafft. Für leztere steht überdieß zur Linken eine weitere Pumpe und rechts eine solche als Nothpumpe;

d den Seiger oder Stellbottich. Er steht unmittelbar unter dem Maischbottich h, hat mit diesem gleiche Größe und zwei Böden. Zwischen lezteren also auf der Seite des Seigerbottichs ist ein Hahn befestigt, der sich unmittelbar über dem im Erdgeschoß stehenden Würzbottiche öffnet. Dieser leztere ist übrigens bloß in der Durch-schnittszeichnung ersichtlich. Er besteht aus einem vierekigen Kasten von starkem Holze und ist dazu bestimmt, die aus dem Seigerbottiche ausgelaufene Würze zu sammeln. Diese wird dann von hier aus durch eine Röhre, welche ihn mit der Pumpmaschine in Verbindung sezt, nach dem in der zweiten Etage stehenden Würzbehälter (s. k im Durchschnitt) gebracht.

e den Gährbehälter unter den Kühlschiffen stehend, die das Bier mittelst Röhren abgeben. Er ist mehr einer Kammer als einem Bottich ähnlich, denn er kann beinahe luftdicht verschlossen werden; auch ist er nur mit einem Fenster versehen, um so viel Licht und frische Luft als nöthig ist, zulassen zu können.

Unmittelbar an diesen Gährbehälter gränzt das Gährhaus B, wohin das Bier, wenn es in der Gährkammer den zum Füllen auf Fässer geeigneten Grad von Gährung erreicht hat, durch eine Röhre geführt wird.

Grundriß des ersten Stoks.

Dieser enthält unter

f die große runde kupferne Braupfanne mit der Feuerung. Sie faßt 55 Weimarer Eimer Wasser à 145 Pfd. Ueber ihr befindet sich der Schlot zum Abführen der Dämpfe, auch münden sich in sie 2 Röhren von dem über ihr liegenden Würz= und Wasserbehälter (s. k im Durchschnitte), um nach Bedürfniß beides, Würze sowohl als Wasser, in die Pfanne bringen zu können. Lezteres selbst ent-leert sich durch einen am Boden angebrachten Hahn und durch unter-legte Rinnen entweder in den Seigerbottich d oder in den Hopfen-behälter g, der sich neben dem Kessel unmittelbar unter dem Würz-

und Maischbottich h befindet.   Jener Behälter ist ein hölzerner vier=
eckiger Kasten mit einem durchlöcherten Einsaze, der die Bestimmung
hat, den Hopfen zurükzubehalten, während die aus der Braupfanne
ablaufende geschöpfte Würze sich unterhalb des Einsazes ansammelt.
Diese wird dann zum Theil mittelst einer Pumpe entweder auf das
eine oder das andere der im vierten Stok befindlichen zwei Kühl=
schiffe c, oder das unter diesen gegenüber dem Hopfenbehälter lie=
gende dritte Kühlschiff m gebracht.

h den Maischbottich, dessen oberer Rand mit dem der Pfanne
in gleicher Höhe steht, damit das Ueberschöpfen von einem in den
anderen keinen besonderen Schwierigkeiten unterliegt.

ii sind zwei Kammern, theils für den Oberbrauer, theils für
das übrige Braupersonal.

Im Durchschnitte

sind ersichtlich und zwar unter

b der Wasserbottich,

c die Pumpmaschine,

d der Seiger oder Steußbottich,

n der Würzbottich,

g der Hopfenbehälter,

h der Maischbottich,

m das untere Kühlschiff,

l,l die beiden oberen Kühlschiffe, die bei Beschreibung der ersten
und zweiten Etage bereits näher bezeichnet worden sind; endlich

k ein Wasserbehälter, der durch eine Pumpe aus dem hinter
dem Gebäude fließenden Bache seinen Zufluß erhält.   Das Wasser
kann dann von hier aus theils durch Röhren, theils durch Rinnen in die
Braugefäße geleitet werden.   Daneben befindet sich der Würzbehälter
(in dieser Durchschnittszeichnung übrigens nicht ersichtlich), in den die
geklärte Maische aus dem im Souterrain stehenden Würzbottich, wie
dort angegeben ist, vermittelst der besonderen Würzpumpe aufge=
pumpt wird.

Zur Vervollständigung der Erklärung der Risse bemerke ich noch,
daß die Gefäße, wie sie oben bei jeder Etage angeführt worden sind,
bald tiefer, bald höher gegeneinander stehen, je nachdem es ihr Zwek
mit sich bringt, so wie auch die einzelnen Etagen selbst kein abge=
schlossenes Ganzes bilden, daher namentlich die Böden nicht immer
durch das ganze Gebäude durchlaufen.   Dasselbe ist z. B. vom Maisch=
bottich oberhalb bis zum Dache durch keine Böden unterschieden.   Es
ist nämlich darauf abgesehen, daß die Dämpfe durch verschiedene,
im Dache angebrachte Essen leichter ungehinderten Ausgang finden,

und nicht, wie es manchmal in sonst splendid eingerichteten Brau=
häusern getroffen wird, genöthigt sind, sich mit Gewalt nach den
vorhandenen Oeffnungen durchzuarbeiten, oder gar im Braugebäude
zu verweilen, wo sie sich nur niederschlagen und in wässeriger Gestalt
an den Wänden und Geschirren herabziehen würden. Durch reichlich
und an passenden Orten angebrachte Fenster ist das Ganze erhellt,
das Durchstreichen frischer Luft durch Zuglöcher befördert, und der
Wasserabzug durch das dem Boden gegebene Gefälle erleichtert. So=
mit kann nicht nur kein Wasser stehen bleiben, sondern es wird auch
dadurch das öftere Fegen und Reinigen des Locals erspart. Endlich
habe ich noch die Lage der Braupfanne anzugeben. Diese ist, wie
aus dem Risse ersichtlich ist, etwas hoch gestellt und mit einem Un=
tersaze von Grund auf massiv von Steinen aufgeführt. Damit das
Malz und Holz bequem und ohne den Weg durch das Braugebäude
nehmen zu müssen, nach solcher gebracht werden kann, findet sich
außerhalb des Gebäudes die Treppe o, welche bis zur Thüre nächst
der Pfanne führt.

Dieß ist nun im Wesentlichen der Zusammenhang, welchen die
einzelnen Brauereigeräthschaften unter sich haben. Es läßt sich dar=
aus leicht die Ueberzeugung gewinnen, daß er nicht allein durch Erspa=
rung von Arbeit, sondern auch durch geringen Verlust von Material große
Vortheile gewährt, da namentlich der hohe Stand des Kessels und
des Maischbottichs und das den einzelnen Gefäßen unter sich gege=
bene Gefälle das Hin= und Herbringen des Materiales ungemein
erleichtern. In den gewöhnlichen Brauereien ist dagegen ein stetes
Schöpfen und Pumpen nöthig, und nicht nur mit ungleich mehr
Arbeit, sondern auch einem unverhältnißmäßig großen Verlust an
Material verknüpft.

Das Gährhaus B

liegt unmittelbar neben dem Brauhause, aber einige Schuh tiefer als
das erste und empfängt, wie gesagt, mittelst Röhren das Bier aus
der Gährkammer in dem Grade von Gährung, der es zum Füllen
in Fässer geeignet macht. Dasselbe hat indessen so wie das Lager=
haus selbst in Vergleich mit anderen derartigen Localen keine beson=
ders abweichende Einrichtung. Sehr zweckmäßig ist aber die Ein=
richtung, daß sie mit fließendem Wasser versehen sind, um in den
heißen Sommertagen eine kühle Temperatur im Gähr= und Lager=
haus hervorzubringen, auch um das zum Reinigen erforderliche Wasser
stets bei der Hand zu haben.

Es wurde schon oben erwähnt, daß sich über beiden dem Gähr=

4*

und dem Lagerhaus die Malzböden befinden; sie sind im Durchschnitt unter Fig. 19, B ersichtlich.

An das Gährhaus reiht sich an

das Lagerhaus C.

Es enthält unter Anderem das Laboratorium oder eine zu Versuchen bestimmte Brauerei in kleinerem Maaßstab, die aber auch zum Brauen solcher Biere gebraucht wird, deren Absaz weniger bedeutend ist und daher keinen ausgedehnten Raum der Gefäße erfordert. Die einzelnen Theile dieser kleinen Bräuerei sind

in der ersten Etage:

a eine Pfanne,

b ein Bottich,

c eine Gährkammer,

d eine Requisitenkammer.

Oberhalb dieser in der zweiten Etage, wohin die Treppe e führt, f ein Kühlschiff (s. Fig. 18).

Auch enthält dieser Theil des Lagerhauses und zwar unter

g den Vorplaz zu der Malzdarre,

h den Feuercanal zur Heizung derselben,

i die Esse, welche beide bezteren auch in der Durchschnittszeichnung unter dieser Bezeichnung ersichtlich sind, und

k k die Darren selbst.

In der zweiten Etage:

l eine Stube für die Brauer,

m der Raum über der Darre.

Dieser bildet eine Satteldarre mit aufgelegtem durchlöchertem Eisenblech, hat indessen im übrigen keine besondere Einrichtung.

Das Gute davon ist, daß der Rauch nicht auch das Malz ziehen kann.

n Abzüge für den Dunst, die auch in der Durchschnittszeichnung zu sehen sind.

XI.

Beschreibung eines neuen Verfahrens zur Gewinnung des Jods und Broms; von Hrn. Buffy.

Aus dem Journal de Pharmacie, Jan. 1837, S. 17.

Das Verfahren, wodurch man das Jod gewöhnlich gewinnt, und welches darin besteht, die Mutterlaugen der Varecsoda durch concentrirte Schwefelsäure zu zersezen, ist bekanntlich ziemlich unsicher.

indem oft eine beträchtliche Menge Jod bei der Deſtillation als
Jodwaſſerſtoffſäure oder Chlorjod übergeht, welches dann für den
Fabrikanten verloren iſt. Um dieſem nachtheiligen Umſtand zu begeg=
nen, ſchlug Hr. Soubeiran vor, das Jod aus den Mutterlaugen
durch ſchwefelſaures Kupfer niederzuſchlagen und dann das Jodkupfer
durch Braunſtein bei erhöhter Temperatur zu zerſezen. Dieſe Me=
thode erheiſcht aber eine außerordentliche Sorgfalt und Vorſicht,
wenn man alles in den Mutterlaugen enthaltene Jod gewinnen will,
und ich glaube nicht, daß ſie jemals in einer Fabrik befolgt wurde.

Dieſe Gründe veranlaſſen mich ein viel einfacheres Verfahren
bekannt zu machen, welches ſeit kurzer Zeit von einigen Jodfabri=
kanten angewandt wird; es wurde meines Wiſſens von Hrn. Bar=
ruel entdekt und beſteht darin, das Jod aus den Varecmutterlaugen
durch einen Strom Chlorgas zu fällen.

Man dampft nämlich die Mutterlaugen von Varecſoda zur
Trokniß ab, vermengt den Rükſtand ſo gut als möglich mit dem
zehnten Theil ſeines Gewichtes gepulvertem Braunſtein, und erhizt
dann das Gemenge in einem eiſernen Keſſel unter häufigem Umrüh=
ren bis zur angehenden Braunrothglühhize. Durch dieſe Operation
ſollen die Sulfuride und unterſchweflſgſauren Salze, welche in großer
Menge in den Mutterlaugen vorkommen, in ſchwefelſaure Salze ver=
wandelt werden. Um zu erfahren, ob dieß wirklich vollſtändig be=
werkſtelligt wurde, braucht man nur eine kleine Menge der calcinir=
ten Maſſe mit überſchüſſiger Schwefelſäure zu übergießen; es darf
ſich dann weder Schwefelwaſſerſtoff mehr entbinden, noch Schwefel
abſezen.

Sollte die Maſſe während des Calcinirens violette Dämpfe
ausſtoßen, ſo müßte man die Hize mäßigen um Verluſt an Jod zu
vermeiden.

Wenn die Sulfuride gänzlich zerſezt ſind, löſt man den Rük=
ſtand in ſo viel Waſſer auf, daß die Flüſſigkeit 36° an Baumés
Aräometer zeigt. Man leitet alsdann in dieſe Auflöſung einen
Strom Chlorgas, wobei man ſie beſtändig mit einer Glasröhre um=
rührt; die Flüſſigkeit färbt ſich ſtark, trübt ſich hierauf und ſezt
Jod als ein ſchwarzes Pulver ab; man ſammelt dieſes und deſtillirt
es in einer gläſernen Retorte, um es kryſtalliſirt zu erhalten, wie
es im Handel vorkommt. Die einzige Schwierigkeit bei dieſem Ver=
fahren beſteht darin, den Punkt zu treffen, wo man die Einwirkung
des Chlors unterbrechen muß, weil ein Ueberſchuß deſſelben das
niedergeſchlagene Jod auflöſen würde. Ein Ueberſchuß von Chlor
iſt aber um ſo mehr zu vermeiden, wenn man aus denſelben Mutter=
laugen auch noch das in ihnen enthaltene Brom gewinnen will.

Man läßt daher die Flüssigkeit, wenn man glaubt, daß sie dem Sättigungspunkt nahe ist, einen Augenblik sich absezen, unterbricht den Chlorstrom und leitet das Gas über die Oberfläche der Flüssigkeit; so lange sie noch ein hydriodsaures Salz aufgelöst enthält, bildet sich nämlich auf ihrer Oberfläche ein Häutchen von Jod, was nicht mehr geschieht, wenn alles Jod niedergeschlagen ist; in lezterem Falle klärt sich die Flüssigkeit schnell und bleibt nur noch schwach röthlich gefärbt.

Die Abscheidung des Broms, so wie man sie gewöhnlich vornimmt, ist ebenfalls mit großen Schwierigkeiten verbunden, welche man durch folgendes Verfahren vermeiden kann.

Dieses Verfahren ist dem vorhergehenden ganz ähnlich; es gründet sich wie jenes auf die größere Verwandtschaft des Chlors und die Eigenschaft desselben, das Brom aus seinen Verbindungen zu verdrängen. Es gestattet überdieß die Jodmutterlaugen zu benuzen, welche bis jezt ohne Verwendung blieben. Die Mutterlaugen der Varecsoda enthalten nämlich, nachdem man das Jod auf oben angegebene Weise durch Chlor daraus niedergeschlagen hat, noch Brom als bromwasserstoffsaures Salz, vorausgesezt daß nicht mehr Chlor angewandt wurde, als gerade zur Fällung des Jods nöthig war. Man versezt nun 1250 Theile dieser Mutterlaugen mit 32 Theilen gepulverten Braunsteins und 24 Theilen gewöhnlicher Schwefelsäure von 66° Baumé. Das Ganze gießt man dann in eine tubulirte gläserne Retorte, an welcher ein ebenfalls tubulirter Ballon angebracht ist, von welchem eine Röhre in einen Glascylinder taucht. Der Hals der Retorte soll in den des Ballons und eben so die Röhre in den Ballon gut eingeschliffen seyn, so daß der Apparat ohne Anwendung von Kitt und Kork, welche durch das Brom unvermeidlich zerstört würden, zusammengesezt werden kann.

Man erhizt die Retorte, so daß die Flüssigkeit ins Kochen kommt; das übergehende Brom verdichtet sich dann in dem Ballon in öhlartigen rothen Streifen nebst einer geringen Menge Wasser; sobald keine rothen Dämpfe mehr entstehen, kann man die Operation unterbrechen. Wenn man jezt den Ballon, ohne den Apparat aus einander zu nehmen, schwach erwärmt, so geht das Brom in den Glascylinder über und verdichtet sich darin.

Man muß die zu dieser Operation angewandten Mutterlaugen nicht eher weggießen, als bis man sich durch einen neuen Zusaz von Schwefelsäure und Braunstein überzeugt hat, daß sie kein Brom mehr enthalten.

XII.

Ueber das Vorkommen von Salpetersäure oder einer stikstoffhaltigen Säure in der käuflichen Schwefelsäure, und ein Verfahren, woduch man sie davon befreien kann; von Ernst Barruel.

Aus dem Journal de Chimie médicale, 1836, No. 4.

Ich bin seit einiger Zeit öfters von Färbern befragt worden, weßwegen die Schwefelsäure von mehreren Fabrikanten, wenn man sie zum Auflösen des Indigo's benuzt, an Statt eine Lösung von schön blauer Farbe zu geben, nur eine grünlich blaue liefert. Schon vor zwei Jahren hatte ich überdieß gefunden, daß man mit mancher Schwefelsäure nicht im Stande ist reine Salzsäure zu bereiten, indem dieselbe stets chlorhaltig wird; und ich überzeugte mich damals, daß dieß bloß von der Unreinheit der angewandten Schwefelsäure und nicht des von mir selbst bereiteten Kochsalzes herrührte.

Zuerst dachte ich, daß die Salpetersäure, welche sich während der Schwefelsäurebereitung bildet, derselben durch die Concentration in bleiernen oder Platingefäßen nicht entzogen werden kann und daß diese Salpetersäure dann auf den Indigo und die Salzsäure wirkt; ich mußte aber diese Ansicht aufgeben, weil früher wirklich vollkommen reine (englische) Schwefelsäure im Handel vorkam, welche dem schwefelsauren Eisenoxydul bloß sein Krystallwasser entzog, ohne es im Geringsten rosenroth zu färben.

Ich verschaffte mir, um diesen Zweifel aufzuklären, Schwefelsäure von verschiedenen Fabriken und prüfte sie nach Desbassin's Verfahren auf einen Salpetersäuregehalt; dasselbe besteht darin: krystallisirten Eisenvitriol in gepulvertem Zustande in die Schwefelsäure zu werfen; je nach dem Salpetersäuregehalt derselben wird die Flüssigkeit dann schön purpurroth oder weinroth.

Alle Schwefelsäuren, welche ich untersuchte, zeigten merkliche Spuren von Salpetersäure; einige enthielten davon aber so viel, daß sie nicht wohl von der geringen Menge herrühren konnte, welche sich während der Schwefelsäurebereitung bildet; ich erfuhr später, daß einige Schwefelsäure-Fabrikanten in die Bleikammern Salpetersäure schütten, um den Proceß darin zu beschleunigen und eine größere Ausbeute zu erhalten.

Es ist in mancher Hinsicht von großer Wichtigkeit, mit Bestimmtheit ausmitteln zu können, ob eine Schwefelsäure wirklich Salpetersäure oder überhaupt eine stikstoffhaltige Säure enthält; denn wenn dieses der Fall ist, kann sie der Färber nicht zum Auf-

lösen des Indigo's verwenden; die Platingefäße, worin eine solche
Säure concentrirt wird, verlieren zum großen Schaden des Schwefelsäure-Fabrikanten schnell an Werth; der Chemiker endlich ist nicht
im Stande mittelst einer solchen Säure sich reine Salzsäure zu bereiten, denn wenn er diese Schwefelsäure auch zuvor mit der gehörigen
Vorsicht destillirt, so bleibt sie doch salpetersäurehaltig.

Ich will nun die Versuche mittheilen, die ich mit käuflicher
Schwefelsäure anstellte, welche Salpetersäure enthielt.

Ich brachte in eine gläserne Retorte acht Unzen käufliche Schwefelsäure (die Retorte enthielt Platinspäne, um das Kochen zu erleichtern) und schritt zur Destillation, indem ich von Zeit zu Zeit die
Vorlage mit dem Destillat wegnahm und durch eine neue ersetzte;
das erste Destillat, welches zwei Unzen wog, enthielt nur sehr wenig
Salpetersäure; das zweite, welches drei Unzen wog, enthielt mehr
Salpetersäure als das vorhergehende und das dritte, welches zwei
und eine halbe Unze wog, enthielt wieder mehr davon als das zweite.
Ich bemerkte außerdem, daß die Platinspäne ihren Glanz verloren
hatten; sie waren nun mattweiß und zerfressen und die in der Retorte zurükgebliebene Flüssigkeit hatte eine gelbliche Farbe; ich überzeugte mich, daß diese Flüssigkeit verhältnißmäßig am meisten Salpetersäure enthielt und daß ihre gelbliche Farbe von aufgelöstem
Platin herrührte.

Es war mir nun wahrscheinlich, daß die Salpetersäure der
Schwefelsäure nicht bloß beigemischt, sondern chemisch mit ihr ver-
bunden ist und ich wollte mich daher überzeugen, ob eine solche
Schwefelsäure wirklich Platin auflöst. Eine hinreichende Quantität
davon wurde zu diesen Versuchen mit Glasstüken destillirt, um die
Metallsalze, welche sie gewöhnlich enthält, abzusondern.

Erster Versuch.

Vier Unzen dieser Säure wurden in einer gläsernen Retorte mit
0,2 Platinspänen destillirt.

Das erste Product der Destillation, welches sieben Quentchen
wog und eine Dichtigkeit von 59° Baumé hatte, wurde durch schwefelsaures Eisenoxydul kaum geröthet.

Das zweite Product der Destillation, welches eine Unze und
vier Quentchen wog und 65½° Baumé zeigte, enthielt mehr Salpetersäure als das erste.

Das dritte Destillat, welches eine Unze und ein halbes Quentchen wog, enthielt viel mehr Salpetersäure als das zweite.

Das vierte Destillat endlich, welches zwei und ein halbes Quentchen wog und eine Dichtigkeit von 66° hatte, enthielt bedeutend viel Salpetersäure.

In der Retorte blieben beiläufig zwei Quentchen einer stark gelb gefärbten Flüssigkeit, welche offenbar am meisten Salpetersäure enthielt und die Eigenschaften einer Platinauflösung besaß.

Es ist sehr merkwürdig, daß die Salpetersäure mit der Schwefelsäure bei einer Temperatur von + 310° C. (248° R.) in Verbindung bleibt und daß die Dichtigkeit der Schwefelsäure durch einen Gehalt von Salpetersäure nicht vermindert wird, denn wir haben gesehen, daß diejenige, welche am meisten Salpetersäure enthielt, auch die größte Dichtigkeit besaß.

Die in der Retorte befindlichen Platinstüke wurden gesammelt, gewaschen, getroknet und dann gewogen; das Platin hatte 0,218 Gramm an Gewicht verloren; 1000 Gr. käuflicher Schwefelsäure können folglich 0,16 Gr. Platin auflösen.

Es ist nun erwiesen, daß eine solche Säure wie Königswasser wirkt und man sieht daher wohl ein, daß die Platinapparate, deren man sich in den Schwefelsäurefabriken zur Concentration bedient, bei jahrelangem Gebrauch beträchtlich an Gewicht verlieren müssen.

Die Schwefelsäure, welche zum ersten Versuch gedient hatte, enthielt noch Salpetersäure genug, um bei wiederholter Destillation über Platin neuerdings davon auflösen zu können.

Zweiter Versuch.

Es handelte sich nun darum, ein Verfahren auszumitteln, wodurch der Schwefelsäure so viel Salpetersäure entzogen werden kann, als sie nur immer enthalten mag; durch Erhizen derselben mit Kohle ist man dieses nicht im Stande, weil diese Substanz schon bei einer so niedrigen Temperatur wirkt, daß sie die Verbindung der Schwefelsäure mit der Salpetersäure nicht zerstören kann. Wenn man aber die unreine Schwefelsäure mit Schwefel bei einer Temperatur von 150 bis 200° C. (120 bis 160° R.) zwei oder drei Stunden lang digerirt, so erreicht man den Zwek vollständig.

Bei dieser Operation kommt der Schwefel in Fluß, und die Flüssigkeit nimmt eine bräunliche Farbe an; nach Verlauf der angegebenen Zeit riecht sie wieder sehr merklich nach schweflicher Säure; ich ließ nun die Flüssigkeit erkalten, wobei sie ihre braune Farbe behielt. Dann brachte ich sie mit einigen vorher gewogenen Platinstüken in eine gläserne Retorte und destillirte sie, indem ich die Vorlage von Zeit zu Zeit entfernte und durch eine neue ersezte.

Weder die lezten Producte der Destillation noch der Rükstand in der Retorte enthielten die geringste Spur Salpetersäure; denn sowohl die destillirte Säure als die in der Retorte zurükgebliebene blieb auf Zusaz von schwefelsaurem Eisenoxydul vollkommen weiß.

Ich wollte nun auch sehen, ob der Schwefel durch bloße Digestion mittelst der Wärme, die in der Schwefelsäure enthaltene Salpetersäure zersezt, ohne daß man nöthig hat, die Schwefelsäure überzudestilliren, was in den Fabriken nicht wohl angeht. Zwei Unzen Schwefelsäure, welche mit 3 Grammen (48 Gran) Schwefel zwei und eine halbe Stunde lang bei 150° bis 200° C. in Berührung waren, enthielten nach dem Erkalten nicht mehr die geringste Spur Salpetersäure.

Die Schwefelsäurefabrikanten können also ihre Säure leicht von Salpetersäure reinigen, indem sie dieselbe bei der angegebenen Temperatur mit einer geringen Menge Schwefel erhizen; es wäre aber zu wünschen, daß sie niemals Salpetersäure in das Kammerwasser gießen.

Dritter Versuch.

Nachdem ich die Schwefelsäure so gereinigt hatte, versuchte ich, ob man sie nicht neuerdings mit Salpetersäure verbinden kann. Ich brachte daher eine Unze reiner Schwefelsäure mit zwei Quentchen reiner und concentrirter Salpetersäure in eine Retorte, und nahm die Producte der Destillation zu verschiedenen Zeiten weg.

Das erste Destillat enthielt viel Salpetersäure und Spuren von Schwefelsäure; es entbanden sich während seines Uebergehens auch röthliche Dämpfe von Untersalpetersäure aus der Retorte. Bald zeigten sie sich aber nicht mehr und die Flüssigkeit verflüchtigte sich nun bloß noch bei + 310° C. (248° R.) Das zweite Product der Destillation enthielt sehr viel Schwefelsäure und Salpetersäure, welche durch ein wenig Untersalpetersäure grün gefärbt waren.

Die in der Retorte gebliebene Flüssigkeit, worin sich Platinspäne befanden, war dunkelgelb gefärbt; als man sie mit Wasser versezte, entwikelte sich daraus schnell Untersalpetersäure, und sie wurde grünlich; bei einem neuen Zusaz von Wasser verschwand die grünliche Farbe und die Flüssigkeit gab mit Schwefelwasserstoff einen schwärzlichbraunen Niederschlag. Die Platinspäne, welche anfangs 0,2 Gr. wogen, hatten 0,04 an Gewicht verloren.

Nach dem lezteren Versuche sollte man glauben, daß die Schwefelsäure nicht mit Salpetersäure, sondern vielmehr mit Untersalpetersäure verbunden ist, und daß diese Verbindung also derjenigen analog ist, welche Hr. Gautier de Claubry in seiner Abhandlung über die Schwefelsäure (Polyt. Journal Bd. XL. S. 192) beschrieben hat.

Ich hoffe durch zahlreichere Versuche diese eigenthümliche Verbindung noch genauer kennen zu lernen.

XIII.

Bemerkungen über die Krystallisation der Salze; von Thomas Griffiths.

Aus dem Magazine of Popular Science, November 1836, S. 299.

Ich habe unlängst bei der Bereitung mehrerer Salze für akademische Vorlesungen einige Beobachtungen über die Krystallisation gemacht, die mir, wenn sie auch zum Theil nicht neu sind, doch einer Bekanntmachung werth zu seyn scheinen.

I. Versuch. Man lege einen glatten Glasstab und einen hölzernen Stab von derselben Größe in eine heiße gesättigte Alaunauflösung; am folgenden Tage wird man den hölzernen Stab mit Krystallen überzogen finden, während der Glasstab vollkommen rein geblieben ist. Die Krystalle wählen also vorzugsweise die faserige Oberfläche des Holzes, woran sie sich leicht festhalten können, was bei der glatten Oberfläche des Glasstabes nicht der Fall ist.

Wenn man Auflösungen in einem hohen Glasgefäße krystallisiren läßt, hängen sich nur sehr selten Krystalle an dessen Seiten an, sondern fallen in dem Maaße, als sie sich auf der Oberfläche der Flüssigkeit gebildet haben, sogleich auf den Boden des Gefäßes herab; in einem hohen hölzernen Gefäße hingegen überziehen sich die Seiten eben so wie der Boden mit Krystallen.

II. Versuch. Man mache mit einer Feile die Oberfläche eines Glasstabes an gewissen Stellen rauh, und stelle ihn dann als einen Kern in eine heiße gesättigte Alaunauflösung; es werden sich alle Krystalle an die rauhen Oberflächen anhängen und die glatten vollkommen rein lassen.

III. Versuch. Man binde starkes Baumwollgarn in gewissen Zwischenräumen um einen reinen und polirten Glasstab und benuze denselben als Kern für eine ähnliche Alaunauflösung; das Garn wird sich mit Krystallen überziehen, während die polirten Theile des Glasstabes vollkommen frei bleiben, und so kann man leicht sechs oder acht verschiedene Krystallbüschel erhalten.

IV. Versuch. Man binde etwas Baumwollgarn an verschiedenen Stellen um einen Kupferdraht (oder Glasstab) und stelle ihn dann in eine heiße gesättigte Auflösung von schwefelsaurem Kupfer, so wird sich das Garn mit Krystallen überziehen.

Ein Kohlsstük gibt wegen seiner Porosität einen vortrefflichen Kern für Alaunkrystalle ab, indem sie daran viele sichere Anhaltspunkte finden; die in den Gasfabriken gewonnenen Kohls haben aber sehr oft eine glänzende, fast metallische Oberfläche, und wenn

man ein Stük davon in eine Alaunauflöſung legt, ſo wird man finden, daß die Kryſtalle die glatte Oberfläche vermeiden und ſich nur
auf den unregelmäßigſten und poröſeſten Stellen bilden.

Wenn man Alaunkryſtalle auf einem Kohkskern erzeugen will,
thut man am beſten, eine kochende geſättigte Alaunauflöſung anzuwenden und ein Loch durch das Kohksſtük zu bohren, ſo daß ſich
eine Schnur hindurchziehen läßt, womit es in der Auflöſung aufgehängt werden kann; es wird dann ſchwimmen, und daher muß man
auch die Schnur ſo ſchlaff laſſen, daß wenn das Kohksſtük mit Flüſſigkeit geſättigt und mit Kryſtallen beladen iſt, es etwa bis in die
Mitte der Auflöſung ſinken kann; die ſchönſten Kryſtalle wird man
dann immer an der unteren Seite deſſelben finden, weil ſie ſich daſelbſt ruhig bilden konnten, ohne durch das Herabfallen kleinerer
Kryſtalle von dem oberen Theile der Auflöſung geſtört zu werden.

Verſezt man die heiße, geſättigte Alaunauflöſung mit gepulvertem Kurkumä, ſo erhält man durchſichtige, gelbe Kryſtalle; wird
hingegen Lakmus angewendet, ſo werden ſie durchſichtig roth ausfallen; Blauholz macht ſie purpurroth und gewöhnliche Schreibtinte ſchwarz; je trüber die Auflöſung iſt, deſto ſchöner werden
die Kryſtalle, daher man ſie nicht zu filtriren braucht.

Gefärbte Alaunkryſtalle ſind immer zerbrechlicher als reiner
Alaun, und die Farben ſind auch etwas flüchtig; am beſten halten
ſie ſich unter einer mit Waſſer abgeſperrten Glasgloke, worin die
Luft beſtändig mit Feuchtigkeit geſättigt iſt. Daſſelbe gilt von vielen anderen Kryſtallen, beſonders ſchwefelſaurem Kupfer.

Drähte eignen ſich nicht gut zu Kryſtallkernen, denn wenn ſie
ſehr glatt ſind, hängen ſich die Kryſtalle wenig oder gar nicht an
und die bereits daran befindlichen löſen ſich wegen der Ausdehnung
und Zuſammenziehung des Drahtes in Folge des Temperaturwechſels
auch leicht wieder ab.

Um durch einen auffallenden Verſuch zu zeigen, daß die Farbe
eines Kryſtalls ſehr oft von ſeinem Kryſtallwaſſer abhängt,
braucht man nur einen Kryſtall von ſchwefelſaurem Kupfer
ſorgfältig in einem Tiegel zu troknen, bis er vollkommen weiß
wird und ihn dann in Waſſer zu werfen, durch deſſen Abſorption er
augenbliklich wieder ſeine urſprüngliche blaue Farbe erhält. Wird
ein Kryſtall von eiſenblauſaurem Kali eben ſo getroknet, ſo verſchwin-
det ſeine gelbe Farbe, erſcheint aber auf Zuſaz von Waſſer ſogleich
wieder.

XIV.
Ueber einen neuen Aether, welcher den Weinen ihren eigen-
thümlichen Geruch ertheilt.

Liebig und Pelouze haben in den Annales de Chimie et de Physique, Oktober 1836, ihre Untersuchungen über die Substanz, welche das riechende Princip der Weine bildet, mitgetheilt; wir stellen im Folgenden die wesentlichen Ergebnisse dieser interessanten Arbeit zusammen.

Wenn man Alkohol und Wasser in denselben Verhältnissen, wie sie im Wein vorkommen, mit einander vermischt, so erhält man eine so zu sagen geruchlose Flüssigkeit, während man doch sehr leicht den Weingeruch bei einer geleerten Flasche unterscheiden kann, wenn sie auch nur noch einige Tropfen dieses Getränks enthält. Dieser charakteristische Geruch, den alle Weine in größerem oder geringerem Grade besitzen, wird durch eine besondere Substanz hervorgebracht, welche alle Eigenschaften der wesentlichen Oehle besizt. Was man gewöhnlich die Blume, das Arom oder das Bouquet des Weins nennt, rührt von einer Substanz her, die keinen Geruch hat und folglich nicht mit jener verwechselt werden darf; sie ist auch nicht flüchtig, scheint bei den verschiedenen Weinsorten eine verschiedene zu seyn, und fehlt bei den meisten gänzlich.

Wenn man große Quantitäten Wein destillirt, so erhält man am Ende der Operation eine kleine Menge einer öhlartigen Substanz. Dieselbe Substanz erhält man auch bei der Destillation der Weinhefe, besonders solcher, welche sich auf dem Boden der Fässer absezt, nachdem die Gährung angefangen hat.

Die Destillation dieser Weinhefe oder dieses mit Ferment gemischten Weines wirft noch einigen Gewinn ab; man erhält daraus eine gewisse Menge Alkohol, nebst dem Oehl, welches den Weinen ihren Geruch ertheilt. Da diese Weinhefe einen sehr dicken Teig bildet, so verdünnt man sie mit der Hälfte ihres Volums Wasser und destillirt sie dann über freiem Feuer, mit der Vorsicht, daß sich die Masse nicht verkohlt. Das Product der Destillation zeigt 15° an Cartier's Aräometer; man destillirt es zum zweiten Mal, wodurch es auf 22° kommt. Gegen das Ende dieser zweiten Destillation, wenn der Branntwein nur noch 15° zeigt, sieht man das Oehl übergehen. Auf 10,000 Kilogr. des destillirten Products erhält man ungefähr 1 Kilogr. Oehl, und man kann annehmen, daß diese Substanz beiläufig den 40,000sten Theil des Weines ausmacht.

Das rohe Oehl hat einen starken Geschmak und ist meistens

farblos; bisweilen ist es jedoch durch etwas Kupferoxyd schwach grün gefärbt; daher diese Farbe auch auf Zusaz von Schwefelwasserstoff verschwindet. Durch die Destillation erhält man das Oehl ganz farblos.

Das ätherartige Oehl der Weine enthält viel Sauerstoff, weicht aber dennoch in seiner Zusammensezung von den bis jezt bekannten sauerstoffhaltigen wesentlichen Oehlen sehr ab. Es ist eine Verbindung einer eigenthümlichen fetten Säure mit Aether und gehört also in die Classe der zusammengesezten Aetherarten. Es liefert uns das erste Beispiel eines Aethers, welcher, in Wasser unauflöslich, während der geistigen Gährung ohne die Mitwirkung des Chemikers entsteht. Die neue Säure kann passend Oenanthsäure genannt werden, und folglich das wesentliche Oehl Oenanthäther.

Der rohe Aether ist immer mit mehr oder weniger freier Säure vermischt; da er flüchtiger als die Säure ist, so läßt er sich durch bloße Destillation schon in reinem Zustande erhalten, indem man nur das erste Viertel des Products sammelt. Um ihn ganz rein zu erhalten, ist es besser, ihn öfters mit einer warmen Auflösung von kohlensaurem Natron zu schütteln, welches die freie Säure auflöst, ohne den Aether zu verändern. Das Gemisch ist milchartig und wird selbst bei langem Stehen nicht klar; erhält man es aber einige Zeit im Sieden, so scheidet sich der Aether ab und bildet auf der Oberfläche der wässerigen Flüssigkeit eine leicht zu entfernende Schichte. Durch Schütteln mit Stücken von Chlorcalcium kann man ihm dann leicht die geringe Menge Wasser oder Alkohol entziehen, welche er noch enthält.

Der auf diese Art gereinigte Aether ist sehr flüssig, ungefähr wie Senföhl; er ist farblos und hat einen sehr starken, fast berauschenden Weingeruch. Sein Geschmak ist sehr stark und unangenehm. Er löst sich leicht in Aether und Alkohol auf, selbst wenn lezterer sehr verdünnt ist; Wasser löst davon nur sehr wenig auf. Seine Dichtigkeit ist 0,862; er ist so wenig flüchtig, daß wenn man ihn mit Wasser destillirt, mit einem Pfund Wasser höchstens 6 Gramme Aether übergehen. Er kocht zwischen 225 und 230° C. unter einem Druk von 0,747 Met. Nach der Analyse mit Kupferoxyd besteht er aus:

Kohlenstoff	72,39 =	18 Atomen
Wasserstoff	11,82 =	36 —
Sauerstoff	15,79 =	3 —
	100,00	

Der Oenanthäther wird durch die äzenden Alkalien augenbliklich zersezt, durch die kohlensauren Alkalien aber nicht merklich verändert.

Auch wird er durch Ammoniak selbst bei gelinder Wärme nicht zersezt. Wenn man ihn mit Aezkali in einem Destillirapparate kocht, so erhält man eine beträchtliche Menge Alkohol und die rükständige Flüssigkeit enthält oenanthsaures Kali, ein in Wasser sehr leicht lösliches Salz. Zersezt man diese Verbindung mit verdünnter Schwefelsäure, so scheidet sich die Oenanthsäure augenbliklich ab und bildet auf der Oberfläche der Flüssigkeit eine geruchlose öhlige Schichte.

Oenanthsäure.

Die aus ihren alkalischen Verbindungen durch Schwefelsäure abgeschiedene Oenanthsäure muß sehr sorgfältig mit heißem Wasser ausgesüßt werden. Man kann sie dann entweder durch Schütteln mit Chlorcalcium oder im luftleeren Raum mittelst concentrirter Schwefelsäure troknen.

Auf diese Art erhält man das Oenanthsäure-Hydrat, welches bei 13° C. vollkommen weiß und von butterartiger Consistenz ist, bei einer höheren Temperatur aber schmilzt und ein farbloses Oehl ohne Geschmak und Geruch darstellt, welches Lakmus röthet und sich in äzenden und kohlensauren Alkalien leicht auflöst. Diese Säure bildet wie alle fetten Säuren zwei Reihen von Salzen, saure, jedoch ohne merkliche Reaction und neutrale, die auffallend alkalisch reagiren. Sie löst sich leicht in Aether und Alkohol auf. Neutralisirt man eine warme Lösung von Oenanthsäure mit Kali, bis die Flüssigkeit weder sauer noch alkalisch reagirt und läßt sie dann erkalten, so gesteht sie zu einer teigartigen Masse, welche aus außerordentlich feinen Nädeln besteht, die nach dem Troknen einen seidenartigen Glanz zeigen. Dieses ist das saure Kalisalz.

Löst man die Oenanthsäure mit Hülfe der Wärme in kohlensaurem Natron auf, verdampft die Lösung zur Trokniß und behandelt die Masse mit Alkohol, so löst sich neutrales oenanthsaures Natron auf und das kohlensaure Natron bleibt zurük. Die geistige Lösung gesteht beim Erkalten zu einer durchscheinenden gallertartigen Masse.

Wird Oenanthsäure in der Kälte mit einer Lösung von essigsaurem Blei gemischt, so scheiden sich sogleich weiße Floken von einem unauflöslichen Salze ab. Essigsaures Kupfer bewirkt eine ähnliche Zersezung. Diese Salze sind saure; sie lösen sich nicht in Wasser, aber leicht in Alkohol auf; beim Erkalten einer gesättigten geistigen Lösung erhält man sie krystallisirt.

Es ist jedoch sehr schwer auf diese Art Salze ohne anhängende freie Säure zu erhalten. Süßt man sie mit Alkohol aus, so zersezen sie sich in saurere und in basische Salze.

Das Oenanthsäure=Hydrat besteht aus:

Kohlenstoff	69,22	= 14 Atomen.
Wasserstoff	11,59	= 28 —
Sauerstoff	19,39	= 3 —
	100,00	

Wasserfreie Oenanthsäure. — Das Oenanthsäure=Hydrat gibt beim Destilliren sein Wasser ab und verwandelt sich in wasserfreie Säure. Anfangs geht ein Gemisch von Oenanthsäure=Hydrat und Wasser über, dann aber die wasserfreie Säure. Das Kochen beginnt bei 260° C. und gegen das Ende steigt die Temperatur bis auf 295° C., wobei sich jedoch die Säure ein wenig färbt.

Die wasserfreie Säure besizt einen höheren Siedepunkt als das Hydrat. Ihr Schmelzpunkt ist ebenfalls höher. Geschmolzene wasserfreie Oenanthsäure wird erst gegen 31° C. fest.

Die wasserfreie Säure besteht aus:

Kohlenstoff	74,71	= 14 Atomen.
Wasserstoff	11,33	= 26 —
Sauerstoff	15,96	= 2 —
	100,00	

Wasserfreie Oenanthsäure entsteht also, indem das Hydrat ein Atom Wasser verliert, oder wenn dem Oenanthäther ein Atom Aether entzogen wird.

Es ist möglich und selbst wahrscheinlich, daß der Oenanthäther sich in den Weinen nur während der Gährung und der darauf folgenden Arbeit bildet. Daß alte Weine einen viel stärkeren Geruch und eine etwas öhlartige Consistenz haben, kann von einem größeren Gehalt an Oenanthäther herrühren. Die Oenanthsäure ist gewiß in allen Weinen enthalten und es bleibt noch zu untersuchen, ob der Oenanthäther nicht eine eigenthümliche Wirkung auf den Organismus hat und zur Berauschung durch den Alkohol noch beiträgt. Da alle Weine Oenanthäther enthalten, so unterscheiden sie sich in chemischer Hinsicht wesentlich von allen anderen durch Gährung entstandenen geistigen Flüssigkeiten und wahrscheinlich gelingt es später noch mehrere Substanzen von ihnen abzuscheiden, welche vielleicht die verschiedenen Weinsorten bedingen und wegen ihrer geringen Menge den Chemikern bisher entgingen.

Der Oenanthäther läßt sich mittelst Oenanthsäure auch direct darstellen. Erhizt man 5 Theile ätherschwefelsaures Kali mit 1 Theil Oenanthsäure=Hydrat, so schmilzt die Masse, und erhizt man sie bis auf 150° C., so bildet sich auf ihrer Oberfläche eine öhlartige Flüssigkeit, welche ein Gemisch von Oenanthäther mit noch freier Säure ist. Entfernt man diese öhlartige Schichte und erhizt sie mit einer

ssung von kohlensaurem Natron, so löst sich die freie Säure auf
und der Aether bleibt in reinem Zustande zurük.

XV.

Beleuchtung des Zier'schen Geheimnisses in der Runkel-rübenzuker-Fabrication. [10])

Jeder, der sich für Runkelrübenzuker-Fabriken auch nur einiger
Maßen interessirt, wird noch in gutem Gedächtniß haben, welche rie-
senhaften Vortheile man sich im Laufe des lezten Jahres von einer
angeblich ganz neuen Erfindung versprach, welche die HH. Zier
und Hanewald in Quedlinburg gemacht haben wollten. In dem
von Hrn. Arnoldi in Gotha darüber ausgegebenen und durch ganz
Deutschland verbreiteten Programm heißt es von dieser „unschäz-
baren Erfindung des Dr. Zier in Zerbst," daß dieselbe der ursprünglichen Erfindung Markgrafs ihre höchste Vollendung gebe,
den Erfinder aber zu einem der größten Wohlthäter Deutschlands mache.
Diese Erfindung verwandle das kostspielige, oft zeitraubende und
schwankende Verfahren der bestehenden Fabriken in das wohlfeilste,
einfachste, schnellste und sicherste; es lasse alle bekannten Methoden
weit hinter sich zurük, es sey eigenthümlich und mache Deutschland
unabhängig von den Ländern, die es bisher mit Zuker versahen.
Namentlich wird sodann in dem genannten Circular zugesichert, daß
man durch dieses Verfahren von 100 Pfd. gereinigten Rüben 9 bis
10 Pfd. festen Zuker erhalte, daß der Gewinn ein unter allen Con-
juncturen sicherer sey und daß die Arbeiten unter mechanische
Lohnarbeiter vertheilt und bei einiger Aufsicht von diesen ohne Gefahr verrichtet werden können. Für die Mittheilung des Geheimnisses wurden 100 Friedrichsd'or verlangt, und Jeder mußte sich zur
strengsten Bewahrung desselben bei einer Geldbuße von 1000 Thalern
verbindlich machen.

Die alles Maaß überschreitenden Anpreisungen thaten ihre Wirkung; ja selbst die Größe der Forderung trug das Ihrige dazu bei,
denn sie brachte manche zu dem Schluß, daß bei solcher Höhe der
Forderung doch nothwendig Etwas an der Sache seyn müsse. Genug, es fanden sich über 100 Personen ein, welche, ohne eine weitere Versicherung zu haben, daß die gerühmten Vortheile der Zier-
schen Methode sich bewährt finden werden, und ohne sich irgend einen
Regreß für den möglichen Fall einer Täuschung oder eines Betrugs

---

10) Aus dem Wochenblatt für Hauswirthschaft, Gewerbe und Handel.

vorzubehalten, die Summe von 100 Friedrichsd'or für das Zier'sche Geheimniß erlegten. Jedem wurde sofort nach geleisteter Zahlung eine fingersdike, angeblich von Taubstummen als Manuscript gedrukte Anleitung zur Ausübung des neuen Verfahrens übergeben, und zugleich wurde Allen frei gestellt, sich persönlich zur bestimmten Zeit beim Beginn der Fabrication in Quedlinburg einzufinden, wo ihnen das ganze Verfahren in der dortigen Fabrik von Hrn. Dr. Zier praktisch erläutert werden sollte.

Während nun bis zu dem Zeitpunkt dieses Congresses in Quedlinburg, bei welchem sich gegen 50 Käufer des Geheimnisses persönlich einfanden, alle Zeitungen und Zeitschriften voll waren von der neuen Entdekung und den wichtigen Folgen, die sie nicht nur für alle bestehenden Fabriken, sondern auch für die Landwirthschaft und den Handel überhaupt haben müsse, ist von diesem Augenblik an das tiefste Stillschweigen eingetreten! Es wäre diese tiefe Ruhe auf solchen Lärm hin unerklärlich, wenn man nicht in Erwägung ziehen wollte, daß von diesem Zeitpunkt an gerade die Ablenkung der öffentlichen Aufmerksamkeit von der Sache im Interesse derer lag, welche bis dahin möglichste Verbreitung und Anpreisung der großen Entdekung durch zahllose Zeitungsartikel wünschen mußten. Dagegen halten wir es im Interesse der Sache für Pflicht, dieses Stillschweigen zu brechen, und uns offen und ohne Rükhalt über eine in der Geschichte der deutschen Industrie wohl unerhörte Illusion auszusprechen. Auch dürfen wir wohl den Vorwurf der Voreiligkeit nicht fürchten, da viele der neu eingerichteten Fabriken für diesen Winter bereits ihre Arbeiten beendigt haben, und auch bei den übrigen das Ende nahe bevorsteht, ein festes Urtheil über den Werth und die Leistungen der Zier'schen Methode jezt also wohl möglich ist.

Nach allen Nachrichten, die uns von vielen Seiten her zugekommen sind, unterliegt es jezt keinem Zweifel mehr, daß das Zier'sche Verfahren durchaus nichts Neues enthält, und daß folglich Alle, die das Geheimniß gekauft haben, schon in so fern 100 Friedrichsd'or umsonst ausgegeben haben, als sie Alles, was ihnen um diesen hohen Preis mitgetheilt wurde, viel wohlfeiler in längst gedrukten Büchern hätten finden können. Indem wir hiemit das Neue und Eigenthümliche des Zier'schen Verfahrens durchaus läugnen und dieses Urtheil zu begründen im Begriffe stehen, müssen wir jedoch zur Vermeidung von Mißverständnissen bemerken, daß unserer Ansicht nach bei Beantwortung einer solchen Frage immer nur von den wesentlichen Theilen einer Methode, d. h. solchen, die auf das Endresultat einen entschiedenen Einfluß haben, die Rede seyn kann. Denn wollte man überall jede auch ganz unwesentliche Abänderung als neue Erfindung gelten lassen, so würde man in der That so viele Fabricationsmethoden erhalten, als Fabriken vorhanden sind, da wohl in jeder Fabrik dieß oder jenes auf eine etwas andere Art angeord= net ist oder betrieben wird, ohne daß man sich deßhalb der Anwen= dung eines neuen und eigenthümlichen Verfahrens rühmt. Eben so wenig können wir es für eine neue Erfindung gelten lassen, wenn Jemand aus den verschiedenen bekannten Verfahrungsarten so aus= wählt, daß er z. B. beim Zerreiben der Rüben dem A, beim Aus= pressen dem B, beim Scheiden dem C, beim Klären des Saftes dem D folgt. Denn auch dieses Auswählen ist etwas sehr Gewöhnliches, und es gehört zu solcher Entdekung, wenn wir zunächst noch von den etwaigen Vorzügen einer solchen zusammengesezten Wirthschaft ab= sehen, in der That wenig Scharfsinn.

Dadurch, daß Hr. Dr. Zier in seiner den Käufern mitgetheil= ten Anleitung, welche die ganze Rübenzukerbereitung von A bis Z umfaßt, nirgends herausgehoben hat, welche Punkte er dabei als seine Erfindung in Anspruch nimmt, auch bei dem Congreß in Queds= linburg es bestimmt verweigert hat, zu erklären, worin sein Geheim= niß eigentlich bestehe, sind wir genöthigt, selbst diejenigen Punkte herauszuheben, in welchen sein Verfahren von dem derzeit in den meisten Fabriken üblichen abweicht, und welchen man also etwa das Prädicat der Neuheit und Eigenthümlichkeit beilegen zu müssen glau= ben könnte. Wir heben in dieser Beziehung drei Punkte heraus:

1) den reichlichen Gebrauch von Kalk bei der Scheidung (Läu= terung) mit Ausschluß der Schwefelsäure;

2) das Kochenlassen des Saftes nach dem Beisaz des Kalkes;

3) das erste Filtriren des Saftes (Klärung) gleich nach der Läuterung ohne vorheriges Abdampfen.

Was den ersten Punkt betrifft, so weiß Jeder, daß der Gebrauch des Kalks ohne Anwendung von Schwefelsäure bei der Zukerbereitung nichts Neues genannt werden kann, vielmehr gerade das älteste, noch jezt in den Colonien allgemein übliche Verfahren ist. Eben so wenig ist die Anwendung dieser Methode auf die Bereitung des Rü= benzukers neu, wie denn namentlich dieses Colonialverfahren in neue= ster Zeit von vielen französischen Fabriken angenommen worden ist, und auch hier in Hohenheim längst bloß Kalk angewendet wird.[11]) Die Quantität kann aber auf keinen Fall eine neue Erfindung be= gründen, da fast jeder Zukersieder den Kalk in anderen Verhältnissen zusezt.

Das Kochenlassen des Saftes nach der Scheidung ist zwar in

_____

11) Vergl. Riecke's Wochenblatt 1834, Nr. 6.

neueren Zeiten, so viel wir wissen, wenig mehr angewendet worden, aber neu kann man ein Verfahren doch nicht nennen, das Hermbstädt schon vor 25 Jahren angegeben und umständlich gelehrt hat. [12]) Auch wird Hr. Dr. Zier nicht wohl sagen können, daß ihm dieses Verfahren von Hermbstädt unbekannt geblieben sey, da sich unter den literarischen Hülfsmitteln, welche das obengenannte Circulär enthält, die Hermbstädt'sche Schrift namentlich auch aufgeführt findet, und überdieß diese Verfahrungsart von da aus in viele spätere Schriften übergegangen ist. [13])

Endlich in Beziehung auf den dritten Punkt ist es zwar früher ziemlich allgemein üblich gewesen, die Klärung durch Thierkohle erst dann vorzunehmen, wenn der geläuterte Saft bis auf 25° B. und mehr abgedampft war. Seit man aber mit der zweckmäßigsten Anwendung des Dumont'schen Filters vertrauter geworden ist, hat dieser Proceß in vielen Fabriken schon mancherlei Abänderungen erlitten, wie man denn namentlich in neueren Zeiten in Frankreich versucht hat, den Saft drei Mal zu filtriren, das erste Mal gleich nach der Läuterung, das zweite Mal zu 12° B., das dritte Mal zu 25° B. abgedampft. [14]) Es hat also hierin Hr. Dr. Zier nichts Neues erfunden, und wir möchten selbst die Zweckmäßigkeit dieses Verfahrens sehr in Zweifel ziehen, denn es ist klar, daß die Filtrirung des Saftes in diesem Zustande der Verdünnung bei ungefähr 3° B., wie er unmittelbar nach der Läuterung Statt hat, sehr schnell vorsichgehen muß, wenn nicht eine nachtheilige Umänderung in demselben vorgehen soll, welche nothwendige Beschleunigung aber bei der Fabrication im Großen wohl manche Schwierigkeiten darbieten dürfte.

Gehen wir nun aber von der Untersuchung über die Neuheit der Methode zur Betrachtung ihrer Leistungen über, so sind, so weit unsere Nachrichten reichen, alle Käufer des Zier'schen Geheimnisses darüber einig, daß von allen den großen Versprechungen, welche in dem oben angeführten Circulare enthalten sind, keine in Erfüllung gegangen ist. Nicht einer kann sich eines Gewinnes von 9—10 Proc. festen Zukers rühmen, obgleich der heurige Jahrgang als einer der günstigsten für die Zukerfabrication allgemein anerkannt wird! Wenn Hr. Dr. Zier jetzt erklärt, wie er dieß in Quedlinburg wirklich ge-

---

12) Hermbstädt's Anleitung zur praktisch-ökonomischen Fabrication des Zukers aus den Runkelrüben. Berlin, 1ste Auflage, 1811. 2te Auflage, 1814, S. 37.

13) Vergl. Erxlebens Versuche über den Anbau der Runkelrüben und deren Benutzung auf Zuker. Prag 1818, S. 54.

14) Vergl. die Runkelrübenzuker-Fabrication in Frankreich und ihre neuesten Verbesserungen von Payen. Deutsch von L. Gall 1836, S. 42 und 16. Sehr zu empfehlen.

than haben soll, er habe darunter nicht 10 Proc. kryſtalliſirten Zu=
ker, ſondern 10 Proc. Maſſe, d. h. Rohzuker und Syrup zuſam=
mengenommen, verſtanden, und er ſey für die Uebertreibungen der
von ſeiner Methode zu erwartenden Vortheile in Zeitungsartikeln
nicht verantwortlich, ſo überlaſſen wir es dem Leſer, dem wir oben
den Inhalt des Arnoldi'ſchen Circulars kurz mitgetheilt haben,
dieſe Antwort des Hrn. Dr. Zier zu würdigen. [15])

Wir begnügen uns, unſere Anſicht öffentlich dahin auszuſpre=
chen, daß wir bei dieſen Verhältniſſen jeden Käufer des Zier'ſchen
Geheimniſſes für berechtigt halten, die bezahlte Kaufſumme zurückzu=
fordern, und daß wir eben ſo das gegebene Verſprechen der Geheim=
haltung des Verfahrens unter dieſen Umſtänden für nicht bindend
halten können. Denn wer mir ein Verſprechen abnimmt, das Ge=
heimniß zu bewahren, das er mir anvertrauen will, mir aber ſodann
ſtatt eines Geheimniſſes eine allbekannte Sache ins Ohr ſagt, kann
ſich nicht über Treubruch beklagen, wenn ich das Geheimniß, das
nie exiſtirte, nicht geheim halte. Wir machen hierauf deßhalb auf=
merkſam, weil Manche durch das gegebene Verſprechen der Verſchwie=
genheit ſich abhalten laſſen könnten, ihr gutes Recht gegen Hrn. Dr.
Zier öffentlich zu verfolgen. *)

Durch dieſe Geſchichte ſind viele Gewerbsmänner, außer der
verlorenen Kaufſumme, in große Verluſte gerathen, da ſie zu ſpät
einſahen, wie trügeriſch die Verheißungen waren, daß ſich nach der
neuen Methode durch bloße mechaniſche Arbeiter ohne einen eigenen
gelernten Siedmeiſter fabriciren laſſe; ja es ſind uns Einzelne ge=
nannt worden, die ihr leztes Vermögen dieſer Hoffnung zum Opfer
brachten! Möge das Zier=, Hanewald= und Arnoldi'ſche Run=
kelrübenzuker=Fabricationsgeheimniß in der Geſchichte des Gewerbflei=
ßes als ewige Warnungstafel daſtehen, den maßloſen Anpreiſungen
von Geheimnißkrämern immer nur mit großer Zurückhaltung zu trauen
und nie ohne die vollkommenſte Garantie ein ſolches Geheimniß zu
kaufen!   Prof. Riecke.

----

13) Wenn manche von den neu eingerichteten, nach der Zier'ſchen Anweiſung
arbeitenden Fabriken mit den Reſultaten ihrer Arbeiten im Allgemeinen zufrieden
ſind, ſo iſt dieß kein Beweis gegen unſere obige Behauptung; denn wir läugnen
nicht, daß man nach dem Zier'ſchen Verfahren eben ſo gut Zuker fabriciren kann,
als nach anderen Methoden, aber wir läugnen, daß es alle anderen bisher bekann=
ten Methoden hinter ſich zurückläßt! Von den vergleichungsweiſen Leiſtun=
gen der Zier'ſchen Methode muß man alſo ſprechen; aber dieſe, für die Beur=
theilung doch ſo nöthige, Vergleichung iſt nicht jeder im Stande anzuſtellen. So
viel wir hören, ſoll man ſelbſt in der Arnoldi'ſchen Zukerfabrik bei Gotha das
Zier'ſche Verfahren bereits verlaſſen haben! —
16) So viel wir erfahren haben, ſind bereits mehrere Inhaber des Geheim=
niſſes proceſſirend gegen Hrn. Dr. Zier aufgetreten.

XVI.
Miszellen.

Dixon's Apparat zur Verhütung der Explosionen der Dampfkessel.

Das Journal de la Haye berichtet über einen von Hrn. Dixon erfundenen Apparat, der angeblich alle Explosionen der Dampfmaschinen unmöglich machen soll. Das Wesentliche der Erfindung beruht darauf, daß außer dem gewöhnlichen Sicherheitsventile auch noch ein kleiner Cylinder von 6 Zoll Höhe und 3 Zoll im Lichten an den Dampfkesseln angebracht werden soll. Die innere Oberfläche dieses Cylinders muß genau gebohrt und gut polirt seyn, damit sich ein gehörig abjustirter Kolben mit Leichtigkeit darin bewegen kann. An diesem Kolben wird eine parallel gedrehte Eisenstange von solcher Länge angebracht, daß sie durch einen Steg reicht, der an dem Kessel oder auch an dem Cylinder selbst befestigt ist, und dessen Aufgabe darin besteht, den Kolben in senkrechter Stellung zu erhalten. An dieser über den Steg hinaus reichenden Stange werden Scheiben aus Gußeisen gefaßt, deren Druk je nach dem Druke des Dampfes berechnet seyn muß. In die Seitenwand des Cylinders wird eine Oeffnung von einem Zoll im Durchmesser geschnitten, und von dieser Oeffnung führt längs des Mauerwerkes bis zu dem unteren Theile des Ofens eine Röhre herab: jedoch so, daß die Handhabung der Ofenthürchen dadurch nicht beeinträchtigt wird. Damit das Ende dieser Röhre eine größere Metalloberfläche darbiete, ist sie mit einem Ringe ausgestattet, gegen den sich luftdicht ein Ventil anlegt, welches das Ende eines Hebels bildet; während das andere Ende dieses Hebels mit einem Abfalle correspondirt, der mit dem Roste des Ofens in Communication steht. Die gußeisernen Roststangen sind in einen Rahmen eingesezt, der excentrisch an eine schmiedeiserne Welle gelötet und so eingerichtet ist, daß er sich frei in Eisenstäken bewegen kann, welche an den beiden Wänden des Aschenloches befestigt sind. Sobald der Dampf einen stärkeren als den gewünschten Druk erlangt hat, wird der Kolben emporgehoben, wo dann der Dampf, indem er durch die Röhre entweicht und das Hebelventil ins Spiel sezt, den Abfall aushakt. Hiedurch kommt der Rost zum Schaukeln, und die Folge davon ist, daß das auf ihm befindliche Brennmaterial ins Aschenloch geworfen wird, und daß folglich jene Ursache, die den Kessel einige Augenblicke später vielleicht zum Bersten gebracht hätte, neutralisirt wird Um die Wärme schnell abzuleiten, bringt Hr. Dixon noch drei andere Röhren an der Seitenwand des Cylinders an; es ist also für 4 Entladungsröhren gesorgt, von denen die eine den Rost zum Schaukeln bringt, während die andere durch eine eigenthümliche Vorrichtung den Aufseher oder dessen Diener von dem, was vorging, in Kenntniß sezt; und während die beiden anderen zum Dache des Gebäudes hinaus führen. (Aus dem Mémorial encyclopédique. Januar 1837, S. 26)

Lezter halbjähriger Bericht der Liverpool-Manchester-Eisenbahn-Compagnie.

In einer Anfangs Februar l. J. abgehaltenen Generalversammlung ward von den Directoren der Bericht über die Einnahmen und Ausgaben vorgelegt, welche sich vom 1. Jul. bis zum 31. Decbr. 1836 an der genannten Bahn ergaben. Die Resultate sind folgende:

Die Bruttoeinnahmen beliefen sich auf	125,279 Pfd.	5 Sch.	9 D.
Die Ausgaben auf	79,628 —		
Bleibt Nettogewinn	45,651 —	5 —	9 —
Hiezu der vom vorigen Halbjahre verbliebene Ueberschuß mit	1,127 —	15 —	2 —
macht in Totalsumme	46,778 Pfd.	—	11 D.

Man beschloß hienach eine Dividende von 5 Proc. an die Actionäre auszubezahlen, und 6378 Pfd. 15 Sch. 4 D. als Ueberschuß auf das nächste Halbjahr zu übertragen.

Eisenbahnen erleiden durch Schnee weniger Hemmnisse als Landstraßen.

Man hat sich auf dem Continente lange Zeit mit der Meinung zu beschwichtigen gesucht, daß die Eisenbahnen in Gegenden, in welchen im Winter große Schneemassen fallen, mehr oder weniger ungeeignet und unbrauchbar wären. Der diesjährige Winter, in welchem England von einem unerhörten Schneefalle heimgesucht wurde, hat nun auch diesem Vorurtheile den Todesstoß gegeben. Ein in Carlisle erscheinendes Blatt schreibt nämlich Folgendes: „Wir haben uns bei dem lezten Schneesturme nicht nur von der Möglichkeit der Benuzung der Eisenbahnen bei tiefem Schnee, sondern auch von dem großen Nuzen derselben unter diesen scheinbar ungünstigen Umständen überzeugt. Der Schnee bedekte an den Cowranhügeln die von Newcastle nach Carlisle führende Eisenbahn in einer Höhe von 4 bis 5 Fuß; zahlreiches Volk hatte sich versammelt, um zu sehen, wie der angekündigte Dampfwagen Hercules dieses Hinderniß überwinden würde, und um ihm im Falle der Noth Hülfe zu leisten. Die Maschine erlitt aber zur allgemeinen Verwunderung nicht die geringste Störung in ihrem Gange; sie durchschnitt den Schnee ohne alles Hinderniß, obwohl dieser gleich dem Schaume der Brandungen über den Scheitel des Schornsteines emporgeschleudert dahinflog. Die Maschine legte unter diesen Umständen 30 engl. Meilen in $1^1/_4$ Zeitstunde zurük; und der Transport auf der Eisenbahn blieb ununterbrochen, während er auf den Landstraßen eine mehr oder minder lange Zeit über ernstlich beeinträchtigt, wo nicht ganz aufgehoben war.

Wichtige Verbesserung an den Drahtbrüken.

Die Drahtbrüken, welche in den lezten Jahren in Frankreich so sehr in Schwung waren, sollen nun, wie das London Journal in seinem neuesten Februarhefte ankündigt, auch in England in Aufnahme kommen, und zwar unter Umständen, welche in Hinsicht auf Dauerhaftigkeit und Festigkeit weit günstigere Aussichten gewähren, als die leichten französischen Bauten dieser Art, die beinahe das ganze System in Verruf gebracht hätten. Hr. Andrew Smith, der Erfinder einer verbesserten Methode das Takelwerk der Schiffe einzurichten, hat nämlich angefangen, seine Erfindung die Eisendrähte durch Kautschuk zusammen zu kitten und sie sowohl hiedurch als durch verschiedene andere Mittel gegen Oxydation zu schüzen, auf den Bau der Drahtbrüken anzuwenden. Er baut gegenwärtig in Grimsby über einen Arm der See mit seinem verbessertem Drahtschnüren eine Kettenbrüke, die das größte Werk dieser Art bilden wird, und an der auch noch verschiedene andere neue Principien zur Ausführung kommen sollen. Das London Journal läßt hoffen, daß es die neueren Patente des Hrn. Smith bald bekannt zu machen im Stande seyn wird; und versichert einstweilen nur, daß sich sein verbessertes Takelwerk auf den Schiffen als vollkommen gegen den Rost geschüzt bewährt habe; und daß das Drahttakelwerk bei gleicher Stärke und Biegsamkeit nur halb so schwer wiegt, als das hänfene.

Ueber ein neues optisches Instrument des Hrn. Plateau.

Hr. Plateau, der Erfinder des Phenakistikops (Polyt. Journal Bd. LI. S. 33) und mehrerer anderer zu optischen Zweken bestimmter Instrumente, theilte der Akademie in Brüssel kürzlich die Beschreibung eines neuen, auf dem Principe des Phenakistikops beruhenden Instrumentes mit, womit man 1) die Gestalt eines belebten Körpers, der eine zu rasche Bewegung besizt, als daß ein bleibender Eindruk davon auf das Auge hervorgebracht werden könnte, zu bestimmen vermag, indem der Körper dadurch scheinbar in den Zustand der Ruhe versezt wird; womit man 2) alle Eigenthümlichkeiten der Bewegung beobachten kann, indem sich die Geschwindigkeit der Bewegung scheinbar beliebig vermindern läßt; und womit man endlich 3) die wirkliche Geschwindigkeit des Gegenstandes ermitteln kann. Der Erfinder hat zu diesem Zweke eine schwarze Scheibe aus Metall oder Pappendekel, gegen deren Umfang hin in gleichen Entfernungen von einander mehrere nach der Richtung von Radien laufende Spalten ausgeschnitten sind, mit einem Uhrwerke in Verbindung gebracht, und dieses Uhrwerk so eingerichtet, daß fi-

deſſen Geſchwindigkeit nach Belieben abändern läßt. Wenn man nun z. B. eine in Schwingungen befindliche Saite durch die umlaufende Scheibe betrachtet, ſo wird, wenn die Geſchwindigkeit der Scheibe eine ſolche iſt, daß jeder ihrer Ausſchnitte genau in dem Augenblike an dem Auge vorübergeht, in welchem ſich die Saite an dem einen Ende ihrer Schwingung befindet, das Auge die Saite immer nur in ganz identiſchen Stellungen ſehen können; und da die Spalten mit ſolcher Geſchwindigkeit auf einander folgen, daß ſich die einzelnen von dem Auge oder vielmehr von der Retina empfangenen Eindrüke an einander knüpfen, ſo wird daraus folgen, daß die Saite dem Auge als vollkommen unbeweglich erſcheint, und daß man mithin über die wirkliche Geſtalt des in Bewegung befindlichen Körpers Aufſchluß erhält. Vermindert man die Geſchwindigkeit der Scheibe, ſo wird die Saite dagegen nicht mehr als unbeweglich erſcheinen, ſondern als in einer Bewegung begriffen, welche viel langſamer von Statten geht, als ihre wirkliche Bewegung. Man kann daher mit dem neuen Inſtrumente eine ſehr raſche Bewegung ſcheinbar in eine ſo langſame umwandeln, als man will, und als man es für nöthig findet, um die verſchiedenen bei der Bewegung Statt findenden Umſtände zu erforſchen. So beobachtete Hr. Plateau z. B., indem er eine Saite durch die angegebenen Mittel zwang ſich freiwillig in eine beſtimmte Anzahl einzelner ſchwingender Theile zu ſcheiden, daß die Saite mehrere Mal und langſam von einer wellenförmigen Geſtalt in eine entgegengeſezte wellenförmige Geſtalt überging. — Was die Beſtimmung der wirklichen Geſchwindigkeit eines Gegenſtandes, z. B. der Zahl der Schwingungen, welche eine Saite innerhalb einer Secunde macht, betrifft, ſo variirt man, nachdem man dem Inſtrumente vorher eine beliebige Geſchwindigkeit gegeben hat, dieſe Geſchwindigkeit ſo lange bis der Gegenſtand unbeweglich erſcheint, worauf man dann die Zahl der Umdrehungen notirt, die die Scheibe innerhalb der Einheit der Zeit vollbringt. Das Inſtrument iſt zu dieſem Zweke mit einem Zähler ausgeſtattet. Iſt dieß geſchehen, ſo variirt man die Geſchwindigkeit abermals, bis der Gegenſtand unbeweglich erſcheint, und notirt die der Zeiteinheit entſprechende Zahl der Umgänge. Die Differenz zwiſchen den Zahlen dieſer Umgänge getheilt durch deren Product und durch die Zahl der in die Scheibe geſchnittenen Spalten gibt dann die Zeit, welche zwiſchen der zweimaligen Rükkehr des Gegenſtandes in eine und dieſelbe Stellung verfloſſen iſt. (Memorial encyclopédique, Januar 1837, S. 7.)

Bereitung des ſogenannten weißen indiſchen Feuers.

Das Journal des connaissances usuelles, November 1836, gibt folgende Vorſchriften zur Bereitung des Präparates, welches unter dem Namen des weißen indiſchen Feuers (feu blanc indien) in hölzernen Büchſen verkauft wird; und welches ſich wegen der großen Entfernung, bis in welche daſſelbe leuchtet, vortrefflich zu Signalen bei Nacht eignet. „Man vermengt 24 Theile Salpeter, 7 Theile Schwefelblumen und 2 Theile rothen Arſenik, nachdem dieſe Subſtanzen gehörig gepülvert worden ſind, auf das Innigſte, und bringt das Gemenge in dünne, hölzerne Büchſen von viereckiger oder runder Geſtalt. Gewöhnlich gibt man den runden Büchſen ihren halben Durchmeſſer als Höhe, während man den viereckigen Büchſen die doppelte Höhe als Breite gibt. In der Mitte des Dekels, womit die Büchſen verſchloſſen werden, iſt zum Behufe des Entzündens des Pulvers eine kleine Oeffnung angebracht. Um dieſe Büchſen zu verſenden, leimt man rings um deren Fugen, ſo wie auch über die Oeffnung des Dekels Papierſtreifen. Will man eine Büchſe anzünden, ſo ſchneidet man das um den Dekel geleimte Papier, ſo wie auch jenes, womit die Oeffnung verklebt iſt, durch und entzündet das Pulver mit einer Lunte. Die Entzündung erfolgt mit einem Mal, jedoch ohne Exploſion, unter Verbreitung eines äußerſt glänzenden Lichtes; wegen des Rauches, der ſich dabei entwikelt, und der wegen der Arſenikdämpfe ſehr gefährlich werden könnte, hat man ſich beim Entzünden über den Wind zu ſtellen. Eine Büchſe von 6 Zoll im Durchmeſſer und 3 Zoll Höhe brennt beiläufig drei Minuten lang; man kann ihr Feuer kurz vor Sonnenuntergang bis auf 36,000 Klafter Entfernung ſehen; und der Glanz dieſes Feuers iſt ſo lebhaft, daß die Augen aller, die ihm in die Nähe kommen, für eine kurze Zeit beinahe eben ſo geblendet wird, wie durch das Bliken in die Sonne. In Hinſicht auf den Preis kommt dieſes Pulver beinahe dem gewöhnlichen Schießpulver gleich; im Großen liese sich, daffelbe aber weit wohlfeiler bereiten, als man es in den Apotheken haben kann. Die Lunten kann man sich auf folgende Weise zubereiten. Man vermengt 4 Theile gepulverten raffinirten Salpeter, 2 Theile Schießpulver, 2 Theile Kohle und 1 Theil Schwefelpulver, und läßt das Ganze durch ein Sieb laufen. Dieses Pulver füllt man in Patronen von der Dike einer Federspule und von zwei Fuß Länge, welche man sich verfertigt, indem man stark geleimtes Papier um ein Stäbchen rollt. Das Pulver wird mit einem Stäbchen von gleicher Dike fest eingestoßen. Man befestigt diese Patronen an hölzernen Stäben von gehöriger Länge, schneidet sie, wenn man sich ihrer bedienen will, an dem Ende mit der Scheere ab, und zündet sie dann an einem Kerzenlichte oder an glühenden Kohlen an. Diese Lunten versagen nie und werden weder durch Wind, noch durch Regen ausgelöscht; um sie auszulöschen ist es am besten, die Lunte hinter der brennenden Stelle mit einer Scheere abzuschneiden. Man empfiehlt auch ein Gemenge von 8 Theilen Schwefelblumen, 4 Theilen Salpeter und 2 Theilen Schießpulver, welche höchst fein gepulvert und gut vermengt werden müssen, zur Verfertigung von derlei Lunten.''

Ricket's Gasofen.

Das Mechanics' Magazine gibt in Nr. 701 Nachricht von den Gasöfen eines Hrn. Ricket's, worauf wir aufmerksam machen zu müssen glauben. Solche Oefen sollen nämlich seit dem vorigen Herbste zur allgemeinen Zufriedenheit zur Heizung mehrerer Bethäuser und Kapellen verwendet werden, und dabei viel bessere Dienste leisten, als die bisher gebräuchlichen und weit kostspieligeren Luft-Heizungsapparate. Ein derlei Gasofen, welcher auf 14 Pfd. Sterl. zu stehen kommt, verzehrt in einer Stunde angeblich nur 15 bis 20 Fuß Gas; und erheischt keine weitere Beaufsichtigung, als daß man das Gas die Nacht über brennen läßt, wenn man die Kapelle bei der Morgenandacht gehörig erwärmt haben will. Die Heizung mit warmer Luft, mit Dampf oder mit warmem Wasser erforderte bekanntlich wenigstens stündliches Nachsehen von Seite eines Heizers oder Wächters.

Sochet's Apparat zum Destilliren des Seewassers.

Hr. Sochèt, Sousingenieur bei der französischen Marine, hat einen neuen Apparat erfunden, womit das Seewasser auf Schiffen zum Gebrauche destillirt werden soll. Die neue Vorrichtung besteht aus einem über einem Ofen angebrachten Dampfkessel, woran sich ein Sicherheitsventil, eine Einsprizröhre, eine zur Entleerung dienende Röhre und eine Dampfröhre befindet, die den Dampf in die Verdichter leitet. Leztere, deren zwei vorhanden sind, haben eine cylindrische Gestalt, und bieten an ihrem unteren Theile 5 umgekehrte Kegel dar, unter denen die Verdichtung von Statten geht. Der hohle Raum ist mit kaltem, zur Verdichtung der Dämpfe bestimmtem Wasser angefüllt. Von dem oberen Theil des ersteren Cylinders läuft eine Röhre aus, die den Dampf, welcher sich von der Flüssigkeit, in die die Verdichtungskegel untertauchen, entwikelt, in den zweiten Cylinder leitet. Dieser ist mit einer Röhre ausgestattet, welche das überschüssige Wasser abfließen läßt. Beide Verdichter sind an ihrem unteren Theile mit zwei Hähnen versehen, wovon der eine zum Abflusse jenes Wassers bestimmt ist, welches durch die Verdichtung der in dem Dampfkessel und in dem ersten Cylinder entwikelten Dämpfe erzeugt wird. Der Apparat hat im Ganzen eine Höhe von 1 Met. 50 C., eine Länge von 2 Met. 60 Cent. und eine Breite von 1 Meter: er besteht ganz aus Gußeisen, ist sehr dauerhaft, und liefert mit jedem Kilogramm Holzkohle gegen 10 Liter Wasser, welches alle Eigenschaften des gewöhnlichen destillirten Seewassers besizt. (Mémorial encyclopédique, Jan. 1837. S. 24.)

Zubereitung der sogenannten türkischen Perlen und der Pastilles du Serail.

Die sogenannten türkischen Perlen, welche aus einer schwärzlichen matten Masse bestehen, und zu Colliers, Braceletten u. dergl. angefaßt werden, werden auf folgende Weise fabricirt. Man löst 2 Unzen gepülvertes Cachougummi bei gelinder Wärme in 8 Unzen Rosenwasser auf; seiht die Auflösung durch ein Tuch und dampft sie bis auf 3 Unzen ein, um den Rükstand dann mit einer halben Unze gepulverter florentinischer Veilchenwurzel, mit 12 Gran Moschus und 20 Tropfen Bergamotten- oder Lavendelöhl gut abzukneten. Dann löst man 2 Quentchen gepulverte Hausenblase bei gelinder Wärme in einer hinreichenden Menge Wasser auf; sezt der Auflösung 2 Quentchen gut ausgeglühtes Lampenschwarz zu, und vermengt sie hierauf mit der angegebenen Masse, indem man einen diken Teig daraus knetet. Um aus dieser Masse Perlen von gleicher Größe zu bilden, kann man sich der in den Apotheken gebräuchlichen Pillenmaschine bedienen. Die geformten Perlen werden mit einer in Mandelöhl getauchten Nadel durchstochen, außen mit Mandel- oder Jasminöhl überzogen und endlich getroknet. Der Geruch und die Farbe dieser Perlen können durch wesentliche Oehle und Farbstoffe mannigfach abgeändert werden. —

Um die sogenannten türkischen Rosenperlen zu fabriciren, stößt man frische Rosenblätter in einem gut polirten gußeisernen Mörser zu einem Teige, den man auf einem Bleche an der Luft troknet. Dieser Teig wird, wenn er beinahe troken geworden ist, unter Zusaz von Rosenwasser noch ein Mal zerstoßen und neuerdings getroknet; und diese Operation wird so oft wiederholt, bis der Teig höchst fein geworden ist, wo man ihn dann mit den Fingern oder in der Pillenmaschine formt. Wenn die Perlen sehr hart und glatt geworden sind, so reibt man sie, um ihnen mehr Glanz und Geruch zu geben, mit Rosenöhl. Diese Perlen werden sehr dunkelschwarz; man kann ihnen jedoch auch eine rothe und blaue Farbe geben. Als Parfum kann man ihnen außer dem Rosenöhle auch Storax und Moschus zusezen.

Zur Bereitung der sogenannten Pastilles du Serail übergießt man kleine Stüke Cachougummi mit ihrem 8fachen Gewichte einer Flüssigkeit, die man aus gleichen Theilen gutem Essig und Rosenwasser zusammensezt. Diese Masse bringt man in einem Glaskolben, den man mit einer befeuchteten Blase, in welche man mit einer Nadel einige Löcher sticht, verbindet, so lange in ein Sandbad oder auf einen mäßig erwärmten Ofen, bis alles Cachougummi aufgelöst ist. Die Auflösung gibt man nach dem Erkalten und nachdem sie durch Fließpapier geseiht worden ist, in eine Retorte, an der man eine Vorlage anbringt, und aus der man bei gelindem Feuer alles Geistige abdestillirt, bis nur mehr klares Wasser übergeht. Dem auf dem Boden der Retorte gebliebenen Rükstande sezt man dann in einem Porzellangefäße auf jede halbe Unze aufgelösten Cachougummi's ein halbes Quentchen Traganth-Gummiauflösung zu, worauf man das Gemenge bis zur Consistenz eines Teiges eindampft. Während dieser Teig noch etwas geschmeidig ist, sezt man ihm auf je eine halbe Unze 4 bis 6 Gran Moschus und Ambra, oder auch nur eines von beiden, zu. Zulezt preßt man ihn in messingene oder zinnerne Formen von beliebiger Größe und Gestalt, welche im Inneren polirt seyn müssen, und die man, um das Ankleben des Teiges zu verhüten, mit etwas Mandel- oder Jasminöhl ausstreicht. Daß man den Geruch dieser Zeltchen durch Zusaz von Rosenöhl, Nelkenöhl, Bergamottöhl ꝛc. verschieden abändern kann, versteht sich von selbst. (Aus dem Journal des connaissances usuelles. Novbr. 1836, S. 232.)

Abdrüke von Medaillen und Münzen mit Hausenblase zu nehmen.

Man bringt eine Unze klein geschnittene Hausenblase mit einem halben Liter Weingeist in eine Flasche; verstopft diese mit einem Korke, welchen man zum Behufe des Eintrittes der Luft durchlöchert hat, und sezt sie auf ein Feuer, welches so stark seyn muß, daß sich die Hausenblase gänzlich auflöst. Wenn dieß nach 3 bis 4 Stunden geschehen ist, so filtrirt man die Auflösung und bewahrt sie zum Gebrauch auf. Will man sich ihrer bedienen, so sezt man die Flasche auf ein Feuer, um deren Inhalt zu verflüssigen, und gießt dann, wenn die Medaille gut gereinigt worden ist, so viel davon darauf, daß sie ganz damit bedekt ist. Wenn die Masse nach 2 bis 3 Tagen troken geworden ist, so nimmt man sie mit einem Federmesser ab. Man erhält auf diese Weise einen vollkommen durchsichtigen Abdruk der Medaille, dessen man sich bedienen kann, um mit irgend einer geeigneten Substanz erhabene Abdrüke damit zu erzielen. (Journal des connaissances usuelles, November 1836, S. 240.)

Schuzmittel gegen das Rosten der Metalle.

Das Journal des connaissances usuelles macht in seinem Decemberhefte vom vorigen Jahre folgende zwei Methoden bekannt, wonach man verschiedene Metalle gegen das Rosten schüzen kann. — 1) Man bedient sich einer Legirung, die man aus 5 Pfd. Zinn, 8 Unzen Zink, 8 Unzen Wismuth, 8 Unzen Messing in Stangen und 8 Unzen Salpeter zusammensezt, die bei diesem geringen Gehalte an Kupfer keinen Grünspan erzeugt, und die ein hartes, weißes und klingendes Metall bildet. Man schmilzt dieses Metallgemisch in blechernen Gefäßen, und erhizt dann die Gegenstände, die man damit überziehen will, in diesem Metallbade. Haben sie den gehörigen Hizgrad erreicht, so nimmt man sie heraus, bestreut sie mit Salmiak, und bringt sie hierauf schnell wieder in das Bad. Zulezt troknet man die Gegenstände, wie nach der gewöhnlichen Verzinnung in Werg oder Baumwolle ab, worauf man sie endlich auch noch in Wasser eintaucht. — 2) Man verwandelt eine Unze Graphit oder Anthracit, der man 4 Unzen Schwefelblei und 1 Unze Schwefelzink beimengt, in ein unfühlbares Pulver, welchem man nach und nach ein Pfund Leinöhlfirniß, welcher vorher bis zum Sieden erhizt worden ist, zusezt. Dieser Firniß troknet sehr schnell und schüzt die Metalle, auf die er angewendet wird, vollkommen gegen die Oxydation. Man bedient sich seiner hauptsächlich zum Anstreichen der Blizableiter und der Dächer aus Kupfer, Blei, Zink und Eisen.

Glasur für Geschirre aus Kupfer und Gußeisen.

Das Journal des connaissances usuelles empfiehlt folgende Glasuren oder Emailwassen zum Auskleiden blecherner und gußeiserner Geschirre.

1) 6 Theile gebrannte und gepulverte Kieselsteine, reiner Feldspath 2, Bleiglätte 9, Borax 6, Thonerde 1, Salpeter 1, Zinnoxyd 6, Potasche 1, die aber auch ohne Nachtheil weggelassen werden kann.

2) Geglühte Kiesel 8 Theile, rothes Bleioxyd 8, Borax 6, Zinnoxyd 5, Salpeter 1.

3) Feldspath 12 Theile, Borax 8, Bleiweiß 10, Salpeter 2, calcinirter und gepulverter Marmor 1, Thonerde 1, Potasche 2, Zinnoxyd 5.

4) Geglühte Kiesel 4 Theile, weißer Granit 1, Salpeter 2, Borax 8, geglühter Marmor 1, Thonerde ½, Zinnoxyd 2.

Welche dieser Formeln man wählen mag, so müssen die angegebenen Ingrebienzien gut vermengt, dann geschmolzen, und während sie noch in Fluß sind, auf eine gut gepuzte Zinn= oder Kupferplatte ausgegossen werden. Nach dem Erkalten pulvert man die Masse; und wenn sie dann durch ein Sieb gelaufen ist und mit Wasser ausgewaschen wurde, so sezt man ihr irgend eine schleimige Substanz bei. Mit dieser Art von Teig kleidet man endlich das Gefäß, welches emailirt werden soll, aus; dabei wird, nachdem die erste Schichte getroknet ist, auch noch eine zweite aufgetragen, und zulezt das Geschirr einer solchen Wärme ausgesezt, daß die Masse überall gleichmäßig in Fluß geräth. Das Erkalten darf nur langsam geschehen.

Allard's Maschine zur Verfertigung von Tischbesteken.

Einer der ersten Silberarbeiter in Paris, Hr. J. Allard, verfertigt gegenwärtig auf mechanische Weise Tischbesteke, wonach diese Geräthe nicht nur die höchste Regelmäßigkeit bekommen, sondern wonach auch zwei Arbeiter innerhalb 24 Stunden, und um die Hälfte des bisherigen Preises der Façon, mit Leichtigkeit 12 vollkommene Besteke zu liefern im Stande sind. (Recueil industriel, Januar 1837, S. 90.)

Bereitungsart einiger neuerer Chocoladepräparate.

Wir entlehnen aus dem Journal des connaissances usuelles, Oktober 1836, S. 190 folgende Vorschriften einiger Chocoladepräparate, auf welche in Frankreich Patente ertheilt wurden.

1) Weiße Chocolade, Chocolat blanc, für zarte, durch lange Krankheit geschwächte Individuen. Man vermengt 1 Pfd. 12 Unzen Tapioca, 1 Pfd.

8 Unzen Grüze und 8 Unzen gepulverte Isländisch-Moos-Gallerte, und trägt dann nach und nach in kleinen Quantitäten 8 Unzen caraskische Cacaotinctur und 2 Quentchen Banilletinctur ein. Zulezt sezt man dann noch 1 Pfd. 12 Unzen bestillirtes Cacaoschalenwasser zu, wodurch man eine gleichförmige, beliebig abzutheilende Masse erhält.

2) Weiße Chocolade nach einer anderen Vorschrift wird bereitet, indem man auf 7 Pfd. gepulverten Zuker, 1 Pfd. 12 Unzen Tapioca, eben so viel Grüze, 1 Pfd. 4 Unzen gepulverte Isländisch-Moos-Gallerte, 8 Unzen caraskische Cacaotinctur, 2 Quentchen Banilletinctur und 1 Pfd. 12 Quentchen bestillirtes Cacaoschalenwasser nimmt.

3) Kaffee-Chocolade, Café-Chocolat de santé, dit de la Trinité. Bestandtheile des Kaffees: Man nimmt auf 12 Pfd. Carolinareiß 7 Pfd. Cichorienwurzel, 3 Pfd. 8 Unzen Mokkakaffee, 1 Pfd. 8 Unzen florentinische Veilchenwurzel; röstet sie einzeln bis sie kastanienbraun geworden sind, und mahlt sie in einer Kaffeemühle. Der Reiß wird dann zuerst mit 12 Unzen feinen Olivenöhles versezt, hierauf mit den übrigen Substanzen und endlich auch mit 8 Unzen fein gepulverten Milchzukers vermengt. Bestandtheile der Chocolade: 10 Pfd. Zuker, 4 Pfd. Cacao von den Inseln; 8 Pfd. caraskischer Cacao; 3 Pfd. des antiphlogistischen Kaffees werden miteinander vermengt, und ganz wie bei der Chocolade-Fabrication behandelt.

4) Verbesserte Kaffee-Chocolade. Man röstet einzeln 12 Pfd. Carolinareiß; 6 Pfd. Cichorienwurzel; 4 Pfd. weißen Senfsamen, und 1 Pfd. 8 Unzen florentinische Veilchenwurzel bis sie kastanienbraun geworden sind, und mahlt sie in einer Kaffeemühle. Den Reiß, den Senfsamen und die Veilchenwurzel vermengt man mit einem Pfunde ganz feinen Olivenöhles, worauf man die Cichorienwurzel und 8 Unzen fein gepulverten Milchzuker beisezt. Das Gemenge wird durch einen Durchschlag aus Eisenblech und endlich durch ein feines Sieb aus Stahldraht getrieben. Auf dieses Pulver nimmt man 14 Pfd. feinen Zuker, 8 Pfd. Cacao von Marignan; 2 Pfd. caraskischen Cacao, und 4 Unzen gepulverten Milchzuker, um dann so zu verfahren, wie bei der Bereitung von superfeiner Chocolade.

Hicks's Apparat zum Brodbaken.

Hr. Robert Hicks Esq. erhielt bekanntlich im Februar 1833 ein Patent auf einen verbesserten Apparat zum Brodbaken. Das London Journal berichtet nun in seinem lezten Februarhefte über die Beschreibung dieses Patentes, daß es dieselbe nach mehrmaligem Durchlesen unverständlich gefunden hat. So viel scheint ihm jedoch daraus hervorzugehen, daß der Apparat aus einem rechtekigen Dampfkessel mit flachem Boden besteht; daß von einem Ende zum anderen dieses Kessels Röhren laufen, welche die zur Aufnahme der Brode geeignete Weite besizen; und daß der in dem Kessel erzeugte Dampf um diese Röhre circuliren soll, um sie auf diese Weise dergestalt zu erhizen, daß das Brod in ihnen vollkommen ausgebaken werden kann. Der Kessel soll nur so viel Wasser enthalten, daß sein Boden einen halben Zoll hoch damit bedekt ist; und dieser Wasserstand soll mit einer Handdrukpumpe erhalten werden. Die Temperatur des Dampfes soll unter angewendetem Druke auf 280° F. gebracht werden. Eine so geringe Menge Wässer soll deßhalb genommen werden, damit der Druk des Dampfes nicht gewaltsam auf den Kessel wirken kann. Ueberdieß ist der Kessel mit einem Sicherheitsventil zu versehen. Der aus dem Brode entwikelte Dunst soll durch kleine Löcher, welche in den mit Thüren verschlossenen Röhrenenden angebracht sind, austreten.

Masters's Patent-Sardellenessenz.

Das Repertory of Patent-Inventions gibt in seinem neuesten Märzhefte eine Beschreibung des Patentes, welches Hr. John Masters, Chemiker und Materialist von Leicester, auf eine sogenannte verbesserte Sardellenessenz (Essence of Anchovies) nahm! Die ganze Erfindung beruht darauf, daß kein Mehl und kein Farbstoff zu der Essenz genommen wird, wie dieß sonst zu geschehen pflegt, sondern daß eine durchsichtige oder durchscheinende Sardellenessenz bereitet werden soll. Der Patentträger nimmt hiezu eine bestimmte Quantität frischer Sardellen

und gibt sie mit einem gleichen Gewichte Wasser in einen Kessel, worin er sie
unter beständigem Umrühren 2 — 3 Stunden lang über einem gelinden Feuer
hält. Nach Ablauf dieser Zeit, und wenn der Absud kalt geworden ist, gibt er
ihn in einen Sak aus Canevaß, durch welchen er ihn unter Anwendung von Druk
seiht. Die auf diese Weise erzielte Essenz wird dann noch ein Mal durch flanellene
Säke und durch Filtrirpapier geseiht, wo man am Ende eine farblose, beinahe
durchsichtige Flüssigkeit erhält. Wollte man die Essenz verdiken, so müßte dieß
mit einer Substanz geschehen, welche ihr weder Farbe gibt, noch ihr die Durchsichtigkeit benimmt. — Nur wer die Umständlichkeit und Kleinlichkeit kennt,
mit der der Engländer und Holländer bei der Zubereitung und Verzehrung seiner
Speisen zu Werke geht, wird begreifen können, wie man für eine solche erbärmliche Sache, wie die hier beschriebene ist, ein Patent nehmen und die höchst bedeutende Patentsteuer dafür bezahlen konnte.

Die London-Kautschuk-Compagnie und Anwendung von Ammoniak als Auflösungsmittel für Kautschuk.

Die ungemein rasche und beinahe täglich wachsende Zunahme des Verbrauches
an Kautschuk, die Vervielfältigung der Zweke, zu denen er als ein sehr passendes
Material befunden wird, führte in England zur Gründung einer Gesellschaft,
welche sich unter dem Namen der „London Caoutchouc Company" consti-
tuirte. Der Zwek dieser Gesellschaft, welche so günstige Aufnahme fand, daß ihre
Actien bereits mit einer Prämie bezahlt werden, ist praktische und im Großen
unternommene Ausführung der Patente, welche Hr. Sievier zu verschiedenen
Zeiten auf mancherlei Kautschukfabricate nahm, und welche von ihr um eine bedeutende Summe als Eigenthum erworben worden sind. Wir haben diese Patente
bereits im Polyt. Journal Bd. XLVI. S. 39 und Bd. LXII. S. 137 erläutert, und entnehmen daher zur Ergänzung nur noch das, was das Mechanics'
Magazine in seiner No. 701 über das dritte, am 7. Februar 1836 ertheilte
und die Auflösung des Kautschuk betreffende Patent zur allgemeinen Kenntniß
brachte. Hr. Sievier sagt nämlich in diesem Patente, daß er den Klein zu-
schnittenen Kautschuk in irgend ein Gefäß bringt, dessen Mündung verschlossen
werden kann, und daß er dieses Gefäß dann so weit mit flüssigem Ammoniak
füllt, daß die Kautschukschnizel ganz damit bedekt sind. Nach einigen Monaten
hat sich der Kautschuk aufgelöst; oder die Auflösung wird von dem Rükstande
geschieden, und in eine Retorte oder Destillirblase gebracht, um beinahe alles
Ammoniak in gasförmiger Gestalt über zu destilliren und auf die gewöhnliche
Weise mit kaltem Wasser zu verdichten. Diese Destillation wird am besten im
Wasser- oder Marienbade vorgenommen, indem der Kautschuk hier höchstens einer
Temperatur von 212° F. ausgesezt wird, während sich das Ammoniak bei 130° F.
verflüchtigt. Der Kautschuk bleibt bei dieser Ausscheidung des Ammoniaks durch
Destillation solcher Maßen im Wasser zertheilt, daß er sich zur Verfertigung verschiedener wasserdichter Zeuge oder auch zur Verfertigung massiver Körper von
verschiedener Gestalt verwenden läßt. Man kann dieser Auflösung durch Vermengung derselben mit einer größeren oder geringeren Menge Wasser einen beliebigen Grad von Consistenz geben.

Ueber die Fabrication von chinesischem Papiere in Frankreich.

Die Papierfabrik in Scharcon bewarb sich im Jahre 1836 um den Preis,
den die Société d'encouragement auf die Fabrication von chinesischem Papiere
ausgeschrieben hatte. Die von ihr vorgelegten Fabricate wurden von mehreren
Kupferstechern und Lithographen von vortrefflicher Qualität befunden; nur bot
deren Anwendung wegen ihrer größeren Dike einige Schwierigkeiten dar. Dieser
Vorwurf trifft jedoch nicht die Fabrik, sondern das Programm der Preisaufgabe,
in welchem ausdrüklich gefordert wurde, daß das Papier das Format des Jesus-
papieres und die Dike des gewöhnlich gebräuchlichen Lumpenpapieres haben müsse,
obschon das ächte chinesische Papier bekanntlich nie unter diesen Formen vorkommt.
Die Gesellschaft fand sich daher veranlaßt, den Concurs bis zum Jahre 1837 offen zu lassen, mit der Modification jedoch, daß die einzusendenden Papiere sowohl

in Hinsicht auf Format, als in Hinsicht auf Dike dem chinesischen Papiere gleich-kommen müssen. Ueber das in der genannten Fabrik befolgte Verfahren vergleiche man übrigens das Polytechn. Journal Bd. LIII. S. 237.

Ueber ein von Hrn. Isoard erfundenes Musikinstrument, Aeolicorde genannt,

theilt das Journal acad. de l'Industrie und aus diesem das Mémorial ency-clopédique, Januar 1837, S. 38 Folgendes mit. „Man denke sich einen Ka-sten, der nach seinen beiden horizontalen Dimensionen 15 bis 18 Zoll, in der Höhe hingegen 1 bis 1½ Fuß mißt, und in dessen unterem Theile ein doppelter Blase-balg angebracht ist. Die Luft, der Wind, den dieser Blasebalg erzeugt, er mag mit der Hand und mittelst eines Hebels oder mit dem Fuße und mittelst eines Tretschemels in Bewegung gesezt werden, wirkt auf eine Darmsaite, und zwar in senkrechter Richtung gegen die Länge derselben. Ist die Saite hiedurch in schwingende Bewegung versezt worden, so tritt die Luft bei einem auf den oberen Theil des Kastens gesezten Pavillon aus. Die Saite, welche 12 bis 15 Zoll Länge hat, ist über ein kleines Brettchen, in welches zu ¾ der Saitenlänge eine Spalte von beiläufig einem Millimeter Breite geschnitten ist, gespannt; und zwar solcher Maßen, daß sie sich vor dieser Spälte befindet. Kleine Schwunghebel, die gleichfalls an dem Brettchen, und zwar in Entfernungen, welche der Tonleiter entsprechen, befestigt sind, dienen wie beim Violinspielen die Finger zur gehörigen Verkürzung der Saite. Diese Schwunghebel entsprechen Tasten, welche man an dem oberen Theile des Instrumentes bemerkt, und welche wie an dem Piano die Claviatur bilden. Eine Schraube, welche sich in einer der Seitenwände des Ka-stens befindet, und die sich in einer an dem Brettchen angebrachten beweglichen Schraubenmutter dreht, dient dazu, der Saite jeden beliebigen Grad von Span-nung zu geben. Das Instrument, welches Hr. Isoard nach diesem Principe verfertigte, hat nur eine einzige Saite, und kann daher keine Accorde geben; gegenwärtig ist derselbe jedoch mit der Ausführung eines anderen Instrumentes beschäftigt, an welchem jede Saite ihre eigene entsprechende Taste bekommen soll.

Wohlfeiler Anstrich für Thüren, Geländer u. dergl.

Man schmelze in einer eisernen Pfanne oder in einem derlei Tapfe 12 Unzen Harz, und seze, wenn es in Fluß ist, 12 Pfd. Leinöhl oder ein anderes wohl-feiles Oehl, so wie ferner 3 bis 4 Stangen Schwefel, zu. Um der Masse die gewünschte Farbe zu geben, trage man endlich auch noch eine entsprechende Menge Oker oder armenischen Bolus ein. Der Anstrich muß so warm, als möglich an-gewendet werden; nach dem Trokuen der ersten Schichte, welches in einigen Tagen geschehen ist, trägt man eine zweite Schichte auf. Er conservirt nicht nur Holz sehr lange, sondern er eignet sich auch als Anstrich für Mauerwerk. (Journal des connaissances usuelles, Oktober 1836, S. 192.)

Ueber einen neuen, von den HH. Pelletan und Legavriand erfundenen Apparat zur Runkelrübenzuker-Fabrication.

Ungeachtet der zahlreichen Apparate, die bereits zum Behufe der Zuckerfabri-cation erfunden worden sind, vermehrt sich deren Anzahl beinahe immer noch täg-lich. Zu den neuesten gehört der von den HH. Pelletan und Legavriand erfundene, der dazu bestimmt ist, die Runkelrüben mit kaltem Wasser in Berüh-rung zu bringen, und dem die Erfinder den etwas ungeeigneten Namen Lévigateur beilegten. Man kann sich diesen Apparat, durch den eine leichtere und vollkom-menere Auszehung des Saftes aus den Rüben bezwekt werden soll, als aus zwei Theilen bestehend denken. In dem einen derselben befindet sich die Runkelrübe mit dem Wasser in Berührung; in dem anderen hingegen wird die Rübe dem [W]asser auf eine systematische Weise dargeboten: d. h. die frischen Runkelrüben [kom]m[e]n mit Wasser in Berührung gebracht, welches beinahe mit Saft gesättigt [ist.] Der erstere Theil des Apparates besteht aus einem rechtekigen, schief geneig-[ten, u]nd durch Blechplatten in eine gewisse Anzahl von Fächern getheilten Behälter. Jedes dieser Fächer communicirt mit den benachbarten nur durch Ventile, die während der Arbeit geschlossen bleiben, und die man nur dann öffnet, wenn man eine Reinigung vornehmen will. Der zweite Theil des Apparates ist eigentlich nichts Anderes als eine Archimed'sche Schraube, durch die die in Mark verwandelte Runkelrübe aus einem Fache in das andere geschafft, und auf diese Weise dem zu dessen Auswaschung bestimmten Wasser dargeboten wird. Natürlich mußten an der gewöhnlichen Archimed'schen Schraube einige Modificationen angebracht werden, und diese sind folgende. Die aus Messing bestehenden Schraubengänge sind mit zahlreichen Löchern versehen, durch die wohl das Wasser, keineswegs aber das Mark hindurch dringen kann. Durch die Bewegung der Schraube wird eine Reihe von Messern, welche sämmtlich an einer einzigen Eisenstange angebracht sind, mit sich fortgeführt, und dadurch geschieht es, daß diese Messer jeden Schraubengang so berühren, daß der Saft von dem Marke geschieden wird. Das Schraubengewinde ist seiner ganzen Länge nach von dem Anfange eines Cylinders unterbrochen, und dadurch ist es möglich, daß ein an dem Ende der Stange angebrachtes Gegengewicht die Messer an einem bestimmten Theile ihres Laufes wieder in ihre frühere Stellung zurükführt, damit sie wieder von Vorne zu arbeiten anfangen. Hieraus erhellt, daß das in das untere Fach gebrachte Rübenmark je nach der Geschwindigkeit, die man der Schraube gibt, in längerer oder kürzerer Zeit in das lezte Fach gelangen wird; und daß man mit diesem Apparate, welcher eine Regulirung zuläßt, keineswegs eine vollkommene Ausziehung des Rübensaftes, wohl aber eine Auflösung des Zukers, der in den durch die Reibe zerrissenen Zellen der Rübe enthalten ist, erzielen kann. Es ist uns nicht möglich, bemerkt die Redaction des Mémorial encyclopédique, aus dessen Januarheft diese Notiz entlehnt ist, gegenwärtig schon über diesen Apparat abzuurtheilen; wir können nur so viel sagen, daß die damit erzielten Producte, welche uns zu Gesicht kamen, sehr schön waren, und keine Veränderung erlitten zu haben schienen. Der Apparat veranlaßt allerdings nur geringe Arbeitskosten; allein er ist ziemlich complicirt und könnte daher leicht zu vielen Reparaturen und häufigen Unterbrechungen der Fabrication Anlaß geben. Ueberdieß scheint es uns, daß das aus dem Apparate austretende Mark so viel Wasser enthält, daß es sich nicht wohl zur Fütterung eignen dürfte. Auch trifft diesen Apparat, wie so manchen anderen der Vorwurf, daß der Zuker mit einer zu großen Menge wässeriger Flüssigkeiten verdünnt wird, und daß daher zum Einbiken eine große Menge Brennmaterial erforderlich wird. Uebrigens muß dieser Apparat, welcher bereits wirklich in Gang gesezt werden ist, noch weiter studirt werden; obschon es uns scheint, daß die Vorzüge, die ihm unbestreitbar eigen sind, nicht so groß und so augenscheinlich sind, daß sie gegenwärtig schon eine Verwerfung der bisher üblichen Methoden bedingen könnten.

Zäune aus Draht.

Die Zäune aus Draht, deren man sich in England seit längerer Zeit bedient, fanden in Frankreich neuerlich im Journal des connaissances usuelles einen Vertheidiger. Wir entnehmen aus dem hierauf bezüglichen Aufsaze im Wesentlichen Folgendes: „Man zieht, um Zäune für Gärten und Parke herzustellen, in horizontaler Richtung und in einer Entfernung von beiläufig 6 Zoll von einander eiserne Drähte von der Dike einer Federspule. Als Träger hiefür dienen senkrechte Eisenstäbe, welche man in Entfernungen von 6 Fuß anbringt. Die Drähte werden an den Enden des Gehäges an starken Pfosten so befestigt, daß sie sich in einer gewissen Spannung befinden; dagegen läßt man sie frei durch die Löcher laufen, die zu deren Aufnahme in den dazwischen befindlichen eisernen Tragstäben angebracht sind. Ist die Ausdehnung des Zaunes bedeutend, so kann man auch in kürzeren Zwischenräumen starke Pfosten einsezen, und auf diese Weise selbst das Durchbrechen von Hochwild und Vieh durch die Zäune verhüten. Man hat sich auf vielen Landhäusern in England überzeugt, daß dergleichen Zäune von nicht mehr denn 3 Fuß Höhe selbst dem stärksten Hornviehe eine unübersteigliche Schranke sezen; gibt man ihnen vollends noch eine um 2 Fuß größere Höhe, so wird auch kein Hochwild durchbrechen. Es scheint, daß die Durchsichtigkeit dieser Zäune die Thiere scheu und mißtrauisch macht. Da die Drähte so dünn sind, daß bei ihrer cylindrischen Gestalt nur wenig Regen und Schnee daran hängen bleiben kann, so genügt ein einfacher Anstrich, um sie gegen die Unbilden der Witterung zu schüzen. Ein großer Vorzug dieser Art von Gehegen ist, daß sie in einer Entfernung von 65 Meter ganz unsichtbar sind, und daß sich also der Gesichtskreis weit über sie hinaus erstreckt.''

Vorschrift zur Bereitung eines einfachen guten Lab.

Man nimmt die Labmägen junger Kälber, die noch keine andere Nahrung als die Muttermilch genossen, wäscht sie sorgfältig in reinem Wasser aus, und bewahrt sie gut eingesalzen zwei Monate lang auf. Nach dieser Zeit hängt man sie mit Salz umgeben in einem Sake aus grober Leinenwand nicht zu nahe am Feuer in den Schornstein, um sie 10 Monate lang daselbst zu lassen. Im Frühlinge sammelt man sich dann Schlüsselblumen, deren Blumenkronen man aus ihren Kelchen zupft, und welche man eine Viertelstunde lang, unter Zusaz von einem Pfunde Kochsalz und einer Unze Alaun auf 12 Pinten Wasser, mit einer hinlänglichen Menge Wasser kocht. Wenn der Absud über Nacht gestanden hat, so seiht man ihn von den Blumen ab, und gibt dafür in zwei Pinten desselben zwei Labmägen, die man 4 Tage lang damit abstehen läßt. Die Flüssigkeit wird, nachdem man ihr 2 — 5 Gewürznelken und eben so viel von irgend einem anderen Gewürze per Flasche zugesezt hat, in Flaschen gefüllt und gut verkorkt, wo sie dann ein Jahr lang und selbst darüber aufbewahrt werden kann. Zwei starke Löffel dieser Flüssigkeit reichen hin, um ein Faß Milch zum Gerinnen zu bringen. Die Labmägen können, nachdem sie getroknet worden, und dann abermals 14 Tage lang eingesalzen gewesen sind, noch ein Mal auf dieselbe Weise benuzt werden. Wäre dieses Lab nicht stark genug, so brauchte man ihm nur einen halben oder den vierten Theil eines jungen Schweinsmagens, der nach Art der Kälbermägen zubereitet worden ist, zuzusezen. (Journal des connaissances usuelles. Oktober 1836, S. 190.)

Frankreichs Getreideproduction.

Frankreich baut mit Ausnahme von Corsica, wo kein Hafer gesäet wird, in allen seinen Departements Weizen, Roggen, Gerste und Hafer. Der Weizen bildet die Hauptmasse des Getreides; die übrigen Sorten folgen in folgender Ordnung auf einander: Hafer, Roggen, Mischkorn, Heidekorn, Mais und Hirse, und endlich Linsen 2c. Die Gesammternte zu 155, dem Maaße und nicht dem Gewichte nach genommen, kommen auf den Weizen 50 oder $1/3$ der Gesammternte;

Hafer 40 oder beinahe $4/5$ des Weizens;
Roggen 25 oder etwas weniger als die Hälfte des Weizens;
Gerste 17 oder $1/3$ des Weizens;
Mischkorn 10 oder $1/5$ des Weizens;
Heidekorn 7 oder etwas über $1/7$ des Weizens;
Mais und Hirse 6 oder etwas über $1/8$ des Weizens;
Linsen 2c. 2 oder beinahe $1/25$ des Weizens.

Das Gewicht des Weizens wechselt je nach der Güte und dem Grade der Nässe oder Trokenheit des Jahrganges von 68 bis 84 Kilogr. per Hectoliter. Die mittlere Schwere für Weizen von erster Qualität kann man zu 76, jene des Roggens zu 69 und jene des Hafers zu 50 per Hectoliter annehmen. Da aber die große Masse Getreide von mittlerer Qualität ist, so kann man das mittlere Gewicht des Hectoliters Weizen zu 74 und jenes des Hafers zu 45 gelten lassen. Für ganz Frankreich berechnet sich der mittlere Ertrag einer Hectare Landes für Weizen auf 10 Hectoliter 25 Liter; für Roggen auf 8,50; für Mischkorn auf 11,10; für Gerste auf 14,8; für Hafer auf 16,46 Hectoliter. Die mittlere Production an Weizen, Roggen und Mischkorn beträgt jährlich 85,200,000 Hect.; diese Differenz zwischen einer schlechten und einer reichlichen Ernte beiläufig 24 Mill. Hectoliter; jene zwischen einer schlechten und einer gewöhnlichen Ernte 4 bis 5 Mill., und jene zwischen einer schlechten und einer guten gegen 11 Mill. Hectoliter. (Journal des connaissances usuelles. Decbr. 1836, S. 353.)

Polytechnisches Journal.

Achtzehnter Jahrgang, achtes Heft.

XVII.

Verbesserter Apparat, welcher zur Erleichterung des Zuges der Wagen auf den gewöhnlichen Landstraßen an den Rädern angebracht werden kann, und worauf sich John Ashdowne, Gentleman von Tonbridge in der Grafschaft Kent, am 13. Mai 1836 ein Patent ertheilen ließ.

Aus dem Repertory of Patent-Inventions. Februar 1837, S. 77.

Mit Abbildungen auf Tab. II.

Meine Erfindung beruht auf der Anwendung eines Apparates oder einer endlosen Kette, die an jedem der Räder eines Karrens, eines Lastwagens oder irgend einer anderen Art von Fuhrwerk angebracht werden soll. Die Kette selbst besteht aus mehreren kurzen Eisenstäben, damit jener Theil derselben, der eben unter das Rad gelangt, zu einer harten Schienenbahn umgestaltet wird, auf der sich das Rad mit bedeutend geringerer Reibung bewegt, als auf der Straße selbst. Die Zeichnung wird dieß anschaulich machen.

Fig. 36 zeigt einen Karren, woran meine Erfindung angebracht ist, von der Seite betrachtet. Fig. 37 hingegen zeigt den Bau der endlosen Kette.

a, a ist die endlose Kette, die aus mehreren durch Stiftgelenke miteinander verbundenen Eisenstäben besteht, und die nach dieser Zeichnung gewiß leicht verfertigt werden kann. b ist ein Hebel, der einerseits an der Achse und andererseits an dem Karren bei c aufgehängt ist. Dieser Hebel hat die Kette, welche nothwendig eine größere Länge haben muß als der Umfang des Rades, zu tragen, und sie jeder Zeit in eine solche Stellung zu bringen, daß der unter das Rad fallende Theil derselben dem Rade eine ebene und harte Schienenbahn darbietet, auf der es läuft. Jeder Theil der Kette bewegt sich, nachdem er seinem Zwek entsprochen hat, mit dem Rade empor, um dann seiner Zeit abermals wieder in Thätigkeit zu gelangen. Die Folge hievon ist, daß eine bedeutend geringere Kraft als sonst nöthig ist, um einen Wagen auf einer gewöhnlichen Landstraße fortzuschaffen. d, d, d sind sogenannte Führer, womit die Kette a, a auf dem Rade erhalten wird, und die den Randvorsprüngen, welche zu gleichem Zwek an dem Rade angebracht werden könnten, vorzuziehen seyn dürften. Es erhellt aus dieser Beschreibung offenbar, daß, wenn man eine bewegende Kraft auf das Fuhrwerk einwirken läßt, ein Kettentheil um den anderen unter das Rad gelangen, und für die Dauer der Zeit, während welcher er sich unmittelbar unter ihm befindet, zu einer harten Schienenbahn werden wird, so daß er die Stelle der firirten Schienen der Eisenbahnen vertritt. Ich habe nur noch zu bemerken, daß ich mich nicht lediglich auf den hier beschriebenen Bau der Kette beschränke, und daß ich mich auch nicht ganz allein an die angegebene Methode sie um das Rad herum zu führen binde, da ich meine Ansprüche lediglich auf die Anwendung eines derlei Apparates gründe. ")

XVIII.

Versuche auf der Elberfelder Probeeisenbahn, und Bestimmung der Tragkraft gußeiserner und gewalzter Schienen; vom Prof. Dr. Egen. [18])

Auf Befehl des Ministeriums des Innern wurde im Sommer 1833 in der Nähe von Elberfeld eine Bahn von 30 Ruthen Länge, halb mit einem Gefälle von 1 auf 243, halb horizontal in einem Bogen von 50 Ruthen Radius angelegt, um Versuche über den Widerstand der Wagen und die Tragkraft der Schienen an Ort und Stelle anzustellen. Die dazu verwendeten Schienen waren von Losh, Wilson und Bell in Newcastle-upon-Tyne gewalzt, halb ausgebauchte, halb Parallelschienen, jede Schiene durchschnittlich 15 engl. Fuß lang, mit glatt abgeschnittenen Enden. Das Yard der gebauchten Schienen wiegt 31,74, der parallelen 35,34 Pfd. Beide Schienenarten sollen nach Angabe der Fabrikanten gleiche Tragkraft besitzen; ihre Gestalt gibt das Original durch Zeichnung des Querschnittes in natürlicher Größe; wir glauben die Form des Querschnittes genau angeben zu können, wenn wir die Stärken in verschiedenen Tiefen angeben, von dem Scheitel der Schiene an gerechnet. Es ist nämlich bei den Parallelschienen in einer Tiefe von

---

17) Die Patentansprüche des Hrn. Ashborne sind in dieser Ausdehnung nichts weniger als stichhaltig; denn bewegliche, aus Kettengliedern zusammengesetzte Radbahnen wurden schon längst und mehrmals vorgeschlagen. Wir erinnern beispielsweise nur an das Project des Hrn. Lewis Gompertz, wovon das polyt. Journal seiner Zeit Bd. XLIII. S. 351 Nachricht gab. Wie der Patentträger sich vollends mit Hrn. Maréchal in Brüssel abfindet, von dessen beweglicher Radbahn wir gleichfalls in unserem Journale Meldung thaten, muß die Zeit lehren.　　　　　　　　　　　　　　　　　A. d. R.

18) Aus den Verhandlungen des preußischen Gewerbevereins 1835, Bd. II. S. 121 bis 167; 1836, Bd. III. S. 116 bis 156 im polytechnischen Centralblatt 1837, Nr. 4.

1	Linie engl. die Stärke	19'''
3,75	— — — —	24
3,75	— — — —	19
1,4	— — — —	11,8
3,5	— — — —	7,2
20,3	— — — —	6,0

Hier schließt sich ein größerer Kreisausschnitt an, welcher 12,2''' Durchmesser und 11,1''' Höhe hat. — Bei den gebauchten Schienen ist in

1	Linie Tiefe die Stärke	19'''
3,75	— — — —	24
3,75	— — — —	19
1,4	— — — —	11,8
3,5	— — — —	7,2
12,0	— — — —	6,0

Hier beginnt die nach beiden Seiten zu angebrachte Verstärkung, welche an der seichtesten Stelle unmittelbar vor dem Stuhle 8,6, in der Mitte des Stuhles 12,7 und in der Mitte der Schiene 17,4 tief niedergeht. Dadurch, daß die Schiene sich mit einer bauchförmigen Erhöhung in eine entsprechende Vertiefung des Stuhles legt, ist das Herabgleiten der Schienen vermieden, welches an der Lyoner Bahn bemerkt wurde.

Folgende Tabelle über die Dimensionen der in England gebräuchlichen Schienen ist bis auf die drei ersten Angaben, die von Oeynhausen und Dechen herrühren, durch directe Messung des Verfassers zusammengestellt.

Name der Bahn.	Kopfbreite.	Kopfdike.	Größte Tiefe.	Kleinste Tiefe.	Dike des Mittelstükes.	Tiefe desselben.	Dike der Rippe.	Größte Tiefe derselben.	Länge der Schienenabtheilungen.	Gewicht derselben in Pfunden.	Material.	Bemerkungen.
Dartmoor-Bahn	20.4	14.5	69.8	46.6	8.7	—	14.5	11.6	43.5	—	Gußeisen	gebraucht.
—— ältere Schienen ——	20.4	—	69.8	46.6	8.7	—	20.4	20.4	34.5	—		
Stokton-Bahn	23.3	14.5	66.9	46.6	11.6	—	17.5	—	59.5	41.7		
Hetton-Bahn	29.1	8.7	69.8	40.8	6.8	—	16.0	16.0	43.5	—		
Leeds-Bahn	24.0	7.0	54.0	32.0	10.0	42.0	18.0	5.0	33.9	—		
Darlington-Stockton	26.0	8.7	60.0	36.0	—	—	—	—	—	—		
Sheffield	21.0	9.0	60.0	43.0	6.0	15.5	11.0	12.0	46.0	—		
Liverpool-Manchester	26.0	10.0	42.0	30.0	9.5	31.0	11.0	—	34.9	33.0	Schmiedeisen	
Leeds-Selby	26.2	9.0	48.0	40.0	6.0	19.0	14.0	8.0	33.1	—		
Newcastle	26.2	8.0	40.0	27.0	7.0	14.0	8.0	13.0	34.9	29.0		
Darlington-Stockton	26.2	8.0	39.0	25.0	7.0	17.0	11.0	14.0	34.9	29.0		3. Theil
Sheffield	25.5	8.0	42.0	33.0	7.0	25.0	11.0	9.0	34.9	34.0		
Edinburgh-Dal.Keith	26.2	3.0	40.0	27.0	7.0	14.0	8.0	18.0	34.9	29.0		gebraucht.

Alle Maaße sind hier in rheinländischen Linien angegeben.

Die Stühle waren zur Befestigung mit Doppelkeilen eingerichtet, im Durchschnitt 10 Pfd. wiegend. Sie sind durch zwei Holznägel mit eingeschlagenem Eisennagel auf Steinblöke von 15" Tiefe, 12 und 16" Seitenlänge, befestigt.

Nachdem die Versuche halb vollendet waren, wurde die Bahn mit aller Sorgfalt nivellirt und das gefundene Resultat als für die gesammten Versuche geltend angenommen.

Von den bei den Versuchen benuzten Wagen ist Nr. 1 dem Kohlenwagen der Darlington=Bahn nachgebildet, jedoch alles Zubehör, was nicht direct zum Versuche nöthig war, weggeblieben. Die schmiedeisernen Achsen sind an den Stellen, wo sie in den Zapfen= lagern laufen, sehr sorgfältig abgedreht; die Nabe der Räder ist ge= theilt, die Achsenöffnung genau centrisch gebohrt; die Lager sind aus Glokenmetall; die Radringe beider Wagen sind gut abgedreht und nicht gehärtet. Die Achsen des Wagens Nr. 2, welcher deren vier hat, für jedes Rad eine besondere, sind gestählt und gehärtet, haben jedoch dabei ihre genaue Rundung eingebüßt; seine Räder sind 36" hoch, die des ersten Wagens dagegen nur 30" hoch.

Das Gewicht vom Wagen 1 beträgt:		Das Gewicht vom Wagen 2 beträgt:	
2 Achsen	222 Pfd.	4 Räder und Achsen	985 Pfd.
4 Räder	782 —	8 Lager	48 —
4 Lager	88 —	Eisenwerk	370 —
Eisenwerk	107 —	Kasten und Rahmen	637 —
Holzkasten	693 —		2040 Pfd.
	1892 Pfd.		

Die Wagen waren vollkommen stark; mit 8000 Pfd. Steinen beladen, änderten sie während 2 Monaten nicht im mindesten die Form.

Bei Nr. 1 verhält sich der Achsendurchmesser zum Raddurchm. wie 1 : 12
— Nr. 2 — — — — — — 1 : 28,8

Das Resultat der Versuche vom 7. Sept. bis 29. Nov. enthält folgende Tabelle; die Zugkraft ist vom Verf. selbst durch eine mit großer Sorgfalt behandelte Federwaage ermittelt worden. Die rela= tive Zugkraft bezeichnet das Verhältniß der Zugkraft zur ganzen Last.

Belastung.	Belastung der Achsen.	Ganze Last.	Relative Zugkraft.		Verhältniß dieser Kräfte.	Bemerkungen.
			auf der geraden Bahn.	auf der krummen Bahn.		
—	888	4892	1:344	1:197	1:1,7	Wagen Nr. 1: Wagen ist troken.
5000	5888	4892	1:181	1:144	1:1,5	— — naß.
8000	8888	9892	1:149	1:111	1:1,4	— — naß.
8000	8888	9892	1:169			— — naß.
8000	8888	9892	1:253	1:125	1:2,0	von nun an troken.
8000	8888	9892	1:251	1:129	1:1,9	mit Knochenöhl ge-
8000	8888	9892	1:268	1:155	1:2,0	schmiert.
6000	6888	7892	1:248	1:126	1:2,0	
4000	4888	5892	1:254	1:115	1:2,2	
8000	8888	9892	1:243	—	—	} seit 6 Wochen nicht
8000	8888	9892	1:245	—	—	} geschmiert.
—	1055	2010	1:198	1:180	1:1,10	Wagen Nr. 2: } Klemmen der Achs-
5000	4055	5010	1:188	1:176	1:1,06	} senenden.
5000	4055	5010	1:248	1:207	1:1,20	von hier freie Achsen-
6020	7075	8060	1:239	1:213	1:1,12	enden.
6020	7075	8060	1:243	1:212	1:1,14	
8000	9055	10040	1:264	1:244	1:1,08	
8000	9055	10040	1:266	1:41	1:1,10	mit Knochenöhl ge-
6000	7055	8040	1:244	1:50	1:1,06	schmiert.
4000	5055	6040	1:258	1:207	1:1,15	
8000	9055	10040	1:243	—	—	} seit 6 Wochen nicht
8000	9055	10040	1:243	—	—	} geschmiert.

In der geraden Bahn ist also nach beiden Wagen für 1000 Pfd. (bei starken Ladungen) 4 Pfd. Zugkraft nöthig; von diesen 1000 Pfd. sind 250 Pfd. todte Last und 750 Pfd. Ladung, so daß für 1000 Pfd. Ladung 5½ Pfd. Zugkraft erfordert wird. Nach anderen Versuchen war keine Differenz in den Zugkräften bei Geschwindigkeitsänderung von 1 bis 8′ auf dieser kleinen Bahn zu gewahren; eben so wenig gab die trokene oder feuchte Beschaffenheit der Schienen eine Aenderung.

Auf der krummen Bahn hat Nr. 2 vor Nr. 1 Vorzüge, auf der geraden stehen sie ziemlich gleich, was auf der ausgezeichneten Construction von Nr. 1 beruht. Bei verbundenen Achsen kann auf gekrümmten Bahnen ein Schleifen nie ganz vermieden werden, bei getrennten dagegen wird die Umdrehungsgeschwindigkeit der einzelnen Räder ganz der Krümmung angepaßt, und kurze getrennte Achsen haben noch den Vortheil, daß sich die Räder ein wenig schief stellen können, wodurch die Fortbewegung in der Krümmung sehr erleichtert wird.

Die Versuche über die Tragkraft der Schienen erstreken sich zunächst auf gußeiserne Schienen. Sie sind besonders deßhalb von Werth, weil nur wenige und ungenügende Versuche gerade

Wer gußeiserne Schienen vorhanden sind, Die Versuche wurden vom Verf. mit dem Bauconducteur Pickel 1833 in H. Kamp's Werkstätten in Elberfeld angestellt. Das Eisen zu den Schienen war aus Rotheisenstein erblasenes Masseleisen von der Hütte Henriette bei Olpe, mit ⅓ gutem Brucheisen vermischt und im Cüpolofen umgeschmolzen. Die Länge einer Schiene betrug von Stuhlmittel bis Stuhlmittel 36″, die größte Höhe in der Mitte 5″, die größte Kopfbreite 2¼″, die größte Kopfstärke ¾″, die bogenförmige Rippe war unten 1″ stark, jedoch nur bis auf 1″ Höhe zwischen der verstärkten Rippe und dem Kopf befand sich ½″ Eisenstärke. Die Schienen waren zu beiden Seiten auch beim Versuche in die Stühle verkeilt, so daß sie so lagen, wie sie wirklich in der Ausübung Last zu tragen haben. Auf die Mitte der Schiene wurde ein Prisma und darauf das eine Ende eines Hebels gelegt, welche die angehängten Gewichte 7⅓ Mal verstärkten. Durch einen mit vieler Umsicht angebrachten Apparat war es möglich, die Biegung der Schienen unabhängig von dem unvermeidlichen Zurükweichen der Unterlagen bis auf ¹⁄₁₀₀ Linie genau abzunehmen.

Die Resultate der Versuche sind in folgender Uebersicht enthalten:

Gewicht der Schiene.	Biegung für je 1000 Pfd. Belastung bei Belastungen von:						Die Schiene brach bei
	2500 Pfd.	4600 Pfd.	6900 Pfd.	8200 Pfd.	11500 Pf.	15300 Pf.	
Pfund.	Linien.	Linien.	Linien.	Linien.	Linien.	Linien.	Pfund.
39½	—	0,0553	0,0631	0,0644	0,0684	0,0743	16860
40⅛	0,0584	0,0572	0,0591	0,0616	—	—	20276
40¾	0,0563	0,0581	0,0603	0,0646	—	—	18393
40⅛	0,0573	0,0569	0,0605	0,0635	0,0684	0,0743	18510

im Mittel.

Die mittleren bleibenden Durchbiegungen betragen nach Belastungen

	bei der ersten,	bei der zweiten,	bei der dritten Schiene.
von 8000 Pfd.	0,031‴	—0,026	0,042
11500	0,042		
15300	0,090		
16900	—0,042		

Hieraus ergeben sich folgende Säze:

1) Bis zu 5000 Pfd. ist die Durchbiegung den Belastungen proportional; bis dahin ist $0,000057\ p = e$, wenn p die Belastung in Pfunden und e die Durchbiegung in Linien bedeutet.

2) Ueber diese Gränze von 5000 Pfd. hinaus nimmt die Durchbiegung in stärkerem Verhältnisse als die Belastungen zu. Dann
drükt die Formel: $[0,000057 + 0,0000000017 (p — 500)] p = e$ oder
$$(0,0000485 + 0,0000000017 p) p = e$$
die Beobachtungsresultate sehr genau aus.

3) Nach der Formel erfolgt der Bruch dieser drei Schienen bei
einer Durchbiegung von resp. 1,29 — 1,68 und 1,46 Linien.

4) Die Elasticitätsgränze liegt demnach, für diese Schiene bei
5000 Pfd. Belastung, welche 3,7 Mal so gering ist als die, bei der
ein Bruch erfolgt. Folglich können die Schienen, sobald sie fehler-
frei sind, 5000 Pfd. mit aller Sicherheit tragen. Ruhen die vier-
räderigen Eisenbahnwagen auf Federn, so darf ihr Gewicht für diese
Schienen 20,000 Pfd. betragen, ohne Federn nur die Hälfte.

5) Die bleibenden Durchbiegungen schreiten sehr unregelmäßig
fort, was wahrscheinlich der Einkeilung in die Stühle zuzuschreiben
ist. Sie treten ein, sobald die Elasticitätsgränze überschritten ist.

6) Ging eine Reihe von Belastungen vorher, wobei die Elasticitätsgränze überschritten wurde, so fallen die Durchbiegungen bei
den folgenden Belastungen stärker aus. Eine Belastung der Schiene
über die Elasticitätsgränze schwächt also dieselbe.

Werden die Schienen gleich aus dem Hohofen gegossen, so dürften sie ungefähr 10 Proc. schwächer ausfallen als die obigen; auch
dann noch tragen sie mit Sicherheit Bahnwagen ohne Federn von
80 Cntr. Gewicht und mit Federn von 160 Cntr. Vor der Anwendung muß man sie dadurch probiren, daß man ihre Durchbiegung
beobachtet.

Die Versuche über die Tragkraft der gewalzten Schienen
wurden zunächst auf der Probebahn selbst angestellt und betreffen also
die anfangs beschriebenen Schienen. Sie wurden durch den Bahnwagen belastet, und mittelst eines Instrumentes wurde mit erforder-
licher Genauigkeit und Sicherheit die Depression der gedrükten Schienenabtheilung untersucht, bei welcher eine Depression von 0,006 Linien
noch verbürgt werden kann. Die Schienen lagen fest auf den Stühlen eingeschnitten auf; die lezteren standen ebenfalls fest auf den
Lagersteinen. Die angegebene Depression begreift die der Stühle mit,
welche leztere jedoch vollkommen elastisch war, indem nach aufgehobe-
nem Druk die Stühle vollkommen in ihre frühere Lage zurükgingen.
Beim Wagen Nr. 1 übt jedes Rad einen Druk von 2473, bei dem
anderen von 2520 Pfund aus.

Aus folgender Hauptzusammenstellung der Versuche

Schiene.		Länge in Zollen.	Depression in Linien für		Depression von 100 Pfd. Last für das Rad nach Linien.	
Art.	Abtheilung.		Wagen 1.	Wagen 2.	in Ruhe.	in Bewegung.
gebaucht	erste	31,17	0,572	0,569	0,229	0,243
—	—	30,69	0,805	0,785	0,319	0,360
—	—	30,68	0,418	0,420	0,168	0,182
—	mittlere	31,53	0,323	0,314	0,128	0,156
—	—	30,69	0,439	0,452	0,177	0,216
—	—	30,92	0,298	0,282	0,116	0,158
parallel	erste	28,13	0,341	0,322	0,133	—
—	—	30,07	0,403	0,399	0,161	0,195
—	—	31,17	0,346	0,377	0,145	0,211
—	mittlere	31,65	0,696	0,581	0,256	0,245
—	—	32,01	0,555	0,550	0,221	0,237
—	—	31,17	0,519	0,509	0,206	0,214
Mittel:						
gebaucht	erste	30,85	0,599	0,591	0,239	0,261
	mittlere	31,05	0,349	0,349	0,140	0,170
parallel	erste	29,79	0,363	0,366	0,146	0,203
	mittlere	31,61	0,589	0,547	0,228	0,232
Hauptmittel:						
gebaucht	—	30,95	0,474	0,470	0,189	0,216
parallel	—	30,70	0,476	0,456	0,187	0,217

würden sich nun die Hauptergebnisse ableiten lassen:

1) Wenn sich auf der Bahn auch die Stühle merklich niederdrüken, so verschwindet diese Depression nach Aufhebung des Drukes gänzlich.

2) Bei den gebauchten Schienen drükt sich die erste Schienenabtheilung 1,71 Mal so stark als die Mitte der dritten Abtheilung.

3) Bei den Parallelschienen findet gerade der umgekehrte Fall Statt, es biegt sich nämlich die Mitte der mittleren Abtheilung 1,55 Mal so stark als die Mitte der ersten Abtheilung.

4) Die Durchbiegungen betragen für den bewegten Wagen 16 Proc. mehr als für den ruhenden.

5) Beide Schienenarten scheinen auf der Bahn gleiche Stärke zu haben. Da die Parallelschienen 11,1 Proc. mehr wiegen als die gebauchten, so scheint unter der Voraussezung, daß sich beide Arten gleich gut walzen lassen, der Vorzug der Parallelschienen nur darin zu bestehen, daß man, wenn sie zu schwach befunden werden sollten, nach Belieben die Anzahl der Stühle vermehren kann (von 5 auf 6).

Um die Tragkraft der benutzten Schienen ganz rein von anderen Einflüssen zu erhalten, wurden von zwei Schienen alle einzelnen Abtheilungen untersucht; dabei war

die tragende Stuhlbreite				dazwischen die Schienenlänge			
des 1. Stuhles	2"	0,0'''	.	von 1—2	31"	1,5'''
	2	4,0			33	3,0
2. —	3	5,0	-	2—3	31	2,4
	3	0,1			31	8,5
3. —	3	7,0		3—4	31	0,0
	3	1,7			32	3,6
4. —	3	5,4		4—5	31	6,0
	3	1,4			31	10,3
5. —	3	4,5		5—6	31	10,7
	3	1,1			32	0,2
6. —	1	4,5				
	1	5,0				

wobei die oberen Zahlen für die gebauchte, die unteren für die Parallelschiene gelten. Die ganze Länge der ersten war daher 14' 6" 11''', ihr Gewicht 161 Pfd.; bei der zweiten: 14' 7" 2,9''' und 174 Pfd. Die Untersuchung geschah genau auf dieselbe Art und mit derselben Genauigkeit wie früher für gußeiserne Schienen, und die Resultate giebt folgende Zusammenstellung:

Bezeichnung der Schiene.	aus d. Rückbiegung geschlossen	Mittlere Durchbiegung für 1000 Pfd. Belastung bei Belastung von						Bleibende Biegung nach der stärksten Belastung.
		2000 Pfd.	5000 Pfd.	8000 Pfd.	10000 Pfd.	12000 Pfd.	14000 Pfd.	
Gebauchte Schiene.	Linien.	Linien.	Linien.	Linien.	Linien.	Linien.	Linien.	Linien.
Abtheilung 1 und 5	0,0780	0,0873	0,0776	0,0807	0,0768	0,0776	—	0,080
— 2 und 4	0,0760	0,0624	0,0663	0,0631	0,0716	0,0733	—	0,040
— 3	0,0797	0,0516	0,0604	0,0646	0,0656	0,0670	0,0704	0,059
Parallelschiene.								
Abtheilung 1 und 5	0,0568	0,0593	0,0578	0,0538	0,0518	0,0542	0,0606	0,097
— 2 und 4	0,0525	0,0463	0,0530	0,0500	0,0519	0,0526	0,0544	0,064
— 3	0,0547	0,0666	0,0604	0,0559	0,0530	0,0538	0,0522	0,076
Mittel: gebauchte S.	0,0779	0,0671	0,0681	0,0711	0,0715	0,0726	0,0704	0,060
Parallel-	0,0547	0,0574	0,0571	0,0532	0,0522	0,0535	0,0557	0,079

Der Grund, daß sich hier weit mehr Unregelmäßigkeiten finden als bei den Versuchen über die Tragkraft gußeiserner Schienen, beruht darauf, daß die Tragkraft der Schienen hauptsächlich mit von der Befestigung der Schienen in den Stühlen und der Stühle auf den Unterlagen abhängt. Jedoch lassen sich folgende Resultate aus den Versuchen ziehen:

1) Die Parallelschienen sind im Verhältniß von 5:4 stärker als die gebauchten, das Gewichtsverhältniß ist aber 13:12, folglich ist das erstere Verhältniß größer als das leztere, was in der Gestalt des mittleren Querschnitts der Schienenabtheilungen liegt.

2) Die gebauchten Schienen zeigen geringere bleibende Durchbiegungen.

3) Die Gränze, wo die bleibenden Durchbiegungen beginnen, ist nicht zu ermitteln, man kann nur angeben, wo merklich bleibende Durchbiegungen aufhören.

4) Die Schienen scheinen stark genug, um Belastungen von 3000 Pfd. für 1 Rad häufig und Belastungen von 8000 Pfd. einzeln tragen zu können. Sollen Dampfwagen von 8 — 9 Tonnen Gewicht auf Schienen laufen, so dürfte zu rathen seyn, die lezteren nicht unter 35 Pfd. Yard schwer zu machen.

5) Bei gebauchten Schienen sind die mittleren Abtheilungen entschieden stärker als die äußeren, bei Parallelschienen tritt ein solcher Unterschied nicht hervor.

6) Die gebauchten Schienen biegen sich etwas stärker als proportional den Belastungen, die Parallelschienen bis 14,000 Pfd. proportional den Belastungen.

XIX.

Verbesserte Leiter für den Bergbau und für verschiedene andere Zweke, worauf sich John Spurgin, Doctor der Medicin, von Guilford Street, Russell Square, Grafschaft Middlesex, am 7. April 1836 ein Patent ertheilen ließ.

Aus dem Repertory of Patent-Inventions. Februar 1837, S. 65.

Mit Abbildungen auf Tab. II.

An der von mir erfundenen Leiter, welche hauptsächlich für den Bergbau bestimmt ist, die aber auch zu verschiedenen anderen Zweken nützliche Anwendung findet, werden die horizontalen Stufen oder Sprossen derselben von zwei endlosen Tauen oder Ketten getragen. Diese Ketten oder Taue laufen über Trommeln, von denen die eine an dem obersten und die andere an dem tiefsten Punkte, bis zu welchem die Leiter zu reichen hat, an horizontalen Wellen oder Spindeln aufgezogen ist, und die durch irgend eine Triebkraft oder Maschinerie umgetrieben werden. Die horizontalen Wellen der beiden Trommeln müssen mit

einander parallel laufen; und die beiden Taue oder Ketten müssen
sich in senkrechten parallel laufenden Flächen in einer der Breite
der Leiter entsprechenden Entfernung von einander befinden. Die
horizontalen Sprossen werden mit beiden Enden an den zwei endlosen Tauen oder Ketten festgemacht. Wenn die eine oder die
andere dieser Trommeln vermittelst eines Räderwerkes, welches durch
Wasser, Dampf oder eine thierische Kraft in Thätigkeit gebracht
wird, eine continuirliche Umlaufsbewegung mitgetheilt erhält, so wird
die über die beiden Trommeln gespannte Leiter gleichfalls in Bewegung gerathen, und zwar so, daß der eine Theil derselben mit einer
langsamen, aber gleichförmigen Geschwindigkeit von der untersten an
die oberste Trommel emporsteigt, während sich der andere Theil auf
gleiche Weise von der oberen zur unteren Trommel herab bewegt.
Wenn daher Jemand, der auf diese Art von Leiter steigen will, sich
ihr an der zum Aufsteigen bestimmten Seite an einer geeigneten
Stelle genähert hat, so braucht er, während sich die Leiter langsam
emporbewegt, nur eine der Sprossen mit den beiden Händen zu fassen, und die Füße auf eine andere entsprechende Sprosse zu sezen.
Die Folge hievon wird seyn, daß er auf der Leiter emporgeschafft
wird, ohne daß er irgend einen anderen Aufwand an Kraft zu machen braucht, als nöthig ist, um sich mit den Händen an einer Sprosse
festzuhalten, und um mit den Füßen fest auf eine andere Sprosse zu
treten. Ist er auf der gewünschten Höhe angelangt, so braucht er
nur von der Leiter auf einen zu diesem Behufe entsprechend angebrachten Absteigplaz zu treten. Eben so braucht sich die Person,
die auf der Leiter in die Grube hinab gelangen will, derselben nur
an einem geeigneten Plaze zu nähern, mit den Händen eine Sprosse
zu fassen, und mit den Füßen fest auf eine andere Sprosse zu treten, um dann endlich von der Leiter abzutreten, wenn sie die gewünschte Tiefe erreicht hat. Um das Ansteigen der Leiter und das
Abtreten von ihr zu erleichtern, ist an jeder der Sprossen ein
kleines bewegliches Fußbrett befestigt: und zwar so, daß es horizontal nach Außen vorragt, und daß es mithin den Füßen eine
festere und bequemere Unterlage gewährt, als eine einfache
Sprosse dieß zu leisten vermag. Mit diesem Fußbrette kann man
auch eine Art von Handgeländer, woran man sich fester als an
einer Sprosse einhalten kann, in Verbindung bringen. Man kann
der Leiter mit dem Fußbrette und dem Handgeländer eine solche
Breite geben, daß mehrere Personen neben einander, d. h. Brust gegen Brust gekehrt, zugleich auf die Leiter treten können. Beim Emporsteigen und beim Herablassen dient ein und dasselbe Fußbrett;
dagegen sind mit jedem Fußbrette zwei Handgeländer zu verbinden,

von denen das eine beim Aufsteigen, das andere hingegen beim Herablassen in Anwendung kommt. Wenn die Leiter eine solche Breite
bekommen soll, daß mehrere Personen neben einander auf ihr stehen
können; und wenn sich daher die horizontalen Sprossen wegen ihrer
Länge unter dem Gewichte, welches sie zu tragen haben, biegen dürften, so kann man auch noch ein drittes endloses Tau oder eine solche
Kette über die beiden Trommeln spannen, und auf diese Weise jeder
einzelnen Sprosse auch noch in der Mitte einen Stützpunkt gewähren.
Bei noch größerer Breite der Leiter ließen sich sogar zwei solche
Hülfs= oder Stütztaue anbringen. Damit die Leiter ferner zwischen
den beiden umlaufenden Trommeln durch das Gewicht der auf sie
getretenen Personen nicht aus der nöthigen geraden Richtung kommen kann, lassen sich kleine Trag= oder Führwalzen anbringen, auf
denen die Taue oder Ketten der Leiter aufruhen. Mittelst entsprechender Tragbretter, die auf die erwähnte Weise an den Sprossen
der Leiter festgemacht werden können, lassen sich endlich auch Kisten,
Karren, Wägelchen ꝛc., welche Erze, Gestein, Kohlen oder verschiedene andere Substanzen enthalten, in die Gruben hinab oder aus
denselben heraufschaffen.

Meine verbesserte Leiter dient nicht bloß dazu, die Arbeiter mit
ihren Werkzeugen in die Gruben hinab und aus diesen herauf zu
schaffen, ohne sie dabei so zu ermüden, wie dieß gewöhnlich der Fall
ist, sondern man kann sie auch eben so gut benutzen, um Gegenstände
aller Art aus den Gruben zu Tage zu bringen oder in dieselben
hinabzulassen. Sie findet ihre Anwendung ferner zu eben denselben
Zweken an hohen Gebäuden aller Art, so wie auch beim Ausladen
und Laden von Schiffen.

Bei sehr großer Tiefe der Gruben kann man mehrere meiner
verbesserten Leitern hinter einander anbringen, und jeder einzelnen
eine solche Länge geben, wie man es für nöthig und zwekmäßig er-
achtet. Die Trommeln müssen in diesem Falle so lang seyn, daß
zwei Leitern neben einander auf ihnen Plaz finden. Zu noch größerer Deutlichkeit alles dessen, was ich hier gesagt habe, wird folgende
Beschreibung der Abbildung meiner Leiter dienen.

Fig. 27 ist ein senkrechter Durchschnitt eines Schachtes, worin
man zwei meiner endlosen Leitern von Vorne betrachtet abgebildet sieht.

Fig. 28 ist ein entsprechender senkrechter Durchschnitt, an welchem man dieselben Leitern von der Seite dargestellt sieht.

A, A sind die Wände des Schachtes, welche entweder in festem
Gestein gehauen oder auch ausgezimmert seyn können. Ueber dessen
Mündung läuft die obere Trommel B, deren horizontale Achse oder

Welle b, b in Anwellen ruht, welche sich in den von dem Gebälke d, d getragenen Gestelle c, c befinden. An dem einen Ende der Welle h dieser Trommel B ist ein Zahnrad D befestigt, damit die Trommel vermittelst eines anderen in dieses Zahnrad eingreifenden Rades durch irgend eine Wasser-, Dampf- oder thierische Kraft in Bewegung gesezt werden kann. e, f, e sind die drei für eine der Leitern bestimmten endlosen Ketten oder Taue. E ist die untere Trommel, welche sich in der Tiefe der Grube befindet und deren horizontal durch den Schacht laufende Welle mit ihren Enden in Anwellen, welche von dem Gebälke g, g getragen werden, ruht. Die endlosen Ketten e, f, e führen oder tragen die horizontalen Sprossen h, h, die von einer Kette zur anderen laufen, und die mit ihren Enden in den Gliedern der beiden äußeren Ketten e, e festgemacht sind, während ihr mittlerer Theil durch eine entsprechende, in den Gliedern der mittleren Kette befindliche Oeffnung geführt ist. Die Sprossen h, h sind in gleichen Entfernungen von einander, wie sie durch die Kettenglieder bestimmt werden, und wie es sich für die Tritte einer Leiter eignet, befestigt. Aus dem Umfange der umlaufenden Trommeln B und E ragen an entsprechenden Stellen Zähne hervor, die in die Sprossen h, h eingreifen, und welche das Glitschen der endlosen Ketten e, f, e über die Trommeln verhüten, damit, wenn die obere Trommel B durch die Maschinerie umgetrieben wird, die endlosen Ketten mit ihren Sprossen sicher umlaufen, und damit hiedurch auch die untere Trommel E zu gehörigen Umdrehungen veranlaßt wird. Die untere Trommel E wird so tief im Schachte angebracht, als es bei der Länge, die man den endlosen Ketten geben will, nöthig ist. Ueber das andere Ende dieser Trommel läuft aber auch noch eine zweite Reihe von dreifachen endlosen Ketten oder Tauen i, k, i, die in noch größerer Tiefe über die Trommel G gespannt sind. Die endlosen Leitern e, f, e und i, k, i sind einander in jeder Hinsicht ähnlich; nur ist die erstere in der Zeichnung als aus Ketten, die leztere hingegen als aus Tauen zusammengesetzt dargestellt. Jedes der endlosen Taue i, k, i besteht aus 4, 5 oder 6 dicht neben einander gelegten, und durch Quernähte zu einem breiten Taue verbundenen, kleineren Striken; und an diesen flachen Tauen sind in gleichen Entfernungen von einander auf die oben bei den endlosen Ketten e, f, e angegebene Weise die Sprossen h, h befestigt. Die Tragwalzen H, H, H sind in solchen Entfernungen von einander angebracht, daß die endlosen Ketten e, f, e nicht aus der für sie nöthigen geraden Linie gerathen können; für ähnliche Walzen ist auch an den endlosen Tauen i, k, i zu sorgen. Die Trommel E, welche für die erste Leiterlänge die unterste ist, ist für die zweite zugleich auch die oberste. Dasselbe läßt

ſich von der Trommel G, und von allen übrigen Trommeln, ſo viele
ihrer ſind, ſagen.

Fig. 29 gibt einen ſeitlichen und Fig. 30 einen Frontaufriß
des Fußbrettes und des Handgeländers, welches, wie oben erwähnt
worden iſt, an die Sproſſen gehakt wird, damit man beſſer mit den
Füßen ſtehen und ſich auch bequemer mit den Händen einhalten kann.
Ein ſolches Fußbrett ſieht man in Fig. 27 bei l an Ort und Stelle
angebracht; ihrer zwei ſind in Fig. 28 bei l und M erſichtlich. l iſt
das horizontale Fußbrett, welches an ſeinen beiden Enden von zwei
eiſernen Klammern j, j getragen wird; und jede dieſer Klammern hat
zwei Haken m, m, womit die Vorrichtung an die Sproſſen der end=
loſen Leiter gehakt wird. n, p ſind die Handgeländer, die in einer
entſprechenden Höhe über dem Fußbrette l an den Klammern j, j
befeſtigt ſind. Das Geländer n dient, wie in Fig. 28 bei l erſicht=
lich iſt, beim Aufſteigen; das Geländer p hingegen, wie in derſelben
Figur bei M erſichtlich iſt, beim Herabſteigen zum Einhalten mit
den Händen. Die Klammern mit ihren Haken m, m haben eine ſolche Ge=
ſtalt, daß das Fußbrett l ohne alles Hinderniß über die beiden Trom=
meln B und E laufen kann, und ohne daß eine Gefahr des Aus=
hakens eintritt. Die Perſonen, welche aufgezogen oder hinabgelaſſen
zu werden wünſchen, treten von einer Platform weg, wie ſie am
Eingange der Stollen, ſo wie auch an der Mündung und am Grunde
des Schachtes anzubringen iſt, auf das Fußbrett l.

In Fig. 31 ſieht man einen Endaufriß, in Fig. 32 einen Front=
aufriß, und in Fig. 33 einen Aufriß des Rükens eines eiſernen Rah=
mens, welcher auf die oben bei Fig. 29 und 30 beſchriebene Art und
Weiſe an die Sproſſen h, h der endloſen Leiter gehakt wird. Dieſer
Rahmen beſteht aus zwei mit Haken r, r verſehenen, und mittelſt
einer horizontalen Querſtange s mit einander verbundenen Klammern o, o,
und dient zur Aufnahme und als Träger einer Kiſte oder eines Ro=
ſtes N. Dieſe Kiſte iſt in dem Rahmen mittelſt Zapfen aufgezogen,
welche dem einen Ende der Kiſte um ſo viel näher liegen, daß die
Kiſte ſelbſt die aus der Abbildung erſichtliche ſchiefe Stellung be=
kommt. Das höher liegende Ende der Kiſte iſt offen, das tiefer lie=
gende hingegen iſt geſchloſſen, und die ganze Kiſte iſt überhaupt ſo
eingerichtet, daß ſie ein kleines Wägelchen, welches man in den Gru=
ben den Hund zu nennen pflegt, aufnehmen kann. Man ſieht dieſe
Kiſten ſowohl in Fig. 27 als 28 an Ort und Stelle an der endloſen
Kette angebracht, woraus zugleich auch erhellt, wie die Hunde in
dieſelben geſchafft werden. Die Hunde oder Wägelchen P werden
nämlich aus den Stellen der Leiter gegenüber an den Schacht ge=
bracht, und wenn ſie aufgezogen werden ſollen, wie man in Fig. 28

bei Q sieht, an dem horizontalen gegliederten Arme v eines kleinen
Krahnes v, w, der am Ende des Stollens an einer aufrecht stehenden
Welle w angebracht ist, aufgehängt. Dreht man nämlich diesen
Krahn um so vieles um die Welle w, als es die zu diesem Behufe
angebrachten Aufhälter gestatten, so wird der Hund P in den Schacht
hinausgeschwungen: und zwar so, daß er in die Bahn der Kiste oder
des Rostes N, welche sich mit der endlosen Leiter nach Aufwärts bewegt, gelangt, und daß er also von dieser Kiste aufgenommen wird.
Wenn dann der gegliederte Arm v des Krahnes emporgehoben wird,
so wird er nachgeben, damit der Hund P ohne weiteres Hinderniß
emporgeführt werden kann. Bei der schiefen Stellung der Kiste N
wird der Hund auf seinen Rädern gegen das geschlossene Ende der
Kiste hin laufen; denn das Auslaufen bei dem offenen Ende ist dadurch verhütet, daß dieses Ende höher steht, als das geschlossene.
Sobald jedoch die Kiste an jener Stelle, an der sie ausgeladen werden soll, und an der zu diesem Behufe eine zur Aufnahme des Hundes entsprechende. Platform R und S, Fig. 2?, angebracht ist, ein-
trifft, tritt ein eigens zu diesem Zweke befestigtes Stük in die Gabel x, welche an dem offenen Ende der schief gestellten Kiste hervorragt, damit die Kiste bei dem weiteren Emporsteigen um die Zapfen t
gewälzt wird, so daß sie, wie in Fig. 3? durch punktirte Linien angedeutet ist, in eine nach der entgegengesezten Richtung geneigte
Stellung gelangt. Die Folge hievon ist dann, daß der belastete
Hund P bei dem offenen Ende der Kiste N herausläuft, und auf
der zu dessen Aufnahme bestimmten Platform R oder S anlangt.
Die Kette y verhindert, daß die Kiste N nicht weiter um ihre Zapfen
gewälzt werden kann, als eben nöthig ist, um den Hund auslaufen
zu machen; sie hält ferner auch die Kiste zurük, wenn die Kiste über
die Trommel B gegangen, und an der entgegengesezten Seite herab
steigt. An jedem Stollen, von welchem aus beladene Hunde emporgeschafft werden sollen, muß ein Krahn v, w angebracht seyn.

Fig. 34 und 35 erläutert, auf welche Weise die Wägelchen oder
die Hunde P in die Grube hinabgeschafft und daselbst auf eine entsprechende firirte Platform gebracht werden. Die Kiste W ist der
oben beschriebenen Kiste N vollkommen ähnlich; mit dem Unterschiede
jedoch, daß sie umgekehrt an der endlosen Leiter angebracht ist, damit beim Hinablassen ihre offene Seite zum Behufe der Aufnahme
des Hundes P nach Oben gerichtet ist. An der Mündung des Schachtes oder überhaupt an jener Stelle, von der aus die Hunde hinab-
gelassen werden sollen, befindet sich eine ähnliche wälzbare Kiste V,
Fig. 34, deren Schwungzapfen so gestellt sind, daß der in der Kiste
befindliche Hund nicht eher bei dem offenen, der Leiter zugekehrten

Ende auslaufen kann, als bis das offene Ende der Kiste W beim
Hinablassen dem offenen Ende der Kiste V beinahe gegenüber zu stehen kommt. Ist dieß der Fall, so trifft ein an ersterer befindlicher
Vorsprung auf einen aus lezterer hervorragenden Vorsprung, wodurch
die Kiste V solcher Maßen um ihre Zapfen gewälzt wird, daß sie
eine der früheren entgegengesezte Neigung bekommt; und daß, indem
die Boden beider Kisten hiedurch nach einer und derselben Richtung
geneigt werden, der Hund P nunmehr vermöge seiner eigenen Schwere
aus der Kiste V in die Kiste W läuft, um in dieser zu verbleiben.
Unmittelbar nachdem diese Uebertragung Statt gefunden hat, und so
wie sich die Kiste W tiefer in den Schacht hinab bewegt, hört die
Berührung zwischen den beiden oben erwähnten Vorsprüngen der beiden Kisten auf, wo dann die Kiste V wieder in ihre frühere Stellung zurüksinkt; und wo dann ein neuer, in die nächst folgende
Kiste W zu schaffender Hund in dieselbe eingesezt werden kann. Ist
der erste der Hunde in der Kiste W dahin gelangt, wo er ausgeladen werden soll, und wo zu diesem Zweke eine entsprechende Platform X
mit einer Kiste Z, Fig. 35, angebracht ist, so kommt ein gehörig
firirter Aufhälter Y mit einer Gabel z in Berührung, die aus dem
geschlossenen Ende der Kiste W hervorragt, damit diese Kiste nunmehr eine der früheren entgegengesezte Neigung bekommt, und damit
der Hund folglich bei dem offenen Ende der Kiste W heraus in die
bewegliche, auf der Platform X befindliche Kiste Z läuft. Dieses
Auslaufen des Hundes erfolgt genau in dem Augenblike, in welchem
der Boden der Kiste W mit dem Boden der Platform X in Uebereinstimmung geräth; dieser Moment selbst läßt sich durch die Stellung des Aufhälters Y, der adjustirbar mit Schrauben an seinem
Träger firirt ist, mit Genauigkeit reguliren. Wenn der Hund P
durch das Auslaufen aus der Kiste W in die Kiste Z an das geschlossene Ende dieser lezteren stößt, so wird diese eine kleine Streke
weit endwärts bewegt werden. Die Kiste Z wird aber zugleich geneigt werden, sich in derselben Richtung noch etwas weiter endwärts
zu bewegen, und in Folge ihrer eigenen Schwere herabzusinken, indem das offene Ende der Kiste mit Tragzapfen in schräg laufenden
Fugen oder Fenstern ruht, die in eisernen, an den Seiten der Platform X firirten Pfosten angebracht sind. Die äußersten, gegen die
endlose Leiter hin gerichteten Enden dieser Fugen oder Fenster haben
keine Neigung, sondern sind, wie Fig. 35 zeigt, horizontal. Wenn
daher die Kiste Z von einem Arbeiter endwärts gegen die Leiter hin
gestoßen wird, um sie zur Aufnahme eines in einer der Kisten W
herabgelangenden Hundes in Bereitschaft zu sezen, so wird die Kiste Z
mit ihrem offenen Ende etwas höher gestellt bleiben, so zwar, daß

deren Vorsprung eine kurze Streke weit in die Bahn jenes Vorsprunges hineingelangt, der sich an dem offenen Ende der Kiste W
befindet.   Sobald jedoch die Uebertragung des Hundes aus der
einen in die andere Kiste auf die bereits angegebene Weise Statt
findet, wird sich die endwärts getriebene Kiste Z dadurch, daß sich
deren Tragzapfen in den schrägen Fugen oder Fenstern der Platform
bewegen, noch weiter endwärts und zugleich auch nach Unten bewegen, so daß deren Vorsprung außer den Bereich des Vorsprunges der
Kiste W kommt.

Die der Trommel A und durch diese auch den endlosen Leitern
mitgetheilte Bewegung muß ruhig und langsam von Statten gehen,
damit die Personen mit Leichtigkeit auf die Fußbretter treten und
auch von diesen wieder abtreten können; und damit die beschriebene
Uebertragung der Hunde aus den Kisten und in die Kisten möglich
wird.   Wenn sich die Leitern mit einer Geschwindigkeit von 60 oder
80 Fuß in der Minute bewegen, so wird dieß mit aller Bequemlichkeit geschehen können; bei einiger Uebung wird auch eine größere
Geschwindigkeit thunlich seyn.   An der oberen Trommel A soll ein
Sperrrad mit einem Sperrkegel angebracht werden, damit nicht allenfalls durch irgend einen Unfall eine rükgängige Bewegung eintreten kann.   Da die endlosen Taue oder Ketten i, k, i oder e, f, e sich,
so lange sie neu sind, dehnen werden, so sollen die Zapfen der unteren Trommeln E und G in Anwellen ruhen, welche sich in der Zim-
merung der Wände in Falzen mittelst Schrauben und Schraubenmuttern höher oder tiefer stellen lassen.   Auf diese Weise wird es
nämlich möglich, die Taue oder Ketten stets gehörig gespannt zu erhalten.   In den Tragwalzen H können Zähne firirt seyn, welche in
die Leitersprossen eingreifen, damit sie auf diese Weise umgedreht und
benuzt werden, um die Hunde in den Stollen, denen gegenüber diese
Walzen angebracht sind, fortzuschaffen.   Man braucht zu diesem
Zwek nur ein Tau um die Walze H zu führen, um es von hier
aus in den Stollen laufen zu lassen, und endlich an dem Hunde zu
befestigen.   Eben so kann man das Tau über eine Rolle leiten und
dann zum Emporschaffen von Erzen, Wasser u. dergl. in Kübeln benuzen.   Das um die Rolle H geführte Tau kann sich mit oder ohne
dieser bewegen, indem man einen Mann an dem anderen Ende des
Taues ziehen läßt; diese Einrichtung ist jedoch von der Anwendung
der Taue an den Winden her hinlänglich bekannt.

XX.

Verbesserungen an den Maschinen zur Tull= oder Bobbin=
netfabrication, worauf sich Thomas Robert Sewell,
Spizenfabrikant von Carrington in der Pfarre Basford,
Grafschaft Nottingham, am 2. Decbr. 1835 ein Patent
ertheilen ließ.

Aus dem London Journal of Arts. December 1836, S. 129.

Mit Abbildungen auf Tab. II.

Die Verbesserungen des Patentträgers betreffen jene Art von
Tullmaschine, welche unter dem Namen Double-tier circular bolt
oder Circular comb machinery bekannt ist, und nach dem Sperr=
stangen=Principe (locker-bar principle) in Bewegung gesezt wird.
Der Zwek derselben ist: 1) Erzeugung von schmalen Tullstreifen, die
an den Rändern durch Saumfäden zu einem breiten Tullstüke ver=
bunden sind; und 2) Erzeugung von Figuren oder Mustern zugleich
mit dem Tullgrunde.

Fig. 1, sagt der Patentträger, gibt einen Frontaufriß der einen
Hälfte einer Maschine, wie ich sie ursprünglich zur Fabrication von
glattem Tull verfertige, und wie sie unter dem Namen Sewell's
rolling locker principle bekannt ist. Fig. 2 ist ein senkrechter
Durchschnitt durch die Mitte der Maschine gegen das entgegengesezte
Ende derselben betrachtet.

Die ganze Maschinerie ruht in zwei Endgestellen A,A, die durch
Längenbalken B,B,B mit einander verbunden sind. C ist der Ketten=
und D der Werkbaum. Die vorderen und hinteren Kammstangen
sind mit E,E, die Führ= oder Leitstangen mit F,F, die Spizen=
stangen mit G,G, die Werkstange mit H und die Sperrstangen mit
I,I bezeichnet. Der Rigger oder die Rolle K, die mittelst eines
Laufbandes von irgend einer Triebkraft her in Bewegung gesezt wird,
ist an dem äußeren Ende einer Spindel oder Welle L fixirt, die
vorne an der Maschine beinahe durch die halbe Länge derselben läuft.
An derselben Welle befindet sich auch das Zahnrad M, welches in
ein anderes, an der Hauptwelle O,O aufgezogenes Rad N eingreift,
damit auf diese Weise die Muschelräder und die Hebel, womit die
arbeitenden Theile der Maschine in Thätigkeit gesezt werden, in Be=
wegung gerathen. Wenn die Spulen und Wagen a,a, wie Fig. 2
zeigt, in zwei Bindungen oder Reihen (tiers) in die Kämme b,b ge=
bracht, und die Kettenfäden, nachdem sie durch die Führer c,c ge=
leitet, mit den Spulenfäden auf die gewöhnliche Weise an den Werk=
baum D geführt worden sind, so ist die Maschine bereit, ihre Arbeit

7 *

zu beginnen. Wird dann die Hauptwelle O, O auf die oben beschriebene Weise in rotirende Bewegung versezt, so wird die excentrische Auskehlung oder das herzförmige Muschelrad P, welches sich
an der vorderen Seite oder an der Scheibe des Rades N befindet,
beim Umlaufen auf einen Zapfen oder auf eine Reibungsrolle wirken,
die sich an der Seite eines Armes Q, welcher von der Mitte der
Welle R, R ausläuft, befindet. An den Enden dieser Welle sind die
sectorförmigen Zahnstangen S, S angebracht, die in die an den Enden der Sperrstangen I, I firirten Getriebe T, T eingreifen. Hieraus
folgt, daß, wie das herzförmige Muschelrad P umläuft, der Arm Q,
die Welle R und die Zahnstangen S, S in schwingende Bewegung gerathen, und hiedurch den Sperrstangen 1, I eine solche abwechselnde,
rollende Bewegung mittheilen, wie sie nöthig ist, damit die Spulenwagen a, a in den Kämmen b, b hin und her bewegt werden. Die
Sperrstangen sind mit eigens geformten; in Fig. 2 im Querdurchschnitte ersichtlichen Schwertern (blades) ausgestattet; und diese
Schwerter (locker-blades genannt) sind in bestimmten Curven gebogen und in verschiedenen Entfernungen von einander angebracht, damit sie auf die Schwänze der Wagen wirken, wenn sich die Sperrstangen solcher Maßen rollen, daß sie die Wagen in verschiedenen
Zeiträumen mit unregelmäßigen Geschwindigkeiten treiben. Die Spulenwagen a, a können auf diese Weise, wenn sie in der Mitte der
Maschine angelangt sind, in eine solche Entfernung von einander gebracht werden, daß die seitlichen oder Schüttelbewegungen der Kettenfäden möglich werden. Auch können die Wagen, wenn sie in die
vorderen oder hinteren Kämme gelangt sind, beinahe dicht an einander gebracht und so in ihrer Wirkung beschränkt werden.

Die Schüttel- oder seitlichen Bewegungen der Leitstangen F, F
werden dadurch hervorgebracht, daß Muschelräder e, e, die sich an
den Enden der Maschine befinden, auf die Winkelhebel, Stangen und
Arme d, d, d wirken; jene der vorderen Kammstangen E hingegen
durch die Einwirkung der Muschelräder g, g (welche sämmtlich an
kleinen, in den äußeren Theilen der Endgestelle ruhenden Zapfen oder
Spindeln fixirt sind) auf die Winkelhebel, Stangen und Arme f, f, f.
Die Spizenstangen G, G werden zum Behufe der Aufnahme durch gegliederte Hebel i, i, i in Bewegung gesezt. An den Enden dieser
lezteren befinden sich Reibungsrollen, die sich in dem Umfange der
Muschelräder k, k, welche gleichfalls an den Wellen h, h fixirt sind,
bewegen. Alle diese Bewegungen können übrigens jenen der gewöhnlichen Sperrermaschinen (locker machines) ähnlich seyn. Die
kleinen Wellen h, h werden mittelst der an den Enden der Hauptwelle O befindlichen Getriebe 1, 1 umzulaufen veranlaßt, indem diese

Getriebe in die an den Wellen h, h firirten Räder m, m eingreifen. Mithin gelangen durch das Umlaufen der Hauptwelle die Muschel=räder in Bewegung, sobald sich die übrigen Theile der Maschinen in Thätigkeit befinden.

Ich habe bis hieher den allgemeinen Bau der sogenannten Se= well's rolling-locker machine, auf die sich die hauptsächlichsten Theile meiner gegenwärtigen Verbesserungen beziehen, beschrieben, und gehe nun zur Erläuterung dieser Theile und ihrer Verrichtungen im Einzelnen über, und zwar zuerst in Beziehung auf die Fabrication schmaler, durch Saumfäden zu einem großen Stüke verbundener Tullstreifen, und dann erst in Beziehung auf die Fabrication von gemustertem Tull.

Ursprünglich firirte ich die messingenen Schwerter dadurch in den eisernen Sperrstangen, daß ich Längenspalten in diese Stangen schnitt, und daß ich, nachdem die hinteren Ränder der Schwerter in diese Spalten eingesezt worden waren, die Ränder der Spalten nach Einwärts klopfte, damit auf diese Weise das Eisen der Stangen in das Messing der Schwerter einbiß, und damit leztere solcher Maßen festgehalten wurden. Meinen gegenwärtigen Verbesserungen gemäß müssen aber in den Schwertern der hinteren Sperrstange Oeffnungen oder Ausschnitte angebracht werden, damit gewisse Wagen zu gewis= sen Zeitperioden zurükgehalten, d. h. stationär erhalten werden, wäh= rend sich andere Wagen bewegen. Es geschieht dieß, damit die Be= wegung der zurükgehaltenen Wagen eine andere Richtung bekommen kann, indem man sie als Umkehr= und Säumwagen (turnagain and whipping carriages) arbeiten läßt, wie dieß Sachverständigen wohl bekannt ist. Ich gebe der hinteren Sperrstange zu diesem Behufe eine cylindrische Form, und gieße die Schwerter mit kurzen cylindri= schen Scheiden aus einem Stüke, damit ich sie auf diese Weise nach einander an die Stange sieken kann, bis diese von einem Ende zum anderen damit angefüllt ist. Zwischen je zwei der scheidenartigen Stüke bringe ich hiebei einen sehr kurzen oder ringförmigen Theil eines solchen scheidenartigen Stükes, woran sich Finger befinden, die den durchschnittlichen Stellungen der Schwerter entsprechen. Hierauf befestige ich in der Länge der cylindrischen Stange mit Stiften, Schrauben oder auf andere Weise jene Theile der mit Scheiden ver= sehenen Schwerter, die die glatten Theile des Tulls zu erzeugen ha= ben, während ich die losen Theile dieser Schwerter frei um die cy= lindrische Stange laufen lasse, wenn sie von den übrigen Theilen der Schwerter unabhängig zu wirken haben.

Damit dieß deutlicher erhelle, habe ich in Fig. 3 einen Theil einer cylindrischen Sperrstange I mit den beschriebenen Scheiden der Schwerter im Längen=, und in Fig. 4 im Querdurchschnitte dar=

gestellt. a, a sind die beweglichen Theile der Schwerter, welche zum
Behufe der Erzeugung von Streifen mit Säumen (selvages) an
Dike einem Zwischenraume der kreisrunden Kämme gleichkommen sol=
len. b, b sind die fixirten Theile der Schwerter. Von dem unteren
Theile eines jeden der beweglichen Stüke a läuft ein Stiel c aus,
und alle diese Stiele sind in eine Längenstange d, d, d eingelassen,
welche der ganzen Länge nach mit der Sperrstange parallel läuft.
Da die Stiele mittelst Schraubenmuttern an der Längenstange d, d
festgemacht sind, so müssen sich alle die beweglichen Theile der Sperr=
schwerter a, a, a gleichzeitig bewegen. An der unteren Seite der bei=
den Enden der Stange d ist eine lange Feder e angebracht, welche
auf einen an dem arbeitenden Ende dieser Stange befindlichen Zahn f
wirkt, und ihn in einen Ausschnitt x eintreibt, der zu dessen Auf=
nahme an einem Halsringe g angebracht ist, welcher sich an einem
der fixirten scheidenartigen Stüke b der Schwerter in der Nähe der
beiden Enden der Sperrstange befindet. Durch das Einfallen dieser
Zähne f in die Ausschnitte der Halsringe g werden die festen und
beweglichen Theile der Schwerter in Uebereinstimmung erhalten, wie
man sie in Fig. 4 sieht, so daß sie mithin unter diesen Umständen
alle gemeinschaftlich wirken. Die festen und beweglichen Theile der
Schwerter der hinteren Sperrstange sind auf diese Weise verbunden.
Ihre Stellung zu den Spulen und Wagen unmittelbar vor dem Be=
ginnen jener Operation, die das Umkehren (turnagain) der Säum=
wagen bewirkt, erhellt aus dem in Fig. 5 ersichtlichen Querdurch=
schnitte der Sperrstangen I, I und der Kammstangen E, E.

Zur Bewirkung des sogenannten Umkehrens der Wagen an den
Rändern der Tullstreifen wende ich ein Klopfrad W an. Dieses ist
in der Nähe der Mitte der Maschine an einer Verlängerung der
horizontalen Welle h aufgezogen, die die Dawson'schen Räder,
welche die Leitstangen, die Spizenstangen und die vordere Kamm=
stange an dem rechten Ende der Maschine in Bewegung sezen, führt.
Den Umfang dieses Rades W, welches man in Fig. 6 einzeln für
sich abgebildet sieht, kann man sich als in 12 gleiche, ähnlichen Ein=
theilungen der Dawson'schen Räder entsprechende Theile eingetheilt
denken. Die Erhabenheiten oder Zähne desselben sind so gestellt, daß
sie auf den Schwanz an dem unteren Ende des zusammengesezten
Hebels, der die beweglichen Theile der Schwerter a, a, a in Ueber=
einstimmung mit der Thätigkeit der übrigen Theile der Maschine re=
girt, wirken. Ein Umgang der Räder erzeugt eine Reihe vollkom=
mener Maschen.

In dem Augenblike, in welchem die vordere Kammstange nach
Links geschaukelt werden soll, wirkt der Zahn oder Vorsprung an der

Eintheilung 11 des Rades W auf das Ende eines zusammengesezten Hebels, damit die Stange d mit den beweglichen Theilen der Schwerter a, a, a stationär erhalten wird. Die Art und Weise, auf welche dieß geschieht, ist aus dem in Fig. 7 gegebenen Durchschnitte der Sperrstangen I, I und der Kammstangen E, E ersichtlich. Der erwähnte zusammengesezte Hebel ist nämlich in dieser und in den folgenden Figuren mit i, i, i bezeichnet. Die Stüzpunkte, um die er sich bewegt, befinden sich in den Enden der Stange k, welche längs des Rükens der Maschine läuft, und an einem Zapfen l, welcher in einer quer durch die Mitte der Maschine laufenden Stange festgemacht ist. Wenn der Zahn 11 des Rades W den Schwanz oder Zahn j, der sich an dem unteren Ende des zusammengesezten Hebels befindet, eben emporgehoben hat, so werden die Stifte oder Zapfen m, die aus den kleinen Armen n hervorragen, dadurch, daß diese Arme an der am oberen Ende des zusammengesezten Hebels angebrachten Stange k befestigt sind, emporgehoben und in die Löcher von Armen o eingesenkt, welche aus den an der Längenstange d befestigten Federn e hervorragen. Auf diese Weise wird die Stange d mit sämmtlichen beweglichen Theilen der Schwerter b, b, b festgehalten, während die fixirten Theile der Schwerter b, b, b, indem sie sich an dem Federzahne f, der die festen und beweglichen Theile der Schwerter zusammenhält, bewegen, aus den in den Halsstüken g angebrachten Ausschnitten x gleiten. Die Folge hievon ist, daß die beweglichen Schwerter zurükgehalten und am Umlaufen verhindert werden, und daß sie die fixirten Schwerter allein vorwärts bewegen. Dieses Zurükhalten der beweglichen Theile der Schwerter a, a, a bewirkt, daß die Säumwagen (whipping-carriages) in dem hinteren Theile der hinteren Kämme zurükgehalten, und die Umkehrwagen (turnagain-carriages) verhindert werden mit der vorderen Bindung vorwärts zu laufen, so daß sie solcher Maßen gezwungen sind sich der hinteren Bindung anzuschließen. Während die fixirten Schwerter in die aus Fig. 7 ersichtlichen Stellungen vorwärts gelangt sind, wird der Zahn 11 des Rades W im Begriffe stehen unter dem Zahne j des zusammengesezten Hebels wegzugehen; und in dem Augenblike, in welchem dieß Statt findet, wird der Zahn f der Federn e in die Ausschnitte y der Halsstüke g einfallen, und die vordere Kammstange nach Rechts geschwungen werden. Wenn dann der Schwanz j des zusammengesezten Hebels i, i, i auf den kleineren Halbmesser des Rades W bei der Eintheilung 12 gefallen, so wird der Hebel i, i, i in die in Fig. 8 angedeutete Stellung gelangt seyn, nachdem die Stifte m aus den Löchern der Arme o zurükgezogen worden sind. Die Folge hievon ist, daß sich die fixirten und beweglichen Schwerter nun ge-

meinschaftlich gegen die Fronte der Maschine wälzen und mit den
Spulenwagen in die aus Fig. 8 ersichtliche Stellung gelangen. Wenn
sich dann sämmtliche Schwerter in derselben Richtung noch weiter
bewegen, so werden beide Bindungen der gewöhnlichen Wagen mit
den Umkehrwagen in die vorderen Kämme geführt, während die
Säumwagen in den hinteren Kämmen zurükbleiben, worauf sich die
vordere Kammstange mit der doppelten Wagenbindung nach Links
bewegt. Durch die rükgängigen Schwingungen der Schwerter gegen
den Rüken der Maschine gelangen die Wagen wieder in die aus
Fig. 8 zu ersehende Stellung zurük; und indem sie sich fortbewegen,
treten die Säumwagen in den hinteren Theil der hinteren Kämme,
während die beweglichen Theile der Schwerter a, a, a mit der Län=
genstange d und dem Arme o wieder die in Fig. 7 angedeuteten Stel=
lungen einnehmen.

Nunmehr gelangt der Zahn, welcher sich an der Eintheilung 2
des Umfanges des Rades W befindet, unter den Schwanz j des
Hebels i, i, i. Hiedurch werden die Arme n auf die angegebene
Weise emporgehoben, wo dann die Stifte m in die Löcher der Arme o
einfallen, und die beweglichen Theile der Schwerter festhalten, wäh=
rend die vordere Wagenbindung durch die weiteren Bewegungen der
Sperrstangen in die hinteren Kämme übergeht. Ist das Rad W
hierauf so weit umgelaufen, daß der Schwanz f des zusammengesez=
ten Hebels bei der Eintheilung 3 auf den kleinen Halbmesser dieses
Rades fallen kann, so werden die Stifte m wieder aus den Löchern
der Arme o zurükgezogen, wo dann die Schwerter und Wagen in der
Stellung stehen, in der sie in Fig. 5 abgebildet sind. Nunmehr wirken
die beweglichen und fixirten Theile der Schwerter gemeinschaftlich,
indem sie beide Wagenbindungen aus den hinteren in die vorderen
Kämme treiben und gegen den Rüken der Maschine zurükführen.
Wenn die eine Wagenbindung in den hinteren Kämmen angelangt
ist, so schwingt sich die vordere Kammstange nach Rechts, worauf
die Wagen die bei der Erzeugung von glattem Tull üblichen Bewe=
gungen vollbringen, bis das Rad W so weit umgelaufen ist, daß
der an dessen Eintheilung 11 befindliche Zahn abermals auf den
Schwanz j des Hebels i, i, i wirkt, und daß hiemit die beschriebenen
Bewegungen der Maschine von Neuem beginnen.

Die Gestalt der sogenannten Dawson'schen Räder, welche zur
Bewegung der gewöhnlichen Leitstangen und der vorderen Kamm=
stange dienen, ist in Fig. 9 so dargestellt, wie sie sich für die oben
beschriebene Maschinerie eignet. A, A, A ist der Umfang des Ra=
des, welches die vordere Kammstange in Bewegung sezt; B, B, B
jener des Rades, welches für die hintere Leitstange bestimmt ist;

C, C, C endlich ist das der vorderen Leitstange angehörige Rad. Der Umfang aller dieser Räder ist radienweise in zwölf gleiche Theile eingetheilt, und diese Theile entsprechen der Eintheilung des Rades W in Fig. 6.

Ich habe bis hieher meine verbesserte Maschine zur Verfertigung schmaler Tullstreifen,, welche zu einem breiten Stüke mit einander verbunden sind, beschrieben, und gezeigt, auf welche Weise die beweglichen Theile der Schwerter der Sperrstangen so zurükgehalten werden, wie ich es dem fraglichen Zweke angemessen fand. Ich beschränke mich jedoch nicht auf diese Methode allein, indem dasselbe auch auf andere Weise erzielt werden kann. Ich habe zwar oben gesagt, daß es zur Verfertigung schmaler Tullstreifen mit Säumen oder Sahlbändern genügt, wenn jeder der beweglichen Theile der Schwerter a, a, a in Hinsicht auf Dike einem der Zwischenräume des Kammes gleichkommt; allein ich binde mich deßhalb durchaus nicht an irgend eine bestimmte Dike, indem es unter gewissen Umständen besser seyn kann, wenn die beweglichen Theile eine solche Dike oder Breite haben, daß sie mehrere dieser Zwischenräume zugleich bedeken, damit sie zum Behufe der Erzeugung von Mustern oder Verzierungen mehrere der anliegenden Wagen zurükhalten. Auch verbinde ich zuweilen mehrere der beweglichen Theile der Schwerter, indem ich deren metallene, an der Sperrstange befestigte Wäscher sachte seitlich zwischen je zwei Theile der Schwerter drüke; auf diese Theile der Schwerter wirke ich dann entweder einzeln oder gemeinschaftlich, je nachdem es zur Erzeugung von Mustern oder Verzierung im Tull nöthig ist.

Ich habe oben gesagt, daß zum Behufe der Erzeugung von Tullstreifen, welche durch Säumfäden mit einander verbunden sind, das Rad W einen ganzen Umgang machen muß, während die an dem Ende der Maschine befindlichen Dawson'schen Räder gleichfalls einen solchen zurüklegen. Theilt man hingegen den Umfang des Rades W in 24 Theile, bringt man dessen Erhabenheiten oder Vorsprünge an den mit 2 und 11 bezeichneten Stellen an, und läßt man das Rad W nur ein Mal umlaufen, während die Dawson'schen Räder zwei Umgänge vollbringen, so erhält man anstatt der zusammengenähten Ränder oder Sahlbänder Löcher oder Augen (cyclet holes) in dem Tull. Es erhellt offenbar, daß ich durch Abänderung der Gestalt des Rades W in Verbindung mit dem übrigen Mechanismus der Maschine mancherlei Reihen solcher Löcher erzeugen kann, die die englischen Tullfabrikanten mit dem Namen bullet holes zu bezeichnen pflegen.

Fig. 10 zeigt eine andere Modification der Maschine im durchschnittlichen Aufrisse. Hier sind mehrere der beweglichen Theile der
Sperrschwerter in Reihen mit einander verbunden und lose an den hinteren
und vorderen Sperrstangen aufgezogen: und zwar in Verbindung mit
firirten Theilen der mit Scheiben ausgestatteten Schwerter, so wie
sie oben beschrieben worden sind, und in Verbindung mit anderen
Apparaten. Hier können Fänger oder Hälter einzeln oder gemeinschaftlich auf die beweglichen Theile der Schwerter einwirken, damit hiedurch zum Behufe der Erzeugung von Mustern an verschiedenen Stellen des Tulls bestimmte Wagen in bestimmten Perioden der Maschinenthätigkeit zurükgehalten werden.

Die vorzüglichen arbeitenden Theile dieser Maschine sieht man
in Fig. 11 in einem theilweisen Durchschnitte. I, I sind hier die
Sperrstangen, an denen sowohl die beweglichen Theile der Schwerter a, a, a und a*, a*, a*, als auch die firirten Theile der Schwerter b, b, b aufgezogen sind. E, E sind die Kammstangen und F, F
die Leitstangen, welche von gebogenen, an den Längenbalken B, B
des Gestelles befestigten Armen getragen werden. Von jedem der
beweglichen Theile der Schwerter laufen radienartig drei Stiele oder
Arme c, c, c aus; und an dem äußeren Ende eines jeden dieser Arme
befindet sich eine Auskerbung, die zur Aufnahme eines Fängers (catch
or jack) d bestimmt ist. Die obere Spize des Kopfes dieses Fängers soll nämlich dadurch, daß sie in die erwähnte Auskerbung der
Arme c einfällt, den einen der beweglichen Theile der Schwerter in
einer solchen Stellung erhalten, wie sie eben nöthig ist. Die Gestalt
dieser Fänger d erhellt aus Fig. 12, wo einer einzeln für sich von
zwei Seiten betrachtet abgebildet ist. Sie sind sämmtlich zwischen
den aus Blei gegossenen Platten oder Kämmen f, wie Fig. 13 zeigt,
an einem Zapfen e aufgezogen; und mittelst dieser Bleie und Kämme
ist eine ganze Reihe dieser Fänger an den Stangen U, U, welche der
Patentträger jack-bars nennt, und die am Rüken und an der Fronte
der Maschine der Länge nach unter den Kammstangen firirt sind,
angebracht. Die unteren Spizen der Köpfe der Fänger hingegen
ruhen auf dem gezahnten Umfange zweier Cylinder X, X, die beinahe nach Art der Trommeln eines Orgelkastens gebaut sind, und
an deren Stelle man auch mehrere dicht neben einander an zwei
Wellen firirte Klopfräder in Anwendung bringen könnte. Wenn
nämlich diese Trommeln oder Räder X, X umlaufen, so werden hiedurch die Fänger d nach einander emporgehoben werden; und die
Folge hievon wird seyn, daß die oberen Spizen ihrer Köpfe in die
Auskerbungen der Stiele oder Arme c eingreifen, und daß mithin
diese oder jene der beweglichen Theile der Schwerter in den zur Er-

zeugung eines Musters erforderlichen Zeiträumen der Maschinenthätigkeit festgehalten werden.

Die Vorrichtungen, womit die Trommeln oder Räder X, X umgetrieben werden, sind aus dem in Fig. 10 gegebenen Aufrisse der
Maschine ersichtlich. An einer Verlängerung der Welle h der Dawson'-
schen Räder ist nämlich hart innerhalb des Gestelles an dem einen Ende
der Maschine ein Klopfrad V angebracht, welches bei seinen Umgängen mit den an seinem Umfange befindlichen Hervorragungen oder
Zähnen auf den Schwanz i der Hebel g, g wirkt. Diese Hebel sind
in dem Endgestelle an Zapfen aufgehängt, und führen die aufrecht
stehenden Sperrkegel k, k, deren Spizen in die Zähne der Sperrräder l eingreifen, dergleichen an dem Ende einer jeden der Trommeln X, X eines angebracht ist. Dieser Einrichtung gemäß ist klar,
daß die Hebel g, g durch das Umlaufen des Klopfrades V in solche
Bewegungen gelangen werden, daß die Sperrkegel k, k die Sperrräder l, l mit den Trommeln X, X nach und nach um ihre Achse treiben; auch ist ferner klar, daß die Fänger d solcher Maßen zu jenen
Zeitpunkten emporgehoben werden, zu denen die beweglichen Schwerter festgehalten, und gewisse Spulenwagen zurükgehalten werden sollen.

Die Muster oder Deffins laffen sich, wie offenbar erhellt, durch
Abänderung der Formen der an dem Umfange der Trommeln X, X
und an dem Klopfrade V befindlichen Hervorragungen oder Verzahnungen, äußerst mannigfach modificiren. Man kann nämlich auf
diese Weise in dem Tull sowohl der Länge als der Quere und der
Diagonale nach, oder auch im Zigzag oder in anderen Formen Reihen von größeren oder kleineren Augen oder Löchern erzeugen; ferner
kann man gewisse Spulenwagen hindern, ihre Fäden um die Kettenfäden zu drehen, und dadurch in dem Tull Muster hervorbringen,
die den sogenannten Finings ähnlich sind.

Gewisse Spulenwagen laffen sich zeitweise auch mittelst kleiner
hakenförmiger Hebel m, die wie Fig. 11 zeigt, am Rüken oder in
der Fronte der Maschine an einer Schüttelwelle n angebracht sind,
zurükhalten. Die vibrirenden Bewegungen dieser lezteren Welle laf-
sen sich auf mannigfache Weise hervorbringen; so z. B. durch eine
zwekgemäße Verbindung derselben mittelst einer Stange mit dem zusammengesezten Hebel i, der nach Fig. 7 und 8 durch das Klopfrad W seine Bewegungen mitgetheilt erhält. Uebrigens kann man
diese gebogenen oder hakenförmigen Hebel m anstatt an der Schüttelwelle n auch an eigens geformten Kämmen o, die an den Stangen E, E festgemacht sind, anbringen, wie dieß Fig. 14 zeigt. In
diesem Falle kann man auf die nach Außen geführten Schwänze dieser Hebel eine am Rüken und in der Fronte der Maschine aufgezo-

gene Trommel mit Däumlingen p oder auch Klopfräder einwirken
laſſen, die nach den oben bei Fig. 10 beſchriebenen Einrichtungen
durch Sperrkegel, welche in Sperrräder eingreifen, ihre Bewegung
mitgetheilt erhalten.

Um in dem in der hier beſchriebenen Maſchinerie oder in irgend
einer anderen Art von Circular=Bolzen= oder Circular=Kammma=
ſchine erzeugten Tullſtikereien im Atlaßſtiche (satin stitch) in Geſtalt
von Tupfen, Blättern, Streifen, Zigzags oder anderen Muſtern her=
vorzubringen, halte ich einen oder mehrere der Spulenwagen auf die
oben erläuterte oder auch auf irgend eine andere geeignete Weiſe zu=
rük, und führe dann mit Hülfe des aus Fig. 14 erſichtlichen Appa=
rates Stikfäden, die von Hülfsſpulen herlaufen, um einen, zwei
oder drei der gewöhnlichen Spulenfäden. Der eben erwähnte Appa=
rat beſteht aus einer hohlen Röhre q, an deren unterem Ende ſich
ein Getrieb r befindet, während ſowohl die Röhre als das Getrieb
an der einen Seite der ganzen Länge nach offen iſt, wie Fig. 15
zeigt. Solcher Röhren ſollen ſo viele, als man für nöthig findet,
an einer Längenſtange s angebracht werden; und dieſe Stange ſelbſt
ſoll man an den Armen t befeſtigen, welche an Zapfen, die an den
Enden der Maſchine mit den Mittelpunkten zuſammenfallen, aufge=
hängt ſind. Als Träger für eine jede dieſer Röhren iſt an der
Stange s eine kleine Klammer u befeſtigt, die einen hohlen cylin=
driſchen Nagel v trägt, wie man in Fig. 16 von zwei Seiten be=
trachtet ſieht. Auf dieſen Nagel oder Zapfen v wird die Röhre q
geſtekt; und eine Zahnſtange w, die mit dem Getriebe r in Verbin=
dung ſteht, bewirkt, indem ſie ſich längsweiſe bewegt, daß ſich die
Röhre q um den Zapfen v dreht. Ein an der Röhre q feſtgemach=
ter Arm x trägt einen kleinen Rözerzapfen oder eine Art von Spule y,
von der der zum Stiken des Tulls beſtimmte Faden abgewikelt wird.

Die Stange s, an der in gewiſſen Entfernungen von einander
eine Reihe dieſer zum Stiken beſtimmten Röhren angebracht iſt, wird
auf und nieder bewegt, indem ihre herabhängenden Arme durch He=
bel oder Stangen mit einem unterhalb befindlichen Klopfrade in Ver=
bindung ſtehen. Auf dieſe Weiſe oder auch durch irgend einen ande=
ren, für geeignet befundenen Mechanismus werden die Stikröhren
zu gewiſſen Zeiten in die aus Fig. 14 erſichtliche Stellung herab=
bewegt; und während dieß geſchieht, werden ein, zwei oder mehrere
der Fäden der zurükgehaltenen Spulen gemeinſchaftlich durch die
Oeffnung, die ſich an der einen Seite einer jeden dieſer Röhren be=
findet, in deren Inneres gelangen. Während nun dieſe Spulenfäden
in die Röhren q eingeſchloſſen ſind, werden das Getrieb r und die
Röhren q durch eine Längenbewegung der Zahnſtange w umgetrieben;

und während dieß geschieht, werden die Röderzapfen y mit ihrem Stikfaden um die eingeschlossenen Spulenfäden herum geführt. Ist dieß vollbracht, so wird die Stange s mit den Röhren q in die durch Punkte angedeutete Stellung emporgehoben, wobei die in die Röhren eingeschlossenen Spulenfäden wieder aus der seitlichen Oeffnung der Röhren austreten. Hierauf werden die vorher zurükgehaltenen Spulenwagen frei, so daß sie nunmehr einfallen, und indem sie sich mit den übrigen Reihen der Spulenwagen bewegen, bewirken, daß die um gewisse Spulenfäden gewundenen Stikfäden in dem Maaße Atlasstiche erzeugen, in welchem das Netz gebildet wird.

Die Längenbewegung der Zahnstange w, von der die Getriebe r und die Röhren q wie gesagt ihre kreisende Bewegung mitgetheilt erhalten, kann durch einen Kniehebel und eine Stange, auf die ein großes, mit der Welle der Dawson'schen Räder in Verbindung stehendes Klopfrad wirkt, oder auch durch irgend eine andere entsprechende Vorrichtung hervorgebracht werden. Zu bemerken ist hiebei, daß jede dieser Bewegungen der Zahnstange so bemessen seyn muß, daß sie genau eine, zwei oder mehrere Umgänge der Röhren q veranlaßt, damit die Oeffnungen der Röhren jedes Mal, so oft diese zum Stillstehen kommen, genau der Laufbahn der Wagen in den Kämmen gegenüber zu stehen kommen. Damit dieß um so sicherer eintreffe, soll die Höhe der Zähne der Zahnstange w genau mit dem Maaße der Kämme correspondiren.

Die schwingenden oder seitlichen Bewegungen der Stange s lassen sich gleichfalls durch einen Kniehebel und eine Stange erzeugen, auf die ein großes, mit der Welle der Dawson'schen Räder in Verbindung stehendes Klopfrad wirkt. Durch diese Bewegungen sollen die Oeffnungen der Röhren q in solche Stellungen gebracht werden, daß sie zu verschiedenen Zeiten verschiedene Spulenfäden aufnehmen, und daß die Atlasstiche mithin nach den gewünschten Mustern vertheilt werden.

Nach einem weiteren Vorschlage, den ich mache, soll in den Circularbolzen oder Circular-Kammmaschinen geblümter oder gemusterter Tull erzeugt werden, indem ich die sogenannten Stümmel (stumps), die man gewöhnlich anwendet um gewissen Kettenfäden unabhängig von den übrigen Kettenfäden seitliche Bewegungen zu geben, auf eine eigenthümliche Weise anbringe, und indem ich zugleich auch für einen eigenen Apparat sorge, durch den ein oder mehrere Nebenkettenbäume zum Behufe der Erzeugung von Mustern verschiedene Quantitäten Fäden abgeben.

Um diesen Theil meiner Erfindung anschaulicher zu machen, habe ich in Fig. 17 diese Verbesserungen in Verbindung mit einer

gewöhnlichen Circular-Bolzenmaschine mit doppelter Sperrung (circu-
lar-bolt double-locker machine) dargestellt, und zwar in einem
theilweisen Aufrisse des hinteren Theiles einer derlei Maschine. Fig. 18
ist ein Querdurchschnitt derselben Maschine von dem linken Ende in
Fig. 17 her betrachtet. A, A sind die Endgestelle, B, B, B die Riegel und Balken, auf denen die arbeitenden Theile der Maschine ruhen.
C ist der Kettenbaum, D der Werkbaum. Die Längenstangen E, E
tragen die Circularbolzen b, b, an denen sich die Spulenwagen a, a
hin und her bewegen. F, F sind die Leitstangen, die die zur Leitung
der Kettenfäden dienenden Führer enthalten. G, G sind die Spizenstangen, H die Werkstange (work bar), und I, I die Sperrstangen,
an denen die Schwerter d, d angebracht sind.

    Das an der Hauptwelle O befindliche Rad N erhält seine krei-
sende Bewegung von irgend einer Triebkraft her mitgetheilt, und
pflanzt sie durch das Klopfrad P an die Hebel mit, die die gewöhnlichen Schwungjacks (swing jacks) und Treibstangen auf eine hinreichend bekannte Weise in Thätigkeit bringen. Dasselbe Rad N greift
aber auch in ein ähnliches Rad Q, welches an einer in der Nähe
des Bodens der Maschine laufenden Längenwelle R, R aufgezogen
ist. An den beiden Enden dieser Welle befindet sich ein zwölfzahni-
ges Getrieb L, L, und diese Getriebe greifen in 124zähnige oder
andere Räder von ähnlichen Verhältnissen, die an den Wellen der
Dawson'schen Räder angebracht sind. Mithin werden durch das
Umlaufen des Rades N die Dawson'schen Räder umgetrieben, und
hiedurch die Spizenstangen, die Führstangen, die vordere Kammstange
und mehrere andere Theile des Mechanismus in Bewegung gesezt,
wie dieß noch weiter erläutert werden soll.

    Die Gestalt, welche ich den Stümmeln vorzugsweise gebe, erhellt
aus Fig. 19, wo einer derselben einzeln für sich von zwei verschiedenen Seiten abgebildet ist. Von diesen Stümmeln e wird irgend
eine erforderliche Anzahl in aufrechter Stellung in einer geraden
Stange S befestigt, welche, wie Fig. 18 zeigt, zwischen den gewöhnlichen Leitstangen der Länge nach durch die Maschine läuft. Diese
Stange S ruht auf den Enden zweier Hebel oder Arme T, T, und
diese sind an eine Welle oder Spindel V geschraubt, die mit ihren
Zapfen in Anwellen, welche im Rükengestelle der Maschine befestigt
sind, läuft und zwar so, daß sie auch eine seitliche Verschiebung zuläßt. An derselben Welle V sind auch noch zwei andere Hebel oder
Arme U, U fixirt, an deren nach Abwärts gebogenem Ende Reibungsrollen angebracht sind, die auf dem Umfange der Klopfräder W, W
laufen, welche sich zu beiden Enden der Maschine an der Welle der
Dawson'schen Räder befinden. Die Verzahnungen oder Erhaben-

heiten am Umfange dieser Räder W müssen dem Muster, welches in dem Tull erzeugt werden soll, entsprechen; und indem die an den Enden der Hebel U, U befindlichen Rollen beim Umlaufen dieser Räder emporgehoben oder herabgesenkt werden, werden auch die Arme T entweder so herabgesenkt, daß die Stümmel unter die Führer herab- gelangen und von den Kettenfäden frei werden, oder so emporgeho- ben, daß die Stümmel e, wie man sie in Fig. 18 sieht, über den Führern zwischen den Kettenfäden stehen.

Sind die Stümmel e in die zulezt angegebene Stellung empor- gehoben, so haben sie vermöge seitlicher Bewegungen, die ihnen mit- getheilt werden, auf gewisse Kettenfäden zu wirken, damit diese Fä- den seitwärts aus ihrer gewöhnlichen Stellung verdrängt werden. Diese seitlichen Bewegungen werden hervorgebracht, indem die Län- genstange V, an der sich, wie gesagt, die Arme T, T und die Stüm- melstange S befinden, durch entsprechende Klopfräder, welche an bei- den Enden der Maschine an der Dawson'schen Welle angebracht sind, eine Schüttelbewegung mitgetheilt erhält.

Von den Aushülfs-Kettenbäumen X, X sieht man an jeder Seite des gewöhnlichen Kettenbaumes C einen angebracht. Ihre Spindeln laufen in den oberen Enden der aufrechten Arme Y, Y in Zapfen- lagern; leztere selbst sind, wie aus Fig. 17 erhellt, an Längenachsen fixirt, die in dem unteren Theile der Endgestelle aufgezogen sind. Die von diesen Kettenbäumen X, X gelieferten Fäden laufen (siehe Fig. 18), wie gewöhnliche Kettenfäden durch die Führer c, c, und dienen wie diese zur Erzeugung von glattem Neze, ausgenommen sie werden zur Ausführung gewisser Muster in dem Neze verwendet.

Der Kettenbaum C wird zum Behufe der Abgabe der gewöhn- lichen Kettenfäden durch ein Klopfrad g umgetrieben, welches an dem einen Ende der Maschine an der Welle der Dawson'schen Räder angebracht ist, und dessen Erhabenheiten oder Zähne auf einen Zahn des horizontalen Armes des rechtwinkeligen Hebels h einwirken. Das untere Ende dieses Hebels wirkt auf den Rüken eines an der senkrechten Welle j befestigten Armes i, an welchem sich ein Sperr- kegel befindet, der in die Zähne eines an der Wurmspindel m aufge- zogenen Sperrrades l eingreift. An dem oberen Ende dieser Spin- del m ist nämlich ein Wurm oder eine endlose Schraube n ange- bracht, die in das an der Welle des Kettenbaumes C geschirrte Rad o eingreift. Hieraus folgt, daß durch das Umlaufen des Klopfrades g die Sperrkegel die Spindel umtreiben, und daß der Kettenbaum C hiedurch jene langsame rotirende Bewegung mitgetheilt erhält, die zur gehörigen Abgabe der Kettenfäden erforderlich ist. Ein zweiter an der oben erwähnten senkrechten Welle j befestigter Arm p trägt einen Sperrkegel q, der in ein an der Wurmspindel s befindliches Sperrrad r eingreift. Das obere Ende dieser Spindel s führt die endlose Schraube t, welche, indem sie in das an dem Werkbaume D befindliche Zahnrad u eingreift, die Aufnahme des vollendeten Tulls auf den Baum D bewirkt, und zwar vermöge der Thätigkeit desselben Klopfrades g, durch welches die Abgabe der Kette von dem Baume C bedingt ist.

Die Aushülfs-Kettenbäume X, X werden dadurch umgetrieben, daß sich ihre Oberflächen an dem Umfange des gewöhnlichen Kettenbaumes C reiben. Sie geben daher, so lange sie auf diese Weise in Bewegung gesezt werden, wie dieß bei der Erzeugung von glattem Spizenneze der Fall ist, eine eben so große Fadenlänge ab, wie der Kettenbaum C. Wenn hingegen der gemusterte Theil des Spizennezes erzeugt werden soll, so muß die Berührung zwischen jenen Aushülfs-Kettenbäumen X, von denen die Fäden, die zur Erzeugung des Musters dienen sollen, abgegeben werden, und zwischen dem gewöhnlichen Kettenbaum aufhören, und dafür gestattet werden, daß sich die Aushülfs-Kettenbäume frei und unabhängig um ihre Achsen drehen.

An einer kurzen Welle Z, welche gegen den Rüken der Maschine hin in dem Gestelle in Zapfenlagern läuft, und die man am deutlichsten in Fig. 17 sieht, befindet sich ein Klopfrad w, dessen Erhabenheit oder Zahn beim Umlaufen dieses Rades mit einem der Zähne oder mit einer der schiefen, aus den inneren Seiten der Arme Y, Y hervorragenden Flächen x, x in Berührung kommt, und dadurch diesen Arm so zurüktreibt, daß auf diese Weise die obere Aushülfswalze X außer Berührung mit dem gewöhnlichen Kettenbaume C gesezt wird. Die schiefen Flächen x, x sind, damit sie ihrem Zweke besser entsprechen, an Federarmen befestigt, und mittelst Stellschrauben y, y gehörig zu stellen. Wenn der Aushülfs-Kettenbaum solcher Maßen von dem gewöhnlichen Kettenbaum abgezogen worden ist, so kann er nunmehr jede beliebige Fadenlänge, welche zur Erzeugung eines Musters nöthig ist, abgeben, wobei die nöthige Spannung durch beschwerte Schnüre, die um den Baum laufen, bewirkt wird.

Der Patentträger hat als Beispiel die Gestalt der für ein bestimmtes Muster erforderlichen Räder angegeben; da jedoch beinahe unendliche Modificationen in dieser Maschine zulässig sind, so erachteten wir es nicht für nöthig in eine ausführliche beispielsweise Beschreibung einzugehen, indem jeder Sachverständige die nöthigen Modificationen selbst zu machen wissen wird.

Als seine Erfindungen erklärt der Patentträger am Schlusse:
1) den eigenthümlichen Bau der Sperrschwerter aus fixirten und

unbeweglichen Theilen, und die oben beſchriebene Weiſe auf ſie ein=
zuwirken, um dadurch ſchmale Spizenſtreifen mit Säumen in einem
einzigen breiten Stüke zu erzeugen, und um auch Muſter in das
Rez einzuwirken.   2) die Anwendung von Aushülfsſpulen, welche
die Stikfäden um die gewöhnlichen Spulenfäden herum zu führen
haben.   3) die Anwendung einer Stange mit Stümmeln, die ſich
zwiſchen den Führern ſenkrecht auf und nieder bewegen, damit ſie in
und außer Thätigkeit gerathen.   4) die Art und Weiſe Aushülfs=
Kettenbäume in Bewegung zu ſezen, um dadurch Kettenfäden zur
Erzeugung von gemuſtertem Tull zu erhalten.

<hr>

XXI.

Verbeſſerungen an den Maſchinen zum Spinnen, Zwirnen
und Dubliren der Baumwolle und anderer Faſerſtoffe,
worauf ſich James Champion, Maſchinenbauer in
Salford in der Grafſchaft Lancaſter, am 6. Jan. 1836
ein Patent ertheilen ließ.

Aus dem London Journal of Arts. December 1836, S. 148.
Mit Abbildungen auf Tab. II.

Die unter obigem Patente begriffenen Erfindungen beziehen ſich
hauptſächlich auf die ſogenannten Droſſelmaſchinen. Sie bezweken
1) Verhütung der Nachtheile des ungleichen Zuges, die beim Auf=
winden der Garne auf die Spulen gewöhnlich aus dem Mangel an
Genauigkeit und an Gleichförmigkeit der Unterlagen ſowohl als der
Dimenſionen der Bohrungen der Spulen, die auf die Spindeln ge=
ſtekt werden, erwachſen. Dieſer Zwek ſoll dadurch erreicht werden,
daß der Patentträger auf den Spindeln eine bleibende, ſogenannte
Führſpule (carrier-bobbin) anbringt, auf die die zum Aufwinden
beſtimmten Spulen gebracht werden. Unter Anwendung dieſer per=
manenten Spule ſoll nämlich die Reibung der Spule an der Spindel
immer und zu jeder Zeit eine und dieſelbe bleiben, wenn auch von
den nach und nach aufgeſezten wirklichen Aufwindſpulen die eine
loker, die andere genau paßt; oder wenn auch eine ſonſtige Ungleich=
heit in deren Geſtalt Statt findet. Sie beſtehen 2) in der Anwen=
dung eines loſen Halsringes von bedeutendem Gewichte, der als eine
beſondere Unterlage oder Pfanne für die Spindel dient, und der in
jener Scheibe, welche für ihn in der Dokenlatte angebracht iſt, um=
laufen kann, wenn irgend eine ungleiche, durch Vibrirungen oder
Mangel in der Perpendicularität erzeugte Reibung der Spindel auf
ihn einwirkt. Sie betreffen 3) die Ausſtattung der Fliege mit drei,

vier oder noch mehr Armen, um dadurch die Spannung oder Stre-
kung (strain) des Garnes zwischen der Fliege und den vorderen Strekwalzen zu reguliren.   Sie beziehen sich endlich 4) auf die Anwendung einer kleinen Nebenspindel (extra spindle), die die Spule trägt,
und welche zum Theil in einer hohlen Spindel umläuft, um dadurch
den Zug des Garnes beim Aufwinden auf die Spule zu vermindern.

Fig. 20 zeigt eine Spindel und eine Fliege einer nach dem Patente der H.H. Andrew Tarlton und Shepley gebauten Drosselmaschine, woran man die beiden ersteren der erwähnten Erfindungen
angebracht sieht.   Fig. 21 ist ein Aufriß, woran man mehrere dieser
Theile der größeren Deutlichkeit wegen im Durchschnitte sieht.   a, a
stellt die Spindel vor, die mit ihrem unteren Ende in einer in der
Dokenlatte b befindlichen Pfanne läuft, und die seitwärts von dem
Polster und seiner in der Latte d befindlichen Röhre c, c Stätigkeit
erhält.   Die Fliege besteht aus einer Scheibe mit einer Röhre e, e,
welche auf der Außenseite der Polsterröhre c, c läuft; sie ist mit vier
aufrechtstehenden Armen f, f, f, f versehen, die den Faden führen und
ihn auf die Spule winden.   Ihre Bewegung erhält sie durch eine
um die Rolle g geführte Schnur.

Die innere oder Führspule h, h besteht aus hartem Holze oder
irgend einem anderen geeigneten Materiale, und ist mit Genauigkeit,
jedoch lose, in den oberen Theil der Spindel a eingefügt.   Sie ruht
auf einem an der Spindel firirten Randvorsprunge i, zwischen den
und die Spule ein Wäscher aus Tuch oder einem anderen entsprechenden Materiale gelegt ist.   Diese Führspule hat permanent auf
der Spindel zu verbleiben; auf sie wird die äußere oder die eigentliche Aufwindspule k, k gebracht, und mittelst eines Stiftes oder
Zapfens daran befestigt, damit sich beide Spulen gemeinschaftlich
umdrehen.   Aus dieser Methode die Aufwindspule auf eine sogenannte Führspule aufzusezen, erhellt, daß, welche Unregelmäßigkeiten
auch in den Unterlagen oder in den Dimensionen der Bohrungen der
ersteren Statt finden mögen, die Reibung doch immer eine und dieselbe bleiben wird, indem sich beim Umlaufen der Spule nur die
Oberfläche der Führspule allein an der Spindel reiben, und indem
sich diese Oberfläche stets gleich bleiben wird, welche Aufwindspulen
auch aufgesteckt seyn mögen.   Nach der älteren Methode dagegen,
gemäß welcher die Aufwindspulen gleich an die nakten Spindeln ge-
steckt wurden, trat beim jedesmaligen Wechseln der Spulen auch eine
kleine Veränderung in den Unterlagen und in den Dimensionen der
Spulenbohrungen ein, indem diese entweder schon von Anfang an
nicht ganz gleichmäßig waren, oder doch mit der Zeit verschiedene
Grade der Abnüzung erlitten hatten.   Als Folge hievon ergaben sich

Ungleichheiten in der Reibung oder im Zuge und mithin auch Un=
regelmäßigkeiten im Garne, denen nunmehr durch die Anwendung der
beschriebenen Führspule vorgebeugt iſt.

In Fig. 22 ſieht man einen Aufriß der Spindel und der Fliege
einer gewöhnlichen Droſſelmaſchine, woran meine zweite Erfindung
angebracht iſt. a, a iſt die Spindel, welche mittelſt einer Rolle g
und einer Schnur umgetrieben wird, und an deren Spize ſich die
gewöhnliche Fliege befindet. Das untere Ende der Spindel läuft
wie gewöhnlich in einem Riegel, und erhält durch einen Polſter c, c
eine ſeitliche Stüze. Auf der Dokenlatte m, m ruht ein Halsring l, l
von ſechs Unzen Schwere, unter den ein Wäſcher gelegt iſt, und der
zum Theil loſe in ein Loch eingepaßt iſt, in welchem er ſich in der
Dokenlatte dreht. Dieſer Halsring l, l, durch den die Spindel a, a
läuft, läßt ſich als ein weiterer Polſter betrachten, in den die Spin=
del zwar genau, jedoch ohne Beſchränkung ihrer Umlaufsbewegung
einpaßt. Wenn die Spindel mit ſehr großer Geſchwindigkeit um=
läuft, ſo wird der Halsring l mit zur Verhütung von Vibrirungen
derſelben dienen; und ſollte wegen dieſer Vibrirung, oder wegen irgend
eines Fehlers in der Form, oder wegen einer Abweichung von der
vollkommen ſenkrechten Stellung irgend ein unregelmäßiger ſeitlicher
Druk entſtehen, ſo wird der Druk der Spindel gegen den inneren
Theil des Halsringes l bewirken, daß ſich der Halsring in ſeiner
Scheide in der Dokenlatte umdreht, und daß alſo hiedurch die Rei=
bung vermindert wird.

Auf der oberen Fläche dieſes Halsringes l ruht die Spule; doch
kann zwiſchen ſie und den Halsring auch ein Wäſcher gelegt werden.
In lezterem Falle ſchlägt der Patentträger vor eine innere Führspule
h, h, ſo wie ſie oben beſchrieben wurde, anzuwenden, und auf dieſe
dann die eigentliche Aufwindſpule h, h zu ſteken. Der obere Theil
der Spindel iſt der größeren Leichtigkeit wegen und zur Verhütung
von Vibrirungen verdünnt; auch haben die Spulen keinen Kopf oder
Randvorſprung, damit der Faden nicht ſo leicht bricht, indem er
mit den Kanten dieſes Kopfes in Berührung kommt. Uebrigens
will der Patentträger gleichfalls, daß der Faden oder das Garn in
Közern, welche an beiden Enden eine kegelförmige Geſtalt haben,
auf die Spule aufgewunden werde, damit die aufeinander folgenden
Windungen dichter aneinander gelegt werden können.

Der dritte Theil der Verbeſſerungen, nämlich die mehrarmige
Fliege, iſt aus Fig. 20 und 21, ſo wie auch aus Fig. 23 erſichtlich.
Dieſe Arme ſollen aus geraden ſenkrecht ſtehenden Stäbchen oder
Drähten f, f beſtehen, und an ihrem oberen Ende mit einem Auge
oder Oehre verſehen ſeyn, während ſie am Grunde in eine Scheibe

8 *

oder Platte e eingeſezt ſind, welche an einer Röhre befeſtigt iſt. Der
Patentträger zieht es vor dieſen Armen verſchiedene Länge zu geben,
und den von den Strekwalzen herabſteigenden Faden durch die Oehren
zweier oder mehrerer derſelben zu führen, damit die Spannung des
Garnes hauptſächlich zwiſchen der Spule und der Fliege Statt finde,
und auf dieſe Weiſe auch in beliebigem Grade regulirt werden kann.

Fig. 23 iſt ein Aufriß einer Spindel, an der der vierte Theil
der Verbeſſerungen angebracht iſt, und welche ſich beſonders zum
Spinnen ſehr feiner Garnnummern eignet. Fig. 24 gibt gleichfalls
einen Aufriß dieſer Spindel, jedoch mit abgenommener Fliege; die
Spindel ſelbſt und die Spule ſind hier im Durchſchnitte abgebildet.
Die Spindel a, a wird mittelſt einer Rolle oder Scheibe n umgetrieben, und läuft in einem unterhalb befindlichen Riegel ih einer Pfanne.
Sie wird durch den Polſter c in ſenkrechter Stellung erhalten; auch
iſt ſie kurz und hohl, damit ſie eine zweite Spindel o aufnehmen
kann, die frei in ihr umläuft. An dieſer zweiten Spindel o ſoll
das Garn entweder auf eine Spule gewunden werden, wie dieß in
den Droſſelmaſchinen zu geſchehen pflegt, oder auf die nakte Spindel,
wie dieß in den Mulen der Fall iſt. Die Spindel o paßt ſehr genau ein, und läuft an beiden Enden dünner zu; beiläufig in deren
Mitte befindet ſich ein Randvorſprung p, der auf dem Scheitel der
hohlen Spindel a zu ruhen hat. Ihr unteres Ende läuft entweder
in einem Führer oder Halsringe q, oder in einer Pfanne, welche
innerhalb der hohlen Spindel firirt iſt, in lezterem Falle jedoch
braucht der Randvorſprung p nicht auf dem Scheitel der hohlen
Spindel aufzuruhen. Auch dieſe Art von Spindel iſt mit einer vier-
armigen Fliege e, e, f, f verſehen, die der oben beſchriebenen ähnlich
iſt; eben ſo wird ſie durch eine Scheibe oder Rolle g umgetrieben,
um die eine Schnur läuft. Die hohle Spindel a wird mittelſt einer
Scheibe oder Rolle n und eines Laufbandes in Bewegung geſezt,
und zwar unabhängig von der Fliege, damit ſie beide mit ungleichen
Geſchwindigkeiten umgetrieben werden können.

Man wird bemerken, daß, indem die Spindel und die Spule
ſolcher Maßen mit Geſchwindigkeiten, die von einander unabhängig
ſind, umlaufen, der Nachlaß, den die Spule in Folge der Zunahme
des Durchmeſſers beim Aufwinden erheiſchen dürfte, dadurch hervorgebracht werden wird, daß ſich die Spindel o frei in der hohlen
Spindel a dreht.

Will man die erſte der hier beſchriebenen Erfindungen, nämlich
die Führſpule h, auf die zweite Spindel o anwenden, ſo hält es
der Patentträger am geeignetſten, die äußere Spule k aus ſehr dün-
nem Metallbleche oder irgend einem anderen für zwekdienlich erach-

teten Materiale zu verfertigen, indem hiedurch nicht nur ein höherer
Grad von Leichtigkeit erreicht werden kann, sondern indem sich dann
auch kleinere Spulen erzielen lassen, als dieß bei der Anwendung von
Holz möglich ist.

Am Schlusse erklärt der Patentträger, daß er sich durchaus nicht
auf irgend welche Formen oder Dimensionen beschränke, sondern daß
seine Erfindungen auf den im Eingange aufgeführten vier Punkten
beruhen.

XXII.

Verbesserungen an den Maschinen und Apparaten zum Reinigen und Zurichten der Bettfedern und Flaumen, worauf sich Theodor Lyman Wright, von Sloane-Street in der Pfarre St. Luke, Grafschaft Middlesex, auf die von einem Fremden erhaltene Mittheilung am 31. Dec. 1835 ein Patent ertheilen ließ.

Aus dem London Journal of Arts. December 1836, S. 168.
Mit Abbildungen auf Tab. II.

Der Gegenstand dieses Patentes beruht auf einem eigenthümlichen Apparate, in welchem die Bettfedern und Flaumen zum Behufe der Reinigung der Einwirkung der Hize, oder wenn es nöthig
seyn sollte, auch der Einwirkung des Dampfes oder verschiedener
Gasarten oder Flüssigkeiten ausgesezt werden können. Der Apparat
besteht aus einem cylindrischen Gehäuse, welches langsam umgedreht
wird, und in welchem zum Behufe des Austrittes der Feuchtigkeit
oder der sonstigen Dämpfe aus den unter Behandlung befindlichen
Federn zahlreiche Löcher angebracht sind. Dabei wird der Cylinder
auf geeignete Weise, d. h. entweder dadurch, daß in seiner Nähe
ein Feuer aufgemacht wird, oder dadurch, daß man ihn in einen
geschlossenen Ofen bringt, bis auf gehörigen Grad erhizt. Innerhalb
des Gehäuses oder Cylinders sind Wellen, an denen sich Arme befinden, angebracht, und diese Wellen werden nach verschiedenen Richtungen umgetrieben, damit die Federn auf diese Weise beständig in
Bewegung erhalten werden. Die Achse des Cylinders selbst ist hohl
und mit zahlreichen Löchern versehen, damit man, wenn es nöthig
ist, Wasser- oder andere Dämpfe, so wie auch Flüssigkeiten in denselben eintreten lassen kann. Wenn alte Federn, die sehr übelriechend
und zusammen geballt sind, gereinigt werden sollen, so müssen sie
vorher gewaschen werden, wo sie dann erst, nachdem sie halbtroken
geworden sind, in den Apparat geschafft werden können. Ein förm-

liches Waschen ist jedoch selten nöthig; in den meisten Fällen genügt vielmehr ein je nach Umständen mehr oder minder starkes Befeuchten der Federn. Ist eine gehörige Quantität Federn in den Apparat gebracht worden, so werden sie in diesem der Einwirkung der Wärme ausgesezt, und hiebei beständig herum bewegt, indem man den Cylinder so lange langsam umlaufen läßt, bis die Federn troken geworden sind. Lezteres erkennt man leicht daraus, daß kein Dampf mehr aus den im Cylinder angebrachten Löchern entweicht. Findet man es zum Behufe der Reinigung, des Zurichtens oder der Desinficirung alter oder frischer Federn für nöthig Dämpfe, Gase oder Flüssigkeiten einwirken zu lassen, so können diese während der Operation durch die hohle Achse des Cylinders eingeleitet werden.

Mit Hülfe dieser Maschine und dieses Verfahrens können nicht nur neue Federn schnell gereinigt, vollkommen getroknet, und von ihrem thierischen Oehle befreit werden, sondern es lassen sich auch alte Bettfedern, die durch langes Liegen auf ihnen zusammengeballt oder in den Krankenbetten inficirt wurden, so vollkommen reinigen und zurichten, daß sie so gut wie neue Federn werden.

Der Apparat läßt sich mannigfach modificiren; am besten erscheint jedoch eine hohle Trommel oder ein Cylinder, der an einer Welle oder Achse aufgezogen ist, und an welchem sich eine Thüre befindet, bei der die Federn eingetragen und wieder herausgenommen werden können. Die weitere Einrichtung des Apparates erhellt übrigens am besten aus der in Fig. 38 und 39 gegebenen Abbildung, in welcher man den erwähnten Cylinder auf einem Wagen angebracht sieht, damit er auf den Rädern dieses lezteren in einen geschlossenen Ofen hinein und wieder heraus gerollt werden kann.

Fig. 38 zeigt den Apparat vom Ende her betrachtet; das Gehäuse des Ofens ist natürlich an dem einen Ende als weggenommen gedacht. Fig. 39 ist ein Längendurchschnitt der Trommel oder des Cylinders, woraus erhellt, wie die Arme oder Agitatoren an der Achse und den Längenspindeln angebracht sind. a, a ist das äußere Gehäuse des Ofens; b die Feuerstelle; c der Rauchfang; d der Cylinder, der aus Eisenblech oder Kupfer bestehen kann, und mit einem Thürchen versehen seyn muß. In dem Cylinder sind zahlreiche kleine Löcher angebracht, damit die Dünste und der Staub, die sich aus den Federn entwikeln, herausfallen können. Die hohle Achse e, an der der Cylinder aufgezogen ist, läuft in Zapfenlagern, welche sich in dem Wagen f, f befinden; das eine Ende dieser Achse ist offen und auf irgend eine Weise durch ein dampfdichtes Gefüge mit einer von einem Dampferzeuger herführenden Röhre verbunden; das andere Ende hingegen ist geschlossen und mit einer Kurbel ausgestattet, womit der Cylinder umgetrieben wird. In der hohlen Achse e befinden sich viele kleine Oeffnungen oder Löcher, damit der Dampf oder die Gase aus ihr in den Cylinder übergehen können, auch sind an ihr mehrere Zapfen oder Agitatoren i, i angebracht. Mit solchen Agitatoren sind auch die Spindeln h, h ausgestattet, die in den Enden des Cylinders in Zapfenlagern umlaufen, und bei den Umdrehungen der Trommel unabhängig von dieser in Bewegung gesezt werden, indem in die an ihren Enden befindlichen Zahnräder m, m das an dem Seitengestelle des Wagens f angebrachte Zahnrad n eingreift. o, o sind die Schienen, auf denen die Räder des Wagens f laufen. p ist eine Thüre des Ofens, die, wenn der Cylinder aus dem Ofen herausgeschafft werden soll, in jene Stellung zurükgelegt wird, die in Fig. 38 durch Punkte angedeutet ist. q ist gleichfalls eine Thüre, die geöffnet werden muß, wenn der Cylinder herausgeschafft werden soll, oder wenn man nach dem Feuer zu sehen hat. r ist die Thüre, bei der die unter dem Ofen sich ansammelnde Asche heraus geschafft wird. s ist ein Schild, der den Cylinder vor der unmittelbaren Berührung und zu intensiven Einwirkung des Feuers schüzt, so daß also die in dem Cylinder enthaltenen Federn unmöglich dadurch verbrannt werden können, daß das Feuer durch die Löcher des Cylinders hindurch dringt. Dieser Schild ist rükwärts mittelst eines Angelgewindes an dem Rüken des Gestelles befestigt, vorne hingegen mittelst eines Hakens aufgehängt.

Ist eine hinreichende Quantität Federn in den Cylinder gebracht worden, so wird dessen Thüre fest verschlossen, und er selbst auf dem Wagen in den Ofen hinein gerollt. Man schließt dann die Thüren p und q und verbindet die Dampf= oder Gasröhre mit der hohlen Achse, worauf der Cylinder durch Umdrehen seiner Kurbel alsogleich in Bewegung gesezt werden kann. Die Folge hievon ist, daß die Agitatoren sogleich zu wirken beginnen, und so lange die Operation dauert, die zusammen geballten Federn trennen und herumtreiben. Ist die Reinigung der Federn auf diese Weise vollbracht, so nimmt man die Röhre von der Achse ab, öffnet die Thüre q und zieht den Wagen in die Stellung heraus, welche in Fig. 38 durch Punkte angedeutet ist, worauf man den Schild herabläßt, und den Cylinder, nachdem seine Thüre geöffnet worden ist, umdreht, damit die Federn in einen unterhalb angebrachten Behälter fallen.

Der hier abgebildete und beschriebene Ofen ist übrigens nicht unumgänglich nothwendig; sondern man kann den Cylinder, gleich dem gewöhnlichen, zum Rösten des Kaffees dienenden Apparate, auch eben so gut über einem freien Feuer, mit oder ohne Feuerzug anbringen. Die Achse braucht gleichfalls nicht durchaus hohl zu seyn,

indem man die Federn auch vor dem Eintragen derselben in den
Cylinder mit der Chlorkalk-Auflösung oder mit den sonstigen, zur
Reinigung der Federn bestimmten Flüssigkeiten besprengen kann.

XXIII.

Ueber einige akustische Geräthe von der Erfindung des Hrn. John Harrison Curtis Esq., Ohrenarztes Sr. Maj. des Königs von Großbritannien.

Aus dem Mechanics' Magazine, No. 701, S. 274.
Mit Abbildungen auf Tab. II.

Was das Teleskop für das Auge ist, müssen die akustischen oder
Hörrohren einst noch für das Ohr werden; und wahrscheinlich ist die
Zeit nicht mehr fern, in der man sich auf mehrere Meilen eben so
gut durch das Gehör verständigen kann, wie dieß gegenwärtig mit
Hülfe des Teleskopes durch das Auge möglich ist. Von diesem Ge-
sichtspunkte ausgehend, hat Hr. Curtis, einer der erfahrensten
Männer in den Ohrenkrankheiten, einen sogenannten akustischen Lehn-
stuhl erfunden, worüber wir aus der neuesten Ausgabe des von diesem Künstler verfaßten Werkes Folgendes entlehnen. [19])

„Mein akustischer Stuhl ist für den Gebrauch der unheilbar
Schwerhörigen bestimmt. Es ist mir nicht unbekannt, daß Duguet,
der Erfinder mehrerer Hörrohre, schon im Jahre 1706 einen einiger
Maßen ähnlichen Stuhl baute; allein meiner hat vor jenem den sehr
großen Vorzug voraus, daß die in demselben sitzende Person nicht
mit der Seite hört, von welcher sie angesprochen wird, sondern mit
der entgegengesezten. Man vermeidet daher auf diese Weise das
Unangenehme und Nachtheilige, welches daraus erwächst, daß sich
der Sprechende dem Schwerhörigen so weit annähert, daß er ihm
in das Ohr athmet, und dadurch eine noch größere Erschlaffung des
Trommelfelles veranlaßt. [20]) Dieser leztere Erfolg ergibt sich auch

---

19) Das Werk des Hrn. Curtis, auf welches hier Bezug genommen ist,
erschien unter dem Titel: „A Treatise on the Physiology and Pathology of
the Ear. By John Harrison Curtis Esq., Aurist to his Majesty. 6te
Edit. 8. London 1836, by Longman and Comp.

20) Es sind viele Fälle aufgezählt, in welchen aus der Sitte Schwerhörigen
in die Ohren hinein zu sprechen, höchst nachtheilige und traurige Folgen erwuchsen,
besonders wenn der Athem des Sprechenden unrein war. So erzählt uns z. B.
Lord Herbert, daß Cardinal Wolsey in der späteren Zeit seines Lebens seinem
Monarchen, Heinrich dem VIII. von England, beständig in die Ohren zu flüstern
pflegte, und daß die Uebel, an denen dieser Monarch litt, nicht mit Unrecht diesem
schädlichen Einflusse zugeschrieben wurden. Nicht minder bekannt ist, daß viele
katholische Geistliche durch die Ohrenbeichte Schaden genommen haben.
                                                                    A. d. O.

gewöhnlich bei der Anwendung der kurzen elaſtiſchen Hörröhren und
der Hörtrompeten, welche leztere eben ſo oft angewendet werden um
durch ſie zu ſprechen, als zu ihrem urſprünglichen Zweke. Viele
Perſonen ſind, nachdem ſie ſich der Trompete auch nur eine halbe
Stunde lang bedient, in Folge der Einwirkung des Athems auf das
Trommelfell beinahe ganz taub.

„Mein Stuhl iſt ſo gebaut, daß das mit aller Bequemlichkeit
in ihm ſizende Individuum mit aller Genauigkeit hört, was in irgend
einem der Gemächer, von denen aus die Hörröhren an den Stuhl
geführt ſind, vorgeht. Er beruht auf einer verbeſſerten Anwendung
der Principien der gegenwärtig allgemein gebräuchlichen Sprachrohre;
und iſt um ſo ſchäzenswerther, als deſſen Benuzung mit keiner Mühe
verbunden iſt, und überhaupt ſo einfach von Statten geht, daß ſich
ein Kind deſſelben eben ſo leicht bedienen kann, wie ein Erwachſener.
Abgeſehen hievon bildet er auch ein eben ſo bequemes als elegantes
Möbel.

„Er hat die Größe eines Lehnſtuhles, an deſſen hohem Rüken
zwei Schallröhren angebracht ſind. An dem Ende einer jeden dieſer
Röhren befindet ſich eine durchlöcherte Platte, die den von irgend
einem Theile des Gemaches herbei gelangenden Schall in ein para-
boloidiſches Gefäß zuſammendrängt. Der Schall wird auf dieſe
Weiſe geſammelt und dadurch, daß er mit einer geringen Menge
Luft verbunden wird, eindringender gemacht. Das convexe Ende
des Gefäßes wirft den Schall zurük und macht ihn deutlicher, und
die in der Röhre befindliche, durch den Schall aufgeregte Luft pflanzt
ihre Wirkung auf das Ohr fort, welches auf dieſe Weiſe ſowohl
durch die articulirten Töne der Stimme, als auch durch jeden anderen Schall lebhafter afficirt wird.

„Mit Hülfe einer hinlänglichen Anzahl von Röhren kann man
es dahin bringen, daß man in dem Stuhle ſizend überall her, z. B.
von dem Hauſe der Lords und der Gemeinen her in dem Pallaſte
von St. James und ſelbſt im Pallaſte von Windſor Nachricht erhalten kann. So ſonderbar dieß auch klingen mag, ſo iſt es nichts
Neues, ſondern ein abermaliger Beleg für Salomons Spruch, daß
es unter der Sonne nichts Neues gibt. Itard erzählt nämlich in
ſeinem vortrefflichen Werke über das Ohr, daß Ariſtoteles für ſeinen
Zögling Alexander den Großen eine Schalltrompete erfand, mit der
er auf 100 Stadien Entfernung (etwas mehr als 12 Meilen) ſeine
Befehle ertheilen konnte. Schon dem Alcmeon und Hippokrates
ſchreibt man übrigens die Erfindung der Hörtrompeten zu.“

So weit Hr. Curtis, der, wie man ſagt, mit den Lords des
Schazes über eine akuſtiſche Verbindung zwiſchen den Localen der

verſchiedenen Verwaltungs= und Militärbureaux unterhandeln ſoll. Wir reihen hier noch Einiges von dem an, was Dick in ſeinem Werk über dieſen Gegenſtand bemerkt.

„Biot ſtellte einige Verſuche über die Mittheilung des Schalles durch feſte Körper und durch die Luft an. Er wendete, um zu er= fahren bis auf welche Entfernung die Töne hörbar wären, cylindri= ſche, zu Waſſerleitungen beſtimmte Röhren von 1039 Yards Länge an, und ſtellte ſich an das eine Ende derſelben, während ſein Freund Martin ſich an das entgegengeſezte Ende begab. Beide hörten in dieſer Entfernung ganz deutlich jedes Wort, welches ſie ſprachen, und konnten alſo eine förmliche Unterredung mit einander führen. Ich wollte erforſchen, ſagt Biot, in welcher Entfernung die menſchliche Stimme hörbar zu werden aufhört; allein es gelang mir nicht; Worte, die nur geliſpelt wurden, wurden vollkommen deutlich gehört, ſo daß, um nicht gehört zu werden, nichts übrig blieb, als gar nichts zu ſprechen. Die zwiſchen einer Frage und Antwort verlaufende Zeit war nicht größer, als es die Uebertragung des Schalles erheiſchte, und betrug in der angegebenen Entfernung von 1039 Yards gegen 5½ Secunden. Piſtolenſchüſſe, welche an dem einen Röhrenende ab= gefeuert wurden, erzeugten an dem anderen Ende eine bedeutende Exploſion, und die Luft ward mit ſolcher Gewalt bei der Röhre aus= getrieben, daß leichte Subſtanzen einen halben Yard weit wegge= ſchleudert und eine Kerzenflamme ausgeblaſen wurde, obſchon der Schuß in der bedeutenden Entfernung von 1039 Yards abgefeuert worden war. Don Gautier, der Erfinder des Telegraphen, gab auch eine Methode articulirte Töne weiter fortzupflanzen, an. Er ſchlug vor, ſich horizontaler Röhren zu bedienen, die an dem ent= fernteren Ende weiter werden müßten, und hatte gefunden, daß man das Schlagen einer Uhr auf dieſe Weiſe in einer Entfernung von einer halben engliſchen Meile weit beſſer hören kann, als wenn man die Uhr dicht an das Ohr hält. Er berechnete, daß man mit Hülfe ſolcher Röhren jede Botſchaft innerhalb einer Zeitſtunde 900 engl. Meilen weit mittheilen könnte.

„Aus dieſen Verſuchen erſcheint es als wahrſcheinlich, daß ſich der Schall auf eine unbeſtimmte Entfernung fortpflanzt. Denn, wenn man in einer Entfernung von beinahe ¾ engl. Meile liſpelnd mit Jemanden verſtändlich ſprechen kann, ſo kann man mit Grund annehmen, daß man ſich auch auf 30 bis 40 engl. Meilen verſtänd= lich machen kann, wenn für die hiezu erforderlichen Röhren geſorgt iſt. Wenn dieß ein Mal durch zahlreichere und in größerem Maaß= ſtabe unternommene Verſuche hergeſtellt ſeyn wird, ſo werden aus der praktiſchen Benuzung ihrer Reſultate mancherlei wichtige Folgen erwachsen. Man wird z. B. von einer Stadt zur anderen und über ein ganzes Land mit größter Schnelligkeit und Leichtigkeit und zu jeder Zeit communiciren können, um sich alle wichtigeren Ereignisse mitzutheilen. Private werden schnell Nachricht von allenfallsigen Erkrankungen u. dergl. Nachricht geben. Ein in seiner Studierstube sitzender Prediger wird im Stande seyn, sich nicht nur an seine Ge= meinde zu wenden, sondern er wird auch an mehreren entfernten Orten nach einander das Wort Gottes predigen können; und es wird der Andacht gewiß nur Vorschub leisten, wenn man das Evangelium vernimmt, ohne die physische Gestalt des Predigers zu sehen."

In der in Fig. 40 gegebenen Zeichnung des akustischen Stuhles ist A die akustische Röhre; B der akustische Conductor; C die Röhre, welche zum Ohre führt, und D die Röhre oder der Tunnel, in wel= chem der Schall herbeigeleitet wird. Wollte man diesen Stuhl auch benuzen, um von demselben aus in große Entfernungen zu sprechen, so müßte auch noch ein zweiter Conductor und ein Mundstük ange= bracht werden, in welches man hinein spricht.

Fig. 41 zeigt die von Hrn. Curtis erfundene Hörtrompete, welche ein parabolisches Conoid bildet, und die sich wie ein Zugfern= rohr in Taschenformat bringen läßt.

Neuerlich erfand Hr. Curtis ein Instrument, dem er den Namen Keraphonit beilegte, und welches an dem Kopfe eines Schwer= hörigen befestigt mehr leisten soll, als irgend eine andere der bisher zu diesem Zwek erfundenen Vorrichtungen.

XXIV.
Dorn's Dachbedeckung für flache Dächer.

Wo flache Dächer angewandt werden sollen, verdient die Bede= kungsmethode von Dorn gewiß alle Berüksichtigung, indem sie bei völliger Wasserdichtheit so leicht ist, daß sie keinen viel stärkeren Dach= stuhl erfordert, als ein Stroh= oder Schindeldach. [21]) Man findet diese Methode ausführlich beschrieben in der Schrift: „Praktische Anleitung zu Ausführung der neuen Dachbedekung u. s. w. von J. F. Dorn, königl. preuß. Fabr. Commissionsrath ꝛc. (Berlin 1835)," woraus Riecke in seinem Wochenblatt 1837, Nr. 2, folgenden Aus= zug mittheilt:

21) Eine dreijährige Erfahrung hat bereits die Vortheile von Dorn's Dach= bedekung bewährt und der Verein zur Beförderung des Gewerbflei= ßes in Preußen beschloß daher, dem Erfinder nicht nur eine goldene Me= daille, sondern auch eine Summe von 500 Thalern zur Fortsezung seiner Ver= suche zuzuerkennen.   A. d. R.

Soll der Raum unter Dach zu bloßen Vorrathsböden benuzt werden, wobei es auf eine schräge Deke nicht ankommt, so wird die obere Fläche der Sparren bis auf das Gesims hinaus mit Latten oder mit schmalen, durch die Säge getrennten Brettern benagelt, indem breite Bretter sich leicht werfen und damit nachtheilig auf die Dekung wirken. Zwischen den Latten bleiben die Fugen $\frac{1}{4}$ — $\frac{3}{8}$'' offen. Soll der Dachraum zu Zimmern mit waagerechter Deke be= stimmt werden, so würde hiezu eine Balkenlage erforderlich seyn, auf welcher alsdann die schrägen Dachflächen, welchen man sogar nur einen Fall von 6 — 12'' auf die Ruthe geben kann, mit schwachem Holze gebildet werden könnten. — Bei ländlichen Wirthschaftsge= bäuden u. dergl. können der Wohlfeilheit wegen zu diesem Behufe auch die sogenannten Spaltlatten (gespaltene Stangen) verwendet werden, wobei alsdann dieselben, nachdem sie zuvor durchs Behauen mit dem Beile möglichst gleichmäßig stark gemacht werden, ein brei= tes Ende gegen ein schmales, mit der flachen Seite auf die Sparren festgenagelt werden. Auch ungespaltene Stangen von gehöriger und nicht zu ungleicher Stärke können, wenn die dabei entstehenden Ver= tiefungen mit der weiter unten angegebenen Verbindung von Lehm und Gerberlohe ausgeglichen sind, hiezu dienen.

Um den Wasserfall einige Zoll über das Gesims hinaus zu lei= ten, können entweder Dachplatten oder Streifen Eisenblech, Zink u. s. w. genommen werden. Wendet man erstere an, so werden sie, nachdem man zuvor die Nasen abgeschlagen hat, so auf das Dach in schwachen Lehm gelegt, daß deren breite Seite in einer Linie etwa 4'' über das Gesims hinausreicht.

Hierauf wird frisch gebrauchte Gerberlohe in dem Verhältniß mit Lehm und Wasser durcheinander gearbeitet, daß von der Lohe gerade so viel hinzugefügt wird, um eine Masse zu bilden, die sich leicht mit der Maurerkelle verarbeiten läßt, wozu etwa $\frac{2}{3}$, bisweilen etwas mehr Lohe und $\frac{1}{3}$ Lehm dem körperlichen Inhalte nach erfor= derlich sind. — Die Gerberlohe wird so naß, wie sie vom Gerber erhalten wird, hiezu verwendet; je langfaseriger dieselbe ist, desto besser. Man hat aber bei Durcharbeitung der Masse vorzüglich darauf zu sehen, daß die Lohe in allen ihren Theilen gleichmäßig mit dem Lehme in Verbindung gebracht wird. Daß der Lehm rein, ohne Steinchen u. dergl. seyn muß, versteht sich von selbst; eben so, daß zu fettem Lehme etwas Sand beigemischt werden muß. — Mit dieser Masse wird nun die ganze Dachfläche etwa $\frac{1}{2}$'' stark belegt, und zwar so, daß diese erste Lage etwa 1 — 2'' breit auch auf die Dachplatten, das Blech oder den Zink, die den Dachtrauf über dem Gesimse bilden, schräg auslaufend zu liegen kommt. Beim Troknen werden sich kleine Risse zeigen, die mit überstreutem Sande mittelst eines Haarbesens verstopft werden müssen. Hierauf wird der Lehmstrich mit Steinkohlentheer, welcher mit einem Maurerpinsel aufgetragen wird, getränkt, der nach 24 Stunden ganz eingedrungen ist. Dann wird die Fläche noch ein Mal mit einer Mischung aus 5 Theilen Steinkohlentheer und 1 Theil Pech oder Harz über Kohlenfeuer in einem Kessel zusammengeschmolzen, möglichst stark bestrichen. So wie eine Fläche von ½ — 1 Quadratruthe bestrichen ist, überwirft man sie mit scharfem Mauersande (wofür auch zerstoßene Scherben u. dergl. angewendet werden können) so dik, daß von dem Theeranstriche nichts mehr zu sehen ist. Ist auf diese Weise das ganze Dach behandelt, so wird der überflüssige Sand abgefegt und hierauf die ganze Operation (Lehmbezug, Theeranstrich, Ueberziehen mit der Mischung von Theer und Pech u. s. w.) noch ein Mal wiederholt, so daß der fertige Estrich eine Dike von etwa ¾'' erlangt. Auf den lezten Theeranstrich kann man auch ganz zwekmäßig Hammerschlag streuen; doch ist gewöhnlich Mauersand hinreichend. Uebrigens ist anzurathen, die Anfertigung des beschriebenen Estrichs in der heißen Jahreszeit vorzunehmen.

Auf 400 Quadratfuß wäre etwa erforderlich 1¼ Tonne Steinkohlentheer und 20 Pfd. Harz. Der Preis dieser Dekung berechnet sich nach Berliner Maaß und Geld auf 7 — 7½ Silberpfennig pro Quadratfuß.

Das Gewicht eines Quadratfußes von diesem Estrich ist ungefähr 7 Pfd., während eine kleine Fläche Doppeldach von Ziegeln 13 Pfd. wiegt. Im Allgemeinen kann angenommen werden, daß die Kosten dieser Dachdekung die Hälfte der eines Doppeldaches von Ziegeln betragen, wobei der leichtere Dachstuhl noch weiter zu Gunsten des Lehmdaches in Rechnung zu bringen ist.

Obgleich zu dieser Dekart brennbare Materialien mit verwendet werden, so gewährt sie doch eine vollkommene Sicherheit gegen Feuersgefahr, indem die Verbindung von Lehm und Sand mit den brennbaren Körpern diesen ihre Entzündbarkeit so benehmen, daß auf einem solchen Dache ohne Gefahr Feuer angemacht werden könnte.

Mehrere auf diese Weise in Berlin angefertigte flache Dachdekungen erhalten sich seit 3—4 Jahren ohne Tadel.

XXV.

Verbesserungen im Fabriciren und Raffiniren von Zuker, worauf sich Edmund Pontifex, Kupferschmied im Shoe Lane in der City of London, am 5. Mai 1836 ein Patent ertheilen ließ.

Aus dem Repertory of Patent-Inventions. Februar 1837, S. 85.

Mit Abbildungen auf Tab. II.

Meine Erfindung erhellt aus der Abbildung, zu deren Beschreibung ich sogleich schreite. A, Fig. 25 und 26, ist die Vacuumpfanne, die wie gewöhnlich gebaut ist; B ein Verdichter, welcher auch verschiedene andere Formen haben kann; C ein Behälter für das in B verdichtete Wasser; D eine Luftpumpe; E ein Behälter, worin sich der zu verdampfende Saft befindet; F ein kleines Gefäß, welches so eingerichtet ist, daß es den Saft gleichmäßig über jeden Theil des Verdichters ausbreitet, während es durch einen Hahn a von E aus gespeist wird. G ist ein Gefäß für den Saft, welcher über den Verdichter gelaufen, und von hier aus in die Behälter H¹, H² geleitet wird, worin alle Melasse, aus der noch Zuker gewonnen werden soll, enthalten ist. Diese Behälter communiciren durch Röhren und durch einen Hahn b mit dem Maaße I, welches an der Pfanne angebracht ist, in die der Syrup nach Belieben vermöge der Kraft des Vacuums geschafft wird. c ist ein Hahn, der mit dem Hauptdampfrohre und mit den Röhren und dem Mantel der Vacuumpfanne in Verbindung steht. Der Hahn d dient zum Einlassen des Dampfes in die Pfanne; der Hahn f zum Entleeren des Cylinders C; der Hahn g zur Verbindung des Maaßes I mit der Pfanne. h ist ein Ventil, wodurch die Communication zwischen der Pfanne und dem Verdampfer abgesperrt wird; i endlich ist ein Hahn, durch den Luft in die Pfanne ein- und Dampf aus derselben ausgelassen werden kann.

Dieser mein Apparat arbeitet nun auf folgende Weise. Wenn der Behälter E mit der zukerhaltigen oder sonstigen einzudikenden Flüssigkeit gefüllt worden, und wenn auch einer der Behälter H zum Theil gefüllt ist, so öffnet man die Hähne d und e, damit durch den Hahn d so lange Dampf eintrete, bis die Vacuumpfanne, der Verdichter und der Cylinder damit erfüllt ist. Ist die Luft auf diese Weise ausgetrieben, so schließt man den Hahn d, und öffnet dafür den Hahn a, damit etwas von der in E enthaltenen Flüssigkeit in den Verdichter B übergehe, den daselbst befindlichen Dampf verdichte, und mithin das Vacuum erzeuge. Hierauf öffnet man den Hahn b, woraus folgt, daß, indem das Maaß I durch eine kleine Röhre und einen Hahn f mit der Pfanne in Verbindung steht, die Flüssigkeit in das Maaß I und aus diesem durch den Hahn g in die Pfanne übergeht. Endlich öffnet man dann den Hahn c, so daß der Dampf in den Schlangenapparat und in das die Pfanne umgebende Gehäuse eintritt, damit die Flüssigkeit zum Sieden gelange und eingedampft werde. Der Dampf geht in den Verdichter B über und wird daselbst rasch verdichtet, indem die aus dem Behälter E herbeigelangende Flüssigkeit über dessen Oberfläche strömt; so daß also auf diese Weise das Vacuum erhalten wird. Sollte ein unbedeutendes Durchlassen Statt finden, oder sollte sich während des Versiedens des Zukers etwas Kohlensäure aus demselben entwikeln, so wird von Zeit zu Zeit eine kleine, mit dem Cylinder c in Verbindung gebrachte Luftpumpe in Thätigkeit versezt. Das Ventil h dient zum Absperren der Communication zwischen der Pfanne und dem Verdichter, damit, wenn erstere entleert wird, die Luft nicht auch in den lezteren eintrete. Nach geschehener Entleerung wird der luftleere Raum auf die oben angedeutete Art wieder hergestellt: mit dem Unterschiede jedoch, daß man nunmehr den Hahn i anstatt des Hahnes e öffnet.

Man kann sich übrigens meines Apparates auch noch folgender Maßen bedienen. Man kann nämlich unter Beibehaltung der beschriebenen Pfanne und des Verdichters zu noch größerer Ersparniß auch noch ein drittes Gefäß K anwenden, und in dieses den über den Verdichter B gelaufenen Syrup durch eine Röhre 1 eintreten lassen; während von dem Dampfkessel her Dampf in das Schlangenrohr 2 strömt, und dadurch die lezteres umgebende Flüssigkeit zum Sieden bringt. Dieses Gefäß K kann entweder ganz mit der zu verdampfenden Flüssigkeit gefüllt seyn; oder man kann auch eine solche Einrichtung treffen, daß die Flüssigkeit fortwährend in der einen, der Dampf hingegen in der entgegengesezten Richtung durch dasselbe strömt. Der durch das Sieden der Flüssigkeit in K erzeugte Dampf wird durch die Röhre 3 und das Ventil c in das Schlangenrohr der Vacuumpfanne geleitet; er dient daselbst anstatt des Dampfes, der sonst aus dem Kessel genommen wurde, zum Versieden des Zukers. Die Flüssigkeit, welche auf ihrem Durchgange durch K zum Theil eingedikt worden ist, wird durch die Röhre 4 in die Behälter H geleitet, und von hier aus, wie schon gesagt, in die Pfanne gesogen. Hier bewirkt also eine einzige Portion Dampf drei Eindikungen: nämlich 1) bei ihrem Uebergange durch den Verdichter B; 2) in dem Gefäße K; und 3) endlich in der Vacuumpfanne. Die hieraus erwachsende Ersparniß an Brennmaterial ist sehr bedeutend.

Man kann das Gefäß K und den Verdichter B auch ohne die
Pfanne benuzen, im Falle leztere in Unordnung gerieth; oder im
Falle man zur Vermeidung der größeren Anschaffungskosten gar keine
Pfanne anbrachte. Unter diesen Umständen, unter denen der Vortheil übrigens nicht so groß ausfällt, schließt man das Ventil h,
und bringt das Gefäß K durch einen Hahn oder durch ein Ventil 5
mit dem Verdichter B in Verbindung. Auf diese Weise läßt sich
nämlich ohne Vacuum ein doppelter Proceß einleiten.

Ich weiß sehr wohl, daß man in den Zuckersiedereien bereits
schon früher die Dämpfe, welche sich aus der geschlossenen, die zucker-
haltigen Säfte fassenden Pfanne entwickelten, verdichtete, um dadurch
ein theilweises Vacuum in der Pfanne zu erzeugen. Ich nehme daher dieses Princip nur dann als meine Erfindung in Anspruch, wenn
zur Verdichtung der Dämpfe selbst wieder zuckerhaltige Flüssigkeit genommen wird. Es erwächst nämlich hieraus der große Vortheil,
daß jene Hize, die sonst an das Verdichtungswasser abgegeben wurde,
nunmehr in den Saft übergeht und dadurch zu einer vorläufigen Erwärmung und Eindikung desselben benuzt wird. Als meine Erfindung erkläre ich auch die Anwendung der Pumpe zur Beseitigung der
Gase oder der Luft aus dem Verdichter jener Vacuumpfannen, in
denen das Vacuum durch äußere Einwirkung von zuckerhaltigem Safte
oder Wasser erzeugt wird. Keine Ansprüche gründe ich hingegen auf
die Anwendung der Pumpe, wenn die Verdichtung dadurch bewirkt
wird, daß man die abkühlende Flüssigkeit mit den zu verdichtenden
Dämpfen in Berührung bringt.

XXVI.

Ueber die Stärkmehlbereitung mit Gewinnung des Klebers. Eine gekrönte Preisschrift des Hrn. Emile Martin in Vervins, Dept. de l'Aisne. [22])

Aus dem Bulletin de la Société d'encouragement. Februar 1837, S. 55.

Das in den Handel kommende Stärkmehl wird gewöhnlich aus
Weizen oder den beim Mahlen desselben bleibenden Rükständen ge-

---

22) Wir haben zwar schon im Polyt. Journal Bd. LX. S. 374 den ausführlichen Bericht mitgetheilt, den Hr. Gaultier de Claubry über das Fa-
bricationsverfahren des Hrn. Martin erstattete. Da jedoch das Original der
Preisschrift mehrere in jenem Berichte gar nicht oder nur unvollkommen erwähnte
Details enthält, so nehmen wir bei der großen Wichtigkeit dieses Gegenstandes keinen Anstand, dieses in Extenso bekannt zu machen. Hr. Martin erhielt bekanntlich von der Société d'encouragement den Preis von 3000 Fr. zuerkannt.
A. d. R.

wonnen. Weizen, welcher Schaden gelitten hat, kann mit Vortheil dazu verwendet werden; eben so auch solcher, der mit fremdartigen, jedoch nicht färbenden Samen, wie z. B. mit Rade, Taumelloch u. dgl. vermengt ist. Doch gibt eine Frucht, welche gut eingebracht wurde, deren Körner voll, feinschalig, und weder mit Erde, noch mit Staub vermengt sind, die schönsten und reichlichsten Producte. Bei gleicher Qualität verdienen die aus kälteren Gegenden kommenden und auf thonigem Boden gebauten Weizen, so wie auch die sogenannten weißen Varietäten den Vorzug; sie geben nämlich mehr Stärkmehl, dafür aber verhältnißmäßig weniger Kleber.

Der Weizen enthält außer dem Stärkmehle noch zwei andere nuzbare Substanzen, nämlich Kleber und Zukerstoff; beide, sammt einer nicht unbedeutenden Menge Stärkmehl, gingen bei der bisher üblichen Fabricationsmethode verloren. [25]) Alle Theile des Weizens, in denen Stärkmehl enthalten ist, können nach meinem Verfahren behandelt werden; man kann daher:

1) mit reinem Weizenmehle von jeder Qualität,
2) mit nicht gebeuteltem Weizenmehle,
3) mit Grüze, welche mit Kleien vermengt ist, oder auch mit reiner Grüze.
4) mit Grüzenkleien (robulots ou remoulages),
5) mit fetten Kleien (sons gras) arbeiten.

Nie soll man diese verschiedenen Stoffe aber vermengen, sondern sie müssen ihrer Größe nach geschieden seyn und geschieden bleiben. Der zum Behufe der Stärkmehl-Fabrication gemahlene Weizen muß daher durch eine Beutelvorrichtung laufen, damit das feine Mehl daraus abgeschieden wird; dieses leztere kann man zwar, wenn man will, ebenfalls auf Stärke benuzen, immer muß dieß aber einzeln für sich und mit einigen Modificationen, die ich weiter unten angeben werde, geschehen.

Mein Verfahren ist sehr einfach und leicht auszuführen: es besteht in Kürze darin, daß man mit der Substanz, aus der man das Stärkmehl gewinnen will, einen Teig anmacht, und daß man diesen Teig auf einem großen ovalen Siebe aus Drahtgitter Nr. 120, welches mit Drahtgitter von Nr. 15 gefüttert ist, und dessen Ränder beiläufig 8 Zoll hoch über das Gitter emporstehen, in ununterbrochenem Strome auswäscht. Man erhält auf diese Weise einerseits das Stärkmehl und den Zukerstoff, während andererseits reiner Kleber, wenn man mit reinem Mehle oder reiner Grüze arbeitete, und Kle-

---

25) Hundert Theile gewöhnlichen gut getrokneten Weizens geben in runden Zahlen: Stärkmehl 70, Kleber 10, Zuker 5, Kleie 6, Wasser, Gummi und Eiweiß 9.
A. d. D.

ber mit Kleien vermengt, wenn man sich einer anderen Masse bediente, auf dem Siebe zurückbleibt. Ich will in Betreff aller dieser
Operationen in einige Details eingehen.

1. Von dem Teige.

Man bereitet sich den Teig, indem man in einem großen Bak-
troge kaltes Wasser mitten in die zu behandelnde Masse gießt; oder
auch auf irgend eine andere ähnliche Weise. Er darf keine Klümpchen oder Bazen enthalten, und muß die Consistenz des Brodteiges
haben, so daß man 4 — 5 Kilogr. davon zwischen den Händen halten kann, ohne daß er diesen entschlüpft, und ohne daß er ihnen
auch zu stark anhängt. Nicht aller Teig eignet sich in gleicher Zeit
zum Auswaschen; der Kleber muß durch und durch befeuchtet seyn,
ohne daß jedoch eine Gährung dabei eintreten könnte.

Der aus gebeuteltem Mehle bereitete Teig (Brodteig) kann
20 Minuten, nachdem er bereitet worden ist, ausgewaschen werden,
und darf im Durchschnitte nicht über 12 Stunden aufbewahrt werden: im Winter ist hiezu eine längere Zeit als im Sommer gestattet. Der aus Grüze und Kleien, reiner Grüze, Grüzenkleie und fester
Kleie bereitete Teig kann 6 Stunden nach dem Anmachen verarbeitet
und gegen 20 Stunden lang aufbewahrt werden. Wäre die Grüze
sehr grob, so ist es sogar gut, wenn der Teig 10 Stunden früher
angemacht wird. Wenn die verwendete Substanz etwas reich an
Stärkmehl ist, so ist der zum Auswaschen des Teiges geeignete Zeitpunkt leicht zu erkennen. Wenn man nämlich von Zeit zu Zeit mit
der Hand darauf drükt, so wird man finden, daß der Teig anfänglich in längerer oder kürzerer Zeit hart wird; daß er dann während
eines bestimmten Zeitpunktes unverändert bleibt, und daß er endlich
weich wird. Der zum Auswaschen günstige Zustand ist der, wo der
Teig nicht mehr diker wird.

2. Vom Auswaschen des Teiges.

Man sezt auf ein Mauerwerk von beiläufig einem Meter in
der Höhe einen Wasserbottich, der der Anzahl der Wäscher, die man
beschäftigen will, angemessen ist, und bringt einen halben Fuß über
dessen Boden in gehörigen Entfernungen von einander Hähne an.
Diese Hähne sollen 1½ Fuß lang seyn; bedient man sich solcher
Hähne, wie man sie gewöhnlich zum Weinabziehen hat, so verlängert
man sie mittelst einer hölzernen oder metallenen Röhre bis zur angegebenen Länge. Der Kopf dieser Hähne endet in eine Tförmige
cylindrische Röhre, in deren untere Seite gegen 40 kleine Löcher gebohrt sind, aus denen das Wasser über ¾ der Oberfläche des oben

erwähnten großen Siebes sprizt. Unter diese Vorrichtung stellt man einen kleinen Bottich, über dessen Ränder man zwei Stäbe legt, auf die dann das Sieb gestellt wird. Lezteres muß so weit von dem Hahne entfernt seyn, daß der Arbeiter seine Arme ganz frei bewegen kann.

Wenn alles dieß solcher Maßen zugerichtet und der Bottich mit reinem frischem Wasser (welches im Sommer nicht gar zu lange vorher eingelassen werden soll) gefüllt worden ist, so nimmt der Wäscher oder auch die Wäscherin, da Weibspersonen dieß Geschäft eben so gut verrichten können, eine Masse Teig von beiläufig 5 Kilogr., um sie unter den offenen Hahn zu bringen, und dann auf das Sieb zu legen. Auf diesem beginnt er dasselbe mit den beiden Händen abzukneten, wobei er anfangs sachte verfährt, und dann immer rascher arbeitet, in dem Maaße als der Kleber sich in Fäden zieht. Diese Operation, die so lange fortgesezt werden muß, bis das von dem Teige abfließende Wasser nicht mehr milchig erscheint, erfordert 8 bis 10 Minuten Zeit; als Rükstand bleibt auf dem Siebe je nach der Masse, welche man behandelte, entweder reiner Kleber oder Kleber mit Kleien vermengt.

Wenn die zur Fabrication verwendete Substanz nicht so reich ist, daß sie einen gut bindenden Teig, der sowohl dem Wasserstrahle als dem Kneten zu widerstehen vermag, bildet (wie dieß z. B. der Fall ist, wenn man mit Grüzenkleien und fetten Kleien arbeitet), so nimmt der Arbeiter, so bald der Teig auf dem Siebe zerfahren ist, was übrigens so lange als möglich verhütet werden soll, eine weiche Bürste, die er auf dem Siebe herumführt, damit das herbeiströmende Wasser in dem Maaße, als es zufließt, durch das Sieb getrieben wird. Ist diese Operation vollbracht, so wird der Hahn geschlossen, worauf der Arbeiter den Rükstand unter Ausübung eines leichten Drukes mit der Hand abtropfen läßt; und nachdem er ihn in ein hiezu bestimmtes Gefäß geworfen hat, eine neue Operation beginnt.

3. Von der Aufsammlung des Stärkmehles.

Das durch das Sieb laufende Wasser reißt alles in dem Teige enthaltene Stärkmehl mit sich fort, und erlangt dadurch, wenn das angewendete Material gehaltreich ist, eine vollkommen milchweiße Farbe. Es wird, wenn die Waschbottiche voll sind, in diesem milchigen Zustande in die zu diesem Behufe eingerichteten Sezfässer (bernes) gebracht, in welchen es bald klar wird, da sich das Stärkmehl abscheidet und zu Boden sezt. Wenn die Abscheidung beinahe vollkommen geschehen ist, wozu ungefähr 24 Stunden nöthig sind, so wird das klare Wasser mit einem Heber oder mit einer anderen

9 *

geeigneten Vorrichtung abgelaſſen, und zu dem weiter unten anzugebenden Gebrauche aufbewahrt.

Der in zwei Sezfäſſern gebildete Bodenſaz wird, ohne daß man
irgend etwas daraus abzuſcheiden verſucht, vereinigt, und im Sommer mit Waſſer, welches man zum Behufe einer gelinden Erwärmung 24 Stunden lang an der Luft und an der Sonne ſtehen ließ,
im Winter hingegen mit Waſſer, dem man auf 5 — 6 Eimer kalten, einen Eimer ſiedenden Waſſers zuſezte, oder welches man auf
irgend eine andere Weiſe erwärmte, übergoſſen. [24]) Wenn das Sezfaß beinahe voll iſt, ſo rührt man mit einer hölzernen Kelle oder
Krüke um, wobei man die Flüſſigkeit beim Herausnehmen der Kelle
dadurch in Ruheſtand bringt, daß man leztere vorher ein Mal nach
der entgegengeſezten Richtung herumführt. 24 — 36 Stunden ſpäter läßt man alle klare Flüſſigkeit abfließen, wo dann, wenn man
gehörig gearbeitet hat, 1) eine weißliche Flüſſigkeit; 2) ein ſchmuzig-
weißer, halbflüſſiger Bodenſaz, und 3) ein vollkommen weißer, feſter,
aus Stärkmehl beſtehender Bodenſaz in dem Sezfaſſe zurükbleibt.

Der erſte dieſer beiden Bodenſäze wird mittelſt einer weichen
Bürſte oder eines groben Pinſels mit dem weißlichen Waſſer angerührt, wobei man das Sezfaß von Zeit zu Zeit an der einen Seite
aufhebt, um zu ſehen, ob man bereits bis zum weißen Bodenſaze
gelangt iſt. So wie dieſer bemerkbar wird, hört man auf und gießt,
indem man das Faß auf die Seite neigt und es dann ſchnell aufhebt, den geſammten flüſſigen Theil in eine Wanne, ohne daß man
den Stärkmehlkuchen zum Glitſchen kommen läßt. Nach Entfernung

---

24) Ich hatte bemerkt, daß der Stärkmehlkuchen bei kalter Witterung minder feſt war, und auch länger zu ſeiner Bildung brauchte, als bei milder. Ich
glaubte anfangs, daß dieß einer leichten Gährung zuzuſchreiben ſey: eine Idee,
die ich jedoch aufgab, da ich weder Luftblaſen noch irgend eine Bewegung in der
Flüſſigkeit beobachtete, und da mich die Erfahrung lehrte, daß eine wirkliche Göh-
rung der Bildung des weißen Bodenſazes eher ſchädlich als zuträglich war. Gegenwärtig erkläre ich mir dieß auf folgende Weiſe. Das Stärkmehl iſt im Momente ſeiner Scheidung von dem Kleber noch nicht ſo rein, daß es ſich zu Boden
ſezen könnte; die Oberfläche ſeiner Körner iſt noch mit einem dünnen klebrigen
Ueberzuge verſehen, welcher in kaltem Waſſer unauflöslich, in lauem hingegen
auflöslich iſt. Im Winter bleibt auch wirklich das kalte Waſſer, welches zum
Auswaſchen des erſten Bodenſazes gedient hat, klar; während das laue Waſſer
eine ſolche Menge weißlicher Subſtanz aufnimmt, daß es die Farbe und den Geſchmak der Molken dadurch bekommt. Der Kälte ausgeſezt ſcheidet ſich eine grau-
lich-weiße, klebrige Subſtanz daraus ab, welche dem weißen Käſe oder Topfen in
Hinſicht auf Geſchmak ähnelt, und die getroknet wie Kleber brennt, ohne zu
ſchmelzen, und ohne ſich aufzublähen. Wenn dieſe Erklärung auch nicht die richtige ſeyn ſollte, ſo benimmt dieß doch der Anwendung von lauem Waſſer zum
Behufe des Auswaſchens nichts von ihren Vorzügen. Doch muß ich bemerken,
daß ſich das ſchönſte Stärkmehl nicht aus dem lauen, ſondern erſt aus dem nächſt-
folgenden Waſſer abſcheidet. Das laue Waſſer iſt alſo zum Auswaſchen, das
kalte hingegen zur Fällung des Stärkmehls nöthig.   A. d. O.

des Stärkmehles schüttet man dann das Abgegossene wieder in das Sezfaß zurük, worauf man es mit seinem vier= bis fünffachen Volumen frischen Wassers übergießt und gut damit abrührt. Nach 24 Stunden Ruhe kann man nach demselben Verfahren einen zweiten Bodensaz sammeln; und wenn dieß geschehen ist, so vereinigt man den Inhalt zweier Fässer in einem, wo man dann noch einen dritten Bodensaz gewinnen kann, der gewöhnlich auch der lezte ist. Wenn man jedoch die nach Bildung des dritten Bodensazes zurükbleibenden fetten und weißen Wässer durch ein seidenes Sieb von Nr. 96 oder 100 seiht, so erhält man immer noch schönes Stärkmehl: besonders wenn man mit Mehl gearbeitet hat; denn grob gemahlene Stoffe, wie z. B. die Grüze und die Grüzenkleien, lassen das Stärkmehl schneller zu Boden fallen, als dieß bei der Anwendung von feinem Mehle der Fall ist. [25])

Diß Stärkmehlbodensäze werden, so wie sie aus den Sezfässern kommen, mit reinem Wasser angerührt und durch ein Seidensieb von Nr. 96 bis 100 getrieben. Das beste Verfahren hiebei ist, die Flüssigkeit in kleinen Quantitäten auf das Sieb zu bringen, und dieses dann auf zwei an den Enden verbundenen Faßdauben und über einem kleinen vollkommen reinen Bottiche hin und her zu bewegen. [26])

Wenn sich das Stärkmehl den zweiten Tag darauf in festen Kuchen, die, wenn ihre Oberfläche gehörig abgewaschen worden ist, vollkommen weiß erscheinen, zu Boden gesezt hat, so gibt man es zum Behufe des Abtropfens in Kisten oder Formen mit durchlöchertem Boden, oder in Körbe, die mit einem beweglichen Zeuge ausgefüttert sind. Den nächsten Tag darauf stürzt man dann die Formen auf eine gegypste Tenne oder auf Tafeln aus weißem Holze, auf denen man die Kuchen in regelmäßige Stüke von beiläufig 3 Zoll Dike auf 8 bis 10 Zoll Breite schneidet oder bricht. Diese Stüke bringt man dann auf die Fächer des Trokenapparates, auf denen

---

25) Diese Anwendung des Seidensiebes zur Erzielung eines lezten Bodensazes ist, wie gesagt, besonders dann von Nuzen, wenn man mit Mehl arbeitet. Bei der Anwendung grob gemahlener Stoffe geht das Stärkmehl beinahe rein durch, indem die holzigen Theile die Kleien, die Keime nur zermalmt und in gröbliche Theilchen, die beim Auswaschen nicht leicht durch ein Drahtgitter von Nr. 130 gehen, geschieden wurden. Das ganz feine durchgebeutelte Mehl hingegen enthält diese Stoffe so fein vertheilt, daß sie beim Auswaschen allerdings mit dem Stärkmehle entweichen können; obschon die größere Menge davon in Folge des Aufschwellens derselben beim Anmachen des Teiges zurükbleibt. Es wird daher von Nuzen seyn, sie abzuscheiden, sobald sich die Bodensäze nicht mehr gut bilden wollen. A. d. O.

26) Dieses Sieb läßt sich auch durch irgend eine mechanische Vorrichtung in Bewegung sezen. Das zur Aufnahme des Stärkmehles bestimmte Gefäß muß, wenn es aus neuem Eichenholze besteht, mit siedendem Wasser ausgewaschen werden; Buchene und Tannenholz eignet sich besser hiezu. A. d. O.

man sie beläßt, bis sie sich auf der Oberfläche leicht abzuschuppen beginnen.

Will man sogenanntes Stärkmehl in Nadeln fabriciren, so ist dieß der Zeitpunkt, wo dasselbe, nachdem seine Oberfläche abgekrazt worden ist, in die Trokenstube zu kommen hat. Kommt es aber nicht auf die Form des Fabricates an, und arbeitet man in günstiger Jahreszeit, so genügt es die Kuchen nach dem Abkrazen in Stüke zu zertheilen, welche etwas kleiner sind, als eine Faust, und sie in solchen auf den Fächern des Trokenapparates oder auf Tafeln aus weißem Holze und unter ein= oder zweimaligem Umkehren so lange an einem gut gelüfteten Orte zu belassen, bis sie hinlänglich troken erscheinen. Erst in diesem Zustande gibt man sie dann zum Behufe der vollkommenen Troknung für einen Tag in die Trokenstube.

Bei der Fabrication des Stärkmehles in Nadeln muß man mit dem Sieben durch das Seidensieb so lange warten, bis man so viel Stärkmehl gesammelt hat, als zum Füllen der Trokenstube erforderlich ist. Die Temperatur der lezteren soll an den beiden ersten Tagen 35 bis 40° des 100gradigen Thermometers betragen, und dann allmählich so verstärkt werden, daß am lezten Tage eine gute Darre Statt findet. Wenn man die Kuchen, bevor man sie in die Trokenstube bringt, in Papier einwikelt, so bleiben sie schöner weiß.

Guter Weizen gibt bei guter Behandlung 50 Proc. schönes Stärkmehl; schönes Mehl gibt 55 Proc. Außerdem bleibt aber noch sogenanntes fettes Stärkmehl: d. h. ein Bodensaz, aus welchem sich das Stärkmehl nicht mehr abscheiden läßt, obwohl eine bedeutende Quantität davon in ihm enthalten ist, zur Verwendung zurük. [27]) Diesen Rükstand läßt man auf Geflechten, die mit einem Zeuge bedekt sind, an einem luftigen Orte 2 — 3 Tage lang abtropfen. Er gewinnt bei der geringen Dike, in der man ihn aufträgt, und welche beiläufig nur 2 Zoll mißt, in Kürze eine solche Consistenz, daß man ihn in Stüke schneiden, und dann entweder in der Trokenstube oder an freier Luft troknen kann.

Das auf diese Weise gewonnene Stärkmehl, welches etwas graulich ist und wovon man auf 100 Kilogr. des behandelten Stoffes gegen 10 Kilogr. erhält, eignet sich sehr gut zum Apprete farbiger

---

27) Dieses Stärkmehl ist gewöhnlich sauer; es hat einen eigenthümlichen Geruch und eine gelblichweiße, beim Troknen ins Graulichweiße übergehende Farbe, es läßt sich schwer brechen, und nimmt durch Reiben Politur an. Dem daraus bereiteten Kleister kommen, wenn er auf Papier oder Zeuge aufgetragen wird, dieselben Eigenschaften zu. Da sich jenes Product, welches die nach dem alten Verfahren arbeitenden Fabrikanten unter dem Namen Gros noir verstehen, von dem unserigen durch seinen Gehalt an verändertem Kleber wesentlich unterscheidet, so gab ich dem meinigen, welches viel schöner ist, den Namen Amidon gras.

A. d. O.

Zeuge, namentlich von dunkler und graulicher Schattirung. Er kann in diesem Zustande mittelst Gerstenmalz auch in Syrup für den Gebrauch des Brauers und Branntweinbrenners verwandelt werden; wollte man die Waschwasser in seiner eigenen Fabrik nach der weiter unten anzugebenden Methode auf Branntwein oder Bier benuzen, so könnte man sie gleich in ihrem breiigen Zustande anwenden, und mit gemalzter Gerste in Syrup verwandeln.

4. Vom Kleber.

Der frische, durch Auswaschen eines mit gebeuteltem Mehle bereiteten Teiges erzielte Kleber beträgt dem Gewichte nach gewöhnlich etwas über den vierten Theil des angewendeten Mehles. Dieß Verhältniß wechselt jedoch nach den Gegenden und nach der Qualität des Weizens: im südlichen Frankreich ist es etwas stärker; in Sicilien und in der Barbarei steigt es selbst bis auf den dritten Theil.

Der Kleber muß, so wie er von dem Metallsiebe kommt, durch ein zweites Auswaschen, welches auf einem etwas weiten Haarsiebe vorgenommen wird, von den ihm anhangenden Kleien und einigen sonstigen Unreinigkeiten befreit werden, wenn man ihn zu dem Zweke, zu welchem man ihn bestimmt, vollkommen rein haben will. Beim Troknen verliert er in fünf Theilen drei. Jener, den man aus Mehl, welches nicht gebeutelt worden ist, gewinnt, ist so innig mit der Kleie vermengt, daß er kaum davon geschieden werden kann, obschon man seine weißen zahllose Neze bildenden Fasern leicht erkennt. Man wendet daher sowohl ihn, als auch jenen, den man durch Auswaschen der unreinen Grüzen oder Grüzenkleien erhält, so an, wie er aus dem Siebe kommt.

5. Von den Eigenschaften und der Benuzung des Klebers. [28])

Der Kleber ist unstreitig unter allen bekannten vegetabilischen Stoffen derjenige, der am meisten Nährkraft besizt. Der Stikstoff,

---

28) Ich habe nie geglaubt, daß man zu einem entsprechenden Resultate gelangen könnte, wenn man das Sazmehl und den Kleber in den durch die Analyse des Weizenmehles gegebenen Verhältnissen und unter den zur Brodteigbereitung erforderlichen Umständen vermengen würde; denn es fehlte dann immer noch der Zukerstoff, der einen zur Brodgährung wesentlich nothwendigen Bestandtheil bildet. Nie zweifelte ich aber an dem Gelingen, wenn dieser Mangel durch Zusaz von gequellten Kartoffeln, in denen eine reichliche Menge Zukerstoff enthalten ist, ausgeglichen würde. Die von mir erprobten Verhältnisse, die sich übrigens abändern lassen, sind: frischer Kleber 4 Kilogr., Kartoffelstärkmehl 4½ Kilogr., selbe, in Dampf gekochte, abgeschälte und heiß zerquetschte Kartoffeln 6 Kilogr., Salz und Hefen eine hinreichende Menge, gehörig erwärmtes Wasser beiläufig 2½ Kilogr. Oder Kleber, der mit Stärkmehl getroknet und in Mehl verwandelt worden ist, 5 Kilogr., Stärkmehl 3 Kilogr., gequellte Kartoffeln 6 Kilogr., Wasser gegen 5 Kilogr., Salz und Hefen in hinreichender Menge. A. d. O.

der einen seiner Hauptbestandtheile bildet, gibt ihm eine animalische
Natur, und dadurch in Hinsicht auf Nährkraft einen ungeheuren
Vorzug vor den Gummis, den Salzmehlen, den Zukern und vielen
anderen vegetabilischen Stoffen. Der Kleber ist überdieß zur Brodbereitung unumgänglich nothwendig.

In frischem Zustande kann man ihn dem mit Weizenmehl bereiteten Teige zu einem Sechstheile und selbst zu einem Fünftheile
des angewendeten Mehles zusezen, wenn man ein Brod erzielen
will, welches sich selbst bei der Hize des Sommers frisch und schmak-
haft erhält. Bei der Anwendung von Mischkornmehl, worin ungefähr ein Drittheil Weizenmehl enthalten ist, kann man den Zusaz
an Kleber auf ein Viertheil, und bei der Anwendung von Roggen-
und Gerstenmehl, so wie auch bei der Benuzung von Hafer-, Mais-
und Haidekornmehl selbst auf ein Drittheil steigern.

Mit Kartoffelstärkmehl und Kleber allein erhält man ein fades
und schwergehendes Mehl; sezt man aber eine bedeutende Menge in
Dampf gekochter und zerquetschter Kartoffeln zu, so erhält man ein
vortreffliches Brod, welches sich sehr gut aufbewahren läßt, und an
dem bloß das auszusezen ist, daß es nach gequellten Kartoffeln
schmekt: ein Fehler, der bloß so lange besteht, als man nicht an
diesen Geschmak gewöhnt ist. Wenn man dem Kartoffelstärkmehle
mit Beihülfe des Klebers Roggenmehl zusezt, so läßt sich gleichfalls
ein gutes Brod erzielen.

Da die geringste Menge Ferment oder Bierhefen den Kleber
sehr weich macht, so ist es jeder Zeit ein Leichtes, ihn mit dem
Teige zu vermengen; nur muß man die Abkühlung, die er bewirken
wird, in Anschlag bringen. Die Quantität Brod, welche der Kleber
gibt, kommt übrigens seinem eigenen Gewichte gleich.

Reiner frischer Kleber läßt sich auch zur Bereitung von Vermicelli u. dergl. benuzen, wenn man ihm so viel Mehl oder so viel
von einem Gemische aus Mehl und Stärkmehl zusezt, als nöthig ist,
um ihn gehörig erhärten zu machen. Man kann auf diese Weise
auch aus Reiß, Mais u. dergl. Vermicelli fabriciren.

Frischer Kleber läßt sich im Sommer 24 bis 36, im Winter
2 bis 3 Tage lang aufbewahren, ohne daß er eine Veränderung erleidet; nach Ablauf dieser Zeit wird er sauer und flüssig. In frischem Zustande gibt er auch ein vortreffliches Viehfutter; man knetet
ihn zu diesem Zweke mit Kleien ab, und bakt daraus Kuchen, die
man einige Stunden, ehe man sie verfüttert, in Wasser einweicht.
Der aus 500 Kilogr. Mehl gewonnene Kleber gibt 200 Kilogr. solcher Kuchen, in denen gegen 75 Kilogr. Kleien enthalten sind. Die
Kuchen lassen sich nach der Jahreszeit und nach dem Grade, in

welchem sie gebaken sind, 10 bis 15 Tage lang aufbewahren, ohne daß sie schimmelig werden; wollte man sie noch länger aufbewahren, so müßte man sie in Schnitten schneiden und diese dann im Ofen, in einer Trokenstube oder auch an freier Luft troknen. Schweine, Geflügel, Schafe, Rinder und Pferde fressen diese Nahrung mit Vergnügen, besonders wenn man ihr noch etwas Salz oder Runkelrüben= Melasse zusezt; sie nehmen dabei in Kürze an Fleisch und Fett zu, wenn sie sich unter übrigens zur Mastung geeigneten Umständen befinden.

Der aus ungebeuteltem Mehle oder Grützenkleien gewonnene Kle= ber, der viel Kleie enthält, kann gleich in frischem Zustande als Viehfutter verwendet werden; besser ist es jedoch immer, wenn man ihm eine gewisse Zubereitung gibt: sey es, daß man auf die ange= gebene Weise Brode oder Kuchen daraus bereitet, oder daß man ihn in einem Dampfkessel kochen läßt.

Die einzige Methode, den Kleber längere Zeit und so aufzube= wahren, daß er sich zur Brodbereitung und als Nahrungsmittel für Menschen und Thiere eignet, besteht darin, daß man ihn troknet. Im ersteren Falle darf die zum Troknen angewendete Temperatur nicht über 40 — 50 Centigr. betragen. Das beste Verfahren, die= ses Troknen zu bewirken, besteht darin, daß man den frischen Kleber mit einer gleichen Menge vollkommen trokenen Stärkmehles in einem gewärmten Beken abknetet; daß man das Gemenge hierauf abkühlen und dadurch fest werden läßt, und daß man es endlich auf den Fächern einer Trokenstube oder auf einem warmen und gut gelüfteten Trokenboden zerbrökelt. Der Teig wird in diesem Zustande vom Morgen bis zum Abend troken geworden seyn, eine weiße Farbe ha= ben, und einen reinen, durchaus nicht säuerlichen Geschmak besitzen. Um das Ankleben desselben an den Fächern zu verhüten, kann man ihn mit etwas Stärkmehl bestreuen. Der nach diesem Verfahren behandelte Teig läßt sich leicht in ein Pulver verwandeln, von wel= chem 200 Kilogr. vollkommen hinreichen, um 300 Kilogr. Kartoffel= stärkmehl, Mais= oder Hafermehl, oder überhaupt jedes andere kle= berfreie Mehl in Brod zu verwandeln. In Fällen von Hungersnoth wird man mit diesem Pulver viel ausrichten können; auch läßt sich dasselbe in solche Länder versenden, in denen kein Weizen gedeiht.

Will man den Kleber dagegen nicht zur Brodbereitung bestim= men, so ist es am besten, wenn man ihn ohne Zusaz von Wasser in einem Kessel siedet, und wenn man ihn hierauf auf Bleche auf= gestrichen in einen mäßig geheizten Ofen oder in einen Ofen bringt, aus welchem das Brod genommen wurde. In diesem Zustande zu Mehl gemahlen gibt er mit irgend einem Sazmehl vermengt oder

Gemüsbreien zugesezt eine sehr angenehme und nahrhafte Suppe. Bringt man ihn in einen Ofen, welcher etwas stärker geheizt ist, als es zum einfachen Troknen nöthig ist, so nimmt er eine schöne goldgelbe Farbe an, wo er sich dann grob gepülvert wie Brodrinde verwenden läßt.

Der Kleber kann ferner frisch oder getroknet von den Brannt= weinbrennern sehr vortheilhaft benuzt werden, theils um die Saz= mehle in Zuker umzuwandeln, theils um die Stärkmehlsyrupe, Me= lassen ꝛc. schneller in Gährung zu versezen, und ein an Weingeist reicheres Product damit zu erzielen; denn Fabroni hat bewiesen, daß der Kleber bei weitem die wesentlichste Substanz bei der Gährung ist.

Kleber, den man bei einer Temperatur von 15 bis 18° sieben oder acht Tage lang sich selbst überläßt, wird sauer und verliert seine Elasticität; er verbindet sich dann mit dem Wasser, läßt sich mit dem Pinsel aufstreichen, und bildet einen wahren geruchlosen Kleister, der acht bis zehn Tage lang aufbewahrt werden kann, und der sich in diesem Zustande zum Aufleimen von Papier, Karten und Perga= ment auf Pappendekel, Holz, Porzellan ꝛc. benuzen läßt. Man kann diesen Kleister auf Tellern in einer Trokenstube troknen, und zum Gebrauche aufbewahren.

6. Von der Benuzung der Waschwasser.

Die Waschwasser enthalten die 5 Proc. Zukerstoff, welche nach Bauquelin mit zu den Bestandtheilen des Weizenmehles gehören. Man braucht dieses Wasser, um aus dem darin enthaltenen Zuker= stoffe Nuzen zu ziehen, nur auf eine gehörige Temperatur zu erwär= men, es mit so viel Runkelrüben=Melasse zu vermengen, daß es 7 bis 8° am Aräometer zeigt; oder ihm im gleichen Verhältnisse fettes, durch Gerstenmalz in Syrup verwandeltes Stärkmehl zuzusezen; das Ganze durch Beimengung von Kleber und Bierhefen in Gährung zu bringen, und nach vollendeter Gährung zum Behufe der Gewinnung des Alkohols zu destilliren.

Eine andere Benuzung dieser Waschwasser ist jene auf Bier. Eine sehr einfache Formel, die ich in dieser Hinsicht empfehlen kann, ist folgende. Man seze auf 8 Hectoliter Waschwasser, welche wenig= stens 2° an der Syrupwaage anzeigen, so viel gefärbten, mit einem Drittheile guter Rohrzuker=Melasse vermengten Dextrinsyrup zu, daß die Flüssigkeit je nach der Stärke, die das Bier bekommen soll, auf 6, 7 oder 8° gebracht wird. Von dieser Flüssigkeit lasse man 2 Hectoliter mit 2 Kilogrammen guten frischen Hopfens eine Viertel= stunde lang in einem bedekten Kessel sieden, und wenn sie dann noch eine Viertelstunde mit einigen Handvoll Coriander oder Anissaamen in Infusion gestanden, so filtrire man sie durch ein in einen Korb gelegtes Tuch in den Bottich, in welchem sich der Rest der kalten Flüssigkeit, mit der sie vermengt werden muß, befindet. Wenn die Temperatur auf 20 bis 25° gekommen ist (oder wenn man sie, im Falle sie unter dieser Temperatur steht, dadurch auf dieselbe bringt, daß man einen Theil davon bis auf den nöthigen Grad erhizt), so seze man der Masse 2 Kilogr. gute Hefen, eben so viel frischen Kleber zu, und begünstige die Gährung durch die gewöhnlichen Mittel: d. h. durch Zudeken des Bottiches und durch Unterhaltung einer gehörigen Temperatur. Wenn die Gährung nach 4 bis 5 Stunden nachzulassen beginnt, so füllt man die Flüssigkeit in Fässer, welche man nicht ganz zuspundet, und die man öfter auffüllt, damit die Hefen abfließen und damit das Bier sich kläre.

Anstatt des käuflichen Dextrinsyrupes kann man auch solchen anwenden, den man sich mit fettem Stärkmehle, welches auf dieselbe Weise wie zum Behufe der Destillation in Zuker verwandelt worden ist, bereitet. Die Verwandlung in Zuker geschieht, indem man das mit Wasser angerührte fette Stärkmehl in einem Kessel bis auf 70° Centigr. erwärmt; auf 100 Kilogr. der trokenen in Zuker zu verwandelnden Substanz 10 bis 15 Kilogr. fein gemahlenes Gerstenmalz zusezt, den Kessel zudekt und zwei Stunden lang von Zeit zu Zeit umrührt. Die Hize des Heerdes reicht gewöhnlich hin, um die Flüssigkeit auf einer zwischen 62 und 70° betragenden Temperatur zu erhalten; würde sie etwas tiefer sinken, so müßte etwas weniges gefeuert werden. Nach zwei Stunden, d. h. wenn die früher weiß gewesene Flüssigkeit grau und durchsichtig geworden ist, filtrirt man sie, wo sie sich dann sowohl zur Fabrication von Alkohol, als zur Fabrication von Bier eignet. Wollte man diesen Syrup für längere Zeit aufbewahren, so müßte man ihn durch Sieden in einem flachen offenen Kessel bis auf 32° eindiken.

Das Waschwasser kann endlich, da es außer dem Zukerstoff auch noch Eiweiß und Gummi enthält, sowohl Rindern als Pferden als ein nahrhafter Trank gereicht werden.

XXVII.

Resultate, welche sich bei der Anwendung des Cabrol'schen Apparates an einem der Hohofen der Hüttenwerke des Aveyron ergaben. [29]

Aus dem Journal des connaissances usuelles, Oktober 1836, S. 175.

———

Man hat mit Ende August v. J. an dem Hohofen Nr. 3 von la Forézie, der zu den Hüttenwerken der Compagnie des Aveyron gehört, und der bei einer Höhe von 45 Fuß am Kohlensak 13 Fuß im Durchmesser mißt, den Cabrol'schen Apparat in Betrieb gesezt, und dabei folgende Resultate erzielt.

Der Ofen gab bei der früheren Betriebsweise mit kalter Luft in 24 Stunden im mittleren Durchschnitte 4200 Kilogr. Roheisen. Unmittelbar nach Anwendung des neuen Apparates stieg der Ertrag schon auf das Doppelte. Im Monate September belief er sich auf 266,858 Kilogr., und zwar:

vom 1. bis 15. Sept. auf 128,370 Kilogr., oder auf 8558 Kil. in 24 St.;
— 16. —30. — — 138,488 — — — 9232 — —

Im Monat Oktober stieg er gar auf 317,835 Kilogr., und zwar:
vom 1. bis 15. Okt. auf 138,369 Kilogr., oder auf 9225 Kil. in 24 St.;
— 16. —31. — — 179,466 — — — 11216 — —

Der Ertrag verdoppelte sich demnach gleich vom ersten Beginnen an; in den zweiten und dritten Vierzehntagen stieg er in dem Verhältnisse von 1 zu 2,25; in den lezten Vierzehntagen endlich hatte er sich beinahe verdreifacht, indem er in einem Verhältnisse von 1 zu 2,73 gestiegen war.

Anfangs September bestand der Einsaz aus 380 Kilogr. Kohks, 380 Kilogr. Erz und 140 Kilogr. Zuschlag; nach und nach erhöhte man die Quantität des Erzes ohne alle Vermehrung des Brennmateriales auf 400, 427, 450, 480, 510, 540, 570, 600 und 630 Kilogr., so daß 380 Kilogr. Kohks, welche in den ersten Tagen der Campagne nur 380 Kilogr. Erz trugen, gegenwärtig deren 630 ausschmelzen und reduciren. Dabei wurde der Zuschlag nur um 40 Kilogr., nämlich auf 180 Kilogr. für 630 Kilogr. Erz erhöht.

Die Qualität der Schlaken, die Gichtflamme, so wie auch jene des Tumpels und alle übrigen äußerlich wahrnehmbaren Zeichen deuten an, daß die angegebene Quantität Brennmaterial selbst eine noch größere Menge Erz zu tragen vermöchte; allein der Gang des Ofens

———

29) Man findet ausführlichere Nachrichten über die Cabrol'schen Apparate im Polytechnischen Journal Bd. LVII. S. 109, auf die wir verweisen.
A. d. R.

ist so regelmäßig und das erzielte Roheisen von so guter Qualität, daß man mit der bereits erfolgten bedeutenden Erhöhung des Ertrages schon sehr zufrieden ist, und daß man sich nicht beeilt, die Quantität des eingesezten Erzes noch weiter zu vermehren.

Im Vergleiche mit dem Hohofen Nr. 1 desselben Hüttenwerkes, welcher mit gleichem Erze arbeitet, erzeugt der mit Cabrol's Vorrichtungen ausgestattete Ofen Nr. 3 um 10 Proc. mehr Feinmetall; abgesehen davon, daß er beim Frischen um 350 Kilogr. Kohks weniger braucht, und daß sich wegen der größeren Menge Feinmetall, welches innerhalb einer bestimmten Zeit erzeugt wird, eine bedeutende Ersparniß an Arbeitslohn und verschiedenen anderen Kosten ergibt. Man hat sich hievon bereits an einer Quantität von 400,000 Kilogr. Frischeisen überzeugt. Endlich hat auch das Eisen, welches aus dem nach Cabrol's Methode ausgebrachten Gußeisen erzeugt wird, in Hinsicht auf Qualität einen bedeutenden Vorzug vor dem Eisen der gewöhnlichen Hüttenwerke des Aveyron.

Der Apparat, womit alle diese Vortheile erzielt werden, ist einfach, wohlfeil und wenigen Reparaturen unterworfen, weßhalb er auch nur selten zu feiern braucht. Er verbraucht nur eine geringe Quantität Brennmaterial; denn im September kamen auf 1000 Kilogr. Roheisen kaum 100 Kilogr. Steinkohlen, und im Oktober gar kaum 80 Kilogr. auf eine Tonne Roheisen. Freilich wurden mit den Steinkohlen Kohks-Trümmer, die man sonst zu keinem anderen Zwek brauchen konnte, vermengt.

Als Resultate der Anwendung der Cabrol'schen Apparate ergeben sich demnach:

1) Eine Erhöhung des Ertrages des Hohofens in einem Verhältnisse von 1 zu 2,73.

2) Eine Ersparniß von 40 Proc. an Brennmaterial, Arbeitslohn und anderen Kosten.

3) In Hinsicht auf die Frischheerde ein Mehrertrag von 10 Proc. an Feinmetall und eine Verminderung der Kohks um 350 Kilogr. per Tonne Feinmetall; nebst einer Ersparniß von dem dritten Theil an Arbeitslohn und verschiedenen anderen Kosten.

4) Eine bessere Qualität des Eisens.

Diese Vortheile sind von so hoher Wichtigkeit, daß sie beinahe übertrieben erscheinen möchten; und doch sind sie in Bezug auf das Hüttenwerk, an dem sie wirklich erzielt werden, noch zu niedrig gestellt; denn die Ersparniß ist daselbst nach einer nunmehr dreimonatlichen Campagne noch immer im Zunehmen. Zahlreiche Hüttenwerksbesizer, darunter Herzog Decazes, General Guilleminot, Bauquier André haben den Gang des hier erwähnten Ofens Nr. 3 Tag für Tag beobachtet, und unsere Angaben bestätigt gefunden.

XXVIII.
Ueber den Hohofenbetrieb mit Holz. Von Hrn. Theodor Virlet, Bergingenieur.

Aus dem Journal des connaissances usuelles, Januar 1837, S. 22.

Die zahlreichen Versuche, welche bereits in mehreren Ländern über den Betrieb der Hohöfen mit rohem oder getroknetem Holze anstatt mit Holzkohlen angestellt wurden, führten bisher noch zu keinen entschieden günstigen Resultaten; denn es ergaben sich daraus in der Hauptsache nur folgende negative Resultate.

1) Grünes Holz, von welcher Beschaffenheit es auch seyn mag, ist nicht im Stande die Reduction der Erze zu bewirken.

2) Getroknetes Holz, d. h. Holz, aus welchem der ganze Gehalt an Wasser ausgetrieben worden ist, vermag allerdings die Reduction zu bewirken; allein es erwächst dabei weder in Hinsicht auf die Fabrication, noch in Hinsicht auf Ersparniß irgend ein Vortheil.

3) Weiches und harziges Holz, welches auf diese Weise getroknet worden, ist dem harten Holze vorzuziehen, und zwar vorzüglich, wenn es getriftet worden.

Dagegen ergaben sich aus der Anwendung von unvollkommen verkohltem oder geröstetem Holze (bois torréfié) allerdings genügende Resultate; und zwar Resultate, aus denen hervorging, daß das Holz sowohl seiner Natur, als der vorbereitenden Behandlung nach, der es unterlegen, um so mehr zur Reduction der Erze geeignet ist, je leichter es sich verkohlen läßt.

Das Rösten erheischt einen solchen Grad der Verbrennung, daß das Holz dadurch an seiner äußeren Oberfläche verkohlt wird; man bewirkt dasselbe in Oefen, die mit der aus den Hohöfen entweichenden Hize geheizt werden. Das Holz wird zu diesem Zweke vorher in kleine Stüke von höchstens 5 bis 6 Zoll Länge geschnitten, damit nicht zu viele Zwischenräume zwischen ihnen bleiben. Man bringt es in Schichten, die nicht gar zu hoch seyn dürfen, wenn die Röstung gleichmäßig ausfallen soll, in die Oefen, und läßt dann die heiße Luft von dem Hohofen her eintreten. Sollte die Hize nicht so groß seyn, daß das Holz, nachdem es ausgetroknet ist, zum Glühen kommt, so zündet man dasselbe an, verschließt aber auch augenbliklich die Thüren, damit nur so viel Luft eindringen kann, als zur Unterhaltung der Verbrennung nöthig ist.

An dem Hüttenwerke in Bièvre haben diese Oefen solche Dimensionen, daß man 190 Kilogr. klein geschnittenes Holz eintragen kann. Dabei beträgt der Ertrag an geröstetem Holz dem Gewicht nach 45 und dem Volumen nach 66 Proc. Nach den an diesem Hüttenwerk durch längere Zeit fortgeführten Versuchen läßt sich hoffen, daß man das geröstete Holz zu ⅔ und selbst zu ¾ anstatt der Kohlen, die man früher für sich allein benuzte, anwenden kann. Das Volumen des als Ersaz genommenen Holzes kommt jenem der Kohlen gleich, und dabei leisten die Producte sowohl in Hinsicht auf Qualität, als in Hinsicht auf Quantität nicht weniger Genüge, als früher.

Die Ersparniß, die aus der Annahme des neuen Verfahrens für die Schmieden ꝛc. erwachsen muß, erhellt daraus, daß nach den in Bièvre vergleichsweise angestellten Versuchen und Berechnungen 100 Kilogr. Kohlen auf 7,87 Fr. zu stehen kommen, während 100 Kilogr. geröstetes Holz nur 2,80 Fr. kosten; oder daß, nach dem Volumen genommen, eine Fuhr Kohlen, welche 30 bis 38 Hectoliter faßt, auf 53,90 Fr., eine gleiche Fuhr geröstetes Holz aber nur auf 27,10 Fr. zu stehen kommt. Da nun das geröstete Holz ein gleiches Volumen Holzkohlen ersezt, so ergibt sie eine Ersparniß an Brennmaterial um die Hälfte: eine Ersparniß, die nothwendig auf den Preis des Roheisens und des daraus erzielten Schmiedeisens einen Einfluß äußern muß.

Zur Erzielung dieser Resultate ist jedoch nothwendig, daß man die Hohöfen, an denen man mit geröstetem Holze arbeitet, mit heißer anstatt mit kalter Luft speist; diese Bedingung scheint unumgänglich nothwendig, wenn aus der Anwendung des Holzes einige Vortheile erwachsen sollen. Uebrigens muß ich bemerken, daß die beiden Hohöfen in Harancourt und in Senuc in den Ardennen mit geröstetem Holze arbeiten, und sich dessen ungeachtet noch fortwährend der Speisung mit kalter Luft bedienen, und dabei gut gehen.

Der große Vortheil, den das neue Verfahren gewährt, beruht hauptsächlich darauf, daß die Verkohlung nichts weniger als so weit wie in den Kohlenmeilern getrieben, sondern nur so weit gebracht wird, als nöthig ist, um die oxydirenden Gase, wie z. B. den Wasserdampf, die Essigsäure und die brennzelige Holzsäure auszutreiben, während noch ein gewisser Theil Wasserstoff in Verbindung mit dem größten Theil des in dem Holz enthaltenen Kohlenstoffes zurükbleibt. Diese Verkohlung wird daher in geschlossenen gußeisernen Oefen, um welche man die aus dem Hohofen entweichende Flamme circuliren läßt, vorgenommen; und weit entfernt das Holz dabei in Brand zu sezen, verhindert man dessen Entzündung vielmehr dadurch, daß man keine Luft eindringen läßt. Und wenn sich das Holz ja beim Herausſchaffen deſſelben aus dem Ofen entzündet, ſo beeilt man ſich es in blechernen oder gußeiſernen Auslöſchkammern, die eigens dazu ein-gerichtet ſind, zu erſtiken. Es iſt nicht genug, daß das Holz an ſeiner äußeren Oberfläche verkohlt iſt, die Verkohlung muß vielmehr gleichmäßig und die Holzfaſer überall braun geworden ſeyn; die Farbe des Rauches und deſſen Geruch deuten bei einiger Uebung den Arbeitern an, daß die Verkohlung bis auf den gehörigen Punkt ge-diehen iſt.

Man kann auch größere Oefen, in welchen 3 bis 400 Kilogr. Holz auf ein Mal geröſtet werden, anwenden; in dieſem Falle dauert der Röſtungsproceß 2 bis 4 Stunden.

XXIX.

Verfahren das Blei durch Kryſtalliſation ſilberarm zu ma-chen, worauf ſich Hugh Lee Pattinſon, am 28. Okt. 1833 in England ein Patent ertheilen ließ.

Aus dem London Journal of Arts. Februar 1837, S. 298.

Die vorgeſchlagene Methode beruht auf der Entdekung, daß, wenn Blei, worin nur eine ſehr geringe Menge Silber enthalten iſt, geſchmolzen wird, bei langſamem Abkühlen der geſchmolzenen Maſſe das reine Blei auf der Oberfläche des geſchmolzenen Metalles unvoll-kommene Kryſtalle bildet, die allmählich zu Boden ſinken und mit einem Seihlöffel entfernt werden können, während das Silber mit dem flüſſigen Metall in dem Schmelzgefäße zurükbleibt.

Die Legirung ſoll demnach, um das Silber daraus zu gewinnen, in gußeiſernen Keſſeln geſchmolzen werden, worauf man ſie unter ſtetem Umrühren langſam erkalten läßt, und während dieſes Abküh-lens die ſich bildenden kryſtalliniſchen Theilchen entfernt. Dieſe Theilchen werden dann in einem Seihlöffel der Hize eines Reverbe-rirofens ausgeſezt, in welchem in Folge der Einwirkung der Hize etwas flüſſiges Metall aus den Theilchen ausſikern wird, welches in das Schmelzgefäß zurükgebracht werden muß. Durch mehrfache Wiederholung dieſes Verfahrens wird eine große Menge ſehr ſilber-armen Bleies aus der Legirung gezogen werden, während beinahe alles Silber mit dem flüſſigen Metalle in dem Schmelzgefäß zurük-bleibt. Wenn das Blei auf dieſe Weiſe auf den dritten Theil ſeiner urſprünglichen Menge vermindert worden iſt, ſo kann dann der an Silber reiche Rükſtand nach der gewöhnlichen Methode abgetrieben werden, während man die gewonnenen ⅔ Blei einſchmilzt, um ſie in den Handel zu bringen.

XXX.

Ueber die Zersezung des kohlensauren Kalks mittelst der Hize; von Hrn. Gay-Lussac.

Aus den Annales de Chimie et de Physique. Oktober 1836, S. 219.

Man behauptet schon seit langer Zeit, daß der Kalkstein bei Gegenwart von Wasser sich leichter äzend brennen läßt und es scheint, daß die Kalkbrenner größten Theils dieser Ansicht sind. Dumas sucht diesen Einfluß des Wassers auf zweierlei Art zu erklären. Entweder, sagt er, nimmt dasselbe dabei die Stelle der Kohlensäure im kohlensauren Salze ein, jedoch nur auf sehr kurze Zeit, indem das Kalkhydrat schon bei der Rothglühhize zersezt wird; oder das Wasser kann auch durch die als Brennmaterial angewandte Kohle zersezt werden und sich in verschiedene Gasarten, worunter auch Kohlenwasserstoffgas, verwandeln. Lezteres würde dann die Kohlensäure des Kalksalzes zu Kohlenoxyd reduciren und dadurch ihre Trennung vom Kalk erleichtern. Der frisch aus der Grube kommende und folglich noch feuchte Kalkstein muß also leichter zu brennen seyn, als der beinahe trokene Stein. Die meisten Kalkbrenner kennen auch diese Thatsache und begießen deßwegen die sehr ausgetrokneten Steine mit Wasser, ehe sie die Oefen damit beschiken.

Die erste von diesen beiden Erklärungen ist jedoch nicht annehmbar, weil das Kalkhydrat sich in der Hize schon bei einer Temperatur zersezt, welche bedeutend niedriger ist, als diejenige, wobei sich der kohlensaure Kalk unter dem Einfluß des Wasserdampfs zersezt.

Die zweite Erklärung scheint mir nicht auf die Umstände anwendbar zu seyn, unter welchen die Verbrennung in den Kalköfen Statt findet. Ich will mich also nicht dabei aufhalten, sondern sogleich die Beobachtungen mittheilen, woraus sich meiner Meinung nach die wahre Erklärung des Einflusses des Wassers beim Kalkbrennen ergibt.

Ich brachte eine mit Marmorstüken gefüllte Porzellanröhre über einem Ofen an, dessen Temperatur mit Leichtigkeit regulirt werden konnte. An einem Ende dieser Röhre wurde eine gläserne Retorte befestigt, welche Wasser enthielt um Dampf zu liefern, und an dem anderen Ende eine Glasröhre um die Kohlensäure zu sammeln. Die Hize wurde zuerst bis auf den Grad getrieben, wo der Marmor zersezt wird, dann aber die Thüre des Aschenfalls genau verschlossen, so daß die Hize auf die Dunkelrothgluth herabsank und sich keine Kohlensäure mehr entband. In diesem Augenblik brachte man das Wasser in der Retorte zum Sieden und die Kohlensäure erschien sogleich in reichlicher Menge. Als die Dampfentwicklung unterbrochen wurde, hörte die Kohlensäure-Entbindung augenblicklich auf und begann erst wieder mit der Herstellung des Wasserdampfs. So wurden die Umstände mehrmals modificirt und die Resultate blieben sich gleich.

Es scheint also erwiesen, daß der Wasserdampf wirklich die Zersetzung des kohlensauren Kalks durch die Hitze begünstigt und daß mit seiner Beihülfe diese Zersetzung bei einer niedrigeren Temperatur als gewöhnlich erforderlich ist, Statt finden kann.

Die Wirkung des Wassers scheint mir in diesem Falle eine rein mechanische zu seyn. Wenn die Temperatur so weit gestiegen ist, daß der kohlensaure Kalk anfängt sich zu zersezen, bildet sich um ihn eine Atmosphäre von Kohlensäure, welche auf die mit dem Kalk verbunden bleibende Säure drükt, so daß leztere, um sich zu entbinden, den Druk dieser Atmosphäre überwinden muß. Dieß kann aber nur geschehen, wenn man entweder die Temperatur noch mehr erhöht, oder wenn man die Kohlensäure-Atmosphäre beseitigt und einen luftleeren Raum herstellt, oder endlich, indem man diese Atmosphäre durch Wasserdampf oder irgend eine andere elastische Flüssigkeit, z. B. gewöhnliche Luft, ersezt.

Diese Erklärung wird durch folgenden Versuch gerechtfertigt. Ich sezte kohlensauren Kalk in einer Porzellanröhre einer etwas niedrigeren Temperatur aus als diejenige war, wobei er anfing sich zu zersezen, und leitete dann in die Röhre einen Strom atmosphärischer Luft. Die Kohlensäure-Entbindung fing sogleich wieder an, fuhr fort so lange der Luftstrom anhielt, hörte mit demselben auf und begann auch wieder mit der nochmaligen Herstellung desselben.

Es scheint mir also erwiesen, daß der Einfluß des Wasserdampfs beim Brennen der Kalksteine sich darauf beschränkt, einen luftleeren Raum für die Kohlensäure hervorzubringen und zu verhindern, daß die frei gewordene Säure auf die mit dem Kalk verbunden gebliebene drükt. Bei Gegenwart von Wasserdampf ist allerdings eine weniger hohe Temperatur zum Austreiben der Kohlensäure erforderlich; man muß aber auch die Wichtigkeit seines Einflusses nicht überschätzen. Das Wasser befindet sich in den Kalksteinen mechanisch zwischen ihren kleinsten Theilchen; und mit Ausnahme von etwas Wasser, welches in der Mitte von Stüken zurükbleibt, die zu groß sind, als daß die Hize schnell einzubringen und dasselbe zu verflüchtigen vermag, muß der bei weitem größere Theil des Wassers ohne nützliches Resultat und sogar mit Verlust an Brennmaterial verdampft seyn, noch ehe der Kalkstein die zu seiner Zersezung geeignete Temperatur erlangt hat.

Ich bin also überzeugt, daß der Wasserdampf das Brennen des Kalksteins begünstigt; ich bleibe aber im Zweifel, ob er wirklich Vortheile darbieten kann, weil zwischen der Temperatur, wobei sich der kohlensaure Kalk für sich schon zersezt, und derjenigen, wobei er sich mit Hülfe des Wasserdampfes zersezt, kein großer Unterschied Statt findet. Wenn übrigens der Wasserdampf bei der Zersezung des Kalksteins bloß eine mechanische Wirkung gerade so wie die atmosphärische Luft ausübt, so begreift man nicht, welchen großen Vortheil er vor dem gasförmigen Strome der Verbrennungsproducte, welcher die Kalkmasse im Ofen unaufhörlich durchstreicht, voraus haben kann.

Die Thatsache, daß der kohlensaure Kalk bei Zutritt von Wasserdampf, oder richtiger gesprochen, im luftverdünnten Raume sich leichter zersezt, ist keineswegs eine specielle; man kann vielmehr als Regel aufstellen, daß wenn bei einer Zersezung durch die Hize oder ein chemisches Agens, eines oder mehrere gasförmige Elemente abgeschieden werden, die Zersezung sich dadurch beschleunigen läßt, daß man den Körper im luftleeren Raume erhält oder die sich entbindenden elastischen Flüssigkeiten verhindert auf ihn zu drüken. Und umgekehrt läßt sich die Zersezung verzögern oder sogar ganz verhindern, indem man um den Körper einem hinreichenden Druk mit einer elastischen Flüssigkeit von derselben Art wie die auszutreibende unterhält. So wird bei dem merkwürdigen Versuche Hall's der kohlensaure Kalk bei einer sehr hohen Temperatur mit Hülfe des Druks von kohlensaurem Gas in Fluß gebracht.

XXXI.

Ueber die Bereitung der Gallenseife, welche sich hauptsächlich zum Filzen und Walken der Wollentücher eignet, und worauf sich John Cox am 22. März 1836 in England ein Patent ertheilen ließ.

Aus dem London Journal of Arts. Februar 1836, S. 289.

Der Patentträger beginnt mit der Erklärung, daß seine Erfindung darin besteht, daß er thierische Galle zur Seifenfabrication verwendet; und zwar entweder in ganz rohem Zustande, so wie sie aus der Gallenblase der Thiere kommt, oder nachdem sie vorher raffinirt, geklärt und gereinigt worden ist. Die nach seiner Methode mit thierischer Galle verbundene Seife soll eine weit größere reinigende Kraft besizen, als irgend eine gewöhnliche Art von Seife; weßhalb sie sich denn auch ganz vorzüglich zum Walken von Wollenzeugen oder anderen Geweben, so wie auch zum Waschen und Reinigen von Wolle, Wollengarn und überhaupt allen jenen Artikeln eignet, aus denen Fett, öhlige Bestandtheile oder Unreinigkeiten entfernt werden sollen. Uebrigens läßt sich die Patentseife auch noch zu allen jenen Zweken benuzen, zu denen man die gewöhnliche Seife zu verwenden pflegt.

Um meine Erfindung verständlicher zu machen, sagt der Patentträger, will ich angeben, nach welchem Verfahren ich die Galle mit den gewöhnlich zur Seifenfabrication verwendeten Ingredienzien vermenge, und welche Mischungsverhältnisse ich als die besten befunden habe. Ich muß jedoch gleich zum Voraus ausdrüklich erinnern, daß ich mich in dieser Hinsicht durchaus auf keine bestimmten Quantitäten beschränke, und mich auch an kein bestimmtes Verfahren binde, weil beide je nach den verschiedenen Arten von Seifen, die man bereiten will, und je nach den Zweken, zu denen sie bestimmt sind, verschieden und mannigfach modificirt werden können.

Ich gebe, wenn die Seifenfabrication bis zur zweiten Operation, nämlich zum Versieden der Seifeningredienzien gediehen ist, in den Kessel, worin sich der Talg oder das Oehl und die Lauge oder Soda befinden, so viel thierische Galle, daß ungefähr ein Theil von lezterer auf 10 Theile der übrigen Stoffe oder Materialien kommt, und versiede und rühre dann die Masse nach dem bei der Seifenfabrication üblichen Verfahren so lange, bis dieser Proceß beendigt ist. Ist dieß der Fall, so gieße ich die Seife wie gewöhnlich in Model, Formen oder andere derlei Behälter. Die Fabrication gelingt übrigens eben so gut, wenn man die thierische Galle vor dem Versieden der Seife mit dem Talge, Fette oder Oehle vermengt.

Ich weiß sehr wohl, daß man die thierische Galle bisher schon öfter zum Reinigen wollener und anderer Zeuge, so wie auch zu verschiedenen anderen Zweken verwendete; und daß man die Galle mit Wasser vermengt mit oder ohne Seife bei dem gewöhnlichen Waschprocesse benuzte. Die Galle geht jedoch bei dieser Anwendungsweise sehr schnell in Fäulniß über, und verbreitet hiebei einen äußerst unangenehmen Geruch. Auch kann man sie in rohem Zustande nicht zu jeder Zeit haben, während sie in der angegebenen Form zu einem Handelsartikel werden kann, der immer zu Gebot steht, und der so viel davon enthält, als zu jedem bestimmten Zweke eben erforderlich ist.

Die rohe Galle läßt sich zu den gröberen Seifensorten, welche zum Walken, zum Wollwaschen und anderen derlei Zweken benuzt werden, verwenden; die gereinigte Galle hingegen zu den feineren Seifensorten, und zwar in verschiedenen Mischungsverhältnissen.

XXXII.

Miszellen.

Verzeichniß der vom 28. Febr. bis 27. März 1837 in England ertheilten Patente.

Dem John Robinson, Ingenieur in North Shields, Grafschaft Northumberland: auf einen Einwerfhebel, um Räder, Wellen oder Cylinder unter gewissen Umständen in Bewegung zu sezen. Dd. 28. Febr. 1837.

Dem David Stevenson, am Bath Place, New Road, Grafschaft Middlesex: auf eine neue Methode ein Schreibpapier zu verfertigen, von welchem die Schreibtinte nicht abgezogen werden kann, ohne daß man es entdekt. Zum Theil von einem Ausländer mitgetheilt. Dd. 2. März 1837.

Dem Thomas Bradshaw Whitfield, Lampenfabrikant im New Street Square, Grafschaft Middlesex: auf seine Methode eine Parallelbewegung für alle Maschinen, besonders aber für die Kolbenstangen an den Pumpen der Lampen hervorzubringen. Dd. 4. März 1837.

Dem Samuel Stocker in Bristol: auf Verbesserungen an den Pumpen. Dd. 4. März 1837.

Dem Charles Edward Aulas aus Frankreich, jezt in Cockspur Street, Grafschaft Middlesex: auf die Verfertigung eines Schreibpapiers, aus welchem die Tinte nicht weggeäzt werden kann, ohne daß man es entdekt. Dd. 6. März 1837.

Dem Henry Brackhouse, Kattundruker in Walmsley, und Jeremiah Grime, Graveur in Bury, Grafschaft Lancaster: auf Verbesserungen im Druken mit Holzformen. Dd. 7. März 1837.

Dem John Shaw, in Rishworth in der Grafschaft York: auf eine verbesserte Maschinerie zum Vorbereiten der Wolle, sowie zum Vorbereiten der Baumwollabfälle zum Spinnen. Dd. 7. März 1837.

Dem John Consitt, Mechaniker in Manchester: auf gewisse Verbesserungen an den Maschinen zum Spinnen, Dubliren und Zwirnen von Baumwolle und anderen Faserstoffen. Dd. 8. März 1837.

Dem Charles William Celarier Esq. im St. Paul's Chain in der City von London: auf Verbesserungen an Lampen, besonders um das Oehl darin aufsteigen zu machen; diese Verbesserungen sind auch zum Heben von Wasser und anderen Flüssigkeiten anwendbar. Von einem Ausländer mitgetheilt. Dd. 10. März 1837.

Dem Neil Snodgrass, Ingenieur in Glasgow: auf Verbesserungen an den Dampfmaschinen und anderen Mechanismen der Dampfboote Dd. 15. März 1837.

Dem Henry Christopher Windle, Kaufmann in Wallsall in der Grafschaft Stafford, Joseph Gillot, Verfertiger metallener Schreibfedern in Birmingham, und Stephen Morris, Künstler in Birmingham: auf ihre Methode gewissen Theilen der metallenen Schreibfedern eine größere Elasticität und Dauerhaftigkeit zu geben, so wie das Speisen derselben mit Tinte und Ausfließen dieser zu erleichtern. Dd. 15. März 1837.

Dem Charles Edward Aulas aus Frankreich, jezt in Cockspur Street, Grafschaft Middlesex: auf eine neue Methode Holz mit Maschinen zu zerschneiden und zu bearbeiten. Von einem Ausländer mitgetheilt. Dd. 15. März 1837.

Dem Richard Macnamara in Hunter Street, Borough Southwark: auf Verbesserungen im Pflastern der Stadt- und Landstraßen. Dd. 15. März 1837.

Dem Henry Davis, Ingenieur in Stoke Prior, Grafschaft Worcester: auf verbesserte Apparate zur Erlangung von Triebkraft, so wie zum Forttreiben oder Heben von Flüssigkeiten. Dd. 15. März 1837.

Dem William Maugham, Chemiker in Newport Street, Grafschaft Surrey: auf Verbesserungen in der Bleiweißfabrication. Dd. 15. März 1837.

Dem James Walton von Sowerby Bridge Mills in Warley, Grafschaft York: auf verbesserte Maschinen zum Fabriciren und Appretiren der Wollentuche. Dd. 21. März 1837.

Dem Moses Poole, im Lincoln's Inn: auf Verbesserungen in der Bereitung gegohrener Flüssigkeiten. Von einem Ausländer mitgetheilt. Dd. 21. März 1837.

Dem Robert Reilson in Liverpool: auf eine Maschine, um den Kaffee von den Hülsen zu reinigen und die verschiedenen Qualitäten von einander zu sondern, so daß sie zum Rösten und zur Consumtion geeigneter sind. Dd. 21. März 1837.

Dem Miles Berry, im Chancery Lane, Grafschaft Middlesex: auf Verbesserungen an den Maschinen zum Hecheln, Kämmen, Vorbereiten und Vorspinnen des Hanfes, Flachses und anderer Faserstoffe. Von einem Ausländer mitgetheilt. Dd. 27. März 1837.
(Aus dem Repertory of Patent-Inventions. April 1837, S. 224.)

Preisaufgaben, den Krapp betreffend.

Die Société industrielle in Mülhausen läßt den Concurs für folgende wichtige Preisaufgaben noch zwei Jahre, nämlich bis im Monat Mai 1839 offen.

Erster Preis.

Ein Preis von 14,800 Fr. wird demjenigen zuerkannt, welcher ein Verfahren entdekt, um durch eine einzige Färbeoperation allen Farbstoff des Krapps oder wenigstens ein Drittel mehr als bisher möglich war, auf gebeizten Baumwollzeugen zu befestigen.

Seitdem man weiß, daß der Krapp, welcher schon zum Färben gedient hat, noch eine große Menge rothen Farbstoff enthält, welcher sich durch heißes Wasser und durch unser gewöhnliches Färbeverfahren nicht ausziehen läßt, wünscht man ein Mittel zu besizen, um diesen verlorenen Farbstoff noch benuzen zu können. Verdünnte Schwefelsäure ertheilt dem bereits gebrauchten Krapp zwar die Eigenschaft, wieder wie frischer zu färben, aber diese Farbe ist nicht mehr solid. Ihre Flüchtigkeit rührt keineswegs von einer Veränderung des Farbstoffs her, denn man kann sie durch mehrere. Mittel haltbar machen, aber diese Mittel sind entweder zu kostspielig oder zu umständlich und auch meistens in ihren Resultaten wandelbar, besonders im Großen. Man kann aus Krapp, welcher bereits zum Färben gedient hat und dann mit Schwefelsäure behandelt wurde, noch zwei Fünftel so viel Farbstoff ausziehen, als er beim ersten Färben abgab, und ohne daß er dadurch allen Farbstoff verlieren würde. Wenn man also allen Verlust berüksichtigt, den man beim gewöhnlichen Färbeverfahren erleidet, so kann man ohne Uebertreibung behaupten, daß man wenigstens um die Hälfte mehr Farbstoff aus dem Krapp gewinnen sollte, als man jezt daraus erhält.

Bei dem neuen Verfahren, welchem der Preis zuerkannt werden soll, ist es Bedingung, daß alle mit Alaunerde und Eisenoxyd erzielbaren Krappfarben dieselbe Intensität, Lebhaftigkeit und Haltbarkeit haben müssen, wie die jezt gebräuchlichen Krappfarben, und daß sie eben so gut den Chloralkalien, Seifen, Säuren, Alkalien und dem Sonnenlicht widerstehen.

Die nicht mit Mordant bedrukten Stellen, so wie die in Böden weiß geäzten Stellen dürfen beim vollständigen Ausbleichen keine größeren Schwierigkeiten darbieten, als nach dem jezt gebräuchlichen Färbeverfahren.

Die Avivirmittel für die Krappfarben müssen dieselben seyn, welche man jezt anwendet oder wenigstens weder kostspieliger noch schwieriger.

Das neue Färbeverfahren muß dieselbe Vortheile auch für das Türkischrothfärben gröblter Zeuge darbieten, so wie für gemischte Böden, wobei man außer Krapp auch Quercitronrinde oder Wau anwendet.

Das neue Färbeverfahren muß eben so gut bei Avignon- als bei Elsasser Krapp anwendbar seyn und die Unkosten dürfen auf 50 Kilogr. Krapp nach dem neuen Verfahren höchstens um 4 Fr. mehr betragen als bei demselben Krappgewicht nach dem gewöhnlichen Färbeverfahren.

Zweiter Preis.

Ein Preis von 14,100 Fr. wird demjenigen zuerkannt, welcher ein Krapp-Tafelroth entdekt, welches keinen anderen Farbstoff als Krapp enthält, dieselbe Intensität, Lebhaftigkeit und Haltbarkeit wie das schönste mit Krapp gefärbte Roth oder Rosenroth besizt, sowohl mit der Walzendrukmaschine als mit dem

Mobel gedrukt werden kann, und zwar auf weiße Baumwollen-
zeuge, die keine Vorbereitung erhielten. Es ist Bedingung, daß die
mit dem Tafelroth bedrukten Zeuge bloß noch in Wasser ausgewaschen oder ge-
dämpft zu werden brauchen; auch muß die Farbe der Einwirkung der Sonne,
der Chloralkalien, Seifen, Säuren und Alkalien eben so gut widerstehen als das
mit Krapp gefärbte Roth. Diese Farbe muß endlich alle Nüancen vom Dunkelroth bis zum Hellroth geben können, und ein Liter davon darf nicht über 5 Fr.
zu stehen kommen.

Pearce's Signallaterne für Dampfboote.

Das neue Schiffssignal, von welchem wir im Polyt. Journal Bd. LXI.
S. 316 sprachen, ist die Erfindung des Hrn. G. H. Pearce von Brunswick
Terrace, Blackwall, der dafür von der Society of arts in London im Jahre 1836
die silberne Medaille erhielt. Wir haben aus dem Berichte, der im LI. Bde.
der Verhandlungen dieser Gesellschaft über diesen Gegenstand enthalten ist, unserer
früheren Mittheilung nichts weiter beizufügen, als daß diese Laterne schon auf
mehr dann 30 engl. Dampfschiffen zur vollkommenen Zufriedenheit eingeführt ist,
und daß sie für den Preis von 5 Pfd. Sterl. zu haben ist.

Einfache Methode das Rauchen der Schornsteine bei Dampfmaschi-nen zu verhindern.

Ueberall, wo sich eine Dampfmaschine (die mit Steinkohlen geheizt wird)
befindet, bemerkt man einen großen Schornstein, woraus ein schwarzer und diker
Rauch aufsteigt und neben demselben eine lange eiserne Röhre, aus welcher ein
weißer Rauch stoßweise sich entwikelt, der nichts Anderes als der Austrittsdampf
ist, welcher, nachdem er den Kolben eines Cylinders durch seine Elasticität gehoben hat, in die Luft ausgelassen wird, wo er sich verdichtet und als Regen niederfällt. Sachverständige haben schon öfters den Fabrikanten vorgeschlagen, diesen
Dampf in den großen Schornstein zu leiten; Niemand wollte aber den Anfang
machen, aus Furcht der Dampf möchte, indem er die Wände des Schornsteins
befeuchtet, und den sie verbindenden Mörtel aufweicht, bald die Baksteine loker
machen. Die HH. Houget und Teston in Berviers in Belgien wagten es
zuerst die Bahn zu brechen und ihr Versuch hatte auch den glüklichsten Erfolg;
sie leiteten den Austrittsdampf durch eine von Unten nach Oben gekrümmte Röhre
in ihren Schornstein, wo er also eine durch Wärme ausgedehnte und in der Richtung des Dampfes selbst aufsteigende Luft antraf und daher auch weniger Widerstand zu überwinden hatte, als in einer kalten und ruhigen Luft. Da der rasch
und stoßweise austretende Dampf den Zug des Schornsteins noch erhöht, so kann
dieser auch um Vieles niedriger als gewöhnlich gemacht werden (den Beweis hiefür liefern die Schornsteine der Dampfwagen). Eine Befeuchtung der Wände
des Schornsteins ist aber unmöglich, weil sich der Dampf in der heißen Luft des
Schornsteins nicht verdichten kann; er gelangt daher als unsichtbares Gas bis an
die Mündung des Schornsteins und erst zehn bis fünfzehn Fuß darüber bemerkt
man die weißliche Wolke, welche die Verdichtung des Dampfes anzeigt. (Echo
de la frontière.)

Ueber den Gang der Arbeiten am Themse-Tunnel.

Hr. Brunel gibt in einem vom 25. Februar 1837 datirten Schreiben folgenden Bericht über den Gang der Bauten am Themse-Tunnel. „Wir haben seit
der Wiederaufnahme der Arbeiten im April 1836 nur eine Streke von 133, und
in den lezten drei Monaten selbst nur eine Streke von 11 Fuß zurükgelegt. Wir
stießen dabei auf ganz außerordentliche Hindernisse und Schwierigkeiten, die wir
jedoch sämmtlich zu überwinden so glüklich waren. Die wahre Ursache derselben
war in der beinahe allgemeinen Ueberschwemmung gelegen; seit einem Jahrhunderte
hatte nichts Aehnliches Statt gefunden. Die Fluthen brachten täglich zwei Mal
eine Wassermenge herbei, welche nicht selten 22 Fuß hatte, und diese Masse, zu
der noch 16 Fuß als der niedere Wasserstand kamen, comprimirte die unterirdischen Quellen in einem ungeheuren Grade. Diese Quellen sind besonders in einer

Tiefe von 50 Fuß sehr mächtig, und haben daselbst eine ganze Schichte feinen Sandes in flüssigen Zustand versezt. Es waren nicht weniger als 60,000 Kubik-fuß Thon in Säken nöthig, um den leeren Raum in dem Maaße als er sich bil-dete, auszufüllen. Und obschon einige dieser Säke zum Theil sogar bis an die Stellen, an denen die Arbeiten von Statten gingen, hinab gelangten, so bahnte sich doch das mehr dann 50 Fuß hoch über dem Schilde stehende Wasser keinen Weg in den Tunnel! Man hat demnach dem Flusse einen ganz neuen Boden gegeben. Gegenwärtig schreiten unsere Arbeiten langsam fort. Der Schild lei-stete vortreffliche Dienste, und ohne ihn wären wir wohl erlegen. Tag und Nacht lauert gegen uns ein Feind, der Alles über den Haufen werfen würde, wenn wir ihn auch nur bei einer zollgroßen Oeffnung eindringen ließen." (Echo du monde savant, No. 216.)

Eisenbahnen durch London geführt.

Die London-Birmingham-Eisenbahn, welche ursprünglich von Camden-town aus beginnen sollte, wurde in neuerer Zeit noch weiter in die Stadt hinein bis in die Nähe der New-Road geführt. Man baut gegenwärtig an einem ungeheu-ren Porticus, der an ihrem Anfange errichtet werden soll, und der 6 Säulen von nicht weniger als 40 Fuß Höhe und einer entsprechenden Dike bekommen soll. Die Bahn durchkreuzt einige Straßen in einer 20 bis 30 Fuß tiefen Ausgrabung, obschon sie an einer anderen, nicht weit hievon entfernten Stelle in einer solchen Höhe über den Regents-Canal geführt ist, daß Boote unter ihr hinweg schiffen können! Die London-Grand-Junction-Railway, welche von der Birminghamer Bahn aus bis an die Gränzen der eigentlichen City führen soll, wurde gleichfalls begonnen. Sie soll zum Theil nach Art der nach Greenwich führenden Bahn auf Bogen gebaut werden, und man kann sie kaum irgend eine bedeutende Streke weiter fördern, ohne daß man gezwungen ist, Häuser und darunter selbst mehrere noch sehr neue einzureißen! (Mechanics' Magazine, No. 710.)

Ueber Hrn. Sire's Eisenschmelzproceß.

Der verbesserte Hohofenproceß, auf welchen sich Hr. L. B. Sire am 22. Nov. 1834 in Frankreich ein Patent ertheilen ließ, besteht im Wesentlichen in Folgen-dem. 1) die brennbaren Gase, welche in der Höhe des oberen Theiles der Rast genommen werden, müssen durch ihre Verbrennung, welche in seitwärts angebrach-ten Reverberiröfen mittelst Einführung von atmosphärischer Luft vorgenommen wird, eine Hize geben, welche der Hize der Puddliröfen wenigstens gleichkommt. 2) die Entkohlung des Roheisens geschieht daselbst eben so leicht wie in den Frisch-feuern und Puddliröfen, und zwar mittelst einer gehörigen Menge Luft und Was-serdampfes, welche auf das Gußeisen geleitet wird. 3) durch die zu diesem Zweke getroffenen Anstalten wird der untere Theil des Schmelzraumes des Hohofens, in welchem die Schmelzung von Statten geht, wahrscheinlich nicht abgekühlt. 4) es wird hiedurch vielmehr verhindert, daß das Holz, welches nach dem in den Ar-dennen üblichen Verfahren getroknet seyn soll, nicht zu reinem Verluste in dem oberen Theile des Schmelzraumes verbrennt. 5) endlich die Vorrichtungen, welche nöthig sind, um einen Versuch mit diesem Verfahren anzustellen, kommen nicht hoch; man mag es mit einem bereits bestehenden oder mit einem neu zu errich-tenden Hohofen zu thun haben. — Was die Vortheile seines Processes betrifft, so berechnet Hr. Sire, daß man mit 30,000 Stören Holz 2,100,000 Kilogr. Schmiedeisen ausbringen kann, wenn man den Schmelzproceß der Erze mit ge-troknetem Holze und das Frischen mit der Hize der aus dem Ofen austretenden Flamme und Gase vornimmt. Dagegen beläuft sich der Ertrag nur auf 900,000 Kil., wenn der Schmelzproceß mit getroknetem Holze, das Frischen dagegen mit Holz-kohle betrieben wird, und gar nur auf 700,000 Kil., wenn man sowohl zum Schmelz- als zum Frischprocesse Holzkohlen anwendet. Dieser Berechnung wurde übrigens Eisenerz, welches 30 Proc. Eisen gibt, zum Grunde gelegt. Weitere Andeutungen über das Patentverfahren des Hrn. Sire findet man in den Anna-les des Arts et Manufactures, wie das Journal des connaissances usuel-les, Decbr. 1836, S. 270 schreibt.

Oberflächliche Verstählung des Stabeisens.

Wo es darauf ankommt, daß ein Gegenstand eine bedeutend harte Oberfläche erhalte, ohne doch die Zähigkeit zu verlieren, ist die Oberflächenhärtung des Stabeisens an ihrem Platze. Da die Einsazhärtung oft zu theuer ist, so macht Herr Deisler in Coblenz von Neuem auf folgende Methode der Oberflächenhärtung aufmerksam. Man macht ein Stük Stabeisen und ein beliebig gestaltetes Stük Gußeisen in demselben Feuer weißglühend, nimmt beide heraus und streicht mit lezterem die Oberfläche des ersteren, wodurch (da das Stabeisen Kohlenstoff aus dem Gußeisen aufnimmt) eine Stahlrinde und nach dem Ablöschen eine so harte Oberfläche entsteht, wie sie nur der beste englische Gußstahl haben kann. Für grobe Werkzeuge scheint diese, eine viel dikere Stahlschicht als die Einsazhärtung liefernde Methode vorzugsweise anwendbar zu seyn.

Löthen des Zinks nach Mohr.

Der Zink läßt sich sehr leicht löthen, wenn man die zu löthende Stelle mittelst eines Pinsels oder einer Federfahne mit der gewöhnlichen im Handel vorkommenden vorher mit ⅓ Wasser verdünnten Salzsäure bestreicht. Dadurch wird nämlich erst die reine Metallfläche bloß gelegt, was zum Löthen unumgängliches Erforderniß ist. (Polyt. Centralblatt.)

Aezwasser für Stahl.

Karmarsch empfiehlt folgende, ihm von einem auswärtigen Künstler mitgetheilte, von ihm selbst nach eigener Erfahrung etwas veränderte Mischung: Man löse 1 Loth fein geriebenen äzenden Quekksilbersublimat in 28 Loth Wasser, seze 16 Gran Weinsteinsäure und 16 bis 20 Tropfen Salpetersäure zu. Das Aezwasser wirkt sehr schnell und gleichmäßig, entwikelt keine Bläschen, sezt aber metallisches Quekksilber und Calomel als ein feines, durch eine Schreibfederseyhe zu entfernendes Pulver ab. (Hann. Mitth. Lief. 9.)

Leichte Bereitungsart des Platinmohrs.

Wenn man rohes Platin mit dem doppelten seines Gewichtes reinen Zinks zusammenschmilzt, die Legirung nach dem Erstarren und Erkalten pulverisirt, und dieselbe durch Behandlung, erst mit mäßig verdünnter Schwefelsäure, und dann, wenn diese nicht mehr wirkt, mit sehr verdünnter Salpetersäure in der Wärme zersezt, und hierauf den Rükstand mit Wasser schlämmt, so erhält man 1) unaufgeschlossenes Iridosmium in schweren Körnern von silberweißer Farbe, und 2) ein schweres schwarzgraues Pulver, welches aus Platin, Palladium, Iridium, Rhodium und Osmium besteht.

Dieses zusammengesezte metallische Pulver besizt alle Eigenschaften des sogenannten Platinmohrs. Es absorbirt und verdichtet nämlich, wie dieser, das Sauerstoffgas, und wirkt so oxydirend, daß es nicht allein die Oxalsäure und Ameisensäure in Kohlensäure, und den Alkohol erst in Acetal und Aldehyd, und dann in Essigsäure verwandelt, sondern daß es auch das in ihm enthaltene Osmium zu Osmiumsäure oxydirt, welche dann durch gelindes Erwärmen sublimirt, oder durch Behandlung des Pulvers mit einer alkalischen Flüssigkeit aufgelöst werden kann. Im lezten Fall wird die oxydirende Kraft des Metallpulvers noch mehr erhöht, und man erhält dann ein Präparat, welches nicht allein das Wasserstoffgas, sondern auch den Dampf des Holzgeistes und des Alkohols plözlich entzündet und beim Erhizen auf dem Platinblech blizend verpufft.

Dieses Metallpulver löst sich in Königswasser fast so leicht wie das Gold auf. Salzsäure zerstört seine Eigenschaft Sauerstoffgas zu absorbiren, so daß es ganz aufhört in der Hize zu verpuffen und auf die oben genannten Substanzen katalytisch zu wirken; aber durch Behandlung mit einem in Wasser aufgelösten firen Alkali wird seine vorige Kraft wieder ganz hergestellt. (Doebereiner in Poggendorffs Annalen Bd. XXXVII. S. 548. Diese Bemerkungen können für die Bearbeitung des rohen Platins im Großen sehr wichtig werden.)

Mason's Verbesserungen in der Fabrication von Schießgewehren.

Die unterm 6. August 1835 in England patentirten Verbesserungen des Hrn. William Mason in der Fabrication von Schießgewehren betreffen nichts weiter, als die Anwendung des Härtungsprocesses, den er bei der Fabrication von Dampfmaschinen befolgt, und den mir im Polyt. Journal Bd. LXIII. S. 401 beschrieben haben, auf die innere Oberfläche der Flinten- und Pistolenläufe, so wie auch auf die Läufe anderer Schießgewehre, und selbst der Kanonen. Wenn der Lauf nämlich gegossen oder geschweißt, nach dem Anlassen gebohrt, und im Falle er für Vogelflinten oder Pistolen bestimmt ist, auch wohl von Außen vollendet worden, so soll man ihn nach Angabe des Patentträgers mit Knochenmehl oder thierischer Kohle füllen, gut luftdicht lutiren oder verkitten, und um ihn von Außen in Paketen zu härten, mit der kohligen Substanz in ein geschlossenes Gefäß bringen. In diesem soll man ihn einige Stunden lang in einem Ofen zum Kirschrothglühen bringen, um ihn dann plötzlich in einen mit Salzwasser gefüllten Behälter unterzutauchen. Andere Theile der Feuergewehre, wie z. B. die Ladstöke, können auf dieselbe Weise behandelt werden. (Aus dem London Journal of Arts. März 1837, S. 343.)

Ueber die Erzeugung von verschiedenen Deffins im Holze.

Schon vor vielen Jahren, schreibt Hr. Coulier im Journal des connaissances usuelles, hatte man die Kunst aufgefunden, in dem Gewebe oder in die Fasern des Holzes selbst allerlei Deffins und sogar sehr complicirte Zeichnungen anzubringen: eine Kunst, die in späteren Jahren hauptsächlich dadurch verloren gegangen zu seyn scheint, daß man die inländischen Holzarten dem Acajouholze und anderen fremden Holzarten immer mehr und mehr vorzog. Die von den älteren Künstlern befolgte Methode, so wie auch jenes Verfahren, nach welchem die Holztafeln erzeugt wurden, die man kürzlich in Paris für Geld sehen ließ, und an denen man grobe Umrisse von Vögeln, welche man Adler nannte, bemerken konnte, dürfte in Folgendem bestehen. Nachdem das Holz abgehobelt worden ist, verzeichnet man den gewünschten Deffin darauf, und diesen treibt man dann mit Instrumenten, welche an den Kanten abgerundet sind, damit sie die Holzfasern nicht durchschneiden, in dem Maaße mehr oder weniger tief ein, als es die einzelnen Stellen desselben erfordern. Ist diese Operation vollbracht, so nimmt man mit dem Hobel das Holz bis zu den tiefsten eingetriebenen Stellen weg, worauf man das Holz bimst und ölt. Der Deffin erscheint bei diesem Verfahren, wenn man nur etwas Gewandtheit oder Uebung hat, mit einer wirklich Staunen erregenden Vollkommenheit in dem Holze. Hr. Coulier erinnert bei dieser Gelegenheit, daß sich die flämmischen Künstler ehemals eines ganz ähnlichen Verfahrens bedienten, um für die Kirchen ꝛc. die erhabenen Schnizwerke, die früher so sehr in Schwung waren, zu erzeugen. Der einzige Unterschied bestand darin, daß die abgehobelten Stüke nicht mit Oehl abgerieben, sondern in kaltes oder weiches Wasser eingeweicht wurden, damit die zuerst eingedrükten Stellen sich wieder erheben und im Relief erscheinen, so daß sie nur mehr einer Ausbesserung mit dem Grabstichel oder mit dem Messer bedursten. — Wir müssen unsererseits hiezu bemerken, daß, wie unseren Lesern aus dem Polyt. Journal Bd. LXII. S. 437 bekannt ist, dieses Verfahren neuerlich in England als neu bekannt gemacht, und von einem Hrn. Stracker als seine Erfindung in Anspruch genommen wurde.

Ueber eine blaue und eine gelbe Mahlerfarbe aus Wolfram.

Es gelang Hrn. Anthon aus dem jetzt sehr billig zu habenden Wolfram (wolframsauren Kalk), das blaue Wolframoxyd und die Wolframsäure so darzustellen, daß ersteres eine schöne blaue, leztere eine gelbe Mahlerfarbe abgeben kann.

Wolframblau: Man trage in schmelzendes kohlensaures Kali so lange fein pulverisirten Wolfram ein, bis das Aufbrausen aufhört, lasse erkalten, zerstoße die Masse, koche mit Wasser aus, filtrire, erhize zum Sieden, seze Salzsäure in Ueberschuß zu, koche noch $\frac{1}{4}$ Stunde, schütte dann in Wasser, wasche und trokne den Niederschlag. Von diesem löse man so viel in Ammoniak, als dieses aufnimmt, filtrire und dampfe gelind ab; das doppeltwolframsaure Ammo-

niak krystallisirt in Menge. Man kann auch die durch Auslaugen der geschmolzenen Masse mit Wasser erhaltene Flüssigkeit concentriren und geradezu mit einer
concentrirten Salmiaklösung fällen. Der krystallisirte Niederschlag von doppeltwolframsaurem Ammoniak vermehrt sich noch beim Erkalten: das doppeltwolframsaure Ammoniak wird nun 12 — 15 Minuten lang in einem Strome
von Wasserstoffgas zum starken Rothglühen erhizt. Dazu wird folgender Apparat
empfohlen: Ein oben offener, unten geschlossener, 10'' hoher, 3'' im Lichten weiter gußeiserner Cylinder von $1^1/_4$ — $1^1/_2'''$ Eisenstärke, hat innen nicht weit
vom Boden einen vorstehenden Rand, um einen siebartig durchlöcherten Boden,
welcher im Mittelpunkte ein größeres Loch hat, darauf legen zu können; für die
obere Oeffnung ist ein in der Mitte mit einem Loche versehener gußeiserner Dekel
vorhanden. In das Loch des Dekels, so wie in das mittlere des doppelten Bodens paßt der senkrechte Theil eines rechtwinklig gebogenen Flintenlaufs. Man
legt nun den Boden in den Cylinder, stekt das Rohr in dessen Mittelloch, füllt
den oberen Raum des Cylinders mit gröblich zerriebenem doppeltwolframsaurem
Ammoniak, sezt den Dekel auf, stellt den ganzen Cylinder in einen Windofen und
verbindet das Ende des Eisenrohrs mit dem Wasserstoffgas-Entwikelungsapparate.
Unter stetem Zuströmen von Wasserstoffgas unter den Siebboden und durch dessen
Löcher in das Pulver des doppeltwolframsauren Ammoniaks erhizt man bis zum
starken Rothglühen und erhält die Hize 12 — 15 Minuten lang auf diesem
Punkte. Hierauf läßt man erkalten. Es haben sich 83 — 85 Proc. vom angewendeten Gewichte doppeltwolframsauren Ammoniaks einer schönen, intensiv dunkel-
blauen zarten Farbe gebildet, welche sowohl für sich als auch in Mischungen im
Lichte beständig, in der Wasser-, Oehl-, und wahrscheinlich auch Porzellanmah-
lerei brauchbar und billiger als Königsblau ist.

Wolframgelb ist leichter darzustellen und billiger als Wolframblau.
Man kann es auf vier Arten darstellen:

a) Man sättigt kohlensaures Kali wie oben mit Wolfram, zieht das wolframsaure Kali durch Wasser aus und fällt aus der Lösung durch salzsauren Kalk
wolframsauren Kalk, welchen man troknet und wäscht. Man erhizt nun eine mit
$1^1/_2$ Theilen Wasser verdünnte Salpetersäure oder Salzsäure oder eine mit 3 Theilen Wasser verdünnte Schwefelsäure zum Sieden und trägt den mit etwas Wasser abgeriebenen wolframsauren Kalk hinein, wobei man jedoch nicht bis zur
Neutralisation schreitet, läßt noch $^1/_4$ Stunde sieden, gießt in Wasser aus und
wäscht das sich absezende Wolframgelb aus; sobald das Waschwasser milchig
durchzugehen anfängt, hört man mit Auswaschen auf. — Am besten nimmt man
den Proceß in Retorten im Sandbade vor. — Die das Kalksalz enthaltenden
Flüssigkeiten werden immer wieder zur Fällung des wolframsauren Kalks gebraucht.

b) Man trägt den nach a dargestellten wolframsauren Kalk in eine Mischung
von 5 Th. Salzsäure, 1 Th. Salpetersäure und 6 bis 8 Th. Wasser.

c) Man trägt den wolframsauren Kalk in eine mit $^1/_3$ Schwefelsäure versezte Auflösung von doppeltchromsaurem Kali.

d) Man bringt in eine siedend heiße Mischung von 5 Th. Salzsäure,
1 Th. Salpetersäure und 5 bis 6 Th. Wasser allmählich fein pulverisirtes einfach wolframsaures Kali (oder Natron), kocht noch $^1/_4$ Stunde und verfährt
weiter wie bei a.

a gibt ein feuriges Citronengelb mit grünlichem Stich, b desgleichen ohne
diesen Stich, c ein mittelhelles etwas mattes Orangegelb, d ein feuriges, helles,
leider am Lichte grün werdendes Orangegelb. Leztere Eigenschaft, welche a, b
und c nicht haben, und welche von einem geringen nicht wegzubringenden Alkali-
gehalte herrührt, macht die vierte Farbe nur für Mischungen zu Grün anwendbar.
Das Wolframgelb ist als Oehl- und Wasserfarbe anwendbar. (Journ. f. prakt.
Chemie, Bd. IX. S. 8.)

Ueber Kautschukauflösungen zu Wasserdichtmachungen von Leder und Zeugen

hat eine Commission des Coblenzer Gewerbevereins einen kurzen Bericht erstattet,
aus dem wir Folgendes ausheben: Kommt es darauf an, Leder wasserdicht zu
machen, so ist ein völlig austroknendes Lösungsmittel des Kautschuks nicht brauchbar, da sonst das Leder wohl wasserdicht, aber auch ganz spröde und steif wird.

Im besten soll es seyn, Kautschuk und Schweineschmalz zu gleichen Theilen in einem bedekten irbenen oder gußeisernen Gefäße bis zum Verschwinden aller Klümpchen zu erhizen und dann mit warmem Bergerthran beliebig zu verdünnen. Das Leder wird mit lauwarmem Wasser abgewaschen, oberflächlich getroknet und dann die Auflösung warm eingerieben. Solches Leder bleibt elastisch.

Für künstliche, dünne und sehr zähe Gewebe, bei welchen, troz größerer Härte, kein Brechen zu befürchten, aber vollständige Austroknung nöthig ist, müssen Fette, Thran und gewöhnliches Oehl natürlich vermieden werden. Man schwellt das Kautschuk in Terpenthinöhl oder weißem Steinöhl auf, und löst die aufgequollene Masse in mit Bleiglätte abgekochtem Leinöhle über einem Kohlenfeuer (wobei man sich vor Entzündung der Dämpfe zu hüten hat). Ist die Auflösung vollendet, so verdünnt man beliebig mit Terpenthinöhl. Die Auflösung, mit einem Pinsel aufgetragen, troknet zu einem glänzenden, selbst am warmen Finger nicht mehr klebend haftenden Ueberzuge ein. (Polyt. Centralblatt.)

Ueber die Anwendung des Kautschuks zur Verfertigung wasserdichter Feuersprizenschläuche.

Der hannöver'sche Gewerbeverein hat im vorigen Jahre eine Prämie auf Schläuche gesezt, welche durch Kautschuk wasserdicht gemacht sind. Hr. Benzinger, welcher für die von ihm eingesandten Schläuche die silberne Medaille erhielt, hat mit rühmlicher Liberalität sein Verfahren nicht nur der Prüfungscommission mitgetheilt, sondern auch dessen öffentliche Bekanntmachung gestattet. Dasselbe besteht in Folgendem:

Der mit Kautschuk zu überziehende hanfene Schlauch wird vorläufig in Holzaschenlauge ausgekocht, in reinem Wasser gespült, getroknet und gemangt.

Man nimmt 1 Pfd. Kautschuk, welches man, wenn es zuvor in heißem Wasser eingeweicht wurde, leicht in kleine Stüke zerschneidet, legt es in einen mehr hohen als weiten Steintopf, gießt darauf 11 Pfd. rectificirtes Terpenthinöhl, verschließt den Topf mit nasser Blase luftdicht und läßt ihn 14 Tage lang stehen. Das zur Auflösung angewandte Terpenthinöhl (auf dessen Beschaffenheit es wesentlich ankommt) muß, wenn man einen Tropfen desselben auf ein reines Blatt Papier fallen läßt, in einigen Minuten verfliegen und abtroknen, ohne einen Flek zurükzulassen.

Um das durch rectificirtes Terpenthinöhl auf die angezeigte Art erweichte Kautschuk völlig zu zertheilen und in einen gleichförmigen Brei zu verwandeln, zerreibt man die Masse nach und nach in kleinen Portionen auf einem 1☐' großen Brette mittelst eines kleineren Handbrettes so lange, bis durchaus keine Klümpchen, Körner oder unaufgelöste Theile zurükbleiben. Endlich gibt man die Masse in einen Topf, bis sie aufgehört hat zu schäumen.

Nachdem aller Schaum vergangen ist, begießt man den Inhalt des Topfes mit heißer Auflösung von Schwefelleber, und knetet die Mischung so lange durch, bis der Teig ganz weiß geworden ist, welches nach 4 bis 5 Tagen, wenn man täglich zwei Mal knetet, erfolgt. In diesem Zustande ist das Kautschuk zum Auftragen bereit.

Man spannt den Schlauch am besten auf einem trokenen Boden so stark als möglich aus, und nimmt alsdann etwa ¼ Pfd. gut durchgekneteten Kautschukteiges, womit man den Schlauch mit bloßen Händen in gleichmäßiger Dike überzieht. Dieser Teig muß jedoch mit möglichster Kraftanstrengung aufgetragen werden, um sich mit dem Gewebe gehörig zu verbinden und in die Zwischenräume desselben einzubringen. Nachdem der erste Auftrag troken geworden ist (wozu im Sommer etwa 24 bis 48 Stunden erforderlich sind), muß man ihn mehrmals mit kochender Schwefelleber-Auflösung abwaschen, troknen und mit heißem Wasser sorgfältig abspülen. Erst dann darf man auch den zweiten Ueberzug, auf gleiche Weise wie den ersten, auftragen. Dieser und jeder etwa noch folgende Anstrich muß auf die schon beschriebene Art fleißig gewaschen werden.

Die lezte Arbeit ist das Umkehren des Schlauchs, welches am besten (nachdem man ein Ende von 2 bis 3'' Länge mit der Hand umgekehrt hat) mit einer Flachzange geschieht, mit deren Hülfe man allmählich den ganzen Schlauch durch sich selbst herauszieht. Eine Länge von 30' kann man in 2 bis 3 Stunden umkehren. (Hannöver'sche Mittheilungen.)

Ueber die Art des Gerbens von Pelzwerk in Marocco

geben die Proceedings of the zoological Society of London by R. Taylor folgenden Bericht:

Man wäscht die Haut in frischem Wasser, um ihr den Schweiß und andere Unreinigkeiten zu nehmen, schabt das Fleisch ab, nimmt 2 Pfd. Alaun, 1 Quart Buttermilch, 2 oder 3 Hände voll Gerstenmehl, mischt es gut, streicht es auf die Fleischhaut, schlägt das Fell zusammen und läßt es zwei Tage liegen. Am dritten wird es wieder gewaschen, aufgehängt, damit das Wasser abläuft; sodann werden 2 Pfd. Steinalaun fein gepulvert auf die Haut gestreut, worauf diese wieder zusammengeschlagen und drei Tage liegen gelassen, sodann getroknet und an der Sonne ausgebreitet wird. Hierauf wird die Haut mit frischem Wasser stark begossen, dieselbe wieder zusammengeschlagen, und zwei Stunden lang sich überlassen, damit das Wasser gehörig aufgesogen werde. Sofort wird die Haut auf einem Tische ausgebreitet, der aufgelegte Steinalaun und das etwa noch anhängende Fleisch abgeschaben, die Haut mit einem rauhen Sandstein gerieben bis sie geschmeidig und biegsam wird, und dann im Schatten aufgehängt.

Fabrication von Bittersalz aus Magnesit.

Der in manchen Gegenden in großen Massen vorkommende und bis auf wenig zufälliges Eisenoxyd und Kieselerde aus reiner kohlensaurer Magnesia bestehende Magnesit eignet sich vorzüglich zur Darstellung des Bittersalzes im Großen. Diese Darstellung wird nach Anthon folgender Maßen vorgenommen. Man bringt durch Zerschlagen, Stampfen und Sieben den Magnesit in ein feines Pulver, gibt von diesem 80 bis 100 Pfd. in einen 5 bis 6 Cntr. Wasser fassenden Bottich, rührt ihn mit Wasser zu einem dünnen Brei an und sezt Schwefelsäure (mit ihrem gleichen Gewicht Wasser verdünnt) zu, so lange als noch Aufbrausen entsteht. Die Verdünnung der Schwefelsäure wird absichtlich kurz vorher vorgenommen, um die dadurch frei werdende Wärme zur Beförderung des Processes zu benuzen. Der Säurezusaz geschieht allmählich, in Portionen von 2 bis 3 Pfd. und unter Umrühren. Wird die Masse zu dik, so gießt man Wasser zu; ein gewisser Grad von Dike ist gut, weil dann in Uebersteigen weniger leicht Statt findet. Nach 2 bis 2½ Stunden wird alle Kohlensäure ausgetrieben seyn. Nun sezt man allmählich kochendes Wasser zu, bis eine Flüssigkeit von 1260 spec. Gew. (31½° Baumé) im Sommer (im Winter 1220 bis 1230 spec. Gew. = 27½ bis 28½° Baumé) erlangt ist. Ist diese Flüssigkeit noch sehr stark sauer, so sezt man etwas Magnesitpulver zu und läßt sie 30 bis 40 Stunden ruhen. Hierauf gießt man die Auflösung in einen etwas tiefen Kessel klar ab, versezt sie mit 1 Pfd. Magnesit und kocht 2 Stunden lang, wodurch das Eisenoxyd niedergeschlagen wird. Man verdünnt wieder auf 1260 spec. Gew., läßt in besonderen Bottichen klären, filtrirt dann durch eine Lage Knochenkohle und dampft in kupfernen Kesseln zu einem spec. Gew. von 1350 bis 1360 (39½ bis 40° Baumé) ab. Die concentrirte Lauge läßt man ab und vertheilt sie in Schüsseln. Nach 12 bis 15 Stunden gießt man die Lauge von den Krystallen ab, läßt leztere in Zukkerformen abtropfen und troknet sie dann im Trokenzimmer bei 30 bis 35°. (Journ. f. prakt. Chem Bd. IX. S. 1.)

Einmaischungsmethode für das Branntweinbrennen aus Kartoffeln.

Hr. G. Kraus theilt in seiner Schrift: Neue erprobte Einmaischungsweise u. s. w. (Leipzig, 1834) folgendes Verfahren mit:

Für einen Maischraum von 900 Quart (das Quart zu 2½ Pfd. Wasser gerechnet) nimmt man 1000 Pfd. Kartoffeln, 35 Pfd. Gerstenmalzschrot und 15 Pfd. Haferschrot. Das Gerstenmalzschrot wird in einer Eke des Maischbottichs mit Wasser von 20 bis 40° R. und das Haferschrot in einer anderen Eke mit Wasser von 50 bis 60° eingeteigt, und zwar mit so wenig Wasser, daß das Schrot durchaus nur angefeuchtet wird. Je kälter die Witterung ist, desto wärmeres Wasser muß man anwenden. Nachdem das eingeteigte Schrot eine halbe Stunde gestanden hat, bringt man ungefähr 200 Pfd. gemahlene Kartoffeln hinzu, welche mit dem Schrote tüchtig gekuischt werden; so daß ein gleichförmiger Brei entsteht. Hierauf läßt man die Masse 5 bis 6 Minuten ruhen, und bringt dann die übrigen Kartoffeln gemahlen in den Maischbottich, indem man das Ganze recht kräftig zu einem diken, aber gleichförmigen Breie durch einander arbeitet. Die Kartoffeln müssen stets rasch gemahlen (zwischen den Walzen der Mühle zerquetscht) und ungesäumt, ohne abzukühlen, in den Bottich gebracht werden. Die erste Abtheilung der Kartoffeln soll beim Vermischen mit dem Schrote eine Temperatur von 60 bis 65° R. haben, der größere Rest aber dann kochend heiß seyn. Am zwekmäßigsten ist es, die Kartoffeln in drei Abtheilungen zuzusezen, nämlich kurz nach den ersten 200 Pfd. wieder eben so viel oder etwas mehr, und nach einer zweiten kleinen Ruhe erst den Rest. Dieses Verfahren ist besonders dann zu beobachten, wenn die Menge der Kartoffeln mehr als 1000 Pfd. beträgt. Sind sämmtliche Kartoffeln eingemaischt, so läßt man die Masse eine halbe Stunde stehen, in welcher Zeit man ein paar Mal aufrühren kann. Alsdann sucht man die Maische schnell abzukühlen; bei kleinen Bottichen kann dieß durch Aufrühren geschehen; bei größeren aber wird eine Kühlvorrichtung in Anwendung gebracht, so daß nach 2, höchstens 3 Stunden der Maische das Zukühlwasser gegeben werden kann. Ehe dieß geschieht, nimmt man aus dem Maischbottich etwas von der Masse, kühlt dieselbe in einem Zuber mit Wasser ab, versezt sie mit 5 Quart guter Bierhefe und läßt sie angähren. Ist die Maische im Bottich hinlänglich abgekühlt, so wird solche mit kaltem Wasser zugekühlt, wodurch eine Temperatur von 15 bis 22 Grad erlangt werden soll, je nachdem die Wärme der Witterung es erfordert. Das Gährungsmittel wird hierauf beigegeben, und Alles recht vollständig unter einander gerührt. Aus 1000 Pfd. Kartoffeln und 50 Pfd. Getreideschrot erhält man gewöhnlich 75 bis 90 Quart Branntwein von 60 Proc. Tralles. (Hannöv. Mitth.)

Americanisches Patent um das Sauerwerden des Biers zu verhindern.

In Amerika wurde ein Patent auf ein Verfahren genommen, wodurch das Sauerwerden des Biers bei warmem Wetter oder bei Temperaturen zwischen 19 und 28° R. verhindert werden soll. Der Patentträger Hr. Storewell behandelt immer 174 Gallons Flüssigkeit mit einem Pfd. Rosinen, auf folgende Art:

Er hängt die Rosinen in einem leinenen oder baumwollenen Sak in die Flüssigkeit vor der Gährung; der Sak mit den Rosinen muß nämlich in dem Gefäß bleiben bis der Gährungsproceß so weit vorgeschritten ist, daß sich die ganze Oberfläche der Flüssigkeit mit einem weißen Schaum überzieht, was in beiläufig 24 Stunden der Fall ist; dann muß man ihn herausnehmen und die Flüssigkeit in Ruhe lassen, bis die Gährung aufhört. Die Temperatur des Plazes, wo sich der Gährungsbottich befindet, sollte nicht über 15° und nicht unter 12½° R. betragen. (Edinburgh new philosoph. Journ.)

Prüfungsmittel bei Verfälschung des Mehles mit Kartoffelsazmehl.

Die Preisaufgabe, welche die Société d'encouragement seit mehreren Jahren für die Auffindung von Mitteln ausschrieb, wodurch sich die Verfälschung des Getreidemehles mit Kartoffelsaz- oder Stärkmehl mit Sicherheit erkennen ließe, ward auch im Jahre 1836 nicht vollkommen gelöst. Von den Bewerbern um den Preis ward im Wesentlichen Folgendes vorgeschlagen. — 1. Sich auf die Verschiedenheit der Wirkung alkalischer Auflösungen auf das Kartoffelsazmehl und auf das Stärkmehl des Weizens fußend, blieb der erste Concurrent nach vielfachem Herumtappen bei folgendem Verfahren stehen. Das reine oder verfälschte Mehl wird in einen Cylinder aus Weißblech gebracht, der an dem einen Ende mit vielen kleinen Löchern versehen ist, damit das Mehl durch Schütteln in ein kleines Maaß gebeutelt werden kann. Ist das Maaß voll, so wird das überschüssige Mehl mit einer metallnen Klinge abgestrichen, und das gemessene Mehl in eine Flasche gebracht, in welcher ein bestimmtes Volumen einer Kaliauflösung enthalten ist. Nachdem man es hiemit zwei Minuten lang abgeschüttelt hat, gießt man eine abgemessene Quantität alkoholischer Jodauflösung, welche Essigsäure enthält, hinzu, worauf man dann unmittelbar die Färbung beobachtet. Durch sorgfältig angestellte Vergleichungen kann man auf diese Weise eine Färbenreihe erhalten, nach der man das Verhältniß, in welchem das Mehl mit Gaymehl vermengt worden ist, mit ziemlicher Genauigkeit bestimmen kann. Die Commission, in deren Gegenwart dieses Verfahren vielfach wiederholt wurde, war der Ansicht, daß von demselben, wenn es gehörig studirt würde, Vieles zu erwarten seyn dürfte; daß es aber auf der Stufe, auf der es sich gegenwärtig befindet, den Absichten der Gesellschaft noch keineswegs entspreche. — 2. Der zweite Concurrent empfahl als Unterscheidungszeichen das Verhalten des Mehles und des Gaymehles, wenn es sich zu Boden sezt, anzuwenden. — 3. Der dritte Concurrent glaubt, daß das Verhalten des Mehles, wenn man es auf glühende Kohlen streut, über dessen Verfälschung Aufschluß geben könnte. — 4. Der vierte und lezte Concurrent endlich schlägt vor, die Verhältnisse, in denen die Vermengung des Mehles mit Gaymehl Statt gefunden hat, dadurch zu bestimmen, daß man die Gemenge mit Hülfe einer Maschine comprimirt, und dann die Verminderungen des Volumens bestimmt. — Die Commission hielt die drei lezteren Methoden für unbrauchbar; dem Urheber der erstern, Hrn. Cavalier, Pharmaceuten in Toulon, hingegen schlug sie vor, eine silberne Medaille zu ertheilen, die ihm denn auch zuerkannt wurde. (Bulletin de la Société d'encouragement. Decbr. 1857, S. 459.)

Entschlichtung baumwollener und leinener Gewebe mit Pfeifenthon.

Alle früheren Mittel zur Entschlichtung leinener oder baumwollener Gewebe, als: Zersezung der Schlichte durch Gährung, Auskochen mit Aezlauge, mit Potasche, mit Seife u. s. w., sind theils kostspielig, theils zeitraubend, theils wirken sie nachtheilig auf die Haltbarkeit des Zeugs oder seine Tauglichkeit zum Färben. Hr. Wendel, Färber in Coblenz, empfiehlt daher das Entschlichten mit Pfeifenthon. Auf 50 Berl. Ellen ¾ breites Zeug soll man Tags vorher 1 Pfund dieses Pfeifenthons in Wasser einweichen, kurz vor dem Gebrauche mit mehr Wasser anrühren, kochendes Wasser in den Kessel gießen, die Zeuge 2 bis 2½ Stunden darin kochen, und dann durch Waschen und etwas Klopfen von allem Thone reinigen. Die rein mechanische Einwirkung des Thons (ähnlich der aller anderen, dem Wasser eine seifige Beschaffenheit, ohne alkalische Reaction gebenden Stoffe, z. B. Ochsengalle, Seifenkraut u.s.w.) befreit die Zeuge vollkommen von der Schlichte, ohne im geringsten nachtheilig zu wirken.

Baumwollenausfuhr aus Amerika und aus Ostindien.

Die Baumwollenausfuhr aus Amerika beläuft sich jährlich auf 294,310,115 Pfd. im Werthe von 29,359,545 spanischen Dollars oder von 6,330,631 Pfd. Sterl. Jene aus ganz Indien hingegen beträgt nur 68,411,013 Pfd. im Werthe von 1,068,922 Pfd. St. (Mechanics' Magazine, No. 709.)

Verschiedenheit der Milch nach der Zeit, zu der sie gemelkt wird.

Ein Oekonom, erzählt das Journal des connaissances usuelles, füllte mehrere große Kaffeetassen nach einander mit der Milch einer Kuh, bis diese Kuh bis auf die lezten Tropfen ausgemelkt war. Nachdem er sich hierauf überzeugt hatte, daß in jeder Tasse genau eine gleiche Menge Milch enthalten war, schritt er zur Untersuchung der Milch in den verschiedenen Tassen. Das Resultat der Untersuchung war, daß die zuerst gemelkte Milch weniger Rahm enthielt, als jene, welche zulezt gemelkt wurde, und daß der Rahm sogar in dem Maaße mehr wurde, als sich die Milch zu Ende neigte. Das Verhältniß, in welchem dieß Statt fand, war bei verschiedenen Kühen verschieden; in den meisten Fällen jedoch verhielt sich der Rahm der lezten zu jenem der ersten Tasse wie 16 zu 1; und im Allgemeinen kann man das Verhältniß wohl wie 10 oder 12 zu 1 annehmen. Ein noch größerer Unterschied zeigte sich jedoch in Hinsicht auf die Qualität des Rahmes; jener der ersten Tasse war nämlich dünn, sehr weiß und beinahe ohne alle Consistenz; während sich jener der lezten Tasse dik, butterig und von schöner Farbe zeigte. — Die nach Abnahme des Rahmes in den Tassen zurükgebliebene Milch zeigte gleichfalls merkliche Unterschiede; denn die zuerst gemelkte Milch war bläulich und sah aus, als wäre sie mit viel Wasser verdünnt worden, während die Milch der lezten Taffe eine schöne gelbliche Farbe hatte, und sowohl dem Geschmake als dem Aussehen nach mehr dem Rahme ähnlich; war. Es ist daher erwiesen, daß man, wenn man die Kühe, nachdem sie 7 bis 8 Pinten Milch gegeben haben, aus Nachlässigkeit nicht ganz ausmelkt, und auch nur eine halbe Pinte in dem Euter zurükläßt, daß man, sagen wir, nicht nur beinahe eben so viel Rahm verliert, als die ersten 7 bis 8 Pinten Milch aufwerfen; sondern daß gerade der schönste Rahm, der am meisten geeignet ist, der Butter guten Geschmak und eine schöne Farbe zu geben, verloren geht.

Ueber das Abpflüken der Blüthen der Kartoffelpflanzen

hat Hr. Prof. Seb. Lenormand auf einem ihm angehörigen Kartoffelaker in den Jahren 1835 und 1836 mit aller Sorgfalt die bereits mehrfach angestellten Versuche wiederholt. Als Resultat ergab sich ihm hiebei:

1) daß die Kartoffelpflanzen, die man nicht zur Blüthe kommen ließ, Anfangs Oktober noch die lebhafteste Vegetation zeigten; und daß jeder Stok derselben im Durchschnitte 30 Pfd. schöne große Kartoffeln und nur sehr wenige kleine Knöllchen gab;

2) daß jene Pflanzen hingegen, die man abblühen ließ, um dieselbe Zeit schon ganz welk und gelb waren, und im Durchschnitte nur 4 Pfd. Kartoffeln lieferten, wovon überdieß die große Mehrzahl aus ganz kleinen Knollen bestand. (Aus dem Journal des connaissances usuelles, Oktober 1836, S. 165.)

Mittel gegen den Brand des Getreides.

Die italienische Zeitschrift Repertorio d'agricultura rühmt den günstigen Erfolg, den man seit einigen Jahren in Piemont von der Anwendung des Steinöhles zur Verhütung des Brandes der verschiedenen Getreidesorten beobachtet, und wobei man außerdem noch gefunden hat, daß das Saatkorn auf diese Weise auch gegen die Angriffe der Thiere geschüzt wird. 2 Pfd. Steinöhl, welche daselbst 80 Cent. kosten, reichen auf einen Sak zur Aussaat bestimmten Getreides hin. Der Geruch des Steinöhles ist so stark, daß nicht nur Insecten, sondern auch Vögel von den frisch bestellten Feldern abgehalten werden; seine Wirkung gegen den Brand soll eine ganz sichere seyn. (Echo du monde savant, No. 216.)

Ersprießliche Folgen der Vertheilung der Gemeindegüter.

Im Jahre 1760, schreibt der Cultivateur in seinem vorjährigen Decemberhefte, zählten England und Schottland nur 7½ Mill. Einwohner, gegenwärtig ist diese Anzahl bis auf 18 Mill. gestiegen. Dieses Zuwachses der Bevölkerung ungeachtet, eines Zuwachses, der mehr als das Doppelte beträgt, sind seit 4 Jahren die Häfen jener Länder den fremden Getreiden geschlossen, während im Jahre 1760 bei einer so viel geringeren Menschenmenge eine sehr bedeutende Getreideeinfuhr Statt fand. Diese außerordentliche Verbesserung seiner Agricultur verdankt Großbritannien hauptsächlich der Urbarmachung der vielen früher unbebaut gebliebenen Streken. Ein ähnliches Resultat stünde in anderen Ländern aus einer zwekmäßigen Vertheilung und Bebauung der Gemeindegründe zu erwarten; denn diese Gründe geben fast überall nur erbärmliche Hutweiden, von denen das Vieh hungerig heimkehrt, nachdem es von Insecten bis aufs Blut gepeinigt worden ist. (Mémorial encyclopédique. Februar 1837.)

XXXIII.

Verbesserungen an den rotirenden Dampfmaschinen, welche zum Theil auch zu anderen Zweken anwendbar sind, und worauf sich John White, Ingenieur von Southampton, am 15. Jun. 1836 ein Patent ertheilen ließ.

Aus dem Repertory of Patent-Inventions. März 1837, S. 137.

Mit Abbildungen auf Tab. III.

Fig. 42 zeigt eine rotirende Dampfmaschine, an der meine Erfindung in ihrer einfachsten Gestalt angebracht ist, und aus der dieselbe mithin allgemein verständlich werden dürfte. An jedem Ende des Dampfcylinders a, a, der innen vollkommen genau ausgebohrt seyn muß, befinden sich Randvorsprünge, auf denen gehörige Dekel, welche mit Stopfbüchsen versehen sind, befestigt werden. Durch diese Stopfbüchsen und sich in ihnen drehend läuft die Haupttreibwelle b, welche an den Kolben gekeilt oder auch auf irgend andere Weise an demselben festgemacht ist. Der Kolben hat die Gestalt einer Ellipse, deren längere Achse mit dem inneren Durchmesser des Cylinders a, a von gleicher Länge ist. Es bleibt mithin für die Thätigkeit des Dampfes zwischen der äußeren Oberfläche der kleineren Achse des elliptischen Kolbens und der inneren Oberfläche des Cylinders a, a gehöriger Spielraum, wie dieß weiter unten gezeigt werden wird. d soll einen Dampfkessel und e die an eine, f hingegen die an die andere Seite des Kolbens führende Dampfröhre vorstellen. g ist die Austrittsröhre an der einen, und h jene an der anderen Seite des Kolbens. i, i sind Dampfbüchsen, dergleichen sich an jeder Seite des Cylinders eine befindet. j, j sind Schieber, welche stets dampfdicht gegen den Kolben c angedrükt erhalten werden, und welche die Dampfbüchsen i, i solcher Maßen abtheilen, daß der Dampf nicht von der einen Seite der Schieber an die entgegengesezte gelangen kann. Aus dieser Einrichtung ergibt sich, daß der aus dem Kessel übergehende Dampf auf die Oberflächen k, k, k des Kolbens drükt, während die Oberflächen l, l, l frei bleiben, indem die zwischen diesen Oberflächen und dem Cylinder a, a befindlichen Räume entweder dem Zutritte der atmosphärischen Luft oder gegen den Verdichter offen stehen: je nachdem die Maschine als Hochdruk- oder als Verdichtungsmaschine angewendet werden soll. Wenn man die Maschine als eine einfache zu betreiben beabsichtigt, so ist es gut, wenn man an der Achse oder Welle b ein Schwungrad anbringt, damit hiedurch die Kraft der Maschine an sämmtlichen Theilen der Rotirung eine gleichmäßige wird. In jenen Fällen hingegen, wo man sich zweier Maschinen bedient, sollen die elliptischen Kolben unter rechten Winkeln gegen einander gestellt werden, damit der Dampf, wenn er in dem einen Cylinder wegen der Stellung des Kolbens seine geringste Kraft ausübt, auf den Kolben der anderen Maschine seinen größten Druk vollbringt.

Da hiedurch das Princip und der Bau meiner Maschine im Allgemeinen genügend erläutert und anschaulich gemacht ist, so schreite ich nunmehr zur Beschreibung der übrigen Figuren, in welchen meine Erfindungen mehr praktisch dargestellt sind, und aus denen erhellen wird, wie die Schieber zu jeder Zeit mit dem elliptischen Kolben in Berührung stehen und Stützpunkte für den Dampf werden.

Fig. 43 ist ein Längenaufriß einer meinen Erfindungen gemäß gebauten Dampfmaschine. Fig. 44 ist ein Durchschnitt dieser Figur.

Fig. 45 zeigt dieselbe Maschine nach Wegnahme einiger Theile vom Ende her betrachtet.

Fig. 46 gibt eine Ansicht eines Schiebers von der Kante her gesehen und in etwas größerem Maaßstabe gezeichnet.

Fig. 47 endlich ist ein Grundriß.

An allen diesen Figuren sind zur Bezeichnung derselben Gegenstände auch einerlei Buchstaben gewählt; auch sind die oben in Fig. 42 angewendeten Buchstaben hier beibehalten worden, so daß keine weitere Erläuterung derselben nöthig ist. Die Schieber j, j bewegen sich zwischen den in den Dampfbüchsen i, i befindlichen Reibungsrollen m, m und andererseits zwischen den Rollen n, n, welche sich an einem an den Büchsen i, i befestigten, vorspringenden Rahmen befinden. In diesem Rahmen sind Ausschnitte o, o angebracht, welche zur Aufnahme von Oehl oder anderen schlüpfrig machenden Substanzen dienen. p, p sind metallene oder auch andere Liederungen, damit die Dampfbüchsen luftdicht schließen, obgleich sich die Schieber durch sie bewegen, wie aus der Zeichnung erhellt. An den äußeren Enden der Schieber j, j, die auf diese Weise genau und mit Sicherheit geführt werden, sind Querhäupter oder Federn q, q befestigt; und an diesen lezteren sind die Arme r, r angebracht, die, wie Fig. 43 zeigt, von den parallelen Führern s, s geleitet werden. An den Enden dieser Arme befinden sich vorspringende Zapfen oder Reibungsrollen, und diese laufen in elliptischen Fugen oder Führern, welche an beiden Enden des Dampfcylinders an die Hauptwelle oder Achse b gekeilt sind. Hieraus folgt, daß die Schieber bei den Umdrehungen dieser Welle beständig in Bewegung gesezt und mit dem

Kolben in Berührung erhalten werden. Um die Zeichnung nicht zu verworren zu machen, wurden die zur Umkehrung der Richtung des Dampfes und folglich auch der Kolben nöthigen Ventile weggelassen; jeder Sachverständige wird sie jedoch an dieser Art von Maschinerie gehörigen Ortes anzubringen wissen.

Ich brauche wohl kaum zu bemerken, daß die Schieber j, j auch auf andere Weise mit dem elliptischen Kolben in beständiger Berührung erhalten werden können, damit hiedurch Stützpunkte für den Dampf erzeugt und jeder der zwischen dem Kolben und dem Cylinder befindlichen Räume in zwei Hälften abgetheilt werde, von denen die eine mit dem Keſſel, die andere hingegen je nach Umständen mit der atmosphäriſchen Luft oder mit dem Verdichter communicirt. Die inneren Enden, so wie auch die Seitenwände der Schieber j, j sind mit einer metallenen oder anderen Liederung auszuſtatten, damit sie sowohl da, wo sie mit dem Kolben in Berührung ſtehen, als auch da, wo sie sich an den Dekeln oder Enden der Dampfcylinder und Dampfbüchsen i, i bewegen, luftdicht ſchließen. Eben so sind auch die mit den Dekeln des Cylinders in Berührung ſtehenden Oberflächen der elliptischen Kolben mit einer derlei Liederung zu verſehen, damit auch sie dampfdicht ſchließen, und keinen Dampf durch den Kolben austreten lassen. Anstatt daß ich den elliptiſchen Kolben auf den Dekeln oder Enden des Dampfcylinders ſpielen laſſe, wende ich lieber bewegliche kreisrunde Platten an, welche mit Schrauben, die durch die Enden oder Dekel führen, adjustirt werden können. Weitere Liederungen sind da anzubringen, wo die äußeren Enden der längeren Achſe des elliptiſchen Kolbens die innere Oberfläche des Cylinders a, a berühren. Da diese Liederungen nicht mit zu meiner Erfindung gehören, und allen Mechanikern ohnedieß auch zur Genüge bekannt sind, so halte ich es nicht für nöthig, in eine weitere Beſchreibung derselben einzugehen. t, t, t sind die Gefäße, aus denen der Kolben und die Schieber mit ſchlüpfrig machenden Subſtanzen geſpeiſt worden sind.

Fig. 48 zeigt eine andere Art von Dampfſperrern oder Stützpunkten v, v, welche sich in den Dampfbüchſen i, i um ihre Achſe w bewegen, und welche aus winkelig geformten hohlen Büchſen beſtehen, wie man sie in Fig. 48, 49 und 50 abgebildet ſieht. An jenem Ende dieser hohlen Büchſen v, welches den Enden der von dem Kessel herführenden Dampfröhren gegenüber liegt, sind Oeffnungen x angebracht, damit der Dampf in die hohlen Büchſen eintreten kann, und da der Flächenraum der Seiten v¹ größer iſt, als jener der Seiten v², so werden die Seiten v¹ von dem Dampfe gegen den elliptiſchen Kolben angedrükt, wodurch dampfdichte Stützpunkte entstehen, die zur Abtheilung der zwischen dem Kolben und dem Cylinder a, a befindlichen Räume dienen. Der Dampf wird aus den hohlen Büchsen v in diese Räume übergehen und die Kolben in Bewegung sezen, indem zum Behufe des Austrittes des Dampfes aus den Büchsen v bei y Löcher oder Oeffnungen angebracht sind. Die Büchsen sind auch mit einer Lieberung zu versehen, damit sie sich dampfdicht in den Dampfbüchsen i, i bewegen. Leztere selbst bilden einen Theil eines Cylinders, der von dem Mittelpunkte der Achsen der Büchsen v aus gezogen ist. Uebrigens sind an Fig. 48 zur Bezeichnung der weiteren Theile der Maschine gleichfalls die bereits zur Erläuterung der früheren Figuren benuzten Buchstaben gewählt.

Zum Schlusse muß ich bemerken, daß die hier beschriebenen Theile oder mehrere derselben auch auf den Bau der Pumpen anwendbar sind. Wenn nämlich der elliptische Kolben in rotirende Bewegung versezt wird, so wird das Wasser oder die sonstige Flüssigkeit in das Gefäß a, a einströmen und aus demselben ausgetrieben werden. In diesem Falle müssen die Büchsen i, i mit entsprechenden Einführungs= und Ausführungsröhren versehen werden; leztere sind auf dieselbe Weise an diesen Büchsen i, i anzubringen, auf welche dieß oben bei Beschreibung von Fig. 42 angegeben wurde.

XXXIV.

Verbesserungen an den rotirenden Maschinen und den dazu gehörigen Apparaten, worauf sich Thomas Earl of Dundonald, von Regent's Park in der Grafschaft Middlesex, am 20. December 1835 ein Patent ertheilen ließ.

Aus dem London Journal of Arts. Januar 1837, S. 216.
Mit Abbildungen auf Tab. III.

Obiges Patent betrifft eine Verbesserung der rotirenden Dampfmaschine, auf welche sich Ihre Lordschaft (bekannter unter dem Namen Lord Cochrane) am 11. November 1830 ein Patent ertheilen ließ. [30]) Das Neue, was hierin gelegen ist, besteht 1) in der Anwendung zweier oder mehrerer rotirender Kolben an der Maschine, welche entweder als eine Verdichtungs= oder als eine Hochdruk= Dampfmaschine oder auch mit comprimirter Luft oder mit Gas zu arbeiten hat.

---

30) Dieses Patent ist bereits in unserem Journal Bd. LXII. S. 441 bekannt gemacht worden.   A. d. R.

Fig. 17 und 18 sind senkrechte Durchschnitte durch die Maschine, unter rechten Winkeln gegen einander genommen, indem an ersterer Figur die Achse der Länge, an lezterer hingegen der Quere nach durchschnitten ist. Man sieht hier auf einem Fußgestelle oder auf einer sonstigen entsprechenden Basis einen unbeweglichen Cylinder oder eine Trommel a, a befestigt, deren Seiten oder Enden mit den Platten b, b verschlossen sind. Durch den Mittelpunkt des Cylinders läuft eine Achse oder Welle c, welche zwei Flügel oder Kolben d, e führt, von denen ersterer an der Welle selbst firirt ist, während lezterer mit einer Scheibe auf solche Weise an ihr aufgezogen ist, daß er sich eine geringe Strese weit in rotirender Richtung um sie bewegen kann.

Innerhalb dieses unbeweglichen Cylinders ist ein rotirender Cylinder f aufgezogen und mit solchen Liederungen versehen, daß er dampfdicht schließt. Dieser Cylinder dreht sich mit seinen Anwellen g, g in Ausschnitten, welche zu diesem Zwese in den beiden Endplatten angebracht sind. Die von der mittleren Welle ausgehenden Kolben oder Flügel d, e erstresen sich durch Längenspalten, die in den Umfang des rotirenden Cylinders geschnitten sind, und sind mit einer dampfdichten Liederung versehen.

Der in dem unbeweglichen Cylinder für die Wirkung des Dampfes gelassene Raum ist durch den inneren excentrischen Cylinder auf einen Halbmond beschränkt: jedoch mit Ausnahme jener Stellen, an denen der Dampf ein = und austritt. Der Eintritt des Dampfes, er mag von hohem oder niederem Druse seyn, erfolgt bei der Oeffnung h. Wenn er das zwischen dieser Einmündungsstelle h und dem Flügel d befindliche Segment der halbmondförmigen Kammer eingenommen hat, so treibt er vermöge seiner Elasticität den Flügel d in der Richtung des Pfeiles im Inneren des Cylinders herum, bis dieser Flügel in der Stellung des zweiten Flügels e angelangt ist. Ist dieß der Fall, so entweicht der Dampf, der hinter diesem Flügel d die halbmondförmige Kammer erfüllt, unmittelbar durch die Oeffnung i in den Verdichter oder auch in die atmosphärische Luft, während der zweite Flügel e, der mittlerweile in die Stellung von d gelangt, nunmehr dieselbe Einwirkung erleidet.

Die Flügel oder Kolben werden demnach durch die Elasticität oder Spannkraft des Dampfes hinter einander im Inneren des stationären Cylinders herumgetrieben, und führen hiebei sowohl den rotirenden Cylinder als die mittlere Welle mit sich, von welcher Welle dann die rotirende Kraft weiter zum Maschinenbetriebe verwendet wird. Der innere rotirende Cylinder wirkt also nur als Führer für

die Flügel unk an der tiefsten, zwischen der Eintritts= und Aus=
trittsmündung gelegenen Stelle als Dampfsperrer.

Die Eintritts= und Austrittscanäle sollen dem Patentträger ge=
mäß mit Vierweghähnen ausgestattet werden, damit die rotirende
Bewegung der Maschine, d. h. jene der Flügel oder Kolben, wenn
es nöthig ist, umgekehrt werden kann; oder damit man den Dampf
auch gänzlich abzusperren im Stande ist.

Eine Maschine dieser Art kann nicht nur mit Dampf, sondern
auch mit verdichteter Luft oder solchem Gase betrieben werden; auch
kann man sie, wenn man mit ihrer Achse oder Welle einen Zähl=
apparat in Verbindung bringt, zum Messen irgend einer Flüssigkeit
benuzen, so wie sie sich auch als Pumpe zum Heben von Wasser ec.
verwenden läßt, wenn man auf das Ende ihrer Welle eine rotirende
Kraft wirken läßt.

Eine Modification einer rotirenden Dampfmaschine mit halbmond=
förmiger Kammer erhellt aus Fig. 19, wo der innere Cylinder unbeweg=
lich und der äußere dafür beweglich gedacht ist. Der äußere Cylinder a, a
dreht sich nämlich um eine unbewegliche Welle b, b, deren Enden in
Tragpfosten firirt sind. Der innere oder unbewegliche Cylinder c ist, wie
die Zeichnung zeigt, excentrisch an dieser Welle festgemacht. Die beiden
Blätter oder Klappen d und e sind an Angeln aufgezogen und in
Ausschnitte, welche sich im Inneren des äußeren rotirenden Cylinders
befinden, eingebettet; um sie in Thätigkeit zu bringen, werden sie
durch irgend ein von Außen auf sie wirkendes Mittel in die aus
der Zeichnung ersichtlichen Stellungen herausgetrieben. Der bei dem
hohlen Ende der Welle b eingelassene Dampf strömt durch einen Canal,
welcher durch punktirte Linien angedeutet ist, unter der Klappe d
in die halbmondförmige Kammer, und bewirkt, indem er zwischen der
Klappe d und dem am Grunde befindlichen Dampfsperrer seine
Spannkraft ausübt, daß der äußere Cylinder so weit herumgetrieben
wird, daß die Klappe d durch die Umdrehung in die Stellung der
Klappe e gelangt, wo sie dann durch den unbeweglichen Cylinder in
ihren Ausschnitt eingedrükt wird, damit sie ohne Hinderniß unter dem
Dampfsperrer hinweg gelangen kann. Der Dampf entweicht dann
bei der entgegengesezten Oeffnung in die hohle Welle. Wenn dieß
geschehen ist, so gelangt anstatt der Klappe d die Klappe e in Thä=
tigkeit, und auf diese Weise wird der äußere Cylinder in fortwäh=
render rotirender Bewegung erhalten.

Für den Fall, daß man die Maschine nach entgegengesezter Rich=
tung arbeiten lassen wollte, sind im Inneren des äußeren umlaufen=
den Cylinders auch noch zwei andere Klappen oder Flügel f, g an=
gebracht, die man in Thätigkeit bringen kann, wenn man vorher die

beiden Klappen d, e in die für sie bestimmten Ausschnitte zurükge=
legt hat. Man ändert in diesem Falle durch Umdrehen eines Hah=
nes die Eintritts= und Austrittscanäle, wo dann der Dampf an der
entgegengesezten Seite der halbmondsförmigen Kammer eintreten, und
mithin dem äußeren Cylinder eine umgekehrte rotirende Bewegung
mittheilen wird.

Um diese rotirende Kraft zum Maschinenbetriebe zu verwenden,
soll um den äußeren Theil des umlaufenden Cylinders ein gezahnter
Ring, der zur Mittheilung der Triebkraft dient, gelegt werden.

Der Patentträger beschreibt noch einige andere Modificationen
seiner Maschine, welche jedoch, was das Princip betrifft, sämmtlich
mit den beiden oben beschriebenen zusammenfallen. Dagegen beruht
eine zweite, unter dem gegenwärtigen Patente begriffene Erfindung
auf der Erzielung einer Triebkraft aus der rollenden und schlingern=
den Bewegung eines auf der See befindlichen Fahrzeuges. Die edle
Lordschaft will nämlich eine Quekfilbermasse benuzen, damit diese,
indem sie sich von einer Seite auf die andere wirft, ein Volumen
Luft comprimire; welche Luft dann, indem man sie aus einer ge=
schlossenen Kammer entweichen ließe, anstatt des Dampfes als die
zum Betriebe der rotirenden Maschine dienende Kraft benuzt wer=
den soll.

Fig. 20 ist ein Querdurchschnitt durch ein Boot oder durch ein
sonstiges Fahrzeug, auf welchem eine rotirende Maschine und der zu
ihrem Betriebe dienende pneumatische Apparat untergebracht ist. Die
Maschine, welche als nach einem der oben erläuterten Systeme ge=
baut gedacht ist, ist durch a angedeutet. Die beiden unterhalb be=
findlichen Behälter b, b sollen die Luftkammern bilden; c, c ist eine
über den Scheitel dieser Kammern führende Röhre, durch welche die
Luft aus der einen der Kammern b in die andere gelangen kann;
d ist eine ähnliche Röhre, die am Boden der beiden Kammern eine
ähnliche Communication herstellt, die aber zum Hin= und Herfließen
von Quekfilber bestimmt ist. e, e sind Röhren, die aus den beiden
Kammern e in die Maschine führen, und durch welche die compri=
mirte Luft zum Betriebe der Maschine in leztere gelangt.

Wir müssen annehmen, daß diese Figur nur auf eine rohe Weise
zeigen soll, wie der Patentträger diesen Theil seiner Erfindung in
Anwendung zu bringen gesonnen ist; denn es fehlen hier noch viele
Dinge, ohne welche die Maschine nicht wohl zu arbeiten vermag.
Die unteren Theile der Kammern b, b, so wie auch die lange Röhre d
sind mit Quekfilber gefüllt; ihre oberen Theile dagegen, so wie auch
die Röhre c mit Luft. Das Boot wird durch die Bewegungen,
welche es zur See macht, das Quekfilber durch die Röhre d aus

einer der beiden Kammern in die andere treiben; und während die
eine Kammer b hiebei in eine höhere Stellung geräth, wird sie sich
durch Oeffnen eines Ventiles von Außen mit atmosphärischer Luft
füllen. Dagegen wird die in der anderen, in eine tiefere Stellung
gelangten Kammer enthaltene Luft durch den Druk des Quekſilbers
comprimirt und dann durch ein Ventil in die Röhre e und aus dieſer in die Maſchine getrieben werden. Auf dieſe Weiſe ſoll alſo die
rotirende Maſchine durch die Luft, welche durch die Bewegungen des
Bootes in comprimirten Zuſtand verſezt wird, in ununterbrochener
Bewegung erhalten werden! [4])

XXXV.

Verbeſſerte Maſchinerie zur Erzeugung einer rotirenden Bewegung, worauf ſich William Eſſex, Agent von Cheet-
ham bei Mancheſter in der Grafſchaft Lancaſter, am 13.
Julius 1836 ein Patent ertheilen ließ.

Aus dem Repertory of Patent-Inventions. März 1837, S. 142.

Mit Abbildungen auf Tab. III.

Ich ſuche meiner Erfindung gemäß von einer Maſchinerie oder
von Cylindern her, die durch den hydroſtatiſchen Druk von Flüſſig-
keiten betrieben werden, eine rotirende Bewegung zu erzielen.

Fig. 40 zeigt meine Maſchine in einem ſeitlichen Aufriſſe; in
Fig. 41 dagegen iſt ſie im Grundriſſe dargeſtellt.

Die drei Cylinder a, a, a ſind horizontal oder auch in einer anderen Richtung in einem Geſtelle befeſtigt; in ihnen bewegen ſich
die drei Kolben mit ſolcher Genauigkeit, daß nichts von der Flüſſigkeit von der einen an die andere Seite des Kolbens gelangen kann.
Die Kolbenſtangen b, b, b bewegen ſich durch Stopfbüchſen; da jedoch
eigentlich nur eine der Seiten des Kolbens zu arbeiten hat, ſo brauchen die Stopfbüchſen nicht luftdicht zu ſchließen, ſondern es genügt,
wenn ſie als entſprechende Anwellen dienen. Die Verbindungsſtan-
gen c, c, c verbinden die Kolbenſtangen mit einer drei Mal geknieten
Welle d, welche durch die beſchriebene Vorrichtung in rotirende Bewegung verſezt wird. An dieſer Welle läßt ſich eine Trommel oder
Rolle anbringen, über die ein Laufband oder eine Kette geführt wird,
wenn die Maſchine zum Heben ſchwerer Laſten beſtimmt iſt; übrigens kann man je nach dem Zweke, zu welchem die rotirende Kraft

---

31) Man vergleiche hierüber den Aufſaz, der im Polyt. Journal Bd. LV.
S. 246 über die Cochrane'ſche Benuzung des Quekſilbers in den Schiffen zur
Erzeugung einer Triebkraft gegeben wurde.   A. d. R.

benuzt werden soll, auch noch verschiedene andere mechanische Vorrichtungen an dieser Welle in Anwendung bringen. Die in Arme
getheilte Röhre h, welche einerseits mit jedem der Cylinder a, a, a,
andererseits aber mit dem Behälter k in Verbindung steht, ist mit
drei Hähnen e, f, g ausgestattet. Die in d erzielte Kraft wird von
dem Verhältnisse der Dimensionen der Kolben in den Pumpen i zu
jenen der Kolben der Cylinder a, a, so wie auch von der Geschwindigkeit, mit der die Pumpen in Bewegung gesezt werden, abhängen.
Es erhellt dieß aus dem Baue der hydrostatischen Pressen, die der
hier beschriebenen Maschinerie sowohl im Principe als in der Wirkungsweise ähnlich sind: mit dem Unterschiede jedoch, daß hier anstatt des einfachen Drukes eine rotirende Bewegung erzeugt wird.
An jedem der Hähne oder der Ventile e, f, g ist ein Hebel oder
Arm l befestigt; und dieser Arm l steht durch eine Stange m mit
einem ähnlichen Hebel n in Verbindung, deßgleichen an jedem der
Hähne oder Ventile o, p, q der Einführungsröhre r einer angebracht
ist. Das andere Ende der Arme oder Hebel n, welche gebogen sind,
steht durch eine Stange mit dem einen Ende des Hebels s in Verbindung, der sich frei um eine fixirte Achse oder Spindel bewegt.
An dem anderen Ende dieses Hebels s hingegen ist ein Riemen oder
eine Kette angebracht, welche Kette an der Kolbenstange des zu ihr
gehörigen Cylinders befestigt ist. Nach welcher Richtung daher die
Kolbenstange des einen oder des anderen Cylinders das Ende ihres
Laufes erreichen mag, so wird deren Hebel s umgeschlagen, und hiedurch die Stellung der dazu gehörigen Hähne oder Ventile verändert
werden. Hieraus erhellt, daß wenn man die Pumpen i in Thätigkeit sezt, indem man die Kurbel t zuerst nach der einen und dann
nach der entgegengesezten Richtung umtreibt, die Kolbenstangen der
Cylinder a, a, a die Welle d in eine kräftige rotirende Bewegung versezen müssen.

Schließlich bemerke ich, daß man eine gleiche Wirkung erzielen
kann, wenn man die Speisungs= oder Zuführungsröhre des Cylinders
von einem höher oben angebrachten Wasserbehälter herleitet, anstatt
sie mit einer Pumpe in Verbindung zu bringen. Die mit einer gegebenen Quantität Wasser erzielte Kraft wird im Vergleiche mit der
Enge der Zuführungsröhre und der Höhe, von der aus die Speisung
erfolgt, groß seyn.

XXXVI.

Ueber die von Hrn. Thomas Brunton Esq. erfundenen Keffel für Destillir-, Dampf- und Zuker-Raffinir-Apparate.

Aus dem London Journal of Arts. Januar 1837, S. 212.

Mit Abbildungen auf Tab. III.

Hr. Thomas Brunton Esq. von Park-Square in der Grafschaft Middlesex, bekannt durch mehrere ihm eigene Erfindungen, nahm in den Monaten März und April des Jahres 1831 drei Patente auf verschiedene Verbesserungen an den Destillirapparaten, Dampfmaschinen und Zukersied-Apparaten. Wir faffen alle diese Vorrichtungen, die er von einem Ausländer mitgetheilt zu haben angibt, unter einem einzigen Artikel zusammen, da sie sowohl im Principe, als im Zweke sehr nahe miteinander verwandt sind.

1. Verbesserung an den Destillirapparaten. Patent vom 28. März 1831.

Der Erfinder bezwekt hier einen Keffel, der der Einwirkung der Flamme des Ofens eine sehr große Oberfläche darbietet, und der einen Theil des Gefäßes ausmacht, in welches die Maische beim Destilliren gebracht wird.

Fig. 31 stellt einen Längendurchschnitt des Keffels, des Ofens und des Feuerzuges, mit einem Theile des großen die Maische enthaltenden Gefäßes vor. Fig. 32 ist eine horizontale Ansicht des Keffels sammt einem Durchschnitte des Ofens, woraus man die einzelnen Kammern, aus denen der Keffel zusammengesezt ist, so wie auch die zwischen ihnen durchgehenden Feuerzüge ersieht. s, a, a ist der Ofen mit dem in den Schornstein führenden Feuerzuge. b, b, b sind die einzelnen, den Keffel bildenden Kammern, welche aus dünnen, durch Nieten verbundenen Metallplatten bestehen. Das eine Ende einer jeden dieser Kammern ist offen; mit diesem offenen Ende ist sie mittelst eines Randvorsprunges an einer Platte c, c befestigt, in der lange, den Mündungen der Kammern entsprechende Oeffnungen angebracht sind. Horizontal und mitten durch jede Kammer ist eine Scheidewand d befestigt, jedoch so, daß an dem vorderen Ende für die Strömung des Waffers ein freier Raum bleibt.

Die Platte c bildet die eine Wand des großen Gefäßes e, in welchem die der Destillation unterworfene Maische enthalten ist. Die Maische fließt durch die erwähnten Oeffnungen in die Kammern b, wobei sie durch die Flammen, die rings um diese Kammern spielen, erhizt wird, ſo daß ſie ſich in einem ununterbrochenen, durch einen Pfeil angedeuteten Strome nach Aufwärts bewegt.

Bei dieſem Baue des mit der Deſtillirblaſe verbundenen Keſſels wird nicht nur eine größere Heizoberfläche erzielt, ſondern es wird auch eine ſolche Strömung durch den Keſſel unterhalten, daß ſich die Maiſche während der ganzen Dauer des Deſtillationsproceſſes in beſtändiger Bewegung befindet.

An dem hinteren Theile ſind innerhalb des Gefäßes e mehrere Kammern angebracht, die als Recipienten für die geiſtigen Dämpfe dienen, welche durch Heberröhren aus der einen dieſer Kammern in die nächſte überſteigen. Hieburch wird bezwekt, daß die Dämpfe wiederholt auf= und niederſteigen, bevor ſie in das Schlangenrohr übergehen, damit ſie auf dieſe Weiſe von jenen Unreinigkeiten geſchieben werden, mit denen ſie beim erſten Aufſteigen verbunden ſind. Der Apparat erzeugt daher auch durch eine einfache und einzige Operation eine reine geiſtige Flüſſigkeit, während mit den gewöhnlichen Apparaten eine wiederholte Deſtillation hiezu nöthig iſt. Um die Verdichtung zu begünſtigen, kann man auf den Boden dieſer Recipienten Waſſer geben, und zur Regulirung der Temperatur einen kalten Strom unter ihnen wegleiten. In Verbindung mit dem hier beſchriebenen Apparate wendet der Patentträger auch einen eigenen Kühlapparat an, der jedoch nicht von ſeiner Erfindung iſt, und den er daher auch nicht ausführlich beſchreibt.

2. Verbeſſerungen an den Dampfkeſſeln. Patent vom 14. April 1831.

Der Zwek dieſer Verbeſſerungen iſt gleichfalls wieder: eine ausgedehnte Oberfläche der Einwirkung des Feuers auszuſezen, und eine raſche Strömung oder Circulation des Waſſers im Keſſel zu erzeugen.

Fig. 33 iſt ein Längendurchſchnitt des Keſſels mit ſeinem Ofen und mit den Feuerzügen. Fig. 34 zeigt denſelben Apparat im Querdurchſchnitte. a, a iſt der Ofen mit den Feuerzügen. b, b, b, b ſind die einzelnen, aus dem Keſſel hervorragenden Theile, zwiſchen denen und um welche herum die aus dem Ofen aufſteigenden Flammen und Dünſte ſpielen, um in den Rauchfang c zu gelangen. Sowohl der Ofen als die Feuerzüge ſind mit einer Waſſerkammer d, d, d, womit die hervorragenden Theile des Keſſels communiciren, umgeben, wie dieß aus Fig. 33 erhellt.

Die Theile b des Keſſels ſind aus Metallſtangen e, e, e gebildet, welche auf die aus der Zeichnung zu erkennende Weiſe gebogen ſind, und an deren Seiten mit Nieten oder Bolzen flache Platten befeſtigt ſind. Die einzelnen Theile oder Kammern b, b, b ſind mit Keilen

oder auf andere Weiſe an der Rükenplatte f feſtgemacht, in welche
den offenen Enden der Kammern gegenüber längliche Oeffnungen ge=
ſchnitten ſind.

Hieraus geht hervor, daß die Flamme und die aus dem Ofen
emporſteigenden erhizten Dünſte, indem ſie um die Kammern b herum
ſpielen, eine ſehr raſche Circulation und ein Aufſieden des Waſſers
erzeugen werden, in Folge deſſen eine raſche Dampfentwiklung Statt
finden wird. Eben ſo wird das Waſſer, welches ſich in der den
Ofen und die Feuerzüge umgebenden Kammer d befindet, allmählich
erhizt werden, um dann in die Kammern b zu fließen und daſelbſt
in Dampf verwandelt zu werden. Der Dampf ſelbſt wird in ent=
ſprechenden Röhren in die Maſchine geleitet.

Das äußere, die Kammer d umgebende Gehäuſe muß mit Koh=
lenpulver oder, irgend einem anderen ſchlechten Wärmeleiter ausge=
füttert werden, damit durch Ausſtrahlung nichts von der Wärme
verloren gehen kann.

Der Patentträger ſchlägt auch mehrere Modificationen ſeines
Keſſels vor, die jedoch kaum einer weiteren Erwähnung werth ſind.
Dahin gehört z. B. die Anwendung gewundener Feuerzüge in Ver=
bindung mit verſchiedenen Formen der Kammern b, b.

3. Verbeſſerungen an den Apparaten zum Sieden und Raffiniren des Zukers. Patent vom 14. April 1831.

Dieſe Verbeſſerungen beſtehen lediglich in der Anwendung des
in den beiden vorhergehenden Patenten beſchriebenen Apparates auf
die Erzeugung eines heißen Waſſerbades, welches zum Verſieden des
Syrupes dienen ſoll. Der Keſſel beſteht aus einer Reihe ſchmaler
Kammern, welche ſich in eine größere öffnen (wie dieß aus Fig. 31,
32, 33 und 34 erhellt) und welche ſo geſchloſſen ſind, daß kein
Dampf entweichen kann. In die Waſſerkammer des Keſſels e Fig. 31
oder d Fig. 33, wird eine offene, zum Verſieden des Syrups dienende
Pfanne eingeſezt. Auf dieſe Weiſe ſoll die Hize des ſiedenden Waſ=
ſers ſehr ſchnell dem in der Pfanne befindlichen Syrupe mitgetheilt
werden.

XXXVII.

Verbefferungen an den Apparaten, womit man Boote und andere Dinge von einem Niveau auf ein höheres schaffen kann, und worauf sich Thomas Grahame, in Suffolk Street, Pall Mall, in der Graffchaft Middlefex, am 13. Mai 1836 ein Patent ertheilen ließ.

Aus dem Repertory of Patent-Inventions. März 1837, S. 144.

Mit Abbildungen auf Tab. III.

Ich will, um möglichst deutlich zu zeigen, auf welche Weise meine Maschinerie arbeitet, einen bestimmten Fall fezen, und annehmen: daß die Totaldifferenz im Niveau, welche an einem Canale überwunden werden soll, 30 Fuß betrage; daß der Abfall so einzurichten sey, daß gewöhnliche Canalboote von 5 Fuß 6 Zoll Breite und 70 Fuß Länge, welche höchstens zur Aufnahme von 60 Paffagieren dienen und die mit ganzer Ladung den Kiel mit eingeschloffen höchstens 2 Fuß tief im Waffer gehen, damit der Kiel beiläufig 6 Zoll hoch vom Boden entfernt bleibt, über diesen Abfall hinauf und herab geschafft werden können; daß die Wafferbeken bei 73 Fuß Länge und 6 Fuß Breite, 2 Fuß 6 Zoll hoch mit Waffer gefüllt find; daß ein solches Wafferbeken mit seiner Ladung und den Aufhänge- ketten 40 Tonnen wäge; daß das Bruttogewicht beider Wafferbeken und der Gegengewichte (dead weights), welche einander aufwiegen, 120 Tonnen betrage; und daß die Kraft oder das Gewicht, welches erforderlich ift, um die Maschinerie in Thätigkeit zu fezen, und um zu bewirken, daß die unteren Wafferbeken und Gegengewichte empor- fteigen, während die oberen herabfinken, 3000 Pfd. oder 1½ Tonnen betrage, welche der unteren Laft genommen und der oberen hinzuge- fügt werden.

Fig. 51 soll einen Canal vorstellen, welcher in beiden Niveaux bis zu der Stelle fortgeführt ift, an der der Abfall oder der Unter- schied im Niveau überwunden werden soll. Zugleich soll aber auch ausgedrükt seyn, daß zwei kleine parallele Canäle oder Wafferleitungen von 6 Fuß Breite und 2 Fuß 6 Zoll Tiefe in dem oberen Niveau bis an den Rand des Abfalles geführt find; und daß diese Waffer- leitungen mit Schleußen versehen find, damit das Waffer nicht über den Abfall herab aus dem oberen Wafferbeken in das untere ftürzen kann. Am Grunde des Abfalles oder auf dem unteren Niveau sollen in zwei Linien, welche gleichsam Fortsezungen der oberen Waf- serleitungen bilden, bis auf eine Entfernung von 73 Fuß 6 Zoll von

dem Boden des Abfalles zwei parallele Graben geführt seyn, die die oben
erwähnten Wasserbeken aufzunehmen oder zu fassen im Stande. sind,
und welche mit Abzügen versehen sind, damit alles Wasser, welches
in sie gelangt, aus ihnen abfließen kann. In der angegebenen Entfernung von 73 Fuß 6 Zoll sollen die Gräben mit zwei kleinen
parallelen Wasserleitungen oder Canälchen zusammen treffen, welche
von dem unteren Canalniveau auslaufen, mit den beiden oberen
Wasserleitungen von gleichen Dimensionen sind, und wie sie an den
Enden gut passende Schleußen besizen, damit das Wasser nicht aus
dem unteren Niveau in die erwähnten trokenen Gräben fließen kann.
Diese Gestalt und diesen Bau soll der Canal haben, bevor die Pfähle,
Wasserbeken und Gegengewichte angebracht werden, wie man dieß
in der neben Fig. 51 gegebenen Zeichnung im Vogelperspective angedeutet sieht.

Längs der Gräben und zwar so, daß sie deren Seitenwände bilden, sind drei Reihen hölzerner oder eiserner Pfähle zu errichten,
welche eine solche Höhe haben müssen, daß sie mit den Scheiteln der
Seitenwände der beiden oberen Wasserleitungen in gleicher Höhe
stehen. Von diesen Pfahlreihen, welche einen der wichtigsten Theile
meiner Erfindung bilden, befindet sich an jeder Seite der Gräben
eine, während die dritte die Gräben theilt. Durch jede derselben
laufen zwei eiserne Stangen oder eiserne Arme von 73 Fuß Länge,
welche durch eine Streke von 30 Fuß von einander getrennt sind.
An diesen Stangen sind gleichsam wie an einer Welle oder Achse
so viele Räder angebracht, als Pfähle vorhanden sind; und in diese
Pfähle sind, wie aus Fig. 52 erhellt, wo einer dieser Pfähle von
Vorne abgebildet ist, Fugen geschnitten, worin die Räder gehörigen,
Spielraum haben. Um jedes dieser Räder, deren Anwendung einen
weiteren wichtigen Theil meiner Erfindung bedingt, läuft eine endlose flache Kette.

Es erhellt offenbar, daß wenn man an dieser endlosen Kette,
welche man in Fig. 53 sieht, zwei gleiche Gewichte aufhängt, und
zwar so, daß sich das eine an dem oberen Ende des Pfahles bei A,
das andere dagegen an dem unteren Ende desselben bei B befindet,
diese beiden Gewichte einander das Gleichgewicht halten werden. Es
erhellt aber ferner auch, daß, um das obere Gewicht auf das untere
Niveau an die Stelle D herab, und das untere Gewicht dafür an
die mit C bezeichnete Stelle empor zu schaffen, es nur eines solchen
Gewichtes oder einer solchen Kraft bedarf, wodurch die Reibung der
Räder und der Kette, an der die Gewichte aufgehängt sind, überwunden wird. Nach diesem Principe nun, und mit Hülfe einer
Reihe von Pfählen, Rädern und endlosen Ketten sollen nun die

Wasserbeken, in denen sich die über die Niveaudifferenzen wegzuschaffenden Boote befinden, und dergleichen sowohl an dem oberen, als an dem unteren Niveau eines vorhanden ist, aufgehängt, balancirt und in Bewegung gesezt werden.

In Fig. 54 sieht man mit 1, 1, 1 bezeichnet drei Reihen 21zölliger Pfähle von 35 Fuß 3 Zoll Höhe, deren Höhe folgender Maßen eingetheilt ist: die Streke von dem Scheitel des Pfahles bis zum äußeren Umfange des oberen Rades hat 1 Fuß 6 Zoll; jene von hier bis zum Mittelpunkte oder bis zur Welle dieses Rades 1 Fuß; jene von hier bis zum Mittelpunkte oder bis zur Welle des unteren Rades 30 Fuß; und jene von hier bis zu dem Boden, auf welchem das Wasserbeken ruht, wenn es sich im Grunde des Abfalles befindet, 2 Fuß 9 Zoll zu betragen. Die ganze Höhe beträgt demnach 35 Fuß, jedoch abgesehen von jener Pfahllänge, die man in das untere Niveau oder in den Boden des Abfalles einzutreiben für gut findet. Mit 2, 2, 2 sind die sechs Räder bezeichnet, von denen sich je eines an dem oberen und je eines an dem unteren Ende des Pfahles befindet; sie haben sämmtlich 2 Fuß im Durchmesser, und stehen 1½ Zoll weit über die äußeren Oberflächen der Pfähle vor. 3, 3, 3 ꝛc. sind die endlosen Ketten, woran die Wasserbeken und die Gegengewichte aufgehängt sind. Keine dieser Ketten beschreibt je einen vollkommenen Umgang, und keiner ihrer Theile durchläuft je eine größere Streke als 30 Fuß: d. h. eine Streke, welche genau so groß ist, als die Differenz im Niveau oder als die Entfernung, welche die Mittelpunkte der Räder, über die die Ketten laufen, von einander scheidet. Von den beiden Wasserbeken 4, 4 ist das eine am Scheitel, das andere hingegen am Grunde des Abfalles aufgehängt; und an jedem dieser Wasserbeken ist eine Schleuße in einer solchen Höhe angebracht, daß, wenn man sie öffnet, dem Gewichte nach gerade eine Tonne Wasser ausströmen kann. 5, 5 sind zwei lange Gegengewichte aus Gußeisen, an deren Grunde eine kleine Röhre oder ein Canal, welcher eine halbe Tonne oder 1000 Pfd. Wasser zu fassen vermag, mit dem zum Einfüllen und Entleeren dieses Wassers dienenden Apparate befestigt. Diese gußeisernen Gegengewichte haben die Gestalt eines Brettes von 2 Fuß 6 Zoll in der Tiefe und etwas über 5 Zoll in der Breite; sie erstreken sich längs der äußeren Seiten der äußeren Pfähle durch einen Raum von 78 Fuß, so daß jedes derselben, wenn seine Röhre mit Wasser gefüllt ist, 20 Tonnen oder halb so viel wiegt, als das mit Wasser gefüllte Wasserbeken. Damit die auf die Räder und Rollen wirkende Gewalt ausgeglichen werde, erstreken sich die beiden Enden dieser Gegengewichte etwas über die Endpfähle einer jeden Reihe hinaus; übrigens kann man dasselbe auch dadurch erreichen, daß man jenes Ende etwas schwerer macht. Die an den Gegengewichten angebrachten Röhren müssen auf solche Weise mit dem oberen Canalwasser in Verbindung stehen, daß sie von daher durch einfaches Umdrehen von Hähnen gefüllt werden können. Mit 6, 6 sind die beiden Abzüge bezeichnet, durch welche all das Wasser abfließen kann, welches in die am Grunde des Abfalles befindlichen Gräben gelangt, damit sich die Wasserbeken frei von allem Wasser bewegen.

Die Gesammtbreite von einer Außenseite eines Pfahles bis zu jener des gegenüber liegenden beträgt 18 Fuß, und über diese hinaus erstreken sich die Räder zu beiden Seiten um 1½ Zoll, während die Gegengewichte 6 Zoll weit über die Räder hinaus reichen. Der ganze Bau oder Apparat läßt sich daher in einem Hause oder Schoppen von 75 Fuß Länge und 24 Fuß Breite so unterbringen, daß man noch rings um denselben herum gehen kann. Die Zahl der Pfähle in jeder Reihe schlage ich auf 10 an, und in dieser ganzen Linie sollen sie 2 Fuß 3 Zoll Breite haben, so daß zwischen jedem Pfahle ein Zwischenraum von nicht mehr dann 5½ Fuß bleibt. Jeder Pfahl muß durch Querbalken und Stützen an seinem Nachbar festgemacht werden, damit sämmtliche 10 Pfähle ein festes und zusammenhängendes Gebälk bilden. An dem oberen Theile und über den Rädern können an den äußeren Seiten der Pfähle Strebebalken angebracht werden, die jeder Gewalt entgegen wirken.

Das Gesammtgewicht, welches in diesen 30 Pfählen getragen und aufgewogen werden muß, beträgt 120 Tonnen, indem jedes der beiden mit Wasser gefüllten Beken 40 und jedes der beiden Gegengewichte 20 Tonnen wiegt. Es werden demnach auf jeden Pfahl genau 4 Tonnen treffen, und diese Last wird in senkrechter Richtung nach Abwärts auf die Pfähle wirken.

An dem Ende der oberen Wasserleitung des hier beschriebenen Apparates ist ein Uförmiger eiserner Randvorsprung anzubringen, welcher um 6 Zoll über den Rand des Abfalles oder des oberen Niveau's hinausragt, und dessen Rand mit Filz oder einer anderen derlei Substanz belegt seyn muß. Eben so ist an dem correspondirenden Ende eines jeden Wasserbekens ein ähnlicher Randvorsprung anzubringen, der jedoch einen solchen Kreisbogen zu beschreiben hat, daß er den zuerst erwähnten Randvorsprung in sich aufnimmt, und daß, wenn beide mit einander verbunden sind, hiedurch ein beinahe wasserdichtes Gefüge gebildet wird. Das Ende der unteren Wasserleitungen und der mit ihnen in Verbindung stehenden Wasserbeken ist mit einer ähnlichen Vorrichtung auszustatten.

Gesezt nun die Maschinerie sey in der hier beschriebenen Art vollendet; die Schleußen der Wasserleitungen sowohl, als jene des oberen und unteren Wasserbekens seyen geöffnet; das Ganze werde mit Wasser gefüllt; es schwimme entweder in eines oder in beide der Wasserbeken ein Boot, und die Schleußen werden dann wieder geschlossen, so erhellt offenbar, daß die Wasserbehälter und die Gegengewichte aufgehängt und durch die correspondirenden Wasserbehälter und Gegengewichte aufgewogen seyn werden; selbst wenn der Apparat, durch den die Bewegung der Maschinerie, im Falle sie durch den leeren Wasserbehälter ungleich balancirt ist, verhindert wird, losgemacht wurde.

Die Bewegung, wodurch die Trägheit der Körper und die Reibung der zum Aufhängen dienenden Maschinerie überwunden werden soll, und wodurch also die Stellungen der oberen und unteren Wasserbeken und Gegengewichte gegen einander umgetauscht werden können, läßt sich auf zweierlei Weise erzielen: nämlich entweder durch Erhöhung des Gewichtes der oberen Last oder durch Verminderung des Gewichtes der unteren Last. Da die ganze Last, welche bei jeder Operation in Bewegung gesezt werden soll, es mögen sich Boote in den Wasserbeken befinden oder nicht, 120 Tonnen beträgt, so wird eine Vermehrung der oberen oder eine Verminderung der unteren Last um beiläufig den sechzehnten Theil des in Bewegung zu sezenden Gewichtes Alles leisten, was nöthig ist, um die Stellung der Wasserbeken und der Gegengewichte zu verändern.

Es versteht sich, daß die Maschinerie auch mit den gehörigen Vorrichtungen, wodurch das Ganze firirt und unbeweglich gemacht werden kann, welche Stellung die Gewichte auch haben mögen, so wie auch mit Bremsen, wodurch sich die Geschwindigkeit des Emporsteigens oder Herabsinkens der Wasserbehälter und Gegengewichte reguliren läßt, ausgestattet werden muß. Da jedoch der Betrag der anzuwendenden Kraft nie wechseln wird, und da nur dieser Betrag allein zur Verfügung der Arbeiter gestellt werden wird, so werden die Bremsen nur der Vorsicht wegen nöthig seyn.

Die Anwendung meiner Erfindungen hängt wesentlich von Umständen ab, die sich auf die Höhe des Hubes beziehen. Da wo dieser mehrere Fuß beträgt, rathe ich die Säulen oder Pfähle 1, 1, 1 einige Fuß hoch über das Niveau des oberen Canales empor zu führen, damit dem ganzen Baue durch Querriegel und Streben eine größere Festigkeit gegeben und dadurch die gegen innen wirkende Gewalt verhütet werden kann. Jeder Sachverständige wird diese Dinge anzuwenden wissen.

Ich weiß sehr wohl, daß schon mehrere Vorschläge gemacht wurden, um die Boote und andere Körper an Canälen senkrecht von einem Niveau auf ein anderes zu schaffen, und zwar ohne Anwen= dung der gewöhnlichen Schleußen; ich weiß auch, daß diese Vor= schläge in mehreren Fällen mit bedeutendem Vortheile ins Werk ge= sezt wurden. Ich beschränke mich deßhalb auch ganz allein auf die hier von mir angegebenen Mittel dieß zu vollbringen.

Einer dieser Vorschläge, der vor mehreren Jahren von Hrn. Dr. Anderson gemacht wurde, bestand in der Anwendung zweier Wasserbeken, welche einander aufwogen, und die über einer Reihe von Rädern aufgehängt waren, die nothwendig sehr groß waren, und die sich bis zu dem Mittelpunkte der Wellen, an denen sich die beiden Beken bewegten, reichten. Da diese Methode übrigens bereits in mehreren Werken ausführlich beschrieben worden ist, so brauche ich hier auf keine weitere Beschreibung derselben einzugehen.

Nach einem anderen Systeme, auf welches Hr. Jonathan Brownhill im Mai 1828 ein Patent nahm, sollte man ein Was= serbeken anwenden, welchem zu beiden Seiten durch Behälter, die mit Wasser gefüllt wurden, das Gleichgewicht gehalten werden sollte. [32]) Diese Methode hatte, obschon sie den Vortheil gewährte, daß das Wasserbeken, welches das Boot und dessen Ladung aufnahm, zu bei= den Seiten und nicht, wie nach Hrn. Anderson's Vorschlag, nur in der Mitte aufgehängt wurde, doch den Nachtheil, daß nur ein einziges Wasserbeken in Anwendung kam. Wenn daher ein Boot emporgehoben werden sollte und das Wasserbeken befand sich gerade oben, so mußte dieses zuerst herabgelassen werden, und umgekehrt. Ueberdieß mußten die Räder und die Maschinerien hoch über dem Niveau des Canales an Mauern angebracht werden, wodurch nicht nur die Kosten bedeutend vermehrt wurden, sondern wodurch auch große Gefahr von Erschütterungen entstand. Allen diesen Uebel= ständen ist durch die von mir hier beschriebene Erfindung vollkommen abgeholfen.

---

32) Man vergleiche über dieses Patent das Polyt. Journ. Bd. XXXIII. S. 401 und Bd. XLII. S. 6.   A. d. R.

XXXVIII.

Verbesserungen an den Maschinen zur Fabrication von Tüll oder Bobbinnet, worauf sich William Sneath, Tüllfabrikant in Ison Green in der Grafschaft Nottingham, am 21. Dec. 1831 ein Patent ertheilen ließ.

Aus dem London Journal of Arts. Januar 1837, S. 207.

Mit Abbildungen auf Tab. III.

Der Patentträger hat an den gegenwärtig gebräuchlichen Tüll- oder Bobbinnetmaschinen einige neue Apparate angebracht, womit er im Stande ist in dem Spizengrunde ähnliche Verzierungen, wie in den getüppelten Spizen, z. B. Reihen von Tupfen u. dergl. hervorzubringen.

Zu diesem Zwek dient: 1) eine Reihe von Haken, denen zu gewissen Zeitperioden der Maschinenthätigkeit eine geeignete Bewegung mitgetheilt wird, und welche jene Spulenfäden, die die Muster zu bilden haben, erfassen, um sie an den Mittelpunkt der Maschine zu führen, von wo aus sie um die hinteren Spizen, die um diese Zeit in den Tüll eingesenkt sind, geschlungen werden. Auf diese Weise werden durch mehrere Fadenlagen die gewünschten Muster erzeugt und in die Maschen des Tülls eingearbeitet. 2) dient hiezu die Anwendung von Hülfsspizen (extra points) in Verbindung mit den vorderen Spizen, damit hiedurch jene Fäden, die durch die Muster schlaff oder verwirrt worden sind, so von einander getrennt werden, daß die hinteren Spizen beim Aufnehmen der gewöhnlichen oder glatten Maschen genau und richtig zwischen die zu ihnen gehörigen Fäden eintreten. 3) dient hiezu eine Hülfs-Stößer-Stange und eine Hülfs-Sperrer-Stange (extra pusher and extra locker bar), welche jene Spulen zu leiten haben, die die Musterfäden in die entsprechenden Stellen bringen.

Der Patentträger sagt, daß seine Erfindung auf alle Arten von Bobbinnetmaschinen anwendbar ist, und hat dieß auch durch eine lange Reihe von Abbildungen und viele mit Beschreibungen gefüllte Pergamentrollen deutlich zu machen gesucht. Wir wählen aus allen diesen Zeichnungen nur eine einzige, da diese genügen wird, um alle Sachverständigen mit dem Wesen der Erfindung bekannt zu machen.

Fig. 21 ist ein Durchschnitt der arbeitenden Theile einer nach dem Circular-Bolzen-Principe gebauten Maschine, woran die neuen Verbesserungen angebracht sind. a, a sind die aus Blei gegossenen Circularbolzen, welche wie gewöhnlich mit Schrauben an den Bolzenstangen festgemacht sind. b, b sind die Schwerter der vorderen und

12 *

hinteren Sperrerstangen, welche wie sonst auf die Wagen wirken, ausgenommen jedoch zu jenen Zeiten, zu welchen das Müster gebildet wird. Denn in diesem Augenblike wird es nöthig, daß sich die die Musterfäden führenden Spulen aus ihren gewöhnlichen Coincidenzlinien in den hinteren Bolzen in die vorderen Bolzen bewegen, und jene Wagen, die nicht mit zur Bildung des Musters beizutragen haben, unthätig in den hinteren Bolzen zurüklassen. Um nun diese Bewegung zu bewirken, ist am Rüken der Maschine eine Hülfs-Stoßerstange c angebracht, die ihre Bewegung auf irgend eine für geeignet befundene Weise durch Hebel mitgetheilt erhält. An dieser Stange sind jedem Durchgange gegenüber an jenen Stellen, wo Muster zum Vorscheine kommen sollen, Stoßer d angebracht.

Hinter der gewöhnlichen hinteren Sperrerstange ist zur Aushülfe auch noch eine andere solche Stange e aufgezogen, zu deren Bewegung ein ähnlicher Mechanismus dient, wie zur Bewegung der gewöhnlichen Sperrerstangen. In das Blatt dieser Hülfs-Sperrerstange sind jenen Stellen gegenüber, an welche die Muster oder Tupfen kommen sollen, Fugen geschnitten, damit die Spulen mit den Musterfäden frei durch sie hindurch laufen können, wenn sie von den Hülfs-Stoßerstangen d in Bewegung gesezt werden. Da dieses Blatt an den übrigen Stellen ganz und undurchschnitten ist, so werden sämmtliche Spulen, die um jene Zeit zur Bildung des glatten Spizengrundes verwendet werden, zurükgehalten, und mithin verhindert gegen die Mitte hin zu fallen, wenn der gewöhnliche Sperrer herabgefallen ist, um die Musterspulen durchzulassen, oder wenn er in Anwendung kam, um sie in die hinteren Bolzen zurük zu bringen. An jedem Ende der Maschine ist an Hebeln eine Stange f aufgezogen, in der die Haken g festgemacht sind. Diese Haken, welche man in Fig. 22 einzeln von zwei Seiten abgebildet sieht, bestehen aus dünnen Bleidrähten, deren Enden nach Einwärts und an der Spize zugleich auch etwas seitwärts gebogen sind. h ist die vordere Spizenstange, in welche die gewöhnlichen Spizen i nach der üblichen Methode eingeschraubt sind, während an ihrer unteren Seite die Hülfs- oder Registerspizen k aufgezogen sind. Fig. 23 zeigt ein Blei mit diesen Hülfsspizen k einzeln für sich.

Wenn der bei der Erzeugung von glattem Tull übliche Proceß bis zu jenen Stellen fortgeschritten ist, an denen eine Reihe von Tupfen oder Mustern gewebt werden soll, so muß diese Operation beginnen, nachdem die hinteren Spizen das Aufnahmgeschäft vollbracht haben und während sie sich noch in den Maschen des Tulls befinden; während sämmtliche Wagen in zwei Reihen in den hinteren Bolzen stehen, und während die vordere Spizenstange herabgesenkt ist, um der Bewegung der Haken gehörigen Spielraum zu gestatten. In diesem Zustande wird nun die vordere Sperrerstange b herabgesenkt, und zugleich kommen die Stoßerstangen d in Thätigkeit, damit sie die ausgewählten Spulen und Wagen in die vorderen Bolzen treiben. Diese Wagen können hiebei durch die Fugen der Hülfs=Sperrerstange e laufen, während die ganzen undurchschnittenen Stellen dieser Stange die übrigen Wagen in den hinteren Kämmen zurükhalten. Hierauf wird die Hakenstange herabgesenkt, wodurch alle Theile in die aus Fig. 21 ersichtlichen Stellungen gerathen. Nunmehr werden die Haken g um zwei Räume nach Rechts verschoben, wo sie dann mit ihren gebogenen Enden die Fäden jener ausgewählten Wagen, die sich in den vorderen Bolzen befinden, erfassen, und nachdem dieß geschehen ist, durch eine Bewegung nach Aufwärts die Fäden einzeln und in Form einer Schlinge in die durch punktirte Linien angedeutete Stellung emporheben. Dann werden die Haken um einen Raum nach Links verschoben, wodurch sämmtliche Schlingen auf die Spizen gelegt werden; und wenn dieß vollbracht ist, werden die Haken wieder in die aus der Zeichnung ersichtliche Stellung herabgesenkt, so daß sie sich in derselben Lage befinden, wie vor der Verschiebung um einen Raum nach Links. Nunmehr werden die Haken von den Fäden losgemacht, damit die Spulen und Wagen durch die Thätigkeit der gewöhnlichen Treib= und Sperrerstange frei in die hinteren Bolzen getrieben werden können. Wenn sich dann sämmtliche Wagen in den hinteren Bolzen befinden, so wird die Führstange wie gewöhnlich bewegt, wodurch die ausgewählten Wagen wie früher wieder in die vorderen Bolzen gelangen, damit auf diese Weise die Musterfäden durch eine Drehung (twist) an die Oberfläche des Tulls gebunden werden, bevor die Aufnahme geschieht.

Das Anhaken der erschlafften Fäden, das Umschlagen derselben um die Spizen und das Binden an die Oberfläche wird 4, 5 und mehrere Mal wiederholt, je nachdem die Größe des Tupfens oder Musters dieß erfordert. Wenn endlich die Hülfs=Sperrerstange e außer Berührung mit den Wagen, die sich nunmehr sämmtlich in den hinteren Bolzen befinden, gesezt worden sind, so beginnen wieder die zur Erzeugung von glattem Tull nöthigen Operationen, wobei nur zu bemerken ist, daß die Wagen durch die lezte Bewegung der Führstangen genau in die beim Abfahren erforderliche Stellung gebracht worden seyn mußten.

Da die Fäden durch das bei der Erzeugung der Muster Statt findende Umschlagen etwas erschlafft werden, und mithin aus den gehörigen Coincidenzlinien gerathen, so führen die vorderen Spizen, um die Fäden wieder in die gehörige senkrechte Stellung zu bringen, beim Aufnehmen der ersten Maschenhälfte die Hülfsspizen k mit sich, welche, indem sie in die erschlafften Fäden eingesenkt werden, den hinteren Spizen als Führer dienen, und dadurch ein richtiges Eindringen dieser lezteren bedingen. Die Stellung, in der sich die Spizen um diese Zeit befinden, ist in Fig. 21 durch punktirte Linien angedeutet.

Wenn die Zeitperiode gekommen ist, zu der das Aufnehmen mit den hinteren Spizen zu geschehen hat, müssen die Hülfsspizen k aus den Fäden zurükgezogen werden; dabei dürfen jedoch die gewöhnlichen Spizen das Nez oder den Tull nicht ganz verlassen. Um nun dieß zu bewirken, kommt ein an der hinteren Spizenstange befindlicher Aufhälter mit der vorderen Spizenstange in Berührung, sobald die hinteren Spizen gehörig zwischen die Fäden eingetreten sind. Auf diese Weise werden die Hülfsspizen so weit aus dem Twist zurük- getrieben, daß die gewöhnlichen Spizen in der zum Schuze der zur Hälfte vollendeten Maschen geeigneten Stellung zurükbleiben.

Wenn alle diese Operationen vollbracht sind, so wird dann nach dem gewöhnlichen Verfahren glatten Tull zu fabriciren so lange fort- gefahren, bis so viele Maschenreihen vollendet sind, als ihrer zwi- schen die Muster oder Tupfen kommen sollen. Wenn das nächste Muster nicht gerade unter das vorhergehende fallen soll, so wird die Hakenstange f dem gemäß gehörig verschoben, oder gestellt. Der- selbe Zwek kann übrigens auch dadurch erreicht werden, daß man für jedes Muster, welches in jeder senkrechten Linie zum Vorscheine kommt, einen Haken anbringt. In diesem Falle würden dann, wäh- rend die eine Musterreihe erzeugt wird, die zur Erzeugung der ande- ren Reihe bestimmten Haken unthätig bleiben. Es ist nicht zu be- fürchten, daß hiedurch eine Verwirrung entsteht, da sich die Wagen, die die Fäden, auf welche die Haken zu wirken haben, führen, um diese Zeit in den hinteren Bolzen befinden.

XXXIX.

Verbesserungen an den Vorrichtungen zum Drehen oder Zwirnen, welche man an den Vorspinn=, Spinn= und Zwirnmaschinen für Baumwolle, Flachs, Seide, Wolle, Hanf und andere Faserstoffe anwenden kann, und worauf sich **William Wright**, Maschinenbauer von Salford in der Grafschaft Lancaster, am 22. Junius 1836 ein Patent ertheilen ließ.

Aus dem Repertory of Patent-Inventions. März 1837, S. 139.

Mit Abbildungen auf Tab. III.

Meine Erfindungen bestehen in der Anwendung einer elastischen Unterlage an dem Halsringe, worin die Spindeln der Zwirnmaschine umlaufen, damit auf diese Weise die Schwingungen dieser Spindeln wesentlich vermindert werden, wenn sie sich mit sehr großer Geschwindigkeit bewegen. Sie beruhen ferner auf verschiedenen anderen Verbesserungen der Zwirnmaschine, welche Erhöhung der Geschwindigkeit und Verminderung der Schwere der Spindeln zum Zwek haben. Sie betreffen endlich auch noch eine Verbesserung der Aufnahms= bewegung und verschiedene andere Dinge, welche aus der Beschreibung der Abbildungen hervorgehen werden. Ich bemerke vorläufig nur noch, daß an sämmtlichen Figuren gleiche Theile mit gleichen Buchstaben bezeichnet sind.

In Fig. 1 habe ich einen Theil einer gewöhnlichen Drossel= maschine von Vorne, und in Fig. 2 vom Ende her betrachtet abge= bildet, um zu zeigen, in welcher Stellung einige der von mir ver= besserten Apparate anzubringen sind. A ist die Treibwelle, welche mit einer losen und einer firen Rolle ausgestattet ist; B die Trom= mel, von der aus mit Hülfe gewöhnlicher Laufbänder die Bewegung an die Spindeln C, C, C, C mitgetheilt wird. D sind die Strek= walzen und E ist der zur Aufnahme des Vorgespinnstes dienende Haspel. Man wird bemerken, daß die hier abgebildeten Spindeln verhältnißmäßig viel kleiner sind, als jene der gewöhnlichen Drossel= maschinen, so wie auch, daß der Pfannenriegel g, g und die Trag= oder Polsterlatte d, d weit näher an einander angebracht sind.

Die erste meiner Erfindungen, zu deren Beschreibung ich nun= mehr übergehen will, und die man in Fig. 3 und 4 abgebildet sieht, besteht in einer elastischen Unterlage f für den Halsring oder Polster, worin die Spindel umläuft. a ist eine Messingröhre oder ein Hals= stük, durch welches die Spindel geführt ist, und welches in einem elastischen ledernen Wäscher f ruht. Dieser leztere paßt in eine

schmale, in den horizontalen Randvorsprung der Röhre a geschnittene
Fuge, wie dieß aus Fig. 4 erhellt; sein äußerer Rand dagegen ist
in die Latte d, d versenkt, und wird daselbst mittelst eines metallenen
Ringes e, e, der genau in die Versenkung der Latte paßt, fest an
Ort und Stelle erhalten. Die Spindel ist ganz auf die gewöhnliche
Weise durch die Röhre a geführt. Die partielle Elasticität des ledernen Wäschers f, f sezt mich in Stand den auf die angegebene Weise
aufgezogenen Spindeln jede beliebige, auch noch so große Geschwindigkeit zu geben, ohne daß dabei die Vibrirungen derselben wesentlich verstärkt werden; die Erfahrung lehrte mich wenigstens, daß bei
dieser Methode die gewöhnlichen Drosselspindeln mit weit größerer
Geschwindigkeit umgetrieben werden können, als nach der gewöhnlichen Methode.

Meine zweite Erfindung, deren ich mich gewöhnlich zugleich mit
der eben beschriebenen elastischen Unterlage bediene, beruht auf einer
mit einem Hute ausgestatteten Rolle oder Scheibe, wie man sie in
Fig. 5 im Durchschnitte sieht. g, g ist der Pfannenriegel, er trägt
die gewöhnliche Pfanne, in der der Fuß der Spindel C läuft, und
die von der behuteten Scheibe bedekt ist. In Folge dieser Einrichtung wird die Pfanne nicht nur vor Staub geschüzt, sondern die
Treibschnur wird auch, da sie sich näher an der Stelle befindet, auf
der das Ende der Spindel ruht, weniger Schwingungen verursachen.
Man kann der Pfanne auch die aus Fig. 6 ersichtliche Gestalt geben. Hier ist nämlich der obere Theil derselben etwas verengert,
damit er gleichsam eine Röhre oder ein Halsstük bildet, in welches
der mit h bezeichnete Theil der Spindel eingestekt wird. Die Trag-
stelle befindet sich demnach zwischen dem unteren Ende oder dem Fuße
der Spindel i und zwischen dem mit h bezeichneten Theile; auch ist
die Stellung der behuteten Scheibe eine solche, daß die Spannung
der Treibschnur auf den zwischen h und i befindlichen Theil wirkt.
Bei dieser Modification ist die Pfanne nicht nur eben so geschüzt,
sondern man kann unter diesen Umständen die gewöhnliche Trag-
oder Polsterlatte auch ganz weglassen, wenn man dieß für geeignet hält.

Meine vierte Erfindung besteht in der Anwendung einer metallenen Scheibe an dem Scheitel der Spindel, wie dieß in Fig. 7 und
auch in dem Grundrisse Fig. 8 angedeutet ist. Diese Scheibe kann
mit der Fliege verbunden seyn oder auch nicht; die Wirkung ist in
beiden Fällen dieselbe: d. h. die Spindel erhält bei ihrer Umlaufsbewegung in Folge der erhöhten, durch das Gewicht dieser Scheibe
k, k veranlaßten Trägheit einen höheren Grad von Stätigkeit. Eine
Modification dieser Vorrichtung ist aus Fig. 9 ersichtlich, wo man

Spindeln, welche zum Spinnen sogenannter Dornkbzer (pin-cops)
bestimmt sind, sieht. Hier ist die Scheibe k, k beweglich; die parallelen
Arme, welche die Fliege vorstellen, sind in Lbcher dieser Scheibe ein=
gepaßt; und an einem derselben ist das gabelförmige Stük z ange=
bracht. Dieses Stük schiebt sich frei auf und nieder; es wird jedoch
in Hinsicht auf die senkrechte Traversirbewegung des Kbzers mittelst
des Ringes z', der durch punktirte Linien angedeutet ist, und den
man über Fig. 9 im Grundrisse abgebildet sieht, stationär erhalten,
so daß das Garn in Folge der Traversirbewegung der Spindel
gleichmäßig auf dem Kbzer vertheilt wird.

Meine vierte Erfindung besteht darin, daß ich den Zug auf die
Fliege anstatt auf die Spule wirken lasse. Nach Fig. 10 ruht näm=
lich die Spule fest auf der Spindel, während die Fliege frei auf der
Dokenlatte ruht, und in Folge ihrer Reibung an der Oberfläche, auf
der sie ruht, den Zug oder das Aufwinden bewirkt. Die Fliege ist
hier mit einer kleinen Röhre, durch die die Spindel läuft, und die
daher mit dazu dient, ihr größere Stätigkeit zu geben, ausgestattet.
Diese, durch punktirte Linien angedeutete Röhre o', o', steigt im
Inneren einer gleichfalls mit punktirten Linien bezeichneten Scheide
a', a' empor; leztere trägt die Spule, und ist über der imaginären
Linie b', b' mit der Spindel identificirt. Diese Anordnung sezt mich
in Stand mit einer kürzeren Spindel eine gegebene Länge der Tra=
versirbewegung zu erzielen.

Alle diese vier Erfindungen können, je nachdem es die Umstände
erheischen, und je nach der Art der Zwirn= oder Drehmaschinerie, an
der man sie zu benuzen gedenkt, entweder einzeln oder gleichzeitig
in Anwendung gebracht werden. Fig. 1 und 2, wo man die beiden
ersteren Erfindungen an einer gewöhnlichen Drosselmaschine ange=
bracht sieht, werden für jeden Sachverständigen genügen, um ihn
bei der Anwendung der einen oder der anderen an jeder anderen
Art von derlei Maschinen zu leiten.

Meine fünfte Erfindung besteht in einer neuen Anordnung einer
Maschinerie, womit Strikwerk aus Hanf, Flachs und anderen Faser=
stoffen dichter, fester und gleichförmiger fabricirt werden kann, als
dieß mit irgend einer anderen der gewöhnlichen Maschinen möglich ist.

Fig. 14 gibt eine Frontansicht eines Theiles einer Zurichtmaschine,
in der das rohe Material zu einem Faden oder Strange gedreht
wird. Q, Q sind eine Reihe umlaufender Röhren, ähnlich denen,
welche an den Dyer'schen Baumwoll=Vorspinnmaschinen gewöhnlich
gebräuchlich sind. Der Hanf oder Flachs wird von dem Rüken der
Maschine her bei R mit der Hand in das eine Ende dieser Röhren
gebracht und gelangt dann aus dem entgegengesezten Ende hervor

zwischen die Strekwalzen D, zwischen denen es je nach Umständen
beliebig ausgezogen wird. Von hier aus läuft das Material vorwärts, um dann mittelst der Spindeln C, C in einen Faden gesponn-
nen und endlich auf die Spulen O, O aufgewunden zu werden. Diese
Spulen sind durch das Rad p und q zusammengeschirrt, damit deren
Bewegung und mithin auch die auf sie aufgewundene Menge Garn
stets eine gleichmäßige bleibt. Die Spindel erhält, wie die Zeichnung deutlich angibt, ihre Bewegung von den vorderen Strekwalzen
her durch ein Winkelräderwerk mitgetheilt. Wenn die Spulen O, O
gefüllt sind, so werden sie abgenommen und zu dreien und darüber
lose auf die in Fig. 15 ersichtlichen Spindeln C, C gestekt. Sie erhalten daselbst eine doppelte Bewegung, nämlich eine um den Mittelpunkt der Spindeln, in Folge deren sich das auf ihnen befindliche
Garn abwindet; und eine zweite um den Mittelpunkt der Welle S,
an deren oberem Ende die Stränge zusammenlaufen, um daselbst
durch Drehung eine Schnur oder ein Tau zu bilden, welches auf
den Cylinder T aufgewunden wird. Von diesem Cylinder, der das
Tau durch sein Umlaufen gehörig gespannt erhält, wird dasselbe an
der mit U bezeichneten Stelle wieder abgegeben. Die Maschine wird
durch die Rolle A in Bewegung gesezt. Diese Rolle pflanzt nämlich
die Bewegung an den Cylinder T fort, der mit ihr an einer und
derselben Welle angebracht ist; und eben so erhalten durch sie und
mittelst der in der Zeichnung angedeuteten Winkelräder auch die beiden senkrechten Wellen V und W ihre Bewegung. Die Welle W
treibt mittelst der Zahnräder X, Y die Welle S um; während die
Welle V zu gleicher Zeit mittelst der Zahnräder Z, r, die Spindeln
C, C umtreibt. Leztere greifen in die an den Spindeln befestigten
Getriebe t, t, während die Räder T und S an dem Halsringe u,
der sich frei an der Welle S bewegen kann, festgemacht sind. Die
Arme, welche die Spindeln C, C tragen, sieht man in Fig. 15 bei
n, n. m ist ein Zahnrad, welches in die beiden kleinen Räder, auf
denen sich die Spulen befinden, eingreift, damit deren Umlaufsbewegung und mithin auch die Abgabe des Fadens oder Stranges, woraus das Tau gedreht wird, gleichmäßig von Statten geht.

   Meine sechste und lezte Erfindung besteht in einer neuen Methode, nach welcher an den Spulen aller Arten von Dublirmaschi-
nen, besonders jedoch an jenen, die zur Verfertigung des Geschirr-
garnes (heald yarn) dienen, an welchem jeder Strang bekanntlich
gleiche Länge haben und eine gleiche Spannung aushalten muß, der
sogenannte Zug oder die Retardirung erzeugt wird. Fig. 11 gibt
eine Front- und Fig. 12 eine Endansicht der ersten meiner Dublir-
maschinen, in der ich das Garn zuerst zu dreifachen Strängen zu-

sämmendrehe, von denen jeder dann einen der Stränge der Geschirr-
garne bildet. E ist der Haspel mit den Spulen, auf denen sich die
Fäden befinden, welche zusammen gedreht werden sollen. D sind die
Wälzen, durch welche deren Enden geführt werden, und O, O die
Spulen, auf die sie in dublirtem Zustande aufgewunden werden. Die
Spindeln, welche an dieser Maschine die Drehung mittheilen, erhalten ihre Bewegung wie gewöhnlich durch Räder oder Laufbänder;
die Spulen hingegen sind einzeln auf kleine Zahnräder p gesezt und
mittelst eines kleinen Zapfens daran befestigt, so daß jedes dieser
Räder in derselben Richtung umgetrieben wird, wie die dazu gehörige
Spindel. Zwischen je zwei dieser Räder p befindet sich ein an einen
fixirten Zapfen gestektes Führrad q, welches in die beiden Räder p
eingreift; woraus dann folgt, daß sämmtliche Spulen O eine und
dieselbe Geschwindigkeit bekommen. Das lezte, an dem einen Ende
der Maschine befindliche Führrad q ist an einer kurzen Spindel angebracht, deren unterer Theil mit einer Schraube ohne Ende ausgestattet ist, und die mit dieser Schraube in das Schnekenrad G eingreift, um demselben nach der Richtung des Pfeiles eine langsame
Bewegung um seinen Mittelpunkt mitzutheilen. Diese Bewegung
wird jedoch durch das Gewicht H verhindert; so daß also durch den
Betrag dieses Gewichtes, und durch die an der Fläche des Rades G
befindliche Spiralfeder, an der das Gewicht aufgehängt ist, der Grad
des Widerstandes bestimmt wird. Diese Spiralfeder muß so berechnet seyn, daß das Gewicht H bis in die Nähe des Mittelpunktes
des Rades G emporgehoben wird, sobald die gehörige Quantität
dublirten Garnes auf die Spule O gelangt ist. Da sich sämmtliche
Spulen, wie bereits gesagt, mit gleicher Geschwindigkeit bewegen, so
tritt dieß nothwendig an allen zugleich ein. In diesem Zustande
bringt man die Spulen in eine zweite ähnliche Maschine, die in
Fig. 13 vom Ende her abgebildet ist, und in der drei der Stränge
von den Spulen O in einer der früheren entgegengesezten Richtung
zusammengedreht werden, bis sie endlich als Geschirrgarn auf die
Spule P gelangen. In dieser Maschine werden sowohl die Spulen
O als die Spulen P durch einen dem oben bei Fig. 11 beschriebenen
ähnlichen Apparat in ihrer Umlaufsbewegung regiert, so daß von
jeder Spule O immer eine und dieselbe Quantität abgewunden, und
auf jede der Spulen P eine gleiche Quantität aufgewunden wird.
Die Spannung eines jeden Stranges bleibt sich während der ganzen
Operation an jedem Theile beständig gleich. Eine Modification der
Anwendungsweise des Gewichtes H, und zwar eine, welche besonders
auch auf Spinnmaschinen anwendbar seyn dürfte, erhellt aus der
seitlichen Ansicht, welche in Fig. 16 gegeben ist. Hier sind nämlich

die Spulen nicht durch Zahnräder zusammengeschirrt, wie dieß in
Fig. 11 angedeutet wurde; sondern sie ruhen einzeln auf Scheiben
oder Rollen w, die mittelst Treibschnüren, welche von der Trommel
oder von dem Cylinder x herlaufen, umgetrieben werden. Die Re-
tardirbewegung dieser Scheiben ist dadurch bedingt, daß eine an ihrer
Spindel angebrachte endlose Schraube in ein Schnekenrad G eingreift,
welches gleich dem oben in Fig. 11 abgebildeten mit einem Gewichte H ausgestattet ist.

Von den bereits bekannten Theilen, die ich der größeren Deutlichkeit wegen hier erwähnt habe, nehme ich keinen als meine Erfindung in Anspruch. Als solche erkläre ich aber die Anwendung einer
elastischen Unterlage an den Halsstüken, in denen die Spindeln umlaufen, welche Unterlage auf verschiedene Weise angebracht und aus
Leder oder irgend einer anderen entsprechenden, elastischen Substanz
verfertigt werden kann. Ferner erkläre ich als solche die oben unter
2, 3, 4 und 5 angegebenen und beschriebenen Vorrichtungen; so wie
endlich die Anwendung eines gleichförmigen Gewichtes sowohl zur
Regulirung des Zuges oder der Aufnahmbewegung sämmtlicher in
einer Maschine befindlicher Spulen, als auch zur Regulirung der Ab-
windbewegung einer beliebigen Anzahl jener Spulen, die das zu ver-
arbeitende Material an die Strekwalzen abgeben.

XL.

Verbesserungen an den unter dem Namen Cabriolets be-kannten Fuhrwerken, worauf sich Moses Poole, Gent-leman in Lincoln's Inn in der Grafschaft Middlesex, auf die von einem Fremden erhaltene Mittheilung am 21. Septbr. 1836 ein Patent ertheilen ließ.

Aus dem Repertory of Patent-Inventions. März 1837, S. 151.
Mit Abbildungen auf Tab. III.

Die Erfindung, auf welche obiges Patent genommen wurde,
betrifft die sogenannten Cabriolets (cabs), und besteht in einem verbesserten Baue gewisser zweiräderiger Fuhrwerke, in welche von Hinten her eingestiegen werden soll. Die Zeichnung wird den gehörigen
Aufschluß geben.

Fig. 24 zeigt ein nach der neuen Erfindung gebautes zweiräde-
riges Fuhrwerk von der Seite betrachtet; Fig. 25 gibt eine Ansicht
desselben vom Rüken her; Fig. 26 ist ein Längendurchschnitt, und
Fig. 27 ein Querdurchschnitt. An allen diesen Figuren sind zur Bezeichnung gleicher Gegenstände auch einerlei Buchstaben gewählt.

Der Bau des Gestelles und Kastens des Fuhrwerkes wird sich aus einer genauen Prüfung der Durchschnitte Fig. 26 und 27 ergeben, indem hier das Fuhrwerk ohne alle Fütterung dargestellt ist. a, a ist eine gewöhnliche abgekniete Achse, die deßwegen den Vorzug verdient, weil dadurch der Kasten des Fuhrwerkes dem Boden näher kommt. b, b sind die Räder und c, c elliptische Federn, auf denen der Kasten ruht, und welche jener Erfindung gemäß gebaut sind, auf welche sich William Boulnois der jüngere am 30. Jan. 1836 ein Patent ertheilen ließ. [33]) Diese Federn empfehlen sich durch die Leichtigkeit der Bewegung, welche sie dem Kasten geben, vor allen übrigen; deffen ungeachtet kann man sich übrigens auch anderer Federn bedienen. d, d sind die Gabelstangen, welche durch Stiftgefüge mit dem Kasten verbunden sind, wie dieß bei e angedeutet ist. Jede Gabelstange läuft durch ein Haus oder durch eine Scheibe f, in der ihr so viel Raum gestattet ist, daß sie sich auf und nieder bewegen kann, und welche Scheibe von dem Arme g getragen wird. h, h sind Federn, dergleichen an jeder Gabelstange zwei, die eine oben und die andere unten, innerhalb der Scheibe f angebracht sind. Da diese Federn aus den Gabelstangen hervordrängen, so wird hiedurch die Last, die das Pferd zu tragen hat, vermindert, und die unangenehme Wirkung der gewöhnlichen Bewegung dieser Stangen auf den Körper des Pferdes vermieden, so daß das Fuhrwerk von dem Thiere mit derselben Leichtigkeit, wie irgend ein vierräderiger Wagen gezogen wird. i, i sind die Tritte, auf denen der Kutscher auf den Bok j gelangt, und k, k die Haken, in welche die Zugriemen eingehakt werden.

Die Form des Kastens erhellt aus den einzelnen Figuren deutlich genug, obwohl ich übrigens bemerken muß, daß diese Form je nach Umständen mannigfach abgeändert werden kann: vorausgesezt, daß das Einsteigen von Hinten her beibehalten wird. l ist der Tritt zum Einsteigen; m, m sind Flügelthüren, welche aus zwei Theilen bestehen, damit man von jeder Seite der Straße her gleich leicht einsteigen kann. Man kann übrigens, wenn man will, auch nur ein ganz einfaches Thürchen anbringen. Vorne an dem Wagen befinden sich zwei verglaste Fenster, welche entweder firirt oder auch nach der gewöhnlichen Methode zum Oeffnen gerichtet seyn können. o, o sind zwei Ventilatoren, welche aus dünnen flachen Brettchen bestehen, und womit die Oeffnungen o, o entweder verschlossen, oder indem man die Brettchen um ihre Achsen dreht, auch in jedem beliebigen Grade

---

33) Diese neuen Patentkutschenfedern sind im Polytechn. Journal Bd. LXII. S. 202 beschrieben. A. d. R.

geöffnet werden können. p, p sind zwei verglaste Fenster, welche
zwar in der Zeichnung als firirt dargestellt sind, die man aber eben
so gut auch zum Oeffnen richten kann. Auf den beiden Sizen q, q
sizen die Fahrenden einander gegenüber und mit der einen Seite gegen die Pferde hin gekehrt: es erhellt dieß aus Fig. 26 und 27,
in welchen das Fuhrwerk, wie gesagt, im Durchschnitte abgebildet ist,
um das Hauptgestell anschaulicher zu machen. Die Fütterung kann
natürlich je nach dem Geschmake des Wagenbauers auf sehr mannigfache Weise angebracht werden.

Die nach diesen Angaben gebauten Fuhrwerke verbinden Sicherheit mit Eleganz und Leichtigkeit. Sie sind für zwei Fahrende eingerichtet, und können als sogenannte Cabriolets oder Gukuks von
Fiakern benuzt werden. Die gewöhnlichen Fuhrwerke dieser Art werden bekanntlich als sehr gefährlich betrachtet, weil die Passagiere
sehr leicht herausgeschleudert werden, wenn das Pferd stürzt, oder
wenn deren Räder an andere Fuhrwerke gerathen. Bei den neuen
Fuhrwerken dagegen ist dieß durchaus nicht der Fall; selbst wenn
das Pferd durchgehen sollte, könnte man sich leicht aus ihnen retten,
denn man brauchte nur die hintere Thüre von Innen zu öffnen und
mit Hülfe des Trittes herauszusteigen. Daß man sich hiebei festhalten und eine Streke weit mit dem Wagen laufen müßte, um das
Fallen zu verhüten, versteht sich von selbst.

Ich will nun noch ein zweites Fuhrwerk beschreiben, welches zwar
auf demselben Principe beruht, wie das frühere, doch aber in einigen Dingen davon abweicht. Die Thüre zum Einsteigen ist nämlich
allerdings auch hier am Rüken des Fuhrwerkes angebracht; allein
die Reisenden sizen neben einander und mit dem Gesichte den Pferden zugekehrt.

Fig. 28 zeigt ein derlei Fuhrwerk von der Seite; Fig. 29 gibt
eine Ansicht desselben vom Rüken her, und Fig. 30 ist ein Längendurchschnitt. Ich habe, um dessen Bau noch mehr zu versinnlichen,
nur zu bemerken, daß sich zu jeder Seite der Einsteigthüre ein Siz
befindet, und daß, wenn man wünscht, quer über die Einsteigthüre
auch ein dritter Siz gelegt werden kann, welcher sich hinaufschlagen läßt,
und der, wenn die dritte Person eingestiegen und die Thüre hinter
ihr geschlossen ist, herabgelassen werden kann; wie dieß in Fig. 29
durch punktirte Linien anschaulich gemacht ist. Der vordere Theil
dieser Wagen kann mehr oder weniger offen gebaut und mit Glas-
fenstern oder Jalousien versehen seyn. Wenn die Einsteigthüre nur
aus einem Stüke besteht, wie z. B. in Fig. 29, kann man an ihr
ein Fenster oder eine Jalousie anbringen, die sich wie die gewöhn-

lichen Kutschenfenster von Innen durch Schieben öffnen und schlie=
ßen läßt.

Ich weiß wohl, daß bereits mehrere Fuhrwerke so gebaut wur=
den, daß man von Hinten her in sie einsteigt; ich nehme daher die=
ses Princip auch nur in seiner Anwendung auf die hier beschriebene
Art von Fuhrwerk als meine Erfindung in Anspruch. Ich beschränke
mich übrigens hiebei durchaus auf keine Form oder Gestalt des
Kastens des Fuhrwerkes, sondern behalte mir vor, diese nach Belie=
ben, Geschmak und Mode abzuändern.

XLI.
Ueber eine verbesserte Bettstelle zum Zusammenschieben.
Von Hrn. T. R. Croft.

Aus dem Mechanics' Magazine, No. 696, S. 184.
Mit Abbildungen auf Tab. III.

Ich habe mir schon oft gedacht, daß eine vortheilhaftere als
die gewöhnliche Methode, die Bettstellen des Tages über zu verklei=
nern oder zusammenzulegen, ausgemittelt werden könnte. Ich wun=
derte mich um so mehr über die Mangelhaftigkeit des üblichen Ver=
fahrens, als durch das hiebei leicht mögliche Herabfallen der Bett=
stellen leicht mancherlei Unglüksfälle entstehen können. Ich suchte
daher diesem Uebelstande abzuhelfen, und glaube eine Vorrichtung
ausfindig gemacht zu haben, die nicht nur eben so wohlfeil ist, als
die bisherige, sondern die ihr zugleich an Zwekmäßigkeit und Eleganz
vorgeht.

a, in Fig. 39, ist einer der Pfosten des Kopfgestelles, und b
ein Pfosten des Fußgestelles. c ist ein eiserner Fuß, welcher an ei=
ner eisernen Stange d befestigt ist. Unter dieser Stange, welche zur
Befestigung der Bretter oder Latten der Bettstelle dient, läuft ein
Falz, in welchen die Hälfte der Seite e eingeschoben werden kann.
Wenn man nun das eiserne Stük f horizontal dreht, so wird der
Fuß auf die Rolle g zu ruhen kommen, wo dann die Hälfte e frei
in den Falz der Stange d eingeschoben werden kann, bis der Pfo=
sten b an dem Fuße c anlangt, und bis mithin die Bettstelle um
die Hälfte ihrer gewöhnlichen Größe verkleinert ist.

h ist eine seitliche Ansicht des Fußes c, woraus man das Loch
ersieht, durch welches sich die Seite e schiebt. i zeigt die Eisenstange
von Innen, damit die zur Aufnahme der Latten dienenden Ausschnitte
sichtbar werden. k ist das Ende der Stange, woraus der Falz, in
welchem sich die Seite e schiebt, erhellt. Das untere Ende der Bett=
stelle ist immer um einen Zoll niedriger, als das obere.

XLII.

Verbefferungen an den Fensterladen, welche auch zu anderen Zweken anwendbar sind, und worauf sich Joseph
Bunnett, Jaloufienfabrikant von Newington Causeway
im Borough Southwark der Graffchaft Surrey, am
18. Jun. 1836 ein Patent ertheilen ließ.

Aus dem London Journal of Arts. Februar 1837, S. 275.

Mit Abbildungen auf Tab. III.

Die Fensterladen des Patentträgers bestehen aus langen schmalen Streifen Eisenblech, welche wie an den Jaloufien horizontal angebracht sind, und die man in Fig. 35 bei A fieht. Diese Streifen
sind durch Angelgewinde, die von Außen nicht bemerkbar sind, einer
über den anderen so unter einander verbunden, daß sich ihre Ränder
in einer kurzen Ausdehnung bedeken. Es erhellt dieß aus Fig. 36,
wo man einen Theil eines solchen Fensterladens von der Seite und
im Durchschnitte abgebildet fieht, und wo diese Streifen mit a, a, a
bezeichnet sind. Diese Einrichtung ist im Ganzen nicht neu; die
Verbindung der Streifen durch Angelgewinde von eigenthümlicher Art
bildet jedoch den ersten Theil der Erfindung. Der zweite Theil beruht auf der Art und Weise, nach der diese Laden in den Fensterrahmen aufgezogen und herabgelassen werden; der dritte Theil endlich betrifft die Mittel, womit die Laden befestigt und wieder losgemacht werden sollen.

Fig. 37 zeigt ein Stük Eisenblech oder auch ein anderes Metall-
blech, welches in einer Ausschlagpresse in der zur Verfertigung der
Angelgewinde nöthigen Form ausgeschlagen worden ist. Dieses Blech
wird an den durch punktirte Linien angedeuteten Stellen so zurük-
geschlagen, daß dadurch die Muttern oder Oehren der Angelgewinde,
in welche die Dorne oder Zapfen eingestekt werden, zum Vorschein
kommen. Diese Gewinde fieht man in Fig. 36 bei b, b, b an den
Metallstreifen festgemacht; ihr ganzer Bau erhellt hieraus so deutlich, daß in Bezug auf fie nur mehr zu bemerken ist, daß der Patentträger nur die Anwendung solcher Gewinde in dem Falle als
seine Erfindung erklärt, wenn die Ränder der Blechstreifen zu diesem Zweke nicht weggeschnitten werden.

Die Verbindung dieser Jaloufien mit dem Fensterrahmen, und
die Aufwindmethode derselben ist aus dem Querdurchschnitte Fig. 38
zu ersehen. a, a, a ist die Reihe der durch Angelgewinde mit einander verbundenen Blechstreifen; c eine Walze, die an dem oberen
Theile des Fensterrahmens in Zapfen läuft, und um welche sich die

Blechstreifen beim Umlaufen der Walze schlagen. An dem Ende dieser Walze ist ein Zahnrad befestigt, und in dieses greift eine endlose Schraube, die an dem oberen Ende der senkrechten Spindel d angebracht ist. Das untere Ende dieser Spindel ist mit einem Winkelrade ausgestattet, in welches ein an dem Ende der horizontalen Welle e befindliches Getrieb eingreift. Hieraus folgt, daß, wenn man eine Kurbel umdreht, die sich an dem entgegengesezten Ende dieser Kurbel bei f befindet, die senkrechte Spindel d und mithin auch die Walze c gleichfalls umgetrieben wird; und daß sich demnach die ganze aus den Blechstreifen zusammengesezte Jalousie in den Seiten des Fensterrahmens in Falzen auf und nieder bewegt. Das Neue, was der Patentträger hieran als seine Erfindung erklärt, besteht in der Anwendung der endlosen Schraube und des Zahnrades an dieser Art von Jalousie. [34]

Um den Fensterladen festzustellen, nachdem er herabgelassen worden ist, wird ein Federriegel g so vorwärts geschnellt, daß sich dessen Ende über eine gerade, am unteren Ende der Jalousie befindliche Stange hinaus oder in sie hinein bewegt. Dieser Riegel steht mit einem Federhebel in Verbindung, und dieser wird, wenn man die Kurbel f an das Ende der Welle e stelt, bei Seite getrieben, so daß der Riegel g zurükgezogen wird, und die Jalousie mithin aufgewunden werden kann. Diese Methode den Riegel mittelst einer Kurbel f nachzulassen, macht den dritten und lezten Theil der Erfindungen des Patentträgers aus.

XLIII.

Beschreibung einer neuen Säemaschine von der Erfindung des Hrn. Crespel-Dellisse, Runkelrübenzucker-Fabrikanten in Arras.

Aus dem Bulletin de la Société d'encouragement. Oktober 1836, S. 391.

Die neue Maschine besteht aus einem hölzernen, auf Rädern ruhenden Gestelle, über dem ein zur Aufnahme des auszubauenden Samens dienender und in 5 Fächer abgetheilter Trichter, so wie auch ein hölzerner Cylinder angebracht ist. Lezterer ist mit 5 kupfernen Bechern ausgestattet, die den 5 Fächern des Trichters entsprechen, und in dem unteren Theile dieses Trichters den Samen schö-

---

34) Eine ganz ähnliche Methode Jalousien aus Eisenblech aufzuziehen und herabzulassen, ward im Februar 1829 von den HH. Kitchen und Smith angegeben. Man findet ihr Patent im London Journal Bd. V. der zweiten Reihe S. 26 beschrieben. A. d. O.

pfen. Jedes der Fächer communicirt mit den entsprechenden Bechern des Cylinders mittelst einer Art von Fallthüre, die vorne befestigt ist und bis an den Cylinder reicht. Diese Fallthüre wird gehoben oder gesenkt, je nachdem man eine größere oder geringere Menge Samen ausfließen laßen will, und je nach der Größe der auszubauenden Körner. Sie bildet also eine Art von Schuzbrett, welche ein gehöriges Niveau der Samen unterhält; je tiefer dieses Niveau steht, um so weniger Samen tritt gegen die Becher hin aus.

Die Becher nehmen, indem sie in den Samen untertauchen, die gewünschte Quantität davon auf, heben sie empor und entleeren sie hierauf in Trichter, aus denen sie durch hohle, unter ihnen befestigte Pflugscharen in die Erde gelangen. Diese Scharen, welche das Erdreich zum Behufe der Aufnahme der Samen aufbrechen, können mittelst Drukschrauben nach Belieben höher oder tiefer gestellt werden, je nachdem man die Samen mehr oder weniger tief unter die Erde zu bringen beabsichtigt. Nach Vollendung der Aussaat werden die Scharen so hoch gestellt, daß das Instrument weiter geschafft werden kann.

Die Communication zwischen den fünf Becherreihen des Cylinders ist durch Bleche, welche den unteren Theil des Cylinders kreisförmig umfassen, gehindert.

An dem einen der Querhölzer des Hintergestelles der Maschine kann man, wenn man will, bewegliche Eggenzähne anbringen, um sie auf diese Weise die von den Scharen gebildeten Furchen, in welche die Samen gelegt wurden, wieder zu bedeken. Das Hintergestell selbst endlich ruht auf mehreren kleinen Rädern mit breiten Reifen, welche, indem sie über die Furchen laufen, die Erde fester brüken, wodurch das Keimen der Samen erleichtert und sicherer wird. Die Achse, an der sich diese Räder befinden, ist so eingerichtet, daß man, je nachdem man in drei oder fünf Reihen aussäet, auch drei oder fünf solcher Räder an ihr anbringen kann.

Der die Becher führende Cylinder erhält seine Bewegung durch ein Zahnrad mitgetheilt, welches an dem einen Ende seiner Achse fixirt ist, und in welches ein anderes, an dem Vordergestelle der Maschine aufgezogenes Zahnrad eingreift.

An jedem Fache des Aufschütttrichters befindet sich am unteren Theile eine Art von Fallthüre, die zum Herausnehmen der Samen bestimmt ist.

Die Sämaschine läßt sich auf ihren Rädern überall hin schaffen, wo man sich ihrer bedienen will; nur müssen in diesem Falle die Scharen und die Eggenzähne so hoch gestellt seyn, daß sie den Boden nicht berühren. Ist sie auf dem Felde angelangt, so stellt man die

Scharen und die Egge, so tief, als man es für nöthig hält, und firirt sie in dieser Stellung, indem man die Drukschrauben fest anzieht. Wenn hierauf die Trichter gefüllt und die Fallthürchen auf jene Höhe gehoben sind, welche die Erfahrung als die zwekmäßigste lehrte, so braucht man nichts mehr weiter, als die Maschine in Gang zu sezen. Ein Arbeiter genügt, um das Pferd und das ganze Instrument zu dirigiren; in lezter Hinsicht hat er nichts weiter zu thun, als den Aufschütttrichter in dem Maaße zu füllen, in welchem er sich durch die Aussaat entleert. [35])

XLIV.
Ueber den Krapp, nach Dr. Runge.

Wir geben unseren Lesern im Folgenden einen Auszug aus der chemisch-technischen Monographie des Krapps von Runge, welche als Anhang zu der zweiten Lieferung der Verhandlungen des preußischen Vereins zur Beförderung des Gewerbfleißes, Jahrgang 1835, erschienen ist. [36])

I. Rein-chemischer Theil. Zusammensezung der Krappwurzel. Eigenschaften der Bestandtheile.

Nach Runge enthält der Krapp nicht weniger als sieben besondere Stoffe, worunter sechs Verbindungen von besonderer Farbe, aber nur drei wirkliche Pigmente sind.

1) Krapppurpur: orangefarbenes, krystallinisches Pulver. — Darstellung: man wäscht den Krapp mit Wasser von 11 bis 16° R. aus, kocht ihn mit starker Alaunlösung, fällt die Lösung durch Schwefelsäure, süßt den Niederschlag aus, erst mit reinem, dann mit salzsaurem Wasser, zieht den ausgekochten Krapppurpur mit Weingeist von 90 Proc. aus, verdunstet die geistige Lösung zur Krystallisation, löst den krystallisirten Purpur wieder in heißem Weingeist und läßt ihn abermals krystallisiren. — Eigenschaften: ertheilt im Ueberschusse dem gebeizten Kattun tief braunrothe Purpurfarbe, bei Kattunüberschuß glänzendes Hochroth, bildet mit sie-

---

35) Wir halten diese Beschreibung auch ohne alle Abbildung für vollkommen verständlich und genügend; eine ausführliche Abbildung sämmtlicher Theile auf einer großen Folioplatte findet man übrigens in dem oben angegebenen Hefte des Bulletin. Wir bemerken nur noch, daß die Maschine in ihrem ganzen Baue wenig Neues darbietet, indem bereits mehrere, ganz ähnliche Vorrichtungen zu verschiedenen Zeiten empfohlen und auch in unserem Journal bekannt gemacht wurden. X. d. R.

36) Bei diesem Auszuge haben wir uns im Wesentlichen an das polytechn. Centralblatt Nr. 39 gehalten. X. d. R.

13 *

denber Alaunlösung eine kirschrothe, sich beim Erkalten weder trü-
bende noch verändernde Lösung, aus der kein Farbstoff ausfällt,
wenn er nicht im Uebermaaße da war; wird von Kalilauge mit
prächtig kirschrother Farbe gelöst; eben so von kohlensaurem Natron.
Leztere Lösung wird durch Kali nicht verändert. Ammoniak gibt eine
prächtig hochrothe Flüssigkeit. Schwefelsäure löst ihn mit hochrother
Farbe. Verdünnte Säuren mit gelber Farbe in der Hize; beim Erkalten scheidet er sich in orangegelben Fleken aus. In heißem Waffer
mit dunkelrosenrother Farbe, in kaltem schwer löslich; die heiße Lösung trübt sich jedoch beim Erkalten nicht; durch Säuren wird sie
gelb. Kalkhaltiges Waffer löst ihn erst dann, wenn aller Kalk durch
einen Theil des Purpurs als dunkelrother Lak niedergefallen ist. In
Weingeist und Aether mit orangegelber Farbe löslich, beim Verdunsten als hochorangegelbes, krystallinisches Pulver zurükbleibend. Die
heiße, concentrirte geistige Lösung wird durch Wafferzusaz schillernd,
indem sich eine Menge feiner seidenglänzender Kryställchen ausschei-
den. — Bei vorsichtiger Erhizung in der Glasröhre schmilzt der
Krapppurpur zu einer dunkelbraunen Flüssigkeit, aus der sich rothe
Dämpfe erheben, welche sich als rother Anflug und braunrothe zähe
Maffe (nicht in Nadeln) condensiren. Das ein Mal Sublimirte kann
nicht ohne Verkohlung von Neuem sublimirt werden; es hat übrigens die Eigenschaften des Krapppurpurs.

    2) Krapproth: braungelbes, krystallinisches Pulver. — Dar-
stellung: gründet sich auf die Unlöslichkeit des Krapproths in starker Alaunlösung. Kocht man, wie vorhin angegeben, den gewaschenen Krapp mit Alaunlösung, so sondert sich ein braunrother Niederschlag ab, man trennt diesen von der Lösung des Krapppurpurs,
kocht ihn mehrere Male mit schwacher Salzsäure, wäscht ihn aus
und behandelt ihn mit siedendem Weingeist; die dunkelbraune Tinctur wird bis zum Erscheinen einer Sazhaut abgedampft und gibt
beim Erkalten einen orangegelben Niederschlag, der nach dem Auswaschen mit Weingeist immer noch viel Krapppurpur enthält. Man
kocht daher so lange wiederholt mit Alaunlösung, als sich diese noch
färbt. Man muß, da die Maffe etwas harzig ist, dieselbe erst in
etwas Weingeist lösen und so der Alaunlösung zusezen. Färbt sich
die Alaunlösung nicht mehr, so süßt man den gelben Niederschlag
aus, troknet ihn und löst ihn in Aether; aus der ätherischen Lösung
erhält man durch freiwillige Verdunstung das Krapproth als braun-
gelbes Pulver. — Eigenschaften: ertheilt im Ueberschuffe dem
gebeizten Kattun dunkelrothe Farbe, bei Kattunüberschuß ziegelrothe.
Löst sich nicht in siedender Alaunlösung; löst sich daher etwas, so
deutet dieß auf Beimengung von Krapppurpur oder Krapporange.

Wird von Kalilauge mit veilchenblauer Farbe gelöst, von kohlensaurem Natron mit rother, durch Kali sich bläuender, von Ammoniak mit prächtig purpurrother, von Schwefelsäure mit ziegelrother, von verdünnten Säuren mit gelber Farbe (beim Erkalten ebenfalls in orangegelben Floken ausscheidend). In reinem heißen Wasser mit dunkelgelber Farbe, in kaltem schwer löslich, aus der heißen Lösung beim Erkalten in orangegelben Floken niederfallend; durch Säuren wird die wässerige Lösung hellgelb. In kalkhaltigem Wasser löst sich das Krapproth mit Purpurfarbe unter Bildung eines blaugefärbten Laks. Weingeist und Aether lösen das Krapproth mit röthlichgelber Farbe; nach dem Verdunsten der Lösung dasselbe als bräunlichgelbes, kryställinisches Pulver hinterlassend. Die concentrirte weingeistige Lösung wird durch Wasserzusaz ebenfalls schillernd. — Bei vorsichtiger Erhizung in der Glasröhre schmilzt das Krapproth zu einer dunkelorangefarbigen Flüssigkeit, und verflüchtigt sich mit Hinterlassung von etwas Kohle in gelben, sich zu glänzendorangefarbigen Nadeln verdichtenden Dämpfen. Das ein Mal Sublimirte läßt sich ohne Zersezung von Neuem sublimiren, und hat im Wesentlichen ganz die Eigenschaften des noch nicht sublimirten Krapproths, nur hat das Roth auf Kattun mehr Feuer.

3) **Krapporange:** gelbes, kryställinisches Pulver. — Darstellung: man bereite sich einen kalten Aufguß von zerkleinerter Alizari bei 12° R., indem man die Wurzel sorgfältig aussucht, mit Wasser gut abspült, mit acht Mal so viel Wasser übergießt und 16 Stunden lang maceriren läßt, den braunen Aufguß durch Musselin seiht, reines Wasser aufgießt, dieses abermals 16 Stunden stehen läßt, ebenfalls abseiht und beide Flüssigkeiten vereinigt. Nach 4 — 6stündiger Ruhe gießt man die Flüssigkeiten von dem gebildeten Bodensaze rein ab. Die Flüssigkeit schillert beim Umrühren von einer Menge kleiner, gelber, seidenglänzender Kryställe von Krapporange; man trennt dieselben, indem man durch feines Papier filtrirt. Das auf dem Filter sich Befindende wird nun mit Weingeist gekocht und heiß filtrirt; beim Erkalten fällt das in kaltem Weingeist fast unlösliche Krapporange nieder, welches man so lange mit kaltem Weingeist wäscht, bis es sich in Schwefelsäure mit reingelber Farbe ohne Beimischung von Roth auflöst. Zinnbeizkattun wird von reinem Krapporange nankinfarbig, ohne Beimischung von Roth; wie denn überhaupt an dem röthlichen Ausfallen der Farben eine Verunreinigung des Krapporange mit den rothen Farbstoffen erkannt wird. — Eigenschaften: färbt in Ueberschuß den gebeizten Kattun orangefarbig, bei Kattunüberschuß eben so, nur blässer; bildet mit siedender Alaunlösung eine gelbe Auflösung, welche beim Erkalten

nur wenig fallen läßt, mit Kali eine dunkelrosafarbige, an der Luft orange werdende, mit kohlensaurem Natron eine orangefarbige, mit Ammoniak eine braunrothe, beim Verdunsten orangegelbe Floken fallen lassende, mit Schwefelsäure eine orangegelbe, mit verdünnten Säuren gelbe Lösungen, aus denen es sich beim Erkalten zum großen Theil wieder ausscheidet. — In reinem heißen Wasser löst es sich mit gelber Farbe, beim Erkalten sich zum Theil ausscheidend, da es in kaltem Wasser sehr schwer löslich ist; in kalkhaltigem Wasser wird es beim Erhizen röthlich und sein Färbevermögen wird geschwächt oder auch ganz aufgehoben. In kaltem Weingeist löst es sich wenig, in kochendem zu einer hellgelben Lösung, aus der sich beim Erkalten der größte Theil krystallinisch ausscheidet. Wasserzusaz bringt in der heißen geistigen Lösung dasselbe Schillern hervor, wie in den Lösungen des Krapppurpurs und Krapproths. — Beim Erhizen in der Glasröhre verhält es sich wie der Krapppurpur, nur sind die Dämpfe gelb und verdichten sich zu einer gelbbraunen Masse, welche ohne theilweise Zersezung nicht von Neuem sublimirt werden kann.

Daraus, daß alle drei Farbstoffe sublimirbar, also durch bloße Sublimation nicht trennbar sind, geht nach Runge hervor, daß Robiquet's Alizarin eine Mischung ist.

4) Krappgelb: gelbe, gummiartige Masse, kein eigentliches Pigment. Darstellung: der holländische Krapp ist besonders reich an Krappgelb. Man scheidet es daraus durch Anrühren desselben mit 16 Theilen Wasser, Abseihen nach 12 Stunden und Vermischen mit einem gleichen Volum Kalkwasser. Der sich nach 12 Stunden bildende Niederschlag enthält außer dem Krappgelb noch die anderen Farbstoffe des Krapps; man behandelt ihn daher mit Essigsäure, welche den Kalk und das Krappgelb löst, filtrirt die Lösung von dem rothen Rükstande ab, kocht sie mit in Alaun gebeizter Wolle so lange, als sich diese noch roth oder orange färbt; sobald sie nur eine helle Eisenrostfarbe annimmt und die Lösung beim Abdampfen keinen braunrothen, sondern hellgelben Rükstand läßt, sind die fremden Farbstoffe alle abgeschieden; man löst nun den gelben Rükstand in Weingeist, fällt die Lösung durch eine geistige Bleizukerauflösung, süßt den scharlachrothen Niederschlag mit Weingeist aus, löst ihn in Wasser und fällt das Blei durch Schwefelwasserstoff. — Eigenschaften: man sieht schon aus der Darstellungsart, daß das Krappgelb wenig Verwandtschaft zur gebeizten Wolle hat und kein eigentliches Pigment ist. Daher ist seine nähere Betrachtung überflüssig.

5) Krappbraun stellt eine schwarzbraune, trokene Masse dar, welche in Wasser und Weingeist unlöslich ist und dem gebeizten Kattune keine Farbe ertheilt.

6) **Krappfäure** farblos, beim Färben nicht in Betracht kommend.

7) **Rubiaceenfäure**, ebenfalls farblos, wird durch Salzfäure verwandelt und gibt damit eine blaue Verbindung, die sich jedoch nicht auf Kattun übertragen läßt.

Zur Kritik der Krappanalysen. — Keiner meiner Vorgänger, sagt Runge, hat einen der bisher abgehandelten Krappstoffe in völlig reinem Zustande gehabt. Alles, was man unter dem Namen extraktives und harziges Krapproth, Erythrodanum, Alizarin, rother Farbstoff des Krapps, rosenrother Farbstoff des Krapps und Xanthin aufgestellt hat, sind mehr oder minder ungleiche Gemische von Krapppurpur, Krapproth, Krapporange und Krappgelb. Es läßt sich dieß schon nach den Darstellungsweisen und Reaktionen der genannten Stoffe schließen.

Das extraktive Krapproth von Bucholz ist ein mittelst Wasser und Weingeist bereitetes Extrakt, es enthält also sämmtliche in beit den löslichen Bestandtheile des Krapps. — Das Krapproth von Kuhlmann [37]), durch Fällung eines wässerigen Absuds des gewaschenen Krapps mit Schwefelsäure dargestellt, enthält nothwendiger Weise beide rothfärbende Bestandtheile des Krapps; außerdem ist auch noch Krapporange darin, weil auch dieses durch Schwefelsäure gefällt wird. Auch deuten die Reaktionen gegen Alkalien rc., die Kuhlmann angibt, auf das Daseyn dieser Stoffe, denn die violette Färbung mittelst derselben ist zusammengesezt aus dem Kirschroth des Krapppurpurs und dem Veilchenblau des Krapproths. — In Robiquet's [38]) Alizarin, aus der schwefelsauren Krappkohle durch Sublimation dargestellt, ist der rothe Farbstoff, den ich Krapppurpur genannt habe, wohl am reinsten. Allein dennoch ist er mit Krapproth gemischt, wie denn auch die Reaktion mit Kalilauge nicht rein Kirschroth, sondern Purpurroth ist, von der Beimischung des Blaus, welches Kali mit Krapproth erzeugt. Diese Beimischung ist sehr erklärlich, da das Krapproth von der Schwefelsäure eben so wenig verkohlt wird, als der Krapppurpur, und es sich noch leichter sublimiren läßt, als dieser.

Die beiden Farbstoffe, welche Gaultier de Claubry und Persoz [39]) aus dem Krapp abgeschieden haben, sind ebenfalls Gemische, besonders von Krapproth und Krapppurpur. Der eine, wel-

37) Polytechn. Journal Bd. XIII. S. 224, und Bd. XXVII. S. 205.
                                                    A. d. R.
38) Polytechn. Journal Bd. XXIV. S. 530, und Bd. XXVII. S. 200.
                                                    A. d. R.
59) Polyt. Journal Bd. XLIII. S. 381.   A. d. R.

chen fie rothen Farbftoff nennen, wird aus dem gewafchenen
Krapp mit kohlenfaurem Natron in der Hize ausgezogen und durch
eine Säure gefällt. Er ift „eine rothbraune Materie von glänzen=
dem Bruch.‟ Schon diefe Angabe beweift die Verunreinigung mit
Krappbraun und auch vielleicht mit Krappgelb; denn die von mir
dargeftellten 3 Krapppigmente ftellen kryftallinifche Pulver dar, von
denen keins rothbraun gefärbt ift. Uebrigens können fie alle drei in
diefer rothbraunen Materie enthalten feyn, da kohlenfaures Natron
fie fehr leicht auflöft und alfo auch der Krappwurzel entzieht. Die
Angabe von der Unauflöslichkeit in Alaunauflöfung deutet aber vor=
zugsweife auf einen Gehalt an Krapproth. Dann paßt aber wieder
die rothe Reaktion mit Kalilauge nicht, wie angegeben wird, fie
müßte blau feyn. Kurz der Stoff ift nicht rein.

Einen zweiten Stoff nennen die Herren den rofenrothen
Farbftoff. Er ftimmt am meiften mit meinem Krapppurpur über=
ein, auch ift die Darftellungsweife in fo fern diefelbe, daß Alaun=
auflöfung und Schwefelfäure dazu vorzugsweife in Anwendung ge=
bracht werden. Sein Aeußeres, nämlich „eine fefte Maffe von har=
zigem Bruch wie Gummigutti, die beim Pulvern prächtig rofenroth
wird,‟ beweift aber fchon, daß es kein Krapppurpur feyn kann;
denn diefer erfcheint als ein orangegelbes, höchft lokeres kryftallini=
fches Pulver, welches fich mit rein kirfchrother Farbe in Kalilauge
auflöft, daher die violette Färbung, welche die HH. G. de Clau=
bry und Perfoz angeben, nur von einem Beigemifchtfeyn von Krapp=
roth herrühren kann. — Unter dem Namen Xanthin oder Krapp=
gelb hat Kuhlmann einen Beftandtheil des Krapps aufgeftellt, der
nach feinem Färbeverfahren ein mit Krapporange verunreinigtes Krapp=
gelb feyn muß. Er löft fich nämlich leicht in Waffer, und gibt auf
gebeizter Baumwolle ein glänzendes Pomeranzengelb. Die Leicht=
löslichkeit gehört dem Krappgelb an, und die pomeranzengelbe Fär=
bung dem Krapporange.

II. Technifcher Theil.

Nur die drei erften Stoffe wurden in technifcher Beziehung nä=
her geprüft.

Verfahren, welches bei den Färbeverfuchen beob=
achtet wurde:

1) Darftellung des gebeizten Kattuns. Hauptfächlich
wurde Thonbeizkattun angewendet; diefer wird dargeftellt durch
Tränken des Zeugs mit effigfaurer Thonerde (bereitet aus 30 Thei=
len Alaun, 30 Theilen Bleizuker und 80 Theilen Waffer), Auspref=
fen zwifchen Walzen, und Troknen. Man läßt ihn 8 Tage hängen,

spült ihn in fließendem Wasser und nimmt ihn dann durch kochendes, zum Behuf der Probemuster durch destillirtes Wasser.

Der Eisenbeizkattun wurde durch bloßes Tränken des Zeu= ges mit Eisenalaunauflösung [40]) und Spülen dargestellt, da eine so schwache Beizung die Eigenthümlichkeiten der färbenden Stoffe weit leichter erkennen läßt.

Zinnbeizkattun, wie der vorige durch Tränken mit einer Lö= sung von 1 Zinnsalz in 50 Wasser dargestellt.

Bleibeizkattun mit einer Lösung von 1 Bleizuker in 30 Was= ser, ebenfalls nach dem Tränken sogleich gespült.

Kupferbeizkattun, durch ähnliche Anwendung des Kupfer= ammoniaks erhalten.

2) Probefärben. Man wiegt eine kleine Menge des Farb= materials ab, erhizt es mit Wasser in einer Schale über der Wein= geistflamme, bringt den in gleiche Theile getheilten Beizkattun stük= weise hinein und färbt aus, indem man die Hize nach und nach zum Sieden steigert. Bemerkt man, daß das zuerst hineingebrachte Kattunstükchen nicht mehr an Farbe zunimmt, so nimmt man es heraus, spült es in etwas Wasser, und sezt dieses der Flotte zu. Man macht dieß mit einem zweiten, dritten Stükchen eben so, und so fort, bis der Farbstoff erschöpft ist. Nach dem Troknen werden die gleichgesättigten Kattunstükchen gewogen und danach die färbende Kraft des Stoffes geschäzt. Auf diese Art wurde das Sättigungs= vermögen der drei Krapppigmente bestimmt. — Bei zusammenge= sezten Farbmaterialien kann durch Nacheinanderfärben oft eine theil= weise Scheidung der Farbstoffe erfolgen; man erhält anfangs ganz andere Nüancen als später. — Da sich die ersten Stükchen eines Farbstoffs übersättigen und so oft eine nicht angenehme Nüance er= halten, so muß durch andere Versuche das für eine bestimmte Nüance nöthige Verhältniß von Farbstoff und Zeug ermittelt werden, indem man mit demselben Gewichte Farbstoff, aber verschiedenen Gewichten Kattuns mehrere Probefärbungen macht, wobei man jedoch den Kat=

---

40) Unter Eisenalaun versteht Runge das Doppelsalz, welches entsteht, wenn man aus dem Alaun die Thonerde hinwegnimmt und an ihre Stelle die entsprechende Menge Eisenoryd sezt. Der Eisenalaun wird dargestellt, indem man

78 Pfd. rothes Eisenoryd mit
117 Pfd. Schwefelsäure

verbindet, beides in Wasser auflöst und

87 Pfd. schwefelsaures Kali unter Kochen

hinzusezt und dann den Eisenalaun herauskrystallisiren läßt. Der im Großen dargestellte Eisenalaun hat anfangs eine schöne Amethystfarbe, später beschlägt er mit einer gelblichweißen Rinde, die jedoch seine Güte nicht beeinträchtigt. Er ist sehr leicht im Wasser auflöslich. Die Auflösung ist gelb gefärbt und erleidet durch Kochen eine Zersezung, indem sich Eisenoryd abscheidet. X. d. R.

tun nicht nach und nach, sondern auf ein Mal in die Flotte bringt.
Das Uebersättigen des Zeugs mit Farbstoff ist vorzüglich zur Cha-
rakterisirung des Farbstoffs gut; nur so gelang die Unterscheidung
des Krapppurpurs vom Krapproth. Wo es dagegen auf vergleichende Ausmittelung des Färbevermögens verschiedener Farbstoffe ankommt, muß man den Zeug im Ueberschuß nehmen, wie dieß bei
Vergleichung der Krappsorten geschehen ist.

3) Färbungsapparat. Um zur Darstellung der Probemuster einen immer gleichen Hizgrad zu haben, war eine eigene Vorrichtung erforderlich. Dieselbe besteht aus einem Dampf- und Färbekessel nebst Kühlrohr und Kühlfaß. Der Färbekessel ist aus zwei,
in halbzölligem Abstande ineinander stehenden Kesseln gemacht; in
den Zwischenraum wird der Dampf geleitet, dessen Condensationswasser durch das Kühlrohr abläuft. Damit das so erhaltene destillirte Wasser, welches zum Ansezen der Flotte dient, möglichst rein
sey, muß der Dampfraum innerlich verzinnt seyn und der Dampfkessel von allem Fett frei erhalten werden. Die Flotte im Färbekessel erreicht eine vollkommen ausreichende Hize von 78 — 79° R.
Dabei gewinnt man meist das nöthige destillirte Wasser. Man kann
auch mehrere doppelte Kessel nebst Kühlvorrichtung, wie man sie zum
Reinigen der Waare ein Mal braucht, mit dem Dampfkessel verbinden.

4) Vorsichtsmaßregeln. Daß Darstellungen von Farben-
scalen im Kleinen immer besser gelingen als im Großen, liegt darin,
daß man im Kleinen folgende Vorsichtsmaßregeln leichter beobachten
kann:

a) Den Beizkattun anlangend. Die Sicherheit der Probe
beruht allein auf dem gleichbleibenden Verhältniß zwischen dem Krapp
und dem gebeizten Zeuge, daher muß der zur Anfertigung einer
Farbenscala bestimmte Zeug nothwendig in derselben Beize gebeizt,
bei derselben Wärme getroknet, zugleich gespült, wieder bei gleicher
Wärme getroknet, abgetheilt und gewogen werden, wenn man nicht
unrichtige Resultate erhalten will. — Auch der verschiedene Feuch-
tigkeitsgrad des Zeuges ist von Einfluß, daher man ihn am besten
erst bei 80° R. troknet, ehe man ihn abwägt und den Krapp danach
bestimmt. Vor dem Eingehen in die Flotte wird der Zeug mit vielem heißen Wasser gebrüht und im destillirten Wasser ausgewaschen.
Zum Ansezen der Flotte muß destillirtes Wasser genommen werden.
Alles Dinge, die sich im Kleinen weit leichter ausführen lassen als
im Großen.

b) Den Krapp anlangend. Kommt Krapp, besonders hol-
ländischer, mit der Luft in Berührung, so zieht er Feuchtigkeit an

und wird schwerer. Berüksichtigt man dieß nicht, so verkennt man leicht den wahren Werth der Krappsorte, besonders bei kleinen Proben, die lange an der Luft gestanden haben. Der Verfasser hat daher alle untersuchten Krappsorten sorgfältig bei 80° R. getroknet und bis zum Gebrauch in gläsernen Gefäßen wohl verschlossen. Wenigstens ist es rathsam, bei vorzunehmenden Proben durch einen vorläufigen Austroknungsversuch mit einer kleinen Menge den Gewichtsverlust der Krappsorte zu ermitteln. — Soll der Krapp zur Darstellung mehrerer Muster dienen, so sehe man auf gleichmäßige Mischung, daß man nicht bald ein grobes, bald ein feineres Pulver nehme, weil dieß auf das Färbevermögen Einfluß hat. Auf Gegenwart von Steinchen oder Mauerkalk ist sorgfältig zu achten und dieselben zu entfernen, beide verändern das Gewicht, und lezterer wirkt außerdem schon in sehr kleiner Menge chemisch nachtheilig.

Resultate.

A. In Bezug auf die einzelnen Farbstoffe.

1) **Krapppurpur. Darstellung:** das Auswaschen gemahlener Krappe ist umständlich und mit Verlust verbunden. Die unzerkleinerte Alizari des Handels ist leichter auszuwaschen. Man muß sie zu dem Ende (die Alizari enthält unter allen Sorten die größte Menge nicht färbender, durch Wasser ausziehbarer Bestandtheile) im gröblichzerschnittenen Zustande sechs Mal 12 Stunden in frischem Wasser einweichen und auswaschen. Dazu nimmt man, um Zeit und Wasser zu ersparen, sechs Fässer, die unten Abziehhähne haben, füllt sie halb mit Alizari und gießt erst nur das erste Faß voll Wasser. Nach 12 Stunden zieht man dieses ab und gießt es aufs zweite Faß, während man zugleich das erste mit frischem Wasser füllt, und so fort, bis das erste Faß sechs Mal frisches Wasser bekommen hat; die Alizari dieses Fasses ist nun hinlänglich ausgewaschen. 4 Pfd. gröblichzerschnittener Alizari wiegen nach sechsmaligem Auswaschen im noch nassen Zustande 15½ Pfd., sind äußerst weich und lassen sich zu Brei zerstoßen. — Um gemahlenen Krapp ohne vielen Verlust an Farbstoff zu waschen, lasse man ihn mit Wasser zu Brei angerührt gähren, und verfahre dann wie oben. Um den Krapppurpur aus der gewaschenen Alizari zu scheiden, werden 15½ Pfd. nasse Alizari (also 4 Pfd. ungewaschene) mit 12 Pfd. Alaun und 70 Pfd. Wasser eine Stunde lang gekocht, die rothe Flüssigkeit abgeseiht, darauf der Rükstand von Neuem mit 6 Pfd. Alaun und 70 Pfd. Wasser gekocht, das Flüssige abgeseiht, mit dem ersten Decocte gemischt und 4 Tage zum Klären hingestellt. Die ausgekochten Wurzeln kocht man noch mit 70 Pfd. Wasser und wendet die

Abkochung bei folgenden Darstellungen statt des Wassers an. Hat
sich die Alaunlösung völlig geklärt und besitzt sie schon dunkle Rosa-
farbe, so läßt man sie von dem größten Theils aus Krapproth bestehenden Bodensaze ab, versezt sie mit 3 Pfd. Schwefelsäure und
9 Pfd. Wasser und rührt wohl um. Die nach einigen Tagen blaß-
gelb erscheinende und gelbrothe Floken zeigende Flüssigkeit wird nun
filtrirt, die Floken auf dem Filter mit Wasser ausgesüßt. Sie betragen getroknet 1¼ Loth und sind unreiner Krapppurpur, mit Krappgelb, Krapporange und Thonerde. Man kocht ihn mit vielem Wasser, dann mit Salzsäure und Wasser, süßt aus, troknet, behandelt
ihn mit siedendem Weingeist von 85—90°, filtrirt, dampft die dunkelrothe Flüssigkeit bis zum Erscheinen einer Salzhaut ab, reinigt den
beim Erkalten niederfallenden Krapppurpur durch nochmalige Auflösung in Weingeist, durch Krystallisation und endliche Behandlung
mit Aether, der eine braune Materie hinterläßt. Dieses Verfahren
ist nicht praktisch, wie man sieht, mußte aber, um reinen Krapppurpur zu erhalten, gewählt werden. In wie weit wohlfeilere Darstellungen der reinen Farbstoffe des Verf. im Großen bis jezt möglich
sind, wird man weiter unten sehen.

Die ungewöhnlich große Menge Alaun, welche zur Darstellung
des Krapppurpurs nöthig ist, kann wieder gewonnen und zu gute
gemacht werden, wenn man die mit Schwefelsäure versezte Alaunlösung, aus welcher der Krapppurpur geschieden ist, in Bleigefäßen
zur Krystallisation abdampft. Die Mutterlauge ist dann alaunhal-
tige Schwefelsäure, welche zum Fällen des Krapppurpurs dienen
kann, so wie der gewonnene Alaun nach seiner Reinigung von Neuem
zur Auszlehung dient. Durch dergleichen Mittel läßt sich die Sache
wenigstens etwas wohlfeiler machen.

Färbevermögen: Den ungebeizten Kattun färbt die
weingeistige Lösung des Krapppurpurs rosa, durch Alkalien gerböthet.
Die Farbe auf Thonbeizkattun, mit Wasser in der Siedhize
ausgefärbt, ist nach den Verhältnissen verschieden, mit 1 Purpur, 16
Zeug dunkelbraunroth, 1 Purpur 40 Zeug satt purpurroth, 1 Purpur
80 Zeug satt hochroth. Das Färbevermögen ist demnach sehr groß,
wenn man darunter die Menge des Zeugs versteht, der noch eine
gewisse Intensität der Farbe mitgetheilt werden kann, da man mit
1 Pfd. 80 Pfd., also etwa 787 Ellen 6¼ Viertel breiten Kattun
satt hochroth (der Probe nach sehr schön) färben kann. Versteht
man dagegen, wie wir, unter dem Färbevermögen die Menge des
Zeugs, welche zur völligen Sättigung hinreicht, so ist das des Krapps
nur = 16. Kleiezusaz macht die Farben heller, scharlachartiger;
viel Kleie schadet, da sie unter Bildung eines rothen Laks viel Farb-

stoff entzieht; bei 240 Kleie auf 1 Purpur und 40 Zeug fällt die
Nüance nur halb so dunkel aus, als ohne Kleie. Das beste ist, eine
dem Gewichte des Zeugs gleiche Menge Kleie zu nehmen. Kreide=
zusaz ist entschieden schädlich. Kocht man 1 Purpur mit 1 Kreide
in vielem Wasser, so bildet sich eine hochrothe Lösung, die jedoch nur
die Hälfte der Färbekraft hat; am Gefäßrande sezt sich ein schöner
rother Lak ab. Bei Vermehrung der Kreide kommt man auf einen
Punkt, wo aller Purpur in Lak verwandelt ist und nicht mehr färbt.
Für den Purpur ist also die Kreide schädlich; ihr Schaden wird aber
durch andere Stoffe, z. B. Krapproth, die sie mehr in Beschlag neh=
men, gemildert. Oehlbeizkattun zum Türkischrothfärben gibt mit
dem Purpur kein wahres Türkischroth, sondern ein bläuliches, welches
erst durch Avivagen zu lezterem wird. Indeß ist die Farbe auch
ohne diese schon auf gebähltem Kattun gerade noch ein Mal so stark,
als auf ungebähltem. Zinnbeize gibt Rosa, Bleibeize Ponceau,
Kupferbeize Rothbraun, Eisenbeize Violett, lauter Farben von
angenehmem vollen Ton bei der angegebenen schwachen Beizung, doch
nicht so schön, daß sie die Anwendung des theuren Farbematerials
lohnten. — Seife in großem Verhältniß, z. B. 1 Seife auf 3 Zeug
und 240 Wasser, benimmt den gefärbten Zeugen etwas ihren Lüstre
und macht sie heller; in geringer Menge schadet sie nicht. Kohlen=
saures Natron im Verhältniß von 1 auf 8 Zeug und 240 Was=
ser wirkt bei mehrstündigem Kochen vortheilhaft, ohne die Nüancen
merklich zu ändern. Kleie wirkt nicht besonders ein. — Die Lö=
sung des Krapppurpurs in Ammoniak gibt, auf ungebeiztem Kattun
gedrukt, und nach dem Druken in heißem Wasser ausgewaschen, ein
helles Rosa, auf Thonbeizkattun bei gleicher Behandlung ein schönes
Mittelroth. Die Lösung des Krapppurpurs in Kalilauge gibt
beim Tafeldruk auf ungebeiztem Kattun ebenfalls ein helles Rosa,
auf Thonbeizkattun unter gleichen Umständen ein sattes Dunkelroth.

Man sieht, daß vorzugsweise die Verbindung von Krapppurpur
und Thonerde das sogenannte Krapppurpur oder Türkischroth bildet,
und auch im gemeinen Krapppurpur den Hauptbestandtheil bildet.
Seife, Soda und Kleie, welche auf diese Verbindung nicht einwirken,
dienen daher nur dazu, durch Entfernung des die Farbe Trübenden
dieselbe gleichsam bloß zu legen und sichtbar zu machen. Eben so
wirkt das Licht, gegen welches die Farbe, selbst auf ungebeiztem
Kattun, ungemein beständiger ist, als das Krapproth. Aus dem
Verhalten zu kalkhaltigem Wasser (s. oben) geht hervor, daß nur
kalkfreies Wasser zum Färben mit Krapppurpur dienen kann.

2) Krapproth. Färbevermögen: Ungebeizter Kattun
wird von der geistigen Auflösung des Krapproths rostgelb gefärbt;

durch Aufdruken ätzender Alkalien, besonders Baryt, entstehen schöne
lilafarbige Muster ohne Bestand. Der Thonbeizkattun wird
schön dunkelroth gefärbt. 1 Krapproth reicht auf 22 Zeug zur Sättigung hin, wenigstens wird der Zeug durch den Farbstoff nicht
dunkler, sondern läßt den Ueberschuß in der Flotte zurük. Das
Färbevermögen des Krapproths zum Krapppurpur verhält sich also
wie 22:16. Kleie wirkt sehr vortheilhaft, macht die Farbe dunkler
und röther, doch ist viel nöthig; am besten ist 132 Kleie auf 1 Roth
und 22 Zeug. Kreide wirkt ebenfalls vortheilhaft. Kocht man
1 Kreide mit 1 Krapproth und hinlänglichem Wasser, so wird die
vorher gelbe Flotte dunkelpurpurroth und 22 Zeug nehmen darin eine
der gesättigten Krapppurpurfarbe ähnliche Nüance an, der ziegelrothe
Ton ist ganz verschwunden und dabei ist noch viel Lak entstanden,
also Farbstoff verloren gegangen. Aehnlich wirkt kalkhaltiges Wasser,
welches eine dunkelbraunrothe, glänzende Purpurfarbe erzeugt, wenn
man damit färbt. Sehr viel Kreide macht die Farbe wieder heller,
da dann durch Lakbildung zu viel Farbstoff verloren geht. Bei Oehlkattun ist die Wirkung der Kreide noch auffallender, da dieser ohne
dieselbe nur schmuzig braunroth, mit derselben aber, ohne alle Avi-
vage, wahrhaft türkischroth wird und nur durch den Rosa= oder bläu-
lichen Ton, den nur das Krapppurpur gibt, vom besten schweizer
Türkischroth, welches natürlich aus beiden gemischt ist, verschieden.
Das Färbevermögen, welches beim Krapppurpur für Oehlkattun schon
das Doppelte war, ist hier das Vierfache gegen nicht geöhlte Zeuge.—
Zinnbeize, Blei= und Kupferbeize geben unansehnliche, gelb-
röthliche, rothbräunliche und violettbräunliche Farben. Eisenbeize
dagegen bei der angegebenen schwachen Beizung gibt ein schönes, bei
Kreidezusaz sehr dunkles Lilaviolett, durch einen angenehmen blauen
Ton vor dem Violett des Krapppurpurs ausgezeichnet. Die schönen
violetten und Lilafarben, welche man mit Avignonkrapp auf schwacher
Eisenbeize erhält, verdankt man also hauptsächlich dem Krapppurpur. — Seife greift das ohne Kreide dargestellte Zeug bedeutend
an, das mit Kreide gefärbte fast gar nicht. Kohlensaures Natron wirkt in beiden Fällen vortheilhaft in dem Verhältniß von 1
zu 8 Zeug. Das Roth ohne Kreide erhöht es etwas, entzieht aber
viel Farbe; das Roth mit Kreide wird ebenfalls lebendiger, aber
ohne diesen Nachtheil. Kleie (3 auf 1 Zeug und 240 Wasser) ist
ohne Wirkung und entzieht keine Farbe. Das Licht bleicht das mit
Kreide dargestellte Krapproth nur wenig mehr als Krapppurpur. —
Die Lösungen des Krapproths in Ammoniak und Kali geben, auf
ungebeiztem Kattun gedrukt und in heißem Wasser gewaschen, dunkles glanzloses Rosa, mit Thonbeizkattun ein mattes Roth.

Die Wirkung der Kreide und Kleie beim Krappfärben, welche in manchen Fällen so vortheilhaft ist, dürfte also vorzüglich auf das Krapproth fallen, und die Farben des Krapproths mit Kreide dem Krapppurpur an Aechtheit gleich zu stellen seyn.

3) Krapporange. Färbevermögen: Nur ganz reines Krapporange gibt eine schöne Farbe. Alle Zusäze sind demnach schädlich, namentlich Kleie und Kreide. Das Färbevermögen des Krapporange ist zu dem des Krapproth und Krapppurpur = 30 : 22 : 16. Bei 3 Kleie auf 1 Krapporange erhält man nur ein schwach röthliches Orange; dabei färbt sich die Kleie selbst und wird durch Uebergießen mit Kalilauge so roth als Krapporange selbst; eben so röthet sich die Färbeflüssigkeit durch Kali, beide haben also das Krapporange zurükgehalten. Da nun das Krappfärben mit Krapporange nothwendig gelbe Nüancen erzeugt, so ist die röthende Wirkung der Kleie beim Krappfärben klar, das Krapporange wird nämlich durch die Kleie gebunden. Kreide schadet eben so, wie beim Krapppurpur, die Farbe wird heller, unhaltbarer, dabei geht viel verloren. Daher der Nuzen der Kreide bei manchen Krappsorten, es bildet sich dann weniger Krapporange und das Gebildete läßt sich leichter durch die Bleiche entfernen. Kupferbeize gibt ein dunkles Orange, Bleibeize röthliche Rostfleke, Eisenbeize schwaches Nußbraun, Zinnbeize hell Nankingelb. Leztere Färbung ist ein Zeichen der Reinheit des Krapporange. — Seife wirkt nachtheilig, macht die Farbe matt und röthlich. Kohlensaures Natron wirkt ähnlich, aber schwächer. Die Flüssigkeiten färben sich in beiden Fällen gelb. Auch Kleie macht die Farbe etwas unansehnlicher, doch weniger, als von der Wirkung per Kleie beim Ausfärben zu erwarten war. Im Lichte verschießt das Krapporange. — Die Lösung des Krapporange in Ammoniak gibt beim Druk auf Thonbeizkattun ein mattes Orange. Die Lösung in Kalilauge wirkt nicht besser.

Allgemeine Schlußbemerkung. Man sieht also hieraus, daß für den Krapppurpur die Thonbeize, für das Krapproth die Thonbeize mit Anwendung der Kreide; was das Roth, und die Eisenbeize, was das Violett betrifft, für Krapporange die Thon- und Kupferbeize am passendsten sind. Auch über den Antheil, den ein jedes der Pigmente an der Bildung der Krappnüancen und an der eigenthümlichen Wirkung mancher Zusäze und Avivagen hat, ist mancher interessante Aufschluß durch die Untersuchung des Verfassers gegeben und somit auf der anderen Seite die Möglichkeit, durch Anwendung des nun Bekannten, durch willkürliche Mischung der Pigmente u. s. w. die Hervorbringung dieser und neuer Nüancen mehr in die Gewalt zu bekommen. Die vollständige Erreichung dieses

Ziels ist aber nur dann möglich, wenn man nicht mehr mit Krapp, wie er ist, sondern mit den einzelnen Bestandtheilen färben wird; dieß muß aber vor der Hand noch an dem Preise der Krapppigmente scheitern; es ist dem Verfasser bis jezt wenigstens nicht gelungen, seine Darstellungsweise mehr zu vereinfachen und wohlfeiler zu machen. Die Darstellung des Alizarins nach Robiquet ist sehr praktisch, wenn es sich nur darum handelt, das Färbende vom nicht Färbenden zu trennen; beide rothen Farbstoffe zu trennen vermag sie aber nach Runge nicht.

B. In Bezug auf die verschiedenen Krappsorten.

Das Färbevermögen der verschiedenen Krappsorten wurde durch die Methode des Verf., die jedenfalls der Bestimmung durch Ausziehung und Abscheidung des Färbenden vorzuziehen ist, ausgemittelt. Es wurden dabei mit verschiedenen Farbstoffmengen Versuche angestellt, aus denen hervorgeht, daß die Dunkelheit der Farbe im geraden Verhältnisse der Farbstoffmenge steht, der Thonbeizkattun demnach auch zu quantitativen Bestimmungen dienen kann. Es wurden übrigens Versuche mit und ohne Kleiezusaz gemacht. Es ergibt sich aus allen diesen Versuchen, daß die Munjeet, (die Alizari wurde nur zu Darstellung der Farbstoffe benuzt, nicht mit geprüft) am farbereichsten ist, darauf der speier'sche, holländische, elsasser Krapp folgen, hinter denen die avignoner Sorten, von denen die Picard'sche, obgleich wohlfeiler, doch etwas stärker ist als die Isuard'sche, weit zurükstehen, endlich die Röthearten die schwächsten sind, und zwar die Herbströthe noch etwas schwächer als die Krimröthe.

XLV.
Bemerkungen über Runge's chemisch-technische Monographie des Krapps; von Robiquet.

Aus den Annales de Chimie et de Physique. November 1836, S. 297.

Hr. Dr. Runge hat zahlreiche Versuche mit verschiedenen Krappsorten angestellt und glaubt daraus schließen zu können, daß diese Wurzel sieben besondere Substanzen enthält, welche von allen, die man bisher darin als eigenthümliche entdeckt zu haben meint, wesentlich verschieden sind. Seine Resultate verdienen also gewiß die Aufmerksamkeit der Chemiker und besonders derjenigen, welche sich mit dem nämlichen Gegenstand beschäftigt haben. Da ich unter leztere gehöre und es mir bloß um die Ermittelung der Wahrheit zu thun ist, so will ich einige Bemerkungen über seine wichtige Arbeit

veröffentlichen, nicht in der Abſicht eine Kritik derſelben zu liefern,
ſondern bloß um die weſentlichen Punkte derſelben zu diſcutiren und
zu zeigen, in wie fern wir in dieſem Gegenſtand dadurch wirklich
Fortſchritte gemacht haben. Ich beſchränke mich übrigens darauf,
die Reſultate, zu welchen Hr. Colin und ich gelangten, mit denen
von Runge bekannt gemachten zu vergleichen.

Unter den ſieben Subſtanzen, welche Runge im Krapp annimmt, bilden ſechs Verbindungen von eigenthümlicher Farbe und
bloß drei wirkliche Pigmente. Ich werde mich nun bloß mit dieſen
lezteren beſchäftigen, da die anderen nur in analytiſcher Hinſicht von
Intereſſe ſind, muß jedoch bemerken, daß der Krapp noch mehr
Subſtanzen als Runge bezeichnete, enthält, die ich ſpäter angeben
werde, wenn es Andere nicht ſchon vor mir thun. Indem ich alſo
Alles ſo zu ſagen auf die induſtrielle Frage reducire, erwähne ich
nur die drei Hauptſubſtanzen Runge's, nämlich: das Krapppurpur, Krapproth und Krapporange.

Hr. Colin und ich hatten das Alizarin und Purpurin
als weſentliche Farbſtoffe unterſchieden und noch einen ſecundären
Beſtandtheil angegeben, welcher die Form ſchön goldgelber glimmer-
artiger Blättchen annehmen kann und unter anderen auch die Eigenſchaft beſizt, beim Zerreiben zwiſchen den Fingern ein glimmerartiges
Pulver zurük zu laſſen, wie es der Staub auf den Schmetterlings-
flügeln hervorbringt. Wir wollen nun ſehen, auf welche Gründe ſich
Runge ſtüzt, indem er dieſe Subſtanzen als eigenthümliche ver-
wirft und die von ihm beſchriebenen als die wahren Pigmente des
Krapps erklärt. „Keiner meiner Vorgänger, ſagt er, hat einen der
bisher abgehandelten Krappſtoffe in völlig reinem Zuſtand gehabt.
Alle Stoffe, welche man bisher als Pigmente des Krapps aufgeſtellt
hat, ſind mehr oder minder ungleiche Gemiſche von Krapppurpur,
Krapproth, Krapporange und Krappgelb; es läßt ſich dieſes ſchon
nach den Darſtellungsweiſen und Reaktionen der genannten Stoffe
ſchließen.‟

Um mich nun bloß mit dem zu beſchäftigen, was uns, Hrn.
Colin und mich, betrifft, will ich zuerſt bemerken, daß die von
Runge befolgten Darſtellungsweiſen ohne Vergleich complicirter ſind
als diejenigen, welche wir anwandten und daher auch dieſe Stoffe
leichter verändern können.

So ſchreibt z. B. Runge zur Darſtellung des Krapproths vor:
1) den Krapp mit Waſſer auszuwaſchen;
2) ihn mit einer kochenden Alaunauflöſung zu behandeln;
3) den beim Erkalten der Alaunauflöſung entſtandenen Niederſchlag in ſchwacher Salzſäure aufzunehmen;

4) denselben Niederschlag mit reinem Waſſer auszuwaſchen, um ihn von der Säure zu befreien;

5) den ſo ausgewaſchenen Niederſchlag in heißem Alkohol aufzulöſen, abzudampfen und den Rükſtand mit kaltem Alkohol auszuwaſchen;

6) dieſen Niederſchlag zum zweiten Mal mit einer kochenden Alaunauflöſung zu behandeln, um die geringe Menge Purpur auszuziehen, welche er allenfalls mit ſich riß;

7) ihn nochmals mit Waſſer auszuwaſchen und endlich in Aether aufzulöſen.

Nun iſt es doch wohl ſehr unwahrſcheinlich, daß eine organiſche Subſtanz ſo viele Operationen durchzumachen vermag, ohne einige Veränderungen zu erleiden; ſo viel iſt aber gewiß, daß man einige Färberesultate mit Alizarin nicht mehr erhalten kann, ſobald es ein Mal mit einer Säure in Berührung gekommen iſt. Ich will nun unſere Darſtellungsweiſe dieſer Subſtanz mit derjenigen Runge's vergleichen, denn ſein Krapproth iſt nichts Anderes als unſer Alizarin, aber nicht ſo rein, weil wir es durch die Sublimation von gewiſſen Stoffen befreien, welche in alle Auflöſungsmittel mit ihm übergehen. Auch wenden wir, um das reine Alizarin zu erhalten, nicht die ſchwefelſaure Kohle an, wie Runge glaubt (denn wir haben dieſes Verfahren bloß angegeben, um zu zeigen, daß man jene Subſtanz bei einer ſehr niedrigen Temperatur aus dem Krapp ausziehen kann), ſondern wir behandeln den ausgewaſchenen Krapp mehrmals mit Alkohol, laſſen die erſten mehr Waſſer enthaltenden Tincturen, die beinahe alle fette Subſtanz enthalten, unbenuzt und nehmen nur die folgenden, welche viel weniger gefärbt ſind. Dieſes Extract wird ſodann mit Aether gewaſchen, um ihm die lezten Antheile fetter Subſtanz zu entziehen und dieſe reißt auch das Purpurin mit, wenn ſolches vorhanden iſt. Ich ſage wenn ſolches vorhanden iſt, denn der Holzſtoff hält den größeren Theil davon zurück. Nachdem das Auswaſchen mit Aether lange genug fortgeſezt worden iſt, erhält man ein ſpangelbes Pulver, welches bei vorſichtiger Sublimation ſchöne und lange durchſichtige prismatiſche Nadeln von röthlichgelber Farbe liefert, bei denen das Roth um ſo mehr vorwaltet, je diker ſie ſind; die zarten, welche eine Art Schaum bilden, ſind hellgelb. Um dieſe Kryſtalle vollkommen zu reinigen, waſche ich ſie noch mit ein wenig Aether aus und preſſe ſie zwiſchen Filtrirpapier.

Unſere Manipulationen ſind alſo offenbar bei weitem nicht ſo zahlreich und ſie können auch das Krapproth nicht ſo leicht verändern, da wir uns bloß des Waſſers, Alkohols und Aethers als

Auflösungsmittel bedienen, während Runge außerdem Alaun in großer Menge und auch noch Salzsäure anwendet.

Ich will nun die Eigenschaften unseres Alizarins, so wie sie in unseren beiden ersten Abhandlungen (polyt. Journal Bd. XXIV. S. 530 und Bd. XXVII. S. 200) angegeben sind, in Vergleich mit denen von Runge's Krapproth zusammenstellen.

Sublimirtes Alizarin.	Krapproth von Runge.

Wasser.

Wenn das Alizarin rein, d. h. von der fetten Substanz, die es bisweilen begleitet, befreit ist, löst kochendes Wasser eine geringe Menge davon auf. Die Auflösung wird dann rosenroth und später gelblichroth.

In der Kälte sehr wenig auflöslich; löst sich in der Wärme in sehr reinem Wasser auf; die Auflösung läßt beim Erkalten orangegelbe Floken fallen. (Dieser Unterschied in der Farbe erklärt sich sehr gut durch den Einfluß der Säure bei Runge's Bereitungsart des Alizarins.)

Alkalien.

Verdünntes Ammoniak löst es leicht auf; die Auflösung ist sehr satt violbraun und ändert diese Farbe bei stärkerer Sättigung nicht. Durch Kalk-, Baryt- und Strontianwasser wird sie schön blau gefällt. Kali und Natron wirken eben so; überhaupt, je reiner das Alizarin ist, desto mehr nähert sich die Färbung durch Alkalien dem reinen Blau.

Ammoniak gibt eine schön purpurrothe Auflösung.

Kali löst es mit sehr schön violblauer Farbe auf.

Brunnen- oder kalkhaltiges Wasser löst es mit rother Farbe auf unter Bildung eines blau gefärbten Laks.

Säuren.

Concentrirte Schwefelsäure löst es vollständig auf. Beim Verdünnen mit Wasser fällt das Alizarin in hellgelben Floken nieder. Der ausgesüßte Niederschlag verhält sich gegen Alkalien wie das ursprüngliche Alizarin.

In der Wärme lösen die verdünnten Säuren das Krapproth mit gelber Farbe auf; beim Erkalten scheiden sich orangegelbe Floken ab.

Alaun.

Es löst sich selbst bei längerem Kochen nur sehr wenig davon auf. Die Auflösung ist hell gelblichroth.

Unauflöslich in Alaun, wenigstens wenn ihm kein Krapppurpur beigemengt ist.

NB. Ich muß auch hier bemerken, daß die vollkommene Unauflöslichkeit in Alaun sehr wahrscheinlich von dem Einfluß der Säure auf das Roth während der vorhergehenden Behandlungen herrührt, denn bekanntlich braucht man die Alaunauflösung nur zu säuern, damit das Alizarin und selbst das Purpurin unauflöslich bleiben.

Wärme.

Beim Erhitzen kommt das Alizarin vollständig in Fluß und wenn man es dann erkalten läßt, erhält man eine undurchsichtige aus strahlenförmigen krystallinischen Blättchen bestehende Masse von braunrother Farbe. Sezt man hingegen das Erhitzen fort, so verflüchtigt es sich fast ohne Rükstand. Doch zer-

Beim vorsichtigen Erhitzen in einer Glasröhre schmilzt das Krapproth zu einer dunkel orangefarbenen Flüssigkeit und verflüchtigt sich unter Hinterlassung von etwas Kohle in gelben Dämpfen, die sich zu glänzend orangefarbenen Nadeln verdichten. Beim ferneren Erhitzen kann man sie die Glasröhre entlang

sezt sich eine geringe Menge.
Das Alizarin kann zum zweiten und
dritten Mal sublimirt werden, ohne
seine Eigenschaften und seine Intensität
in der Farbe zu verändern.

NB. In unserer ersten Abhandlung
(polyt. Journal Bd. XXIV. S. 530)
haben wir bemerkt, daß wenn man die
Alizarinkrystalle neuerdings erhizt, sie
sich sublimiren, ohne einen kohligen
Rükstand zu hinterlassen und ohne eine
merkliche Veränderung zu erleiden. Bekanntlich hat man es beim Sublimiren
einer flüchtigen Substanz ganz in der
Gewalt einen Rükstand zu erhalten oder
nicht, indem es bloß darauf ankommt,
ob man mehr oder weniger langsam
erhizt.

treiben, ohne daß ein kohliger Rükstand
bleibt; so daß also das einmal Sublimirte ohne Zersezung von Neuem zu
sublimiren ist. Es färbt Thon- und
Eisenbeizkattun eben so wie das Krapproth selbst, das Roth hat aber mehr
Feuer, als das des unsublimirten.

NB. Leztere Bemerkung beweist offenbar, daß der sublimirte Farbstoff
reiner als der unsublimirte ist; sie
stimmt übrigens ganz mit unseren eigenen Beobachtungen überein.

Aus den angegebenen Eigenschaften sieht man, daß unser Alizarin und Runge's Krapproth sich so sehr nähern, als man es von
zwei organischen Substanzen, die auf so verschiedenem Wege dargestellt sind, nur immer erwarten kann; ferner, daß aller Wahrscheinlichkeit nach das Alizarin ein reineres Educt schon deßwegen seyn
muß, weil es sublimirt und krystallisirt ist und öfters ohne eine
Veränderung zu erleiden sublimirt werden kann.

Daraus, daß das Krapproth, Krapppurpur und Krapporange
sublimirbar sind, schließt Runge ohne weiteres, daß das durch
Sublimation dargestellte Alizarin aus den drei Pigmenten bestehen
muß: ich glaube aber, daß er damit einen großen Irrthum begeht.
Die Sache verdient, ehe man sich so positiv ausspricht, gewiß eine
nähere Untersuchung. Nun sagt aber Runge nirgends, daß er Alizarin bereitet, und darin diese drei Substanzen gefunden hat. Er
stüzt sich bloß auf eine der von uns angegebenen Darstellungsweisen,
die wir aber nicht benuzten, um reines Alizarin zu bereiten, sondern
bloß um zu beweisen, daß man dasselbe leicht aus der schwefelsauren
Kohle ausziehen kann. Selbst wenn man aber dieses Verfahren annimmt, obgleich es vielleicht hinsichtlich der Reinheit des Products
eines der ungünstigsten ist, können doch, wie sich leicht beweisen läßt,
die drei Pigmente Runge's nicht gemeinschaftlich in dem sublimirten Theile vorkommen. Wir wollen zuerst zeigen, daß das Alizarin
kein Krapporange enthalten kann. Runge sagt uns, daß die Darstellung des Krapporange und seine Trennung vom Krapppurpur und
Krapproth auf seiner Schwerauflöslichkeit im Weingeist beruht. Um
dasselbe in ganz reinem Zustande abzuscheiden, bereitet er sich nämlich einen kalten Aufguß der Alizari mit Wasser von 12° R., seiht
denselben durch Musselin, läßt absezen und sammelt den Bodensaz
auf einem Filter. Derselbe wird dann mit kaltem Wasser gut aus-

gewaschen, hierauf mit Weingeist gekocht und das Flüssige heiß filtrirt; der Bodensaz, welchen es beim Erkalten bildet, wird gesammelt,
mit kaltem Weingeist ausgewaschen und der Rükstand ist dann reines
Orange. Es ist also klar, daß das Waschwasser dieses Pigment aus-
zieht und Runge bemerkt uns, daß die Säuren seine Auflöslichkeit
in Wasser begünstigen. Wie bereitet man nun die schwefelsaure
Kohle? Man läßt den Krapp in concentrirter Schwefelsäure weichen
und wascht ihn dann mit vielem Wasser aus, um die Säure auszuziehen. Angenommen nun, was keineswegs bewiesen ist, das Orange
habe diesem kräftigen Agens eben so gut wie das Alizarin widerstanden, so muß es doch jedenfalls durch das Aussüßwasser aufgelöst
und beseitigt werden. Daß das Waschwasser das Krapporange auflösen muß, geht auch aus Runge's Bereitungsart des Krapproths
hervor; er behandelt nämlich ausgewaschenen Krapp mit Alaunauflösung ꝛc. und man sieht, daß alle seine Operationen keinen anderen
Zwek haben, als das Roth vom Purpur zu trennen; er erwähnt des
Orange gar nicht, woraus man schließen muß, daß er es nicht als
einen Bestandtheil des ausgewaschenen Krapps betrachtet. Ich glaube
also mit Recht behaupten zu können, daß das Orange im ausgewaschenen geistigen Extract nicht mehr vorkommt und noch weniger im
sublimirten Alizarin, welches man mit diesem Extract darstellt. --

Nachdem nun erwiesen ist, daß Runge's Krapporange nicht
in dem nach unserer Methode bereiteten Alizarin enthalten seyn kann,
fragt es sich, ob dasselbe Purpur enthält, wie er behauptet. Ehe
ich mich mit dieser Frage beschäftige, will ich in Erinnerung bringen, was Runge unter Krapppurpur versteht und sodann dieses
Pigment mit dem von uns Purpurin genannten vergleichen.

Runge wascht, um seinen Krapppurpur darzustellen, den Krapp
zuerst mit Wasser aus, kocht ihn dann mit Alaunauflösung und fällt
den Purpur aus dem Absud mittelst Schwefelsäure. Der Niederschlag wird dann zuerst mit Wasser und hierauf mit schwacher Salzsäure ausgekocht, ausgesüßt, getroknet, sodann mit Weingeist von
90 Proc. siedend behandelt und noch heiß filtrirt. Man erhält eine
dunkelrothe Flüssigkeit, die bis zur Salzhaut abgedampft beim Erkalten den Krapppurpur als orangefarbene, krystallinische Körner
fallen läßt. Diese werden durchs Filter geschieden und durch noch-
maliges Auflösen in Weingeist und wiederholte Krystallisation von
der noch anhängenden Mutterlauge getrennt. Endlich löst man sie
noch in Aether auf, der eine braune Materie hinterläßt.

Runge hätte der Kürze wegen sagen können, daß er seinen
Krapppurpur beinahe nach demselben Verfahren darstellt, wie wir
das Purpurin. Beiderseits wird der Krapp ausgewaschen, mit Alaun

behandelt, die Auflösung durch Säure gefällt und das gefällte Pigment ausgewaschen. Runge löst es dann in Alkohol auf und krystallisirt es zwei Mal daraus; endlich behandelt er es. noch mit
Aether, welcher eine braune Materie zurükläßt, während wir es unmittelbar mit Aether behandeln. Dieser scheidet aber nicht nur die
braune Materie, sondern auch noch einen Theil Pigment ab, welcher
mit Alaunerde oder phosphorsaurem Kalk zu einem Lak verbunden
ist. Um das Purpurin zu erhalten, destilliren wir dann ⅓ des
Aethers ab und lassen den Rükstand in einer Schale freiwillig verdunsten. Das Purpurin krystallisirt in seidenartigen Büscheln; sie
lösen sich leicht in einer kochenden Alaunauflösung auf und diese wird
dadurch rein rosenroth und liefert auch auf Zusaz von kohlensaurem
Natron einen schönen Lak.

Diese beiden Darstellungsmethoden sind zu übereinstimmend, als
daß die Resultate merklich verschieden seyn könnten, was sich auch
aus den Eigenschaften der beiden Pigmente ergibt.

Purpurin von Robiquet und Colin.	Krapppurpur von Runge.
Wasser.	
Es löst sich leichter als das Alizarin in reinem und kochendem Wasser auf. Die Auflösung ist weinroth und fällt die Barytsalze nicht.	In ganz reinem Wasser löst sich der Krapppurpur durch Erhizen mit einer dunkeln Rosafarbe auf; die Flüssigkeit läßt jedoch beim Erkalten keinen Krapp- purpur in Floken fallen.
Alkalien.	
Es läßt sich sehr leicht in Ammoniak auf. Die Tinctur ist schön johanni- beerenroth und bleibt auch so beim Verdünnen. Kalk-, Baryt- und Stron- tianwasser fällen aus der Auflösung allen Farbstoff in rothen Floken. Kali und Natron verhalten sich wie Ammo- niak.	Ammoniakflüssigkeit bildet mit dem Krapppurpur eine prächtig hochrothe Flüssigkeit. Kalilauge löst den Krapppurpur mit prächtig kirschrother Farbe auf.
Säuren.	
Concentrirte Schwefelsäure löst es schnell und vollständig auf; die Auf- lösung ist roth, wird aber durch Wasser in dunkelgelben Floken gefällt, welche sich gegen Alkalien wie das ur- sprüngliche Purpurin verhalten.	Verdünnte Säuren lösen den Krapp- purpur bei der Siedhize mit gelber Farbe auf; beim Erkalten scheidet er sich in orangegelben Floken wieder ab.
Alaun.	
Kochende Alaunflüssigkeit löst davon sehr viel auf und man erhält so eine in Rosenroth stechende rothe Tinctur von sehr schöner Nüance, ganz ähnlich derjenigen, welche eine mit gut ausge- waschenem Krapp behandelte Alaunauf- lösung zeigt.	Die krapppurpurhaltige Alaunauflö- sung besizt eine schöne dunkle Rosafarbe.
Wärme.	
Es kommt beim Erhizen vollkommen n Fluß und gesteht beim Erkalten zu	Beim vorsichtigen Erizen in einer Glasröhre schmilzt der Krapppurpur

einer strahligen Masse. Bei stärkerem Erhizen scheint es anfangs mehr Widerstand zu leisten als das Alizarin, verflüchtigt sich aber doch zulezt in rötheren Nadeln. Der sublimirte Theil liefert mit Ammoniakflüssigkeit eine bläulichrothe Auflösung.

zu einer dunkelbraunen, zähen Flüssigkeit, aus der sich rothe Dämpfe erheben, welche sich nicht in Gestalt von Nadeln, sondern als rother Anflug und braunrothe zähe Masse an der Glaswand sammeln. Beim ferneren Erhizen kann man ihn die Glasröhre entlang treiben, wobei sich diese stets mit schwarzer Kohle überzieht, so daß also das einmal Sublimirte nicht ohne Zersezung von Neuem zu sublimiren ist.

Ich glaube, daß wenn es Runge nicht gelang, abgesonderte Nadeln zu erhalten, dieß von einer zu großen Fällung beim Erhizen oder daher rührte, daß sein Pigment noch fette Materie enthielt, welche die Kryställe einhüllte, sich gleichzeitig verflüchtigte und dieselben in flüssigen Zustand versezte. Uebrigens wäre es auch möglich, daß das Purpurin, welches wir im Jahre 1827 dargestellt und beschrieben haben, d. h. zur Zeit seiner Entdekung, nicht ganz frei von Alizarin war; sehr wahrscheinlich wird dieß durch die blaurothe Farbe, womit sich die erhaltenen Nadeln in Ammoniakflüssigkeit auflösten; diese Anomalie hatte uns auch auf die Vermuthung gebracht, daß das Purpurin bloß eine Modification des Alizarins seyn dürfte. Deßwegen ist es aber nicht weniger erwiesen, daß das Purpurin und Runge's Krapppurpur wirklich dieselbe Substanz sind. Wir wollen nun sehen, ob das Alizarin in der That wie Runge behauptet, ein gemengter Körper ist, d. h. Purpurin enthält. Wenn dieses der Fall wäre, müßte offenbar das Alizarin bei jeder neuen Sublimation einen kohligen Rükstand liefern: denn Runge behauptet positiv, daß sich der Krapppurpur nicht neuerdings ohne eine Zersezung zu erleiden, sublimiren läßt und sagt auch, daß das Krapproth mehrmals sublimirt werden kann, ohne einen Rükstand zu hinterlassen. Aus diesen Eigenschaften jener Pigmente, welche auch mit unseren Beobachtungen übereinstimmen, läßt sich doch wohl schließen, daß unser Alizarin kein Purpurin enthält.

Runge's Krapproth ist in Alaun unauflöslich. Diese Unauflöslichkeit in Alaun hatten wir schon in unserer ersten Abhandlung ebenfalls hervorgehoben und befanden uns damals in keiner geringen Verlegenheit sie zu erklären, weil wir nämlich der Meinung waren, der Krapp enthalte nur ein einziges Pigment und daher nicht begreifen konnten, warum ausgewaschener Krapp mit Alaunflüssigkeit eine satte Tinctur gibt, während sich die von uns als das reine Pigment betrachtete Substanz nicht darin auflöste. Gerade dieser Umstand war es auch, welcher uns auf die Entdekung des Purpurins führte, das wir dann in unserer zweiten Abhandlung beschrieben. Eine Eigenschaft des Krapproths, welcher Runge mit Recht eine große

Wichtigkeit beilegt, ist auch noch die, daß es durch äzende Alkalien
blau gefärbt wird, worauf wir ebenfalls in einer Abhandlung, die
jedoch nicht im Druk erschien, aufmerksam gemacht haben.

Ein Chemiker hatte damals behauptet, das Alizarin sey ein
farbloses, durch Purpurin gefärbtes Harz. Um diesen Einwurf zu
beantworten, kochten wir einen Gramm Alizarin mit Alaunauflösung
und probirten bei jeder neuen Behandlung den unauflöslichen Rükstand mit alkalisirtem Wasser, um zu sehen, ob sich sein Pigment-
gehalt vermindert habe; es heißt in unserer zweiten Abhandlung
auch:

„Der zweite Rükstand wurde in einer Röhre erhizt und lieferte
wieder Alizarin, welches sich in sehr schwacher Ammoniakflüssigkeit
vollständig auflöste und eine sehr satte Tinctur gab, die fast rein
blau, kaum etwas in Lilas stechend, gefärbt war. Je mehr man
also das Alizarin reinigt, desto reiner blau wird es durch die Alkalien.‟

Es ist also kein Grund vorhanden, welcher Runge's Behauptung, das Alizarin sey ein Gemenge mehrerer Pigmente, rechtfertigen könnte; wenn dasselbe nicht mit der nöthigen Sorgfalt bereitet
wird, kann es freilich durch einige fremdartige Substanzen und besonders durch Purpurin verunreinigt seyn, welches leztere vielleicht
auch nur eine Modification desselben ist: denn ich fand öfters bei
einer Substanz, die ich für Alizarin hielt, mehrere Eigenschaften des
Purpurins und umgekehrt. Ueber eine solche Umänderung kann man
sich bei der leichten Zersezbarkeit der organischen Substanzen nicht
wundern.

Unter den weniger wichtigen Bestandtheilen des Krapps, welche
Runge anführt, bietet die Substanz, welche er Krapporange nennt,
das meiste Interesse dar, weil er sie ebenfalls als Pigment betrachtet. In unserer ersten Abhandlung erwähnten wir einer gelben, pul-
verigen aber glänzenden Substanz, welche wir aus dem geistigen
Extract der Krappgallerte erhielten. Da uns diese Substanz keine
besondere Aufmerksamkeit zu verdienen schien, so ermittelten wir ihre
Eigenschaften nicht und ich weiß daher auch nicht, ob sie eine von
denjenigen ist, welche Runge erhielt; oft sammelte ich aber eine
andere, die mir seinem Krapporange sehr analog zu seyn scheint,
welche ich aber auf einem ganz anderen Wege gewinne. Runge
findet sie im Auswaschwasser der Alizari suspendirt, während ich sie
durch Behandlung des holzigen Theils des Krapps mit Aether erhalte. Die ätherischen Tincturen sind schön hellgelb; destillirt man
drei Viertel davon über, so bildet sich beim Erkalten des Rükstandes
auf dem Boden der Retorte ein orangegelber Saz, welcher auf einem

Filter gesammelt, eine Masse darstellt, die aus einer Menge sehr kleiner und feiner sich durchkreuzender Nadeln besteht, welche in ihren Eigenschaften Runge's Krapporange ganz ähnlich sind.

Diese Substanz ist in reinem Wasser, selbst mit Beihülfe der Wärme, fast unauflöslich. Doch ertheilt sie ihm eine falbe Farbe. Alkohol löst davon bei der gewöhnlichen Temperatur kaum etwas auf; beim Kochen färbt er sich aber dadurch goldgelb und die geringe Menge, welche sich aufgelöst hat, scheidet sich beim Erkalten zum Theil in sehr kleinen Nadeln wieder aus. Aether löst mehr davon auf und zeigt übrigens dieselben Erscheinungen. Essigsäure färbt sie hellgelb; sie löst davon eine geringe Menge auf, welche beim Erkalten ebenfalls krystallinisch niederfällt. Schwefelsäure löst sie leicht auf und färbt sich gelblichroth; beim Verdünnen mit Wasser fällt das Pigment in gelben Floken nieder und die Flüssigkeit bleibt farblos. Kali löst sie auf und färbt sich rosenroth; die Auflösung in Ammoniak sticht in Braun. Beim Erhizen in einer Röhre sublimirt sich diese Substanz etwas schwer; sie bildet dabei einen gelben krystallinischen Ueberzug, liefert aber keine abgesonderten Nadeln und hinterläßt eine sehr voluminöse Kohle. Ich glaube also, daß man diese beiden Körper als ganz identisch betrachten kann, obgleich sie auf so verschiedene Art dargestellt werden. Ich hatte keine Gelegenheit das Krappgelb, wovon Runge spricht, zu bemerken; Herr Lugier traf es aber oft bei seinen Versuchen an, wenn er mit geistigem Extract färbte. Wenn man nämlich dieses Extract zur Beseitigung der fetten Materie mit Aether ausgesüßt hat, trifft es sich sehr häufig beim Färben, daß der weiße Grund oder ungebeizte Theil eines Zeugs hellgelb gefärbt aus dem Bade kommt, wie wenn man statt Krapp Quercitronrinde angewandt hätte. Man braucht den Zeug aber nur in gemeinem Wasser auszuwaschen, um ihm diese gelbe Farbe augenbliklich zu benehmen, denn sie löst sich im Wasser vollständig auf, ohne die anderen auf den Beizen befestigten Pigmente zu modificiren.

Unter allen Bestandtheilen des Krapps verdienen also nur das Alizarin und Purpurin, man mag sie nun nennen wie man will, als wahre Pigmente unsere besondere Aufmerksamkeit; sie allein verbinden sich mit den Beizen und Zeugen so innig, daß sie den verschiedenen Agentien, durch welche der Glanz der Krappfarben gewöhnlich erhöht wird, zu widerstehen vermögen.

Da ich in dieser Abhandlung eigentlich nur zeigen wollte, daß die zwei Hauptpigmente, welche Runge aus der Krappwurzel ausschied, ganz dieselben sind, welche Hr. Colin und ich im Jahre 1826 und 1827 beschrieben haben, so will ich die anderen Punkte der sehr ausgedehnten Abhandlung dieses geschikten Chemikers nicht discutiren und beschränke mich bloß auf einige allgemeine Bemerkungen. Keine seiner Darstellungsmethoden der Krapppigmente ist einfach genug, um im Großen angewandt werden zu können. Auch bin ich weit entfernt Runge's Ansicht über die Rolle, welche jedes Krapppigment beim Färben spielt, zu theilen; so betrachtet er das Purpurin als die Hauptbasis des Türkischroths: ich habe guten Grund zu glauben, daß es dazu beiträgt; aber ich glaube auch, wie ich schon früher einmal bemerkte, daß das Alizarin die Basis jeder Krappfarbe ist und ich müßte mich stark irren, wenn diese Ansicht nicht jedenfalls früher oder später allgemein angenommen würde.

Sehr merkwürdig ist es, daß das Alizarin ungeachtet seiner starken Verwandtschaft zur Thonerde sich doch nicht in der Alaunflüssigkeit auflösen, und also die Thonerde der Schwefelsäure nicht entziehen kann; während sich das Purpurin, welches sich durch die Avivagen und auch durch den Einfluß des Sonnenlichts viel leichter von der Thonerde trennen läßt, leicht im Alaun auflöst. Dieses Verhalten würde sich jedoch gut erklären lassen, wenn es wahr wäre, daß die Krappfarben ihre Solidität bloß einer dreifachen Verbindung von Kalk, Alaunerde und Pigment verdanken, wie Schlumberger und Persoz behaupten und womit auch Runge übereinstimmt; dann begreift man aber wieder nicht, warum man mit sublimirtem Alizarin und destillirtem Wasser ohne allen Zusaz fremdartiger Substanzen solid roth und lilas färben kann.

XLVI.

Verbesserte Methode ein= oder mehrfarbige Abdrüke oder Muster zu erzeugen und auf Metall, Holz, Tuch, Papier, Papiermaché, Bein, Schiefer, Marmor und andere dazu geeignete Substanzen, welche nicht als Töpferwaare, Porzellan, Glas oder dergl. benuzt werden, zu übertragen, worauf sich William Wainwright Potts und William Machin, beide Porzellan= und Töpferwaaren=Fabrikanten, und William Bourne, Aufseher, sämmtlich von Burslem in der Grafschaft Stafford, am 2. Jul. 1836 ein Patent ertheilen ließen.

Aus dem Repertory of Patent-Inventions. März 1837, S. 162.

Wir wollen, um unsere Erfindung deutlicher zu machen, und um zu zeigen, wodurch sie sich von den bisher üblichen Methoden unterscheidet, vorläufig in Kürze das gewöhnliche Verfahren berühren, wornach man metallene, hölzerne oder andere Oberflächen zu verzieren pflegte, indem man gewiſſe Muſter oder Abdrüke zuerſt auf Papier oder andere entſprechende Subſtanzen drukte, und dann von dieſen auf die erwähnten Oberflächen übertrug.

Nach dem allgemein üblichen Verfahren wird nämlich die zu verzierende Oberfläche zuerſt mit einer Schichte Firniß oder einer Auflöſung einer klebrigen in Waſſer unauflöslichen Subſtanz überzogen. Wenn der Firniß hinreichend troken geworden iſt, ſo wird der Abdruk, welcher übertragen werden ſoll, nachdem er vorher auf der Rükſeite mit Waſſer befeuchtet worden iſt, mit ſeiner vorderen Seite auf die überfirnißte Oberfläche gelegt und zuerſt mit einem weichen Wiſcher ſachte angedrukt, damit die beiden Oberflächen überall in innige Berührung mit einander kommen, und damit alle zwiſchen ihnen befindlichen Luftbläschen ausgetrieben werden. Iſt dieß geſchehen, ſo fährt man mit einem Wiſcher und unter Anwendung eines leichten Drukes auf der Rükſeite der zu übertragenden Zeichnung hin und her. Die Abdrüke, deren man ſich zu dieſen Zweken bedient, werden mit Druker= oder lithographiſcher Schwärze oder auch mit irgend einer anderen Subſtanz, die ſich leicht mit dem klebrigen Firniſſe verbindet und von dem Waſſer nicht weggewaſchen werden kann, gedrukt. Das zuletzt erwähnte ſchnelle Reiben der Rükſeite des Abdrukes bewirkt eine gelinde Erwärmung, welche die Verbindung des Oehles des Abdrukes mit dem Firniſſe begünſtigt. Wenn auf dieſe Weiſe die Abhäſion des Abdrukes an der gefirnißten Oberfläche bewerkſtelliget worden iſt, ſo macht man das Papier, worauf ſich der Abdruk befand, mit einem in Waſſer getauchten Schwamm durch und durch naß, wo dann das Papier mit großer Sorgfalt und Zartheit mit Hülfe des Fingers ſo von dem Firniſſe abgerieben wird, daß die Schwärze oder die ſonſtige zum Druke verwendete Farbe mit dem Firniſſe verbunden bleibt, und daß alſo die ganze Zeichnung oder das ganze Muſter umgekehrt auf die gefirnißte Oberfläche übertragen erſcheint. So viel zur Verſtändigung von der älteren bisher gebräuchlichen Methode, nunmehr zur Beſchreibung der neueren, von uns erfundenen.

Wenn auf eine kupferne oder auch auf eine andere entſprechende Metallplatte nach dem gewöhnlichen Verfahren die gewünſchte Zeichnung geſtochen worden iſt, ſo bringen wir dieſe Platte auf einen Ofen, deſſen Scheitel zu deren Aufnahme mit einer hinlänglich groſſen Platte verſehen ſeyn muß. Auf dieſem Ofen belaſſen wir die Platte ſo lange, bis ſie eine ſolche Wärme erlangt hat, daß der auf ſie gebrachte Farbſtoff dadurch einen hinreichenden Grad von Flüſſigkeit erlangt hat. Dann vermengen wir den Farbſtoff mit dem Ueber=

tragungsöhle, welches jenem ähnlich ist, dessen sich die Porzellan-
und Töpferwaaren-Fabrikanten zur Bereitung ihrer Farben zu bedienen pflegen und dessen Bereitung weiter unten angegeben werden
soll. Wenn die Platte hierauf so lange mit dem solcher Maßen bereiteten Gemenge abgerieben worden ist, daß die Züge der Zeichnung
hinreichend damit ausgefüllt sind, so reinigen wir sie auf die gewöhnliche Art und Weise von dem überschüssigen Farbstoffe, worauf
wir dann ein Blatt Papier von entsprechender Größe, welches vorher
mit einer Schichte weicher Seife oder einer anderen geeigneten Substanz (wir geben jedoch dem auf die weiter unten beschriebene Art
bereiteten Seifenpräparate den Vorzug) überzogen worden ist, noch
feucht auf die Platte legen und mit dieser unter den Walzen einer
gewöhnlichen Kupferstecherpresse durchlaufen lassen. Wir nehmen zu
diesem Zweke gewöhnlich Seidenpapier (tissue-paper); doch bedienen
wir uns auch eines stärkeren Papieres, wenn die Zeichnung groß ist
und einen starken Farbengrund besizt. Das aus der Presse kommende
und von der Platte genommene Papier ist, wenn die Zeichnung oder
das Muster nur eine einzige Farbe bekommen soll, zur Uebertragung
fertig. Es braucht zu diesem Zweke nur mit jener Oberfläche, auf
der sich der Abdruk befindet, so eben als möglich auf die zu verzierende Holz- oder andere Oberfläche gelegt, und dann auf der Rük-
seite entweder mit der Hand oder mit einem Wischer sachte gerieben
zu werden, bis die Farbe hinreichend in diese Oberfläche eingezogen
wurde oder an ihr hängen geblieben ist. Das Papier kann zulezt,
wenn es mit einem nassen Schwamme befeuchtet worden ist, leicht
abgenommen werden, wobei man den farbigen Abdruk vollkommen
übergetragen finden wird, indem das Papier in Folge der vorläufigen
Behandlung mit Seife den Farbstoff leicht fahren läßt.

Wenn die Zeichnung mehrfarbig werden soll, so lassen wir nur
jene Theile, die eine und dieselbe Farbe bekommen sollen, auf die
Platte graviren. Am vortheilhaftesten und geeignetsten dürfte es
seyn, die feineren Theile der Zeichnung, wie z. B. die Umrisse,
Schattirungen u. dergl., mit der gestochenen Platte auszuführen; dagegen aber den farbigen Grund auf die sogleich zu beschreibende Art
und Weise auszufüllen. Das Papier wird nämlich, nachdem der
erste Theil der Zeichnung darauf abgedrukt worden ist, von der gravirten Platte abgenommen und auf einen glatten, mit einem feinen
Druktuche oder Wollenzeuge bedekten Stein gelegt, damit der Ueberrest der Zeichnung in anderen Farben darauf gedrukt werden kann.
Dieß geschieht mit Formen oder Druktafeln, die den in den Calico-
drukereien beim Handdruke gebräuchlichen ähnlich sind. Der Farbstoff wird nämlich auf die erhabenen Stellen dieser Formen aufge-

tragen; und diese erhabenen Stellen müssen genau mit dem vorher
durch den Kupferstich erzeugten Theile des Musters oder der Zeichnung correspondiren, damit auf diese Weise die Zeichnung oder das
Muster complettirt oder, ausgefüllt wird. Es erhellt hieraus, daß
man nach diesem Verfahren Zeichnungen mit jeder beliebigen Anzahl
von Farben erzielen kann; daß jeder Theil, der eine andere Farbe
bekommen soll, auch mit einer eigenen Form gedrukt werden muß;
und daß an sämmtlichen Formen die erhabenen Stellen in gehöriger
Beziehung zu einander und zu dem mit der Kupferplatte gedrukten
Theile der Zeichnung stehen müssen. Wenn dagegen der gestochene
Theil der Zeichnung aus Umrissen oder Schattirungen besteht, und
schwarz oder in irgend einer Farbe auf das Papier abgedrukt worden
ist, so kann die Grundfarbe eben so mit Formen auf diese Umrisse
oder Schattirungen aufgedrukt werden, wie wenn die Zeichnung von
dem Papiere auf die zu verzierende Oberfläche übergetragen würde.
   Die Formen können aus Holz, aus Metall oder einem anderen
entsprechenden Materiale bestehen; auch kann man sie aus Schrift-
erz, aus jener Legirung, deren sich die Buchdruker zur Verfertigung
der Walzen bedienen, oder auch aus irgend einer anderen Legirung
gießen. Außerdem kann man sich metallener Typen oder ähnlicher
Vorrichtungen bedienen, um mit erhabenen Oberflächen einen farbigen Druk zu erzielen, oder um einzelne Stellen der Zeichnung auszufüllen. Viele Zeichnungen oder Muster lassen sich auch unter Anwendung von Formen oder erhaben gravirten Blöken allein, ohne daß
man zu den gestochenen Platten seine Zuflucht zu nehmen brauchte,
erzielen. In diesem Fall muß jedoch das bestrichene Papier, da es
der troknenden Wirkung der erhizten Platte nicht unterliegt, nach
dem Bestreichen mit der Seifencomposition beinahe vollkommen getroknet worden seyn, bevor man mit den Formen oder Blöken darauf
druken kann. Uebrigens glauben wir, daß die meisten Zeichnungen
und Verzierungen am besten durch eine Verbindung der gestochenen
Platte mit den Blöken erzielt werden können. Der erste Druk auf
das bestrichene Papier kann auch nach dem beim Lithographiren üblichen Verfahren erzeugt werden; in diesem Falle darf aber das Papier auch nur feucht und nicht so naß seyn, wie man es auf die
erhizte Kupferplatte zu bringen pflegt.
   Um den Farbstoff auf die Oberfläche der Blöke aufzutragen,
bedienen wir uns ähnlicher Walzen aus Composition, wie sie in den
Buchdrukereien zu gleichem Zweke angewendet werden; nur sezen wir
sie mit den Händen in Bewegung. Die Farbstoffe werden kalt auf
die Formen aufgetragen. Die Farben selbst machen keinen Theil
unserer Erfindung aus; sie sind dieselben, welche sich andere sachver-

ständige Fabrikanten zu demselben Zweke, jedoch auf einem anderen
Wege bedienen; nur müssen diese Farben in allen Fällen mit dem
von uns angegebenen Uebertragungsöhle (transferring oil) vermengt
seyn. Will man ein metallisches Pulver anwenden, so muß man
dasselbe, nachdem es durch Präcipitation aus der Metallauflösung
erhalten worden, gleichfalls mit diesem Oehle vermengen; wenn
es dann auf die beschriebene Weise auf die zu verzierende Oberfläche
aufgetragen und vollkommen auf ihr getroknet worden ist, so muß
es polirt und endlich auf die gewöhnliche Weise gefirnißt werden.

Dasselbe, was der hier gegebenen Beschreibung gemäß mit flachen
gravirten Platten und mit Formen, welche mit den Händen gehandhabt
werden, erzeugt wird, läßt sich mit weniger Arbeit und größerem
Vortheile im Großen auch durch Anwendung ähnlicher Maschinen,
wie man sich ihrer zum Calicodruke bedient, erzielen. Hiezu gehört:
1) eine Cylindermaschine, mit der man von einer umlaufenden gravirten Walze, die bei ihrem Umlaufen auf mechanische Weise mit
Farbstoff versehen und auch des überschüssigen Farbstoffes entledigt
wird, ein ganzes Muster oder auch nur einen Theil desselben druken
kann. 2) eine Presse, in der von einer flachen Platte, die gleichfalls
auf mechanische Weise mit Farbstoff gespeist wird, ein vollkommenes
Muster oder ein Theil desselben abgedrukt werden kann. 3) endlich
eine sogenannte Flächendrukmaschine, in der ein Muster oder mehrere
Theile desselben nach einander von erhaben gravirten, mit Farbwal-
zen in Verbindung gebrachten Walzen gedrukt werden. Wir brauchen hier um so weniger in die diese Maschinen betreffenden Details
einzugehen, als sie keinen Theil unserer Erfindung ausmachen, und
mit gehöriger Hinweisung auf deren Anwendung zur Erzeugung von
Mustern, welche sich zur Uebertragung eignen, bereits früher beschrieben wurden. Die Cylindermaschine und die sogenannte Flachpresse
(flat press) sammt deren Benuzungsweise findet man nämlich in
jenem Patente beschrieben, welches John Potts, Richard Oliver
und William Wainwright Potts am 17. Septbr. 1831 auf eine
verbesserte Methode Abdrüke von gestochenen Kupferplatten in verschiedenen Farben zu erhalten, und sie auf Töpferwaaren, Porzellan,
Glas und andere ähnliche Substanzen zu übertragen, nahmen. Die
sogenannte Flächendrukmaschine (surface printing machine) dagegen
findet man in jenem Patente erläutert, welches William Wainwright
Potts am 3. Decbr. 1835 auf eine verbesserte Methode ein- oder
mehrfarbige, zu demselben Zweke bestimmte Muster oder Dessins zu
druken, nahm. [41]) Endlich kann man sich auch noch mit irgend ei-

---

41) Das Polyt. Journal hat das erste dieser Patente Bd. XLVI. S. 214,
das zweite hingegen Bd. LXII. S. 216 bekannt gemacht.   A. d. R.

ner, der in den gewöhnlichen Buchdrukereien gebräuchlichen Pressen Abdrüke, die sich für unser neues Verfahren eignen, verschaffen.

Die Oberflächen, welche verziert werden sollen, müssen entweder eine vorbereitende Behandlung erleiden oder nicht. Ist z. B. Holz die Substanz, auf welche die Uebertragung geschehen soll, so kann man dessen Oberfläche entweder ganz rein lassen, oder auch mit einem Firnisse überziehen. Eisen und andere Metalle können gleichfalls rein und nakt oder lakirt und überfirnißt angewendet werden; und ebendieß gilt auch von allen übrigen Substanzen, auf welche unsere verbesserte Methode Anwendung finden soll.

Das Seifenpräparat, dessen wir uns zum Schlichten des Papieres bedienen, so wie auch das Uebertragungsöhl, welches unter die Farbstoffe gemengt werden soll, findet man in den Töpfereien gewöhnlich bereits vorräthig. Da es jedoch von Nuzen seyn möchte, wenn wir auch die Bereitung dieser Präparate angeben, so wollen wir hierauf eingehen, obschon sie eigentlich keinen Theil unserer Erfindung ausmachen.

Das Seifenpräparat erzielen wir, indem wir beiläufig ein Pfund weiche Seife und eine Unze gewöhnliche käufliche Soda so lange in einem Gallon Wasser sieden, bis sich beides gehörig aufgelöst hat. Die Auftragung desselben auf das Papier kann entweder mit Bürsten und Schwämmen, oder auch dadurch geschehen, daß man das Papier zwischen Walzen, die mit einem Druktuche überzogen sind, und von denen die untere in einem mit der Seifenauflösung gefüllten Troge umläuft, durchgehen läßt. Einen hiezu ganz geeigneten Apparat findet man in dem ersteren der oben erwähnten Patente ausführlich beschrieben.

Das Uebertragungsöhl bereiten wir, indem wir ein Quart Leinöhl und eine halbe Pinte Repsöhl (Imperialmaaß) mit einander sieden, und während des Siedens eine Unze Bleiweiß, eine gleiche Menge gewöhnliches weißes oder braunes Pech, und eben so viel gewöhnlichen Theer zusezen. Wenn das Sieden, welches über einem hellen Kohlenfeuer ohne Flamme vorgenommen werden muß, beiläufig eine halbe Stunde lang gedauert hat, so zünden wir die Flüssigkeit mit einem Stüke brennenden Papieres an, um sie dann so lange brennen zu lassen, bis sie klebrig zu werden beginnt. Würde das Aufsieden hiebei zu heftig, so löschen wir die Flamme aus, um sie dann neuerdings wieder anzuzünden. Um zu erproben, ob die Flüssigkeit in hinreichendem Grade eingedikt worden ist, tröpfeln wir etwas davon auf eine Platte, worauf wir deren Zähigkeit mit den Fingern ermitteln; spinnt sie oder läßt sie sich 5 — 6 Zoll weit zwischen den Fingern ziehen, so kann man sie als hinreichend versotten betrachten.

In lezterem Falle nehmen wir sie vom Feuer, um ihr dann, wenn sie so weit abgekühlt ist, daß sie nicht länger mehr siedet, beiläufig eine Viertelpinte flüchtigen Theeröhlgeist zuzusezen.   Je älter die Oehle sind, deren man sich hiezu bedient, desto besser; denn um so weniger lang braucht das Oehlgemisch gesotten zu werden.

Unser Verfahren läßt sich offenbar zu sehr mannigfachen Zwecken verwenden; so z. B. zum Verzieren von Kästchen, Etuis, Tafeln u. dgl.; zur Fabrication von Tapeten für Zimmer, dieselben mögen aus Papier oder präparirtem Canevas bestehen, u. s. f.

Unsere Erfindung beruht demnach in einer neuen Anwendung eines bereits bekannten Verfahrens, nämlich in der Uebertragung von Abdrüken gravirter Oberflächen oder Druk= oder Steindruktafeln auf die Oberflächen von Metallen, Hölzern und anderen Stoffen nach einer Methode, deren man sich bisher zur Uebertragung der Zeich= nungen oder Muster auf Töpferwaare, Porzellan und andere derlei Substanzen bediente.   Zu den unumgänglich nothwendigen Theilen dieses Verfahrens gehört der Druk des zu übertragenden Dessins auf Papier, welches mit dem angegebenen Seifenpräparate behandelt worden war; die Vermengung der Farbstoffe mit dem angegebenen Uebertragungsöhle; und die rasche Application der Abdrüke vor dem vollkommenen Troknen auf die zu verzierenden Oberflächen.   Wir erklären keine der hier beschriebenen Maschinen und Vorrichtungen als unsere Erfindung; sondern behalten uns vor, das angegebene Verfahren entweder mit diesen oder irgend anderen Apparaten und Werkzeugen in Ausführung zu bringen.

XLVII.

Ueber die in den Futterkräutern und Nahrungsstoffen ent= haltene Quantität Stikstoff oder Nahrungsstoff.   Nach Hrn. Boussingault.

Aus dem Journal des connaissances usuelles, Decbr. 1836, S. 249.

Schon seit langer Zeit haben sich die ausgezeichnetsten Oeko= nomen Deutschlands und Englands zur Aufgabe gemacht, zu erfor= schen, auf welche Weise das Vieh für die möglich geringsten Kosten gemästet werden könnte.   Thaer und mehrere andere Beobachter ha= ben in dieser Absicht als das Resultat ihrer Erfahrungen in Zahlen die Gewichtsverhältnisse angegeben, in welchen die verschiedenen Fut= tersubstanzen einander zu ersezen im Stande sind.   Diese Zahlen sind wirkliche Aequivalente; denn sie zeigen z. B. an, daß diese oder jene Quantität Heu oder Wurzeln durch diese oder jene Quantität Blät=

ter oder Körner ersezt werden kann, um einen zur Maſtung beſtimm=
ten Ochſen oder ein Oekonomiepferd in gleichem Grade zu nähren.
Vergleicht man jedoch die von verſchiedenen Schriftſtellern angege=
benen Aequivalente, ſo wird man in Hinſicht auf eine und dieſelbe
Subſtanz oft eine große Differenz in dieſen Angaben finden. Es
könnte dieß auch nicht wohl anders kommen; denn 1) iſt es nicht
möglich, daß alle die Beobachtungen, als deren Reſultat ſich die
Aequivalente ergaben, unter vollkommen gleichen Umſtänden angeſtellt
werden konnten; und 2) iſt ſehr ſchwer genau zu ermitteln, welchen
günſtigen oder ſchädlichen Einfluß eine Veränderung der Nahrungs=
weiſe auf die Thiere ausübt. Deſſen ungeachtet haben dieſe Aequi=
valentzahlen ſchon großen Nuzen gebracht; ja ſie dienen gegenwärtig
allen jenen Landwirthen, die weder Zeit noch Mittel haben ſich durch
ihre eigene Erfahrung Aufſchluß zu verſchaffen, zur Richtſchnur.

Alle vegetabiliſchen Stoffe, die den Thieren als Nahrungsmittel
dienen, enthalten eine gewiſſe Quantität ſtikſtoffhaltiger Beſtandtheile;
denn Subſtanzen, die gar keinen Stikſtoff enthalten, ſind zur Unter=
haltung des Lebens nicht geeignet.

In den Getreidearten bildet der Kleber dieſen Nahrungsſtoff.
Hr. Bouſſingault bemerkt, daß die Nährkraft eines vegetabili=
ſchen Nahrungsmittels mit deſſen Gehalt an Stikſtoff im Verhält=
niſſe ſtehen muß; obwohl übrigens nichts weniger als alle ſtikſtoff=
haltigen Vegetabilien als Nahrungsmittel zu betrachten ſind; mehrere
derſelben gehören vielmehr zu heftigen Giften und Arzeneimitteln.

Da Hr. Bouſſingault von dem Principe ausging, daß die
Nährkraft der Futterkräuter auf ihrem Gehalte an Stikſtoff beruhe
und mit dieſem Gehalte im Verhältniſſe ſtehe, ſo beſchränkte er ſich
auf Beſtimmung dieſes Beſtandtheiles mit Uebergehung der übrigen.
Eine vollkommene Analyſe würde auch nur ſeine Arbeit außerordent=
lich in die Länge gezogen haben, ohne ihr deßhalb ein höheres In=
tereſſe zu verleihen. Da die Holzfaſer, das Gummi, das Stärkmehl,
der Zuker, die faſt in allen Vegetabilien enthalten ſind, eine bei=
nahe gleiche oder wenigſtens höchſt ähnliche Zuſammenſezung haben,
ſo würden ſich immer ähnliche oder gleiche Quantitäten Kohlenſtoff,
Waſſerſtoff und Sauerſtoff ergeben haben. Der Gehalt an Waſſer
wurde dagegen ſorgfältig beſtimmt; und da der Stikſtoffgehalt immer
an Subſtanzen geprüft wurde, die längere Zeit über bei der Tempe=
ratur des ſiedenden Waſſers getroknet wurden, ſo konnte vergleichs=
weiſe der Stikſtoffgehalt der getrokneten und der nicht getrokneten
Nahrungsſtoffe berechnet werden. Zur Beſtimmung des Stikſtoff=
gehaltes wurde das von Dumas angegebene Verfahren gewählt;
die Reſultate, zu denen Hr. Bouſſingault hienach gelangte, er=

hellen aus folgender Tabelle, so daß also nur mehr zu erforschen bleibt, ob diese Resultate keinen Modificationen unterliegen.

Substanzen.	Verlust an Wasser während des Trocknens bei 100°.	Gehalt an Stickstoff in dem getrockneten Nahrungsstoffe.	Gehalt an Stickstoff in dem ungetrokneten Nahrungsstoffe.	Theoretische Aequivalente	Praktische Aequivalente
Gewöhnliches Heu . . .	0,112	0,0118	0,0004	100	100
Rother, in der Blüthe geschnittener Klee . . .	0,166	0,0217	0,0176	60	90
Grüner Klee	—	—	0,0030	208	—
Luzerner Klee	0,166	0,0166	0,0130	75	90
Grüner Luzerner Klee . .	—	—	0,0030	347	—
Getroknetes Wikenkraut . .	0,110	0,0157	0,0141	74	83
Weizenstroh	0,193	0,0030	0,0020	520	400
Roggenstroh	0,122	0,0020	0,0016	611	400
Haferstroh	0,210	0,0036	0,0019	547	400
Gerstenstroh	0,110	0,0026	0,0020	520	400
Kartoffeln	0,925	0,0180	0,0037	281	200
Erdbirnen oder Topinambours	0,755	0,0220	0,0012	248	205
Kohl- oder Krautköpfe . .	0,923	0,0370	0,0028	371	229
Gelbe Rüben	0,876	0,0240	0,0030	347	319
Runkelrüben	0,903	0,0270	0,0026	400	397
Weiße Rüben	0,918	0,0220	0,0017	612	607
Feldbohnen	0,079	0,0555	0,0511	20	—
Gelbe Erbsen	0,167	0,0408	0,0340	51	50
Weiße Bohnen	0,050	0,0430	0,0408	25	
Linsen	0,090	0,0440	0,0400	25	
Wiken	0,146	0,0513	0,0437	24	
Rübsamenkuchen	0,105	0,0550	0,0492	21	
Mais	0,180	0,0200	0,0165	63	59
Heidekorn	0,125	0,0240	0,0210	50	
Weizen	0,105	0,0238	0,0213	46	27
Rogaen	0,110	0,0229	0,0204	51	33
Gerste	0,132	0,0202	0,0176	59	54
Hafer	0,134	0,0222	0,0192	54	61
Weizenmehl	0,123	0,0233	0,0277	46	
Gerstenmehl	0,130	0,0220	0,0190	55	

Unter den angeführten Substanzen befinden sich mehrere, die beinahe ausschließlich zur Nahrung der Menschen angewendet werden. Um auch diese Stoffe in Hinsicht auf ihren Gehalt an Stikstoff leichter mit einander vergleichen zu können, hat Hr. Boussingault folgende Tabelle, der er noch eine größere Ausdehnung zu geben gesonnen ist, entworfen. Er nahm hiebei das Weizenmehl als Basis, und sezte dessen Aequivalent auf 100. Da die Wurzeln, Knollen und Blätter, wenn sie bei 100° C. getroknet worden sind, gemahlen werden können, so sind deren trokene Stoffe als Mehle bezeichnet.

	Aequivalente.		Aequivalente.
Weizenmehl	100	Weiße Bohnen	56
Weizen	107	Linsen	57
Gerstenmehl	109	Weißkraut	810
Gerste	130	Kohlmehl	83
Roggen	111	Kartoffeln	613
Heidekorn	108	Kartoffelmehl	126
Mais	138	Gelbe Rüben	857
Feldbohnen	41	Gelbes Rübenmehl	95
Gelbe Erbsen	67	Weiße Rüben	1335

XLVIII.

Ueber die von Hrn. Bassi vorgeschlagenen Mittel zur Verhütung des Ausbruches der sogenannten Muscardine unter den Seidenraupen. Von Hrn. d'Arcet.

Aus dem Bulletin de la Société d'encouragement. Januar 1837, S. 31.

Während wir Italien die schönen Nachforschungen des Hrn. Bassi über den Ursprung und die Behandlung einer der schädlichsten Krankheiten der Seidenraupen, nämlich der sogenannten Muscardine, verdanken, haben wir diesem Lande, gleichsam als Ersaz hiefür, die Arbeiten des Hrn. Camille Beauvais geboten, und ihm gezeigt, wie sich die Seidenzüchtereien durch Anwendung physikalischer Principien bei ihrem Baue um Vieles gesünder machen lassen. Dieses glükliche Zusammentreffen, durch welches die von zwei verschiedenen Nationen erworbenen Kenntnisse und Erfahrungen zum Besten der Landwirthschaft, der Industrie und des Handels zum Gemeingute werden, ist in der That sehr merkwürdig. Es kommt nur mehr darauf an, der Sache die Entwikelung zu geben, deren sie fähig ist; und in dieser Absicht will ich denn auch zeigen, wie sich von der schönen Entdekung des Hrn. Bassi in den nach meinem Plane eingerichteten Seidenzüchtereien [42]) Nuzen ziehen läßt.

Man hatte die Muscardine — eine der gefährlichsten und tödtlichsten Krankheiten der Seidenraupe, welche oft ganze Seidenzüchtereien zu einer Zeit aussterben macht, zu der bereits sämmtliche Kosten auf die Seidenraupenzucht verwendet wurden — schon oft und wiederholt studirt, ohne daß es gelang, ihren Ursprung zu ermitteln. Auch kannte man bisher kein gutes und sicheres Mittel ihr

42) Man findet Alles, was Hr. d'Arcet hierüber bekannt machte, im Polyt. Journal Bd. LVII. S. 492, Bd. LIX. S. 241, und Bd. LXI. S. 53 gesammelt und beschrieben, worauf zur Verständigung des hier Vorkommenden hingewiesen wird.   A. d. R.

vorzubeugen, oder die erkrankten Raupen zu heilen. Hrn. Baſſi gelang es, nach langen, mit ſeltenem Talente und höchſt verdienſt- licher Beharrlichkeit unternommenen Nachforſchungen und Beobach- tungen, Licht hierüber zu verbreiten; er entdekte nicht nur, daß eine Pflanze, aus dem Geſchlechte der Kryptogamen (und zwar der mi- kroſkopiſchen Pilze), Botrytis Bassiana genannt, dieſe Krankheit er- zeuge, ſondern er gab auch Mittel an, durch welche dem Ausbruche derſelben vorgebeugt und den bereits erkrankten Raupen wohl auch Heilung geſchafft werden könnte. Ich will jedoch den theoretiſchen Theil dieſer Entdekung, die in Italien durch Balſamo und in Frankreich durch Audouin und Montagne beſtätigt wurde, un- berührt laſſen, und mich auf die Angabe jener Details beſchränken, aus denen hervorgehen ſoll, daß die nach meinem Syſteme gebauten Seidenzüchtereien die Anwendung jener Vorbauungs- und Heilungs- mittel, welche wir Hrn. Baſſi verdanken, nur begünſtigen. [43])

Ich glaube zwar, daß die Seidenraupen, da ſie ſich in den von mir empfohlenen Anſtalten unter noch günſtigeren Verhältniſſen befinden, als ſelbſt in der freien Natur, ſchon hiedurch allein vor vielen todtbringenden Krankheiten geſchüzt ſeyn werden; allein ich will das Gegentheil annehmen, und, um ſehr ungünſtige Verhältniſſe zu wählen, den Fall annehmen, daß man mit Raupeneiern zu thun habe, die durch Keime der Botrytis Bassiana angeſtekt ſind, und daß man die Zucht in einer gewöhnlichen, bereits von der Krankheit an- geſtekten Anſtalt zu vollbringen habe.

Ich würde unter dieſen Umſtänden damit beginnen, daß ich das angeſtekte Local im Herbſte ganz nach den in meinen früheren Ab- handlungen gegebenen Vorſchriften in ein geſundes verwandelte. Während des Baues müßten mir alle Säke, Neze und Vorhänge der Anſtalt mit Lauge gereinigt, und ſämmtliche hölzerne Geräthe und Möbel mit Aezkaliauflöſung und dann in fließendem Waſſer gewa- ſchen werden. Nach Vollendung des Baues würde ich das ganze Local inwendig, ſo wie auch die Schmiegen der Thüren und Fenſter mit einer Flüſſigkeit übertünchen laſſen, die ich mir aus Aezkalk und Alaunauflöſung, leztere in leichtem Ueberſchuſſe angewendet, berei- tete. [44]) Hierauf ließe ich alle Geräthe und Möbel in die Anſtalt

43) Graf Jac. Barbo aus Mailand hat in einer Broſchüre, welche im Jahre 1836 in Paris erſchien, eine gute Zuſammenſtellung der Beobachtungen und Entdekungen des Hrn. Baſſi, von denen auch im Polyt. Journal Bd. LXII. S. 440 Nachricht gegeben wurde, bekannt gemacht. X. d. R.

44) Hr. Baſſi räth die Wände der Seidenzüchtereien, die man wieder ge- ſund machen will, entweder mit Aezkaliauflöſung oder auch mit desinficirender Chlorüraufflöſung zu waſchen. Allein die Erfahrung hat mich gelehrt, daß die Mauerwände auf dieſe Weiſe feucht und zur Salpeterbildung geneigt werden; in

hinein schaffen, wo ich dann sämmtliche Thüren und Fenster genau
schließen, in dem Ofen der Luftkammer ein kleines Feuer aufzünden
und dadurch, daß ich den Windfang spielen ließe, einen starken Luft-
zug erzeugen würde, um sowohl die Mauern als die Möbel schnell
zu troknen. Nach dieser bei minderer Temperatur erfolgter Troknung würde ich dann die Heftigkeit des Luftzuges vermindern, und
dafür dessen Temperatur so sehr erhöhen, daß auch jeder einzelne
Keim der Schmarozerpflanze, der allenfalls zurükgeblieben seyn könnte,
dadurch zerstört würde.

Nachdem diese Vorbereitungen getroffen sind, würde ich die Anstalt bis zum nächsten Frühlinge monatlich ein Mal auf dieselbe
Weise heizen und lüften lassen, um Alles in gutem, vollkommen tro-
kenem Zustande zu erhalten. Von einer Heizung zur anderen würde
ich zu demselben Zweke die Canäle der Luftkammer und die Communication der oberen Canäle mit dem großen Schornsteine offen lassen,
damit auf diese Weise beständig ein leichter Zug im Inneren des
Locales unterhalten würde.

Was den angestekten Samen oder die Eier betrifft, so würde
ich mich nicht ganz an die von Hrn. Bassi angegebenen Maßregeln
halten; d. h. ich würde am Ausgange des Winters und vor Eintritt des Frühlings den Samen, um ihn zu reinigen, in ein Gemenge
aus gleichen Theilen Wasser und Alkohol von 32° einweichen, und
ihn dann auf einem Brette oder auch auf einem gut gespannten
Tuche im Schatten troknen. Uebrigens würde ich nebenbei auch noch
die von Bassi empfohlenen Reinigungs- und Aufbewahrungsmittel
in Anwendung bringen.

Einige Tage vor dem Beginnen der Seidenraupenzucht, immer
aber ohne die Thüren und die Fenster der Anstalt zu öffnen, würde
ich ein Feuer im Ofen aufzünden, und ohne die Ventilirung durch
den Windfang zu bethätigen, in dem unteren Theile der Luftkammer
eine Chlorräucherung vornehmen, so daß die ganze Anstalt einige
Stunden über damit erfüllt wäre. Dann würde ich nach Entfernung
der Räucherungsgefäße aus der Luftkammer die Heizung fortsezen,
und unter Belebung der Ventilirung durch den Windfang das über-

daß die schädliche Wirkung sogar so tief bringen kann, daß selbst die Festigkeit
des Mauerwerkes dadurch beeinträchtigt wird. Die mit Kalk und überschüssiger
Alaunauflösung bereitete Tünche hat keinen dieser Nachtheile, und scheint mir
zur Zerstörung der Keime der Muscardine vollkommen genügend. Ich muß bei
dieser Gelegenheit bemerken, daß in der Schrift des Hrn. Grafen Barbo einige
chemische Irrthümer zu finden sind, welche corrigirt werden müssen. So wird
z. B. daselbst gesagt, daß man die Potasche mit Gyps äzend machen könne; auch
wird mehrere Male von metallischen, anstatt von desinficirenden alkalischen Chlo-
rüren gesprochen. Wer selbst keine Kenntnisse in der Chemie besizt, wird daher
gut thun, einen benachbarten Apotheker zu Rathe zu ziehen.   A. d. O.

schüssige Chlorgas schnell bei dem großen Rauchfange hinaustreiben.
Diese Arbeit würde ich unterbrechen, sobald die Luft in der Anstalt
nicht mehr nach Chlorgas röche. Auf diese Weise wäre meiner
Meinung nach Alles für den Beginn der Raupenzucht gehörig vorbereitet.

Wenn die Zeit zum Ausbrüten der Eier gekommen ist, würde
ich dieses Geschäft auf die in den besten Seidenzüchtereien übliche
Weise vornehmen, und die Zucht selbst dann nach den besten Methoden leiten; d. h. ich würde die ganze Zucht durch gehörige Wärme
beschleunigen; ich würde die Anstalt mit Luft, die gehörig mit Wasserdampf vermengt worden ist, ventiliren; ich würde die Zahl der
Mahlzeiten vermehren; ich würde die Raupen mittelst Nezen fleißig
ausmisten, und den Koth jedes Mal gleich aus der Anstalt hinaus
schaffen; und ich würde alle Vorsichtsmaßregeln gebrauchen, damit
weder durch die Arbeiter, noch durch die Maulbeerblätter, noch durch
die Luft oder durch Fliegen Keime der Muscardine in die Anstalt
eingeschleppt werden könnten. In lezterer Beziehung könnte man
bei meinem Systeme gar leicht seinen Zwek erreichen; denn, wenn
eine Anstalt von meiner Einrichtung alle Vortheile, die man in Hinsicht auf Gesundheit von ihr erwarten darf, gewähren soll, müssen
die Thüren und Fenster derselben beständig geschlossen bleiben, so
daß die äußere Luft nur dann Zutritt erhält, nachdem sie durch die
Luftkammer geströmt ist; und daß die Luft nur dann in den großen
Rauchfang entweichen kann, nachdem sie die oberen Ventilircanäle
durchzogen hat.

Würden aller dieser Maßregeln ungeachtet dennoch einige Seidenraupen von der Muscardine ergriffen werden, so würde ich mich
ganz an die von Bassi gegebenen Vorschriften halten; d. h. ich
würde die erkrankten Raupen sogleich auslesen, sie in einer Grube
vergraben, und den Arbeiter, der sie berührte, anhalten, seine Hände
und die Geräthe, deren er sich bediente, zu waschen. Würde die
Krankheit gar in höherem Grade ausbrechen und viele Raupen zugleich befallen, so würde ich die Raupenzucht durch Erhöhung der
Temperatur und Vervielfältigung der Mahlzeiten möglichst beschleunigen, und der Entwiklung der Krankheit dadurch entgegen wirken,
daß ich die Raupen zwänge Blätter zu fressen, die mit etwas Pot-
aschenauflösung befeuchtet worden sind. Nebenbei würde ich Morgens und Abends leichte Räucherungen mit Chlor oder schwefliger
Säure vornehmen, indem ich zu diesem Zwek die Räucherungsge-
mische oder brennenden Schwefel am Boden der Luftkammer an die
dem Ofen zunächst liegenden Luftcanale brächte.

Ich glaube, daß man unter diesen Maßregeln und unter Befolgung der Mittel, welche Hr. Bassi angibt, um nur gereinigte Arbeiter, und dergleichen Blätter und Geräthe in die Anstalt gelangen zu laffen, dem Unheile vorbeugen könne, welches durch den Ausbruch der Muscardine in den gewöhnlichen Seidenzüchtereien stets hervorgerufen wird. Ich habe übrigens persönlich keine Erfahrung über die von Bassi angegebenen Heilmittel; ich nehme sie bloß als wirksam an, und wollte unter dieser Voraussezung zeigen, wie gut sich die nach meinem Systeme gebauten Anstalten sowohl in Hinsicht auf gleichmäßige Vertheilung der desinficirenden Gase, der warmen Luft und der frischen Luft, als auch in Hinsicht auf genaue Verschließung und beliebig starke Ventilirung, zur Anwendung und Ausführung dieser Vorschriften eignen.

XLIX.

Miszellen.

—

Programm

der von der Société d'encouragement pour l'industrie nationale in der Generalsizung vom 4. Januar 1837 für die Jahre 1837, 1838, 1839, 1840 und 1841 ausgeschriebenen Preise.

I. Mechanische Künste.

1) Preise für das Jahr 1837.

1) Preis von 3000 Fr. für Fabrication von Nähnadeln.

2) Zwei Preise, einer zu 6000 und einer zu 12,000 Fr. auf ein verbessertes System der Canalschifffahrt.

2) Preise, welche auf das Jahr 1837 verschoben wurden.

3) Preis von 1500 Fr. für Erfindung einer Speisungspumpe für Dampfmaschinen.

4) Preis von 2000 Fr. für einen verbesserten Dynamometer zum Messen der Kraft der Maschinen.

5) Preis von 1000 Fr. für einen auf landwirthschaftliche Arbeiten anwendbaren Dynamometer.

6) Fünf Preise, zu 2000, 4000, 3000, 2000 und 2500 Fr. für die Fabrication von Wasserleitungsröhren.

7) Sieben Preise, wovon fünf zu 500 und zwei zu 1000 Fr. für Verbesserungen in der Fabrication von Dachziegeln, Backsteinen, Bodenplatten, und anderen Erzeugnissen aus gebranntem Thone.

8) Preis von 1000 Fr. für ein Instrument, welches die in den Werkstätten gebräuchlichen Schraubenbohrer vollkommen zu erfezen im Stande ist.

9) Preis von 1000 Fr. für ein Instrument, womit man in metallene Zapfen, Bolzen, Spindeln ꝛc. aller Art Schraubengewinde schneiden kann.

10) Zwei Preise, jeder zu 12,000 Fr. für Mittel zur Sicherstellung gegen die Explosionen der Dampfmaschinen und der Dampfkessel.

II. Chemische Künste.

1) Preise für das Jahr 1837.

11) Preis von 5000 Fr. für die beste Beschreibung der Verfahrungsarten zum Bleichen der Zeuge, welche zur Indiennenfabrication bestimmt sind; ferner

der Zubereitung der Farben und ihrer Anwendung und endlich aller Maschinen, welche zu diesen Arbeiten benuzt werden.

12) Preis von 3000 Fr. auf wohlfeile Desinfection der Urine und der Ablaufwasser der Urine.

(Die Entwikelung dieser neuen Preisaufgabe siehe Polyt. Journ. Bd. LXIII. S. 395.)

13) Preis von 2000 Fr. für eine genaue Beschreibung der Bereitung des künstlichen Ultramarins.

(Siehe Polyt. Journ. Bd. LXIII. S. 393.)

2. Preise, welche auf das Jahr 1837 verschoben wurden.

14) Preis von 3000 Fr. für Auffindung und Ausbeutung von Steinbrüchen, welche Steine für die Lithographie liefern.

15) Preis von 2000 Fr. für Fabrication künstlicher Steine, welche die lithographischen zu ersezen im Stande sind.

16) Preis von 1000 Fr. für Uebertragung alter Kupferstiche auf lithographische Steine.

17) Preis von 3000 Fr. für Uebertragung von Zeichnungen, Kupferstichen und Abzügen von Drukerlettern auf Stein.

18) Preis von 1500 Fr. für eine verbesserte Schwärzmethode der lithographischen Steine.

19) Preis von ,000 Fr. für den Steindruk mit Farben.

20) Preis von 2000 Fr. für Fabrication von Leuchtgas und die zur Gasbeleuchtung gehörigen Apparate.

21) Preis von 1000 Fr. für eine wohlfeile Bereitungsart des Fischschuppenweiß.

22) Preis von 6000 Fr. für Ersezung des Röstens des Hanfes und des Flachses durch eine bessere Verfahrungsart, als bisher bekannt ist.

23) Preis von 6000 Fr. für Bervollkommnung der Eisengußwerke.

24) Preis von 5000 Fr. für Auffindung einer gehörigen Benuzungsweise der Ablaufwasser der Stärk- und Sazmehlfabriken.

25) Preis von 2000 Fr. für Fabrication von chinesischem Papier.

26) Preis von 1200 Fr. für Reinigung von Rinden und anderen Substanzen, aus denen Papier erzeugt werden kann.

27) Preis von 6000 Fr. für ein Verfahren, welches dem Stärk- oder Sazmehle die Eigenschaft mittheilt, ein Brod zu geben, welches eben so gut gährt, wie das mit Weizenmehl bereitete.

28) Preis von 2400 Fr. für Entdekung eines Verfahrens, wonach man die Verfälschung des Getreidemehles mit Stärk- oder Sazmehl erkennen kann.

29) Preis von 3000 Fr. für Errichtung einer Fabrik, in welcher feuerfeste Ziegel im Großen erzeugt werden.

30) Preis von 3000 Fr. für eine Substanz, welche beim Klären des nach Pariser Art gebrauten Bieres die Hausenblase zu ersezen im Stande ist.

31) Preis von 5000 Fr. für ein Metall oder eine Metalllegirung, welche sich nicht so leicht wie Eisen und Stahl oxydirt, und welche zu den Vorrichtungen, die zur Zerkleinerung weicher Nahrungsmittel dienen, benuzt werden kann.

32) Preis von 4000 Fr. für den besten Apparat zur Erzeugung von Dampf unter einem Druk von wenigstens 3 Atmosphären.

3) Preise für das Jahr 1838.

33) Zwei Preise, jeder zu 3000 Fr. für Verbesserungen im Ofenbaue, und zwar einen für den Verfasser jener Abhandlung, in welcher der Bau der zur Oxydation der Metalle bestimmten Ofen auf den höchsten Grad von Vollkommenheit gebracht ist; und einer für jenen Concurrenten, der den besten Bau der zum Schmelzen der Metalle und zur Reduction der Metalloxyde bestimmten Ofen angibt.

34) Preis von 3000 Fr. für Fabrication der besten Flaschen für schäumende Weine.

35) Preis von 3000 Fr. für Fabrication eines weißen strengflüssigen Glases.

36) Preis von 3000 Fr. für Fabrication von Glas, welches in der Masse roth ist oder für Fabrication von doppelschichtigem Glase.

37) Preis von 3000 Fr. für Malerei oder Verzierung der bleifreien Krys
stallgläser (objets de gobelèterie).
(Ueber diese drei lezteren Preise siehe polyt. Journ. Bd. LXIII. S. 461 u. 462.)

3) Preise für das Jahr 1839.

38) Drei Preise, einer zu 3000 Fr., einer zu 1500 Fr. und eine goldene
Medaille für Verbesserungen in dem Verkohlungsprocesse des Holzes.

39) Preis von 10,000 Fr. für die beste Methode den Zuker aus den Runkelrüben zu gewinnen.

40) Preis von 10.000 Fr. auf die Fabrication von Flintglas.

41) Preis von 4000 Fr. auf die Fabrication von Kronglas.
(Das Progamm dieser vier Preise findet man im Polyt. Journ. Bd. LXIII.
S. 393 und 462.)

III. Oekonomische Künste.

1) Preise, welche auf das Jahr 1837 verschoben wurden.

42) Silberne Medaillen für diejenigen, welche große Eiskeller an Orten, wo
bisher noch keine solchen bestanden, errichten.

43) Preis von 4000 Fr. für Fabrication wohlfeiler Kerzen.

44) Preis von 3000 Fr. für Gefäße, in denen Nahrungsmittel mehrere
Jahre lang aufbewahrt werden können.

2) Preise für das Jahr 1838.

45) Zwei Preise, einer zu 2000 und einer zu 1000 Fr. und Medaillen für
Vorbauungs- und Abhülfsmittel gegen die Feuchtigkeit der Bauten und Gebäude.

IV. Landwirthschaft.

1) Preise für das Jahr 1837.

46) Drei Preise, zwei zu 500 und einer zu 600 Fr., für Anpflanzung der
russischen, schottischen und corsicanischen Föhre.

47) Zwei Preise, einer zu 2000 und einer zu 1000 Fr., für die Einführung
der Kultur von Gewächsen, welche für die Landwirthschaft, Industrie oder für
die Künste von Nuzen sind.

48) Zwei Preise, einer von 3000 Fr. und einer von 1500 Fr., für Bepflan-
zung abschüssiger Grundstüke.

2) Preise für das Jahr 1840.

49) Goldene, platinene und silberne Medaillen für Vervollkommnung und
Erweiterung der Seidenspinnereien in jenen Departementen Frankreichs, in welchen dieser Industriezweig schon längere Zeit besteht.

3) Preise für das Jahr 1844.

50) Goldene, platinene und silberne Medaillen für Einführung der Seidenraupenzucht in jenen Departementen, in welchen sie vor dem Jahre 1830 nicht
bestand.

51) Drei Preise, zu 2000, zu 1500 und zu 1000 Fr., für Errichtung von
Seidenspinnereien in jenen Departementen, welche vor dem Jahre 1830 keine solche
Anstalt besaßen.
(Mit Ausnahme jener Preise, welche bereits im Polyt. Journ. Bd. LXIII.
ausführlich motivirt sind, lautet das Programm wörtlich, wie das vorjährige,
im Polyt. Journ. Bd. LX. S. 232 zu findende. Die Abhandlungen, Modelle,
Muster, Documente rc. müssen vor dem 1. Julius 1837, 1838, 1839, 1840 und
1844 an den Secretär der Gesellschaft in Paris, rue du Bac No. 42 Hôtel
de Boulogne, eingesandt werden. Die Summe der Preise beläuft sich auf
206,100 Fr.)

Ueber die verbesserten Dampfmaschinen des Hrn. Collier.

Die Siederöhren der von Hrn. Collier erbauten Dampfmaschinen zeichnen
sich, wie das Nautical Magazine in seinem diesjährigen Januarhefte berichtet,
durch mehrere Eigenthümlichkeiten aus. 1) Sind die Dampferzeuger schmal und

durch Räume, welche zur Circulation der Flamme und der erhizten Luft bestimmt sind, von einander geschieden, woraus eine schnelle Erhizung des Wassers folgt. 2) Fließt das Wasser, während die Dämpfe an dem oberen Theile des hinteren Endes entweichen, fortwährend an dem unteren Theile herbei, woraus eine Circulation erfolgt, die der Ansammlung von Bodensaz und von Incrustationen im Innern des Kessels vorbeugt. 3) Gelangt dieß Wasser bereits warm herbei, auch bildet es eine Säule, die auf das in den Dampferzeugern enthaltene Wasser einen weit stärkeren Druk ausübt als der Dampf. Hieraus folgt nicht nur, daß das Wasser fortwährend mit den Kesselwänden in Berührung erhalten wird; sondern es ergibt sich auch eine Ersparniß an Brennmaterial und eine Verhütung der Ueberheizung der Kessel und der daraus erwachsenden Gefahren. 4) Umgibt das Wasser nicht nur den Schornstein, sondern auch die Kessel, die Oefen und das Aschenloch. 5) Ist der den Dampferzeuger bildende Recipient selbst in ein mit einem schlechten Wärmeleiter ausgefüttertes Gehäuse gebracht, so daß durch diese doppelte Maßregel nicht nur die Reisenden gegen die lästige, von den Kesseln ausstrahlende Hize geschüzt sind, sondern daß, im Falle die Heizung unterbrochen wurde, in kürzerer Zeit abermals der gehörige Hizgrad hergestellt werden kann. 6) Sind an dem oberen und vorderen Theile der Dampferzeuger, zur Verhütung der Unglüksfälle, welche aus einem Ueberschusse des Dampfes erwachsen könnten, Austrittsöffnungen angebracht, welche mit dem Haupt-Dampfbehälter communiciren. 7) Taucht eine senkrechte, an beiden Enden offene Röhre mit dem einen Ende durch die leztere dieser beiden Oeffnungen bis auf 6 Zoll vom Boden des Dampferzeugers unter, während sie mit dem anderen Ende in den Schornstein hinein ragt. Wenn daher durch das Ankleben der Ventile oder aus anderen Ursachen Gefahr entstehen könnte, so wird durch den Druk des Dampfes Wasser in den Schornstein getrieben und mithin das Feuer ausgelöscht werden; wobei umgekehrt bei einer plözlichen Verdichtung des Dampfes atmosphärische Luft von Außen eindringt und das Gleichgewicht wieder herstellt. 8) Endlich nimmt der neue Apparat bei einem geringeren Gewichte auch einen kleineren Raum ein, als die gewöhnlichen Apparate. — Bei einigen Versuchen, welche auf einer Fahrt nach Lissabon an Bord eines Bootes mit einer Maschine von 70 Pferdekräften angestellt wurden, ergab sich eine Geschwindigkeit von 9 bis 10 Seemeilen in der Zeitstunde. Die Heizer erklärten, daß sie einen Collier'schen Apparat lieber 6 Monate lang heizen, als einen gewöhnlichen nur einen Monat hindurch. Die Maschine konnte, nachdem sie 29 Stunden gefeiert, innerhalb 10 Minuten wieder in Thätigkeit gebracht werden. Bei der Rükkehr fanden sich keine Incrustationen im Kessel. — Man vergleiche, was wir bereits im Polyt. Journal Bd. LV. S. 317 über Hrn. Collier's Dampfkessel berichteten.

Davaine's dynamometrischer Zählapparat.

Nach einem vor der Akademie der Wissenschaften in Paris gehaltenen Vortrage hat Hr. Davaine, Straßen- und Brükenbau-Ingenieur in Lille, einen sogenannten Compteur dynamométrique erfunden, der zum Messen der Kraft dienen soll, die zu irgend einem Zweke verkauft wird. Wenn es sich lediglich um Abschäzung der Gesammtkraft eines Motors handelt, so wird man sich mit Vortheil des bekannten, von Hrn. de Prony erfundenen Zaumes bedienen; will man hingegen jene Kraft messen, die an Jemanden, der sie erkaufte oder der sich ihrer bedienen will, abgegeben wird, so wird man weit besser den Apparat des Hrn. Davaine anwenden. Der Apparat besteht aus einer Trommel, welche mittelst starker elastischer Federn zwei in ihrer Continuität getrennte Theile einer und derselben Achse oder Welle umfaßt. Jeder dieser Theile führt an die Außenseite der Trommel einen Hebel, der sich in einen Kreisbogen endigt und ein mit dem Zählapparate in Verbindung stehendes Rad in Bewegung sezt. Die beiden Hebel können demnach einen bestimmten Winkel bilden, welcher dem Unterschiede in der Spannung der beiden Theile der Welle entspricht, so daß dieser Unterschied von dem Zähler direct angegeben wird. Wenn daher die erste Welle 20 Pferdekräfte von dem Motor mitgetheilt erhält, und wenn die zweite nur die Hälfte davon übertragen soll, so wird die Abweichung, wenn dieselbe ein Mal durch den Zähler ermittelt worden ist, immer eine und dieselbe bleiben müssen. (Aus dem Mémorial encyclopédique, Februar 1837, S. 88.)

Anwendung der Chronometer zum Messen des verbrauchten Leuchtgases.

Eines der Haupthindernisse, welches bisher der Verbreitung der Gasbeleuchtung bis in die Privathäuser im Wege stand, beruhte darauf, daß man zu einem regelmäßigen Abonnement gezwungen war, gemäß welchem man nach einem mit der Gasanstalt getroffenen Uebereinkommen nur von einer bestimmten Stunde bis zu einer anderen bestimmten Zeit Gas geliefert erhielt. Man bezahlte für die ganze Zeit, man mochte Gas brennen oder nicht; und daher war es für alle solche Orte, an denen keine regelmäßige Beleuchtung erfordert wurde, unmöglich auf einen solchen Vertrag einzugehen. Man hat bereits viele Mittel versucht, durch welche sich die Gasbeleuchtung facultativ machen ließe: so zwar, daß man das Gaslicht nach Belieben wie eine Kerze anstecken und auslöschen könnte; allein diese Mittel zeigten in der Praxis unübersteigliche Hindernisse. Die HH. Lebon und Cube haben nun aber, von dem Grundsaze ausgehend, daß die Menge des verbrauchten Gases dem Consumenten gleichgültig sey, während es sowohl für ihn als für den Fabrikanten von Wesenheit seyn würde, genau zu wissen wie lange das Gaslicht gebrannt hat, einen Mechanismus erfunden, der nichts weiter angibt, als wie lange ein oder mehrere Gaslichter wirklich brannten. Der Apparat, der dieß auf eine sehr einfache und wohlfeile Weise vollbringt, und auf den sich die Erfinder für 10 Jahre ein Patent ertheilen ließen, soll so gelungen seyn, daß man monatlich nur ein Mal auf das Zifferblatt desselben zu sehen braucht, um zu erfahren, wie lange die dazu gehörigen Gaslichter gebrannt haben, und wie viel mithin der Consument an den Fabrikanten zu bezahlen hat. Der Consument kann demnach das Gaslicht zu jeder beliebigen Zeit anstecken und auslöschen. Bei den Versuchen, welche man in der schönen, von Hrn. Bisinet dirigirten Gasfabrik in Rouen mit diesem chronometrischen Apparate anstellte, sollen alle Hindernisse, die seiner Einführung allenfalls noch im Wege stehen konnten, beseitigt worden seyn. (Mémorial encyclopédique, Februar 1837.)

Dupuis de Grandpré's Bugsier- oder Anhohlmethode.

Hr. Dupuis de Grandpré in Bordeaux ist der Erfinder einer Vorrichtung, womit man Fahrzeuge aller Art stromaufwärts schaffen kann, und von der sich der Urheber verspricht, daß sie sowohl die gewöhnliche Anhohlmethode als auch die Dampfzugboote oder Remorqueurs mit Vortheil ersetzen kann. Diese Vorrichtung, der der Erfinder den Namen Hydrocélère beilegte, soll nach einem Aufsaze, den das Mémorial encyclopédique aus dem Echo de Vésone entlehnte, aus einem Schaufelrade, ähnlich dem an den Dampfbooten gebräuchlichen; aus einem auf höherem Niveau angebrachten Wasserbehälter; aus einem stromaufwärts von diesem Behälter aufgestellten Eimerrade und aus einem Taue bestehen. Das Ganze soll auf einem eigens gebauten Fahrzeuge untergebracht seyn, und um dasselbe herum soll ein bedekter Gang führen. Das Schaufelrad ist leicht, aber fest und so gebaut, daß es mit sehr schwacher Strömung und bei 8 Zoll Tauchung arbeitet; es sezt durch eine an seiner Welle angebrachte Kurbel die Pumpe, welche das Wasser in den Behälter schafft, in Bewegung. An dem Eimerrade und mit ihm an einer Welle ist eine Rolle von beiläufig 5 Fuß im Durchmesser angebracht; und über diese Rolle, welche mit der an den Schleifsteinen gebräuchlichen Aehnlichkeit hat, läuft gleich der Kette eines Bratenwenders ein doppeltes Tau, welches mit dem einen Ende an einer an einem fernen Punkte befestigten umlaufenden Rolle so angebracht ist, daß, wenn die Maschine in Thätigkeit ist, das ganze Tau einer fortwährenden rotirenden Bewegung theilhaftig wird. Bei einem öffentlichen Versuche, den man in Gegenwart mehrerer Civil- und Militärbeamten anstellte, wurde die zweite Rolle an einem 420 Meter stromaufwärts gelegenen Stüzpunkte angebracht, und auf ein gegebenes Signal mittelst eines kleinen Schuzbrettes Wasser aus dem Behälter ausgelassen. Das Wasser fiel mit einer im Voraus berechneten Kraft in die Eimer des Eimerrades, und sezte hiedurch das doppelte Tau, an dessen oberer Seite das anzuhohlende Fahrzeug angehakt war, in Bewegung, so daß sich das Fahrzeug, welches 24 Fuß Wasser aus der Stelle trieb und mit Bausteinen beladen war, rasch dem Hydrocélère annäherte. Die Distanz von 420 Meter, welche das Fahrzeug stromabwärts in 17 Minuten Zeit durchlief, ward mittelst der neuen Vorrichtung stromaufwärts in 3½ Minute zurükgelegt; die Bewegung war also stromaufwärts 5 Mal so schnell als stromabwärts. Die Vorzüge und Vortheile der neuen Erfindung sollen sich demnach als so außerordentlich ergeben haben, daß in Kürze eine allgemeine Anwendung derselben zu erwarten steht. Der Erfinder meint, daß seine Apparate in Entfernungen von 2 Kilometern von einander anzubringen seyen; und daß man zum Anholen der Schiffe von Bordeaux bis Toulouse, wozu gegenwärtig 20 bis 22 Tage verbraucht werden, nicht mehr als 4 Tage nöthig haben dürfte.

Ueber Hrn. Lory's Lampe mit Uhrwerk.

Die erste Lampe, an der das Oehl mittelst eines Uhrwerkes an den Lampenschnabel empor gehoben wurde, ward von Carcel verfertigt. An dieser Lampe, deren sämmtliche Theile so gewandt angeordnet und zusammengesezt waren, daß man durch mehr dann 20 Jahre keine Veränderung von wesentlichem Nuzen daran vorzunehmen wußte, befand sich die Triebkraft oder der Motor äußerlich unter dem Oehlbehälter angebracht, von wo aus er seine Thätigkeit an die Pumpe fortpflanzte, die im Inneren des Behälters und auf dessen Boden firirt war. Hieraus erwuchs die Nothwendigkeit die Fortpflanzung der Bewegung durch eine lederne Büchse oder durch vollkommen ausgeriebene Theile zu bewerkstelligen, damit nichts von dem Oehle entweichen konnte. Aus dieser sicheren Verschließung entstand nothwendig eine Beeinträchtigung des Spieles der Theile, so daß die Triebkraft nicht nur die zum Emporheben des Oehles erforderliche Kraft liefern mußte, sondern auch noch jene, welche zur Ueberwindung der Reibung nöthig war. Carcel wendete deßhalb gar weitläufig lange auf große Federgehäuse aufgewundene Federn an; und der große Werth dieser ist es auch, der diese Art von Lampen auch dermalen noch fortwährend auf hohem Preise erhält. An der neuen, von Hrn. Lory erfundenen Lampe ist nun allerdings die Triebkraft ebenfalls unter dem äußeren Behälter angebracht und die Pumpe in das Oehl untergetaucht; allein die Bewegung wird weder durch eine lederne Büchse, noch durch ein ausgeriebenes Stük an die Pumpe fortgepflanzt, sondern es geschieht dieß mittelst einer langen Stange, welche sich in einer Röhre befindet, die sich mit ihrem oberen Ende bis über das Niveau des Oehles erhebt, während ihr unteres Ende durch den Boden des Behälters führt und an demselben gelöthet ist. Diese Stange, welche demnach mitten in der Flüssigkeit vollkommen isolirt ist, ist auf sich selbst zurükgebogen, um an dem Kolben der Pumpe befestigt zu werden, die Hr. Lory nach einem neuen, sehr einfachen Systeme eingerichtet hat. In Folge dieser Verbesserungen kann man an den Carcel'schen Lampen nicht nur wohlfeilere Federn anbringen, sondern es ist auch alles Aussikern des Oehles, welches diesen Lampen häufig zum Vorwurfe gemacht werden konnte, verhütet. So viel zur Ergänzung dessen, was bereits im Polyt. Journal Bd. LX. S. 469 über die Erfindung des Hrn. Lory gesagt wurde.

Ueber einige neuere Tull= oder Bobbinnetmaschinen.

Das London Journal enthält in seinem neuesten Märzhefte Auszüge aus einigen Patenten, welche in neuerer Zeit auf Verbesserungen an den Tullmaschinen genommen wurden. Da diese Aufsäze, denen keine Kupfer beigegeben sind, ohne solche großen Theils unverständlich sind, so begnügen wir uns sie in folgender kurzen Notiz zusammenzufassen.

1. Verbesserte Kettenmaschine (warp machinery) zur Tullfabrication. Patent der HH. John Streets jun. und Thomas Whiteley, beide von Nottingham; de dato 22. Januar 1835. Die Erfindungen bestehen 1) darin, daß an der sogenannten Kettenmaschine zwischen den Enden der Nadeln und den Enden der Führer eine Reihe von Fädenconductoren, die wie die Zähne eines Kammes geformt sind, angebracht ist, damit auf diese Weise die Kettenfäden an die geeigneten Stellen zwischen die Nadeln geleitet werden, anstatt daß die Führer zwischen den Nadeln durchgehen. 2) darin, daß diese Fädenconductoren mit einigen langen und einigen kurzen Stielen (stems) ausgestattet sind, damit hiedurch gewisse Fäden der Kette erfaßt und zwischen den Stielen festgehalten werden, und damit also gewisse Fäden von gewissen Nadeln weggezogen werden, so daß Augen in dem Fabricate zum Vorscheine kommen. 3) endlich in

der Anwendung einer Reihe sogenannter Drüker (presser), die aus Stäben, an deren Enden sich gebogene Zinken befinden, bestehen, und welche anstatt der gewöhnlichen Drükerstangen zu dienen haben, um die Schlingen und Augen über die Bärte der Nadeln zu schaffen, sobald neue Schlingen unter den Bärten gebildet sind. — Die Fädenconductoren und Drüker sind ganz auf dieselbe Weise wie die Nadeln und Führer in Bleien befestigt; sie sind ferner an Stangen aufgezogen, welche quer durch die Maschine laufen, und zu gewissen Zeitperioden durch Hebel und Muschelräder in Bewegung gesezt werden. Die ganze Maschinerie erhält ihre Bewegung von einer Treibwelle, die mit den Händen oder auf irgend eine mechanische Weise umgetrieben wird.

2. **Verbesserte Kettenmaschine.** Patent der HH. Henry Dunington und William Copestake, beide aus der Grafschaft Notts; de dato 13. Mai 1835. Die Erfindung betrifft gewisse Mechanismen, die an der Kettenmaschine angebracht werden sollen. Die Maschine wird nicht wie gewöhnlich mit den Händen, sondern mittelst einer rotirenden Kraft in Bewegung gesezt; und da das Fabricat bei seiner Zartheit leicht zerreisen würde, wenn zufällig irgend eine außerordentliche oder ungleiche Kraft darauf wirken würde, so wollen die Patentträger, daß die Maschinerien nicht durch ein Räderwerk, sondern dadurch, daß sich gewisse Oberflächen an einander reiben, in Bewegung gelangen. Die zum Treiben bestimmte Klauen- oder Verkuppelungsbüchse besteht hienach aus zwei hölzernen, in einander passenden Kegeln, von denen der eine an dem Treibrigger, der andere hingegen an der Treibwelle der Maschine festgemacht ist. Wenn daher irgend ein ungewöhnlicher Widerstand während der Bewegungen der Maschine vorkommt, so wird der innere Kegel im äußeren herum glitschen. — Ein zweiter Theil der Erfindung beruht auf der Anwendung eines Wurmes oder einer endlosen Schraube in Verbindung mit der hinteren Welle. Mittelst dieser Schraube, die in ein Stirnrad eingreift, soll die Maschinerie sachte und nicht so rasch getrieben werden, wie dieß bei Anwendung eines gewöhnlichen Rades und Getriebes der Fall ist. — Der dritte und lezte Theil der Erfindung endlich betrifft die Anwendung eines solchen Muschel- oder Klopfrades an der hinteren Welle der Kettenmaschine, daß durch jeden Umgang der hinteren Welle drei Evolutionen der Maschinerie erzeugt werden.

3. **Verbesserungen an den Tullmaschinen.** Patent des Hrn. Henry Dunington von Nottingham, de dato 22. Junius 1836. Durch dieses Patent soll eigentlich nur der dritte Theil des eben vorher erläuterten Patentes vervollkommnet werden; denn anstatt der daselbst erwähnten drei Evolutionen sollen nunmehr auf jeden Umgang der hinteren Welle vier solche Evolutionen kommen, und zwar angeblich, damit sich die Maschinerie mit größerer Stätigkeit bewege.

Guilotte's Verbesserungen an den Bandwebestühlen.

Die Verbesserungen an den Bandwebestühlen, auf welche sich Claude Guilotte von Spitalfields am 11. Februar 1831 ein Patent ertheilen ließ, betreffen die bekannten französischen Bandstühle. Die für die einzelnen Bänder erforderlichen, schmalen Ketten werden horizontal und durch entsprechende schmale Rietblatt-Theile von dem Ketten- an den Werkbaum geführt. Zum Weben eines jeden einzelnen Bandstreifen dient ein eigenes Schiffchen, welches sich in Fugen, die in den vorderen Theil der Lade geschnitten sind, durch die zu ihm gehörige Kette hin und her bewegt. An der unteren Seite eines jeden dieser Schiffchen befindet sich eine kleine Zahnstange, auf welche kleine, an der Lade aufgezogene Getriebe wirken, so daß die Schiffchen durch die Wechselbewegungen dieser Getriebe hin und her getrieben werden. Die Getriebe erhalten ihre Bewegung durch eine Zahnstange, die sich unter ihnen hin und her schiebt; leztere selbst wird durch ein an der Lade aufgezogenes Zahnrad in Bewegung gesezt, sobald die Achse dieses Rades durch die von den Tretschämelhebeln herführenden Riemen in Wechselbewegung gebracht wird. Sowohl die zum Treiben der Getriebe dienenden, als auch die an den unteren Seiten der Schiffchen befindlichen Zahnstangen müssen, wenn sie aus Metall bestehen, zur Verhütung der Abreibung mit Fett oder einer anderen ähnlichen Substanz geschmiert werden. Da nun diese Substanz nicht selten die Fabricate verunreinigt, so schlägt der Patentträger vor, die Zahnstangen aus Leder anstatt aus Metall zu schneiden. Er will, daß man zu die'em Zweke Streifen aus dikem Sohlleder schneide; daß man die'e Streifen auf Latten aus Mahagonyholz leime, und daß man diese, um ihnen d'n gehörigen Grad von Steifheit zu geben, auf einen dünnen Metallstab nagle. Hierin besteht demnach die ganze Erfindung. (Aus dem London Journal, März 1837.)

Einfache Methode viele kleine stählerne Gegenstände auf ein Mal zu poliren.

Folgende einfache Methode, nach der man eine große Menge kleiner aus Stahl gearbeiteter Gegenstände auf ein Mal poliren kann, dürfte noch nicht allgemein genug bekannt seyn. Man gibt eine gewisse Menge dieser Gegenstände mit Schmirgel, Trippel, Ziegelstaub, Glaspulver, Eisenoryd oder anderen derlei Substanzen, die mit Wasser abgerieben und zu einem dünnen Teige angemacht worden sind, in einen großen hohlen Cylinder, der auf irgend eine Weise um seine Achse umgetrieben wird. Das Umtreiben muß, wenn die Politur schön werden soll, 96 Stunden lang ohne Unterbrechung fortgesezt werden. Nach Beendigung der Operation wäscht man die Gegenstände ab, um sie dann in einem anderen Cylinder 24 Stunden lang troken mit Englischroth, Zinnasche oder schwarzem Eisenoryde umzutreiben. (Journal des connaissances usuelles, Januar 1837, S. 45.)

Vorschriften zur Fabrication von emaillirten, als Täfelwerk zu benutzenden Thonplatten.

Die emaillirten Thonplatten, deren man sich hauptsächlich in Holland zum Austäfeln von Wohnzimmern, Badezimmern, Küchen u. dgl. bedient, gewähren nicht nur eine gewisse Eleganz, sondern es läßt sich auch leichter eine große Reinlichkeit erzielen; abgesehen davon, daß feuchte Gemächer mit Hülfe solcher Platten auch troken gemacht werden können. Dem Journal des connaissances usuelles zu Folge soll man eine sehr gute Masse zu diesen Platten bekommen, wenn man 1200 Pfd. geschlämmten und gesiebten grünen Thones (terre verte) mit 900 Pfd. eines aus demselben Thone bereiteten, fein gesiebten Cementes vermengt, und gut miteinander abarbeitet. Zum Färben der Platten soll man sich derselben Farbstoffe bedienen, wie zum Färben der Töpferglasuren. Nur das Weiß, welches als Basis zu dienen hat, soll man sich bereiten, indem man 175 Pfd. Blei, 20 Pfd. englisches und 12½ Pfd. indisches Zinn calcinirt; und indem man auf 220 Pfd. der dadurch erzielten Metallasche 200 Pfd. Sand von Mortier, 45 Pfd. Glasschaum, 12 Pfd. Bleiglanz, und 6 Pfd. weiße Potasche nimmt. Alle diese Substanzen soll man in einem Fayenceofen zusammenschmelzen, dann stoßen, mit Steinen, welche aus Sandstein bestehen, mahlen, und durch ein Seidensieb laufen lassen, wo man diese Glasur dann nach der gewöhnlichen Methode anwenden kann.

Knallpulver der HH. Gengembre und Bottée.

Dieses Pulver hat die Eigenschaft durch den Stoß zu detoniren, ohne daß man der Gefahr einer freiwilligen Explosion ausgesezt ist. Es besteht aus vierundfünfzig Theilen chlorsauren Kalis, einundzwanzig Theilen Salpeter, achtzehn Schwefel und sieben Bärlappsamen. Es geht nur durch den Stoß der härtesten Körper los, und, was sonderbar ist, nur derjenige Theil, welcher den Stoß empfängt, detonirt; die zunächst liegenden Theile entzünden sich bloß durch Mittheilung, aber ohne eine Explosion hervorzubringen, so daß dieses Pulver also ganz gefahrlos ist. (Journal des connaissances usuelles, December 1836, S. 272.)

Ueber die Reinigung des Wallrath oder Spermacet.

Das Journal des connaissances usuelles gibt folgende zwei Methoden den Wallrath zu reinigen an:

I. Man unterwirft den rohen Wallrath in einer hydraulischen oder anderen

Preſſe einem ſtarken Druke, und ſchmilzt ihn dann in offenen Keſſeln. Wenn er beiläufig die Temperatur von 100° Celſius erreicht hat, ſo gießt man nach und nach und in kleinen Quantitäten Potaſche=, Soda= oder Kalk=Auflöſung zu, wodurch ſich anfangs viel Schaum und nach Ablauf einer beſtimmten Zeit unter merklichem Klarwerden der Maſſe ein bläulicher Niederſchlag bildet. Hat ſich dieſer abgeſchieden, ſo gießt man die ziemlich klar gewordne aber braun gefärbte Flüſſigkeit in eigene Gefäße, in denen ſie zu einer kryſtalliniſchen Maſſe erſtarrt. Nach dem Erkalten zerſchneidet man dieſe Maſſen mittelſt einer Mühle, an deren hölzernem Cylinder in ſchiefer Stellung Meſſerklingen angebracht ſind. Die zer= ſchnittenen Stüke bringt man in wollenen Säken, welche man in Roßhaarmatra= zen einſchließt, in eine horizontale hydrauliſche Preſſe mit Dazwiſchenlegung er= hizter gußeiſerner Platten. Die Preſſe muß einen doppelten Boden haben, in welchen man von einem Dampfkeſſel her Dampf eintreten läßt. Die heiß ge= preßte Subſtanz ſchmilzt man dann abermals auf die oben angegebene Weiſe, wobei man ihr, wenn ihre Temperatur auf 100 bis 110° Celſius geſtiegen iſt, neuerdings von der alkaliſchen Flüſſigkeit zuſezt, wodurch ein ſtarkes Aufſchäumen und endlich ein kaſtanienbrauner, in Waſſer ſchwebender Niederſchlag entſteht, während der Wallrath weiß geworden iſt. Da lezterer noch einige frembartige Stoffe enthält oder enthalten kann, ſo iſt es gut unter Erhaltung des Feuers die Operation mit reinem Waſſer fortzuſezen. Die Erfahrung hat gelehrt, daß es gut iſt, wenn man zulezt auch noch etwas alkoholiſirtes Waſſer anwendet, indem dieſes die Seife, die allenfalls in dem Wallrathe enthalten war, auflöſt. Gut iſt es, die Maſſe auch noch ein drittes Mal unter Anwendung von Waſſer und Al= kohol zu ſchmelzen, bevor man ſie in die Kryſtalliſationsgefäße gibt.

II. Man preßt den Wallrath auf die angegebene Weiſe kalt, ſchmilzt ihn im Marienbade in einem Keſſel und wirft ihn auf Filter, welche in Käſten mit doppeltem durch Dampf geheizten Boden ſtehen. Nach dem Erkalten und Kry= ſtalliſiren preßt man dann auf die angegebene Weiſe heiß, und ſchmilzt unter Zu= ſaz einer beſtimmten Menge thieriſcher Kohle und unter Umrühren bis zur Ent= färbung abermals im Marienbade, um dann neuerdings zu filtriren und zu kry= ſtalliſiren. Gut, jedoch nicht durchaus nöthwendig iſt es, ein doppeltes Filter zu haben, und zwiſchen beide etwas Aezkalk zu bringen. Wenn der Wallrath eine ſchöne bläuliche Farbe bekommen ſoll, ſo wird es gut ſeyn, wenn man ihn auch noch ein drittes Mal und unter Anwendung von Kohle ſchmilzt und filtrirt. — Dieſes zweite Verfahren ſcheint vor erſterem den Vorzug zu verdienen.

Ueber das Cappahbraun, eine neue Farbe für Mahler und Anſtreicher.

Ich bediente mich, ſchreibt Hr. W. Brockedon an die Society of arts, ſeit mehreren Jahren des ſchwarzen Braunſteinoxydes als Mahlerfarbe, indem es nicht nur ſehr viel Körper hat, ſondern auch ſehr ſchnell troknet. Ich muß mich daher ſehr wundern, daß dieſe Farbe weder unter den Kunſtmahlern, noch unter den Anſtreichern mehr in Aufnahme kam. Sie gibt ein ſehr dunkles Eiſengrau, färbt ſelbſt in kleinen Quantitäten eine ſehr große Menge von Weiß, dekt für ſich allein und dünn aufgetragen ſelbſt die lichteſten Gegenſtände, und troknet ſelbſt mit kaltgepreßtem Leinöhle abgerieben in wenigen Stunden. Seit 2 oder 3 Jah= ren kommt nun aber aus Irland ein neuer Farbſtoff dieſer Art, welcher zu Cap= pah bei Cork auf den Gütern des Lord Audley gewonnen wird, und der aus Torf und Braunſtein beſteht. Dieſes Cappahbraun iſt als Waſſerfarbe intenſiver und ſchöner als das aus dem Torfe gewonnene Vandykebraun, von dem es ſich auch durch einen Stich ins Grünlichbraune unterſcheidet; in Hinſicht auf ſeine Aus= breitung auf dem Papiere findet es ſeines Gleichen nicht. Noch ſchäzbarer iſt es aber als Oehlfarbe; denn als ſolche verbindet es den Glanz und die Tiefe des Aſphaltes mit dem unſchäzbaren Vortheile, daß es in wenigen Stunden troknet. Ich will daher lieber jede andere einzelne Farbe vermiſſen, als das Cappahbraun, welches mir ſowohl zu Aquarell= als zu Oehlgemälden ganz unentbehrlich gewor= den iſt. Da dieſer Farbſtoff in großen Quantitäten vorkommt, ſo verkauft ihn die Weſt=Cork=Company auch als Anſtreicherfarbe fü. Schiffe und Gebäude, als welche ſie in Hinſicht auf Ton, Dauer und Wohlfeilheit ebenfalls ihres Gleichen ſucht. Man hat verſucht durch Schlämmen dreierlei verſchiedene Schattirungen zu erzielen, welche man unter dem Namen Euchrom in den Handel brachte;

ich bediente mich jedoch immer des ursprünglichen Materiales und fand dieses auch am Schäzenswertheſten. (Aus dem Transactions of the Society of arts, Vol. LI, P. 1, S. 142.)

Schüzenbach's Rübenzuckerbereitung.

Hr. Schüzenbach verwandelt zuerſt die Runkelrüben durch eigene Schneid- oder Hakmaſchinen mit vielen Meſſern in Schnize, welche getroknet werden; die Auszieung des Safts geſchieht bei ihm nicht durch Alkohol, ſondern durch Waſ- ſer mit Schwefelſäure. Die Productionskoſten ſollen, mit Rükſicht auf das geringere Betriebscapital und die Ausdehnung der Fabrication auf das ganze Jahr, nicht größer ſeyn als bei der franzöſiſchen Methode, 6 Procent Rohzuker aber mit Sicherheit dabei erzielt werden können. (Riecke's Wochenblatt.)

Keraudren's Wachholderbier für Schiffe.

Die Engländer bereiten bekanntlich ſchon ſeit langer Zeit für den Gebrauch der Schiffe mit der ſogenannten Eſſenz der Schwarztanne eine Art von Bier, welche ſie Sprucebeer nennen. Hr. Keraudren, Ober-Arzt der franzöſiſchen Seehäfen, hat nun verſucht ein ähnliches Getränk zuſammenzuſezen, welches der Geſundheit eben ſo zuträglich und dabei weniger dem Verderben ausgeſezt ſeyn ſoll. Er blieb hiebei nach mehreren vergeblichen Verſuchen bei folgender An- wendung der Wachholderbeeren ſtehen. Er gibt nämlich in ein Faß, welches 228 Liter faßt, 20 Liter ſiedendes Waſſer, 20 Kilogr. Syrup und 5 Hectogram- men Bierhefen, und füllt das Faß, nachdem ein Sak mit 2 Kilogrammen zer- quetſchten Wachholderbeeren hinein gehängt worden iſt, mit kaltem Waſſer auf. Nach dreitägiger Gährung zieht er die Flüſſigkeit in Flaſchen ab, wo ſie dann nach 14 Tagen getrunken werden kann. Die Bereitung des engliſchen Sprucebeer iſt ganz dieſelbe; nur nimmt man auf die oben angegebene Quantität Syrup und Bierhefen 5 Hectogrammen Tannenſſenz. (Journal des connaissances usuel- les, Januar 1837, S. 44)

Vorſchriften zur Bereitung einer Maſſe zum Verſiegeln von Wein- flaſchen.

Wir entnehmen aus derſelben Zeitſchrift folgende Vorſchriften zur Bereitung einer dem angedeuteten Zwecke entſprechenden Maſſe.

1. Man ſchmilzt 20 Pfd. gewöhnliches Harz und ſezt ihm nach gehörigem Abſchäumen 20 Pfd. geſchabene Meudoner Kreide und 3 Unzen Farbſtoff zu, wor- auf man das Ganze mit einem eiſernen Spatel gut umrührt. Die ſchwarze Farbe gibt man mit Kienruß, die rothe mit Zinnober; die gelbe mit chromſaurem Bleie; die blaue mit Berlinerblau, und die grüne mit einem Gemenge aus Berlinerblau und chromſaurem Bleie.

2. Man ſchmilzt 2 Pfd. Bleiglätte in Körnern, mit einem Pfunde gewöhn- lichen Harzes, und ſezt 3 Unzen Talg, und nach gehörigem Umrühren auch noch 2 Unzen deutſchen Zinnober zu, worauf man mit einem eiſernen Spatel tüchtig umrührt, bis eine innige Vermengung entſtanden iſt. Wenn man anderen als deutſchen Zinnober (vermillon d'Allemagne) nimmt, ſo ſoll die rothe Farbe der Maſſe bald ins Gelbe übergehen.

L.

Beschreibung eines Apparates zur Verhütung der Explosionen der Dampfkessel; von der Erfindung des Hrn. Galy-Cazalat, Professor der Physik in Versailles.

Aus dem Bulletin de la Société d'encouragement. März 1837, S. 92.

Mit Abbildungen auf Tab. IV.

Hr. Galy-Cazalat bewarb sich im Jahre 1835 um den Preis, den die Gesellschaft auf die Erfindung von Schuzmitteln gegen die Explosionen der Dampfmaschinen ausgeschrieben hatte, und legte in dieser Absicht eine Abhandlung vor, in der er einen sehr sinnreichen Vorschlag zur Verhütung dieser Gefahr, im Falle das Wasser unter das festgesezte Niveau sänke oder im Falle sich ein Bodensaz im Kessel bildete, machte. Da sich dieser Vorschlag bei den Versuchen, welche in Gegenwart einer eigenen Commission damit vorgenommen wurden, als seinem Zweke entsprechend und unfehlbar zeigte, so ertheilte die Gesellschaft dem Erfinder ihre große goldene Medaille.

Obschon nun die neue Vorrichtung bereits in dem Berichte, den Hr. Baron Séguier darüber erstattete, ziemlich deutlich beschrieben ist, so verdient sie ihrer hohen Wichtigkeit wegen doch noch eine ausführlichere und mit Abbildungen begleitete Erläuterung.[45]

Fig. 44 zeigt zu diesem Zweke einen senkrechten Durchschnitt eines Röhrenkessels einer Locomotive.

Fig. 45 ist ein Querdurchschnitt eines über einem bleibend fixirten Ofen angebrachten Kessels, dessen Boden gewölbt ist.

Fig. 46 gibt einen Querdurchschnitt durch einen cylindrischen, mit zwei Schuzapparaten versehenen Kessel.

Fig. 47 zeigt die Röhre und den Hahn in größerem Maaßstabe gezeichnet.

A ist der Kessel, B der Heerd, C der Rost, D das Aschenloch. E ist eine senkrechte, au die beiden Kesselwände geschweißte Röhre, welche an ihrem oberen und unteren Ende offen ist, und in deren oberen Theil über dem Niveau des Wassers zum Behufe des Eintritts von Dampf einige kleine Löcher gebohrt sind. Eine zweite ähnliche Röhre F, welche man an dem cylindrischen Kessel Fig. 46

---

45) Den oben angefügten Bericht des Hrn. Séguier kann man im polyt. Journal Bd. LX. S. 254 nachlesen.　　　　　A. d. R.

Dingler's polyt. Journ. Bd. LXIV. H. 4.

angebracht steht, hat mit der eben beschriebenen gleichen Zwek. G ist
ein auf die Röhre E geschraubter Hahn, und H ein kleiner Trichter,
in den der aus leichtflüssigem Metall gebildete kegelförmige Pfropf a
geworfen wird. Dieser Pfropf gelangt, mit seiner breiten Basis nach
Unten gerichtet, in das durch den Schlüssel des Hahnes gebohrte
Loch; dreht man diesen Hahn um, so kehrt sich der Pfropf um und
fällt, indem er nunmehr seine dünnere Basis darbietet, in die Röhre
E, auf deren Boden er anlangt, indem er durch den durch die Löcher a eintretenden Dampf dahin getrieben wird. Man sieht diese
Anordnung der Theile am deutlichsten aus Fig. 47, wo zu deren
Bezeichnung dieselben Buchstaben beibehalten sind.

Die Explosionen der Kessel lassen sich verhüten, wenn man den
heißesten Theil derselben stets weit unter jener Temperatur hält, die
der Dampf haben muß, wenn er eine Kraft erlangen soll, welche den
direct gemessenen Widerstand der Wände übersteigt. So lange nun
aber die Heizoberfläche naß erhalten wird, wird kein Theil der metallenen Wand, ausgenommen sie besäße einen sehr bedeutenden Grad
von Dike oder das Feuer wäre sehr lebhaft, merklich heißer werden
können als das Wasser, und mithin auch nicht im Stande seyn,
dieses augenbliklich zu verflüchtigen. Sobald sich hingegen zwischen
dem Wasser und dem Metalle auch nur eine dünne Schichte salziger
oder anderer Niederschläge ansammelt, wird sich das Metall in hohem
Grade erhizen und eine Berstung eintreten können. Dasselbe würde
der Fall seyn, wenn das Niveau des Wassers unter die Heizoberfläche herabsänke. Dem wird nun aber durch die Erfindung des
Hrn. Galy-Cazalat gesteuert. Dieser gemäß ist nämlich an
jenem Theile des Kessels A, an dem sich die Bodensäze bilden und
der der stärksten Einwirkung des Feuers ausgesezt ist, eine Oeffnung
angebracht, der gegenüber sich in dem oberen Theil des Kessels eine
gleiche Oeffnung befindet. Diese beiden Oeffnungen sind luftdicht
durch eine cylindrische Röhre E ausgefüllt, deren unteres Ende durch
eine Schulter zurükgehalten wird, während sie durch einen mit einem
Trichter versehenen Hahn G, den man an das andere Ende schraubt,
und der gegen den Kessel drükt, nach Oben zugezogen wird. Die
innere kegelförmig ausgedrehte Mündung dieser Röhre wird luftdicht
mit dem aus leichtflüssigem Metalle b geformten Pfropfe, dessen
kleinere Basis nach Abwärts gerichtet ist, verschlossen. Die solcher
Maßen an beiden Enden verschlossene Röhre communicirt durch mehrere kleine Löcher a, welche weit über dem Niveau des Wassers durch
sie gebohrt sind, mit dem im Kessel befindlichen Dampfe. In dem
Schlüssel des Hahnes befindet sich eine Cavität, welche einerseits
verschlossen ist und andererseits offen steht, so daß man in dessen

Inneres einen Pfropf von der angegebenen Art fallen laßen kann. Dem durch die Löcher a eingetretenem Dampfe ist demnach einerseits durch den Hahn und andererseits durch den Pfropf der Ausweg versperrt.

Gesezt nun die Temperatur der Kesselwand übersteige in Folge der Niederschläge, welche sich ansammelten, die Gränze, welche der Dampf nicht überschreiten darf, so wird der kegelförmige, in die Dike des Metalles eingelaßene Pfropf, der immer der Temperatur der Kesselwand theilhaftig werden wird, zu schmelzen beginnen, und in dem Augenblik, wo dieß Statt findet, wird er auch durch den Dampf ausgetrieben werden, so daß dieser nunmehr von Oben herab auf den Heerd strömt und auf diesem die Verbrennung beinahe augenbliklich aufhören macht; indem er nicht nur den oberen Theil des Brennmateriales auslöscht, sondern indem er durch seine Spann= kraft zugleich auch die durch den Rost emporsteigende atmosphärische Luft zurüktreibt.

Das durch das Ausströmen des Dampfes entstehende Geräusch deutet an, daß sich Niederschläge im Kessel gebildet haben, und daß eine Explosion Gefahr drohte. Wenn dieses Ausströmen eine Minute lang gedauert hat, so ist die Temperatur hinreichend gesunken, und man kann abermals einen schmelzbaren Pfropf einsezen. Um dieß zu bewerkstelligen, dreht der Heizer den Hahn so, daß die Cavität seines Schlüssels, wie Fig. 47 zeigt, nach Oben gerichtet ist, worauf dann mit der breiteren Basis voran ein neuer Pfropf eingelegt wird. Wird, nachdem dieß geschehen ist, der Schlüssel um die Hälfte umge= dreht, so fällt der Pfropf mit der dünneren Basis in die Röhre, in deren Ende er durch den hinter ihm plözlich nachdringenden Dampf gleich einer Kugel eingetrieben wird.

Die cylindrischen Kessel müssen mit zwei derlei Apparaten aus= gestattet werden, wie Fig. 46 zeigt; der eine unten am Kessel befind= liche hat dann, gegen die durch Niederschläge bedingten Explosionen, der andere hingegen, der in der Höhe des Wasser=Niveau's angebracht ist, gegen die durch das Sinken des Wasserstandes bedingten Gefah= ren zu schüzen. Nach den vor einer Commission angestellten Ver= suchen hat sich ergeben, daß durch eine solche Anwendung zweier leichtflüssiger Pfröpfe die Ursachen der Explosionen der Dampfkessel radical beseitigt werden.

LI.

Verbefferte rotirende Dampfmaschine, worauf sich Robert Stein Esq., von Edinburgh, am 7. Mai 1833 ein Patent ertheilen ließ.

Aus dem Repertory of Patent-Inventions. Februar 1837, S. 96.
Mit Abbildungen auf Tab. IV.

Meine Erfindung, sagt der Patentträger, besteht aus einem hohlen Cylinder, durch dessen Mitte eine Welle läuft. An dieser Welle sind ein oder mehrere Kolbenpaare so befestigt, daß sie eine Art von Angelgewinde damit bilden, daß sie den Raum zwischen der Welle und der inneren Wand des Cylinders ausfüllen, und daß sie frei um die Welle umlaufen. Diese Kolben werden bei ihrem Umlaufen innerhalb des Cylinders mittelst Bolzen, die zu diesem Behufe in die Kolben eingelassen sind, abwechselnd an der Welle und an dem Cylinder festgemacht; und zwar dermaßen, daß die Welle durch Einwirkung des Dampfes und mit Beihülfe eines Schwungrades ohne alle Dazwischenkunft einer Krummhebelbewegung eine continuirliche rotirende Bewegung mitgetheilt erhält. Die Zeichnung, zu deren Beschreibung ich nunmehr übergehe, wird die ganze Einrichtung deutlich machen.

Fig. 22 zeigt eine meiner verbesserten, nur mit einem einzigen Kolbenpaare arbeitenden Maschinen von Außen und von der Seite, wobei die innerhalb des Cylinders befindlichen Theile durch punktirte Linien angedeutet sind. A ist der Cylinder, B die Haupt=, oder arbeitende Welle, C die Eintritts= oder Dampfröhre, D die Austritts= röhre. T bezeichnet einen Theil des Schwungrades. An allen übrigen Figuren sind gleiche Theile mit denselben Buchstaben bezeichnet.

Fig. 23 zeigt die Welle einzeln für sich. Mit ihr ist das Sperr= oder Zahnrad E aus einem Stüke gegossen; doch kann dieses auch auf irgend eine Weise an sie geschirrt seyn.

Fig. 24 ist der eine der Kolben. F, F sind jene Theile, die das Angelgewinde bilden helfen, wenn sich der Kolben an der Welle befindet. G, G ist der Theil, welcher als Kolben wirkt, und in dessen Mitte ein Zapfenloch H geschnitten ist, welches zur Aufnahme eines Bolzens dient, wie dieß später gezeigt werden soll. I ist ein an der Seite des Kolbens angebrachter Ausschnitt oder eine Aushöhlung, durch die der Dampf zwischen die beiden Kolben eintreten kann, wenn dieselben miteinander in Berührung kommen.

Fig. 25 gibt eine Ansicht des anderen Kolbens, woran H ein

ähnliches Zapfenloch, und I den zum Durchgange des Dampfes be=
stimmten Ausschnitt vorstellt. Der Theil J, J wirkt hier als Kolben.
Die Theile K, K, welche das Angelgewinde bilden helfen, passen ge=
nau zwischen die an dem anderen Kolben befindlichen Theile F, F;
so daß das Ganze, wenn der zwischen K, K gelassene Raum durch
das Sperr= oder Zahnrad E ausgefüllt, und die Welle B, B hindurch
gestekt ist, die aus Fig. 26 ersichtliche Gestalt bekommt. In dieser
Figur sind die Bolzen, die in Fig. 27, 28 und 29 von der Seite,
vom Ende her und im Perspective abgebildet sind, in die für sie
bestimmten Zapfenlöcher eingepaßt; sie zeigt mithin die ganze innere
Maschinerie oder Alles, was sich innerhalb des Cylinders befindet.

Fig. 30 ist ein Querdurchschnitt durch die Mitte des Cylinders.
Der Cylinder ist mit A, A, die Welle mit B, die Dampfröhre mit
C, die Austrittsröhre mit D, das an der Welle B befindliche Sperr=
rad mit E bezeichnet. J, J sind die beiden Kolben, von denen ich
den einen zum Unterschiede den gelben und den anderen den rothen
nennen will. m ist der Bolzen des gelben und n jener des rothen
Kolbens. L ist eine in die Seite des Cylinders geschnittene Kerbe,
die zur Aufnahme des Endes der Bolzen dient.

Fig. 31 und 32 zeigen ähnliche Durchschnitte, woraus man die
verschiedenen Stellungen der Kolben in ihrem Laufe um den Cylinder
ersieht.

Bevor ich auf eine Erläuterung der Art und Weise, auf welche
diese Maschine arbeitet, eingehe, will ich noch die Bolzen m und n,
die die wichtigsten Theile meiner Erfindung bilden, näher beschreiben.
Diese Bolzen liegen nämlich in Zapfenlöchern H, H, die ganz durch
die Kolben geschnitten sind, und in denen sie sich frei schieben. Das
eine Ende dieser Bolzen ist so geschnitten, daß es den Auskerbungen
des Sperrrades E entspricht; das andere Ende dagegen muß der in
die Cylinderwand geschnittenen Kerbe L entsprechen. Da die Bolzen
etwas länger als die Zapfenlöcher tief sind, so können die Kolben
mit den eingestekten Bolzen nur dann in den Cylinder gebracht wer=
den, wenn sich das äußere Ende des einen Bolzens in der Kerbe L,
und das innere Ende des anderen Bolzens in einer der Auskerbungen
des Sperrrades E befindet, oder wenn die Enden beider Bolzen in
die Kerben dieses Sperrrades eingefallen sind. So befindet sich in
Fig. 30 z. B. das äußere Ende des Bolzens m in der Kerbe L,
während das innere Ende des Bolzens n in die bei r ersichtliche
Kerbe des Sperrrades eingefallen ist.

Gesezt nun die Kolben G und J befinden sich in der aus Fig. 30
ersichtlichen Stellung und es trete Dampf durch die Röhre C ein,
so wird der gelbe Kolben G dadurch, daß der Bolzen m in die in

die innere Wand des Cylinders geschnittene Kerbe eingefallen ist,
der Gewalt des Dampfes widerstehen; während der rothe Kolben J
herumgetrieben wird, und sowohl die Welle B als das Sperrrad E
mit sich führt, indem der Bolzen n in die Kerbe r des Sperrrades
eingefallen ist. Der rothe Kolben treibt also die Luft, welche vor
ihm in dem Cylinder enthalten ist, durch die Röhre D aus, bis er
am Rüken des gelben Kolbens G anlangt, wie dieß aus Fig. 31
ersichtlich ist. Gerade hier an diesem Punkte verschließt das äußere
Ende des rothen Kolbens J die Mündung der Austrittsröhre D, und
da der Dampf mit gleicher Gewalt auf P und Q drükt, so würden
mithin beide Kolben stationär bleiben, wenn hier nicht das an der
Welle B befindliche Flug= oder Schwungrad Aushülfe leisten, und
indem der Theil S des Sperrrades E auf das innere Ende des
Bolzens n wirkt, beide Kolben in die aus Fig. 32 ersichtliche Stel=
lung bringen würde. Die durch das Flugrad mitgetheilte Bewegung
bewirkt, daß der Theil t des Cylinders den Bolzen m des gelben
Kolbens in die Kerbe r des Sperrrades E treibt. Unmittelbar dar=
auf, und in dem Momente, in welchem der Bolzen n des rothen
Kolbens der Kerbe L des Cylinders gegenüber zu stehen kommt, wie
dieß aus Fig. 32 ersichtlich ist, ist die Austrittsröhre D wieder ge=
öffnet. Der aus der Röhre C durch den Raum I zwischen die bei=
den Kolben eindringende Dampf verhindert dann die weitere Bewe=
gung des rothen Kolbens J, während der an dem Sperrrade E be=
findliche Theil S den Bolzen n in die Kerbe des Cylinders bei L
treibt. Die Folge hievon ist, daß nunmehr der rothe Kolben gehin=
dert ist zurükzuweichen; und daß der Dampf, indem er einzutreten
fortfährt, den gelben Cylinder auf dieselbe Weise herumtreibt, wie
dieß früher mit dem rothen der Fall war. Dabei führt dieser Kolben
die Welle B und das Sperrrad E mit sich, bis er seinerseits an
dem Rüken des gelben Kolbens anlangt, wo dann wieder das
Schwungrad hülfeleistend einwirkt, und die oben beschriebene Wirkung
des Zahnes des Sperrrades und des Theiles t des Cylinders auf
die Bolzen m und n eintritt. Auf solche Weise gelangt die Maschine
in ununterbrochene Thätigkeit, und die Welle wird ohne Dazwischen=
kunft irgend eines Krummhebels in rotirende Bewegung versezt.

Es ist offenbar, daß man 4, 6, 8 und noch mehrere Kolben
mit Vortheil anwenden kann, wenn der Cylinder hiezu die gehörige
Größe hat, und wenn die entsprechenden Auskerbungen in dessen
Wänden angebracht sind.

Meine Maschine kann eben so gut durch die Expansivkraft hei=
ßer Luft oder anderer Gase, als durch Dampf betrieben werden.
Als meine Erfindung erkläre ich hauptsächlich eine Maschine, deren

Kolben die Treibwelle mittelst Bolzen, die auf die angegebene Art arbeiten, umtreiben.

LII.

Verbesserungen an den Hand= und mechanischen Webestüh=len, worauf sich James Bullough, Mechaniker in Blackburn in der Grafschaft Lancaster, am 1. Oktober 1835 ein Patent ertheilen ließ.

Aus dem London Journal of Arts. November 1836, S. 65.
Mit Abbildungen auf Tab. IV.

Die Erfindungen des Patentträgers bestehen: 1) in einer neuen Einrichtung einer Webemaschine, in welcher zwei Stüke Zeug auf ein Mal gewebt werden können, der Stuhl mag nun ganz oder zum Theil mit der Hand und zum Theil durch Maschinenkraft in Bewe=gung erhalten werden. In dieser Maschine bewegen sich nämlich gleichzeitig zwei Laden und zwei Reihen Lizen; die Kette wird von zwei verschiedenen Bäumen abgegeben, und der Zeug von zwei ver=schiedenen Bäumen aufgenommen. Alles dieß wird durch einen eigenthümlichen Mechanismus bewirkt, der sich so adjustiren läßt, daß man Zeuge aus jedem Stoffe und von jeder Dike damit weben kann. Mit der Maschine ist auch ein selbstthätiger Apparat verbun=den, der den Gang des Webestuhles unterbricht, im Fall einer der Einschußfäden reißt; und eben so ist für einen Apparat gesorgt, der den Webestuhl zum Stillstehen bringt, wenn eines der Schiffchen allenfalls nicht in seiner Kammer anlangt.

Die Erfindungen beruhen aber 2) auch noch auf der Anwendung gewisser Theile an einem ausschließlich mit Dampf oder einer ande=ren rotirenden Triebkraft betriebenen Webestuhl. Diese Theile sind zwar dem Principe nach jenem Mechanismus sehr ähnlich, der an der ersteren Maschine zum Abgeben der Kette und zur Aufnahme des Zeuges dient, allein dieser mechanische Webestuhl webt nur ein Stük Zeug auf ein Mal. Zugleich ist Vorsorge getroffen, daß sich die Operationen des Stuhles variiren oder abändern lassen, damit man Zeuge produciren kann, an welchen dikere mit dünneren Quer=streifen wechseln. Ferner ist an dem Stuhle eine Modification des erwähnten Mechanismus zum Anhalten beim Reißen des Einschusses, oder eine andere Vorrichtung angebracht, die unter ähnlichen Um=ständen dasselbe leistet. Eben so ist ein selbstthätiger Apparat vor=handen, der die kurze Zeuglänge, welche nach dem Reißen des Ein=schusses noch aufgewunden worden seyn mochte, zurüklaufen läßt;

und endlich auch noch eine Vorrichtung zur Verhütung aller Erschüt=
terungen, die entstehen könnten, wenn die Maschinerie zum Stillstehen
kommt, sobald eines der Schiffchen nicht in seiner Kammer anlangt.
Alle diese Erfindungen erhellen zur Genüge aus den Zeichnungen,
deren Beschreibung nunmehr folgen soll.

In Fig. 33 sieht man einen Webestuhl von der zuerst erwähn=
ten Art im seitlichen Aufrisse. Fig. 34 zeigt einen solchen Stuhl
von Vorne. Fig. 35 gibt einen senkrechten Längendurchschnitt bei=
nahe durch die Mitte des Webestuhles genommen. A, a sind die
beiden Kettenbäume, B, b die beiden Zeugbäume, C, c die beiden,
durch die Stangen D miteinander verbundenen Laden, und E, e zwei
Reihen von Lizen. Die vordere Reihe der Lizen E ist mit Schnüren,
welche oben am Stuhle über Rollen geführt, unten hingegen an den
Tretschämeln h, h festgemacht sind, verbunden. An der Achse oder
Welle der Rolle g ist ein Zahnrad fixirt; und dieses greift in die
Zähne einer verschiebbaren Zahnstange i, an deren entgegengeseztem
Ende sich eine ähnliche Zahnreihe befindet, welche in ein entsprechen=
des, an der Achse oder Welle der hinteren Rolle j befindliches Zahn=
rad eingreift. Ueber diese hintere Rolle j sind die Schnüre der zwei=
ten Lizenreihe e gezogen, welche dadurch in Spannung erhalten wer=
den, daß sie unter den in dem unteren Theil des Gebälkes oder Ge=
stelles aufgezogenen Rollen k weglaufen. Anstatt der Zahnräder an
den Wellen der Rollen g und j und anstatt der verschiebbaren Zahn=
stange i kann man auch Rollen und Laufriemen anwenden.

Eine in den Seitenbalken des Gestelles ruhende Welle F läuft
quer durch die Maschine und hat an beiden Enden Krummzapfen
G, G, die mit den Zugstangen H, H in Verbindung stehen, während
die entgegengesezten Enden dieser Stangen H durch Gelenke mit der
Lade C verbunden sind. An der Krummzapfenwelle F ist ferner auch
ein Rad I fixirt, welches in ein an der Heblingswelle L aufgezoge=
nes Zahnrad K eingreift. Leztere Welle L trägt die beiden Heb=
linge oder Excentrica l, l, die auf die Tretschämel wirken, damit diese
die vordere Lizenreihe E auf und nieder bewegen.

Wenn der Arbeiter seine Hand auf die obere Latte der vorderen
Lade C legt, und diese Lade in die gewöhnliche schwingende Bewegung
versezt, so wird die hintere Lade c durch die Verbindungsstangen D
in eine ähnliche schwingende Bewegung gerathen. Zugleich werden
die mit der vorderen Lade C und den Krummzapfen G, G in Ver=
bindung stehenden Zugstangen H die Welle F in rotirende Bewegung
versezen; und durch die Umläufe dieser Welle wird vermöge der be=
schriebenen Zahnräder I und K die Welle L mit den Excentricis l, l
umgetrieben werden, damit die Tretschämel h, h solcher Maßen

abwechselnd herabgedrükt werden, und folglich auch die Lizenschäfte E abwechselnd gehoben und gesenkt werden und dadurch die Oeffnung der Kette bewirkt wird. Durch diese Bewegungen der vorderen Lizenreihe E und vermittelst der dazu gehörigen Schnüre f, f wird die Welle der Rolle g abwechselnd in rotirende Bewegung versezt; und hieraus folgt, daß vermittelst der Zahnstange i und der Rolle j auch die hinteren Lizenschäfte o in Thätigkeit gerathen; und daß sich folglich die hintere Kette der vorderen entsprechend öffnet.

Um dem Weber die Arbeit zu erleichtern, können alle diese Theile der Maschinerie durch Dampf oder irgend eine andere Triebkraft mit Hülfe eines Laufbandes m in Bewegung gesezt werden: und zwar indem man dieses Laufband um einen an dem Ende der Welle F befestigten Rigger n legt. Der Weber hätte dann nichts weiter zu thun, als das Schiffchen in den gehörigen Zeiträumen hin und her zu schnellen, was mit Hülfe des gewöhnlichen Knechtapparates geschehen könnte.

Damit die Ketten gehörig von den beiden Bäumen A, a abgegeben und die Zeuge dafür auf die Bäume B, b aufgewunden werden, wird folgender Mechanismus in Thätigkeit gesezt. An der Welle L sind zwei kleine Excentrica oder Muschelräder Q befestigt, die bei den Umgängen dieser Welle auf die Schwänze der Hebel M, m wirken, welche an Zapfen, die bei η. q in die Seitengestelle eingelassen sind, aufgezogen worden. An den äußeren Enden dieser Hebel M, m sind Klinken N, n, welche in die Zähne der Sperrräder O, o eingreifen; die lezteren sind an den äußeren Enden zweier Längenwellen P, p befestigt, die, wie aus Fig. 33 erhellt, an der Seite des Gestelles in horizontaler Stellung aufgezogen sind. An diesen Wellen P, p sind Knäufe R, r festgemacht, welche die Gestalt endloser Schrauben haben, und die in die Zähne der Räder S, s eingreifen; leztere sind an den Enden der Wellen jener Walzen J, J fixirt, welche die Ketten von den Bäumen A, a herleiten. Die Kettenbäume werden wie an den gewöhnlichen Webestühlen mit Frictionsschnüren und Gewichtshebeln aufgehalten. An denselben Wellen P, p sind aber auch noch die endlosen Schrauben T, t fixirt, welche in die an den Enden der Zeugbäume B, b befindlichen Zahnräder V, v eingreifen. Hieraus ergibt sich, daß durch die Bewegung der Muschelräder Q und der Hebel M, m die Klinken N, n veranlaßt werden, die Sperrräder O, o und die Wellen P, p zeitweise umzutreiben; und daß mithin durch die endlosen Schrauben oder Schneken R, r und S, s und durch die Zahnräder S, s und V, v die Spannungswalzen J, J, welche die Ketten in Folge der Reibung führen, solche rotirende Bewegungen mitgetheilt erhalten, daß von den Bäumen A, a die erforderliche Quanti-

tät Kette abgegeben, und auf die Bäume B, b, die entsprechende
Quantität Zeug aufgewunden wird. Die Geschwindigkeit, womit
dieß Statt findet, hängt von den Räderwerken, die zum Betriebe
angewendet werden, ab; es können daher auch durch Auswechselung
der Treibräder Zeuge verschiedener Art erzeugt werden.

Da die Durchmesser und die Umlaufsbewegungen des Räderwerkes T, t und V, v, woduch das Aufwinden bewerkstelligt wird,
zum Behufe des Aufwindens des Zeuges auf die nakten Bäume A, a,
deren Durchmesser bestimmt ist, berechnet sind; und da der Durchmesser der Bäume beim Aufwinden fortwährend wächst, so muß Vorsorge getroffen seyn, daß die Aufnahmsbewegung verhältnißmäßig an
Geschwindigkeit verliert. Dieß wird folgender Maßen erzielt. Die
Knäufe der endlosen Schrauben T, t sind nicht so fest, wie die Knäufe
der endlosen Schrauben R, r an den Wellen P, p befestigt; sie werden vielmehr nur durch die Reibung der Platten U, u, gegen die die
Platten der Knäufe T, t mittelst starker Spiralfedern angedrükt werden, festgehalten. Die Gewalt, welche aus der Zunahme der Spannung des Zeuges beim Aufwinden erwächst, wird daher durch die
Räder V, v dahin streben die Knäufe T, t zurükzudrängen, und sie
mithin von den Platten U, u zu trennen, so daß die Wellen P, p
also in den Knäufen umgleiten und nur dann aufwinden werden,
wenn die Spannung des Zeuges wieder nachläßt, und wenn die
Spiralfedern die Reibungsplatten wieder in innige Berührung mit
den Platten der Knäufe bringen.

Zum Anhalten des Webestuhles, im Falle ein Einschlagfaden
riß, dient folgende Vorrichtung. W ist ein leichter Hebel, der vor
der Lade quer durch die Maschine steht, und der an der Seite des
einen der Hauptpfosten der Maschine an einem Zapfen w aufgehängt
ist. Dieser Hebel W erstrekt sich beiläufig über die Hälfte der
Breite des Zeuges, und ruht mit seiner vorderen, nach Abwärts gebogenen, stumpfen Spize auf der Oberfläche des Zeuges und zwar
drei bis vier Fäden hinter dem Einschlagfaden. X ist ein kleiner
Streichhebel, der unter dem ersteren und unter einem rechten Winkel
mit ihm angebracht ist, wie dieß aus dem Durchschnitte, Fig. 35,
erhellt; er ist an dem doppelarmigen Hebel x, x aufgezogen, der sich
um einen durch seinen Mittelpunkt gestekten Stift oder Zapfen bewegt. Wenn die Spize des Hebels W auf dem Zeuge aufruht, so
wird der Hebel in der aus Fig. 34 ersichtlichen Stellung emporgehalten, während das am Rüken des Streichhebels X befindliche Gewicht auch diesen zugleich mit dem doppelarmigen Hebel x, x in der
aus Fig. 34 ersichtlichen Stellung hält. Wenn nun der Einschlagfaden reißt, und sich die Thätigkeit der Lade drei bis vier Mal fort-

gesezt hat, so kommt in Folge des ebenfalls fortgesezten Aufwindens eine undichte Stelle unter das niedergebogene Ende von W; das leztere findet dabei keinen Widerstand, sinkt durch den undichten Zeug hindurch, bewegt dabei den Streichhebel X und mittelst desselben den Winkelhebel x, x; der bisher gesenkte Arm des lezteren wird dadurch gehoben, und zwar so hoch, daß er gegen einen Bolzen an der Unterseite der Lade stößt und dieselbe daher an der gehörigen Bewegung hindert. Ganz derselbe Mechanismus muß auch an der hinteren Lade angebracht werden, damit die Thätigkeit des Stuhles aufhört, der Einschlagfaden mag an der vorderen oder an der hinteren Lade reißen.

Die Unterbrechung der Operationen des Webestuhles, im Falle das Schiffchen nicht an dem Orte seiner Bestimmung in seiner Kammer anlangt, wird auf folgende Weise bewirkt. Ein in dem seitlichen Aufrisse, Fig. 33, ersichtlicher Fühlhebel Y ist an einem Winkelhebel y, y aufgezogen. Der Schwanz oder das untere Ende dieses Hebels y, y, der sich in der Nähe seines Mittelpunktes um einen als Stützpunkt dienenden Stift oder Zapfen bewegt, ruht auf einem Gewichtshebel Z, welcher an einem bei z in das Seitengestell eingelassenen Zapfen aufgehängt ist. Wenn das Schiffchen seine geeignete Stelle in der Kammer erreicht hat, so wird die Seite des Schiffchens bei der Bewegung der Lade nach Vorwärts mit dem Ende des Hebels Y in Berührung kommen, und sowohl diesen als auch den Winkelhebel y, y zurüktreiben, so daß der Hebel Z hiedurch in die mit Punkten bezeichnete Stellung kommt. Wenn hingegen das Schiffchen den Ort seiner Bestimmung nicht erreicht, so wirkt die Lade, während sie sich nach Vorwärts schwingt, nicht auf das Ende des Fühlbolzens Y; die Hebel y, y und Z bleiben daher unthätig, und die Lade wird in ihrer weiteren Bewegung gehemmt, indem ein am Boden derselben befindlicher Vorsprung mit einer in die Kante des Hebels Z geschnittenen Kerbe in Berührung kommt. Auch dieser Mechanismus ist auf gleiche Art und Weise sowohl an der vorderen als an der hinteren Lade anzubringen.

Manchmal bleibt das Schiffchen so stehen, daß es sich halb in seiner Kammer, halb dagegen noch innerhalb des Gewebes befindet. In diesem Falle nun wird die Seite des Schiffchens, während sich die Lade nach Vorwärts bewegt, auf das Ende des oben beschriebenen Hebels X treffen, und dadurch bewirken, daß das untere Ende seines Winkelhebels x, x emporsteigt, mit dem an der unteren Seite des Bodens der Lade befindlichen Aufhälter in Berührung kommt, und dadurch die weitere Bewegung der Lade unterbricht.

Ich wende daher zu beiden Seiten des Webestuhles einen ähnlichen Fühlhebel an der Lade an.

Fig. 36 gibt einen Endaufriß meines verbesserten Webestuhles, der durch Dampf oder irgend eine andere rotirende Kraft in Bewegung gesezt werden soll; Fig. 37 ist ein Grundriß oder eine horizontale Ansicht; Fig. 38 ist ein an dem hinteren Theile oder am Rüken genommener Aufriß. A ist hier der Kettenbaum; B der Zeugbaum; C die Lade mit dem Riethblatt und dem Schiffchen, welche durch die Stangen d, d mit der Haupttreibwelle D in Verbindung steht. Die Schiffchentreiber e, e sind an senkrechten Spindeln E, E angebracht. Die Lizenschäfte F hängen mit Schnüren und Riemen oben über den Rollen f, f und sind unten an den Tretschämelhebeln estgemacht. Die Haupttreibwelle D führt ein Zahnrad g, und dieses greift in ein anderes, an der unteren Heblingswelle H aufgezogenes Zahnrad h. An dieser Welle H befinden sich auch die Excentrica oder Heblinge i, i, welche die Tretschämel abwechselnd herabdrüken. Eben so sind an den an den Enden dieser Welle H befindlichen Armen die Heblinge k befestigt; die die herabhängenden Pendel oder Hebel k, k in Bewegung zu bringen haben. Diese lezteren Hebel sind in den Seitengestellen an Zapfen l, l aufgehängt, und in der Nähe ihrer unteren Enden durch Riemen oder Bänder m, m mit den an den senkrechten Spindeln E, E befindlichen Kreishebeln n verbunden. Hieraus folgt, daß die Heblinge k beim Umlaufen der Welle H auf die Hebel K, K wirken; und daß die Schiffchentreiber e, e vermöge der Thätigkeit der Riemen m und der Spindeln E die hin- und hergehende Bewegung des Schiffchens verursachen.

Bis hieher betrifft die Beschreibung, wie man sieht, einen gewöhnlichen mechanischen Webestuhl. Die erste wesentliche Verbesserung, die ich an einem Stuhle dieser Art angebracht habe und zu deren Beschreibung ich nunmehr schreiten will, betrifft das Abgeben oder Abwinden der Kette von dem Baume A und das Aufwinden des Zeuges auf den Baum B. Es ist zu diesem Behufe, wie Fig. 36 und 37 zeigen, in den Seitengestellen in Lagern p, p eine Längenwelle P aufgezogen. An dieser ist ein Sperrrad O firirt, welches zugleich mit ihr durch eine mit dem zusammengesezten Hebel M, M in Verbindung stehende Klinke umgetrieben wird: es ist dieß in Fig. 36 durch Punkte angedeutet; noch deutlicher erhellt es jedoch aus dem Querdurchschnitte, Fig. 39. Dieser Hebel M, M hängt in dem Gestelle an den Zapfen n, n; auf ihn wirken die Heblinge oder Scheiben Q, welche sich an der Welle L befinden, und die ihn in der Richtung, welche in Fig. 40 mit Punkten bezeichnet ist, auf und nieder bewegen. Die Klinke N ist an einem Zapfen des Hebels q

aufgehängt, welcher ſich loſe an der Welle P dreht, und der von
einem gabelförmigen, mittelſt eines Gefüges an dem zuſammenge-
ſezten Hebel M befeſtigten Armes r geſtüzt wird. Wenn daher die
Welle L umläuft, ſo wird der Hebel M in ſolche ſchwingende Bewegung verſezt, daß die Klinke N das Sperrrad O und mit dieſem
die Welle P umtreibt, von wo aus dann auf eine der oben bei dem
Handwebeſtuhle beſchriebenen ähnliche Weiſe und mittelſt der endloſen
Schrauben (Schneken) R und T die rotirende Bewegung an die
Walzen J, J zum Behufe der Abgabe der Kette und an den Baum B
zum Behufe der Aufnahme des Zeuges fortgepflanzt wird. Um die
Spannung des Zeuges beim Aufwinden auf den Baum B zu vermindern, iſt die Schneke oder endloſe Schraube T an der Welle P
mittelſt Reibungsplatten T und U, ſo wie ſie oben beſchrieben wurden, angebracht.

Um die Subſtanz des Zeuges, der gewebt wird, variiren zu
können, d. h. zum Behufe des Webens von Querſtreifen, in denen
ſich in einer beſtimmten Streke eine größere und in einer anderen
Streke eine geringere Anzahl von Einſchlagfäden befindet, was die
engliſchen Weber gauze gross-over nennen, ändere ich zeitweiſe
und durch Variirung der Bewegung der Klinke N die Geſchwindigkeit
beim Abgeben der Kette und bei der Aufnahme des Gewebes ab;
und zwar auf folgende Weiſe. Die Klinke N und deren Hebel q
werden, wie oben erwähnt, durch das Steigen und Fallen des Hebels M und des gabelförmigen Armes r in Bewegung geſezt. Die
kreisförmige Bewegung des Sperrrades O und ſeiner Welle P muß
daher von der Ausdehnung jener Bewegung abhängen, die der Klinke
durch das Steigen und Fallen des Hebels M mitgetheilt wird. Dieſe
Bewegung iſt anfänglich eine ſolche, daß die Kette mit der größten
Geſchwindigkeit ab- und dann wieder aufgewunden wird; d. h. man
arbeitet zuerſt mit einer Geſchwindigkeit, die der Erzeugung des
dünnſten Theiles des Gewebes entſpricht. Um nun aber dieſe Geſchwindigkeit zu vermindern, verkürze ich die Bewegung der Klinke N,
indem ich den unmittelbar unter dem Hebel t befindlichen Hebel q
in Thätigkeit ſeze. Das obere Ende dieſes Hebels oder dieſer Auf-
haltſtange t hindert nämlich das weitere Herabſinken des Hebels q,
nachdem derſelbe durch einen Theil ſeines Bogens gefallen iſt; und die
Folge hievon wird ſeyn, daß beim Emporſteigen des gabelförmigen
Hebels r, welches bei der nächſten Bewegung, die der Hebel M nach
Aufwärts macht, Statt findet, der Hebel q und die Klinke N nur
um eine unbedeutende Streke emporgehoben wird; und daß mithin
das Sperrrad einen kleineren Theil ſeines Umganges zurüklegt, als
es vollbringt, wenn der Hebel q und die Klinke N durch einen grö-

ßeren Kreisbogen gegangen sind. Bei der verminderten Geschwindigkeit der Kette wird also in einer gegebenen Länge eine größere
Menge Einschlaggarn eingewebt werden, weßhalb der Zeug an diesen
Stellen nothwendig diker ausfallen muß.   Der Hebel t ist, wie
Fig. 39 und 40 zeigen, beinahe in senkrechter Stellung an einem in
die innere Seite des Gestelles eingelassenen Zapfen aufgezogen; er
hat zwar eine Neigung etwas weniges auf die eine Seite zu hängen; allein das an dem Reifen des Rades u befindliche Kreissseg-
ment v bringt ihn in die senkrechte Stellung.   Dieses Segment
wirkt nämlich, so wie das Rad u umläuft, auf den Schwanz des
Hebels t, und treibt ihn in eine solche Stellung, daß sein oberes
Ende in die Bahn des Hebels q gelangt, und mithin ein weiteres
Herabsinken dieses lezteren, so wie es oben angedeutet ward, verhindert.   Die Ausdehnung des Bogens des Segmentes v bestimmt die
Breite, welche der dikere Streifen im Zeuge bekommen soll.   Es erhellt aber offenbar, daß mehrere derlei kleine Segmente angebracht
werden können, um mehrere dünne und dike Streifen hinter einander
zu erzeugen, und um auf diese Weise mannigfache Muster dieser Art
hervorzubringen.   An dem unteren Arme des zusammengesezten Hebels M muß ein Fänger w angebracht seyn, damit das Rad u durch
das Steigen und Fallen dieses Hebels in Bewegung versezt wird.

    Der Mechanismus, durch den der Webestuhl im Falle des Reißens
des Eintragfadens in Stillstand gebracht wird, erhellt aus Fig. 41, wo
ein Theil des Stuhles von der Fronte abgebildet ist, und aus Fig. 42,
in welcher ein Theil der Maschine innerhalb des Gestelles und rechts
von Fig. 41 im Längendurchschnitte dargestellt ist.   An einem Stifte
oder Zapfen w, der in den Rüken des Brustbaumes eingelassen ist,
ist ein leichter Hebel W aufgezogen, der sich mit seiner stumpfen
Spize einige Fäden hinter dem zulezt durchgeschossenen, gegen die
untere Fläche des Gewebes stemmt.   Von diesem Hebel W hängt
mit einem losen Gefüge eine Stange a herab.   An der Seite des
Webestuhles ist ein federnder Ausrükhebel b (knocking-off lever)
firirt, der vermittelst einer durch ihn hindurchragenden Stange mit
dem Führer oder der Gabel c jenes Laufbandes in Verbindung steht,
durch welches die Treibrolle in rotirende Bewegung versezt wird.
Ein horizontaler Fanghebel d, der an der Seite des Gestelles an
einem Arme angebracht ist und von einer Feder e festgehalten wird,
hält den Hebel b mittelst einer in seiner Seite befindlichen Kerbe in
der aus Fig. 41 zu ersehenden Stellung.   Die gebogene gleitende
Stange f, f, Fig. 42, ruht auf Leitstiften, welche durch Spalten,
die in diese Stange geschnitten sind, hindurch ragen, und die so in
das Seitengestell der Maschine eingelassen sind, daß sich die Stange f, f

frei an ihnen hin und her bewegen kann. An der Seite dieser Schiebstange sind zwei Zapfen g, g fixirt, auf welche die Lade bei ihren Schwingungen wirkt, um die Stange hin und her zu bewegen. Ein dritter an derselben Stange angebrachter Zapfen h hat, wenn es nöthig ist, auf die Fangstange zu wirken.

Bei dieser Stellung der Theile werden die Bewegungen des Webestuhles von Statten gehen, und die Stange f, f von der Lade hin und her geschoben werden, ohne daß sie auf den Fanghebel wirkt. So wie hingegen der Einschußfaden reißt, wird bei dem fortschreitenden Aufwinden des Gewebes der dünnere, nicht ausgefüllte Theil des Gewebes über die Spize des Hebels W zu liegen kommen, wo dann diese Spize durch das Gewebe hindurchdringen wird, während der andere oder längere Arm des Hebels W in die in Fig. 41 durch Punkte bezeichnete Stellung gelangt, und die Stange a in den Halter i, welcher am Rüken des Fanghebels d fixirt ist, herabzieht. Wenn nun die Stange a in diesem Halter ruht, so wird die Lade bei der Bewegung nach Rükwärts gegen den hinteren Zapfen g treffen und die Stange f zurükschieben, wo dann der Zapfen mit der in dem Halter i befindlichen Stange a in Berührung kommt, und sowohl diese als auch den Fanghebel d so weit zurüktreibt, daß der Ausrükhebel b aus der in den Rand des Fanghebels d geschnittenen Kerbe befreit wird. Da der Ausrükhebel b hiedurch in jene Stellung geräth, welche in Fig. 41 durch punktirte Linien angedeutet ist, so wird der Treibriemen auf diese Weise von der festen auf die lose Rolle übergetragen werden und der Webestuhl zum Stillstehen kommen.

Eine andere Methode den Webestuhl in Stillstand zu bringen, so oft ein Einschußfaden reißt, erhellt aus Fig. 43, in welcher ein Theil der Maschine im Längendurchschnitte dargestellt ist. K ist hier der Brustbaum und C die Lade, an deren vorderen Seite oder Fronte eine Platte 1 fixirt ist, in der sich der Schieber m frei auf und nieder bewegen kann. An dem oberen Ende dieses Schiebers befindet sich ein leichter Hebel oder eine Gabel n, die, wie man auch aus Fig. 37 ersieht, in der Nähe der einen der Schiffchenkammern über einen bei o in der Lade angebrachten Ausschnitt hinwegragt. Hinten ist dieser Ausschnitt o durch ein rechtwinkelig umgebogenes Stük p begränzt, in dessen aufrechtem Theile sich horizontale Gruben oder Schlize befinden. Ueber den Ausschnitt selbst ist ein Rost q gelegt, damit das Schiffchen, während es sich längs der Lade hin und her bewegt, ohne Hinderniß darüber hinweggleiten kann. An dem Brustbaume k ist ein gebogener Arm r, r, r befestigt, dessen Oberfläche das untere Ende des Schiebers m führt, während er sich bei der Schwingung der Lade nach Vorwärts längs ihr bewegt. Hiebei wird die

Platte und deren Hebel m und n in der durch Punkte bezeichneten
Stellung emporgehalten, während sie sich zum Behufe des Durch=
ganges des Schiffchens unter ihr über den horizontalen Theil des
Armes r¹ schiebt. So wie sich die Lade aber vorwärts schwingt,
gleitet das Ende der Platte m auf der schiefen Ebene r² herab, wo=
bei der gabelförmige Hebel n auf den Rost q herab gelangt. Wenn
der Einschußfaden unter diesen Umständen ganz bleibt, so wird er von
dem Schiffchen längs der Lade geführt, so daß er mit einem gerin=
gen Grade von Spannung über den Rost q zu liegen kommt; dabei
wird der Hebel n bei seinem Herabsinken in der Nähe seines Endes
so lange von dem Faden getragen, bis er durch das weitere Herab=
sinken des Schiebers m beinahe in eine horizontale, aus Fig. 43 zu
ersehende Stellung kommt, und bis sein Ende in eine der Fugen des
Stükes p geräth. Unter diesen Umständen wird nämlich der Schie=
ber m und der Hebel n nicht weiter herabsinken können, obgleich sich
die Lade noch weiter vorwärts schwingt. Wenn hingegen der Ein=
schußfaden gerissen ist, so wird das Ende des Hebels n beim Herab=
sinken auf keinen Stüzpunkt mehr treffen, und durch den Rost hin=
durch auf den Boden des Ausschnittes o in die durch Punkte ange=
deutete Stellung gerathen; und so wie sich die Lade vorwärts schwingt,
wird das untere Ende des Schiebers m herabsinken, bis es über ei=
nen Ausschnitt s hinweggegangen ist, der in eine an der Seite des
gebogenen Armes r befestigte Schiebplatte t,t geschnitten ist. Beim
Zurükkehren der Lade oder bei der Schwingung derselben nach Rük=
wärts wird nun das untere Ende der Platte m in die Kerbe s ein=
greifen, und die Schiebplatte t,t in die durch Punkte angedeutete Stel=
lung bringen, in welcher ein aus dieser Platte hervorragender Schwanz v
gegen den Rand der oben bei Fig. 41 beschriebenen Fangstange d
drüken, und durch Nachlassen des Ausrükhebels h bewirken wird,
daß die Gabel c den Treibriemen von der festen auf die lose Rolle
überträgt, und daß mithin die Maschine zum Stillstehen kommt.
Damit der Hebel oder die Gabel n in der Abwesenheit des Einschuß=
fadens, und wenn sich das Schiffchen an dem entgegengesezten Ende
der Lade in seiner Kammer befindet, emporgehalten wird, ist an ei=
nem schwingenden Hebel, der vorne an der Lade an der Platte 1
aufgezogen ist, ein Aufhälter u befestigt. Dieser Hebel mit sammt
dem Aufhälter wird durch die Thätigkeit eines Riemens W, W, der
von dem Rüken des Brustbaumes ausläuft und mit dem entgegen=
gesezten Ende hinter dem Schiffchentreiber an der Stange, an der
sich dieser schiebt, festgemacht ist, unter den vorne an dem Schieber m
befestigten Fänger j gebracht. Wenn nun das Schiffchen in seine
an diesem Ende der Lade befindliche Kammer zurükkehrt, so bewirkt

es, daß der Schiffchentreiber gegen das Ende des Riemens VV stößt, wodurch der Hebel und der Aufhälter u unter dem Fänger j hervorgezogen wird, und der Schieber m mit seinem Hebel n auf die oben beschriebene Weise in Thätigkeit kommt.

Zum Abwinden oder zur Wiederabgabe jener geringen Menge Zeug oder Gewebe, welche noch nach dem Reißen des Einschußfadens auf den Zeugbaum aufgewunden wurde, dient folgende, aus Fig. 41 ersichtliche Vorrichtung. Ich bringe nämlich hinter dem Zeugbaume eine horizontale Stange X, X an, an deren einem Ende sich ein Ausschnitt, in welchen der Ausrükhebel b einfällt, befindet; während das andere Ende dieses Hebels durch ein Gelenk mit einer aufrechten Stange verbunden ist, die einen in das Sperrrad z eingreifenden Kegel y führt. Wenn der Ausrükhebel b in der aus Fig. 41 ersichtlichen Stellung steht, wird der Kegel y durch die Stange so angezogen werden, daß er sich außer Thätigkeit befindet. Wenn der Ausrükhebel b hingegen durch das Zurükweichen des Fanghebels d losgelassen wurde, so wird die horizontale Stange X, X hiedurch nach Links geschoben werden, damit der Kegel in die Zähne des Sperrrades Z eingreift. Dieses Rad Z ist an dem Ende der Welle P, Fig. 36, welche die endlosen Schrauben T und R führt, fixirt, und läuft folglich mit ihr zugleich um. Der Arbeiter zieht daher, indem er den Ausrükhebel d in jene Stellung bewegt, die aus Fig. 41 ersichtlich ist, die Stange X und den Kegel y nothwendig nach Rechts, wodurch das Sperrrad Z und die Welle P um so viel nach Rükwärts gedreht wird, daß die gehörige Länge Zeug von dem Zeugbaume abgewunden wird.

Damit durch das plözliche Anhalten des Webestuhles, im Falle das Schiffchen nicht an dem Orte seiner Bestimmung anlangt, keine heftigen Erschütterungen erzeugt werden können, habe ich die Stellung des an den Webestühlen gewöhnlich gebräuchlichen Aufhälters abgeändert: und zwar so, daß der Aufhälter in Thätigkeit kommt, wenn die Treibkurbel beinahe an dem Ende ihres Umganges angelangt ist: d. h., wenn sich die Lade beim Einschlagen des Einschusses bis auf einen Zoll dem Gewebe genähert hat, so hängt der Aufhälter, der das untere Ende eines doppelarmigen, von dem hinteren Theile der Lade herabhängenden Hebels bildet, solcher Maßen herab, daß er mit einer sehr geringen Gewalt gegen den Schieber trifft, und daß er, indem er das Ende dieses Schiebers sachte gegen den Rüken des Ausrükhebels b zurüktreibt, denselben aus dem Ausschnitte des Fanghebels d vorwärts treibt, und also durch Abstreifen des Treibriemens die Bewegungen des Webestuhles auf die beschriebene Weise unterbricht.

LIII.

Verbesserungen an dem Jacquard-Stuhle, von der Erfindung des Hrn. W. Rooke in Bethnal Green, Union Street. [46])

Aus den Transactions of the Society of Arts. Vol. L. P. II., S. 71.

Mit Abbildungen auf Tab. IV.

———

In dem zum Weben glatter Zeuge dienenden gewöhnlichen Webe-stuhl werden die Kettenfäden bekanntlich in zwei gleichen Abtheilun-gen oder Blättern aufgezogen. Durch das Aufheben des einen dieser Blätter wird zwischen beiden ein Winkel gebildet, in welchen der Eintragfaden mit der Schütze eingeschoffen wird, und dadurch, daß abwechselnd das eine und das andere der beiden Blätter emporgeho-ben, und die Schütze abwechselnd von Rechts nach Links geschoffen wird, entsteht endlich ein in allen seinen Theilen gleichförmiges Ge-webe. Wenn hingegen mehr oder weniger als die Hälfte der Ket-tenfäden mit einem Male aufgehoben wird, so wird nothwendig jener Theil des Gewebes, an welchem dieß Statt findet, ein anderes Aus-sehen bekommen; und wenn hiebei eine gewisse Regelmäßigkeit befolgt wird, so wird ein Muster zum Vorschein kommen.

An dem zum Weben gemusterter Seidenzeuge dienenden Stuhle wird jeder Faden durch ein Auge oder durch ein Oehr einer senk-rechten Schnur gezogen, an deren unterem Ende ein Blei angehängt ist, damit sie gehörig straff erhalten wird, und damit der Kettenfa-den durch Ueberwindung der Reibung jedes Mal wieder niedergezogen wird. So wie eine dieser Schnüre aufgezogen wird, wird daher nothwendig auch der zu ihr gehörige Kettenfaden emporgehoben; und wenn man alle jene Schnüre, deren Kettenfäden gleichzeitig empor-gehoben werden sollen, zusammen bindet, so werden sie sämmtlich durch eine einzige Bewegung aufgezogen werden und einen Winkel bilden, in den der Eintrag eingeschoffen werden kann. Bei compli-cirten Mustern wird jedoch die Zahl der zusammen gehörigen Ketten-fädenbündel so groß, daß sie nicht leicht an irgend einer Vorrichtung angebracht werden können, welche der Weber gehörig und sicher mit seinen Beinen in Thätigkeit zu sezen im Stande ist.

Der berühmte Jacquard erfand zu diesem Zwecke einen nach ihm benannten sehr sinnreichen Mechanismus. Er befestigte nämlich jeden Schnurbündel an einem am Ende hakenförmig gebogenen Drahte, und führte diese Drähte sämmtlich über eine dreikantige Stange

———

46) Der Erfinder erhielt für das Modell dieses Stuhles, welches er in der Sammlung der Society of arts aufstellte, die Summe von 5 Pfd. Sterl. als Preis.   A. d. R.

(lifting bar genannt), welche durch den Tretschämel in Bewegung
gesezt werden kann. Da nun bei der gewöhnlichen Stellung der
Drähte bei jedem Tritte alle zugleich emporgehoben werden würden,
so mußte eine Vorrichtung ausgedacht werden, durch welche zeitweise
die Haken aller jener Schnüre, die nicht aufgezogen werden sollten,
nach Rükwärts gebogen wurden. Um dieß zu bewerkstelligen, zog
der Erfinder jeden der hakenförmigen Drähte durch ein Auge, welches
in der Mitte eines geraden Drahtstükes angebracht ist; und alle diese
Drähte zog er in einem Rahmen horizontal und solcher Maßen auf,
daß sie mit dem einen Ende um etwas Weniges über das Gestell
des Stuhles hinausragen, während sie mit dem anderen Ende an
eine Feder gränzen, welche zwar nachgibt, sobald ein gelinder Druk
auf das vorstehende Ende ausgeübt wird, die aber Kraft genug hat,
die Drähte wieder in ihre frühere Stellung zurükzutreiben, sobald
dieser Druk aufgehört hat. Wenn nun gegen mehrere der vorstehen=
den Enden gleichzeitig gedrükt wird, so werden die Drähte bei ihrem
Zurükweichen nothwendig die durch ihr Oehr laufenden hakenförmi=
gen Drähte mit sich führen, woraus denn folgen wird, daß leztere
beim Emporheben der Lüpfstange (lifting bar) nicht mit erfaßt werden.

Vor den vorstehenden Enden der horizontalen Drähte ist ein
vierseitiges hölzernes Prisma aufgehängt, welches einer schwingen=
den Bewegung theilhaftig ist, und sich bei jeder Schwingung um
den vierten Theil eines Umganges dreht. In jede Seite dieses Pris=
ma's sind so viele Löcher gebohrt, als vorstehende Drähte vorhanden
sind. Bestände der ganze Apparat hierin allein, so ist klar, daß das
Prisma keine Wirkung auf die horizontalen Drähte ausüben könnte,
indem deren Enden bei jeder Schwingung des Prisma's von den
entsprechenden Löchern dieses lezteren aufgenommen werden würden,
und also kein Druk auf sie Statt finden könnte. Wenn hingegen
jede Fläche des Prisma's, so wie sich dieselbe gegen die horizonta=
len Drähte hin schwingt, mit einem Pappendekel oder einer soge=
nannten Musterkarte bedekt ist, in die gewissen horizontalen Drähten
gegenüber und den Löchern des Prisma's entsprechend Löcher ge=
schnitten sind, so werden offenbar nur die diesen Löchern gegenüber
liegenden horizontalen Drähte in ihrer Stellung bleiben, alle übrigen
hingegen zurükgedrükt werden. Hieraus wird folgen, daß die haken=
förmigen Drähte, die mit diesen horizontalen Drähten verbunden
sind, der Einwirkung der Lüpfstange entzogen werden, und diese,
wenn sie aufgehoben wird, nur jene Schnüre mit emporhebt, deren
Haken nicht zurükgedrängt wurden; oder mit anderen Worten, nur
jene Schnüre, deren horizontale Drähte den in der Musterkarte be=
findlichen Löchern gegenüber stehen. Nach jeder Schwingung des

Prisma's erfolgt ein Wurf der Schütze; es sind daher so viele
Musterkarten nöthig, als die Schütze vom Anfange bis zur Wieder=
holung des Musters, mit Einschluß der zwischen den Mustern und
den einzelnen Theilen derselben gelegenen glatten Streken, Würfe zu
machen hat. Man braucht daher selbst zu gewöhnlichen Mustern
1700 bis 1800 Pappendekel oder Karden, von denen beinahe die
Hälfte Wiederholungen, und viele zur Erzeugung des glatten Gewe=
bes bestimmt sind.

Im XL. Bde. der Transactions of the Society befindet sich
eine Beschreibung des alten Jacquard=Stuhles mit einem daran
angebrachten verbesserten Ziehknaben (draw-boy), durch den das
Muster bestimmt wird. Im XLVII. Bde. findet man Hughes's
Verbesserung an diesem Stuhle, welcher zu Folge eine Reihe von
Pappendekeln für zwei Muster benuzt werden kann. Im XLVIII. Bde.
endlich befindet sich Jennings verbesserter Jacquard=Stuhl, so
wie die vereinfachte Maschine von Dean.

Durch Hrn. Rooke's Erfindung wird alle Wiederholung in den
den Grund bildenden Pappendekeln vermieden, und deren Bewegung
durch einen zweiten Tretschämel vermittelt. Es wird daher in Hin=
ficht auf die Pappendekel an Kosten und Umfang erspart, und für
den Weber erwächst aus der mehr gleichförmigen Bewegung seiner
Füße auf zwei Tretschämeln eine bedeutende Erleichterung. Um nun
diesen Zwek zu erreichen, bringt Hr. Rooke am Rüken des größeren
Stuhles und unter rechten Winkeln mit demselben eine sehr kleine
Jacquard'sche Maschine an, die mit dem einen Fuße in Thätigkeit
gesezt wird, und in der nur ein kleines Band, welches nicht mehr
Pappendekel enthält als in den Wiederholungen, die an dem großen
Bande befestigt werden sollen, Veränderungen vorkommen, nöthig ist.

Fig. 10 gibt eine Ansicht dieser kleinen Maschine vom Rüken
her, so daß also, wenn die ganze Maschine abgebildet wäre, die grö=
ßere Maschine hinter ihr sichtbar seyn würde. a, a ist die Schließ=
latte (compass-board), und b, b sind die gewöhnlichen Lüpfschnüre
der großen Maschine x, x. Hrn. Rooke's Aushülfs=, Lüpf= oder
Bindungsschnüre laufen in 24 Paaren von der großen Maschine an
die 24 Schäfte d, d, und die Lüpfschnüre c, c laufen von der kleinen
Maschine in 8 Paaren an dieselben 24 Schäfte. Diese Schnüre,
deren 16 vorhanden sind, bilden 8 Paare, von denen jedes in drei
Schnüre, welche drei der Schnüre x, x, x mit einander verbinden,
abgetheilt ist, und welche an die Enden der drei Schäfte d, d laufen.
Es erhellt dieß deutlicher aus Fig. 17. Es werden demnach durch
die kleine Maschine, an der sich 24 Schäfte und nur 8 Veränderun=
gen befinden, drei Schnüre mit einander aufgezogen, und auf diese

Weife ein Atlasgrund erzeugt. Will man einen anderen Grund, so
sind die Schäfte so anzuordnen, daß durch jedes Schnürenpaar von
der kleinen Maschine her zwei oder auch nur einer derselben aufgezogen wird, wo dann in diesem Falle das kleine Band eine entsprechende Vermehrung der Pappendekel bekommen muß. Die Löcher
in den Pappendekeln sind stets paarweise angebracht, damit die
Schäfte an den Enden um so besser aufgezogen werden. e ist die
umlaufende Stange, auf der sich das Band mit den 8, den 8 Paaren der Lüpfschnüre entsprechenden Pappendekeln befindet. Die Pappendekel werden durch eine leichte Stange g, g gehörig gespannt erhalten, damit sie sich gleichförmig mit der Stange e bewegen.

In Fig. 11 ist die kleine Maschine in etwas größerem Maaßstabe und in Fig. 12 von der Seite abgebildet. h ist der zu deren
Bewegung dienende Hebel; wäre dieser so lang, daß er durch die
große Maschine reichte, so würde ihm der Tretschämel nicht Bewegung genug mittheilen; er ist daher mit einem anderen Hebel i, der
durch einen hinter dem Weber befindlichen Tretschämel in Bewegung
gesezt wird, in Verbindung gebracht. Der Hebel h treibt die Rolle
oder Scheibe j um, und diese hebt durch eine um sie geschlungene
Schnur k den Lüpfrahmen l, der in Fig. 12 nur durch punktirte Linien angedeutet ist, empor. Wenn dieser Rahmen die geeigneten
Haken aufgenommen hat, so ist die Schnur m in solchem Grade gespannt, daß sie das obere Ende n, welches aus der Lade o hervorragt, nach Einwärts zieht. Die Lade o ist an den Zapfen p, p aufgehängt; sie bewirkt auch, daß die Stange e um den vierten Theil
eines Umganges umläuft, indem der Haken q die eine Eke der Stange
erfaßt, während der übrige Theil derselben ausgeführt wird. Eine
an der Lade o angebrachte Feder treibt dieselbe zurük, sobald der
Tretschämel emporsteigt; sie drükt auch den nächsten Pappendekel
gegen die Nadeln oder Drähte, wobei zugleich jene Drähte, deren
Haken nicht emporgehoben werden sollen, zurükgetrieben werden. '

Man kann in diesen Maschinen je nach den in ihnen zu ver-
fertigenden Zeugen nur eine oder auch zwei und vier Reihen von Lüpf-
haken anbringen. In Fig. 10 sieht man nur 16, sämmtlich in einer
Reihe befindliche Haken; in Fig. 11 sind deren 26 in einer Reihe
angebracht, und in Fig. 13 sieht man vier solcher Reihen.

An den früheren Maschinen waren in jede der vier Seiten der
umlaufenden Stangen so viele Löcher gebohrt, als Drähte vorhanden
waren, und zwar in so vielen Reihen, als Reihen von Haken bestanden. Hr. Roote hingegen schneidet, anstatt für jede Reihe
einzelne Löcher zu bohren, in der Tiefe, welche diesen Löchern gegeben
zu werden pflegt, eine fortlaufende Fuge oder einen Falz in das

Prisma. Die Folge hievon ist, daß sich die Musterkarte nicht nur leichter an die Drahtenden adjustiren läßt, sondern daß auch die Mühe erspart wird, die man sonst darauf zu verwenden hatte, daß die Löcher genau gleiche Entfernung von einander bekamen. In Fig. 10 ist in jede Seite der Stange oder des Prisma's e nur eine einzige solche Fuge geschnitten; in Fig. 11 sind ihrer zwei und in Fig. 12 ihrer vier angebracht. Der Lüpfrahmen l,l schiebt sich wie gewöhnlich in dem äußeren Rahmen in Falzen. In Fig. 12 sieht man die Stangen mit punktirten Linien unter jenen Haken angedeutet, welche sie aufzuheben haben. In Fig. 13 sieht man vier der Haken und nur zwei der horizontalen Drähte oder Nadeln (medles) mit den Federn r,r, welche die Enden dieser Drähte gegen die Stange e treiben. In Fig. 14 ist eine dieser Nadeln von Oben abgebildet, woraus man den Bug s, gegen den sich die Feder r stemmt, ersieht. Durch den Bug t ist ein kleiner Draht geführt, damit die Nadeln oder Drähte nie durch die Federn r,r zu weit vorwärts getrieben werden können, sondern stets in der Latte u festgehalten werden. Die in Fig. 10, 11 und 12 ersichtlichen Schrauben v,v dienen zur Adjustirung der umlaufenden Stange e, damit diese genau den Drähten entspreche. An diesen Schrauben befinden sich auch die Schraubenmuttern g, g, durch welche die zur Spannung des Pappendeckelbandes dienende Stange g läuft. Die Endadjustirung der umlaufenden Stange e wird mit Hülfe der Schrauben p,p vollbracht. Der untere Haken w dient lediglich zum Zurükführen des Pappendeckelbandes, damit auf diese Weise die vollbrachte Arbeit wieder aufgelöst werden kann, wenn dieß durch irgend einen Zufall nöthig werden sollte. Um dieß zu bewirken, wird das Band durch eine von dem Schwanze des Hakens q auslaufende Schnur außer Berührung mit der umlaufenden Stange gesezt, während der Haken w durch den Draht, der die beiden Haken q.w miteinander verbindet, damit in Berührung gebracht wird. Hieraus folgt, daß die Stange e durch dieselbe Bewegung des Tretschämels, die sie vorher nach der einen Seite oder nach Vorwärts umlaufen machte, nunmehr nach Rükwärts umgetrieben wird; und daß der Arbeiter also durch Umkehrung der Bewegung des Pappendeckelbandes im Stande ist das Gewebe wieder aufzulösen, bis er an die Stelle, wo der Fehler begangen wurde, gelangt.

Die hier beschriebene Maschinerie enthält wie gesagt 24 Schäfte d, d, die zu dreien mittelst acht Paar Lüpf- oder Bindschnüren c,c mit der kleinen Maschine in Verbindung stehen. Die Kette ist an allen diesen 24 Schäften festgemacht, und diese sind sämmtlich, aber nicht in Reihen sondern einzeln und mittelst 24 Paar Bindungsschnüren x,x mit der größeren Maschine in Verbindung gebracht. Die Kette kann demnach auf dreierlei Weise aufgehoben werden, und zwar 1) mit Hülfe der Schäfte und der kleinen Maschine in 8 Theilen; 2) mit Hülfe der Schäfte und der großen Maschine in 24 Theilen; und 3) mit Hülfe der großen Maschine und ohne Schäfte in den gewöhnlichen wandelbaren Theilen.

Die Löcher der Pappendekel und die Haken, womit die große Maschine die Schäfte aufhebt, sind absichtlich außerhalb den übrigen Reihen angebracht, damit sie besser paarweise vertheilt werden können, und auch damit die Gewichte gleichmäßig an dem Lüpfrahmen erhalten werden.

Fig. 15 ist eine seitliche Ansicht des Stuhles und eine Endansicht der Schließlatte. Man sieht die 24 Paar Lüpfschnüre x,x getheilt, und zwar zur Hälfte nach Rechts und zur Hälfte nach Links, so daß sie durch Haken, welche sich zu beiden Enden des Rahmens b befinden, aufgehoben werden. c,c sind die von der kleinen Maschine herführenden Lüpfschnüre, von denen die eine hinter der anderen verborgene Hälfte an das andere Ende der Schließlatte läuft. Die Punkte c deuten an, wo sich diese Schnüre in drei Theile theilen, um unmittelbar über der Schließlatte a an die Schnüre x,x,x zu gelangen, wie dieß aus Fig. 17 erhellt. Je höher oben die Theilung Statt findet, um so geringer wird die Divergenz seyn. d,d sind die Enden der 24 Schäfte und y,y stellt die Kette vor. b sind die gewöhnlichen Lüpfschnüre des Jacquard=Stuhles, welche sich zwischen den außerordentlichen Schnüren befinden. In Fig. 16 sieht man zwei Lüpfschnüre x und c, welche von den beiden Maschinen aus gegen die Schließlatte laufen, sich unmittelbar über dieser miteinander vereinigen, und dann durch das Ende eines Schaftes d gehen. b,b,b sind drei der gewöhnlichen Lüpfschnüre, von denen eine aufgezogen ist; es befinden sich an ihnen Schlingen, durch die der Schaft läuft; sie können daher einzeln aufgezogen werden, obschon sie, wenn ein Schaft von beiden Maschinen emporgehoben wird, sämmtlich miteinander aufgezogen werden.

Wenn in der hier beschriebenen Maschine ein einfarbiges Muster in einen Grund von einer anderen Farbe gewebt werden soll, so müssen die Tretschämel abwechselnd in Bewegung gesezt werden; hat das Muster zwei Farben, so muß der Tretschämel der großen Maschine zwei Mal getreten werden, während jener der kleinen nur ein Mal getreten wird; und hat das Muster vier Farben, so kommen vier Bewegungen des ersteren auf eine des lezteren. Wenn eine Farbe im Muster ausgeht, so läutet eine Gloke; und wenn sämmtliche Farben ausgehen, so wird bloß die kleine Maschine zur Erzeugung des Grundes in Thätigkeit gesezt. In Fig. 10 zeigt y, y die Stellung der Kette; z, z sind die angehängten Gewichte.

LIV.

Beschreibung eines verbesserten Stuhles zur Brocatweberei; von Hrn. W. Rooke, Bethnal-Green, Union Street. [47]

Aus den Transactions of the Society of Arts. Vol. L. P. II. S. 77.
Mit Abbildungen auf Tab. IV.

Der verbesserte Stuhl, der hier beschrieben werden soll, beseitigt, indem gerade nur so viel Seide verarbeitet wird, als zur Erzeugung des Musters nöthig ist, den Verlust an Material, der sonst gewöhnlich bei der Brocatweberei Statt fand. Er gewährt aber außerdem auch noch einen anderen Vortheil: bei der alten Methode wird nämlich der Grund, besonders wenn es ein heller oder leichter ist, durch das Durchscheinen der zu den Mustern verwendeten Farben mehr oder weniger beeinträchtigt; nach der neuen Methode hingegen behält der Grund seine vollkommene Reinheit, indem nichts von den Farben der Muster oder Figuren darin zu bemerken ist. Man hat zwar gegenwärtig diesen Glanz und diese Reinheit der Figuren sowohl als des Grundes dadurch zu erzielen gesucht, daß man die Schüzen für jede Figur besonders warf; da jedoch die neue Maschine so viele Schüzen, als in dem Fabricate der Quere nach Figuren vorkommen, auf ein Mal wirft, so bedingt sie eine große Ersparniß an Zeit.

Fig. 18 zeigt diese Maschine in der Perspective; in Fig. 19 sieht man sie vom Ende her betrachtet.

Bei der Brocatweberei werden bloß jene Theile der Kette, die zu den Figuren gehören, aufgezogen; anstatt jedoch unter allen diesen Theilen nur eine einzige Schüze durchzuwerfen, wie es gewöhnlich geschieht; oder anstatt so viele einzelne Schüzen zu werfen, als Figuren vorhanden sind, hängt Hr. Rooke über der Kette den Rahmen a, a auf, der zwei Mal so viele Schüzen enthält, als in der Breite des Brocates Figuren vorkommen. Dieser Rahmen hängt von zwei parallelen Latten b, b, die mit Stiften an dem Querholze c festgemacht sind, herab. Einen der Zapfen dieses lezteren sieht man bei d. An dem entgegengesezten Ende der Latten b, b sind die Gewichte e, von denen nur eines abgebildet ist, aufgehängt; sie sind etwas schwerer als der Rahmen a, und ziehen daher diesen in die Höhe, so daß ihn der Weber, wenn er seiner bedarf, mit der Hand gegen

---

47) Die Society of arts erkannte Hrn. Rooke für diesen verbesserten Webstuhl einen Preis von 5 Pfd. Sterl. zu.   A. d. R.

die Kette herabziehen muß. In diesem Rahmen befinden sich so viele Oeffnungen oder Fenster f, f, als in der Breite Figuren vorkommen sollen. Diese Oeffnungen nehmen die aufgehobene Seide auf, während die Schützen g.g weit genug herabgelassen sind, um unter den betreffenden Kettentheilen durchgeworfen zu werden. Der Rahmen enthält eine doppelte Schützenreihe: nämlich die eine vorne, die andere am Rüken; beide Reihen gleiten in Falzen n, n, welche in der Nähe des unteren Endes in den Rahmen geschnitten sind. Die Schiebstange h, h, welche sich mittelst ihres Knopfes i bewegen läßt, wirft die Schützen hin und her, zu welchem Zwecke von ihr aus die gebogenen Drähte j, j herabsteigen. k ist der Knopf, der zur Bewegung der hinteren Schiebstange l, an welcher ebenfalls solche Drähte m angebracht sind, dient. Die Schützen werden also auf ähnliche Weise wie in dem Bandwebestuhl geworfen; und bei der Anwendung zweier Reihen von Schützen ist man im Stande in jeder Figur zwei Farben zu weben, da jede Figur ihre eigenen Schützen hat.

In Fig. 19 bezeichnet die Linie o, o einen Theil der aufgezogenen und p, p die nicht aufgezogene Kette. Die Schützen g, g müssen so lang seyn, daß sie durch den Raum f reichen und in den gegenüberliegenden Falz n eintreten, bevor sie den Falz, in welchem sie sich früher bewegten, verlassen. Da die Figuren nicht weiter brocatirt werden können, als die Räume f, f, so werden die glatten Stellen in dem Fabricate beinahe die doppelte Breite der Figuren bekommen. Man kann diesen jedoch durch Einwirken einer anderen Farbe eine größere Breite geben; so kann man z. B. wenn Blumen brocatirt worden, denselben Blätter von irgend einer Breite beifügen. Während eine Reihe von Figuren brocatirt wird, fällt eine mit dem Rahmen a verbundene Latte r in einen in der Lade befindlichen Ausschnitt herab, wodurch der Rahmen genau über den Figuren erhalten wird; ist jedoch eine Reihe vollbracht, so wird der Rahmen a halben Weges bewegt, um die nächste Figurenreihe in die Mitte oder den früher leer gelassenen Räumen gegenüber zu bringen. Damit diese Bewegung möglich wird, ist den parallelen Latten b, b gestattet, sich um die Stifte q, q zu bewegen; dabei hebt man die Latte r aus, um sie in gehöriger Entfernung in einen anderen Ausschnitt der Lade einfallen zu lassen. Ist auch diese Reihe vollendet, so bringt man den Rahmen wieder in die Stellung zurück, die er früher hatte, wo dann die Arbeit wieder von Neuem beginnt.

LV.

Beschreibung des von Hrn. P. Taffin in Paris erfundenen Apparates zur Reinigung der Bettfedern, Flaumen, Wollen und Roßhaare. [48]

Aus dem Journal des connaissances usuelles, Jan. 1837, S. 31.

Mit Abbildungen auf Tab. IV.

———

Man pflegte die Bettfedern seit undenklichen Zeiten dadurch zu reinigen, daß man sie in wärmeren Ländern der Sonne, in kälteren hingegen der künstlichen Wärme eines Ofens aussezte; und daß man sie hierauf mit Stäbchen klopfte, theils um sie von den ihnen anhängenden fettigen Häutchen, theils auch von den allenfalls eingenisteten Insecten zu befreien. Parmentier zeigte in einer Abhandlung, welche er diesem Gegenstand widmete, welchen nachtheiligen Einfluß das Bettzeug, wenn es nicht rein und unverdorben ist, auf die Gesundheit haben kann, und schlug daher mehrere Mittel vor diesen zu steuern. In England fühlte man dasselbe Bedürfniß; und natürlich gab dieß auch daselbst Anlaß zu mehreren Vorschlägen. Dazu gehört z. B. die Reinigungsmethode, auf welche Madame Richardson ein Patent nahm, und die darin besteht, daß man die Federn drei bis vier Tage lang in Kalkwasser einweicht und dann nach dem Troknen wie gewöhnlich klopft. Dieses Verfahrens bedient man sich auch seit Jahren im Hôtel-Dieu in Paris. [49]

Hr. Taffin hat nun aber in neuester Zeit einen Apparat erfunden, der den fraglichen Zwek auf das Vollkommenste erfüllt, und der daher die allgemeine Aufmerksamkeit in hohem Grade verdient. Die Erfindung ist um so merkwürdiger, als Hr. Taffin, der sich bisher lediglich mit Handelsgeschäften abgab, auf die Anwendung des Dampfes kam, ohne vorher zu wissen, daß dieses Agens die Eigenschaft besizt die Gerüche zu benehmen.

Wir schreiten sogleich zur Beschreibung dieses Apparates, den man in Fig. 1 abgebildet sieht.

Von dem doppelten, aus Baksteinen gebauten und mit zwei Registern versehenen Ofen A laufen zwei Röhren C, C aus, welche,

———

48) Wir finden uns durch mehrfache Anfragen veranlaßt, den Apparat des Hrn. Taffin, auf den wir in unserer Zeitschrift Bd. LVIII. S. 437 nur hinwiesen, nunmehr in der kleineren Abbildung, welche uns seither zu Handen kam, und die dennoch vollkommen genügt, bekannt zu machen.   A. d. R.

49) Wir haben dieses Verfahren schon im XIV. Band unserer Zeitschrift S. 119 ausführlich beschrieben, und machen sowohl hierauf, als auf die Reynold'sche Maschine zum Reinigen der Bettfedern, Bd. LVI. S. 151, aufmerksam.   A. d. R.

nachdem sie sich in eine einzige vereinigt, den Rauch nach Außen
führen. In dem Ofen selbst sind zwei kupferne Kessel D, D' unter=
gebracht, von denen der eine etwas größer als der andere ist, und
auf denen die beiden Helme E, E firirt sind. Die Hähne F, F die=
nen zum Entleeren dieser Kessel, während die gläsernen Röhren G, G
die Höhe des Wasserstandes in denselben anzeigen. H ist die Spei=
sungsröhre für den Kessel.

Ueber dem Ofen ist der zur Verdichtung des Dampfes dienende
Behälter J angebracht, in welchen das Wasser durch eine Röhre K
geleitet wird. L ist eine Röhre, durch welche der Wasserbehälter J
gefüllt wird, wenn man die Handpumpe N in dem Wasserbottiche M
spielen läßt.

Die Röhre O leitet das Wasser in den Verdichter, die Röhre P
hingegen dient zur Ableitung des im Behälter und im Verdichter
entstandenen Dampfes.

Q ist die äußere Hülle des großen zur Reinigung der Federn rc.
dienenden Cylinders, der einen mit 8 Armen versehenen Häspel, wo=
durch die Federn umgetrieben und geklopft werden, enthält. An den
beiden Enden der Welle dieses Cylinders sind die zum Umtreiben
dienenden Kurbeln U, U angebracht. V ist der vordere und X der
hintere doppelte Boden des Cylinders; lezterer ist mit einer Thüre
mit zwei Griffen versehen, bei der die gereinigten Federn herausge=
nommen werden. Die gekniete Röhre Y führt den Dampf aus dem
Kessel in die doppelte Hülle des Cylinders; von ihr läuft die kleinere
Röhre Z aus, durch die der Dampf in das Innere des Cylinders
gelangt. Oben am Scheitel des Cylinders ist eine Röhre A' firirt,
welche die aus den Federn entwikelten übelriechenden Dämpfe in ein
Schlangenrohr leitet, welches in dem Kühlgefäße B' untergetaucht
ist. C ist das Sicherheitsventil für den Cylinder.

Die Röhren E', E' leiten einen Theil des zwischen den Hüllen
oder Gehäusen enthaltenen Dampfes in die doppelten Böden V, X,
die nur durch diese Röhren mit dem zwischen den beiden Cylindern
befindlichen leeren Raum communiciren. Die Röhre F' leitet den
überschüssigen Dampf in den Behälter J zurük, in welchem er ver=
dichtet wird; von ihr läuft die Röhre G' aus, welche in die Röhre
I' einmündet. Leztere hat den Dampf der Röhre F' in den kleinen
Apparat H' zu leiten, wenn man sich des kleineren Kessels D' nicht
bedienen will. Von diesem Kessel läuft eine gebogene Röhre J' aus,
welche den Dampf in den kleinen Cylinder Q' leitet, der in Allem
dem großen Cylinder ähnlich und auf einem Boke angebracht ist.

Eine zweite von der Röhre F' auslaufende Röhre J' leitet den
Dampf unter den doppelten Böden eines großen, hölzernen, auf ein

Mauerwerk gesezten Bottiches K', der zur Aufnahme der Wollen und Roßhaare dient. Von dem kupfernen Dekel L', der mit Klammern auf diesem Bottiche festgemacht ist, läuft eine Röhre M' aus, in der die übelriechenden, aus den Wollen oder Roßhaaren emporsteigenden Dünste in ein Schlangenrohr gelangen, welches in dem mit einem Hahne N' versehenen Kühlfasse O untergetaucht ist.

Die von dem Behälter J ausgehende gekniete Röhre P' leitet den in lezterem erzeugten Dampf in den kleinen Cylinder Q, es läuft aber von dieser Röhre P' auch noch die Röhre R' aus, die den überschüssigen Dampf in den Bottich K' leitet, im Falle man sich bloß des kleinen Kessels zur Speisung des kleinen Apparates Q' und des Bottiches K' bedient.

Der Hahn S' wird geöffnet um den Kessel mit Wasser zu speisen; die Hähne T', T' hingegen dienen zum Entleeren der Behälter. Der kleine, an der Speisungsröhre L des Behälters J befindliche Hahn wird geöffnet, wie man die Pumpe N spielen zu lassen beginnt; geschlossen wird er dagegen, so wie eine hinlängliche Menge Wasser in den Behälter gelangt ist, wo man dann den Hahn V' öffnet um den Verdichter mit Wasser zu speisen.

Die mit Schrauben und Schraubenmuttern angezogenen Stege K'' dienen zum Festhalten der doppelten Böden V, X an dem Cylinder. Durch Oeffnen des Hahnes G'' läßt man die aus den Federn entwikelten übelriechenden Dämpfe in das Schlangenrohr B' übergehen, damit sie endlich verdichtet bei dem Hahn H'' abfließen. Bei dem Hahne I'' läßt man das zwischen den Hüllen des Cylinders durch Verdichtung des Dampfes entstandene Wasser abfließen. Der Hahn I''' endlich läßt, wenn man ihn öffnet, Dampf in die doppelte Hülle des Cylinders eintreten, damit man diesen beim Beginnen der Operation auf diese Weise erhizen kann.

Der hier beschriebene Apparat arbeitet nun auf folgende Weise.

1) **Reinigung der Federn.** Wenn man eine bestimmte Quantität Federn hat, die auf ein Mal gereinigt werden sollen, so schüttet man sie, wenn sie sämmtlich von gleicher Beschaffenheit sind, in den Trichter Y', durch den sie in den großen Cylinder gelangen. Man zündet dann unter dem Kessel D, nachdem man ihn vorher durch Oeffnen des Hahnes S mit Wasser gefüllt hat, ein Feuer an. In dem Maaße als sich hierauf Dampf entwikelt, strömt derselbe durch die Röhre Y bis zu dem Hahne V', durch den er, nachdem man ihn geöffnet, in den zwischen den beiden Gehäusen V, X befindlichen leeren Raum eintritt, indem er die Röhren E' durchströmt. Ist dieß der Fall, so erwärmt der Dampf das Innere des Cylinders und zerstört dadurch die allenfalls in den Federn enthaltenen Motten

und sonstigen Insecten. Damit sich die Wärme gleichmäßiger verbreite, treibt man die Federn durch Umdrehen der Flügel oder Arme des Haspels mittelst der Kurbeln U, U nach allen Richtungen herum; und wenn die Federn auf diese Weise beiläufig eine Viertelstunde lang der Einwirkung der Wärme ausgesezt gewesen sind, so läßt man, indem man den Hahn der Röhre V' öffnet, unter Fortsezung der Bewegung der Kurbeln Dampf in das Innere des Cylinders eintreten. Während dieß geschieht, steigen die aus den Federn sich entwikelnden Dämpfe durch die Röhre A' empor, um sich in das Schlangenrohr zu begeben, und nachdem sie daselbst verdichtet worden sind, bei dem Hahne H'' auszutreten. Vor dem Schlusse der Arbeit unterbricht man den Eintritt des Dampfes in das Innere des Cylinders, und läßt die Federn, bevor man sie herausschafft, noch einige Zeit im Apparate, damit die in ihnen enthaltene Feuchtigkeit verdünste. Man findet die Federn dann hinreichend gereinigt, so daß sie nur mehr gehörig getroknet zu werden brauchen.

2) Reinigung der Wollen und Haare. Man legt die zu reinigenden Wollen und Haare schichtenweise und mit dazwischen gelegten lokeren Tüchern auf den durchlöcherten Boden des Bottiches K, und fährt damit fort, bis der Bottich gefüllt ist. Ist dieß der Fall, so verschließt man ihn mittelst des Dekels L', den man mit eisernen Klammern befestigt, und läßt, indem man den Hahn P öffnet, durch die Röhre R' Dampf unter den doppelten Boden des Bottiches treten. Der Dampf durchdringt die Wollen- und Haarmasse, scheidet die Unreinigkeiten aus ihr ab, und verdichtet sich endlich zu einer stark gefärbten übelriechenden Flüssigkeit, welche sich unter dem doppelten Boden ansammelt und abgelassen werden kann. Die emporsteigenden übelriechenden Dämpfe gelangen durch die Röhre M' in das in dem Fasse O befindliche Schlangenrohr, in welchem sie sich verdichten. Wenn die Operation so lange gedauert hat, als es zur Reinigung der Wolle nöthig ist, so nimmt man diese heraus und troknet sie.

Ein Liter der verdichteten stinkenden Dämpfe gab durch Verdünstung im Marienbade vier Gramme vegetabilisch-animalische Substanz, und das übergegangene Destillationswasser enthielt eine bedeutende Quantität einer noch stinkenderen Substanz.

Die Federn kommen, wenn sie auch noch so schmuzig und zusammengeballt sind, doch ganz rein und geruchlos aus dem Apparate, und nehmen nach der Reinigung einen 3 bis 4 Mal größeren Raum ein als vorher. Ob sie, wie man sagt, später nicht mehr so leicht stinkend werden, wie vorher, darüber besizen wir noch keine genügenden Erfahrungen. Jedenfalls ist so viel gewiß, daß diese Reinigungs-

methode mehr Garantien darbietet, als irgend eine der bisher gebräuchlichen.

LVI.
Beschreibung der Mannhardt'schen Schraubstöke.
Mit Abbildungen auf Tab. IV.

Die im polytechnischen Journal Bd. LXIII. S. 342 erschienene
Beschreibung des Patentschraubstokes der HH. Chalken und Bonham veranlaßt mich eine Beschreibung zweier Schraubstöle mitzutheilen, von denen ich glaube, daß sie noch wenig bekannt sind, obwohl sie der Verfertiger, unser in der Verbesserung der Werkzeuge
so hoch verdienter Mechaniker Mannhardt in München schon seit
dem Jahre 1827 in seiner Werkstätte eingeführt hat.   Die HH.
Chalken und Bonham haben durch ihre Kugelbewegung zwar
eine längere Dauer der Schraube erhalten, aber in Hinsicht der
Festigkeit stehen diese Art Schraubstöle unserer älteren Einrichtung
bei weitem nach; indem durch die Kugelbewegung das seitliche Verschieben der Gebisse nur noch mehr begünstigt wird, wenn der Schraubstok durch nichts anderes als durch die zwei schmalen Charniere zu-
sammengehalten wird.

Beschreibung der Mannhardt'schen Schraubstöke.

An dem hinteren Theile der Hülse oder Schraubenmutter a
Fig. 20, in welche das Gewinde nicht wie gewöhnlich eingelöthet,
sondern eingeschnitten ist, befinden sich zu beiden Seiten halbe Cylinder b, die mit dem Hülsenkopfe ein Stük ausmachen und um welche
sich die Hülse wie um eine Achse in entsprechenden Vertiefungen
drehen kann.

Spindel und Hülse sind durch Einsezen hart gemacht.   Die Kugel c ist von hartem englischem Stahl; sie wird auf die Schraube
nur aufgeschoben und bewegt sich in einem Messingstüke d, welches
mit zwei Schrauben aufgeschraubt wird.

Das Vordertheil e des Schraubstokes bewegt sich vollkommen
passend zwischen zwei Seitenplatten f, f, welche durch mehrere Nieten
mit dem Hintertheil gleichsam zu einem Ganzen verbunden sind;
diese Platten sind mit ausgezeichnetem Fleiße gearbeitet und besizen
daher eine Festigkeit, welche nichts mehr zu wünschen übrig läßt.

g ist ein Dekel, um das Hineinfallen der Späne zu verhindern.

Bei großen Schmiedeschraubstöken kommt es öfters vor, daß
lange Stangen in senkrechter Richtung eingespannt werden müssen;
haben diese Stangen nun eine bedeutende Breite, so steht gewöhnlich

die Schraube hindernd im Wege.　Hr. Mannhardt hat nun diesem Uebelstande dadurch abgeholfen, daß er den Schraubstok schief stellte (Fig. 21); obgleich aber hiebei der Druk der Schraube einseitig ist, so hat doch Hr. Mannhardt eine vollkommene Festigkeit dadurch erreicht, daß er erstens das untere Ende des Vordertheiles in einen Hebel h auslaufen ließ, welcher sich zwischen den Seitenplatten f, f vollkommen schließend bewegt; und zweitens indem er an der Scheere k eine Zunge l anbrachte, welche sich in einer seitlich am Vordertheile befindlichen Falze p bewegt, so daß durch diese zwei Theile, wenn sie fleißig ausgeführt sind, das seitliche Verschieben des Gebisses vollkommen verhindert wird.

Die Feder m ist an dem Bügel n, welcher mit den Seitenplatten f ein Ganzes ausmacht, von Unten aufgeschraubt.

Die Schraube ist mit Kugelbewegung, wie beim vorher beschriebenen Schraubstok eingerichtet.

Durch diese verbesserte Einrichtung und erforderliche fleißigere Ausführung wird zwar der Anschaffungspreis dieser Werkzeuge bedeutend erhöht, dafür aber auch die Dauer derselben ungemein verlängert, so daß dieser Mehrbetrag durch das Wegfallen der beständigen Reparaturen in der kürzesten Zeit ersezt wird.

B. Seelinger.

LVII.

Ueber ein Mittel zur Fortpflanzung continuirlich kreisförmiger Bewegungen.

Mit Abbildungen auf Tab. IV.

Die bisher bekannten Mittel, continuirlich-kreisförmige Bewegungen fortzupflanzen, sind: Räderwerk, Räder mit Ketten, Rollen mit Schnüren, und Scheiben mit Bändern. — Bei Anwendung eines Krummzapfens an der treibenden und an der getriebenen Achse könnte man nicht mit Sicherheit auf eine richtige Fortpflanzung der Bewegung rechnen.　Denn sollte die Zugstange, wenn die Bewegung anhebt, zufällig in der Verbindungslinie der beiden Achsen liegen, so ist es ungewiß, ob die getriebene Achse sich rükwärts oder vorwärts bewegen wird, und sie wird eher rükwärts gehen als vorwärts, abgesehen davon, daß wenn Kraft und Widerstand bedeutend ist, in einer solchen Stellung die ganze Maschine dem Zerbrechen ausgesezt ist. — Wenn an jeder Achse zwei Krummzapfen angebracht und im rechten Winkel gegeneinander gestellt sind, ist die Fortpflanzung der Bewegung zwar sicher, indem in jeder Stellung der Achsen, die eine oder die andere, oder beide Verbindungsstangen (Stelzen) außerhalb der Achsenlinie fallen, folglich an einem Hebelarm von mindestens ⁷⁄₁₀ der Krummzapfenlänge ziehen oder schieben. Eben der Umstand aber, daß die Verbindungsstangen bald ziehen, bald schieben müssen, macht dieses Mittel, continuirlich=kreisförmige Bewegungen auf große Entfernungen, besonders in wagerechter Richtung fortzupflanzen, schwer anwendbar, indem die Stangen entweder durch ihre eigene Stärke, oder durch Zwischenunterstüzungen gegen das Biegen geschüzt seyn müssen.

Hr. Theobald Böhm, königl. Hofmusicus und privilegirter Instrumentenmacher in München, hat folgende Anordnung erdacht, durch welche auch diese Schwierigkeit beseitigt ist: ⁵⁰)

A und B (Fig. 9) sind zwei Räder oder gleichseitige Dreieke, wovon A durch seine Achse a eine Maschine in Bewegung sezt, hingegen B durch seine Achse b die ausübende Kraft erhält und sie mittelst der Verbindungsdrähte C dem oberen Rade A mittheilt. Diese Drähte, mindestens drei, müssen gleich lang seyn, und an ihren Enden Ohren haben, durch welche sie mittelst Schrauben an den gleich entfernten Punkten vom Mittelpunkte der Räder befestigt werden, so daß die Schrauben beim Umdrehen die Achsen der Drähte bilden. Wenn die Stellung der Räder vertical ist, so müssen sie in horizontaler Richtung so weit von einander gerükt werden, daß der Draht d, welcher mit dem Schraubenkopf e durch die Drehung in eine Linie kommt, denselben nicht berührt.

Da diese Drähte bloß ziehend wirken, so übt selbst ein sehr dünner Draht sehr große Kraft aus, wenn die Radien gehörig lang sind, und die Einfachheit und Leichtigkeit dieser Bewegung macht sie zu vielen Zweken sehr brauchbar. Es ist nun noch zu bemerken:

1) Daß diese Methode der Bewegungsfortpflanzung nur da anwendbar ist, wo der Zwek eine gleiche Umdrehungszeit und die parallele Lage der beiden Achsen zuläßt, was auf den ersten Anblik einleuchtet. Oft wird sich aber durch ein einfaches Zwischengetriebe die gewünschte Veränderung in der Umdrehungszeit oder Richtung wohlfeiler und mit mehr Krafterſparung bewirken laſſen, als bei der Anwendung der bisher bekannten Methoden.

2) Bei bedeutenden Kraftäußerungen und auf beträchtliche Di=

---

50) Hrn. Böhm's sinnreiche Methode zur Fortpflanzung kreisförmiger Bewegung hat, wie man aus der unten folgenden Mittheilung des Hrn. Heilmann ersieht, in englischen und französischen Fabriken bereits eine sehr vortheilhafte Anwendung gefunden. Dieß veranlaßte uns lezterer Abhandlung diese Notiz aus dem Kunst= und Gewerbeblatt des polytechnischen Vereins ir. Bayern, S. 20, 1834, voranzuschiken, welche im Wesentlichen auch in die Transactions der Society of Arts überging.   A. d. R.

stanzen können Schnüre und Bänder nicht wohl angewendet werden. In solchen Fällen ist daher nur die Wahl zwischen den Stirnrädern, die unmittelbar oder mittelst Ketten in Verbindung stehen, und dieser neuen Methode. Wohlfeilheit und ruhiger Gang sind die Eigenschaften, welche der lezteren vor den ersteren der eben genannten Mittel den Vorzug geben werden, besonders wenn die Bewegung langsam ist.

3) Es ist zur Erzielung eines ruhigen Ganges bei bedeutendem Widerstande wichtig, daß die Verbindungsstangen immer gleich angespannt sind. Jeder geübte Mechaniker wird Anordnungen zu treffen wissen, damit die Spannung sogleich wieder hergestellt werden kann, wenn sie etwa durch Auslaufen der Pfannen verloren gegangen seyn sollte.

4) Um die Größe der Ersparung einiger Maßen zu übersehen, darf nur angeführt werden, daß, um z. B. die Arbeit eines Pferdes fortzupflanzen, bei drei Zugstangen, einer Umdrehungszeit von 30 Secunden, und bei einer Länge des Krummzapfens von 4 Fuß, ein Durchmesser von ⅓ Zoll für eiserne Zugstangen und 2 Zoll ins Gevierte für Zugstangen aus gutem Tannenholz vollkommen genügen.

LVIII.

Ueber eine neuerlich in - den Fabriken der HH. Nicolas Köchlin und Comp. in Mülhausen eingeführte Methode die Bewegung mit Eisendrähten fortzupflanzen oder zu übertragen. Von Hrn. Josua Heilmann.

Aus dem Bulletin de la Société industrielle de Mulhausen, No. 48. S. 178.

Mit Abbildungen auf Tab. IV.

Hr. Whitacker, vom Hause der HH. Guérin und Comp., Kardenfabrikanten in Vibion bei Charleville, sprach mir bei seiner Rückkehr von einer ,im Jahre 1833 nach England unternommenen Reise mit größtem Eifer von einer Fortpflanzungs- oder Transmissionsmethode für Bewegung, die er in jenem Lande benuzt sah, und deren Anwendung, wie er glaubte, unter vielen Umständen sehr vortheilhaft werden dürfte. Ich notirte mit die Sache in der Ueberzeugung, daß sich früher oder später Gelegenheit ergeben würde Nuzen aus ihr zu ziehen. Diese Gelegenheit ließ denn auch nicht lange auf sich warten, indem die HH. Nicolas Köchlin und Comp. in einem ihrer Gebäude, in welchem sich keine Triebkraft befand, in deßen Nachbarschaft jedoch eine Seidenspinnerei besteht, eine Maschinenweberei für Seidenstoffe zu errichten gesonnen waren. Es handelte

sich darum, sogleich mit einem Sortimente Webestühlen, zu deren
Betrieb ein bis zwei Pferdekräfte nöthig waren, und die nur im
zweiten Stoke untergebracht werden konnten, einen Versuch anzu=
stellen. Die Bewegung konnte nur in einer Entfernung von wenig=
stens 8 Fuß zwischen den beiden Gebäuden, die überdieß einen Win=
kel von 120 bis 130 mitelnander bildeten, genommen werden; und
um das Maaß der Schwierigkeiten voll zu machen, befand sich die
der neuen Pumpe angewiesene Stelle unmittelbar unter der für die
provisorische Transmission geeignetsten Richtung, welche natürlich die
neuen Bauten nicht beeinträchtigen durfte. Allen diesen Bedingungen
ward nun vermöge der Transmission mit Eisendrähten auf eine so
vollkommene Weise Genüge geleistet, daß es mir zu wahrem Ver=
gnügen gereicht, der Gesellschaft eine Beschreibung und Abbildung
dieser neuen Methode vorzulegen.

Fig. 2 und 3 zeigen den Apparat, so wie ich ihn anfertigen
ließ.

a ist eine an beiden Seiten so im Knie gebogene Welle, daß
sie zwei getrennte Kurbeln von 60° Oeffnung bildet. b eine an der
Verlängerung dieser Welle fixirte Scheibe, an welche der Zapfen c
solcher Maßen geschraubt ist, daß er mit den übrigen Kurbeln in
gleicher Entfernung von dem Mittelpunkte drei excentrische Rotations=
punkte bildet, und daß der Umfang dadurch in drei gleiche Theile,
jeder zu 60° getheilt ist. d, d sind die Hälse der Welle a, die sich
mit der Scheibe b in den in den Stützpfosten e, e angebrachten An=
wellen oder Zapfenlagern bewegt. f, f, f sind Kurbelstüke, welche an
den drei Hälsen der Kurbeln angebracht und mit messingenen Zapfen=
lagern ausgestattet sind. g, g, g endlich sind Schnüre aus Eisendraht,
von denen jede aus 7 Drähten von höchstens ¾ Linien im Durch=
messer besteht, und welche durch einen darum gewikelten achten Draht
zusammen gehalten werden. Die Spannung dieser Drähte kann mit=
telst einer Schraube regulirt werden.

Fig. 7 und 8 geben eine Idee von der allgemeinen Anordnung
des Apparates. Solcher Apparate sind, wie man sieht, zwei nöthig:
nämlich einer an dem Orte, von welchem die Triebkraft ausgeht,
und einer an jenem Orte, an welchem sie ihre Wirkung hervorzu=
bringen hat. Beide Apparate müssen in Hinsicht auf einander voll=
kommen parallel und symmetrisch angebracht seyn: die Scheibe des
einen empfängt von irgend einer Triebkraft her die Bewegung und
die andere gibt sie wieder ab. Die drei Drahtschnüre ziehen nach
einander die drei Kurbeln an, und pflanzen daher die rotirende Be=
wegung auf diese Weise fort, gerade als wenn drei Männer gleich=
mäßig die Kurbeln eines Cylinders oder Mühlsteines zögen.

Was die Richtung der Drähte betrifft, so ist sie ziemlich gleichgültig; sie kann in Hinsicht auf die Stellung der Gebäude eine horizontale, eine senkrechte, eine schiefe oder eine auf irgend eine Weise divergirende seyn. Auch die Entfernung scheint mir einen sehr großen Spielraum zu gestatten, und gerade hierin dürfte eine der schönsten Seiten dieser sinnreichen Communicationsmethode zu suchen seyn. In dem fraglichen Falle beträgt die Länge 85 Fuß; ich würde jedoch keinen Augenblik anstehen sie auf das Doppelte zu erhöhen. Die Drähte treten unter einem Winkel von 20 bis 30° bei einem Fenster des einen Gebäudes aus, und nachdem sie den Zwischenraum in einer Höhe von 20 Fuß über dem Erdboden durchlaufen, bei einem Fenster des anderen Gebäudes unter rechten Winkeln ein.

Der die Bewegung gebende Riemen hat 3 Zoll Breite und eine Geschwindigkeit von 278 Fuß in der Minute; er ist nicht über eine mittlere Kraft hinaus gespannt, so daß seine Transmissionskraft nach der von Hrn. Laborde abgefaßten Tabelle höchstens auf $\frac{1}{2}$ oder $\frac{3}{4}$ Pferdekraft angeschlagen werden kann.

Es wäre unnüz, wenn ich hier auf eine Berechnung der Stärke des anzuwendenden Eisendrahtes eingehen wollte; es genügt daher der Rath, daß man immer über die Dimensionen hinausgehen soll, welche die bekannten theoretischen Tabellen in dieser Hinsicht angeben; und daß man die Länge des Radius, auf den er wirkt, berüksichtigen soll. Unter den Umständen, um welche es sich in dem hier gegebenen Falle handelt, vermöchte der angewendete Draht ohne allen Nachtheil eine Kraft von zwei Pferden zu übertragen, wenn man die Breite der Riemen oder deren Geschwindigkeit in demselben Verhältnisse erhöhte.

Bedingungen des Gelingens dieses Systemes sind:

1) Die Drähte der Drahtschnüre müssen sämmtlich eine gleiche Spannung haben, weil sonst der am meisten gespannte Draht zuerst, dann der nächstfolgende, und so einer um den anderen nachgibt, während bei gleichmäßiger Spannung alle Drähte zugleich arbeiten und keiner nachgibt. Gut ist es die Schnüre aus einem Stük Draht zusammenzusezen, um auf diese Weise das Stükeln zu verhüten.

2) Die Spannung der verschiedenen Drahtschnüre muß ebenfalls so gleichmäßig als möglich seyn. Auch muß sie stark genug seyn, ohne jedoch so weit zu gehen, daß sie die Zapfen erhizt und die Bewegung hart macht.

3) Die Kurbeln müssen ganz genau eine gleiche Entfernung von dem Mittelpunkte der Welle haben; besonders gilt dieß von jenen Kurbeln, die sich an den beiden Wellen gegenseitig entsprechen; bei

wäre dieß nicht der Fall, so würden die Drähte einer Gewalt aus=
gesezt werden, in Folge deren sie brechen könnten.

4) In dem Momente, in welchem man die Eisendrähte anbringt,
müssen die beiden Wellen auf irgend eine Weise solcher Maßen fixirt
werden, daß jede Kurbel der einen genau eben so gestellt ist, wie
die entsprechende Kurbel der anderen. Man braucht zu diesem Zwek
an jeder Welle nur eine der Kurbeln zu beobachten und sich, wenn
die Richtung eine horizontale ist, einer Wasser= oder Sezwaage; wenn
die Richtung hingegen irgend eine Neigung gegen den Horizont hat,
einer Wasserwaage mit entsprechendem Winkel zu bedienen.

Verbesserungen, die sich anbringen ließen, dürften allenfalls fol=
gende seyn.

1) Da die Regelmäßigkeit der gegenseitigen Stellung der Kur=
beln eine der wesentlichsten Bedingungen ausmacht, so muß ich em=
pfehlen, alle diese Punkte einer und derselben Welle gleich von An=
fang an auf unwandelbare Weise zu bestimmen, und das Ganze aus
einem Stüke zu schmieden; denn die Scheibe b und mit ihr also
auch der Zapfen c könnte aus irgend einer Veranlassung oder in
Folge einer Ungeschiklichkeit von Seite des Arbeiters ihre Stellung
verändern, wodurch die Bewegung sehr unvollkommen werden würde.

2) Um durch Verminderung der anormalen Momente der Kur=
beln an Kraft zu ersparen, wäre es gut deren Zahl zu erhöhen, und
ihrer z. B. 4 anstatt 3 anzuwenden. Eine solche Welle wäre nur
um so leichter zu verfertigen, indem deren Theile dann unter rechten
Winkeln, welche auf dem Ambose leichter zu erzielen sind, mitein=
ander correspondiren würden. Man könnte in diesem Falle zwei der
einander diametral entgegengesezten Kurbeln innerhalb zwischen den
beiden Stützen, und zwei außerhalb diesen anbringen. Was die
beste Stellung für die Scheibe betrifft, so ist diese immer in der
Nähe einer Stüze, und zwar entweder innerhalb oder außerhalb die=
ser. (Siehe Fig. 4.)

3) Anstatt der Riemen könnte man leicht auch Zahnräder in
Anwendung bringen.

4) Um größere Einfachheit und Leichtigkeit der Adjustirung zu
erzielen, ließen sich die Kurbelstüke f, f, f auf die aus Fig. 5 ersicht=
liche Art und Weise anfertigen.

5) Wenn die Bewegung eine sehr rasche seyn soll, so dürfte
man die Eisendrähte nicht aus der Fläche, in welcher sie sich befin=
den, kommen lassen. Man könnte die Kurbelstüke zu diesem Zwete
verlängern und mit Führern in Verbindung bringen, wie dieß in

Fig. 6 durch punktirte Linien angedeutet ist. In derselben Absicht
könnte man auch die beiden geknieten Wellen in einander entgegengesezten Richtungen laufen lassen, nachdem man sie vorher zwar nicht
vollkommen gleich, wohl aber symmetrisch geschmiedet hat. Jeder Draht
wird daher an dem einen Ende emporsteigen, während er sich an
dem entgegengesezten Ende nach Abwärts bewegt und in der Mitte
auf einer und derselben Höhe bleibt. Diese Anordnung würde sich
bei großen Entfernungen besser eignen als bei geringen.

6) Endlich wäre, wie ich mich durch einen Versuch überzeugte,
eine wirkliche Verbesserung dadurch zu erzielen, daß an dem Ende
der Transmission ein Flug- oder Schwungrad angebracht würde.
Diesem Rade, welches sich entweder an der Welle der Kurbeln oder
an einer eigenen, zur secundären Transmission dienenden Welle befinden könnte, müßte die Kraft gegeben werden, daß es zwei bis
drei Mal so viel Kraft als übertragen werden soll, ansammelte. Dieses Rad würde auch die Eigenschaft besizen, daß es die Drähte in
gleichmäßigerer Spannung erhält: zum Beweise, daß die Transmission leichter von Statten geht. Man könnte sogar glauben, daß
unter diesen Umständen eine Rükgabe der Kraft von der dieselbe em-
pfangenden oder passiven an die sie mittheilende oder active Welle
Statt findet, was um so vortheilhafter wäre, da sich die Impulse
bei jedem Umgange der Zahl nach verdoppeln würden, gleichsam als
könnten die Drähte ziehen und treiben, während sie doch nur zu ziehen
vermögen.

Ich habe nun nur noch einige der Umstände anzudeuten, unter
denen eine solche Uebertragung sehr große Dienste leisten kann. Dieser Fall wird nämlich jedes Mal eintreten, wenn man ein Gebäude
oder einen Saal benuzen will, welcher von der bestehenden Triebkraft
sehr weit entfernt ist; oder wenn sich diese gar in einem anderen,
durch einen Hofraum, einen Garten, eine Straße oder einen Fluß
davon getrennten Gebäude befindet. Diese Uebertragungsmethode
wird ferner in den Bergwerken wohl weit bessere Dienste leisten, als
die langen hölzernen Spindeln, deren man sich bedient, um die Pumpen in Bewegung zu sezen; es scheint mir sogar, daß man sich in
England dieser Methode bereits zu diesem oder einem ähnlichen
Zwek bedient. Weiter ließe sie sich sehr gut benuzen, wenn an Meeres-
küsten, in Festungen oder anderwärts Terrassirungen und Ausgra-
bungen vorgenommen werden sollen; denn eine in Hinsicht auf die
Arbeiten im Mittelpunkte befindliche Triebkraft könnte in diesem
Falle über einen großen Flächenraum bis auf beträchtliche Entfernungen wirken. Endlich werden sich gewiß auch für die Landwirth-

schaft zahlreiche Fälle ergeben, in welchen man aus diesem sinnreichen Apparate Nuzen ziehen könnte.[51])

LIX.

Ueber die Eisenbahn zwischen Brüssel und Antwerpen. Von Hrn. Jomard, Mitglied des Instituts von Frankreich.

Im Auszuge aus dem Bulletin de la Société d'encouragement, Januar und März 1837.

Die Eisenbahn, welche von Brüssel nach Mecheln führt, ward, nachdem ein Jahr lang an derselben gebaut worden ist, am 5. Mai 1835 eröffnet; ihre Länge beträgt beiläufig 5½ Poststunden. Die Streke von Mecheln bis Antwerpen, welche gegen 6 Poststunden mißt, ward mit dem 3. Mai 1836 eröffnet. Man kann sich nichts Regelmäßigeres denken, als den Dienst auf dieser auf Staatskosten gebauten Bahn; ich befuhr sie zu verschiedenen Stunden und überzeugte mich, daß beständig dieselbe Pünktlichkeit herrschte, und daß die Locomotiven stets auf die Minute in Bereitschaft sind.

Es werden gegenwärtig täglich 5 bis 6 Fahrten, von denen die erste um 7 Uhr Morgens beginnt, gemacht. Die Passagiere werden einige Augenblike bevor das Signal gegeben wird, in die Wagen geschafft; kaum erschallt das Signal, so ist auch schon die Locomotive an den ersten Char-a-bancs gehängt, wo dann nach drei Glokenschlägen der ganze Wagenzug in Bewegung kommt. Die anfangs mäßige Geschwindigkeit nimmt allmählich zu, so daß man gegen 650 Meter auf die Minute rechnet. Die Streke von Brüssel nach Mecheln beträgt 22,000, jene von Mecheln nach Antwerpen 23,900 Meter, in Summa also 45,900 Meter.

Die Bahn durchschneidet eine große Anzahl größerer und kleinerer Wege, Canäle, Flüsse und Bäche jeder Größe; die Zahl der lezteren beläuft sich auf nicht weniger als 28, jene der ersteren auf 36. Dessen ungeachtet sind alle diese Kreuzungen à niveau geführt; und man hielt es nicht für nöthig jene Kunstwerke vorzuschreiben, die die Führung der Bahn über den älteren Communicationslinien hinweg oder unter denselben hindurch (eine höchst lästige, den französischen Gesellschaften auferlegte Bedingung) erheischt hätte. Da-

---

51) Hr. Pierre Thierry erstattete der Société industrielle in Mülhausen einen sehr günstigen Bericht über obige, von Hrn. Heilmann beschriebene und verbesserte Transmissionsmethode. Sie ist bereits in zwei Fabriken, welche sich in der Nähe jener gewerbfleißigen Stadt befinden, im vollen Gange.

X. d. R.

gegen wird aber auch die Polizei auf der Bahn ganz musterhaft gehandhabt. Alle drei Minuten, d. h. alle halbe Stunden, begegnet man einem Wächter; Niemand darf sich auf der Bahn bliken lassen, die deßfallsigen Verbote sind an jedem Bahnende an den Barrieren angeheftet. Die auf den Seitenwegen verkehrenden Wagen und Personen passiren während der Zwischenzeiten der Dampfwagenfahrten ohne alle Schwierigkeit über die Schienen; auch nicht Ein Unglüks= fall ist bisher in dieser Hinsicht vorgekommen, ausgenommen, daß ein Mal eine Kuh zur Unzeit auf die Bahn gerieth. Die Stunden sind so gut regulirt; die Geschwindigkeit ist im Allgemeinen so gleich= mäßig, daß die Passage mit Ausnahme einer Viertel= oder einer halben Stunde für jede Dampfwagenfahrt überall frei ist.

Man braucht 28 bis 35 Minuten, um von Brüssel nach Mecheln und 35 bis 45 Minuten, um von da nach Antwerpen zu gelangen. Damit beide Wagenzüge zu gleicher Zeit in Mecheln eintreffen, wird in Antwerpen um 8 bis 10 Minuten früher abgefahren, als in Brüssel.

Die Zahl der Wagons beträgt 10 bis 12, jene der Chars-à-bancs 8 bis 10; jene der Diligencen 3, wozu noch eine oder zwei Berlinen kommen; in lezteren sind Pläze für 6, in den beiden erste= ren für 30 Personen. Bei mehreren Fahrten mußten bereits für 600 Personen Pläze geschafft werden. In den Wagons zahlt man für die ganze Fahrt von Brüssel nach Antwerpen 1 Fr. 20 Cent., wonach gegen 10 Cent. auf die Poststunde kommen; die bedekten Pläze in den Chars-à-bancs kosten 2, jene in den Diligencen 3 Fr. In den mit Leintuch überzogenen und mit Vorhängen ausgestatteten Chars-à-bancs sizt man sehr bequem, doch sind sie minder gut auf= gehängt als die Diligencen und Berlinen, welche Luruswagen von größter Eleganz sind. Die Bewegung in lezteren ist so sanft, daß man sich mit aller Leichtigkeit selbst der Fernröhre bedienen kann; übrigens kann man auch auf den Wagons und Chars-à-bancs ohne Mühe lesen und schreiben.

Man hat gesagt, daß die Ingenieurs Simon und de Ridder, welche den Bau leiteten, mit keiner besonderen Schwierigkeit zu käm= pfen gehabt hätten, sondern daß ihnen ein beinahe nivellirtes Terrain zu Gebot gestanden sey. Allein man darf nicht vergessen, daß die Dyle und die Nethe überschritten werden mußten, und daß mehrere Passagen ein Gefäll von 7 Millimeter per Meter haben, ein Gefäll, welches man in Frankreich nicht zugeben würde. Mehrere Curven sind mit einem Radius von 300 Meter gezogen. Die stärksten Aus= grabungen kamen in der Nähe der Station von Vieux=Dieur vor, wo sie eine Tiefe von beiläufig 4 Meter erreichten. Der größte Bau

an der Bahn ist übrigens die Brüke über die Nethe, welche in der
Nähe des einstigen Wohnsizes des unsterblichen Rubens in 7 Bogen über eine Streke von 61 Metern geführt ist.

Die Bahn zählt drei Stationen: die erste in Vilvorde, die zweite
in Mecheln, und die dritte in Vieur-Dieur: an jeder derselben werden die Leute, die die Fahrt mitmachen wollen, durch Trompeter
hieran erinnert. An der ersten und lezten Station dauert der Aufenthalt nur eine oder höchstens 1½ Minuten; in Mecheln hingegen
wird 10 bis 12 Minuten gewartet, mit Ausnahme der Börsenzeit,
wo gar kein Aufenthalt gestattet wird. Alles ist so genau und sicher
regulirt, daß nie und an keiner der Stationen je eine Verwirrung
oder Unordnung vorkommt.

Die Gesammtkosten des Baues der beiden Bahnlinien beliefen
sich auf nicht mehr als 3,477,029 Fr. Die Schienen sind nicht auf
Steinblöke gelegt, sondern ganz einfach auf hölzernen Querbalken firirt,
die in Entfernungen von 9 Decimeter von einander nach amerikani-
scher Methode auf den Boden gelegt sind. Sie haben gegen 3 Meter
Länge, und bestehen aus geraden cylindrischen Baumstämmen, welche
der Länge nach in zwei Hälften geschnitten und mit der Fläche auf
den Boden gelegt werden. Die Firirung der Schiene geschieht auf
der Converität dieser Balken nach einem Systeme, welches bei großer
Einfachheit solche Dauerhaftigkeit gewährt, daß eine nunmehr 18
monatliche Benuzung der Bahn keine merkliche Abnuzung bedingte.
Die Aufsicht geschieht aber auch an der ganzen Bahnlinie mit großer
Sorgfalt, und wo sich auch nur der geringste Fehler zeigt, wird derselbe auch alsogleich auf geeignete Weise ausgebessert. Die Geschwindigkeit der Wagen läßt sich nach Belieben sehr leicht und auf regelmäßige Weise ermäßigen.

Die Bahn läuft in keine der Städte hinein, sondern in einiger
Entfernung an denselben vorüber; und man scheint alle Ursache zu
haben, mit der Verwerfung des Planes, nach welchem die Bahnen
durch die Städte geführt werden sollten, zufrieden zu seyn. An jeder Station stehen höchst elegante Omnibus in Bereitschaft, welche
die Ankömmlinge sogleich in jedes beliebige Stadtquartier schaffen,
und auf welche die Namen dieser Quartiere mit großen Buchstaben
geschrieben stehen. Eben so circuliren in den Straßen der Städte
eine halbe Stunde vor der jedesmaligen Abfahrt der Locomotive
Omnibus, welche die Passagiere an die Stationen schaffen. Unendliche Kosten und Schwierigkeiten werden auf diese Weise vermieden;
und vergleicht man die Vortheile und Nachtheile der beiden Systeme,
so wird man vollends nach dem an der Brüsseler Bahn gegebenen
Beispiele nicht mehr länger in Zweifel bleiben können. Zu bedauern

ist es daher, daß in Frankreich auf legislativem Wege gestattet wurde, Eisenbahnen bis auf 1500 Meter nach Paris hineinzuführen; denn dieß veranlaßte zu Vorschlägen riesenhafter und vielleicht unausführbarer Bauten, deren geringster Nachtheil wenigstens in einem großen Verluste an Zeit gelegen seyn dürfte.

Die Brüssel=Antwerpner=Eisenbahn ist bisher nur zum Transporte von Personen und ihrer Bagage eingerichtet; man will sie jedoch demnächst auch zum Transporte von Waaren= und Geldsendungen verwendbar machen. Sie hat dieser bisherigen Beschränkung ungeachtet bereits schon einen sehr merklichen Einfluß auf die Industrie der Transporte ausgeübt. Auf 1000 schäzt man die Zahl der Pferde, welche hiedurch außer Thätigkeit kamen; und wenn dabei nothwendig einzelne Private bedeutenden Schaden erlitten, so erwuchs doch für die große Masse ein ganz überwiegender Vortheil. Uebrigens soll die Regierung wirklich im Sinne haben, parallel mit den bestehenden Bahnen auch noch solche anzubringen, auf denen Pferde den Dienst versehen. Im Allgemeinen muß rühmlich erwähnt werden, daß beinahe alle Private den Bau der Eisenbahn aus allen ihren Kräften unterstüzten: so zwar, daß die wenigen, die sich widersezten, nunmehr dem Spotte Preis gegeben sind. Belgien ist ein Land, wo sich der öffentliche Geist und Gemeinsinn sehr thätig ausspricht, ja wo das Nationalgefühl beinahe an Ueberspannung gränzt; es fehlt ihm dermalen nur an größeren Absazwegen für seine Fabricaté.

Die große Eisenbahn, welche Belgien von Osten nach Westen durchschneiden soll, und die gleichfalls bei Mecheln vorüberfährt, ist einerseits bis Löwen und andererseits bis Termonde vollendet; man schreitet bereits gegen Lüttich und Verviers vorwärts. Um an die Meuse zu gelangen, wird eine schiefe Fläche mit einer firirten Dampfmaschine nöthig werden; ein Tunnel von beiläufig einer halben Stunde in der Länge ist schon vollendet. Die ganze Bahn wird mit den auf Preußen kommenden 20 Poststunden 95 Stunden Länge bekommen. Sämmtliche Arbeiten sind in vollem Gange; und doch hört man in ganz Belgien keine andere Klage, als die, daß die Bauten noch zu langsam von Statten gehen!

Ich füge schließlich noch einige statistische Notizen über die hier besprochene Bahn bei.

1. Baukosten.	Strecke von Mecheln bis Brüssel 31,700 Meter.	Strecke von Mecheln bis Antwerpen 23,600 Meter,	Ursprünglicher Kostenanschlag für beide Strecken zusammen.
1. Ankauf des Grund und Bodens für zwei Bahnlinien .	235,935 Fr.	330,496 Fr.	565,900 Fr.
2. Grundstücke, welche wegen Zertrümmerung erworben werden mußten, und die wieder zu verkaufen sind	106,585 —	174,103 —	Unvorhergesehen.
3. Kosten der Terrassirung für zwei Bahnen	131,992 —	285,144 —	176,000 —
4. Kunstwerke. 7 fixe Brücken von 5 bis zu 13 Meter Spannung; eine Drehbrücke von 8 Meter; eine Brücke über die Nethe in 7 Bogen, von denen einer von 8 Meter mit drehbarem Flügel; eine Brücke von 30 Meter Spannung über die Dyle; 18 Brückchen von 1 bis zu 3,40 Meter Spannung; 89 Wassercanäle von 0,40 bis 0,80 Meter Spannung. Straße für Räderfuhrwerk zu 12,000 Meter, auf die drei Stationen vertheilt	69,832 —	288,029 —	305,800 —
5. Schienen aus gewalztem Eisen, zu 36 bis 45 Pfd. der Meter, mit gußeisernen Trägern und schmiedeisernen Zapfen und Nägeln. Hölzerne, 0,91 Meter von einander entfernte Querbalken; Grundlage aus Kies, Sand u. Steinen	845,165 —	799,470 —	1,696,400 —
6. Verschiedene, bereits angebrachte und noch anzubringende Mechanismen . . .	69,735 —	72,500 —	137,800 —
7. Administrations-, Bewachungs- und Ausmeßkosten .	20,204 —	32,500 —	49,000 —
8. Außerordentliche und unvorhergesehene Arbeiten . . .	15,341 —		Unvorhergesehen.
	1,491,787 Fr.	1,982,243 Fr.	2,930,900 Fr.

$$3,477,029 \;^{52})$$

52) Die Ueberschreitung des Kostenanschlages um 546,000 Fr. war hauptsächlich durch folgende Ursachen bedingt. 1) brachte man anfangs nur Schienen zu 35 Pfd. per Meter in Vorschlag, während später ⁷/₈ der Bahn mit Schienen zu 45 Pfd. per Meter gebaut wurden. 2) wurde die Brücke in Duffel aus Steinen gebaut, während eine aus Holz veranschlagt war. 3) mußte man durch die Eigenthümer gezwungen für 280,688 Fr. Grundstücke kaufen, die eigentlich nicht zur Bahn nöthig waren, die man aber seiner Zeit wahrscheinlich mit Vortheil wird verkaufen können.   A. d. O.

2. Anschaffungskosten der zum Betriebe der Fahrten nöthigen Gegenstände.	Strecke von Mecheln nach Brüssel.	Strecke von Mecheln nach Antwerpen.
9. Grundstücke und Gebäude für die Werkstätten, Arsenale, Magazine, Hofräume, Stationen	185,165 Fr.	380,665 Fr.
10. Material, Locomotiven und Wagen	157,600 —	309,851 —
11. Kosten der Direction	15,000 —	54,976 —
	355,765 Fr.	745,492 Fr.
	1,101,257 Fr.	

3. Unterhaltungs- u. Betriebskosten.	Strecke zwischen Mecheln und Brüssel. Wirkliche Kosten des 1sten Jahrganges vom 1. Mai 1835 bis 1. Mai 1836.	Strecke zwischen Mecheln und Antwerpen. Wahrscheinliche Kosten des 2ten Jahrganges vom 1. Mai 1836 bis 1. Mai 1837.
1. Ambulante Werkstätten zur Reparatur und Unterhaltung des Weges mit Einschluß des Bedarfes an Schienen, Holz und Sand	29,685 Fr.	50,000 Fr.
2. Polizei, Wegmacher, Kehrer	12,000 —	20,000 —
3. Beaufsichtigung der Bahn	6,000 —	8,000 —
4. Arbeitslohn der Wagner, Schmiede, Anstreicher rc., welche bei der Unterhaltung und Ausbesserung der Wagen und Locomotiven verwendet werden	30,624 —	60,000 —
5. Verbrauch an Brennmaterial, Fett, Oehl, Hanf rc.	45,000 —	80,000 —
6. Gehalt der Maschinisten	17,000 —	30,000 —
7. Kosten der Einnahm- und Controlbureaux, so wie der Wächter der Wagenzüge	30,606 —	35,000 —
8. Directions- und Beaufsichtigungskosten	15,000 —	15,000 —
9. Unvorhergesehene Ausgaben	—	2000 —
	183,913 Fr.	300,000 Fr.

4. **Erster Jahresertrag der Bahn von Mecheln nach Brüssel.**

1835	Vom 7. bis 31. Mai	33,287		21,495	
	Monat Junius	52,543		36,360	
	— Julius	77,702		49,101	
	— August	72,381	431,459 Reisende.	44,097	268,995 Fr.
	— September	72,522		45,371	
	— Oktober	50,829		32,658	
	— November	33,187		20,973	
	— December	28,988		18,940	
1836	Monat Januar	28,709		19,288	
	— Februar	30,859	141,771 —	20,196	90,597 —
	— März	34,707		22,065	
	— April	47,496		28,848	
	Summa		563,210 Reisende.		359,392 Fr.

Anmerkung. In den drei ersten Monaten des Betriebes der Antwerpner-Brüsseler-Bahn war der Ertrag, wie folgt:

1836 Monat Mai . . . . 101,479 Reisende . . . 107,849 Fr.
       Junius . . . 98,529 — . . . 104,443 —
       Julius . . . 112,837 — . . . 110.189 —
         Summa 512,845 Reisende . . . . 323,481 Fr.

Im Monat August . . . . 119,754 Reisende . . . 116,820 Fr. 50 C.
     September . . 103,086 — . . . . 105,615 — 40 —
     Oktober . . . 90,440 — . . . . 85,999 — 90 —
       Summa 313,280 Reisende . . . 308,435 Fr. 80 C.

5. Wirkliche Bilanz des ersten Jahrganges der Bahn von Mecheln bis Brüssel.

Die Kosten der Herstellung der Bahn belaufen sich auf . . . 1,494,787 Fr.
Jene, welche sich auf den Dienst des Betriebes beziehen, auf . 355,765 —
          Capitalsumme 1,850,552 Fr.

Das Interesse hievon zu 5 Proc. beträgt . . . . 92,528 Fr.
Dazu die Unterhaltungs- und Betriebskosten vom 1. Mai 1835
   bis 1. Mai 1836 . . . . 183,913 —
       Summa der Jahresausgaben 276,441 Fr.
Der Ertrag innerhalb derselben Zeit belief sich auf . . . . 359,392 —
Mithin blieb am Schlusse des ersten Jahres ein reiner Gewinn von 82,951 Fr.,
   was beinahe 4½ Proc. des Capitales über die Interessen zu
   5 Proc. beträgt.

6. Wahrscheinliche Bilanz der ganzen Bahn von Brüssel bis Antwerpen, auf den Personenverkehr allein berechnet.

Anlagekosten der ganzen Bahn . . . . 3,477,029 Fr.
Kosten des Betriebsmateriales . . . . 1,101,257 —
        Capitalsumme 4,578,286 Fr.
Die Interessen hievon zu 5 Proc. . . . . 228,914 Fr. 30 C.
Dazu die jährlichen Unterhaltungs- und Betriebskosten mit 300,000 — — —
       Summa 528,914 Fr. 30 C.
Der Ertrag des ganzen Jahres nach den drei ersten Mona-
   ten berechnet beliefe sich auf . . . . . . 1,023,713 — — —
Mithin verbleiben als wahrscheinlicher reiner Ertrag . 494,798 Fr. 60 C.
   oder 11 Proc. des Capitales über die gewöhnlichen
   Interessen.

Bemerkungen. Der Tarif für die Plätze in den verschiedenen Fuhrwerken ist für die Fahrt von Brüssel bis Antwerpen und umgekehrt folgender Maßen regulirt:

In den Berlinen kostet der Platz für die Person 3 Fr. 50 Cent.
   — Diligencen . . . . 5 — — —
   — Chars-à-bancs . . . . 2 — — —
   — Wagons . . . . 1 — 20 —

Jeden Tag gehen von Brüffel sowohl, als von Antwerpen 6 Fuhren ab, welche sich in Mecheln kreuzen. Die Dauer der Fahrten beträgt 75 bis 95 Minuten mit Einschluß des Aufenthaltes in Mecheln, in Wilvorde und in Duffel; man hatte anfänglich keine größere Geschwindigkeit als eine von 120 Minuten versprochen.

Vor Eröffnung der Eisenbahn fuhren zwischen Brüffel und Antwerpen 15 bis 20 Diligencen, welche jährlich im Durchschnitte 80,000 Paffagiere beförderten, und in denen 3 bis 5 Fr. für den Plaz bezahlt wurde. Der Dienst dieser Fuhrwerke, so wie jener der Barken auf dem Canale, den man früher für ein so wohlfeiles Transportmittel hielt, hat seither beinahe ganz aufgehört; nur einige Diligencen werden zeitweise zur Beförderung von Paketen und Waaren benuzt, da die Eisenbahn eine solche bisher noch nicht über sich genommen.

Im Februar 1832, also um dieselbe Zeit, wo die Voranschläge für Rechnung des Staates beendigt waren, bewarb sich eine Privatgesellschaft um eine Concession zum Baue der Bahn. Sie schlug die Koften der Herstellung der Bahn, die Intereffen der Capitalien während des Baues nicht mitgerechnet, an auf . 4,420,000 Fr.

Die jährlichen Intereffen dieses Capitales zu 7 Proc., so wie die jährlichen Unterhaltungs- und Betriebskoften wurden angeschlagen auf . . . 553,744 —

Sie gab an, jährlich nur auf folgenden Ertrag rechnen zu können:

91,250 Reifende zu 3 Fr. 17 Cent. per Kopf . . 289,262 —
2000 Stük Rindvieh und 20,000 Schafe zu . . . 27,500 —
20,000 Tonnen Waaren zu 8 bis 16 Fr. die Tonne 238,410 —

Summa 555,172 Fr.

Sie hätte also hienach bloß auf einen jährlichen Nettogewinn von 1428 Fr. rechnen können.

Die Gesellschaft machte sich überdieß nur zu einer Geschwindigkeit von 100 Minuten und zu einem Durchschnittspreise von 3 Fr. 17 Cent. per Kopf anheischig; während der Staat bei einer Geschwindigkeit von 85 Minuten im Durchschnitte höchstens 1 Fr. 50 C. per Kopf fordert.

Die Gesellschaft verlangte zur Ausführung der Bahn 2 Jahre Zeit; der Staat eröffnete sie innerhalb dieser Zeit der freien Circulation, welche auf der zwischen Brüffel und Mecheln gelegenen Strefe sogar schon nach einem Jahre Statt fand. [53])

53) Wir müffen nach späteren, gleichfalls von Hrn. Jomard gelieferten Notizen als Anhang zu obigem Auffaze beifügen, daß die Bahnstrefe von Mecheln bis Termonde am 1. Januar 1837 eröffnet wurde, und daß die Zahl der Paffagiere in diesem einzigen Monate sich auf den beiden früheren und dieser neuen

LX.

Ueber die Berechnung der dynamischen Wirkung des Wassers der Bohrbrunnen und über die Höhe, bei welcher dasselbe genommen werden muß, um seine Kraft vollständig zu benuzen; von Hrn. Violett.

Aus dem Bulletin de la Société d'encouragement. April 1837, S. 121.

Die auffallenden Erfolge, welche man in Tours beim Bohren der artesischen Brunnen erhielt, haben mit Recht die Aufmerksamkeit aller Personen erregt, die sich für die Fortschritte der Künste und Wissenschaften interessiren. Da ich mich als Ingenieur selbst mit der Anwendung der Triebkraft eines solchen Bohrbrunnens beschäftigt habe, und bei mehreren Versuchen, welche an anderen in Tours angestellt wurden, behülflich war, so halte ich es für nüzlich, das Resultat aller meiner Untersuchungen über diesen Gegenstand bekannt zu machen. Der erste Paragraph meines Aufsazes handelt von der Beobachtung und Berechnung der Wassermenge, welche unsere Bohrbrunnen liefern; der zweite enthält Bemerkungen über ihre dynamische Wirkung und über die Höhe, wobei das Wasser genommen werden muß, um seine Kraft vollständig zu benuzen; der dritte Notizen über die Anwendung, welche man bisher von diesen Brunnen in der Touraine gemacht hat.

§. I. Ueber die Beobachtung und Berechnung der Wassermenge, welche unsere Bohrbrunnen liefern.

Da die ergiebigsten unserer artesischen Quellen bei ihrem Eröffnen eine große Masse Sand auswarfen und das untere Ende einer jeden von ihnen folglich in eine ungeheure Höhle mündet, so glaubte ich zu einigen beachtenswerthen Resultaten gelangen zu können, wenn ich die gewöhnlichen Formeln der Hydraulik auf sie anwenden würde. In der That lassen auch zwei dieser Brunnen, von welchen ich zuerst sprechen werde, die Anwendung dieser Formeln sehr wohl zu; andere hingegen zeigen auffallende Anomalien, und ich werde in der An-

---

Bahnstreke auf nicht weniger als 56,713 belief, während im Januar 1836 ihrer nur 28,709 fuhren. Da sich die Einnahme überdieß im Monate Februar noch verdoppelte, so schlägt man für dieses Jahr die Zahl der Passagiere auf den drei Bahnstreken auf 1½ Millionen an. Die Bahnen von Termonde bis Gent und von Mecheln bis Lüttich sind so weit vorgerükt, daß die Regierung sie noch in diesem Jahre dem Verkehre öffnen zu können hofft. Die Vollendung und Eröffnung der Bahnen von Brüssel nach Mons und von Gent bis Ostende ist bis zum Jahre 1838 versprochen, so daß also das ganze große belgische Eisenbahnnez vom Ocean bis an den Rhein und bis an die französische Gränze in Zeit von zwei Jahren vollendet seyn dürfte.

merkung VII zeigen, daß leztere ihre Waſſer bloß durch Einſikerun-
gen erhalten, welche zur vollſtändigen Speiſung der Leitung unzureis
chend ſind.

Ich habe mir alſo die zwei Brunnen, wovon ich zuerſt ſprach,
als zwei Leitungen gedacht, welche in einem freien Reſervoir beginnen und darauf die Formeln (1) und (2) angewandt, wegen deren
ich auf die Anmerkung I verweiſe, um den Text nicht durch alge-
braiſche Berechnungen zu unterbrechen.

Mit der Formel (1) berechnete ich zuerſt die fingirte Drukhöhe H — h der Leitung, für den Brunnen des Hrn. Champoi-
ſeau, indem ich zu dieſer Beſtimmung die Meſſung der Waſſermenge benuzte, welche zunächſt am Boden vorgenommen wurde. Bei
dem Brunnen der Cavalleriecaſerne war der Werth von H — h
durch einen ſchönen Verſuch gegeben, wobei die HH. Degouſſe
und Chaveau das Waſſer durch Aufſazröhren ſo lange ſteigen lieſ-
ßen, bis es die größtmögliche Höhe erreicht hatte. In lezterem
Falle beſtand alſo der ganze Apparat nicht nur aus der Bohrung,
ſondern auch aus den unterirdiſchen Höhlen, war alſo ein wahrer
umgekehrter Heber, und man konnte die Drukhöhe aus der Höhe
folgern, auf welcher das Waſſer ſtehen blieb.

Die Reſultate dieſer Berechnungen ſind in der folgenden Tabelle
zuſammengeſtellt: ich habe darin auch noch zwei andere merkwürdige
Brunnen aufgenommen, über welche man in den Anmerkungen IV
und V die näheren Angaben findet; da jedoch die Waſſermenge,
welche dieſe Brunnen liefern, nicht in verſchiedenen Höhen ausgemittelt wurde, ſo war es mir unmöglich, auf ſie die anderen Formeln anzuwenden.

	Fingirte Druk-höhe über dem Spiegel der Loire, an der Brüke von Tours.	Fingirte Druk-höhe über dem Boden am Brunnen.
	Meter.	Meter.
Brunnen des Hrn. Champoiſeau . .	15,12	10,34
— der Cavalleriecaſerne . . .	27,20	18,80
— des Hrn. Teſſier	23,83	17,57
— — Lecompte-Petit	12,26	7,69

Wie geſagt, wurde die Drukhöhe für den Brunnen der Cavalleriecaſerne beobachtet und für die anderen berechnet. Ich nenne die
durch Berechnung gefundene Drukhöhe die fingirte, weil ich ſie
keineswegs als die wirkliche Drukhöhe betrachte. Auf die Waſſermenge, welche dieſe Brunnen liefern, ſind natürlich die Unregelmäßigkeiten der Leitungen (beſonders an den Stellen, wo man keine

Röhren anbrachte) von Einfluß; dazu kommt noch der Widerstand,
welchen das Waffer überwinden muß, um in die Zwischenräume des
Terrains zu bringen; ferner der unterirdische Verlust, wenn ein solcher Statt findet; endlich die Zurückdrängung weniger tiefer Quellen,
welche dem Druk ausgesezt sind, den das aufsteigende Waffer an
der Stelle erleidet, wo es mit ihnen zusammentrifft und die daher
zurükgestoßen werden und diesem aufsteigenden Waffer einen Abfluß
darbieten müssen, der einen Theil davon absorbirt.

Wegen dieser Umstände läßt sich nie mit Sicherheit die wirkliche Drukhöhe berechnen, sondern bloß die fingirte, nämlich diejenige,
welche bei einem gewöhnlichen Leitungssystem das von dem Brunnen
gelieferte Waffervolum geben würde. Um wie viel ist nun diese fingirte Drukhöhe unter der wirklichen? Dieß wäre ohne Zweifel sehr
schwer zu bestimmen; bedenkt man aber, daß von vier sehr ergieb-
gen Brunnen nur einer, derjenige der Cavalleriecaserne, sein Waffer
27,20 Met. über den Spiegel der Loire treibt, und daß bei der
Methode, wie der Versuch angestellt wurde, ein Irrthum durch un-
zureichendes Einsikern in die Seitenwände der Höhle nicht möglich
war, so kann man meiner Meinung nach wohl folgern, daß die wirkliche Drukhöhe nicht sehr beträchtlich und der Ursprung unserer Bohrbrunnen vielleicht nicht so tief ist, als man anfangs glaubte. Die
Loire hat beiläufig 1,71 Met. Gefälle per Myriameter; da der
Grund ihres Bettes und die Ebenen, durch welche sie zieht, mit der
Oberfläche ihres Waffers ziemlich parallel sind, so dürfte man sich
also nur 16 bis 17 Myriameter gegen Osten entfernen, um den
Grund der Flüsse eben so hoch zu finden, als der Punkt ist, auf
welchen das Waffer in der Cavalleriecaserne stieg. Ich will mich
nun aber nicht weiter mit Hypothesen befassen, sondern zu den Thatsachen übergehen.

In welchem Verhältniß auch immer die wirkliche Drukhöhe zur
fingirten stehen mag, so ist es doch nüzlich, leztere zu berüksichtigen,
was folgende Tabellen beweisen, worin die beobachtete Waffermenge
und diejenige angegeben ist, welche die Berechnung in der Voraussezung, daß die fingirte Drukhöhe die wirkliche sey, ergibt. Beide
stimmen so nahe mit einander überein, daß wenn man die Waffermenge eines Bohrbrunnens bei einer gewissen Höhe kennt und vorausgesezt werden kann, daß dieser Brunnen in einem freien Reservoir
anfängt (s. Anmerkung VIII.), sich mit ziemlicher Sicherheit die
Waffermenge berechnen läßt, welche er bei einer anderen Höhe liefern wird.

Brunnen des Hrn. Champoiseau.

Höhe, wo die Wassermenge gemessen wurde. Diese Höhe ist vom Boden an gerechnet, d. h. 4,78 Met. über dem Spiegel der Loire.	Wassermenge in der Secunde.		Bemerkungen.
	Beobachtete.	Berechnete.	
5,26 Met.	18,80 Liter.[1]		[1] Diente zur Berechnung der Druk- höhe H — h.
6,03 —	17,90 —	17,26 Liter.[2]	
6,79 —	15 —	15,60 —	
7,57 —	15 —	15,76 —	[2] Maximum d. dynamischen Wirkung.
8,34 —	11,30 —	11,66 —	

Brunnen der Cavalleriecaserne.

Höhe, wo man die Wassermenge maaß. Diese Höhe ist vom Boden angefangen gerechnet, welcher sich 8,4 Met. über dem Spiegel der Loire befindet.	Wassermenge in der Secunde.	
	Beobachtete.	Berechnete.
1,80 Met.	18,51 Liter.	17,42 Liter.
6,60 —	12,67 —	14,49 —
11,60 —	7,39 —	10,93 —

In letzterer Tabelle ist die beobachtete Wassermenge geringer als die berechnete, und dieß muß auch so seyn; denn der Bohrbrunnen hat an seinem unteren Ende auf eine Länge von 38,82 Met. nur 0,90 Met. Durchmesser; während ich, um die Rechnung zu vereinfachen, diesen Durchmesser als durchaus gleich groß und zu 0,105 Met. angenommen habe. Es ist also wirklich die Messung bei 1,80 Met. vom Boden anormal, was vollends dadurch bewiesen wird, daß wenn man nach dieser Messung die fingirte Drukhöhe berechnet, leztere sich zu 19,19 Met. ergibt, während der Versuch nur 18,80 Met. für die wirkliche Drukhöhe ergab, welche größer seyn muß. Es ist schon zu lange, seit diese Versuche angestellt wurden, als daß die Ursache dieser Unregelmäßigkeit noch ermittelt werden könnte.

Ich wollte ähnliche vergleichende Tabellen auch für andere Bohrbrunnen anfertigen; aber die beiden angeführten sind, wie bereits bemerkt wurde, die einzigen, deren Wassermenge bei verschiedenen Höhen gemessen wurde.

§. II. Dynamische Wirkung unserer bedeutendsten Bohrbrunnen.

Ich will die Kraft von dreien unserer Bohrbrunnen angeben, welche zum Treiben von Wasserrädern benuzt worden sind.

In der Secunde:

Brunnen des Hrn. Champoiseau, im Maximum 108 Kil. oder 1,44 theor. Pferdekr.

| — | — | Tessier | . . . | — | 64,4 | — | 0,85 | — |
| — | — | Lecompte-Petit | | — | 157,2 | — | 2,09 | — |

Die erste dieser Fabriken erhielt mit einem weniger ergiebigen Brunnen verhältnißmäßig mehr Kraft als die beiden anderen, weil man die dem Maximum entsprechende Höhe ermittelte.

Bei der Berechnung, deren Resultat so eben mitgetheilt wurde, sprach ich nur von der theoretischen Kraft, weil der Nuzeffect bekanntlich von der Construction der Wasserräder, so wie von der Art der Fortpflanzung der Bewegung abhängt.

Auf Anrathen des Hrn. Sagey habe ich auch die Analysis zur Bestimmung der Höhe benuzt, welche man das Wasser erreichen lassen muß, um die größte Wirkung zu erhalten. Ich konnte jedoch die Resultate der Theorie mit denjenigen der Beobachtung bloß bei der Fabrik des Hrn. Champoiseau vergleichen, weil die Wassermenge bei keinem anderen unserer Bohrbrunnen in so vielen Höhen gemessen wurde, als es zu dieser Untersuchung erforderlich ist.

Die Formel (2), welche zu dieser Bestimmung angewandt wurde (s. Anmerk. VI.), ergab, daß das Maximum der Wirkung nach der Theorie bei 6,82 Met. über dem Boden Statt finden sollte; wir hätten auch, wenn nicht ein kleiner Fehler beim Messen begangen worden wäre, sehr wahrscheinlich beiläufig 6,50 Met. erhalten. Man kann also nach den Resultaten der Berechnung auch in diesem Falle diejenigen der Beobachtung voraussehen; und obgleich ich Niemand rathen möchte, sich bei einer Frage, worauf so viele Umstände Einfluß haben können, mit bloßen Berechnungen zu begnügen, so ergibt sich doch, daß die Resultate ziemlich dieselben sind, als wenn die fingirte Drukhöhe die wirkliche wäre, so daß man nach den Berechnungen die Versuche leiten und sie auch da, wo sie unmöglich sind, auf eine genügende Weise ergänzen kann, vorausgesezt jedoch, daß sich der Bohrbrunnen als mit einem freien Reservoir communicirend betrachten läßt.

§. III.   Anwendung der Bohrbrunnen in der Touraine.

Die vortheilhafteste Anwendung, welche man bisher von den Bohrbrunnen in der Touraine gemacht hat, ist diese, daß die Stadt Tours dadurch gegenwärtig mit reinem Wasser, woran es ihr bisher fehlte, sehr reichlich versehen wird. Hr. Champoiseau trieb mit einem solchen Brunnen zuerst ein Wasserrad zum Abhaspeln der Cocons. Die beiden anderen Werke benuzen die Kraft ihrer Bohrbrunnen zum Mahlen von Getreide; das eine kann etwas über einen Viertelhectoliter und das andere beinahe einen Hectoliter Korn stündlich mahlen; zur Erzielung dieses Resultates ist es sogar nöthig, alle Kraft einzig und allein auf die Mühle zu verwenden. Der Graf von Richemont läßt gegenwärtig einen Brunnen zum Bewässern von 25 bis 30 Hectaren Wiesen bohren, und einen anderen, um Wasser mittelst eines Wasserrades auf sein Schloß Cangé zu heben.

Zusammenstellung der Resultate.

1) Der Calcul läßt sich sehr nützlich auf die Erscheinungen anwenden, welche gewisse Bohrbrunnen darbieten; und wenn man in den Formeln anstatt der wirklichen Drukhöhe die Größe substituirt, welche wir fingirte Drukhöhe genannt haben, so stimmen die beobachteten Resultate sehr gut mit den berechneten überein.

2) Die wirkliche Drukhöhe unserer Brunnen ist wahrscheinlich nicht sehr beträchtlich, und es wäre zu wünschen, daß man genau wüßte, bis auf welche Höhe das Wasser der Bohrbrunnen an jedem Orte steigen kann; denn die Eigenthümer hoch liegender Landstriche würden daraus den mehr oder weniger wahrscheinlichen Erfolg einer Bohrung ermessen können.

3) Es ist vortheilhaft, den Bohrbrunnen eine große Oeffnung zu geben, denn wenn die filtrirenden Seitenwände der Höhle, worin sie anfangen, reichlich Wasser liefern, befolgt ihre Ergiebigkeit so ziemlich die Gesetze der Leitungen, und nimmt also wie die Potenz 5/2 des Durchmessers zu. Aber auch selbst in dem Falle, wo nicht so viel Wasser durch die Seitenwände filtriren würde, als aus den Röhren laufen kann, wäre es nützlich, einen großen Durchmesser zu geben, denn die fingirte Drukhöhe wird dann geringer und folglich der Punkt, welcher dem Maximum der dynamischen Wirkung entspricht, tiefer, weßwegen man die Wasserräder kleiner machen und wohlfeiler herstellen kann.

4) Um einen großen Verlust an Kraft zu vermeiden, ist es nöthig den Punkt auszumitteln, wo man das Wasser auslaufen lassen muß, damit es auf die Wasserräder das Maximum von Wirkung hervorbringt.

Es wäre sehr zu wünschen, daß durch zahlreiche und planmäßige Versuche das ergänzt würde, was wir nun über die Bohrbrunnen wissen; da aber Privatunternehmungen sich den Unterbrechungen und Kosten, welche eine Reihe von genauen Untersuchungen erheischt, nicht wohl unterziehen können, so sollte sie die Regierung bei den Bohrbrunnen vorschreiben, welche sie selbst unternimmt.

Anmerkungen.

Anmerkung I.

Formel der Wassermenge.

Da die Geschwindigkeit des Wassers bei den besprochenen Bohrbrunnen groß genug ist, so werden wir uns der sehr einfachen Formel bedienen, welche d'Aubuisson de Boisins in seinem Traité de l'Hydraulique S. 175 [54]) anführt:

$$Q = 20{,}3 \sqrt{\frac{H D^5}{L}};$$

der Coefficient derselben muß jedoch um ein Drittel vermindert werden, wie es dieser Schriftsteller empfiehlt und alle Ingenieure zu thun pflegen, welche Wasserleitungen errichten; diese Verminderung ist in dem Falle, welcher uns beschäftigt, um so nöthiger, weil unsere Bohrbrunnen nur in einem verhältnißmäßig kleinen Theile ihrer Länge mit Röhren ausgefüttert sind und die übrige Leitung also viele Ungleichheiten darbieten muß; wir erhalten folglich:

$$Q = 13{,}5 \sqrt{\frac{H D^5}{L}}.$$

Nun haben wir bezeichnet mit

H, die Entfernung zwischen dem Boden und dem Niveau der fingirten Drukhöhe;

h, die Niveaudifferenz zwischen dem Boden und der Ausflußöffnung des Brunnens;

L, die Länge der Leitung unter dem Boden;

Q, das Wasservolum in Kubikmetern;

D, den Durchmesser in Metern.

H — h ist also die in d'Aubuisson's Formel mit H bezeichnete Drukhöhe.

L + h ist die ganze, in derselben Formel mit L bezeichnete Länge der Leitung.

h' ist die Differenz zwischen der wirklichen und fingirten Drukhöhe, d. h. die Drukhöhe, welche durch den Widerstand der Höhlungen, die das Wasser zum Bohrbrunnen führen, verloren geht.

Wenn man also die nöthigen Substitutionen macht, erhält man endlich:

$$Q = 13{,}5 \sqrt{\frac{H - h}{L + h} D^5} \quad \ldots \ldots (1).$$

Bekanntlich geben aber diese Formeln keine ganz genauen Resultate.

Formel zur Ermittelung der Wasserhöhe (über dem Boden), welche dem Maximum der dynamischen Wirkung entspricht.

Wir wollen mit Δ die theoretische dynamische Wirkung, in Kilogrammen ausgedrükt, bezeichnen, so ist

$$\Delta = hQ = h \times 100 \times 13{,}5 \sqrt{\frac{H - h}{L + h} D^5}$$

---

54) Handbuch der Hydraulik von J. F. d'Aubuisson de Boisins. Deutsch bearbeitet von G. Th. Fischer (Leipzig 1835) S. 173.   A. d. R.

Wenn man nun differenzirt und reducirt, erhält man

$$\frac{d\varDelta}{dh} = \frac{Hh - 3Lh + 2HL - 2h^2}{2(L+h)^{\frac{3}{2}}(H-h)^{\frac{3}{2}}},$$

und wenn man diesen Differentialcoefficienten gleich 0 sezt, und die Zeichen ändert

$$h^2 + \left(\frac{3L-H}{2}\right)h - HL = 0,$$

also

$$h \; \frac{H - 3L \pm \sqrt{(3L-H)^2 + 16\,HL}}{4}.$$

Da nun der negative Werth der Wurzel von keinem Nuzen ist, sondern bloß der Gleichung genügt, so ergibt sich

$$h = \frac{H - 3L + \sqrt{(3L+H)^2 + 4\,HL}}{4} \; \dots \; (2)$$

Anmerkung II.
Ueber den Bohrbrunnen des Hrn. Champoiseau in Tours.

Dieser Brunnen gießt sein Wasser auf ein Zellenrad von 6 Meter Durchmesser, und treibt so verschiedene Maschinen zum Abhaspeln der Seide. Der innere Durchmesser der Röhren ist 0,140 Met.: derselbe bleibt sich durch die ganze Leitung, wovon 106,33 Met. nicht mit Röhren versehen sind, gleich. Der Boden des Brunnens befindet sich 131 Met. unter dem Spiegel der Loire. Die erste aufsteigende Quelle liefert 10 Liter in der Minute, und befindet sich 106 Met. unter diesem Spiegel.

Das untere Ende des Wasserrades, welches wir dem Boden gleich gestellt betrachten, ist 4,78 Met. über dem Spiegel der Loire, und wir haben als fingirte Drukhöhe über diesem Boden 10,34 Met. gefunden. Man erhält also für diesen Brunnen:

L = 131 + 4,78 = 135,78. H = 10,34 Met. D = 0,140.

Anmerkung III.
Ueber den Bohrbrunnen der Cavalleriecaserne in Tours.

Dieser Brunnen hat 120,10 Met. Tiefe unter dem Spiegel der Loire; der ihn umgebende Boden ist 8,40 Met. über diesem Spiegel: 100,25 Met. sind nicht mit Röhren gefüttert. Der Durchmesser beträgt 0,105 Met. auf eine Länge von 91,28 Met.; für die übrige Bohrung aber nur 0,09 Met.

Um die Berechnung zu vereinfachen, habe ich D = 0,105 in die Formel gebracht und die Verengerung des Durchmessers, welche doch nur beim vierten Theile der ganzen Länge Statt findet, vernachlässigt.

Die fingirte Drukhöhe ergab sich beim Versuche zu 18,80 über dem Boden; man hat also:

H = 18,80 L = 128,50 D = 0,105.

Anmerkung IV.
Ueber den Bohrbrunnen des Hrn. Tessier in Tours.

Dieser Brunnen hat 125,30 Met. Tiefe unter dem Spiegel der Loire; der Boden ist 3,93 Met. über diesem Spiegel: 99,40 Met. sind nicht mit Röhren gefüttert; sein innerer Durchmesser ist 0,117 Met.

Die fingirte Druthöhe ergab sich durch den Calcul zu 19,90 Met. über dem Boden, oder 23,83 über dem Spiegel der Loire. Dieser Brunnen befindet sich nur 80 Met. weit von dem des Hrn. Champoiseau, dessen fingirte Druthöhe bloß 15,12 Met. über dem Spiegel ist. Die bei Hrn. Champoiseau angestellten Messungen lieferten vollkommen dieselben Resultate, man mochte das Wasser bei Hrn. Tessier am Boden oder 6 Met. über demselben auslaufen lassen; dieß scheint zu beweisen, daß diese Brunnen nicht merklich communiciren. Man hat also:

H = 19,90 Met.   L = 129,23   D = 0,117.

Anmerkung V.
Ueber den Bohrbrunnen des Hrn. Lecompte-Petit in Ville-aur-Dames.

Derselbe befindet sich eine Meile von Tours und ist der ergiebigste im Departement. Sein Grund ist 111,87 Met. unter dem Spiegel der Loire; der Boden ist 4,57 Met. über diesem Spiegel: 101,44 Met. sind nicht mit Röhren gefüttert. Der innere Durchmesser ist 0,195 Met.

Die fingirte Druthöhe wurde bloß durch Berechnung zu 7,69 Met. über dem Boden gefunden.

Man hat also:

H = 7,69   L = 116,44   D = 0,195.

Anmerkung VI.

Versuche ergaben als theoretische dynamische Wirkung, bei Hrn. Champoiseau, für

$h = 5,26$ $\Delta = 98$ Kilogr.
$h = 6,03$ $\Delta = 108$ (Maximum).
$h = 6,79$ $\Delta = 101$
$h = 7,57$ $\Delta = 98$
$h = 8,34$ $\Delta = 94$

Nun ist die Zunahme und Abnahme größer in der Nähe des Maximums, als wenn man sich davon entfernt. Es findet also eine Anomalie Statt, und gewiß wurde beim Messen der Wassermenge dadurch ein kleiner Fehler begangen, daß man die gleichförmige Herstellung der Speisung nicht hinreichend abwartete. Ich glaube, daß ohne dieses Versehen der dem Maximum zukommende Werth von h beiläufig 6,5 Met. gewesen wäre; dieß zeigt eine Curve, deren Abscissen die Werthe von h und deren Ordinaten die von Δ sind, augenscheinlich.

Anmerkung VII.

Der Verlust an der Druthöhe, welche erforderlich ist, um das Wasser in die unterirdischen Leitungen laufen zu machen und den Bohrbrunnen zuzuführen, kann in vielen Fällen viel weniger beträchtlich seyn, als man anfangs glauben möchte. Angenommen, das Wasser komme dem Brunnen durch einen Canal zu, welcher ziemlich frei ist und keine zu großen Unregelmäßigkeiten darbietet, und man nennt -

H diesen Verlust an Druthöhe,
L die Länge des unterirdischen Flusses,
C seinen mittleren Umfang,
S seinen mittleren Durchschnitt,
U die Geschwindigkeit des Wassers,

und man mache

$$L = 200000 \text{ Meter} \quad (20 \text{ Myriameter}),$$
$$C = 200 \quad — \quad \text{wegen der Hindernisse, Unregelmäßigkeiten 2c.}$$
$$S = 10 \quad —$$

so wird die Geschwindigkeit, welche nöthig ist, um einen Brunnen zu speisen, der 20 Liter in der Secunde liefert, seyn
$$v = 0,002.$$
Substituirt man diese Zahlen in der Formel

$$H - \frac{v^2}{2g} = 0,0003425 \, \frac{CL}{S} \, (v^2 + 0,0055v)$$

so ergibt sich $H = 0,156$ Met.

Ohne Zweifel sollte man auch die Druckhöhe berücksichtigen, welche nöthig ist, um die kleinen Stöße und Zusammenziehungen, welche das Wasser
erleiden muß, zu besiegen; diese läßt sich aber aus Mangel an Daten unmöglich berechnen: da die Geschwindigkeit so gering ist, so wird dieser Verlust immer unbedeutend seyn, wenn anders der Canal so ziemlich frei ist.
Der so eben gefundene Werth ist auch, wenn man ihn verdoppelt oder verdreifacht, noch immer eine sehr unbedeutende Größe.

Uebrigens kann von dieser Gränze angefangen H fast ins Unendliche
zunehmen, in dem Maaße, als der Durchschnitt kleiner wird und dagegen
der Umfang, die Länge und Geschwindigkeit größer werden, besonders wenn
die Passagen durch Sand oder Erde gehemmt sind.

Mit den vorhergehenden Zahlen und einer zehnfach größeren Geschwindigkeit ($= 0,02$ Met.) hätte man:
$$H = 2,055 \text{ Met.}$$
Diese Größe ist noch sehr unbedeutend. Bei dieser Geschwindigkeit
würde das Wasser die 20 Myriameter in weniger als vier Monaten durchlaufen. Nun haben wir aber gezeigt, daß in einer Entfernung von 16
bis 17 Myriametern der Grund der Flüsse eben so hoch liegt, als der höchste
Punkt ist, welchen das Wasser der Bohrbrunnen erreicht.

Anmerkung VIII.

Bei unserer Anwendung des Calculs auf die artesischen Brunnen ver-
nachlässigen wir den Verlust h' an der zum Herbeileiten des Wassers nöthigen Höhe, indem wir ihn als eine constante, aus dem Gesammtdruck ableit-
bare Größe betrachten. Wenn diese Bedingung nicht erfüllt ist, ist auch die
von uns aufgestellte Theorie nicht anwendbar, wie wir nun zeigen wollen.

Es sey wie vorher h' der Verlust an der Druckhöhe, welche nöthig ist,
um das Wasser dem Bohrbrunnen zuzuführen;

h, die Höhe über dem Boden;

H, die fingirte Druckhöhe; so wird

H — h die Differenz oder die Druckhöhe seyn, welche das Auslaufen
des Wassers hervorbringt und

·L + h die Länge der Leitung.

Auf h' lassen sich aber die numerischen Coefficienten für die regelmäßigen Leitungen nicht anwenden, sondern ihr Werth wird eine Function der
Veränderlichen seyn, welche in diesen Formeln vorkommen, so wie von einigen anderen Größen, welche dem Verlust an lebendiger Kraft, den Zusammenziehungen 2c. entsprechen. Wir setzen also:
$$h = \varphi \, (C, C'C'' \ldots L', L''L''' \ldots S, S'S'' \ldots V, V'V'' \ldots A, B, C \ldots 2c.).$$

In dieser Formel sind nämlich C, C', C'' die Umfänge, L',L'',L''' die Längen, S,S',S'' die Durchschnitte und V, V'V'' die Geschwindigkeiten für jeden Theil der unterirdischen Canäle. A,B,C... ꝛc. sind die anderen Größen, wovon die Rede war.

Da sich H—h auf die regelmäßige Röhre des Brunnens bezieht, so ergibt es sich aus der oben gefundenen Gleichung

$$Q = 13,5 \; \sqrt{\frac{H-h}{L+h}} \; D^5$$

indem
$$H - h = \frac{Q^2 (L+h)}{13,5^2 \; D^5}$$

h ist willkürlich.

Nun ist der Gesammtdruk H+h' = h + (H—h) + h', oder nach der Substitution der Werthe, welche wir für diese Größen gefunden haben.

$$H + h' = h + \frac{Q^2 (L+h)}{13,5^2 \; D^5} + \varphi \; (C,C',C''...L',L'',L'''...S,S',S''...$$
$$V,V',V''' ... A,B,C \; ꝛc.).$$

Hienach wird h' so ziemlich constant seyn, wenn sich die Bohrung in einen unterirdischen Fluß mündet, dessen Wasservolum so groß ist, daß der Ausfluß des Bohrbrunnens seine Speisung nicht merklich ändert: in diesem Falle werden nämlich die Geschwindigkeiten, so wie die Verluste an lebendiger Kraft ꝛc. constant bleiben. Da die Größen C,C', C''...L',L'',L'''... S,S',S'' ... ihrer Natur nach unveränderlich sind, so kann man in dem ersten Glied der Gleichung h' und im zweiten seinen Werth weglassen, ohne Veränderliche zu beseitigen, und man kommt dann wieder auf die Gleichungen

$$H - h = \frac{Q^2 \; (L+h)}{13,5^2 \; D^5},$$
$$Q = 13,5 \; \sqrt{\frac{H-h}{L+h}} \; D^5,$$

deren wir uns bedient haben.

Da alsdann h' eine constante Größe ist, so wird die fingirte DrukhöheH es ebenfalls seyn, und alle Schlüsse, die wir aus den in dieser Abhandlung angegebenen Berechnungen gezogen haben, werden anwendbar: dieß ist der Fall bei dem Brunnen des Hrn. Champoiseau, und beweist wieder, daß sich unter der Stadt Tours ein unterirdischer Fluß befindet.

Befindet sich hingegen der Bohrbrunnen in einiger Entfernung von den Verzweigungen eines solchen Flusses mitten zwischen den Stein- und Kieshaufen, welche seine Inseln ausmachen, so werden die Geschwindigkeiten V, V', V'' des durch dieses Filter gegen den artesischen Brunnen getriebenen Wassers veränderliche Größen und Functionen von Q: man darf also h' oder seinen Werth aus der allgemeinen Gleichung der Drukhöhe (welche überdieß unnütz wird, weil sie nun mehrere ganz unbekannte Größen enthält) nicht mehr verschwinden lassen.

Unsere Berechnungen lassen sich somit nur in dem Falle auf einen Bohrbrunnen anwenden, wenn man sich überzeugt hat, daß er die vorgeschriebene Bedingung erfüllt, d. h. nachdem man die Wassermenge, welche er liefert, an zwei von einander entfernten Punkten gemessen, die fingirte Drukhöhe, welche der bei jeder dieser Messungen beobachteten Wassermenge entspricht, berechnet und sich überzeugt hat, daß die zwei Werthe dieser Druckhöhe ziemlich gleich sind. Dieß ist z. B. bei dem Brunnen des Hrn. Champoiseau ganz der Fall; so hat man

für die bei 5,26 Met. über dem Boden vorgenommene Messung

$$Q = 0,0188 \text{ Met.} \qquad L + h = 141,04 \qquad D = 0,140,$$

und man findet als fingirte Druckhöhe über dem Boden H = 10,34 Met.

Für die bei 8,34 Met. über dem Boden vorgenommene Messung hat man

$$Q = 0,0113 \qquad L + h = 144,12 \qquad D = 0,140$$

und man findet als fingirte Druckhöhe über dem Boden H = 10,21 Met.

Diese zwei Werthe sind ziemlich gleich; die Resultate der Beobachtung stimmen auch mit den berechneten sehr genau überein.

Ich habe in die vorhergehenden Formeln die scheinbare Druckhöheverminderung durch unterirdische Verluste nicht eingeführt; denn wenn der Brunnen tief mit Röhren gefüttert ist, kann die Oeffnung einige Meter mehr oder weniger hoch seyn, ohne daß beßwegen der Verlust und folglich die scheinbare Druckhöheverminderung keine beständigen Größen mehr wären.

Anmerkung IX.

Unter den Bohrbrunnen in Tours, welche seit längerer Zeit vollendet sind, liefern einige nur mehr den fünften oder vierten Theil der anfänglichen Wassermenge; bloß bei einem hat sie nur wenig abgenommen. Diese Verminderungen rühren ohne Zweifel daher, daß man sich begnügte, bloß einen kleinen Theil der Bohrung mit Röhren auszufüttern. So compact auch das Erdreich unter den Röhren seyn mag, so trifft das Wasser darin doch noch immer Ritzen an, welche es nach und nach erweitert und durch die es dann zum Theil verloren geht. Es ist also unumgänglich nöthig, die Röhren bis zur ersten aufsteigenden Quelle fortzuführen und ihnen eine solide Basis zu geben.

Vortrefflich ist die von Hrn. Degousée ausgeführte Röhrenfütterung am Bohrbrunnen des Schlachthauses in Tours. Man nahm dazu Kupferblech von 0,003 Met. Dicke und durchbohrte den grünen Sandstein, unter welchem sich die erste aufsteigende Quelle befindet, erst, nachdem die Röhren vollkommen versichert waren. Die Bohrung hat 0,220 Met. Durchmesser, während er bei der Leitung innen nur 0,140 beträgt; der leere Raum wurde mit gutem Steinmörtel ausgefüllt, und man brachte davon beiläufig drei Mal so viel hinein, als nach der Berechnung erforderlich gewesen wäre, so daß also offenbar Höhlungen und Spalten vorhanden waren, welche der Steinmörtel ausfüllte.

Vor dem Einwerfen des Steinmörtels stellte man einen sehr merkwürdigen Versuch an; die Röhre wurde mit Wasser gefüllt, und man wußte also, wie viel von dieser Flüssigkeit nöthig war, um das Niveau beständig auf derselben Höhe zu erhalten: der äußere Theil der Röhre erlitt folglich den Druk des Wassers der gewöhnlichen Brunnen. Die Differenz der zwei Pressionen, welche nur einige Meter betrug, diente zur Berechnung des Durchschnittes der Fuge, durch welche die Quantität Wasser ausfloß, die man von Zeit zu Zeit wieder nachschüttete. Dieser Durchschnitt ergab sich zu 3000 Quadratmetern, wurde aber durch den Mörtel vollkommen verstopft. Dieß bewies auch folgender entscheidender Versuch: Man leerte die Röhre mittelst eines einfachen cylindrischen Löffels oder Eimers, der höchstens 6 Liter faßte, bis auf ungefähr 90 Meter Tiefe; eine kleine Oeffnung hätte nun, wenn sie vorhanden gewesen wäre, gewiß die unterirdischen Wasser, welche die gewöhnlichen Brunnen speisen, durchdringen lassen, und müßte also für das Ausschöpfen ein unübersteigliches Hinderniß gewesen seyn. Man kann folglich die Röhrenfütterung als vollkommen dicht betrachten, und ich zweifle nicht, daß genaue Messungen, die man von Zeit zu Zeit anstellt, den Beweis liefern werden, daß die Bohrbrunnen bei entsprechender Fütterung immer fort gleich viel Wasser geben.

Bei diesem Brunnen hat man auch noch einen anderen sehr merkwürdigen Versuch angestellt: nachdem er nämlich ausgeschöpft war, ließ man eine Fakel hinab, welche bis auf 90 Meter unter dem Boden lebhaft brannte, ein Beweis, daß die Röhrenleitung vollkommen senkrecht ist. Das Licht verschwand erst, als es das Wasser erreichte, nachdem es allmählich durch seine große Entfernung oder vielmehr durch die bei der Verbrennung gebildete Kohlensäure blässer geworden war. Man hat also bisher mit Unrecht vollkommen gerade und senkrechte Bohrungen für unmöglich gehalten.

LXI.
Ueber die Anwendung des Stahles und die Art ihn zu bearbeiten.

Aus den Annales des Mines Bd. X. im Journal für praktische Chemie 1837, No. 5.

Es gibt Werke, die bei ihrem Verfasser ein Zusammentreffen von Eigenschaften voraussezen, deren Vereinigung bis jezt nur allzu selten gewesen ist, und die nur von einem Manne unternommen werden können, der eben sowohl in den physischen und chemischen Wissenschaften bewandert, als mit den Verfahrungsarten der Künste vertraut ist. Die Gelehrten, vermöge der Natur ihrer Kenntnisse und vermöge der beständigen Richtung ihrer Untersuchungen so vorzüglich geeignet, die Wirkungen auf ihre Ursachen zurückzuführen, haben selten die Gelegenheit und noch seltener die Neigung, diese Verfahrungsarten in ihren kleinlichsten Details zu studiren und in den Werkstätten die Erfahrungen selbst zu wiederholen, die daselbst täglich gemacht werden. Ihre Entfremdung von diesen Orten der Beobachtung gestattet ihnen nicht, diese dem Anscheine nach unregelmäßigen Erscheinungen selbst zu beobachten, die nur zufällig und dann und wann erfolgen, die aber, gehörig beurtheilt, das Princip zu einem neuen Zweige von Kenntnissen in sich enthalten können. Selten haben auch die Gelehrten die Geduld, aus der unermeßlichen Masse praktischer Beobachtungen, welche die Handwerker gemacht haben, zu schöpfen und unter einer Menge den Fundamentalgesezen der Wissenschaft dem Anscheine nach entgegengesezter Behauptungen die genauen Thatsachen von denjenigen zu unterscheiden, die nicht richtig beobachtet worden sind. Und doch beruht großen Theils auf der Beobachtung solcher Thatsachen der Fortschritt der Wissenschaft, die heutiges Tages in so vieler Hinsicht ohnmächtig ist, darum weil sie unvollständig ist.

Diese Betrachtungen sind besonders auf die Künste anwendbar, welche die Anwendung und Bearbeitung des Stahles zum Gegenstand haben, denn es gibt keine Substanz, deren physische und chemische Eigenschaften mehr Eigenthümlichkeiten darbieten. Wenn auch die chemische Natur des Stahles seit langer Zeit ziemlich bekannt zu seyn scheint, und die neueste Entdekung der Geseze des Isomerismus bereits einiges Licht auf die charakteristischen Erscheinungen des Härtens und Anlassens wirft, so muß man doch gestehen, daß alle die Umstände, welche diese leztere Erscheinung begleiten, noch bei weitem nicht gehörig gewürdigt worden sind.

Wir sehen zum Beispiel, daß es den meisten Künstlern unmöglich ist, unter dem Anscheine nach gleichen Umständen, gewisse Resultate des Verstählens und des Härtens hervorzubringen, die an einigen Orten täglich erhalten werden. Daher ist diese Gleichheit nicht vollständig. Der Grund davon ist, daß bei den, diese so geschäzten Producte liefernden Manipulationen Nuancen Statt finden, die für den jezigen wissenschaftlichen Gesichtspunkt unmerklich, die aber gewissen Fabrikanten völlig bekannt sind, oder welche die Arbeiter, bei den Umständen, unter denen sie arbeiten, beständig, vermöge einer Art Instinct und ohne sich dessen bewußt zu seyn, hervorbringen. Man kann also der wirklichen Sachlage nach behaupten, daß bei der Stahlbereitung die Praxis der Theorie bei weitem vorgeschritten sey.

Ohne Zweifel wird eine der wissenschaftlichen Entdekungen, die jeden Tag unserer Epoche der Fortschritte bezeichnen, so viele heut zu Tage noch dunkle Thatsachen plözlich aufklären. Indessen ist es wahrscheinlicher, daß diese Aufklärung nur aus der tiefen Untersuchung der Thatsachen selbst entspringen kann. Kurz bei einem Gegenstande der Untersuchung, der auf der gehörigen Beurtheilung vieler so feinen Nuancen beruht, scheint der plözliche Erfolg vielmehr dem mit den allgemeinen Resultaten der Wissenschaften vertrauten Praktiker, als dem Gelehrten vorbehalten zu seyn, der sich an das Studium der Thatsachen machen würde.

Die Lecture eines von Hrn. H. Damemme herausgegebenen Werkes: Essai practique sur l'emploi de l'acier et la manière de le travailler par H. Damemme 1 vol. 8. Paris, leitete auf diese Betrachtungen. Indem der Verfasser darin alle durch die Praxis der Werkstätte dargethane Thatsachen sammelte, und vornehmlich die aus seiner langen Praxis hervorgegangenen Thatsachen darin niederlegte, hat er den Weg eingeschlagen, welcher dem Stande der Sache

nach am meisten zu den Fortschritten der Wissenschaft und Kunst
beitragen muß.

Der praktische Versuch über die Anwendung des Stahles ist
ein vollständiges Werk darüber, weil es nach einander in 9 Capiteln
von der Bereitung und der Natur der verschiedenen Stahlsorten, dem
Schmieden, dem Anlassen nach dem Schmieden, dem Härten, dem
Anlassen nach dem Härten, den Stahlproben, dem Einsezen und dem
Widerstande des Stahles handelt. Die zwei vornehmsten Operationen der Stahlbereitung, das Härten und Anlassen nach dem Härten,
sind besonders Gegenstand der Untersuchungen des Verfassers gewesen. Diese beiden Capitel, welche zahlreiche aus den Untersuchungen
des Hrn. H. Damemme hervorgegangene Erfahrungen enthalten,
empfehlen sich von selbst der Aufmerksamkeit der Gelehrten, und sind
gänzlich über das Urtheil erhaben, welches ein Kritiker darüber fällen
könnte, der von der Praxis nur eine allgemeine Kenntniß hat. Wenn
mehrere Schlüsse, auf die der Verfasser geleitet wurde, gewissen heut
zu Tage angenommenen Principien entgegen zu seyn scheinen, so
muß man sich erinnern, daß diese Principien keine ausschließliche
Autorität haben können, weil sie zur Erklärung der bekannten Erscheinungen unzureichend sind. Uebrigens sollte man bei einer so
schwierigen Materie mit Aufmerksamkeit die Theorien betrachten, die
beim ersten Anblike unvollständig oder ungenau zu seyn scheinen,
wenn sie von einem Praktiker herrühren, der nur nach einer langen
und bis in die kleinsten Details eingehenden Beobachtung der Thatsachen darauf gebracht worden ist.

Der folgende Auszug des Werkes des Hrn. H. Damemme
wird hoffentlich eine Idee von der praktischen Nüzlichkeit geben, die
darin beständig mit dem wissenschaftlichen Interesse verbunden ist.

Von der Prüfung der Stahlarten.

Die Kenntniß der Stahlsorten erfordert Uebung; der Handwerker,
dem seine Kunst am Herzen liegt, kann sich nicht genug damit beschäftigen. Nur zu oft sieht man Handwerker, die den Stahl, den
sie kaufen, eben so wenig kennen, als der Kaufmann, von dem sie
ihn kaufen, und seine Qualität nach dem Preise beurtheilen. So
nehmen sie auch oft mittelmäßigen Stahl für guten. Es würde daher von großer Wichtigkeit für sie seyn, gewisse Grundregeln zu haben, nach denen sie denselben versuchen könnten. Solche Grundregeln
werden wir uns bemühen aufzustellen.

Einen Stahl probiren, heißt seine Qualität in Vergleichung mit
der eines anderen untersuchen. Um diesen Unterschied richtig zu beurtheilen, muß man ihn den Operationen unterwerfen, die er zu er-

leiden hat, und diese sind das Schmieden, das Härten, das Anlassen nach dem Härten und das Poliren. Mit Hülfe dieser Operationen ist man im Stande zu beurtheilen: 1) ob ein Stahl sich leicht schmieden lasse; 2) ob er spröde oder geschmeidig bei der Wärme oder bei der Kälte sey; 3) ob er fähig sey, durch das Härten eine große Härte anzunehmen; 4) ob diese Härte gleichmäßig sey; 5) ob er in seinem Bruche ein regelmäßiges oder blätteriges Korn darbiete; 6) ob er durch das Anlassen nach dem Härten Elasticität, Federkraft erhalte, was man unter Körper des Stahles versteht; 7) ob er nach erfolgter Politur ein reines, schattirtes oder faseriges Aussehen hat. Das sind die vornehmsten Fragen, die man darüber aufwerfen kann. Wir wollen es versuchen, dieselben zu beantworten.

Erste Frage: Ob der Stahl leicht sich schmieden lasse.

Man kann über diese Eigenschaft des Stahles urtheilen, wenn man eine Stahlstange mit dem einen Ende ins Feuer legt; man erhizt das Metall, bis es geschweißt werden kann; nachher schmiedet man es. Bietet es bei dieser Operation ein reines Aussehen, ohne Rizen und Risse, dar, so kann man überzeugt seyn, daß dieser Stahl sich schweißen läßt. Man weiß, daß er dem oder jenem Grade des Feuers widersteht.

Wird feiner Stahl unbedekt ins Feuer gebracht, so verbrennt er, wenn die Hize zureichend ist, um ihn zu schweißen; man sagt alsdann, daß dieser Stahl troken sey; das Feuer verzehrt ihn äußerlich, zersezt ihn, wenn man nicht sehr aufmerksam darauf ist, den Grad des Feuers in seine Gewalt zu bekommen; es legen sich Schlaken an, und hindern oft ihn zu schweißen. Um diesen Fehler zu vermeiden, pflegt man ihn mit klein gemachter Thonerde, feinem Sande oder zerstoßenem Sandsteine zu bestreuen, was die Operation erleichtert. Wenn der Stahl, nachdem er einer schweißenden Wärme unterworfen worden war, gut gehämmert wurde, und man findet nach der Operation seine Oberfläche voll von Rissen, so schmiedet sich dieser Stahl schwer, und er erfordert weniger Wärme. Ist es ein gemeiner Stahl (Rohstahl, Schmelzstahl, künstlicher Damast), so ist er für die Wärme allzu spröde, und muß verworfen werden.

Hat man mit der Feile die Risse, welche dieser Stahl darbietet, weggenommen, und ihn von Neuem erwärmt, so taugt er nichts, wenn er beim Biegen noch immer an der äußeren Krümmung zerreißt; er ist alsdann zu spröde für die Wärme. Die Klinge, die man daraus machen würde, hätte keine Schärfe zum Schnitte. Gewöhnlich sagen die Handwerker, daß ein solcher Stahl keinen Körper habe.

Ein leicht zu verarbeitender Stahl von guter Qualität kann diese ungünstigen Anzeichen darbieten, wenn man ihn allzu sehr erhizt hat. Das Uebermaaß der Wärme ist dem Stahle völlig zuwider; es verändert seine Natur und bringt ihn auf seinen ursprünglichen Zustand als Eisen zurück.

Man darf jedoch nicht, weil ein Stahl plözlich unter dem Hammer zerbricht, ein ungünstiges Urtheil über ihn fällen. Je feiner die Stahlsorten sind, desto weniger lassen sie sich umbiegen, desto eher zerbrechen sie in der Kälte; ihr Gewebe ist feiner, da die Eisentheile, welche die Grundlage derselben ausmachen, durch die Anwesenheit der eingeführten Flüssigkeit getrennt, sich unter einander mit weniger Oberfläche berühren, und weniger adhäriren. Obgleich diese Stahlsorten im Allgemeinen der Gewalt mehr widerstehen, so sind ihre durch einen feinen und zarten Körper vereinigten Molecüle weniger im Stande dem Druke, dem Schlage des Hammers zu widerstehen. Es gibt jedoch gemeine Stahlsorten, die auch in der Kälte leicht zerbrechen; fast alle gewöhnlichen Stahlsorten, die in der Wärme spröde sind, haben diese Eigenschaft auch in der Kälte, wie es auch solche gibt, die in der Wärme geschmeidig und sehr spröde in der Kälte sind.

Wenn ein Stahl in der Schmiede erhizt worden ist, so wird ein guter Schmied ihm beinahe das Korn geben, das er ursprünglich gehabt hatte. Wird aber dieser Stahl die nämliche Qualität haben? Nein, man muß sich nicht täuschen lassen, da die Feinheit des Stahles nicht immer eine Probe seiner Qualität ist. Wir haben gemeine Stahlsorten, die, wenn man sie mit Sorgfalt bearbeitet, oft bis zum Verwechseln ein eben so feines Korn darbieten, als guter Cementstahl, ohne jedoch seine Güte zu besizen. Wir haben noch den Rosenstahl und den von Souppes, die, obgleich sehr gemein, bei einer zur rechten Zeit vorgenommenen Härtung auch ein sehr feines Korn darbieten. Es gehört das Auge eines äußerst erfahrenen Künstlers dazu, um diese Stahlsorten nach der Ordnung des Kornes, das jede derselben darbietet, zu unterscheiden, wenn sie bei der ihnen angemessenen Farbe gehärtet worden sind; oft noch irrt er sich hierin.

Zweite Frage: Ob der Stahl in der Wärme oder in der Kälte geschmeidig sey.

Wenn man einen mit Vortheil einer schweißenden Hize unterworfenen Stahl schmiedet, und man fährt fort ihn zu schmieden, um daraus ein mehr oder weniger breites Band zu verfertigen, ohne ihn von Neuem zu erhizen, und man dehnt ihn unter dem Hammer aus, ohne daß er an den Rändern zerspringt, so ist dieß ein ge-

schmeidiger Stahl.　Hat man diesen Stahl auf solche Weise geschmiedet, läßt ihn dunkelroth oder braunroth glühen, und man kann
ihn nach erfolgtem Eintauchen in Wasser nach verschiedenen Seiten
biegen oder ihn kalt hämmern, ohne daß er zerspringt oder an den
Rändern einreißt, so kann man ebenfalls überzeugt seyn, daß dieß
ein geschmeidiger Stahl sey.　Die feinen und guten, mit Sorgfalt
geschmiedeten Stahlsorten haben diese Eigenschaft; endlich sind die
mit Geschicklichkeit bereiteten guten Stahlsorten desto geschmeidiger,
je feiner sie sind.

Es gibt Stahlsorten, die, während man sie schmiedet, oder, um
sie zu schweißen, erhizt, eine zuverlässige Probe von ihrer schlechten
Qualität gewähren.　Sie blähen sich in der Hize auf, sie werden
blasig, es reißen sich Funken davon los, die mitten in der Flamme
funkelnd aufsteigen, was ein deutlich wahrnehmbares Geräusch verursacht, und einen angenehmen Anblik darbietet.　Eine Stahlsorte,
welche dergestalt blasig wird, geht bei den ersten Hammerschlägen in
Stüke; sie muß verworfen werden.

Diese Art des Versuches, die Schweißhize, paßt nicht für alle
Stahlsorten ohne Unterschied; der Cementstahl kann ihr kaum widerstehen; er schweißt sehr schwer bei mäßiger Hize (à chaude portée).
Man kann ihn nur mit Mühe allein schweißen, wenn er auf sich
selbst zurükgebogen wird, wofern er nicht gut gedekt worden ist.
Man schweißt selbst das Ende einer Stange von diesem Stahl nur
mit Schwierigkeit, welcher brüchig seyn würde.　Die feinen Stahlsorten Steyermarks, Schwedens, die englischen Cementstahlsorten,
solche wie Brennstahl und Sporenstahl, die französischen Cementstahlsorten sind im Allgemeinen empfindlich gegen das Feuer.

Der Gußstahl erfordert noch größere Behutsamkeit; man kann
ihn nicht demselben Hizgrade aussezen, welchen die vorhergehenden
Stahlsorten leicht ertragen, er verbrennt darin völlig.　Wenn er aus
dem Feuer herauskommt, so springt er von selbst bei Gegenwart der
Luft auf; wenn man ihn so weit erhizt hat, daß man ihn wie gemeinen Stahl schweißt, so zerfällt er in Klümpchen; wenn er aus
dem Feuer herauskommt, und zerspringt gänzlich bei den ersten
Hammerschlägen.　Hat man im Gegentheil den rechten Hizgrad angewendet, und den Stahl bloß bis zum Hellroth erhizt, so schmiedet
man ihn mit Leichtigkeit, kann ihn sogar fast ganz, ohne daß er
zerbricht, unter dem Hammer streken.　Je mehr man fortfährt ihn
zu schmieden, desto mehr muß man die Wärme vermindern; alsdann ist dieser Stahl geschmeidig, biegsam und nachgiebig unter dem
Hammer und kann eben sowohl wie die anderen Stahlsorten auf alle

Formen gebracht werden, die man ihm geben will; er widersteht nur in so fern, als er allzu sehr erhizt worden ist.

Dritte Frage: Ob der Stahl für eine große Härte vermittelst des Härtens empfänglich,

Vierte Frage: Ob diese Härte gleichförmig sey.

Um diese Eigenschaft zu beurtheilen, schmiedet man eine Stahlstange an einem Ende, und wenn man sie von 5 bis 6 Zoll gestrekt hat, so macht man alle sechs Linien Einschnitte bis auf den vierten Theil ihrer Dike; man bezeichnet jedes der durch die Schnitte gebildeten Stüke mit einem kalten Meißel, oder einem Stichel. Man macht eine hinlängliche Menge von Punkten, um die Folge der Stüke anzuzeigen, bringt nachher den Stahl an demselben Ende ins Feuer, wobei man Sorge trägt, ihn so weit hinauf wie das vorige Mal zu erhizen, bis er an dem Ende die Safranfarbe annimmt, jedoch mäßigt man die Hize nach dem Ende zu, das nicht geschmiedet wurde. Wenn man ihn in diesem Zustande ins Wasser taucht, so wird er nach und nach die verschiedenen Grade der Härte annehmen, deren er fähig ist. Man untersuche ihn alsdann entweder mit der Feile oder mit einem Zahnmeißel; man kann ihn, wenn man will, mit einem Feuerstein rizen. Diese Versuche werden in den Stand sezen zu urtheilen, ob die Härte gleichförmig, ob er eisenhaltig oder gesund sey, je nachdem man Theile findet oder nicht, die sich feilen lassen, oder in die man mit dem Zahnmeißel einhauen kann.

Fünfte Frage: Ob das Korn des Stahls krystallisirt oder blätterig erschien.

Hat man gefunden, bei welchem Punkte der zu prüfende Stahl die größte Härte darbietet, so fasse man ihn in einen Schraubstok, so daß man nur eins von den durch die Schnitte gebildeten Stüken über das Gebiß heraußstehen läßt. Man zerbreche dieses Stük mit einem Hammerschlage, eben so auch die anderen. Alsdann stelle man sie aufrecht vor sich und nach ihrer Nummer, so daß das Korn des Stahls oben ist. Ihre Brüche werden alsdann eine Folge von mehr oder weniger verschiedenem Korne darbieten; dieses Korn erscheint mehr oder weniger grob, je nach dem größeren oder geringeren Grade von Hize, den der Stahl erhalten hat, oder je nach seiner Natur. Es wird um so viel größer seyn, je heißer der Stahl gehärtet worden ist, wie es auch um so viel gröber seyn wird, je feiner der Stahl ist, wenn die Temperatur des Härtens so ist, wie sie für den gemeinen Stahl paßt. Das Korn des Stahles wird dagegen deſto feiner ſeyn, je beſſer der Stahl iſt, wenn der Hizgrad nicht zu hoch war; denn je feiner der Stahl iſt, deſto weniger erfordert er Hize.

Man kann ſich des eben erwähnten Mittels bei allen Stahlſorten ohne Unterſchied bedienen; das folgende paßt aber bloß für ſolche Stahlſorten, die ſich leicht ſchweißen laſſen; wir haben es dem unſterblichen Réaumur zu verdanken. Es beſteht darin, daß man das Ende einer Stahlſtange an eine eben ſo breite und halb ſo dike Eiſenſtange ſchweißt. Sind dieſe beiden Stangen an ihren Enden in einer Länge von 5 bis 6 Zoll an einander geſchweißt, ſo ſpaltet man das Eiſen in der Mitte ſeiner Breite, ſeiner ganzen Länge nach, ſo weit es geſchweißt worden iſt, und ſeiner ganzen Dike nach bis zum Stahle. Nachher erhizt man dieſe neue Stange, um ſie zu härten. Iſt dieß geſchehen, ſo läßt man ſie am Feuer troknen, legt ſie auf den Ambos, eine der Seiten des Eiſens auf eine andere Eiſenſtange geſtüzt, ſo daß ſie nicht ſenkrecht ſteht, und ſchlage in der Mitte ihrer Breite darauf, um den Stahl ſeiner Länge nach zu zerbrechen; oder man faſſe die neue Stange in das Gebiß eines Schraubſtokes, ſo daß der Schnitt ſich mit demſelben in horizontaler Lage befindet. Man ſchlage an den Theil, der über den Schraubſtok hinausgeht, oder man zerbreche den Stahl ſeiner Länge nach. Man überſieht dann mit einem Blike alle Reihen des Kornes, die dieſer Stahl darbietet. Durch dieſes Mittel hat man den dreifachen Vortheil, daß man 1) erkennt, ob ſich dieſer Stahl leicht ſchweißen laſſe, 2) ſeine Härte prüfen, 3) ſein Korn mit dem eines anderen Stahles leicht vergleichen kann. „Ziemlich allgemein iſt die Reihe des feinen Kornes bei den feinen Stahlſorten doppelt ſo groß, als die anderen Reihen des Kornes von dem nämlichen Stahl; ſie iſt folglich ausgedehnter, länger, als es dieſe nämliche Reihe des Kornes bei den gemeinen Stahlſorten iſt.‟

Es gibt noch eine andere Art von Probe, wodurch der Handwerker auch in den Stand geſezt wird, über die Natur ſeines Stahls zu urtheilen. Eine an dem Ende geſchweißte Stahlſtange ſtrekt man in einer Länge von 5 bis 6 Zoll zu einer Breite von 8 bis 10 Linien aus. Auf der einen Seite läßt man ſie diker als auf der anderen, ſo daß ſie die Geſtalt einer Meſſerklinge erhält. Wenn man dieſen Theil des Stahles gehärtet hat, ſo zerbricht man ihn an der dünneren Seite, indem man durch Hammerſchläge auf die Ränder des halbgeöffneten Schraubſtoks in den gehärteten Theil ſeiner ganzen Länge nach Lüken macht. Man überſieht dadurch mit einem Blike alle Arten des Kornes, welche der Stahl bei dem Härten nach den verſchiedenen Hizgraden, die er erhält, annehmen kann; wie man

auch leicht sieht, ob er sich leicht schweißen lasse, und die Härte erkennt, welche er durch das Härten erlangt. Obgleich vermittelst des
Härtens bei dieser Art von Versuch das Korn wie in den beiden
oben erwähnten Fällen, nach Verhältniß des Hizgrades verschieden
ist, so ist es doch nicht eben so empfindlich; da der Stahl dünner
war, so sieht man es schwerer; die andere Art des Versuches ist daher vorzuziehen.

Es ist gewiß, daß der Stahl nach Verhältniß des höheren oder
niederen Grades von Hize, dem er unterworfen wird, ein verschiedenes Korn annimmt, und daß das Korn des Stahles in einem einzigen Bruche oft ein zweideutiges und trügerisches Zeichen ist; guter
Stahl kann daher von dem für schlecht befunden werden, der keine
Geschiklichkeit besizt ihn zu gebrauchen. Wenn man aber eine der
Proben anwendet, die vorher beschrieben worden sind, und man gibt
dem Stahl bei der Verarbeitung einen Hizgrad, der geeignet ist, ihn
die Reihe des feinen Kornes annehmen zu lassen, so wird man den
Fehler, den man hätte begehen können, immer verbessern.

Nicht gehärteter Stahl bietet oft in seinem Bruche Fasern,
Eisenadern, längliche Blätter, in dem einen Theile seines Bruches
gröberes Korn, als in dem anderen dar. Dieß zeigt einen eisenhal-
tigen Stahl an, der zu Schneidinstrumenten nicht paßt. Diese
Blätter und Fasern sind oft sichtbarer bei dem nicht gehärteten, als
bei dem gehärteten Stahle, weil sie bei dem lezteren sich mit dem
Korne des Stahles vermischen. Wenn sie selbst mehr oder weniger
aus Stahl bestehen, so nehmen sie mehr oder weniger Korn, so wie
auch mehr oder weniger Härte an; alsdann kann der Künstler nur
mit Schwierigkeit es erkennen. Um diese Blätter in dem nicht gehärteten Stahle sichtbarer zu machen, schneide oder haue man in
eine der Seiten der Stange hinein; alsdann stelle man den Stahl
senkrecht auf den Ambos, und schlage mit dem Hammer auf die
dem angebrachten Einschnitt entgegengesezte Seite, und man erhält
das ganze Korn, das dieser Stahl darbieten kann. Will man im
Gegentheil die Stahlstange auf der Fläche zerbrechen, so geschieht es
oft, daß sie sich biegt, man biegt sie dann zurük, biegt sie wieder
auf die entgegengesezte Seite, was oft zwei bis drei Mal wiederholt
wird. Der Stahl bietet alsdann in seinem Bruche nur noch Gewebe
von Blättern, zusammenstoßenden Fasern dar, die nicht eben sehr in
Stand sezen, ein Urtheil über ihn zu fällen, was im anderen Falle,
wenn man ihn auf der Fläche oder der Seite zerbricht, nicht geschieht.
Der Stahl, welcher auf diese Weise zerbrochen worden ist, bietet oft
in seinem Bruche die Gestalt eines Rehfußes dar. Viele Künstler
und selbst Kaufleute nehmen dieses Zeichen als einen Beweis von der

Güte des Stahles an. Zwar bietet ein schlechter Stahl dieses sehr
deutlich ausgesprochene Kennzeichen nicht dar; indessen würde man
sich sehr irren, wollte man beim Urtheile über die Qualität einer
Stahlsorte sich auf diesen Bruch stützen. Wir haben sehr gemeine,
trokene, in ihrer Anwendung sehr undankbare Stahlsorten, die diesen
deutlich ausgesprochenen Charakter an sich tragen; wie es auch wohl
vorkommt, daß ein sehr guter Stahl ihn nur unvollkommen darbietet.
Diese Art von Bruch hängt von dem Willen desjenigen ab, der die
Stahlstange zerbricht, wenn er das kennt, wodurch er bewirkt wird.
Hat man einen kleinen Einschnitt in eine Stahlstange gemacht, sezt
sie nicht senkrecht auf einen Ambos und schlägt von der dem Einschnitte entgegengesezten Seite, so beschreibt der Bruch eine mehr
oder weniger lange Curve, je nachdem der Theil, wohin geschlagen
wurde, mehr oder weniger vom Schnitte entfernt ist, und nachdem
der Hammerschlag mehr oder weniger troken, mehr oder weniger
heftig war.

Es ist eine üble Gewohnheit den Stahl zu härten, ohne ihn
geschmiedet zu haben. Die Molecüle des Stahles nehmen nicht die
nämliche Stelle ein, die ihnen der Hammer gegeben haben würde.
Es verhält sich eben so, wenn man den Stahl allzu sehr erhizt und
ihn nachher erkalten oder auf den Grad von Hize kommen läßt, der
für das Härten passend ist. Die Theile des Stahles nehmen nicht
die nämliche Stelle wieder ein, die ihnen das Feuer bei diesem Grade
der Temperatur gibt. Ohne Zweifel findet bei dem Stahle bei diesem Hizgrade ein Zusammentreten der Theilchen Statt, eine gewisse
Schmelzung einiger Antheile oder eine innige Durchdringung seiner
Theile mit den Eisentheilen, welche die Grundlage desselben ausmachen. Endlich bietet der Stahl bei diesem Hizgrade nach dem
Härten ein regelmäßiges, feines und ganz gleichförmiges Korn dar;
während, wenn man ihn zu sehr erhizt hat, ob man gleich ihn zu
einer niedrigen Temperatur herabsinken ließ, sich seine Poren erwei-
terten, seine Grundstoffe sich nach der Oberfläche hinzogen, jede der
Molecüle derselben beraubt wurde, und sie die nämliche Form nach
dem Härten behielten, ob sie gleich nicht so warm geworden waren,
als sie gehärtet wurden. Nach dem Härten bilden sie grobe, zer-
streute und vertheilte Klümpchen, die fast eben so sichtbar sind, als
wenn der Stahl bei der Temperatur gehärtet worden wäre, bis zu
der er vorher gebracht wurde. Er hat immer weniger Härte als
derselbe Stahl, wenn er in der passenden Temperatur gehärtet worden ist; wie auch seine Schneide niemals so scharf ist; leicht bekommt er bei der geringsten Anstrengung Lüken.

Viele Künstler prüfen ihren Stahl noch auf folgende Weise:

20*

Sie geben ihm an dem Ende eine Schweißhize, streken ihn in eine
Spize aus und härten ihn. Sie schlagen mit einem Hammer auf
das Ende der Stange, das nicht gehärtet worden ist, und ein Stük
des gehärteten Theiles zerbricht durch die Erschütterung, die es erleidet. Dieser Bruch findet nicht immer bei einer kleinen Stahlstange
Statt; folglich ist diese Probe dem Irrthume unterworfen. Statt
den Stahl zu zerbrechen, wie wir so eben gesagt haben, zerbrechen
ihn manche Künstler auf dem Amboße in kleine Stüke, und schlagen
darauf, als wollten sie ihn zerschmettern. Sie beurtheilen die Härte
des Stahls nach der Art, wie die Stüke bei dem Stoße oder Druke
stumpf werden. Allerdings erkennt man auf diese Weise, ob der
Stahl dem Feuer widersteht; man sieht aber sein Korn mit Schwierigkeit. Man urtheilt nicht richtig über seine Härte, und man kann
weder über seine Dehnbarkeit noch über seinen Körper urtheilen.

**Sechste Frage: Ob durch das Anlassen nach dem Härten
der Stahl Elasticität, Spannkraft erhält, was man
unter dem Körper des Stahles versteht.**

Die Wörter Körper des Stahles (corps de l'acier) oder Nerv
des Stahles (nerve de l'acier) als Ausdrüke der Schmiede bedeuten
oft das Nämliche; aber sie drüken bei ihm bald die Hämmerbarkeit,
bald die Dehnbarkeit, Zähigkeit, Geschmeidigkeit oder Elasticität,
Spannkraft, Stärke u. s. w. aus.

Die Arbeiter sagen von einem Stahle, der sich leicht schweißen
läßt, der dem Feuer ohne Risse zu bekommen widersteht, der geschmeidig ist: dieser Stahl hat Körper, dieser Stahl hat Nerv; man
meint damit einen dehnbaren, hämmerbaren Stahl. Im entgegengesezten Falle sagen sie: dieser Stahl ist troken, er hat keinen Körper; und oft hat der, von dem geurtheilt wurde, daß er heiß Körper
habe, wenn man ihn kalt zu sehr hämmert, keinen.

Wenn man diesen Stahl kalt schlägt, ohne daß er an seinen
Rändern zu sehr zerreißt, so sagt man ebenfalls, dieser Stahl habe
Körper, Nerv. Darunter versteht man Zähigkeit.

Wenn man aus zwei oder mehreren verschiedenen Stahlsorten
Zahnmeißel (Meißel, um das Eisen oder den Stahl zu zerschneiden)
macht, so sagt man auch von dem Stahle, dem der daraus gefertigte
Meisel am besten widerstanden hat: dieser Stahl hat Körper, hat
Nerv. Zuweilen geräth man in dieselbe Schwierigkeit, wie in den
vorhergehenden Fällen. Ein solcher Stahl, der kalt und heiß weder
Körper noch Nerv haben sollte, hat deren viel, wenn er ein Mal
gehärtet worden ist und umgekehrt. Diese Eigenschaft hängt also

wesentlich von der Art ab, wie der Stahl im Feuer behandelt worden
ist. Hier ist Körper des Stahles mit Härte gleichbedeutend.

Man sagt ebenfalls, daß ein Stahl Körper, Nerv habe, wenn
er nach dem Härten und Anlassen mehr oder weniger dem Stoße
widersteht, mehr oder weniger für Elasticität empfänglich ist. Auf
diese Eigenschaft haben einige Schriftsteller, die über den Stahl geschrieben haben, am meisten ihre Aufmerksamkeit gerichtet. Réaumur hat viele Versuche angestellt, die er in seiner Abhandlung über
den Stahl angegeben hat. Er hat z. B. Stahl zu Draht ausge-
strekt, hat das eine Ende an die Deke befestigt und das andere an
die Mitte eines Hebels, der an dem einen Ende befestigt war, und
an dem anderen ein Gewicht zu tragen hatte; dieß erhielt den Stahldraht ausgespannt. Vermittelst einer kleinen beweglichen Blechplatte,
auf der er glühende Kohlen hatte, und durch welche sein Stahldraht
ging, erhizte er einen Theil desselben; er ließ nachher die Platte nieder, schüttete Wasser auf den Stahl und härtete ihn auf diese Weise.
Nachher hing er an das Ende des Hebels so viel Gewicht, als hin-
reichte, den Bruch seines Stahles zu bewirken. Dieß Mittel wendete er an, um den Widerstand, die Zähigkeit, die Stärke desselben
zu beurtheilen. Dadurch erhielt er jedoch nur unvollkommene Resultate; denn wenn der Stahl in einem Theile seiner Länge heiß geworden war, verlängerte er sich nothwendig durch die Wirkung des
Gewichtes, das er trug; er mußte also in diesem Theile schwächer
seyn als in jedem anderen. Es war daher der Widerstand, den er
entgegensezte, nicht so groß, als er bei demselben Stahldrahte in
seiner früheren Dimension gewesen wäre.

Siebente Frage: Ob der Stahl reine, dunkle, oder faserige Flächen darbiete.

Um zu beurtheilen, ob der Stahl auf allen seinen Flächen rein
sey, ob er zu jeder Art gemeiner oder polirter Arbeiten passe, nimmt
man seine Zuflucht zu folgendem Mittel. Man erhizt das eine Ende
des Stahles und schmiedet es bloß bis auf eine Länge von 3 bis 4
Zoll viereckig. Man härtet es bei einem mittleren Hizgrade zwischen
Kirschbraun und Rosenroth. Darauf macht man es auf einer der
Seiten blank, sezt es einem milden Feuer aus, damit es die violette
oder dunkelblaue Farbe annehme, polirt es auf zwei Flächen, der
Breite und Dike. Auf seiner Breite sieht man die Abstufungen,
Schattirungen, Fasern, welche dieser Stahl darbietet, auf seiner Dike
die Schichten, aus denen er besteht. Soll der Stahl zu jeder Art
von Arbeiten passen, so darf er keine, oder nur wenig solcher eben
erwähnten Abstufungen darbieten. Findet man deren daran, so ist

das fast immer die Folge davon, daß ein Theil des Eisens mehr oder weniger mit dem Körper des Stahles vermischt ist. Diese Abstufungen und Fasern treten noch mehr hervor, wenn man ein wenig verdünnte Salpetersäure auf den Stahl gießt. Alsdann verkohlen sich die Theile des Stahles durch die Wirkung der Säure und bilden einen schwarzen Rükstand, während das Eisen nur eine gelbliche, der Säure etwas mehr widerstehende Farbe darbietet.

Die Abstufungen, von denen wir so eben sprachen, sind zufällig, wie oben bemerkt wurde, und sind nach der Form des Gegenstandes und dem Hizgrade verschieden, dem der Stahl bei dem Härten unterworfen wurde. Es findet daher in dem Körper des Stahles eine beständige Bewegung zur gehörigen Anordnung seiner Theile Statt, wodurch diese Abstufungen und diese Abwechselung in dem Korne des Stahles bei dem Härten entsteht. Ein bei einem geringeren und für ihn nicht passenden Hizgrade erhizter und gehärteter Stahl bietet nicht die Ordnung des Kornes dar, die er bei einem etwas höheren Hizgrade annimmt. Die Moleküle haben sich nicht genüg ausgedehnt, sie sind nicht durch die Flüssigkeit befeuchtet worden, die um jede derselben bei der Feuerung schwimmt, die Theile sind nicht in die Ordnung getreten, welche die Folge eines milden und mäßigen Feuers ist, das Korn ist gröber, als vor dem Härten. Wird der Stahl etwas heißer gehärtet, so bietet er das Korn in Streifen dar und wird nicht hart.

Die vorher aufgestellten Grundsäze und Thatsachen lehren, daß das Härten neben seinen Vortheilen auch verschiedene Mängel dem Stahle mittheile, wie z. B. Biegungen, Drehungen, Brüche, eine unvermeidliche Folge der Zusammenziehung, welche er erleidet. Wenn man ihn daher erhizt und ihn mehrere Mal härtet, so ist es wahrscheinlich, ja sogar gewiß, daß diese Mängel bei jedem Härten sich mehr oder weniger zeigen werden; aber jedes folgende Härten zerstört die Eigenschaft, welche der Stahl durch das vorhergehende erhalten hatte. Daher ist das wiederholte Härten unnüz und selbst nachtheilig wegen der Mängel, die es nach und nach erzeugt. Man irrt sich daher, wenn man es lobt.

Nur erst, nachdem ich durch eine große Anzahl Versuche die Wahrheit erkannt hatte, daß der Stahl durch einen hohen Hizgrad eine Veränderung erleidet, stellte ich folgende Brobachtung an.

Klingen von fünf Zoll langen Rasirmessern, deren Schneide drei Zoll betrug, im Sonnenmikroskop betrachtet, schienen fünfzehn Zoll lang zu seyn. Die an der Schneide durch die Poren des Stahles gebildeten Ungleichheiten waren weit merklicher bei den aus gemeinem, als bei den aus feinem Stahl verfertigten. Jeder Zahn war wieder gezähnt, und diese Zaken schienen eben so viel Hahnkämme zu seyn, die sich berührten. Die Schneide der aus feinem Stahl verfertigten und zum Rasiren wohl geeigneten Rasirmesser, die keine für unsere Organe bemerkbare Zaken hatte, und bei dem für den feinen Stahl angemessenen Hizgrad gehärtet worden war, schien eine feine und regelmäßige Säge zu seyn; während bei den aus dem nämlichen Stahl verfertigten Rasirmessern, die aber bei dem Härten zu sehr erhizt worden waren, sey es nun, daß sie unmittelbar nach erfolgter Erhizung gehärtet, oder daß sie wieder an die Luft gebracht, bei der angemessenen Farbe gehärtet worden waren, die Schneide eine viel gröbere und schlecht begränzte Auszakung darbot, obgleich sie auf dem nämlichen Steine, wie die ersteren, abgezogen worden waren. Ich zog sie alle von Neuem ab, indem ich mich eines anderen Steines von gröberem Korne bediente. Die an jeder Schneide entstandene Auszakung trat dann weit mehr hervor, es fand aber in den Dimensionen der Zaken die nämliche Ordnung Statt. Die Schneide der aus feinem Stahle verfertigten und gut gehärteten Rasirmesser hatte immer den Vorzug vor der der anderen Rasirmesser. Die Auszakung hängt, wie man sieht, sowohl von dem Korne des Stahles, als auch von dem des Steines ab, weil das Korn und die Auszakung nach Verhältniß des Uebermaaßes der Hize, die der Stahl erhalten hat, verschieden ist. Die allzu große Hize beim Härten des Stahles ist daher ein Fehler, weil dadurch die Qualität des Metalles verändert wird.

LXII.

Miszellen.

Verzeichniß der vom 28. März bis 27. April 1837 in England ertheilten Patente.

Dem Joseph Haley, Mechaniker in Manchester: auf Verbesserungen an den Maschinen und Apparaten zum Schneiden, Ebnen und Drehen der Metalle und anderer Substanzen. Dd. 28. März 1837.

Dem Joseph Whitworth, Ingenieur in Manchester: auf Verbesserungen an denselben Maschinen und Apparaten. Dd. 28. März 1837.

Dem Henry Stephens, Tintenfabrikant in Stamford Street, Grafschaft Surrey: auf Verbesserungen an den Tintenfässern und Schreibfedern. Dd. 28. März 1837.

Dem Michael Berand Lauras, im Leicester Square in der Grafschaft Middlesex: auf Verbesserungen in der Dampfschifffahrt. Dd. 4. April 1837.

Dem Henry Booth Esq., in Liverpool: auf Verbesserungen an den Oefen der Dampfwagen. Dd. 4. April 1837.

Dem William Wynn, Uhrmacher in Dean Street, Grafschaft Middlesex: auf einen verbesserten Apparat, um die Verdunstung geistiger und saurer Flüssigkeiten zu verhindern. Dd. 4. April 1837.

Dem Joseph Amesbury, Chirurg in Burton Crescent, Grafschaft Middlefer: auf Apparate für Personen, die an Steifheit und Schwäche im Rükgrat, den Gliedern ꝛc. leiden. Dd. 4. April 1837.

Dem William Weekes in King Stanley in der Grafschaft Gloucester: auf Verbesserungen im Appretiren und Vollenden der Tücher und anderer Fabricate. Dd. 4. April 1837.

Dem Joseph Lincoln Roberts, Kaufmann in Manchester: auf Verbesserungen an den Webeftühlen. Von einem Ausländer mitgetheilt. Dd. 11. April 1837.

Dem Reuben Bull, in Adams Street West, Portman Square, Grafschaft Middlefer: auf Verbesserungen an den Schornfteinkappen, wodurch der Rauch leichter entweichen und seine Rükkehr verhindert werden kann. Dd. 15. April 1837.

Dem Horatio Nelson Aldrich, Kaufmann am Cornhill in der City von London: auf Verbesserungen im Spinnen, Zwirnen, Dubliren und überhaupt im Vorbereiten der Baumwolle, Seide und anderer Faserftoffe. Von einem Ausländer mitgetheilt. Dd. 15. April 1837.

Dem Henry Stephens, in Charlotte Street, und Ebenezer Rash, in Buros Street, Grafschaft Middlefer: auf Verbesserungen in der Fabrication von Farbstoffen und Laken zum Färben, Mahlen und Schreiben. Dd. 18. April 1837.

Dem David Napier, Ingenieur in York Road, Lambeth, Grafschaft Surrey: auf Verbesserungen an den Buchdrukerpressen. Dd. 18. April 1837.

Dem William Crofts, in New Radsford, Grafschaft Nottingham: auf Verbesserungen in der Fabrication von gemufterten Bobbinnets. Dd. 18. April 1837.

Dem Thomas Hancock, in Gotwell Mews, Grafschaft Middlefer: auf ein verbessertes Verfahren Zeuge mittelft Kautschuk ganz oder theilweise luft- und wasserdicht zu machen. Dd. 18. April 1837.

Dem Edmond Haworth jun. in Bolton, Grafschaft Lancafter: auf verbesserte Apparate zum Trofnen der Calicos, Mufseline und anderer Zeuge, auf noch weitere fünf Jahre. Dd. 18. April 1837.

Dem Charles Farina, am Clarendon Place, Grafschaft Middlefer: auf ein verbessertes Verfahren Ferment zu bereiten. Dd. 18. April 1837.

Dem Lemuel Wellman Wright, Ingenieur in Manchester: auf verbesserte Apparate zum Bleichen und Reinigen der baumwollenen, leinenen und anderen Zeuge. Dd. 20. April 1837.

Dem William Gratrix, im Springfield Lane, bei Salford, Grafschaft Lancafter: auf Verbesserungen im Bleichen und Reinigen der leinenen, baumwollenen und anderen Gewebe, so wie im Wegäzen von Farben von denselben. Dd. 22. April 1837.

Dem John Gottlieb Ulrich, in Red Lion Street, Grafschaft Middlefer: auf gewisse Verbesserungen an Chronometern. Dd. 22. April 1837.

Dem Sir George Cayley, in Brompton bei Malton, Grafschaft York: auf Verbesserungen an den Apparaten zum Forttreiben der Wagen auf Landstraßen und Eisenbahnen. Dd. 25. April 1837.

Dem James Pim jun., Banquier in Dublin, und Thomas Fleming Bergin, Civilingenieur in Weftland Row, ebendaselbft: auf ein verbessertes Verfahren die Wagen auf Eisenbahnen fortzutreiben. Dd. 25. April 1837.

Dem Miles Berry, Patentagent im Chancery Lane, Grafschaft Middlefer: auf verbesserte Apparate zur Fabrication von Baksteinen und Ziegeln. Von einem Ausländer mitgetheilt. Dd. 27. April 1837.

Demselben: auf Verbesserungen an den Apparaten zur Verfertigung von Hufeisen. Von einem Ausländer mitgetheilt. Dd. 27. April 1837.

(Aus dem Repertory of Patent-Inventions. Mai 1837, S. 287.)

Façade der London-Birmingham-Eisenbahn.

Der berühmt gewordene Bau dieser Bahn naht sich so weit seinem Ende, daß man nunmehr den Bau der großen Façade beginnt, mit der sie des ganzen Planes würdig von dem Custon Square aus in London beginnen soll. Diese Façade, deren Bau von dem Architekten Hrn. Hardwick geführt wird, besteht aus einem dorischen Porticus, zu dessen beiden Seiten in demselben Style die Gebäude für die Bureaux ꝛc. aufgeführt werden sollen. Die ganze Fronte wird eine Länge von 313 Fuß bekommen. Die Säulen des Porticus werden bei 44 Fuß Höhe 8 Fuß 6 Zoll im Durchmesser bekommen. Die Intercolumniation wird von der Mitte einer zur Mitte der anderen Säulen 37 Fuß 6 Zoll; im Lichten aber nur 19 Fuß betragen. Die ganze Weite des Porticus wird 68, seine Höhe über dem Pflaster 74 Fuß messen. (Mechanics' Magazine, No. 713.)

Ueber die rotirenden Pumpen der HH. Becker und Comp.

Unter den vielen rotirenden Pumpen, welche bereits angegeben wurden, ist vielleicht jene, die Hr. Becker in Straßburg verfertigt, und von der man bei der im Jahre 1836 in Mülhausen gehaltenen Industrieausstellung mehrere Exemplare sehen konnte, nach der Ansicht der Prüfungscommission noch die einfachste und diejenige, welche am meisten Wahrscheinlichkeit der Brauchbarkeit für sich hat. Sie unterscheidet sich von jener Bramah's dadurch, daß sie statt zweier nur einen einzigen Kolben oder Flügel hat, und daß das Leder als ein auf dem Metalle schwimmender Körper in Anwendung gebracht ist. Besonders überraschend ist an dieser Pumpe die große Ausdehnung, welche die Flüssigkeit aufsaugenden Räume allmählich erlangen können, und welche später wieder bis auf Null herab sinkt. — Außer diesen rotirenden Pumpen hatten dieselben Fabrikanten aber auch noch zwei andere Pumpen ausgestellt, die nach einem verschiedenen und ganz neuen Principe gebaut waren. In diesen drehten sich im Inneren eines geschlossenen Cylinders und um dessen Achse drei, von einander unabhängige Kolben oder Flügel, und zwar auf solche Weise, daß ihre Geschwindigkeit bei jeder Evolution eine Zunahme und hierauf wieder eine Abnahme erlitt. Hieraus erhellt, daß sich die zwischen den beiden Kolben und der inneren Wand des Cylinders befindlichen Räume nach einander ausdehnen und wieder verkleinern: eine Bedingung, welche die Basis jeder Art von Pumpe bildet. Wenn man daher bewirkt, daß das Saugerohr mit jener Stelle, an der sich die Räume zu erweitern beginnen, das Steigrohr hingegen mit jener Stelle, an der sich die Räume wieder verengern, correspondirt, so erhält man gleichfalls wieder eine rotirende Pumpe. Diese Anordnung der Theile hat etwas sehr Anziehendes; allein in ihrer Praxis dürften sich doch noch immer große, bisher noch nicht beseitigte Schwierigkeiten ergeben. (Aus dem Bulletin de la Société industrielle de Mulhausen, No. 45.)

Ersatzmittel für die Schleußen an Canälen.

Hr. de Montureaur machte in der Sizung, welche die Akademie der Wissenschaften in Paris am 20. Febr. l. J. hielt, den Vorschlag, die Schleußen durch schiefe Flächen zu ersezen, über welche die Boote auf 3 oder 4räderigen Wagen, deren eiserne Räder in eisernen Falzen zu laufen hätten, gezogen werden sollen. Damit die Boote ohne alle Mühe auf den Wagen hinauf und wieder von demselben herab gebracht werden könnten, müßten die schiefen Flächen und die Falzen einige Meter weit unter das Wasser des Canales fortgeführt, und so weit unter demselben versenkt seyn, daß das Boot schwimmend über dem Wagen anlangt. Wäre das Boot bis zu der Stelle, an der die schiefe Fläche unter das Wasser taucht, geblieben, so müßte die Zugkraft zu wirken beginnen, wo dann der Wagen unter den Boote anlangen, und sich also von selbst und ohne alle Mühe beladen würde. Der Wagen müßte starke Arme haben, damit das Boot weder auf die Seite fallen, noch aber auch glitschen könnte. Die schiefe Fläche, welche an dem unteren Canalniveau zur Auffahrt dient, müßte durch eine Curve mit jener in Verbindung gebracht werden, welche zum Wieder-Emporsteigen in das obere Canalniveau bestimmt ist. Leztere schiefe Fläche, welche nicht so lang wäre, als erstere, müßte bis auf 3 bis 4 Meter unter das Wasser tauchen, so daß das Boot von selbst flott würde, um dann seinen Weg über dem untergetauchten Wagen hinweg fortzusezen. Auf dieselbe Weise ließe sich das Boot auch von einem höheren auf ein tieferes Niveau herabschaffen. Die Hauptsache bleibt unter diesen Umständen nur eine Kraft ausfindig zu machen, welche das beladene Boot mit dem Wagen, auf dem es ruht, zu ziehen im Stande ist. Diese Kraft wird je nach Umständen bald in dem Dampfe, bald in einem Wasserrade, bald in den Flügeln einer Windmühle, bald in einer Verbindung mehrerer dieser Mittel zu suchen seyn. (Mémorial encyclopédique, März 1837, S. 155.)

Vorschriften zur Nachahmung von schwarzem englischem Webgwood.

Das Journal des connaissances usuelles, Januar 1837, S. 35 gibt an, daß man nach folgendem Verfahren aus gewöhnlicher Fayencemasse Gegenstände fabriciren kann, die dem schwarzen englischen Webgwood sehr ähnlich sind. Man soll nämlich die gebrannten, aber nicht glasirten Gegenstände aus Fayencemasse in feuerfeste Ziegel oder Formen geben, und sie in diesen ringsum mit einem Pulver ausfüllen, welches man sich aus 1/4 thierischer Kohle und 3/8 guter Fichtenkohle bereitet. Ju diesen Ziegeln, welche gut verschlossen werden müssen, soll man sie drei Stunden lang stark brennen, wo man sie dann nach dem Erkalten von schöner graulich schwarzer Farbe finden wird: — Eine sogenannte schwarze Erde zur Nachahmung des englischen Webgwood kann man sich ferner bereiten, indem man auf 50 Pfd. grünen Thon, 10 Pfd. gut gemahlenen, mit demselben Thone bereiteten Kitt, 15 Pfd. vollkommen gemahlenen piemontesischen Braunstein und 7 1/2 Pfd. in einem Fayenceofen gebranntes und gut gemahlenes Kupferoxyd nimmt. Alle diese Substanzen müssen, nachdem sie gut vermengt worden sind, mit Wasser angerührt und durch ein Seidensieb getrieben werden, worauf man die geschlämmte Masse, nachdem das Wasser abgegossen worden ist, trofnet und abarbeitet. Die aus dieser Masse geformten Gegenstände müssen' in gut verschlossenen Kapseln im Fayenceofen gebrannt werden, wobei sie jedoch kein starkes Feuer erfordern. — Eine stärkere Feuerung verträgt eine Masse, die man auf dieselbe Weise, aber aus 200 Pfd. grünem Thone, 33 Pfd. Braunstein; ebensoviel gebranntem Eisen und ebensoviel gebranntem Kupfer bereitet.

Ueber den beim Sprechen in der Luftröhre Statt findenden Druk der Luft.

Hr. Caguiard-Latour, bekannt durch seine Forschungen im Gebiete der Akustik und namentlich über die menschliche Stimme insbesondere machte in neuerer Zeit einen entscheidenden Versuch über den Druk, den die Luft bei der Erzeugung der Stimme in der Luftröhre erleidet. Er hatte bereits früher gefunden, daß die Luft beim Blasen einer Clarinette in den Lungen einen Druk erleidet, welcher dem Gewichte einer Wassersäule von 50 Centimetern gleichkommt; während ein Druk von 3 bis 4 Atmosphären hinreicht, um durch einen künstlichen Kehlkopf aus Kautschuk Laute hervorzubringen. Neuerlich benuzte er ein Individuum, an welchem die Luftröhre eröffnet worden war, und welches seit ungefähr 2 Monaten eine silberne Röhre in die Oeffnung eingesezt trägt, zu seinen Versuchen. Er brachte nämlich zu diesem Zweke einen Manometer an der Mündung dieser Röhre an, und fand hiedurch, daß in dem Momente, in welchem die Stimme erzeugt wird, die in der Luftröhre enthaltene Luft einen Druk erleidet, welcher einer Wassersäule von 16 Centimetern das Gleichgewicht hält: d. h. daß der Druk beim Sprechen halb so groß ist, wie beim Blasen einer Clarinette. (Echo du monde savant, No. 207.)

Ueber eine Haut-Relief-Walzendrukmaschine.

Bei der Nothwendigkeit, in der Fabrication fast aller Drukwaaren die möglichst billige Herstellung zu erzielen, ist von vielen Fabrikanten der Mangel einer zwekmäßigen Maschine für Tüchelbruk längst gefühlt worden. Unserem Bestreben, diesem Mangel abzuhelfen, ist es endlich gelungen, die oben genannte Maschine zu erfinden, welche alle früheren Erfindungen in dieser Art weit übertrifft, indem sie sich durch ihre Wohlfeilheit und Dauer, Einfachheit in der Behandlung auszeichnet und eine sehr große Ersparung am Druklohn gibt. Sie bedarf ferner keiner bedeutenden Betriebskraft; ein Mann ist hinreichend, sie vermittelst eines gewöhnlichen Schwungrades in Gang zu sezen. Durch Wasser oder Dampf bewegt, wobei man die Geschwindigkeit vermehren kann, leistet sie mehr als alle anderen Rouleaubrukmaschinen; wir haben bei gewöhnlichem Gang in 10 Arbeitsstunden 6000 Tüchel täglich gedrukt; im Nothfall und bei den nöthigen Vorbereitungen kann man nach der gewonnenen Ueberzeugung 15 bis 20,000 Tüchel in einem Tage damit druken.

Die im Anfange Statt gefundenen Schwierigkeiten in Anfertigung der Muster haben wir so vollkommen besiegt, daß solche jezt schnell und sicher geschieht und unsere jezigen Muster, im Verhältniß der in der Zeichnung liegenden Schwierigkeiten,

für Cottone in 8 — 12 Tagen zum Kostenpreis von circa 4 bis 12 fl. CM.
— ⁵/₄ Tücheln — 10 — 18 — — — — 15 bis 22 fl. —
— ⁶/₄ detto — 12 — 20 — — — — 24 bis 30 fl. —

herzustellen sind.

Die Drukwalzen selbst sind viel billiger als die kupfernen Rouleaux; es kostet uns eine Drukwalze — ohne Muster —

für Cottone, circa 4 Wiener Zoll im Durchmesser circa 15 fl. Conv.Münze.
— ⁵/₄ Tücheln — 29 — — in der Länge — 18 fl. —
— ⁶/₅ detto — 35 — — — — 22 fl. —

und diese Walzen sind nicht nur für viele Muster zu gebrauchen, sondern bleiben auch immer, bis auf einen kleinen Abgang in der endlichen Umarbeitung in ihrem Werthe.

Die seit 9 Monaten bei uns im Gange befindliche Maschine arbeitet zu unserer vollkommenen Zufriedenheit und so billig, daß uns der Druklohn für 1 Duzend Tücheln, für welches wir früher bei Handdruk 12 kr. CM. zahlten, jezt durch die Maschine nur circa 1 kr. CM. kostet.

Wir wünschen diese Erfindung gemeinnüzig zu machen; und bei der leicht zu erkennenden Nüzlichkeit derselben glauben wir, vielen Fabrikanten in Folgendem willkommene Vorschläge zu machen:

Denjenigen Fabriken, welche darauf eingehen wollen, liefern wir eine vollständige Maschine gegen eine Vergütung von **Gulden Eintausend Conv. Münze**, wenn sich wenigstens 20 ausländische Fabriken zur Annahme der Maschine erklärt haben.

Die Auslieferung der Maschine geschieht nach der Reihe, in welcher die bestimmten Erklärungen zur Theilnahme eingehen.

Bei der Theilnahmserklärung ist die erste Hälfte der Kaufsumme mit fl. 500 — zu entrichten; die andere Hälfte von fl. 500 — bei Auslieferung der Maschine. —

Verpakungs- und Transportspesen tragen die Herrn Empfänger.

Ueber die Behandlung der Maschine, Anfertigung der Drukwalzen u. s. w. geben wir die ausführlichsten Erläuterungen schriftlich, stellen es aber auch jedem Theilnehmer frei, einen in Holz- und Metallarbeiten geübten Formstecher auf seine Kosten zu uns zu senden, dem wir die nöthigen Anleitungen geben werden; alle Manipulationen sind sehr einfach und leicht aufzufassen.

Drukwalzen ohne und mit Muster können wir bei unserer Einrichtung schnell und zu mäßigen Preisen anfertigen; wir sind bereit, die theilnehmenden Fabriken damit zu versorgen.

Köchlin und Singer
in Jungbunzlau in Böhmen.

Ueber einen von Hrn. Anton Schmid in Wien erfundenen Abdampfungsapparat für Zukerraffinerien, bei welchem die Dampfmaschine beseitigt und durch einen einfachen Regulator ersezt ist.

Dieser in Oesterreich patentirte Abdampfungsapparat mit luftverdünntem Raume, welcher zuerst bei Hrn. Raffelsberger in Wien aufgestellt wurde, gewährt gegen jene Apparate, wo die Luftleere mittelst einer Dampfmaschine erzeugt wird, folgende Vortheile:

1) Kommt die Anschaffung eines solchen Apparates über ²/₃ wohlfeiler als bei einem mit Dampfmaschine.

2) Kann die Temperatur nach Beschaffenheit des Zukers, von 65 bis 80° gegeben und mittelst eines Regulators auch beibehalten werden, was bei einer Dampfmaschine der Fall nicht ist; und es wird nicht mehr Wasser benöthigt, als was sonst die Dampfmaschine zur Condensation der Pumpe braucht.

3) Werden die Zuker nach dieser Kochungsmethode viel weißer, als nach jeder anderen Methode; besonders auffallend bewährt sich dieß bei ordinärer

Waare; die Brode werden nicht nur sehr weiß, sondern nehmen auch viel an Gewicht zu.

4) Hat man es in der Gewalt die Brode fein oder grob krystallisirt zu machen.

5) Auf 2 Pfannen à 20 Brode Inhalt können leicht 400, auch 500 Brode des Tags erzeugt werden.

6) Wird, da die Dampfmaschine wegfällt, bedeutend an Holz und Unterhaltungskosten erspart.

Die vortheilhaften Resultate dieses Apparates, der seitdem noch in mehreren bedeutenden Raffinerien in den österreichischen Staaten und auch in Berlin angeschafft wurde, und nun schon mehrere Jahre ununterbrochen mit ungetheiltem Beifall arbeitet, werden zwei der größten Raffinerien, nämlich die Pommerische Provincial=Zukersiederei in Stettin, und die Privil. Zukerraffinerie in Breslau auf Verlangen bestätigen.

Sehr beachtenswerth ist auch der von Hrn. Anton Schmid vor einigen Monaten vollendete, und im großen Maaßstabe bei dem Grafen v. Larisch in Karwin bei Teschen im österr. Schlesien (auf welchen man sich bezieht) mit bestem Erfolg versuchte vorzugsweise für Runkelrübenzuker berechnete Abdampfungsapparat, welcher sehr wohlfeil zu stehen kommt und womit die Operation in viel kürzerer Zeit als gewöhnlich beendigt werden kann, während überdieß der Syrup heller und die Krystallisation erleichtert wird. Derselbe eignet sich auch zum Abdampfen von Salzauflösungen aller Art.

―――――――

Nachrichten von einigen neueren Verbesserungen im Runkelrübenbaue und in der Fabrication von Zuker aus denselben.

Hr. Payen erstattete einer Sizung, welche die Société centrale d'agriculture in Paris am 1. Februar l. J. hielt, einen Bericht über die neueren, die Zukererzeugung in ihrem ganzen Umfange betreffenden Vorschläge, welcher im Wesentlichen Folgendes enthielt.

I. Hr. Lahérard empfiehlt beim Bau der Runkelrüben die Anwendung einer 6 Fuß breiten Walze, an der in Entfernungen von 18 Zoll von den beiden Enden zwei Reihen von Erhöhungen angebracht sind. Dieses Instrument erzeugt, wenn es über einen gut geeggten Aker gezogen wird, in Entfernungen von 18 Zoll von einander kleine Gräbchen, deren Parallellinien durch einen Zwischenraum von 3 Fuß von einander geschieden sind. In diese Gräbchen sollen die Rübensamen, welche vorher zum Keimen gebracht worden seyn sollen, von Weibern gelegt und mit Erde bedekt werden. Die Bestellung einer Hectare Landes nach diesem System soll nur auf 6 Fr. zu stehen kommen.

II. Hr. Magendie hat eine ähnliche, aber wohlfeilere Walze angegeben, über die Hr. Vilmorin bemerkt, daß ihm für die Linien, in denen die Samen gelegt werden sollen, eine Entfernung von 18 bis zu 22 Zoll als die passendste erscheint.

III. Als eine der besten neueren Methoden in den langen, zur Aufbewahrung der Rüben dienenden Silos eine Ventilation zu erzeugen, die die Temperatur zu erniedrigen im Stande ist, wird angegeben, daß man nach der ganzen Länge des Silo eine Furche von der Breite und der Tiefe eines Spatens graben soll. Ueber diese Furche soll man, damit sie nicht verlegt werden kann, zuerst der Quere nach einige Rüben legen, bevor man die übrigen Rüben darauf schichtet. Die äußere kühle Luft, welche auf diese Weise frei unter die mit Rüben gefüllten Silos gelangt, soll die durch die Wärme ausgedehnten Gase ersezen. Würde ein zu bedeutender Frost eintreten, so brauchte man, um dessen nachtheilige Einwirkung auf die Rüben zu verhüten, nur die beiden Enden der Furche zu verstopfen.

IV. Hr. Bouchet Saint=Arnoult hat einen neuen Apparat, Saturateur genannt, erfunden, welcher, indem die Runkelrüben mechanisch in rechtwinkelige parallelopipedische Stüke zerschnitten der Einwirkung des Dampfes ausgesezt werden, deren Zellen sehr gut zerreißt, und die Ausziehung des zukerhaltigen Saftes sowohl in der Kälte, als bei einer auf 100° gesteigerten Wärme sehr erleichtert. Die mit diesem Apparate erzielten Säfte sollen klar und sehr schwach gefärbt seyn.

V. Einige Fabrikanten und darunter namentlich Hr. Hamoir, bewerkstelligen die Filtration von Unten nach Oben, wodurch die Verlegung der Knochenkohle durch den Schaum, der sich zu Boden sezt, verhindert wird. Diese sinnreiche Vorrichtung beseitigt auch die meisten der in den Fabriken bestehenden Niveau-Unterschiede.

VI. Der von den HH. Roth und Bappet erfundene Apparat zum Eindiken und Versieden der Syrupe (Polpt. Journ. Bd. LVII. S. 78 und Bd. LX. S. 565) arbeitet dermalen sehr regelmäßig und liefert so günstige Resultate, daß viele Fabrikanten ihre bisherigen Apparate gegen denselben vertauschten. Er erfordert dermalen bei weitem weniger Condensationswasser als früher; auch machte man ihn durch Hinzufügung eines neuen Kessels doppeltwirkend.

VII. Man probirt dermalen einen neuen, von Hrn. Sorel erfundenen Abdampfapparat, in welchem der im Marienbade erwärmte Syrup durch den Druk des Dampfes emporgehoben, und dann dadurch, daß man ihn an einer von Innen geheizten Säule herabfließen läßt, beinahe auf die Hälfte seines Volumens eingedikt wird.

VIII. Die HH. Ingenieurs Thomas und Laurent haben an der allgemeinen Einrichtung mehrerer Apparate eine wichtige Verbesserung angebracht. Die gänzliche Ausschließung der Luft und anderer Gase, welche die Uebertragung der Wärme beeinträchtigen, und wohl verstandene Verhältnisse zwischen den Durchschnitten des Dampfcanales in den Röhren und Hähnen haben zu unerwarteten Resultaten geführt. Es gelang ihnen unter Anwendung der Hallette'schen Kessel zur Klärung und der von Moulfarine verbesserten Kessel von Taylor-Martineau zum Eindampfen und Versieden, 9½ Hectoliter in 16 Minuten zu klären, in 6 Minuten die erste Verdünstung vorzunehmen, und in 6 bis 10 Minuten je nach der Qualität der Syrupe das Kochen zu vollbringen. Die ganze Operation ward demnach in den Kesseln unter einem Druke von 4 Atmosphären in 50 Minuten beendigt. Jeder Quadratmeter Heizoberfläche verdünstet hiebei 180 Kilogr., während das gewöhnliche Maximum nur 75 bis 80 Kilogr. beträgt.

IX. Einer der neuesten, von den HH. Bouchet und Péan erfundenen Abdampfapparate scheint sowohl in großen, als in kleinen Fabriken bedeutende Vortheile zu versprechen, indem er die Vorzüge der Continuität mit der größten bisher bekannten Geschwindigkeit verbindet. Die Abdünstung des geklärten Saftes wird mit diesem Apparate in 3 Minuten bewerkstelligt. Der Kessel besteht aus einer schrägen Fläche mit Cannelirungen, die sowohl nach der Quere, als nach der Länge laufen; er wird durch circulirenden Dampf von 4 Atmosphären Spannung geheizt; über ihn läuft der geklärte Saft ab, wobei dieser beständig unter freiem Zutritte der Luft eingedikt wird. Drei Kessel dieser Art mit dazwischen gestellten Filtern reichen für jede Fabrik hin. Die Heizung kann sehr gut auch mit freiem Feuer geschehen, wie sie z. B. Hr. Monier in Blois mit Vortheil betreibt.

X. Gemäß einer neuen, bereits in mehreren Fabriken angenommenen Wiederbelebungsmethode der thierischen Kohle von der Erfindung des Hrn. Fremy ist die Anwendung der Metallplatten nicht länger mehr von nöthen. Die Erfindung besteht in einem Reverberirofen, welcher nach Belieben offen oder geschlossen seyn, und sowohl zur Fabrication neuer thierischer Kohle als auch zur Wiederbelebung alter gebraucht werden kann. Hr. Duchemin, Dirigent der Fabrik des Hrn. Targe bei Paris, erzeugt in 24 Stunden mit einem Aufwand von nicht mehr als 4½ Hectoliter Steinkohlen 45 Hectoliter wiederbelebte Kohle. (Aus dem Mémorial encyclopédique, März 1837, S. 160.)

Ertrag der Kastanien an Zuker.

Die Fabrication von Zuker aus Kastanien, schreibt das Echo du monde savant, scheint für die südlicheren Länder von eben so großer Wichtigkeit werden zu wollen, wie die Runkelrübenzuker-Fabrication für die mehr nördlich gelegenen. Man hat nämlich bereits 14 Proc. Zuker aus den Kastanien erbeutet; mithin einen Ertrag an Zuker erzielt, der jenen der Runkelrüben merklich übersteigt.

Zukerfabrication in Rußland.

Nach den neuesten Berichten aus Rußland, schreibt das Journal du Commerce, macht die Zukerfabrication aus Runkelrüben in den südlichen Provinzen dieses Staates so bedeutende Fortschritte, daß man in wenigen Jahren einen Theil der türkischen Märkte mit diesem Fabricate versehen zu können hofft. Diese Fortschritte zeigen deutlich, welchen Aufschwung die Zukerfabrication überall nehmen kann, wo die Colonialzuker mit etwas beträchtlichen Zöllen belegt sind; sie liefern aber auch einen Beweis für den großen Irrthum, in den man verfiel, wenn man glaubte, daß die französischen Zukerfabriken auf ausländische Märkte als Absatzwege rechnen dürften.

Zukerfabrication in Frankreich.

Aus den Nachforschungen, welche aus Auftrag des Ministeriums der Finanzen gemacht wurden, ergab sich, daß man in Frankreich im Jahre 1835 aus 668,986,762 Kilogr. Runkelrüben für 30,349,540 Fr., und im Jahre 1836 aus 1012,770,589 Kilogr. Runkelrüben für 58,968,805 Fr. Rohzuker gewann. Die Zahl der Gemeinden, in denen Zuker fabricirt wird, belief sich auf 431; die Zahl der arbeitenden Fabriken auf 543, jene der im Baue begriffenen auf 39. (Echo du monde savant, No. 224.)

Ueber die Fabrication von Zeugen aus gesponnenem Glase.

Die Anwendung von fein gesponnenem Glase zur Erzeugung verschiedener Stoffe, welche kürzlich in Venedig von Hrn. Olivi in Anregung gebracht und den eingelaufenen Berichten gemäß auch rühmlich ausgeführt wurde, wird in Frankreich mit nicht minder günstigem Erfolge auch von Hrn. Dubus-Bonnel in Lille versucht. Derselbe hat nämlich der in dieser Stadt bestehenden Gesellschaft des Enfans du Nord bei ihrer letzten Generalversammlung verschiedene aus Glas verfertigte Zeuge vorgelegt, welche in Hinsicht auf Farbenpracht und Glanz Alles übertreffen sollen, was man bisher in Seidenstoffen und Gold- und Silberbrocat bewunderte. Diese Stoffe zu Tapeten verwendet würden, wie Hr. Theodor Biolet meint, in Wirklichkeit Wohnungen geben, wie man sie in Tausend und eine Nacht geträumt findet. (Echo du monde savant, No. 203.)

Bereitung thierischer Kohle aus ausgesottenen Knochen.

Hr. Payen hat gefunden, wie man aus jenen thierischen Knochen, die bei der Bereitung des Knochenleimes und der Knochensuppen des größten Theiles ihrer animalischen Bestandtheile beraubt wurden, und die daher für sich allein keine so gute Kohle geben könnten, als die in den gewöhnlichen Küchen ec. gesammelten Knochen, dennoch eine Kohle bereiten kann, die sich ganz vortrefflich als Entfärbungsmittel für Raffinerien, und als Farbe für Anstriche, Wichsen ec. eignet. Sein Verfahren ist folgendes. Man vermengt 80 Kilogramme Knochen, aus denen Knochenleim oder Knochensuppe bereitet worden, mit 10 Kilogr. des bei der Steinkohlendestillation gewonnenen Theeres; läßt sie einen oder mehrere Tage auf einem Haufen liegen, und gibt sie dann in geschlossene oder erwärmte Gefäße, damit eine Zersetzung der Substanzen von Statten gehe. Es dringt hiebei eine große Menge des in dem Theere enthaltenen Kohlenstoffes in die Poren der Knochen, und man erhält eine Kohle, die nichts zu wünschen übrig läßt. Mehrere andere Arten von Theer, flüchtige und fette Oehle, verschiedene fettige und harzige Substanzen und überhaupt alle thierischen und vegetabilischen Stoffe, in denen der Kohlenstoff in sehr vertheiltem Zustande enthalten ist, eignen sich gleichfalls hierzu. (Journal des connaissances usuelles, Jul. 1836.)

Besteuerung des Erfindungsgeistes in England.

Die vom 25. Jun. 1835 bis 25. Jun. 1836 in England erhobenen Patente trugen dem Staate die Summe von 21,000 Pfd. Sterl. (252,000 fl.) ein. Diese Summe mußte in baarem Gelde bezahlt werden, bevor noch einer der Patentträ-

ger einen Heller aus seiner Erfindung gewonnen hatte; und da die Erfinder großen Theils arme Leute sind, so waren sie meistens gezwungen sich in Schulden zu
steken, oder ihre Erfindungen zu ihrem Nachtheile zu verkaufen. Auf solche Weise
ermuntert man in England Fortschritte in einem Fache, welchem das Land seine
Größe verdankt! (Magazine of Popular Science, No. VI.)

Frankreichs Handel mit seinen Colonien.

Die Zusammenstellung des Handels, den Frankreich im Jahre 1835 mit seinen Colonien führte, ergab für die Gesammteinfuhr den Werth von 760,726,969 Fr.,
während im Jahre 1834 diese Summe nur 720,104,556 Fr. betrug. Die Aus-
fuhr, welche sich im Jahre 1834 für Waaren aller Art auf 714,705,038 Fr. und
für französische Waaren auf 509,992,577 Fr. belief, war im Jahre 1835 für
erstere auf 834,422,318 Fr., und für letztere auf 577,415,633 Fr. gestiegen.
.(Echo du monde savant, No. 246.)

Englands Opiumhandel nach China.

Nach den Angaben des Hrn. Davis, Oberaufseher in Canton, wird in China
für eine größere Summe Opium eingeführt, als die für den ausgeführten Thee
bezahlte Summe beträgt. Im Jahre 1833 belief sich nämlich der Werth der
Gesammteinfuhr in China auf 23,476,244 Dollars, wovon 11,618,167 auf Opium
kamen; während die Gesammtausfuhr einen Werth von 20,443,270 Dollars betrug, worunter für 9,133,749 Thee. All dies Opium wird eingeschmuggelt; die
Differenz im Werthe des dafür ausgeführten Thee's wird mit Silber ausgeglichen.

Mittel gegen die Engerlinge.

Hr. Jaume Saint-Hilaire hat eine chemische Composition erfunden,
welche der Vegetation günstig, sämmtlichen Insecten hingegen und namentlich den
Engerlingen (vers blancs), die so großen Schaden anrichten, verderblich ist. Da
die Zusammensetzung dieses Mittels, dessen Wirksamkeit bereits durch zahlreiche
Versuche hergestellt seyn soll, noch geheim gehalten wird, so können wir einstweilen nur über dessen Anwendungsweise berichten. Es wird nämlich gleich dem
Düngpulver ausgestreut und unmittelbar darauf mit dem Spaten unter die Erde
gebracht, indem es viele Salze enthält, die sich zum Nachtheile der Wirksamkeit
verflüchtigen würden. Das Umgraben muß nach der Länge der Wurzeln der Gewächse, welche man cultiviren will, mehr oder minder tief vorgenommen werden.
Wenn es sich um Vertilgung der Engerlinge in Baumschulen oder Gärten handelt,
so soll man zwischen den Bäumen oder den Gewächsen eine Furche von einigen
Zoll Tiefe ziehen, in diese die Composition streuen und sie hierauf zuwerfen.
Auf Wiesen, die man nicht umbrechen will, soll man so nahe als möglich an
einander Furchen ziehen, und diese, nachdem man das Wurmmittel hinein gebracht, wieder mit Rasenstüken bedeken. Die Composition besitzt einen sehr starken
Geruch, der sich selbst nachdem sie unter die Erde gebracht worden, noch sehr
lange erhält, ohne deßhalb jenen, die mit ihr zu thun haben, nachtheilig zu werden. Man kann auf eine halbe Hectare Landes 10, ja selbst bis 15 Hectoliter
davon anwenden. Der Preis eines Hectoliters ist auf 4 Franken firirt, und um
diesen kann man sich das Mittel bei dem Erfinder auf dem Mont Souris in der
Banlieue von Paris verschaffen. (Mémorial encyclopédique, Februar 1837.)
Hr. Letellier von Saint-Leu-Taverny zeigte der Akademie der Wissenschaften in Paris bei Gelegenheit der neuerlichen Besprechung obigen Geheimmittels
gegen die Engerlinge an, daß er sich seit dem Jahre 1835 mit diesem Gegenstande
beschäftige, und gefunden habe, daß die meisten der Gifte, welche auf den menschlichen Organismus einen höchst verderblichen Einfluß äußern, auf diese Larven
beinahe keine Wirkung haben; daß aber die alkalischen eisenblausauren Salze dieselben auf das Schnellste, Sicherste und Wohlfeilste zerstören, und zwar ohne daß
für die Vegetation irgend ein Nachtheil daraus erwächst. Er wendet mit bestem
Erfolge ein unreines derlei Salz an, welches er durch Glühen thierischer Körper
mit Potasche oder Kalk erzielt. (Echo du monde savant, No. 210.)

Ueber den Klebergehalt verschiedener Weizensorten.

Hr. Payen wurde von der Société d'agriculture de la Marne über die Qualität von viererlei Weizensorten befragt, die auf gleiche Weise auf gleichem Boden cultivirt worden. Er fand bei der Untersuchung dieser Weizen, die aus polnischem Weizen, aus Landweizen (blé de pays), aus Sommerweizen (blé de mars) und aus Dreifaltigkeitsweizen (blé de Trinité ou de 90 jours) bestanden, daß der Klebergehalt von 0,022 bis zu 0,09 wechselte. Am meisten Kleber und die größte Menge von den beiden anderen stikstoffhaltigen Bestandtheilen fand sich in den der Samenhülle zunächst liegenden Theilen; gegen die Mitte der Körner zu nahm der Stikstoffgehalt bedeutend ab. Hr. Payen untersuchte, um zu erfahren, ob zwischen den härtesten und den weichsten Weizensorten in Hinsicht auf den Klebergehalt noch größere Unterschiede bestünden, Weizen von Taganrog, von Odessa und aus Polen einerseits, und andererseits den weißesten von den Pariser Müllern verwendeten Weizen. Er fand in den ersteren 0,029 bis 0,031, in lezterem hingegen nur 0,019 bis 0,020 Stikstoff. (Echo du monde savant, No. 206.)

Literatur.

Praktisches Handbuch des Baumwollenmanufacturwesens 2c. nach der Cotton-Manufacture von Dr. A. Ure. Deutsch bearbeitet von Dr. Carl Hartmann. Weimar 1837, bei Voigt.

Auch unter dem Titel:

Neuer Schauplaz der Künste 2c. 93ster Bd. Ure's Handbuch 2c.

Der Verf. des vorliegenden Buches verbindet mit dem Worte Bearbeitung einen eigenen Begriff: da er die von Ure's Werk dadurch zu liefern vorgibt, daß er den einen Theil (den statistischen) total wegläßt, statt eines anderen (den historischen) eine ganz fremde Darstellung aufnimmt, und den übrigen endlich kurzweg und ungesichtet übersezt. Der Verf. hat sich indessen die Arbeit noch leichter gemacht. Er hat von dem ersten Bande des englischen Werkes gar keine Notiz genommen, sondern dafür bloß die Geschichte dieses Industriezweiges, wie sie der deutsche Bearbeiter von Baines lieferte, Wort für Wort eingerükt, und so den Druker mit einem Plagiat die 10 ersten Bogen ausfüllen lassen, eine Entstellung des Textes, die um so mehr der Aufschrift des Buches widerspricht, da die geschichtliche Darstellung, die Ure gibt, gar sehr von der von Baines abweicht, und mitunter bemerkenswerthe Berichtigungen und neue Thatsachen enthält; der Verf. erlaubte sich indessen nicht einen Zusaz, da er einmal gesonnen schien diesen Band rein ohne Arbeit zu bearbeiten. Ungleich mehr Mühe kostete den Verf. der zweite Band, der größten Theils Technisches enthält. Diesen hat er denn wörtlich übersezt, ob aber mit viel geistiger Anstrengung bezweifeln wir, denn in diesem Fall würden wohl die Beschreibungen der Vorrichtungen, die im Original so klar sind, in der Regel wenigstens verständlich geworden seyn, und wohl die gebräuchlichen technischen Ausdrüke richtig verdeutscht seyn. — In der Vorrede sagt der Verf. er habe, um die Bogenzahl zu vermindern, den geschichtlichen Theil sehr abgekürzt, und „dabei das treffliche Werk von Baines vielfältig benuzt" (!) er habe, weil er vielleicht nicht alle Mal den richtigen Ausdruk angewendet, dann immer den englischen beigefügt, und bitte um nachsichtsvolle Beurtheilung, da er sich zu einer nicht leichten Arbeit erboten! Wir überlassen dem Leser, ob solche Gründe die Abfassung rechtfertigen. Nach unserem Dafürhalten ist die eine Hälfte des Buches ein Nachdruk oder Plagiat, und die andere eine ungenießbare Uebersezung, und das Ganze ein neuer Beweis, welche Waare die Bücherfabrikanten dem Publicum unter vielversprechenden Namen oft auftischen. — Das Papier ist das gewöhnliche graue — des Schauplazes — die Lithographieen, können den etwa befriedigen, der das Original nicht gesehen hat. Das Ausgezeichnetste ist der Preis — 9 fl.! —

β.

Polytechnisches Journal.

Achtzehnter Jahrgang, eilftes Heft.

LXIII.

Ueber ein System versezbarer oder beweglicher, bei verschiedenen Erdarbeiten anwendbarer Eisenbahnen. Von Hrn. Emil Dollfus.

Aus dem Bulletin de la Société industrielle de Mulhausen, No. 46.

Man benuzt in mehreren Gegenden bei der Ausführung mannigfacher Erdarbeiten, so wie auch bei der Ausbeutung von Steinbrüchen und manchmal auch beim Bergwerksbetriebe kleine versezbare oder bewegliche Eisenbahnen, welche den Transport der verschiedenen Materialien und Producte außerordentlich erleichtern, und die es möglich machen, daß man diese Bauten mit einer Ersparniß an Zeit und Kosten ausführen kann, wovon sich jene, die sich nicht mit eigenen Augen davon überzeugten, kaum einen gehörigen Begriff machen dürften. Das was auf den bleibenden Eisenbahnen im Großen vorgeht, dasselbe ergibt sich auch hiebei im Kleinen. Da man sich in unserer Gegend noch keiner derlei Vorrichtung bediente, obschon sich manche Gelegenheit dazu ergab, so glaube ich der Gesellschaft in Kürze einen skizzirten Umriß einer solchen beweglichen Bahn vorlegen zu müssen: und zwar in der Ueberzeugung, daß, wenn nur ein Mal ein Versuch gemacht worden ist, man sich dieses Systemes überall, wo sich Gelegenheit dazu ergibt, ausschließlich bedienen dürfte.

Der Bau dieser beweglichen Bahnen ist ein höchst einfacher, so daß er eben so leicht verständlich als ausführbar ist. Die beiden Bahnlinien sollen mit Eisenstäben von beiläufig 27 Linien Breite, 6 Linien Dike und 6 bis 9 Fuß Länge gelegt werden, indem man ihnen von 3 zu 3 Fuß eichene Unterlagen von 5 bis 6 Zoll im Gevierte gibt, und indem man sie mittelst Falzen, welche 18 Linien tief der Quere nach in diese Unterlagen geschnitten sind und worin sie mittelst eines hölzernen Pflokes firirt werden, in Parallelismus und in gehöriger Entfernung von einander erhält. Zum Transporte der Materialien müssen Wagen oder Karren genommen werden, deren gußeiserne Räder mit einem Randvorsprunge, welcher das Abweichen der Räder von den Schienen verhindert, versehen sind. Die Aneinanderfügung der Schienen muß jederzeit so geschehen, daß die Enden von je zwei Schienen in der Mitte einer Unterlage an einander gränzen.

Die Neigung der Bahnfläche hängt von dem Terrain, auf dem der Bau zu führen ist, ab; sie kann eine sehr verschiedene seyn, ohne daß daraus ein anderer Nachtheil als der erwächst, daß die Wagen eine um so größere Zugkraft erfordern, je steiler der Abhang ist. Die Curve, die eine solche Bahn beschreiben kann, hängt von der Entfernung der vorderen von den hinteren Wagenrädern ab; immer wird es gut seyn, diese Entfernung nicht gar zu kurz zu machen, damit die Curve wenigstens einen Radius von 60 Fuß bekommt.

In horizontaler Richtung kann ein Arbeiter leicht einen mit 1000 Kilogr. beladenen Wagen mit der Geschwindigkeit eines frei gehenden Menschen auf der Bahn vor sich her schieben. Wären die zu transportirenden Gegenstände von großem Umfange, so könnte man anstatt der Wagen oder Karren leicht auch eine andere geeignete Vorrichtung auf die Räder sezen.

Die Eisenstangen oder Schienen platten sich nach einiger Zeit in Folge des Drukes, den sie erleiden, ab. Man kann sie dann mit geringem Kostenaufwande durch neue ersezen, indem das Eisen nu wenig an Gewicht verliert, und bei der geringen Formveränderung, die es erleidet, beinahe eben so gut, wie ganz neues Eisen verwendet werden kann. Uebrigens kann man die Schienen, bevor man sie auswechselt, auch umkehren; auch kann man ihnen, wenn man will, wieder ihre frühere Gestalt geben, indem man sie an dem abgeplatteten Theile neuerdings einem Schmiedeprocesse unterwirft.

Die Wagenräder müssen gehärtet seyn, indem sie sich sonst zu schnell abnüzen würden. Die Wagen oder vielmehr deren Kästen ruhen auf zwei Riegeln, in denen sie sich schaukeln, wenn man zum Behufe ihrer Entleerung eine ihrer Fügungen, welche sich in Charnieren bewegen, geöffnet hat. Die Riegel sind auf einem hölzernen Rahmen, der selbst wieder auf den Rädern ruht, fixirt. Die beiden Seiten- oder Längentheile dieses Rahmens reichen um 1 Fuß oder 18 Zoll über den Wagen hinaus, so daß, wenn auch die Rahmen zweier Wagen mit ihren Seitentheilen an einander stoßen, zwischen den beiden Wagen doch noch immer ein freier Raum von 2—3 Fuß bleibt, und daß also der den Wagen fortschiebende Arbeiter seinen Plaz behalten kann, ohne daß er fürchten darf gequetscht zu werden.

Die Räder, welche zu größerer Sicherheit der Arbeiter innerhalb des erwähnten Rahmens anzubringen sind, müssen von den Achsen unabhängig umlaufen können. Die Achsen selbst sollen in dem Halsringe, in welchem sie mittelst eines Zapfens erhalten werden, umlaufen. Diese doppelte Bewegung oder freie Reibung ist hauptsächlich beim Durchfahren der Curven nöthig, indem dann die innerhalb angebrachten Räder gezwungen sind minder schnell umzulaufen, als dieß mit den außerhalb befindlichen der Fall ist. Uebrigens werden die Wagen bei dieser Anordnung der Theile auch weit leichter laufen, indem sich immer der Theil, der am wenigsten Reibung erleidet, nämlich die Achse oder das Rad, umdrehen wird.

Eine Streke von 100 Fuß einer solchen Bahn kommt in Mülhausen auf 400 Fr. zu stehen. Ein vollkommen fertiger und beschlagener Wagen von der beschriebenen Art auf 250 Fr. Einfachere und leichtere, aber auch minder dauerhafte Wagen ließen sich für 150 Fr. herstellen. Eine Bahn von 1200 Fuß (und eine größere Länge dürfte selten nöthig seyn) würde sich also mit 10 Wagen, eine Zahl, welche selbst für große Arbeiten ausreicht, auf ungefähr 7000 Fr. berechnen, und an Interessen und Unterhaltungskosten jährlich gegen 1000 Fr. erfordern. Diese scheinbar große Summe wird Niemand erschreken, wenn man bedenkt, daß sich bei der Anwendung einer solchen Bahn im Vergleiche mit den gewöhnlichen Kosten eine Ersparniß von 75 Proc. an Arbeitslohn ergibt, abgesehen von dem Gewinne, der daraus erwächst, daß die Arbeiten unendlich rascher von Statten gehen. Uebrigens darf man nicht vergessen, daß man in den meisten Fällen auch mit einer weit kürzeren Bahnlänge ausreicht, und daß die Anlagekosten in demselben Maaße geringer ausfallen würden. Es gibt daher gewiß wenige Fälle, in welchen diese Transportmethode nicht mit großem Vortheile gegen die Fortschaffung der Materialien mit Schubkarren ausgetauscht werden könnte.

Ich schließe mit dem Wunsche, daß diese Mittheilung, in welcher durchaus nichts Neues enthalten ist, von sehr vielen Bauunternehmern ꝛc. beherzigt werden möge.

LXIV.

Verbesserter, an Locomotiven, Dampfbooten und anderen Maschinen anwendbarer Ofen zur Verzehrung von Rauch und zur Ersparniß an Brennmaterial, worauf sich John Chanter Esq., und John Gray am 2. Novbr. 1835 ein Patent ertheilen ließen.

Aus dem Repertory of Patent-Inventions. April 1837, S. 189.

Mit Abbildungen auf Tab. V.

Unsere Erfindung besteht in einer neuen Verbindung einzelner Theile zu einem an Locomotiven, Dampfbooten und verschiedenen anderen Maschinen anwendbaren, Rauch verzehrenden und Brennmaterial ersparenden Ofen; wodurch wir nicht nur im Stande sind eine größere Wasserfläche der Einwirkung der Hiße auszuseßen und

21 *

mithin eine größere Menge Dampf ohne eine entsprechende Vermehrung des Brennmateriales zu erzeugen, sondern wodurch es auch gestattet ist, unter gewissen Umständen ein wohlfeileres Brennmaterial als das gegenwärtig gebräuchliche anzuwenden, indem der aus demselben aufsteigende Rauch und die aus ihm entwikelten Dämpfe entzündet und vollkommen verbrannt werden.

Fig. 3 ist ein Längendurchschnitt eines derlei an einer Locomotive angebrachten Ofens nach der in Fig. 6 angedeuteten Linie A, A.

Fig. 4 stellt einen Querdurchschnitt desselben nach der in Fig. 3 angedeuteten Linie B, B vor, und zwar gegen das Ende der den Thüren H, J gegenüber liegenden Heizkammer (fire-box) betrachtet.

Fig. 5, zeigt einen nach der senkrechten Linie C, C, Fig. 3, genommenen Querdurchschnitt, und zwar gegen die Thüren H, J hin betrachtet.

Fig. 6 ist ein Grundriß der durch den Ofen geführten Wasserkammer, welche in Fig. 3 durch die Linien D, D bezeichnet ist.

An allen diesen Figuren sind zur Bezeichnung gleicher Gegenstände auch einerlei Buchstaben gewählt; wobei wir im Voraus nur bemerken, daß wir uns durchaus auf keine bestimmten Dimensionen oder Formen der einzelnen Theile beschränken.

E, F, Fig. 3, ist der Ofen oder die Heizkammer, die nach der gewöhnlich gebräuchlichen Methode aus dem äußeren und aus dem inneren metallenen Gehäuse a, a und b, b zusammengesezt ist. Die zwischen den beiden Gehäusen befindlichen Räume c, c dienen zur Aufnahme von Wasser. Der Ofen ist in seinem Inneren durch eine durch ihn führende Wasserkammer in zwei Fächer E, F abgetheilt. Diese Kammer wird zum Theil von den röhrenförmigen Canälen oder hohlen Stäben e, e, zum Theil von einer Wasserkammer d, d gebildet, und auf diese Weise ist zwischen den bei o und bei p befindlichen Wasserräumen eine Communication hergestellt. Von den hohlen Stäben kann irgend eine geeignete Anzahl angewendet werden; sie können da, wo sie aus der Wasserkammer d, d austreten, weiter als tief seyn, gegen die Mitte des Kessels hin an Breite abnehmen, und dann bis zu ihrer Verbindung mit den Wasserräumen bei o wieder an Tiefe zunehmen, wie dieß aus einem Blike auf e, e, Fig. 3 und 6, erhellt. Wir geben dieser Anordnung den Vorzug, weil auf diese Weise die Wirkung des Feuers ausgeglichen wird; weil dadurch in ihrer ganzen Länge ein gleicher Flächenraum erhalten wird; und weil sie das Eintreiben der Bolzen und Nieten durch die seitlichen Randvorsprünge, mit denen die Stäbe an dem Gehäuse des Ofens oder der Heizkammer, wie dieß aus Fig. 6 bei f, f erhellt, fixirt sind, erleichtert. Uebrigens ist diese eigenthümliche Form nicht durchaus nothwendig, um den Ofen mit Nuzen in Betrieb zu sezen.

Die Wasserkammer und die hohlen Stäbe sind an ihren oberen und unteren Enden mittelst der Randvorsprünge f, f, f, Fig. 3 und 6, an dem äußeren und inneren Gehäuse des Ofens befestigt. Die Nieten oder Bolzen werden, wie durch die punktirten Linien r angedeutet ist, durch die Ringe q, q gestekt, die entweder einzeln oder gemeinschaftlich gegossen oder verfertigt werden können, und welche, wenn die Nieten durch die beiden Gehäuse a, b des Ofens gestekt worden sind, eine solide Unterlage für die durch sie bedingte Spannung abgeben. Sie dienen ferner aber auch als Stüze für die Gehäuse des Ofens, und erleichtern auch deren Ausbesserung, indem sich die Nieten und die Wasserkammer mit den hohlen Stäben leicht und ohne Beeinträchtigung der Gehäuse bei der sogenannten todten Platte (dead plate) n, die später beschrieben werden soll, abnehmen und durch neue ersezen lassen, wenn dieß nöthig geworden seyn sollte.

Die Wasserkammer erstrekt sich bis auf eine kurze Entfernung von den beiden gegenüber liegenden Seiten des inneren Gehäuses des Ofens, wie man dieß in Fig. 6 bei g, g sieht: eine Einrichtung, welche zur Vereinfachung des Baues getroffen ist. Das Emporsteigen des aus dem unteren Feuer oder unverkohlten Brennmateriale entwikelten Rauches oder Gases 'zwischen den Seitenwänden der Wasserkammer und den Seitenwänden des Ofens ist dadurch verhütet, daß an der Wasserkammer a, a eine Eisenplatte fixirt ist, welche sich so weit als die Theilung dieser Kammer in Röhren oder hohle Stäbe erstrekt, und welche nicht nur dicht an die Seitenwände des Ofens paßt, sondern zugleich auch den zwischen diesen Seitenwänden und den Seitenwänden der Wasserkammer befindlichen Raum bedekt, wie dieß in Fig. 5 durch die punktirten Linien u, u angedeutet ist.

k, k, Fig. 3, ist eine todte Metallplatte, von deren Seiten ein Randvorsprung herabsteigt, welcher mit solcher Genauigkeit an das innere Gehäuse des Ofens genietet ist, daß weder Rauch noch Gas bei den Fugen entweichen kann. An dieser Platte befindet sich eine Leiste m, auf der die Roststangen l mit dem einen ihrer Enden ruhen, während sie mit dem anderen Ende auf einer horizontalen Eisenstange ruhen, die von einer Seite des Ofens zur anderen läuft, und die man bei i im Querdurchschnitte sieht. n ist eine todte Platte, welche an die Tragstange i genietet ist, und die an ihrer oberen Seite auf dem Randvorsprunge f aufliegt. Diese Platte ist deßhalb so angebracht, damit sie die intensive Wirkung des Feuers auf die Mündung der hohlen Röhren e, wodurch die Strömung des Wassers durch diese Röhren zum Theil verhindert werden könnte, verhüte;

sie bildet auch die Gränze für das auf den Roststangen l befindliche
Feuer, und kann, wenn es nöthig ist, leicht entfernt werden. h, h sind
feuerfeste Ziegel, die unter der Wasserkammer d, d hinweg von einer
Seite des Ofens zur anderen laufen; sie dienen mit bei dem Verkohlungsprocesse oder bei der Austreibung der Gase aus dem Brennmateriale, indem sie die Hize, welche in Folge ihrer Stellung an sie
gelangt, auf das auf der todten Platte k befindliche Brennmaterial
zurükwerfen, so daß sie auf diese Weise zur größeren Gleichförmigkeit
des Ganges des Ofens beitragen.

Der Schornstein Q ist mit einem Register versehen, welches,
wenn es für nöthig befunden wird, zum Behufe der Verstärkung des
Luftzuges durch den Ofen geöffnet wird; welches aber auch zur Entleerung der überschüssigen Hize, sobald der Uebergang des Dampfes
aus dem Kessel in die Cylinder aufgehoben ist, dient. Unter allen
übrigen Verhältnissen ist bleß Register geschlossen zu erhalten. Dieser Schornstein ist nur dann von Nuzen, wenn der natürliche Luft-
zug gering ist, wie z. B. an den Locomotiven; man kann ihn daher
unter den meisten gewöhnlichen Umständen entbehren. H, J sind die
Ofenthüren. L ist der Rahmen oder der Ring, wodurch das innere
Gehäuse des Ofens mit dem äußeren verbunden ist. s, s sind die
Röhren oder die Feuerzüge, welche von dem Ofen an den cylindrischen oder sonst anders geformten Kessel T der Maschine führen.

Bei der hier beschriebenen Einrichtung müssen die gasartigen
Producte des auf der todten Platte k befindlichen Brennmateriales beinahe sämmtlich über das auf den Roststangen l bestehende Feuer
strömen, wobei sie in solchem Maaße verbrannt werden, daß in jenen
Fällen, in denen eine geringe Menge Rauch nicht in Betracht kommt,
und in denen es sich nicht darum handelt, den höchsten Grad von
Hize und mithin die höchste Kraft zu erzielen, gar kein Feuer auf
den hohlen Roststangen e nöthig ist.

Es ist nicht durchaus nothwendig, daß der Theil e, e der Wasserkammer d, d in Stäbe von der oben beschriebenen eigenthümlichen
Gestalt getheilt ist; man kann vielmehr dasselbe auch auf verschiedene
andere Weise erreichen. So würde es z. B. von Vortheil seyn,
wenn die Wasserkammer bei e, e zum Behufe des Durchganges der
von dem unteren Feuer heraufgelangenden Gase und Luft durchlöchert
wäre; doch dürfte eine solche Einrichtung nicht dasselbe leisten, wie
die oben beschriebene.

Wenn man den nach unserer Angabe gebauten Kessel in volle
Thätigkeit bringen will, so soll in der oberen Abtheilung E des Ofens
auf den hohlen Stäben e, e mit Koks, Holzkohlen oder einem anderen ganz oder zum Theil verkohlten Brennmateriale, welches bei

der oberen Thüre H eingetragen wird, ein Feuer aufgezündet werden. Eben so ist auf den Roststangen l mit Steinkohlen oder einem anderen Rauch und Gase liefernden Brennmateriale, zu dessen Eintragung die Thüre I dient, ein Feuer anzumachen. Das zur Unterhaltung des ersteren Feuers bestimmte Brennmaterial muß auf die Wasserkammer d, d; jenes für das zweite auf die todte Platte k, k gelegt werden, damit es auf diese Weise in dem Maaße erhizt und zur Verbrennung vorbereitet wird, als die Verbrennung auf den Roststangen von Statten geht. Sollte es nicht von selbst auf das Feuer herabfallen, so müßte es der Heizer allmählich über die angegebenen Flächen hinab schieben, und dafür immer wieder neues auftragen.

Während das auf den Roststangen befindliche Brennmaterial allmählich verbrennt, wird die auf die Platte k gebrachte Steinkohle gradweise erhizt oder getöstet werden, und zugleich mit jener Steinkohle, deren Verbrennung auf den Roststangen l von Statten geht, die in ihr enthaltenen Gase und Feuchtigkeiten abgeben, welche dann durch die Oeffnungen t, t, die sich zwischen den hohlen Stangen e, e befinden, und durch die Zwischenräume des auf diesen Stangen brennenden Materiales entweichen. Der Rauch und die Gase, welche aus dem unter der Wasserkammer d, d befindlichen Theile des Brennmateriales emporsteigen, werden durch die ausgedehnte Gestalt dieser Kammer gezwungen einen beträchtlichen Theil der Oberfläche ihres eigenen Feuers zu durchströmen, bevor sie durch die zwischen den hohlen Stäben gelassenen Oeffnungen entweichen und dadurch der intensiven Hize des oberen Feuers ausgesezt werden. Auf diese Weise wird das Entweichen der aus dem Steinkohlenfeuer entwikelten Gase so lange verspätet, bis sich die zu deren Verbrennung unumgänglich nothwendige Quantität atmosphärischer Luft, welche von dem Aschenloche her zwischen den Roststangen l hindurch eintritt, damit verbunden hat; zugleich werden die Gase, indem sie durch das entzündete Brennmaterial strömen, in hohem Grade erhizt, was zu deren Entzündung gleichfalls durchaus nothwendig ist. Das Kohlenwasserstoffgas und mehrere andere brennbare Gase, die einen bedeutenden Theil des Gehaltes der Steinkohlen bilden, und die in den gewöhnlichen Oefen durch den Schornstein entweichen, werden hienach als ein sehr schäzbares und kräftiges Brennmaterial benuzt; und da zugleich auch der Rauch verbrannt oder wenigstens bedeutend vermindert wird, so kann man anstatt Kohks eine bedeutende Menge Steinkohlen anwenden, und dadurch nicht nur eine große Ersparniß bewirken, sondern auch das, was bisher nuzlos und lästig wurde, nüzlich verwenden: wie z. B. zum Heizen oder Erwärmen verschiedener Localitäten, Flüssigkeiten und anderer Substanzen.

Wenn die hier beschriebene Anordnung der Theile auf eine andere Art von Dampfkessel, als man gegenwärtig an den Locomotivmaschinen zu benuzen pflegt, oder auf die Kessel firirter oder auf Schiffen untergebrachter Dampfmaschinen angewendet werden will, so dürften unter diesen Umständen verschiedene Modificationen, so wie auch Abänderungen der Form nöthig werden. Wir brauchen jedoch hierauf nicht weiter einzugehen, indem dieß jeder Sachverständige nach aufmerksamer Erwägung der hier gegebenen Beschreibung und sorgfältiger Betrachtung der beigefügten Zeichnung auf eine jedem einzelnen Falle entsprechende Weise selbst zu bewerkstelligen wissen wird.

Die einzelnen Theile unseres Kessels und Ofens können aus solchen Metallen oder Substanzen, die der von ihnen zu vollbringenden Thätigkeit am besten entsprechen, verfertigt werden. Zur Verfertigung der beschriebenen hohlen Wasserkammer benuzen wir jedoch vorzugsweise eine Legirung, die wir aus einem Theile Zink, einem Theile Zinn und 28 Theilen Kupfer zusammensezen.

Als unsere Erfindung erklären wir endlich:

1) den Bau und die Anwendung einer durch den Ofen führenden Wasserkammer, welche aus hohlen Röhren besteht, und die einen oberen Rost bildet, auf welchem mit Kohks oder einem anderen ganz oder zum Theil verkohlten Brennstoffe ein Feuer aufgemacht wird, und durch den die von einem unterhalb befindlichen Feuer ausströmenden Luft- und Gasarten gelangen müssen, bevor sie durch die Feuerzüge des Ofens entweichen können, damit auf diese Weise sowohl der Rauch als die Gase entzündet und verbrannt werden. 2) die beschriebene Verbindung der einzelnen Theile, womit wir dieß bewerkstelligen. Was die vorläufige partielle Destillation des Brennmateriales vor dessen wirklicher Verbrennung in den Oefen, und die Verzehrung oder Verbrennung des Rauches und der Gase betrifft, in so fern leztere dadurch erzielt werden soll, daß man den Rauch und die Gase über und durch ein Feuer leitet, so liegt hierin allein keineswegs die Originalität unserer Erfindung, indem man diesen Zwek bereits vor uns auf mancherlei Weise zu erreichen suchte. Wir nehmen eben so wenig irgend einen der bereits bekannten Theile, aus denen wir unseren Apparat zusammensezten, als unsere Erfindung in Anspruch.

LXV.

Bericht des Hrn. Payen über ein von Hrn. Chaix in Paris vorgeschlagenes Mittel zur Verhütung der Incrustationen in den Dampfkesseln.

Aus dem Bulletin de la Société d'encouragement. April 1837, S. 142.

Eine der größten Unannehmlichkeiten, auf die man bei der Anwendung des Quell- oder Flußwassers in den Dampfkesseln stößt, ist bekanntlich der Niederschlag kalkhaltiger Salze, welcher sich in Gestalt harter, fest an den Kesselwänden hängender Incrustationen bildet. Diese harten und beinahe steinartigen, an Dike fortwährend zunehmenden Schichten sind der Mittheilung der Wärme entgegen, und vermindern daher den von dem Brennmaterial zu erwartenden Nutzeffect. Sie bedingen aber auch, indem sie einem Theile der Wärme den Durchgang versagen, eine verhältnißmäßige Erhöhung der Temperatur der metallenen Kesselwände, in Folge deren theils auf chemischem Wege durch Orydation, theils auf mechanischem Wege durch die starken Ausdehnungen und Contractionen mancherlei Veränderungen in ihnen vorgehen. Ja man versichert sogar, daß bereits mehrere Explosionen dadurch entstanden, daß bei dem zufälligen Zerbrechen oder Zerspringen dieser Krusten das Wasser mit den rothglühenden Kesselwänden in Berührung kam, wodurch plözlich eine solche Menge Dampf entwikelt ward, daß weder die Sicherheitsventile, noch die schmelzbaren Platten ausreichten, um der plözlichen Entstehung eines für die Kesselwände viel zu starken Drukes zu steuern.

Man wußte sich dieser höchst lästigen und selbst gefährlichen Incrustationen lange Zeit nur dadurch zu entledigen, daß man die Heizung der verkrusteten Kessel unterbrach; daß man sie bis auf den zum Ausleeren nöthigen Grad abkühlen ließ; und daß man dann durch Arbeiter, die sich wechselsweise ablösten, die Krusten mit Hämmern und Scheeren zertrümmern ließ. In den engen Siedröhren pflegt man die Incrustationen mit einer langen Stange, welche an ihrem Ende scheerenartig gekrümmt ist, zu beseitigen; eine Operation, welche nicht nur noch länger dauert, sondern auch zu einem minder vollkommenen Resultate führt. Man sieht wohl von selbst ein, wie sehr die bei dieser Reinigungsmethode Statt findenden Erschütterungen zur schnelleren Abnuzung der Kessel beitragen mußten; und welcher Verlust an Wärme daraus erwachsen mußte, daß man gezwungen war, das Mauerwerk, die Kesselwände und die Flüssigkeit zum Behufe der Reinigung kühl werden zu lassen.

Eines der ersten Mittel, welches man zur Verhütung der Incrustationen vorschlug, und welches Hr. Clément aus England nach
Frankreich verpflanzte, fand rasch überall Eingang; es bestand darin,
daß man zugleich mit dem Wasser eine gewisse Quantität roher Kartoffeln, ganz oder in Stüke zerschnitten, mit in die Dampfgeneratoren
brachte. Die stärkmehlartigen Theilchen machten die Flüssigkeit, indem sie sich in ihr vertheilten, gewisser Maßen seifenartig, so zwar,
daß die sich ausscheidenden Kalktheilchen bei der hiedurch erzielten
Schlüpfrigkeit verhindert wurden, fest zusammen zu baken. Später
ersezte man die Kartoffel mit gleichem Resultate durch andere, ihrer
chemischen Zusammensezung nach ähnliche Substanzen, wie z. B.
durch Kleien, Grüzenkleien und andere derlei Stoffe.

Alle diese organischen Substanzen konnten aber, da sie die Flüssigkeit klebrig machten und bewirkten, daß sie in Schaum aufstieg
und als solcher die Röhren und Cylinder verunreinigte, nur mit Rükhalt angewendet werden, und man mußte an Orten, wo das Wasser
seinen Bestandtheilen gemäß einen zu großen Zusaz dieser Präservativmittel erheischt haben würde, ihrer Anwendung selbst ganz und gar
entsagen. Aus denselben Ursachen und vielleicht auch wegen der
Schwierigkeit der Verproviantirung gab man selbst die Benuzung der
Kartoffel auf den Marine-Dampfbooten auf.

An diesen lezteren nun, auf denen die Schwierigkeiten durch
mehrere andere incrustirende Salze noch bedeutend erhöht werden, und
an denen man gezwungen ist, das Wasser aus den Kesseln auszutreiben, bevor es mit Kochsalz gesättigt ist, versuchte Hr. Chair
ein neues Präservativmittel. Seine Versuche waren glüklich; es liegen die Zeugnisse mehrerer Seepräfecten und Capitäne hiefür vor;
und die Commission überzeugte sich selbst hievon, indem sie in den
großen und ausgedehnten Werkstätten des Hrn. Cavé Versuche
anstellte.

Das Wasser, dessen sich Hr. Cavé zur Speisung seines Dampfkessels bedient, ist so wie jenes der Pariser Brunnen überhaupt, der
Maßen mit schwefelsaurem und kohlensaurem Kalke überladen, daß
man, obschon das Verdichtungswasser sorgfältig in die Kessel zurükgebracht wird, dennoch gezwungen ist die Dampfgeneratoren alle 8
Tage zu reinigen, und damit eine höchst beschwerliche Arbeit zu vollbringen, welche bei Hrn. Cavé 4 bis 5 Stunden, zuweilen aber
auch 2 bis 3 Tage dauert.

Der erste Versuch, den die Commission anstellte, wurde mit
einem frisch gereinigten Dampfkessel einer Maschine von 10 Pferdekräften vorgenommen: er bestand darin, daß man 20 Pfd. feinen,
mit Wasser angerührten Thon in den Kessel gab. Nach acht Tagen

wo die Siedröhren gereinigt wurden, hatte sich nicht nur keine neue Incrustation in denselben gebildet, sondern mehrere derjenigen, die von früheren Zeiten her geblieben waren, hatten sich von selbst los gelöst, so daß der ganze Apparat in einer halben Stunde durch einfaches Ausspülen wieder in gehörigen Zustand versezt werden konnte. Die Commission glaubte den Versuch selbst unter noch ungünstigeren Umständen vornehmen zu müssen, d. h. sie ließ den Kessel 14 Tage lang. unausgesezt heizen; selbst in diesem Falle entstand aber nicht nur gar kein Nachtheil, sondern der Kessel und seine beiden Siedröhren waren nach Ablauf dieser Zeit eben so rein, wie nach den ersten 8 Tagen. Dasselbe Resultat gab ein dritter Versuch, der mit einem alten Kessel und bei 14tägiger Heizung vorgenommen wurde.

Die Wirkung, welche der Thon unter diesen Umständen ausübt, läßt sich dadurch erklären, daß sich seine Theilchen in Folge ihrer Feinheit und ihrer Fähigkeit Wasser einzusaugen, zwischen die anderen festen Körper lagern und deren Oberfläche schlüpfrig erhalten, und zwar in einem solchen Grade, daß mehrere Sorten Thon selbst zu einer Art von Verseifungsproceß angewender werden können. Die Theorie der Wirkung des Thones ist also beinahe dieselbe, wie jene, welche oben für die stärkmehlhaltigen Substanzen angegeben wurde: mit dem Unterschiede jedoch, daß der Thon diese Wirkung hervorbringt, ohne daß er der Flüssigkeit die erwähnte klebrige und nachtheilige Beschaffenheit mittheilt.

Die Commission hält es für erwiesen, daß dieses Mittel die besten Garantien gegen die Incrustationen bietet, wenn das zur Speisung der Kessel verwendete Wasser auch noch so kalkhaltig ist: unter der Bedingung jedoch, daß der Thon selbst sich nicht zu fest abseze, wenn man ihn zu lange in den Siedröhren beläßt, ohne daß er durch die Bewegung der Flüssigkeit in schwebenden Zustand versezt wird. Die Wichtigkeit, welche dieser Vorsichtsmaßregel nicht bloß deßwegen beizulegen ist, weil sie eine große Ersparniß an Brennmaterial und Arbeitslohn bedingt, sondern auch weil sie eine längere Dauer der Kessel und eine größere Sicherheit gegen Explosionen verspricht, rechtfertigt den Wunsch, daß dieses einfache Mittel bald allgemein bekannt und in Anwendung gebracht werden möge.

LXVI.

Verbefferungen an den Oefen, worauf sich John Chanter am 2. Sept. 1834 ein Patent ertheilen ließ.

Aus dem Repertory of Patent-Inventions. April 1837, S. 175.
Mit Abbildungen auf Tab. V.

———

Meine Erfindung, sagt der Patentträger, besteht in einer Ver=
befferung jener Art von Oefen, auf welche sich Hr. Richard Witty
zum Behufe der Erzeugung von Gas aus Steinkohlen ein Patent
ertheilen ließ. [55]) Der Zwek, den ich mir hiebei sezte, ist: diese Oefen
sowohl auf die Keffel der Dampfboote als auch auf die Keffel firir=
ter Dampfmaschinen, so wie auch auf Heißwasser= und andere Appa=
rate anwendbar zu machen.

In Fig. 1 ist A ein Längendurchschnitt eines Dampfbootkeffels,
woran der von mir verbefferte Ofen angebracht ist, ersichtlich. H
stellt den Trichter vor, durch den der Ofen mit Steinkohle gespeist
wird, und aus welchem die Kohle an die Mündung B herab gelangt.
Er steht mit dem Keffel in unmittelbarem Zusammenhange, damit
die in ihm enthaltene Steinkohle durch die von dem Keffel ausstrah=
lende Hize zum Theil getroknet wird. Er ist an seinem oberen Ende
mit einem starken Roste a ausgestattet, deffen Stangen zum Behufe
der Regulirung der Größe der in den Ofen gelangenden Kohlen bei=
läufig drei Zoll weit von einander entfernt sind. Jene Kohlenstüke,
die nicht durch diesen Rost fallen, müffen zerschlagen werden. In
dem unteren Theile des Trichters ist eine Walze angebracht, die zur
Regulirung der an die Mündung B gelangenden Kohlenmenge dient,
und welche zu diesem Zweke mit mehreren Aushöhlungen oder Ver=
tiefungen ausgestattet ist. Sie läuft in der durch einen Pfeil ange=
deuteten Richtung um, und kann entweder mit der Hand oder auch
durch die Kraft der Maschine umgetrieben werden; in lezterem Falle
ist eine horizontale Welle mit einer daran aufgezogenen Trommel und
ein entsprechendes Räderwerk, welches ich nicht weiter zu beschreiben
brauche, erforderlich. Die Umlaufsgeschwindigkeit ist nach der Kraft
der Maschine und der Güte der Kohle zu reguliren; im Allgemeinen
muß sie jedoch eine solche seyn, daß stündlich gegen 10 Pfd. Stein=
kohlen per Pferdekraft eingetragen werden. An dieser Walze ist bei
e eine Kurbel angebracht, die mittelst der Verbindungsstange r den
Zerdrüker P in Bewegung sezt. Vorne aus diesem Zerdrüker bei t
ragen nämlich mehrere Stangen hervor, die in die Steinkohlen ein=

———

dringen und dadurch verhindern, daß diese zu einer zu harten Masse
zusammenbaken. Die Hin- und Herbewegung dieser Vorrichtung P,
welche aus einem seichten, auf Walzen ruhenden und innen mit einer
Zahnstange ausgestatteten Behälter besteht, erzeugt die gehörige Vor-
wärtsbewegung der Kohle auf der Destillirfläche E. Diese Fläche
bildet einen Theil des Kessels, indem sie mit der einen Seite an die
eine Seite der gewöhnlichen Wasserzüge genietet ist; und indem sie
von einer Seite des Kessels zur anderen einen durch den Ofen führenden Wasserzug bildet. Vorne an diesem Wasserzuge E ist bei f
ein Einsteigloch angebracht, vor das eine Metallplatte geschraubt ist,
diese kann abgenommen werden, so oft dieß zur Beseitigung des
allenfalls entstandenen Bodensazes nöthig ist. Die Oberfläche dieses
Wasserzuges E, auf die die Kohle zu liegen kommt, wird diese leztere beiläufig auf 200° F. erhizen, und sie dadurch nicht nur troknen
und zur Verbrennung vorbereiten, sondern zugleich auch bewirken,
daß sie das Gas bei gelinderer Hize und mit größerer Leichtigkeit
abgibt. Die obere Fläche des Brennmateriales ist einer intensiven
Hize ausgesezt, bei der lezteres fortwährend eine große Menge Gas
abgibt, welches sich, wie später gezeigt werden soll, bei der Berührung, in die es mit der erhizten Luft gelangt, entzündet. Der Wasserzug G ist auf eine dem eben beschriebenen Wasserzuge E ähnliche
Weise gebaut und eingerichtet, und bildet einen zum Zurükwerfen
der Hize dienenden Aufhälter. F, F sind feuerfeste Baksteine, welche
auf Leisten ruhen, die für sie in dem Kessel angebracht sind; sie werfen die Hize auf die Oberfläche der auf der Destillirfläche E befindlichen Steinkohle zurük, und tragen dadurch nicht nur zur Austreibung und Entzündung der Gase, sondern auch zur vollkommenen
Verbindung des in den Gasen enthaltenen Kohlenstoffes mit dem
Sauerstoffe der atmosphärischen Luft bei, welche bei den Rost stangen
M, M durch die brennenden Kohls hindurch eintritt. Die eiserne
Platte L, die sich von den Roststangen M, M aus bis zu der Thüre
O erstrekt, bildet eine zweite Destillirfläche, welche bei der Thüre O
mit Brennmaterial gespeist wird. Die Roststangen M, M. sind ganz
mit den von den beiden Destillirflächen L und E gelieferten Kohls
bedekt, deren regelmäßige Ausbreitung auf den Stangen von den
Heizern durch die Thüre O mit Schüreisen bewerkstelligt wird. Um
die Löschkohlen oder Schlaken zu beseitigen, schafft man sie mit Hülfe
einer Eisenstange längs der Roststangen an die horizontale Oeffnung
T, welche mit einem Schieber X, an dem ein langer Griff v, v angebracht ist, ausgestattet ist. Wird dieser Schieber zurükgezogen, so
fällt die Löschkohle oder die Schlake in das Aschenloch U, worauf
dann der Schieber wieder an Ort und Stelle gebracht wird. Das

zum Verschließen des Aschenloches U dienende Thürchen D ist mit
einem Register oder Schieber ausgestattet, damit auf solche Weise
die durch die Roststangen M, M gelangende Quantität Luft regulirt
werden kann. V ist der Steg des Kessels, den ich an neuen Kesseln
vorzugsweise aus feuerfesten Ziegeln baue; für ältere Kessel von ge=
wöhnlichem Baue thut es jedoch auch der allgemein gebräuchliche
Wassersteg. S, S sind die Feuerzüge der Kessel.

Die zur Erzeugung des erforderlichen Hizgrades nöthigen Di=
mensionsverhältnisse der Roststangen werden beiläufig um den vierten
Theil geringer seyn, als jene der gewöhnlich gebräuchlichen Stangen;
indem durch die vollkommenere Verbrennung der Steinkohlen auf den
Destilliroberflächen um so viel Hize mehr erzeugt wird, als zur Aus=
gleichung der Verkleinerung der Roststangen nöthig ist. Vermittelst
des vorne angebrachten Trichters wird die Steinkohle allmählich ge=
troknet und erhizt, bevor sie auf die Destillirfläche E gelangt, auf der
sie vor der Austreibung des Gases noch weiter erhizt wird. Der
Dampf, der die vollkommene Entzündung der Gase verhindern, so
wie die Temperatur erniedrigen würde, wird auf diese Weise ausge=
trieben, so daß durch den Eintritt der Luft, welche auf ihrem Durch=
gange durch die auf den Roststangen befindlichen glühenden Kohlen
bis auf 1500 und 2000° F. erhizt wird, die aus den Steinkohlen
ausgetriebenen Gase auf das Vollkommenste verbrannt werden. Bei
der hiedurch unterhaltenen hohen Temperatur wird eine höchst voll=
kommene Entzündung und Verbrennung sämmtlicher flüchtiger Be=
standtheile der Steinkohle Statt finden, und mit einer bestimmten
Quantität Steinkohle mehr Hize erzeugt werden, als in den gewöhn=
lich gebräuchlichen Oefen damit erzeugt werden kann. Auch wird
den Unannehmlichkeiten des Rauches großen Theils gesteuert seyn,
und eine regelmäßigere und reichlichere Dampferzeugung daraus folgen.

Fig. 2 zeigt die Anwendung meines verbesserten Ofens an dem
Kessel einer fixirten Dampfmaschine, woran der Trichter H und die
dazu gehörigen Theile eben so eingerichtet und eben so bezeichnet
sind, wie in Fig. 1, so daß sie hier keiner Erläuterung mehr bedür=
fen. E ist die Destillirfläche, die hier durch einen zweiten oder
Nebenkessel, der von dem Hauptkessel her durch die beiden Röhren s
und h mit Wasser gespeist wird, gebildet ist. Die Röhre oder der
Canal h tritt seitlich bei x in den unteren Theil des Nebenkessels E
und seitlich bei v in den Hauptkessel A. Die zweite Röhre s tritt
seitlich bei w in den oberen Theil des Nebenkessels, und seitlich bei
m in den Hauptkessel. Wenn der Ofen in Thätigkeit ist, so wird
das Wasser von dem Kessel A aus beständig durch den Nebenkessel
E circuliren. Zur Reinigung dieses lezteren, im Falle sich ein Boden=

saz in ihm angesammelt hat, dient ein bei f angebrachtes Loch, wel=
ches mit einer festgeschraubten Platte verschlossen ist. Durch diesen
Nebenkessel wird nicht nur die Dampferzeugung vermehrt, sondern
die auf ihm befindliche Steinkohlenmasse wird auch getroknet und er=
hizt werden, und mithin das in ihr enthaltene Gas leichter abgeben.
F, F ist ein aus feuerfesten Baksteinen gebautes Gewölbe, welches
die Hize auf die auf E befindlichen Steinkohlen zurükwirft. Die
hiebei aus den Steinkohlen ausgetriebenen Gase werden durch die
erhizte Luft, welche durch die Roststangen M, M drang, erhizt wer=
den. G, G sind feuerfeste, in senkrechter Stellung angebrachte Bak=
steine, die das Entweichen der Hize aus dem Ofen verhüten, und
sie vielmehr in den Ofen zurükwerfen. Hinter diesen Baksteinen ist,
um ihnen eine größere Dauerhaftigkeit zu geben, eine eiserne Platte b
angebracht. Die eiserne Platte L erstrekt sich von den Roststangen
M, M bis zu der Thüre O, durch welche die Heizer die Ausbreitung
der Kohls auf den Roststangen und die Beseitigung der Löschkohlen
oder Schlaken bewerkstelligen. V, V sind die Feuerzüge des Kessels;
U ist das Aschenloch; D dessen Thürchen, welches zur Regulirung
des Luftzuges mit einem Regiser oder Schieber ausgestattet ist. Die
Anwendung meines verbesserten Kessels an den Kesseln firirter Dampf=
maschinen sowohl, als anderer Apparate wird dieselben Vortheile ge=
währen, die ich bereits oben bei deren Benuzung an den Kesseln der
Dampfboote angedeutet habe.

Als meine Erfindung erkläre ich lediglich die Benuzung einer
Destilliroberfläche durch Anwendung des Wasserzuges E an den Kes=
seln der Dampfboote und durch Anwendung des Nebenkessels E an
den Kesseln der firirten Dampfmaschinen und anderer Maschinen.

LXVII.

Ueber eine verbesserte Rettungs=Boy, von Hrn. H. Soper, Stükmeister in der königl. großbrit. Marine. [56]

Aus den Transactions of the Society of Arts. Vol. LI. P. I; S. 112.
Mit Abbildungen auf Tab. V

An dem Hintertheile eines jeden Kriegsschiffes ist eine Rettungs=
Boy (life-bouy) aufgehangen, welche jedes Mal sogleich ausgesezt
oder losgemacht wird, so oft ein Mann über Bord fällt. Durch
diese Boyen fährt, wie bekannt genug ist, ein leichter Balken, an

---

56) Dem Erfinder ward von der Society of arts für diese Boy die silberne
Isis=Medaille und ein Preis von 5 Pfd. Sterl. zugestellt.   A. b. R.

dessen unterem Ende als Ballast ein Gewicht angebracht ist, welches
die Boye in aufrechter Stellung schwimmen macht; während sich an
seinem oberen Ende eine Platte, auf welcher eine Zündruthe befestigt
ist, befindet. Der Zwek dieser Zündruthe ist ein doppelter; sie soll
dem Verunglükten die Boy bei Nacht bemerkbar machen, und sie
soll auch als Signal für den Lauf des Bootes dienen, welches so
schnell als möglich zur Unterstüzung ausgesezt werden muß. Das
Loslassen der Boy geschah bisher dadurch, daß man an einem Taue
anzog; die Entzündung der Zündruthe hingegen erheischte das Anziehen an einem anderen Taue. In der Eile geschieht es nun aber
gar häufig, daß man im Ergreifen der Taue irre wird; und daß,
indem man das unrechte Tau anzieht, die Boye mit unentzündeter Zündruthe in das Wasser fällt, wo dann die Hülfe für den Verunglükten
vereitelt ist, und überdieß die Boy verloren geht.

Um diesen Mängeln abzuhelfen, erlaube ich mir eine einfache
Vorrichtung, bei deren Anwendung das Loslassen der Boy und die
Entzündung der Zündruthe mittelst eines einzigen Taues bewerkstelligt wird, in Vorschlag zu bringen. Meiner Methode gemäß soll
nämlich:

1) die an den Drüker des Schlosses führende Leine weggelassen
und das dafür bestimmte Loch verstopft werden.

2) soll man durch den Boden des Gehäuses q, Fig. 32, in
welchem sich das Schloß befindet, unmittelbar unter dem Drüker
desselben, ein Loch bohren, und durch dieses Loch einen geraden kupfernen oder messingenen Draht a von beiläufig ⁴⁄₁₀ Zoll im Durchmesser
führen. Dieser Draht soll mit Hülfe eines hölzernen Hebels b, mit
dem er an seinem unteren Ende in Verbindung steht, den Drüker
emportreiben und dadurch das Schloß abfeuern.

3) in die Ablaßleine c,c der Boy soll ein Ring eingeflochten
seyn, der über das Ende des Hebels b geschoben, und durch eine
kleine aus hart gehämmertem Messinge bestehende Feder d am Abgehen von diesem Hebel verhindert wird.

Wenn die Leine oder das Tau angezogen wird, so wird zuerst
der Hebel b aufgezogen und das Schloß abgefeuert werden; dann
wird der Ring von dem Ende des Hebels abgehen, und bei noch
länger fortgeseztem Zuge wird endlich der Bolzen e ausgezogen werden, wodurch die Boy losgelassen ist. Dieser Bolzen fällt nämlich
in einen Uförmigen Fänger oder Tummler, den man in Fig. 36
sieht, und hält denselben gleich einem Haken, an den die Boy mit
dem Ringe f eingehängt ist, empor, so daß die Boy nicht eher los
wird, als bis der Bolzen e in die Höhe gezogen worden ist. Damit
die Leine c ihres schiefen Laufes ungeachtet den Bolzen dennoch ge-

rabe empor ziehe, läuft sie unter einer in dem Kopfe des Bolzens
angebrachten Rolle weg, um dann, wie durch Punkte angedeutet ist,
an der entgegengesezten Seite des Bolzens in einer ähnlichen Schiefe
an dem Schiffe befestigt zu werden.

Ich fand mich veranlaßt, auch in Hinsicht auf die Form der
Boy eine Veränderung in Vorschlag zu bringen, indem ich fand,
daß die Boyen bei der gewöhnlichen Form im Falle, ein stärkerer
Wind herrscht, zu rasch leewärts getrieben werden; und daß sie zu
wenig Stabilität besizen, als daß der Verunglükte auf deren Scheitel
steigen könnte, was er in Meeren, wo es viele Hayfische gibt, so
schnell als möglich zu vollbringen suchen wird. Ich schlage daher,
um diese Mängel zu beseitigen, vor, den Boyen g, g die aus Fig. 32
und 33 ersichtliche flache Gestalt zu geben, und durch den Mittelpunkt beider eine Röhre laufen zu lassen, welche man in Fig. 34
einzeln für sich sieht, und die zur Aufnahme des abgerundeten Armes
des Querstükes h dienen soll. In den unteren Theil dieses Querstükes sind zwei senkrechte Kerben geschnitten, in welche zwei lose
metallene Däumlinge (pauls), ähnlich denen, die man in Fig. 35
bei i sieht, einpassen. An den beiden den Schultern des Querstükes
zunächst gelegenen Enden der Röhre befindet sich eine Auskerbung j, j
Fig. 34 von solcher Größe, daß sich die Däumlinge unter allen Umständen bewegen können. Wenn die Boy aufgehängt werden soll, so
bewegt man die Däumlinge mit Hülfe ihrer Schwänze solcher Maßen,
daß die beiden Boyen g, g in eine senkrechte, aus Fig. 32 zu ersehende Stellung kommen; so wie sie hingegen mit dem Wasser in
Berührung kommen, gelangen sie in die horizontale, aus Fig. 33 er-
kennbare Stellung, in welcher sie dadurch erhalten werden, daß die
Däumlinge in die in der Röhre befindlichen Auskerbungen j einfallen.
Unter diesen Umständen wird hauptsächlich nur die Stange der Einwirkung des Windes ausgesezt seyn, während die Boy dadurch, daß
sie auf einer breiteren Basis schwimmt, weit mehr Stabilität erlangt.

Diese Stabilität wird ferner noch durch die Art und Weise, auf
welche der Ballast angebracht wird, erhöht. Anstatt nämlich den
Ballast an der durch den Mast emporsteigenden Stange k zu befestigen, und die Boy mit einer Kette aufzuhängen, wie dieß gegenwärtig zu geschehen pflegt, schlage ich vor, nur einen Theil des Ballastes
an dem unteren Ende dieser Stange bei l anzubringen, und an der
inneren Seite dieses Theiles ein Loch zu bohren, durch welches eine
zweite Stange m läuft, an deren unterem Ende der Ueberrest des
Ballastes n angebracht ist, während sich an ihrem oberen Ende der
Ring f befindet. Dieser Ring f wird über den Fänger oder Tumm-

ler gelegt, und dient somit zum Aufhängen der Boy; so wie hingegen
die Boy losgelassen wird, gleitet die Stange m in die aus Fig. 33
zu ersehende Stellung herab, wodurch die Stabilität der Boy bedeu=
tend erhöht wird, ohne daß deßhalb eine Vermehrung ihres Gewich=
tes Statt fände.

Die Boy wird bei der von mir in Vorschlag gebrachten Form
nicht halb so weit über den Hintertheil des Schiffes hinausragen,
und mithin den daselbst befindlichen Booten weniger im Wege liegen.
Eben deßhalb kann man die langen zu deren Befestigung dienenden
Conductoren und die Krüke beseitigen, und sie durch einen Conductor
o von 9 und durch einen zweiten Conductor p von 6 Zoll Länge,
welcher jedoch nur 1¼ Zoll über das Schiff hinausragt, ersezen. Der
Grund, warum einer dieser Conductoren länger seyn soll, als der
andere, liegt in der großen Schwierigkeit, zwei Conductoren von glei=
cher Länge gleichzeitig einzuführen, und zwar namentlich bei einem
höheren Grade von Bewegung; ist hingegen deren Länge ungleich, so
läßt sich das Aufhängen der Boy weit leichter bewerkstelligen.

Der Bolzen und der Tummler oder Haken, welcher zum Auf=
hängen der Boy dient, ist nach dem gegenwärtig in der großbritan=
nischen Marine angenommenen Systeme gebaut; nur ist er etwas
offener, damit er leichter gereinigt werden kann. Fig. 36 zeigt den
Bolzen und den Tummler mit sammt dem Ringe f, womit die Boy
aufgehängt wird, in einer seitlichen Ansicht. Der Mast und die
erste Ballaststange sind gleichfalls dieselben geblieben, mit dem Unter=
schiede jedoch, daß sie, um der Boy größere Stabilität zu geben, tie=
fer unten in dem Querstüke befestigt sind. Von der Zündruthe und
ihrer Platte gilt dasselbe; beide sind ganz wie an der gewöhnlichen
Boy, nur ist die Platte weiter nach Außen angebracht, damit sie
beim Loslassen der Boy nicht mit dem Hintertheile des Schiffes in
Berührung kommt.

Was den Dekel r der Zündruthe betrifft, so habe ich diesen ab=
geändert, indem ich fand, daß es, wenn er zum Schieben eingerich=
tet ist, immer schwer fällt ihn zu öffnen, wenn er ein Mal längere
Zeit nicht geöffnet worden ist. Der von mir angebrachte Dekel dreht
sich um zwei Zapfen s,s, und man braucht, um ihn zum Behufe
des Einlegens einer neuen Zündruthe abzunehmen, nur die Klammer
t auszuhaken. Der Dekel soll aus Metall gegossen und etwas stark
seyn, damit er jedem Druke zu widerstehen im Stande ist.

Die Schwimmer oder Körper der Boy sollen auf 26 Zoll Länge,
12 Zoll Breite und 8 Zoll Tiefe haben; gibt man ihnen nur um
2 Zoll mehr Tiefe, so treiben sie gegen 40 Pfd. Wasser mehr aus
der Stelle, wo man dann mehr Ballast anhängen, und der Verun=

glükte sich um so sicherer aus dem Wasser retten kann. Man kann diese Schwimmer aus Holz, vielleicht aber noch besser aus Kupferblech verfertigen; indem sich die blechernen Boyen als sehr zwekdienlich erwiesen, besonders in heißen Klimaten, wo das Holz sich so leicht wirft.

Meine verbesserte Rettungs=Boy wurde bereits von mehreren ausgezeichneten See=Officieren, worunter ich nur Sir Fred. Maitland und Kapitän Swinburne nenne, als vorzüglich befunden.

LXVIII.
Beschreibung eines neuen Combinationsschlosses von der Erfindung des Hrn. Grangoir, Mechanikers und Schlossers in Paris, rue Mouffetard, No. 307.

Aus dem Bulletin de la Société d'encouragement. März 1837, S. 82.

Mit Abbildungen auf Tab. V.

Hr. Grangoir, der Erfinder eines Combinationsschlosses, für welches ihm die Société d'encouragement ihre silberne Medaille zuerkannte, hat auf weitere Verbesserungen an dieser Art von Schlössern sinnend, derselben Gesellschaft ein neues Schloß vorgelegt, dem er den Namen Serrure à combinaison et à double effet gab. Wir müssen, indem wir eine Beschreibung und Abbildung dieses lezteren mittheilen, auf sein früheres Schloß verweisen; denn nur wenn man dieses vor Augen hat, kann man die Details, in die wir hier eingehen müssen, gehörig auffassen. [57])

An der äußeren Einrichtung des neuen Schlosses ist durchaus nichts geändert worden. Der Riegel wird auch hier mit einem ovalen Knopfe in Bewegung gesezt; zum Umdrehen der Scheiben oder Zifferblätter, auf denen sich die 24 Buchstaben des Alphabets befinden, dienen gleichfalls vier rosettenförmige Knöpfe. Die Achse oder Spindel dieser Knöpfe ist jedoch innen mit einer Spiralfeder umgeben, damit sich die Knöpfe zurükziehen lassen, um sie von den Zifferblättern unabhängig umdrehen zu können, wie dieß weiter unten gezeigt werden wird.

Fig. 22 zeigt das Schloß von der Dekplatte her betrachtet; die Hauptstüke des Mechanismus sind hinter dieser Platte verborgen; sie sind übrigens dieselben, wie die in der früheren Abbildung ersichtlichen.

[57) Man findet eine ausführliche Beschreibung und Abbildung dieses Schlosses im Polyt. Journ. Bd. LIX. S. 265.

Fig. 23 stellt einen nach der Linie A, B, Fig. 22 geführten senkrechten Durchschnitt des einen der äußersten Knöpfe und der Theile, die er in Bewegung sezt, vor.

Fig. 24 ist ein senkrechter Durchschnitt des einen der mittleren Knöpfe und des dazu gehörigen Mechanismus nach der Linie C, D, Fig. 22.

Fig. 25 zeigt eine der gezahnten, an der Achse des äußersten Knopfes aufgezogenen Scheiben im Grundrisse.

Fig. 26 ist ein Durchschnitt derselben Scheibe nach der Linie E, F, Fig. 25.

Fig. 27 zeigt die innere Scheibe, welche in der gezahnten Scheibe umläuft.

An allen diesen Figuren sind für gleiche Theile gleiche Buch-staben beibehalten.

A ist die Dekplatte des Schlosses.

B der ovale Knopf, welcher an der Mitte an der vierekigen Spindel C aufgezogen ist, und den Riegel in Bewegung sezt.

D, D die äußeren, an dem vierekigen Theile der Spindel der äußersten Rosettenknöpfe firirten gezahnten Räder mit den inneren Scheiben D'.

E, E Hüte, welche an der Spindel der mittleren Knöpfe aufge-zogen und unten mit einem kleinen Aufhaltstifte versehen sind; lezte-rer dringt in den Schnabel der Riegel, um dieselben dem ovalen Knopfe näher zu bringen.

F, F sind die messingenen Häuser für den in die Zähne des Rades D eingreifenden Sperrkegel.

G, G ist das Hin und Her, welches der ovale Knopf zum Behufe des Oeffnens des Schlosses emporhebt.

H, H sind die Riegel, deren seitliche Bewegung durch den Auf-haltstift des Hutes E bewerkstelligt wird, und welche das Hin- und Her losmachen.

I ist der Knopf eines der äußersten Zifferblätter mit seiner Spindel J; an lezterer befindet sich das Zahnrad K, so wie auch das Zifferblatt, auf welches die 24 Buchstaben des Alphabets gra-virt sind. Innerhalb des Rades K befindet sich die Scheibe L.

M ist einer der mittleren Knöpfe, an dessen Achse O das Zahn-rad N mit der inneren Scheibe N' aufgezogen ist.

P ist das Schloßblech.

a, a sind Spiralfedern, welche die Riegel von einander entfernt halten.

b, b Zähne, welche die Riegel aufhalten; ein gegenüber liegender

Zahn b′ fällt in einen Ausschnitt der Scheibe N′ des Zahnrades N ein, wenn sie in die Combination gebracht wird.

c, c Sperrkegel, die in die Zähne des Rades D einfallen.

d, d Zähne, welche zum Behufe des Oeffnens des Schlosses in eine Spalte der Scheibe D′ eintreten, während der entgegengesezte Theil dieser Zähne in den Ausschnitt k der Scheibe L einfällt.

e, e ein Aufhaltstift, der mit dem Hute E aus einem Stüke besteht.

f ein Sperrkegel der Scheibe L.

g eine die Achse J umgebende Spiralfeder.

h eine um die Achse des Knopfes M gewundene Spiralfeder.

i, i Stifte oder Zapfen, die mit den Knöpfen I, M aus einem Stüke bestehen, und welche in entsprechende, in den Zifferblättern der Räder K und N befindliche Löcher einpassen, damit diese fest an die Knöpfe geschirrt werden können.

k ist ein in der Scheibe L angebrachter Ausschnitt.

Der Erfinder nennt sein Schloß doppelwirkend, à double effet, weil man sich, nachdem man die Buchstaben der Zifferblätter der angenommenen Combination gemäß den Zeigern gegenüber gebracht hat, auch noch eine zweite, bloß auf die äußersten Knöpfe anwendbare Combination vorbehalten kann.

Um das Schloß zu öffnen, dreht man jeden der Rosettenknöpfe ohne ihn zurükzuziehen von Rechts nach Links, damit hiedurch, indem die Zifferblätter unter diesen Umständen an die Knöpfe geschirrt sind, die Buchstaben der angenommenen Combination allmählich unter die Zeiger gelangen. Dann zieht man die beiden mittleren Knöpfe M an, und dreht sie so weit um, bis man fühlt, daß der Aufhaltstift gefaßt, und die Riegel von ihren Aufhältern b losgemacht hat. Dann dreht man die Knöpfe I, nachdem man sie angezogen hat, bis zum Aufhaltpunkte nach Rechts. In diesem Augenblike ist der ovale Knopf befreit, so daß er umgedreht werden kann, wodurch das Hin und Her emporgehoben und der Riegel geöffnet wird.

Wenn man besorgt, daß die Combination, deren man sich bedient, errathen sey, so kann man sich für die beiden äußersten Scheiben auch noch eine zweite wählen. Gesezt z. B. die angenommene Combination sey das Wort Clef, so verfährt man, nachdem man die Buchstaben dieses Wortes nach einander unter die Zeiger gebracht hat, zum Behufe des Oeffnens nach dieser Combination auf folgende Weise. Wenn die Knöpfe zurükgezogen und bis zum Ruhepunkte gebracht sind, so versezt man den ovalen Knopf in horizontale Stellung, dreht den Knopf I nach Links, und zählt die Buchstaben von A angefangen, wie wir annehmen wollen, an dem rechten Knopfe bis zu L und an dem linken bis zu I. Dann treibt man die Zapfen der Knöpfe wieder in die Löcher der Zifferblätter, um diese an sie zu binden. Wenn man dann diese Zifferblätter bis zum Aufhaltpunkte umdreht, so ist das Schloß geöffnet: d. h. die Aufhälter d und d' treten dann frei in die Ausschnitte der Scheiben D' und L, und der Aufhälter b' in den Ausschnitt der Scheibe N. So lange dieser Einklang der Theile nicht hergestellt ist, wird es bei aller Feinheit des Gefühles desjenigen, der das Schloß zu öffnen versucht, unmöglich seyn die Eröffnung zu vollbringen; denn an keinem der inneren Sicherheitsriegel wird mehr ein Druck fühlbar seyn.

Das neue Schloß eignet sich theils wegen seiner Complicirtheit, theils wegen seines hohen Preises hauptsächlich nur für Cassen und dergl. Hr. Grangoir hat zu diesen Zwecken bereits mehrere geliefert und man ist mit denselben sehr zufrieden.

LXIX.

Ueber einen beim Bergbau anwendbaren Spiegel von der Erfindung des Hrn. Joseph Gretton von Timberfield bei Chesterfield. [58])

Aus den Transactions of the Society of arts. Vol. LI. P. I. S. 130.

Der Erfinder des Instrumentes, welches den Gegenstand dieser Mittheilung bildet, hatte in einem Steinkohlenwerke einen Stollen zu bauen, und war dabei gezwungen die eiserne Schienenbahn, auf der das Gestein fortgeschafft werden sollte, zu beseitigen; indem sie zu nachtheilig auf den Compaß, nach welchem bei diesem Baue gearbeitet werden mußte, einwirkte. Die Unannehmlichkeiten, welche dieß veranlaßte, bewogen ihn auf ein anderes Instrument zu sinnen, welches beim Baue geradlaufender, horizontaler oder geneigter Stollen zur Richtschnur dienen könnte. Das Resultat seiner in dieser Hinsicht angestellten Forschungen war das Instrument, um welches es sich hier handelt.

Der Bergspiegel (miner's mirror), wie ihn der Erfinder nennt, besteht aus einer kreisrunden, gußeisernen Scheibe von 5¼ Zoll im Durchmesser und ¼ Zoll Dicke, an deren einer Seite sich in der Mitte ein halbkugelförmiger Vorsprung von 1½ Zoll im Durchmesser befindet. An der anderen oder Kehrseite der Scheibe und concentrisch mit ihr ist einen Zoll von ihrem Rande entfernt ein reifartiger Vor-

---

58) Eine silberne Medaille ward Hrn. Gretton von der Society of arts in London als Preis für seine Erfindung zugestellt. X. d. R.

sprung von einem Zoll in der Höhe angebracht, welcher, damit die
Scheibe beim Gießen leicht aus dem Formsande genommen werden
kann, an der Basis ¼ und an der Kante etwas über ¹⁄₁₆ Zoll dik
ist. Innerhalb dieses Reifens, welcher 3 Zoll im Durchmesser mißt,
wird mittelst etwas Glaserkitt, den man in den am Grunde des
Räfens befindlichen Winkel bringt, ein Spiegel, den man fest auf
den Kitt drükt, eingesezt. Dieser Spiegel wird an dem Ende eines
Brettes von 14 Zoll Länge, 5 Zoll Breite und 1¼ Zoll Dike befestigt, indem man vier Schrauben durch vier Löcher treibt, welche
in einer Entfernung von einem halben Zoll von dem Rande der
Scheibe und in gleichen Zwischenräumen von einander durch die
Scheibe gebohrt worden sind. Der am Rüken der Scheibe befindliche halbkugelförmige Vorsprung, der die Scheibe in einer kleinen
Entfernung von dem Brette erhält, gestattet die Adjustirung des
Spiegels mittelst der Schrauben. Man kann, um den Spiegel zu
schützen, an dem Reifen einen blechernen Dekel anbringen; im Allgemeinen wird jedoch schon der Schuz, den der Reifen selbst gewährt,
hinreichen.

Dieses Instrument soll nun den Bergknappen leiten, wenn er
in Kohlengruben oder bei irgend einem anderen Bergbaue in gerader
Linie nach einer bestimmten Richtung, es sey horizontal oder schräg,
und zugleich gegen einen bestimmten Punkt einen Stollen (heading
or drift) zu treiben hat.

Wenn z. B. von einer Kohlengrube zu einer anderen, in beträcht-
licher Entfernung befindlichen, ein Stollen getrieben werden soll, so
treibe man die ersten 5 oder 6 Yards ohne Anwendung des Spiegels so gut als möglich in der gewünschten Richtung. Dann bringe
man an dem Ende dieses Baues einen Bergcompaß an, und zwar
so, daß sich seine Absehen in der Richtung der beiden Gruben, welche vorher über der Grube aufgemittelt worden sind, befinden. Hierauf treibe man das Brett des Spiegels in der Nähe des Bodens
in eine der Wände des Stollens, in welche man es solcher Maßen
einkeilt, daß sich der Spiegel in der Linie der Absehen des Compas-
ses befindet. Wen dann der Spiegel mit Hülfe der Schrauben so
adjustirt worden ist, daß er das Licht einer Kerze in der Linie der
Absehen reflectirt, so kann der Arbeiter mit dem Treiben des Stollens
fortfahren. Er kan sich nämlich, wenn diese Vorkehrung getroffen
ist, in jedem Augenblike überzeugen, ob er die wahre Richtung ein-
hält; denn er braucht nur die Kerze, bei der er arbeitet, zwischen
sein Auge und den Spiegel zu bringen: sieht er hiebei das reflectirte
Licht im Spiegel, so hat er die wahre Richtung; sieht er es hingegen nicht, so ist er auf falschem Wege. Wenn sich der Arbeiter eine

bedeutende Streke weit, z. B. 50 oder 60 Yards, von dem Spiegel entfernt hat, so soll dieser wieder näher gebracht und abermals auf die beschriebene Weise fixirt werden, indem man das Kerzenlicht in einer solchen Entfernung nicht mehr deutlich genug sieht. Jeder gewöhnliche Bergknappe kann demnach mit Hülfe dieser Vorrichtung eine beliebige Streke weit Stollen in der nöthigen Richtung treiben.

Man kann bewirken, daß der Spiegel das Bild der Kerze genau in horizontaler Richtung reflectirt, wenn man den Spiegel solcher Maßen abjustirt, daß das reflectirte Bild mit dem Absehen einer Wasserwaage correspondirt. Eben so kann man ihm auch eine solche Adjustirung geben, daß das Bild der Kerze unter irgend einem Elevationswinkel reflectirt wird; der Reflex braucht in diesem Fal nur mit dem Absehen einer Wasserwaage mit einem graduirten Bogen, welche unter einer gehörigen Elevation fixirt worden ist, zu correspondiren. Man kann demnach den Spiegel auch zum Treiben von Stollen, die irgend ein Gefäll haben, benuzen.

Das ganze Instrument, welches sich durch seine Einfachheit, und durch die Leichtigkeit und Genauigkeit, womit der Knappe jeder Zeit seine Arbeit zu prüfen im Stande ist, auszeichnet, kostet nur 1 Schill. 6 D.

LXX.

Ueber eine Verbesserung der Davy'schen Sicherheitslampe. Von Hrn. J. Newman in London. [59])

Aus den Transactions of the Society of arts. Vol. LI. P. I. S. 56.
Mit Abbildungen auf Tab. V.

Die von dem berühmten Sir Humphry Davy erfundene Sicherheitslampe besteht bekanntlich aus einer Oehllampe, welche mit einem cylindrischen Gehäuse von beiläufig $5\frac{1}{2}$ Zoll Höhe, und $1\frac{1}{2}$ Zoll im Durchmesser umgeben ist. Dieses Gehäuse ist aus Draht von $\frac{1}{60}$ Zoll Dike so geflochten, daß die zwischen den Drähten befindlichen Maschen oder Räume Viereke bilden, deren Seite dem Durchmesser der Drähte gleichkommen, und wovon also 30 auf einen Zoll gehen.

Wenn man diese Lampe in gewöhnlicher Luft anzündet, so wird der obere Theil ihres Gehäuses durch die Flamme erhizt; jene Lufttheilchen, die zugleich mit dem Oehldampfe die Flamme bilden, steigen als die heißesten und leichtesten durch das obere Ende des Ge-

————————————————————————
59) Hr. Newman erhielt als Preis für seine Erfindung von Seite der
~iety of arts die große silberne Medaille.   A. d. R.

häuses empor, und werden durch einen durch die unteren Maschen eintretenden Strom kühlerer und mithin schwererer Theilchen ersezt. Die auf gleicher Höhe mit der Flamme stehenden Theilchen zeigen hiebei wahrscheinlich am wenigsten Thätigkeit. Die Flamme ist auf den über dem Dochte befindlichen Raum beschränkt, weil sich der erhizte Oehldampf wegen seiner größeren Leichtigkeit nicht mit jener atmosphärischen Luft, die noch nicht an den Docht gelangt ist, vermengen kann.

Enthält die in die Lampe eindringende atmosphärische Luft in gewissen Verhältnissen brennbare Gase beigemengt, so wird sich die Flamme des Dochtes in Folge der Verbrennung dieser Gase merklich vergrößern. Man möchte erwarten, daß sich unter diesen Umständen die Verbrennung nach allen Richtungen verbreiten müßte, und daß in dem Gehäuse sowohl der unter, als der über dem Dochte befindliche Raum mit Flamme erfüllt werden würde. Dieß ist jedoch keineswegs der Fall, wenn das Gehäuse die gehörige Höhe hat; denn je heißer der obere Theil desselben wird, um so rascher entweicht der verbrannte Dunst, und um so rascher dringt der kalte Luftstrom durch die unteren Maschen: so zwar, daß dessen Theile über das Niveau des Dochtes emporgestiegen sind, bevor sie noch bis zum Verbrennungspunkte erhizt wurden.

Wenn jedoch die Menge der in der Luft enthaltenen brennbaren Gase steigt, so wird der ganze obere Theil des Drahtgehäuses mit Flamme erfüllt, und der Draht selbst kommt endlich daselbst zum Glühen. Dessen ungeachtet kann aber die Lampe immer noch mit aller Sicherheit in eine explosionsfähige Atmosphäre gebracht werden, indem der Draht, vergleichsweise gesprochen, immer noch kühl genug ist, um die Temperatur der entzündeten Theilchen auf ihrem Durchgange durch die Maschen des Drahtgitters so weit abzukühlen, daß sie die außer der Lampe befindlichen Theilchen nicht in Brand zu sezen im Stande sind. Der Grund hievon liegt in der schnellen Abkühlung des Eisens, indem es die Hize, die ihm fortwährend von dem in Brand stehenden Gase mitgetheilt wird, so rasch durch Ausstrahlung verliert, daß sich diese Hize unter gewöhnlichen Umständen nicht bis zu einem Gefahr drohenden Maaße ansammeln kann.

Es erhellt jedoch, daß dieß von einem gewissen Verhältnisse zwischen dem Volumen der Flamme in dem Gehäuse und zwischen der Dike des Drahtes und der Weite der Maschen abhängt. Das Volumen der Flamme ist selbst wieder durch die Größe des Gehäuses, in welchem sie sich befindet, bedingt. Wenn daher der Durchmesser des Gehäuses sowohl als der Maschen vermindert, und dafür die Stärke des Drahtes erhöht wird, so wird die Lampe größere

Sicherheit gewähren; zugleich wird aber hiedurch auch der Zufluß an
Luft so vermindert werden, daß die Lampe unter Raucherntwikelung
brennt und weniger Licht verbreitet: abgesehen davon, daß dieses
minder leuchtende Licht auch noch durch die größere Dike der Drähte
in seiner Verbreitung gehemmt wird. Gibt man andererseits sowohl
dem Gehäuse als den Maschen einen größeren Durchmeffer, und vermindert man dabei die Dike der Drähte, so wird man allerdings eine
weit beffer leuchtende, dagegen aber auch verhältnißmäßig weniger
Sicherheit gewährende Lampe bekommen. Die oben für das Gehäuse, die Maschen und den Draht angegebenen Größenverhältniffe
sind diejenigen, bei denen Davy nach zahlreichen Versuchen die
größte Menge Licht mit der größten Sicherheit vereint gefunden zu
haben glaubte. Da diese Lampen jedoch nicht so viel Licht geben,
wie die nakten Kerzen, deren man sich in den Gruben zu bedienen
pflegte, so ließen sich mehrere Lampenfabrikanten in ihrer Unwiffen-
heit verführen, zur Vermehrung des Lichtes feinere Drähte in Anwendung zu bringen, und dadurch das einzige Werthvolle an dieser
Art von Lampe, nämlich ihre Sicherheit, bloßzustellen. Denn wenn
der Draht weißglühend wird, so läßt er nicht bloß die in dem Gehäuse enthaltenen brennbaren Theilchen in brennendem Zustande entweichen, sondern er ist für sich selbst in Stand, das außerhalb dem
Gehäuse befindliche Gemenge von brennbarem Gase und atmosphärischer Luft zu entzünden. Das Drahtgitter, welches in Newcastle
nach Davy's Angaben fabricirt wird, gewährt vollkommene Sicherheit; man hat aber leider auch sehr häufig das in London für feinere
Drahtsiebe fabricirte Gitter zu bergmännischen Lampen verwendet,
und dadurch Werkzeuge geschaffen, die nicht nur an und für sich
wegen der Dünne der Drähte sehr unsicher sind, sondern deren Maschen auch bei der geringsten Veranlaffung und Beschädigung auf
eine höchst gefährliche Weise erweitert werden können.

Man hat in neuerer Zeit behauptet, daß die Davy'sche Lampe,
selbst wenn sie ganz nach den Angaben des Erfinders verfertigt worden sind, unter gewiffen Umständen nicht vollkommen zuverläffig sey.
Diese Umstände, welche in der Praxis wahrscheinlich gar nie vorkommen dürften, sind folgende. Die Lampe soll, nachdem sie angezündet worden ist, einem schiefen Strome Steinkohlengas ausgesezt
werden, so daß der obere Theil ihres Gehäuses mit Flamme erfüllt
wird. Wenn sie in dieser Stellung erhalten worden, bis der Draht
zum Rothglühen gekommen ist, so soll man den Gaßtrom ableiten,
und die Lampe einen Augenblik lang rasch bewegen, damit das Gehäuse ganz mit atmosphärischer Luft erfüllt wird, ohne daß der Draht
dabei in hohem Grade abgekühlt wird. Wenn man dann den Strom

Steinkohlengas abermals wieder auf die Lampe leitet, so bilden die ersten hievon eintretenden Theile mit der vorher in dem Gehäuse enthalten gewesenen atmosphärischen Luft ein explosionsfähiges Gemisch, welches durch die Flamme der Lampe entzündet wird. Die mechanische Wirkung der Explosion wird in diesem Falle die Gastheilchen in brennendem Zustande und mit solcher Gewalt durch die Maschen treiben, daß der Draht, obschon er kaum roth glüht, nicht Zeit genug hat, sie auf ihrem Durchgange durch die Maschen abzukühlen; sie werden daher noch glühend in die äußere atmosphärische Luft übergehen, und den Strom Steinkohlengas in Brand sezen. Unter diesen Umständen haben sich allerdings auch Lampen, die ganz nach Davy's Angaben verfertigt worden sind, ungenügend gezeigt.

Um nun auch für diese Fälle die gehörige Sicherheit zu erzielen, schlage ich vor, den Cylinder oder das Gehäuse der gewöhnlichen Davy'schen Lampe mit einem äußeren Cylinder zu umgeben, der aus demselben Drahtgitter verfertigt ist, wie der innere.*) Dieser äußere Cylinder soll etwas kürzer als der innere seyn, und der zwischen beiden gelassene Raum soll genau so groß seyn, daß sich der äußere über dem inneren auf und nieder bewegen läßt, ohne ihn zu berühren. Zu noch größerer Sicherheit soll der Scheitel beider Cylinder aus zwei, in geringer Entfernung von einander angebrachten Schichten Drahtgitter bestehen. Der äußere Cylinder soll gewöhnlich in die aus der Zeichnung ersichtliche Stellung gebracht werden: d. h. sein unterer Rand soll sich mit der Spize der Flamme auf einer und derselben Höhe befinden, während zwischen den Scheiteln der beiden Cylinder ein Zwischenraum von beiläufig einem Zoll Höhe gelassen ist. Auf diese Weise wird der äußere Cylinder nur die schiefen, keineswegs aber die geraden von der Lampe ausgehenden Lichtstrahlen beeinträchtigen.

Wenn man eine solche Lampe unter die Umstände versezt, unter welchen die gewöhnliche Davy'sche Lampe unsicher wird, so ereignet sich im Inneren des Cylinders eine Explosion, und man bemerkt zuweilen in dem zwischen den beiden Cylindern befindlichen Raume, besonders aber in dem zwischen den Scheiteln der Cylinder bestehenden Raume, eine Flamme. Nie war ich aber bei den zahlreichen, selbst vor einer Commission angestellten Versuchen im Stande, die Flamme durch beide Cylinder, oder auch nur durch den unteren Theil des inneren Cylinders zu treiben, und dadurch den auf die Lampe

---

60) Der selige Sir Humphry sagte in einer geschriebenen Note, welche sich in dem der Society of arts zugehörigen Exemplare seines Werkes „On the Fire-damp in Coal-mines" befindet, daß man zu größerer Sicherheit doppelte Drahtcylinder anwenden könne. A. d. O.

geleiteten Strom Steinkohlengas zu entzünden. [61]) Der Grund hievon liegt offenbar in der durch die Anwendung zweier Cylinder erzielten größeren Ausdehnung der abkühlenden Oberfläche, und vielleicht in einem gewissen Grade auch in dem größeren Hindernisse,
welches durch den äußeren Cylinder dem Entweichen des brennenden
Gases in den Weg gelegt wird.

Dieselben Versuche wurden mit einer zweiten ganz auf dieselbe
Art, jedoch aus dünnerem Drahte verfertigten Lampe wiederholt.
Hiebei zeigte sich, daß, wenn der obere Theil des inneren Gehäuses
mit Flamme erfüllt war, der Draht hell rothglühend wurde, und daß,
wenn dann eine Explosion Statt fand, die Flamme durch beide Cylinder drang und den Strom Steinkohlengas in Brand setzte. Diese
Versuche gaben also einen offenbaren Beweis, daß die von Davy
empfohlene Dike des Drahtes selbst bei der Anwendung doppelter
Cylinder nicht mit Sicherheit umgangen werden kann.

In den beigegebenen Zeichnungen sieht man in Fig. 14 den
inneren Cylinder mit a, a, den äußeren mit b, b bezeichnet. Fig. 15
stellt einen Grundriß der Lampe vor, an welchem der Scheitel im
Durchschnitte dargestellt ist, damit die beiden Cylinder sichtbar wurden. Die Linse c wirft den größeren Theil des Lampenlichtes gegen
den Arbeiter; [62]) sie hat die aus Fig. 16 ersichtliche Gestalt, ist an
einen der drei Drähte d, d, d gefügt, und fällt mit einem Haken in
einen anderen Draht, womit sie ganz in der Nähe des inneren Cylinders erhalten wird. Der Boden des äußeren Cylinders b ist mit
Draht an einem metallenen Ringe befestigt, welcher genau an den
inneren Cylinder paßt: jedoch so, daß er an demselben frei auf und
nieder bewegt werden kann. Die Entfernung zwischen den beiden
Cylindern beträgt nur $^3/_{16}$ Zoll. Der Scheitel des äußeren Cylinders
ist mit einer doppelten Drahtgitterscheibe geschlossen, indem deren
Rand zuerst nach Aufwärts gebogen wird, wie man aus Fig. 17
bei b sieht, während der Rand des Cylinders auf diese Scheiben
herab gebogen, und endlich mit diesen nach Einwärts gebogen wird,
wie Fig. 18 zeigt. Der Scheitel des inneren Cylinders wird nach
Außen gebogen, und wenn man ihn mit einer Drahtgitterscheibe bedekt hat, zuerst mit dem Rande dieser Scheibe nach Innen und hier-

---

61) Der Grund, warum der untere Theil des Gehäuses nicht durch doppeltes Drahtgitter geschützt zu werden braucht, ist darin zu suchen, daß der Zufluß
an frischer Luft an dieser Stelle Statt findet, so daß der Draht hier beinahe kalt
bleibt, während er sich ein Paar Zoll höher in rothglühendem Zustande befindet.
                                                                  A. d. D.
62) Hr. Newman brachte zuerst im November 1817 an der äußeren Seite
des Cylinders der Sicherheitslampe und nicht mit ihr in Verbindung stehend eine
Linse an.   A. d. D.

auf nach Abwärts gebogen, wie in Fig. 17 und 18 bei a angedeutet
ist. Der Boden des inneren Cylinders wird in dem Ringe c, e,
Fig. 17, firirt und mit diesem auf die Lampe geschraubt, in der er
mittelst eines sehr fest eingepaßten Röhrenstükes f noch mehr be=
festigt wird.

An dem Gitter gehen 27½ Kettendrähte und 30 Einschußdrähte
auf den Zoll, so daß 825 Löcher oder Maschen auf den Quadratzoll
kommen. Die Drähte sind etwas kleiner als die Maschen; ihre Dike
beträgt etwas unter 1/60 Zoll; die Weite der Maschen mißt in dem=
selben Verhältnisse über 1/60 Zoll.

Der äußere Cylinder wird durch Ueberschlagung der Ränder auf
die aus Fig. 19 ersichtliche Weise gebildet, so daß seine innere Seite
genau an die äußere Wand des inneren Cylinders paßt. Der innere
Cylinder darf, indem er genau in den am Grunde des äußeren Cy=
linders befindlichen Ring einpassen muß, an seiner Außenseite keinen
Vorsprung zeigen; eben so wenig darf aber die Verbindungsstelle
auch nach Innen einen Vorsprung bilden, indem sich dieser auf ei=
nen höheren Grad erhizen würde. Die Ränder des Drahtgitters sind
daher hier auf die aus Fig. 20 ersichtliche Art und Weise zu ver=
weben. Man verbindet zu diesem Zweke zuerst die beiden äußeren
Drähte k, l, Fig. 21, der beiden Gitterränder. m, m, Fig. 20, ist
der Draht, womit zwei Drähte des einen, n, n jener, womit zwei
Drähte des gegenüber liegenden Randes verbunden werden; o, o hin=
gegen ist der dritte Draht, welcher beide Ränder verbindet, so daß
auf diese Weise ein Cylinder hergestellt ist, der nicht leicht durch
eine gewöhnliche Gewalt und Abnüzung aus einander gehen kann.
Man hat bei der Vereinigung der beiden Drahtgitterenden sorgfältig
darauf zu achten, daß diese Enden einander vollkommen gleich und
ähnlich sind; d. h. die beiden mit einander in Berührung gebrachten
Maschenreihen dürfen nicht wie die Maschen des undurchschnittenen
Gitters, sondern wie abwechselnde Maschen an einander passen. Die
drei Verbindungsdrähte müssen sämmtlich nach einer und derselben
Richtung laufen; und der mittlere hat nicht nur die gegenüber lie=
genden Randdrähte, sondern auch jene Drähte, die zur Verbindung
der beiden äußeren Randdrähte dienten, mit einander zu verbinden.
Wenn man mit solcher Sorgfalt zu Werke geht, so wird man Cy=
linder bekommen, welche hinreichende Festigkeit gewähren, und in de=
nen nicht leicht durch irgend einen Unfall größere Löcher, als die
Maschen sind, entstehen können. Die Längen= oder Kettendrähte des
Gitters müssen tief auf und nieder gebogen seyn, und auch an den
Quer= oder Einschußdrähten muß dieß in hinreichendem Grade der
Fall seyn, damit keiner der Drähte die ihm angewiesene Stelle ver=

laffen, und hiedurch zu Entstehung größerer, höchst gefährlicher Löcher
Anlaß geben kann.

An dem Brenner und Oehlbehälter ist durchaus nichts Neues;
doch sieht man in Fig. 17 einen Durchschnitt dieser Theile. Die
Scheibe g des Dochthälters fällt in ihren Siz h ein. Das Ganze
wird durch Einschrauben des Ringes j fixirt. Für die Röhre, durch
die der Puzdraht i läuft, ist ein Loch angebracht.

LXXI.
Pritchard's Oxyhydrogengas-Mikroskop. [63]

Mit Abbildungen auf Tab. V.

Beschreibung des Gasmikroskops.

Man kann, ohne für praktische Zwecke einen Fehler zu begehen,
annehmen, daß die von der Sonne ausgehenden Lichtstrahlen einander parallel sind, und für das Sonnenmikroskop braucht man sie also
nur von ihrem parallelen Laufe abzulenken und gegen den zu beleuchtenden Gegenstand convergirend zu machen. Die Strahlen,
welche von einem künstlichen Licht ausgehen, das sich in kurzer Entfernung vom Verdichter befindet, sind aber divergirend und fallen
also mit Ausnahme der centralen alle schief auf die Oberfläche der
Linsen; es muß folglich eine doppelte Operation mit ihnen vorgenommen werden, ehe man sie, wie im vorigen Falle, auf den zu
beleuchtenden Gegenstand convergirend machen kann: es ist nämlich
nöthig sie zuerst parallel zu bringen und dann gerade so wie die
Sonnenstrahlen gegen das zu beleuchtende Object zu convergiren.
Dieß kann jedoch, wie wir sogleich sehen werden, auch mit einem
einzigen Reflector bewirkt werden. In beiden Fällen handelt es sich
hauptsächlich darum, die möglich größte Anzahl von Strahlen zu
sammeln; um dieß mit einer Linse zu bewerkstelligen, sollte ihre dem
Licht zugekehrte Seite concav oder wenigstens plan seyn, weil sonst
die zunächst an ihrem Rande befindlichen Strahlen in Folge ihrer
großen Schiefe von ihr zurükgeworfen und nicht durch sie refractirt
würden. Bei den zahlreichen Versuchen, die ich über die Construction der Gasmikroskope angestellt habe, fand ich folgende Anordnung
als dem Zwek am besten entsprechend: man bringt zuerst eine plan-

---

63) Das Mechanics' Magazine theilt in Nr. 712 diese Beschreibung des
Gasmikroskops aus folgender Schrift mit: Micrographia; containing practi-
cal essays on reflecting, solar, oxy-hydrogen gas Microscopes, Micro-
meters, Eye pieces etc. by C. R. Goring, M. D. and A. Pritchard,
Esq. M. R. J. etc., Witacker and Cop.   K, b, R.

convexe Linse D (Fig. 28) mit ihrem flachen Theile in die Nähe
des Lichtes G und in solche Entfernung von demselben, daß die di-
vergirenden Strahlen nahezu parallel werden; mit dieser verbindet
man dann eine doppelt-convexe Linse D', um die Strahlen auf dem
Object B zu verdichten. Vor dem Object B werden endlich die verschiedenen Vergrößerungsgläser angebracht, um sein vergrößertes
Bild auf eine in einiger Entfernung von ihm befindliche weiße Wand
zu werfen.

Fig. 3 zeigt den Apparat, womit das Licht hervorgebracht wird,
von der Seite abgebildet. Er besteht aus einem viereckigen hölzernen
Gestell, welches auf Rollen läuft und mit horizontalen Abtheilungen
oder Tischen versehen ist, worauf die die Gase enthaltenden Blasen
oder Säcke [64]) O und H gelegt werden; der obere Tisch wird gewöhnlich für das Sauerstoffgas benutzt, damit der Sperrhahn bei o um
so leichter regulirt werden kann, und der untere Tisch für das Wasserstoffgas. Enge Röhren mit Sperrhähnen, wie man sie bei o, a, i
und h sieht, sind an den verschiedenen Blasen angebracht, und communiciren mit der Auslaßröhre J. Auf dem oberen Tische steht eine
Reinigungsflasche, welche noch näher beschrieben wird und dazu dient,
die Gasarten von ihren Unreinigkeiten zu befreien, so daß sie, ohne
durch andere Zwischengefäße zu streichen, sogleich nach ihrer Erzeugung in die Blasen O oder H geleitet werden können, um dann beliebig gebraucht zu werden. W, W sind Gewichte oder Sandsäke,
welche mittelst geneigter Brettchen auf die gespannten Blasen drüken
und so in Verbindung mit den Sperrhähnen als Regulatoren für
die stätige und proportionale Ausströmung der Gase dienen. Während des Füllens der Blasen müssen natürlich die Gewichte und
Brettchen beseitigt seyn. [65])

Es wurde schon bemerkt, daß eine Flasche, die sogenannte Reinigungsflasche, auf einen Ständer steht, und ihr gegenüber eine
bleierne Flasche, welche leztere zur Bereitung des Wasserstoffgases
dient; man sieht diese Flaschen in Fig. 29. Um Wasserstoffgas
zu bereiten bringt man beiläufig eine Pinte Wasser und ein Pfund
granulirtes Zink in die bleierne Flasche G und füllt dann die Reini-

---

64) Säcke oder Beutel aus luftdichtem Zeuge, wie man sie gegenwärtig zum
Gebrauch als Luftkissen fabrikmäßig verfertigt, sind als Behälter für die Gasarten der Bequemlichkeit (beim Wasserstoffgas aber auch der Sicherheit
wegen) den Blasen bei weitem vorzuziehen.   A. d. R.
65) Man hat gegen die Methode, wie der Druk auf die Gase in dem Apparat Fig. 30 bewirkt wird, Einwendungen gemacht, da er mit der Neigung der
Brettchen, woran die Gewichte angebracht sind, variirt: um diesen Uebelstand zu
beseitigen, dürfte man die Gasbehälter nur auf ähnliche Art wie die Recipienten
der Orgelblasebälge einrichten. A. d. O. (Nach Drumond soll der Druk auf
die Gasarten einer Wassersäule von 30 Zoll Höhe gleich seyn. A. d. R.)

gungsflasche P zu zwei Drittel mit Wasser. Die Flaschen werden hierauf mit ihren Korken versehen, durch welche Röhren gehen, die bei u durch ein Gelenk mit einander verbunden werden können. Auf ähnliche Weise kann man die Röhre bei p nach einander mit der Röhre 1 oder 2 der verschiedenen Blasen, welche gefüllt werden sollen, verbinden. Gießt man nun beiläufig ein halbes Weinglas voll Schwefelsäure in den Trichter bei c, so wird sich schnell Wasserstoffgas entbinden und durch die Reinigungsflasche in die Blase H treten; in dem Maaße, als die Gasentbindung nachläßt, sezt man wieder frische Säure zu, bis man eine hinreichende Menge Gas gewonnen hat.

Die Methode das Sauerstoffgas zu bereiten und zu reinigen ist auch ziemlich einfach. Man sezt eine mit Braunsteinstükchen gefüllte eiserne Retorte der Rothglühhize aus, nachdem man sie mittelst einer langen Röhre mit der Reinigungsflasche P verbunden hat. Das entbundene Sauerstoffgas geht dann durch 2 und a in die Blasen bei O. Dieselbe Reinigungsflasche dient also für' beide Gasarten; man muß jedoch die größte Vorsicht anwenden, damit die Gasarten ganz gesondert bleiben und sich durchaus nicht mit einander vermischen. Die Reinigungsflasche sollte auch nicht über zwei Drittel mit Wasser gefüllt werden, damit kein Wasser in die Blasen übergeführt werden und sie zerstören kann. Die Quantität Sauerstoffgas, welche man in den Blasen dieses Apparates sammeln kann, reicht hin, um das Licht eine Stunde lang zu unterhalten; die Wasserstoffgasblasen werden etwa für eine halbe Stunde ausreichen; da sich aber lezteres Gas sehr schnell darstellen läßt, so wird dadurch kein großer Aufenthalt verursacht werden.

Die Einrichtung des Apparates zur Verbrennung der Gasarten sieht man in Fig. 31, wo a und b die Speisungsröhren der Austrittsröhre zeigen, welche mit den correspondirenden Röhren der Behälter O und H (Fig. 30) verbunden sind. Bei S sind zwei Hemming'sche Sicherheitsröhren, welche Bündel von feinem Kupferdraht, Metallgaze oder Asbest enthalten, wodurch die Gasarten abgekühlt und eine Explosion derselben verhindert werden soll, falls durch einen Zufall das entzündete Gas gegen die Behälter zurükströmen sollte. Die Grundflächen der Behälter H und O sollen genau in demselben Verhältnisse zu einander stehen, in welchem Wasserstoff- und Sauerstoffgas dem Volum nach zur Wasserbildung oder Verbrennung erforderlich sind. [66] Wenn man nun zwei Mal so viel Wasserstoffgas als

---

66) Bei dem Gebrauch eines solchen Apparates findet man bald, daß wegen des Zutritts von atmosphärischer Luft etwas mehr als zwei Raumtheile Wasserstoffgas auf einen Raumtheil Sauerstoffgas verzehrt werden.   A. d. R.

Sauerstoffgas durch die Sperrhähne der Speisungsröhren treten läßt, so werden die zwei Gasarten im richtigen Verhältniß in der Vermischungskammer C anlangen, und zwar unter gleichem Druk, so daß keine über die andere das Uebergewicht erlangen und das Gemisch aus der Kammer C in einen der Behälter zurüktreiben kann.[67]

R zeigt den Stab, worauf die Kalkkugel oder der Kalkcylinder aufgestekt ist. Die cylindrische Form wird gewöhnlich vorgezogen; jedenfalls muß derselbe aber mittelst eines Uhrwerks oder mit der Hand beständig gedreht werden, damit er dem entzündeten Gase immer eine neue Oberfläche darbietet, weil er sonst ungleich wegbrennen und Risse bekommen würde. Bisweilen stellt man den Kalkcylinder horizontal und läßt die Flamme auf seine Basis spielen; diese Anordnung liefert jedoch kein so stätiges Licht, und da durch die Verbrennung bald ein Loch im Kalk entsteht, so wirft dieses einen starken Schatten auf die weiße Wand.

LXXII.

Beschreibung eines Apparates zur Fabrication von gashaltigen Wässern, schäumenden Weinen und allen anderen mit kohlensaurem Gase zu sättigenden Flüssigkeiten. Von Hrn. Chaussenot dem älteren in Paris.

Aus dem Bulletin de la Société d'encouragement. April 1837, S. 149.

Mit Abbildungen auf Tab. V.

Die gewöhnliche Methode künstliche Mineralwässer zu erzeugen, beruht darauf, daß man zuerst in einer bestimmten Menge Wasser gewisse Verhältnisse jener Substanzen, welche die Bestandtheile dieser Wässer bilden sollen, auflöst; und daß man endlich, wenn sie auch Gase enthalten sollen, diese Gase mittelst einer Drukpumpe und unter beständiger Bewegung des Wassers zwingt sich mit diesem zu verbinden. Je stärker der hiebei angewendete Druk, und je länger das Schütteln fortgesezt wird, um so mehr Gas wird das Wasser absorbiren.

Der Apparat, dessen man sich zu diesem Zweke bedient, besteht aus mehreren geschlossenen Gefäßen oder Räumen, in welche man

---

67) Wenn man den Apparat gebrauchen will, erheischt es die Vorsicht, zuerst bloß das Wasserstoffgas in die Vermischungsröhre S gelangen zu lassen; dasselbe wird dann am Schnabel der Auslaßröhre angezündet und brennt mit einer rothen unstätigen Flamme. Hierauf dreht man allmählich auch den Sauerstoffhahn, worauf dieses Gas mit dem Wasserstoff vermischt austritt; der Sauerstoffhahn muß nun zur Erzielung des richtigen Verhältnisses beider Gasarten noch so lange gedreht werden, bis der Kalkcylinder sein glänzendstes Licht erreicht hat, worauf die Wasserstoffflamme gänzlich verschwindet. A. d. R.

die zur Gaserzeugung nöthigen Substanzen bringt. Gewöhnlich wendet man hiezu verdünnte Salzsäure an, welche man mittelst eines Hahnes und einer Communicationsröhre auf kohlensauren Kalk, der in einem geschlossenen Gefäße befindlich ist, wirken läßt. Das auf diese Weise entbundene kohlensaure Gas strömt durch ein mit Wasser gefülltes Gefäß, in welchem es von der ihm anhängenden Salzsäure befreit wird, in einen Gasometer, der ihm als Behälter oder Reservoir dient. Von diesem aus wird es von einer Pumpe aufgesaugt und in jenen Recipienten getrieben, in welchem das mit dem Gase zu sättigende Wasser enthalten ist. Durch Fortsezung des Spieles der Pumpe und des im Inneren des Recipienten befindlichen Agitators kann man die Sättigung des Wassers mit dem Gase bis auf den gewünschten Grad treiben.

Zur Erleichterung der Bewegung und Handhabung der Drukpumpe muß der Kolben nothwendig befettet werden, und eben so ist die ganze innere Oberfläche des Pumpenstiefels mit einer fetten Substanz auszuschmieren. Die Folge hievon ist, daß das in den Stiefel gelangende Gas einen sehr unangenehmen Geschmak, der selbst noch an den damit gesättigten Wässern zu bemerken ist, bekommt. Diese complicirten und auch sehr kostspieligen Apparate sind nur wenig verbreitet; man findet sie nur in einigen Apotheken, in den physikalischen Cabinetten und in jenen Anstalten, wo die gashaltigen Mineralwässer im Großen bereitet werden.

Man benuzte zur Erzeugung dieser Wässer auch noch andere Apparate, an denen die Drukpumpe und der Gasometer beseitigt ist, und an denen die Compression des Gases durch dessen Entwikelung aus dem kohlensauren Kalke selbst erzeugt wird. Auch hier sind, wie im ersten Falle, mehrere durch Röhren communicirende Gefäße nöthig, in welche man einzeln die Säure, den kohlensauren Kalk, das zur Reinigung des Gases nöthige Wasser und das zu sättigende Wasser bringt. In lezterem Gefäße befindet sich ein Agitator, welcher von Außen mit einer Kurbel, die an einer durch eine lederne Stopfbüchse führenden Spindel fixirt ist, in Bewegung gesezt wird. Auch dieser Apparat eignet sich, da er complicirt ist, viele Adjustirungen erheischt und von geübten Händen geleitet werden muß, nur zur Fabrication großer, später in Flaschen zu verfüllender Quantitäten. Seine Anwendung ist daher gleichfalls sehr beschränkt: ja er ist sogar noch weniger verbreitet, als der zuerst beschriebene.

Die beiden eben angegebenen Methoden trifft der große Vorwurf, daß beim Verfüllen der stark mit Gas gesättigten Wässer in Flaschen eine große Menge Gas wieder verloren geht. Man suchte diesem Uebelstande zwar zum Theil durch einen doppelten, eigens zu diesem

Zweke eingerichteten Hahn zu steuern; allein deffen ungeachtet bleibt es unmöglich, das so rasch von Statten gehende Entweichen des Gases vollkommen zu verhüten. Dieses Verfüllen kann deßhalb auch nur von sehr geübten und vollkommen mit dieser Arbeit vertrauten Händen vollbracht werden. Wenn die Wässer aber auch glüklich in die Flaschen gefüllt sind, so bewirkt die Spannung, welche fortwährend in deren Innerem besteht, daß das Gas durch den Pfropf entweicht, und daß das in der Flasche zurükbleibende Wasser endlich alle seine guten Eigenschaften verliert. Endlich müssen die gefüllten Flaschen auch noch immer an kühlen Orten aufbewahrt werden, weil ohne diese Vorsichtsmaßregel die Expansion bald so stark werden würde, daß die Flaschen zerplazen.

Man hat, um allen diesen Mängeln abzuhelfen und um die gashaltigen Wässer auf eine weit leichtere Weise zu erzeugen, den Vorschlag gemacht, in eine bestimmte Quantität Wasser eine bestimmte Quantität zweier solcher Salze zu bringen, durch deren gegenseitige Einwirkung auf einander im Wasser selbst die zur Sättigung des Wassers nöthige Kohlensäure entbunden wird. Dieses Verfahren, nach welchem man das sogenannte Sodawater der Engländer zu bereiten pflegt, hat so große und so sehr in die Augen springende Nachtheile, daß man nur im Nothfalle seine Zuflucht zu demselben nimmt. Das gesättigte kohlensaure Natron und die Weinsteinsäure, deren man sich zur Entwikelung des Gases bedient, werden, wenn man deren Verhältnisse auch noch so genau zu bestimmen sucht, doch nie so vollkommen neutralisirt, daß die Flüssigkeit je nach dem Vorherrschen des einen oder des anderen der beiden Bestandtheile weder einen sauren noch einen alkalischen Geschmak besäße. Und nimmt man auch eine absolute Neutralisation an, so bleibt doch das neu gebildete Salz in der Flüssigkeit aufgelöst, wodurch sowohl deren Geschmak als auch deren Wirksamkeit beeinträchtigt wird. Ueberdieß ist man, da die Gasentwikelung in dem Momente von Statten geht, in welchem das Pulver dem Wasser zugesezt wird, gezwungen, sich seiner während des Aufbrausens zu bedienen, wenn man den gehörigen Nuzen von seinen Eigenschaften ziehen will. Es ereignet sich daher oft, daß am Boden des Gefäßes einige unaufgelöste Salztheile zurükbleiben, wodurch die lezten Theile der Flüssigkeit einen sehr unangenehmen Geschmak bekommen.

Nach aufmerksamer Erwägung aller der Mängel und Gebrechen der bisher gebräuchlichen Methoden kam ich auf die Idee eines Apparates, mit deffen Hülfe man im Stande ist, gashaltige Wässer und schäumende Weine mit größter Leichtigkeit zu bereiten. Der neue Apparat ist so leicht und zierlich, daß er selbst als ein Luxus-

23 *

artikel und zur Zierde auf Tische gestellt werden kann. Jedermann
kann bei seinen eigens zu diesem Zwecke eingerichteten Hähnen das
in seinem Inneren enthaltene gashaltige Wasser oder den schäumen,
den Wein abfließen laffen, ohne daß dieser bis zu seinem lezten Tropfen etwas von seiner Güte verliert: was nicht möglich ist, wenn
diese Flüssigkeiten in Flaschen verfüllt sind.

Ich will, bevor ich zur Beschreibung des neuen Apparates übergehe, die vorzüglicheren der Eigenschaften, durch die er sich auszeichnet, erwähnen.

1) Sein kleiner Umfang und sein elegantes Aussehen machen
ihn zu einem wahren Gegenstande des Luxus.

2) Er sättigt Wasser und Wein innerhalb 10 Minuten nach
der Eintragung derselben in den Apparat bis auf einen beliebigen
Grad mit Gas.

. 3) Er besizt eine bewährte Dauerhaftigkeit und kann nicht wohl
in Unordnung gebracht werden.

4) Seine Handhabung ist so leicht, daß ihn Jedermann ohne
alle Mühe in Thätigkeit bringen kann.

5) Die mit ihm erzeugten Präparate sind vollkommen rein und
haben durchaus keinen fremdartigen Nebengeschmak.

6) Er macht das Umfüllen der gashaltigen Flüssigkeiten unnöthig und verhütet also hiedurch den Verlust einer großen Menge Gas.

7) Endlich ist er so wohlfeil, daß sich seine Anwendung leicht
in allen Claffen der Gesellschaft verbreiten kann; sey es, daß man
sich angenehme Getränke, oder Getränke, welche zum Arzeneigebrauche
bestimmt sind, damit bereiten will.

Fig. 7 zeigt einen Aufriß des Apparates von Vorne und ganz
aus dikem Glase verfertigt.

·Fig. 8 ist ein senkrechter, durch die Mitte des Apparates ge-
führter Durchschnitt.

Fig. 9 ist ein Durchschnitt des Pfropfes und der Schrauben-
zwinge, welche zum Verschließen des gläsernen Ballons, worin sich
die Salze befinden, dient.

. Fig. 10 zeigt einen Durchschnitt der Zwinge, die den Ballon
mit dem unteren Recipienten verbindet. Man ersieht hieraus die
Gestalt des Hahnes, der mit zwei Löchern versehen ist, damit das
Gas nicht nur in den unteren Recipienten gelangen kann, sondern
damit sich zugleich auch die Flüssigkeit abziehen läßt.

Fig. 11 stellt einen Querdurchschnitt durch den Schlüssel oder
durch die Nuß des Hahnes vor.

Fig. 12 zeigt den zum Eintragen der Flüssigkeiten dienenden Trichter.

Fig. 13 ist eine Abbildung des Stabes oder Schaftes, womit

man den Pfropf des Ballons abschraubt, wenn man Salze und
Säuren in denselben eintragen will.

Au allen diesen Figuren sind zur Bezeichnung der einzelnen
Theile gleiche Buchstaben beibehalten.

Auf den unteren Recipienten A, in welchen die mit Gas zu
sättigende Flüssigkeit gegeben wird, ist der gläserne Ballon B gesezt,
der zur Aufnahme der Substanzen, aus denen das Gas entbunden
wird, dient. C ist eine Röhre, deren unteres kolbenförmiges Ende
durchlöchert ist; sie ist fest an ein an den Hahn geschraubtes Röhrenende gekittet. D ist eine andere Röhre, welche in den Boden des
Ballons gekittet ist, und die mit ihrem oberen, gleichfalls verdikten
und durchlöcherten Ende in den leeren Theil des Ballons hineinreicht.
Diese Röhre leitet das Gas, welches sich aus den in dem Ballon B
enthaltenen Substanzen entwikelt, in das Wasser, womit der Recipient A erfüllt ist. Der Hahn E ist von zwei Löchern durchbohrt,
von denen das eine mit der Röhre D communicirt, damit das Gas
in den Recipienten A gelangen kann; und das andere mit der
Röhre C, um der mit Gas gesättigten Flüssigkeit Abfluß zu gestatten. Die Nuß F dieses Hahnes ist auf ähnliche Weise mit zwei
Löchern, die einen rechtwinkeligen Canal bilden, und die abwechselnd
mit den Löchern des Hahnes correspondiren, durchbohrt. Das zum
Abflusse der Flüssigkeit dienende Rohr G ist mit einem Ansaze an
der Zwinge des Hahnes firirt. Die messingene Zwinge H ist mit
einer Schraube auf den Hals des Recipienten A aufgesezt; die obere
Zwinge I, welche einen Theil der Besazung des Hahnes ausmacht,
umfaßt den unteren Hals des Ballons B, und verbindet ihn dadurch
mit der Zwinge H. Der messingene Hut J ist auf den oberen Hals
des Ballons B geschraubt; in ihn hinein ist der Pfropf K geschraubt,
der mit dem Stabe oder der Spindel, welche in Fig. 13 abgebildet
ist, umgedreht wird. L ist der Trichter, der zum Eintragen der
Salze und der Säure in den Ballon dient. a ist ein im rechten
Winkel abgebogener und in die Nuß des Hahnes gebohrter Canal,
der, wenn man diese Nuß umdreht, mit dem Canale c des Hahnes
in Communication geräth, wo dann die gashaltige Flüssigkeit, durch
die in dem Recipienten A enthaltene comprimirte Luft getrieben, durch
die Röhre C ausströmt. b ist ein zweites, in der Nuß des Hahnes
angebrachtes Loch, welches mit dem Loche d communicirt, und das
Gas aus dem Ballon B in den Recipienten A übergehen läßt. In
die an dem Ende der Nuß des Hahnes angebrachte Scheibe e ist
ein Zapfenloch geschnitten, wodurch deren Bewegung beschränkt wird.

Dieser Apparat spielt nun auf folgende Weise. Man gießt
zuerst das Wasser oder den Wein, den man mit Gas sättigen will,

in den Recipienten A, zu welchem Zweke man nach Abnahme des
Ballons B den Trichter L auf den Hals des Recipienten A stekt.
Ist der Recipient bis auf die aus Fig. 8 ersichtliche Höhe gefüllt,
so sezt man den Ballon wieder auf, und trägt, nachdem der Hahn
geschlossen worden ist, eine bestimmte Quantität grob gepülverte Weinsteinsäure in den Ballon ein, worauf man noch eine gleichfalls bestimmte Quantität gesättigtes kohlensaures Natron, welches man vorher mit Wasser angerührt hat, einträgt. Sobald die Vermengung
beider Substanzen geschehen ist, erfolgt auch schon die Entwikelung
des Gases, welches durch die kleinen, in dem oberen Ende der Glasröhre D befindlichen Löcher in diese Röhre eindringt, und dann durch
die Röhre C die unter die in den Recipienten A eingetragene Flüssigkeit untertaucht, herabströmt, um endlich bei der durchlöcherten
Anschwellung, in welche sich diese Röhre endigt, auszutreten und sich
fein zertheilt in der Flüssigkeit zu verbreiten.

In dem Maaße, als das Wasser mit Gas gesättigt wird, wird
die in dem leeren Theile des Recipienten A enthaltene Luft stark
comprimirt. Wenn man die Flüssigkeit für hinreichend mit Gas
gesättigt hält, was gewöhnlich nach Verlauf von 10 Minuten der
Fall ist, so öffnet man den Hahn, wo dann die gesättigte Flüssigkeit
durch das Rohr G in die untergesezte Flasche fließen wird.

Der Apparat erheischt keine andere Sorgfalt, als daß man
nach Eintragung der Substanzen in den Ballon den Hahn schließt;
man kann ihn in diesem Zustande auf den Tisch, auf welchem man
sich des Getränkes bedienen will, sezen, und man wird die Flüssigkeit bis auf den lezten Tropfen gehörig gesättigt finden. Er eignet
sich sowohl zur Bereitung der einfachen Säuerlinge, so wie verschiedener mehr zusammengesezter Mineralwässer. Was seine Dimen-
sionsverhältnisse und seine Formen betrifft, so kann man diese mannigfach modificiren.

LXXIII.
Ueber die Fabrication des Strohpapiers; von Hrn. Piette, Besizer einer Papierfabrik in Dillingen. [68]

Wenn man die verschiedenen Substanzen, bei welchen man die
Möglichkeit vermuthet, Papier aus ihnen zu machen, betrachtet, so
bemerkt man keine, welche mehr dazu geeignet zu seyn scheint, als

68) Aus den Verhandlungen des Vereins zur Beförderung des
Gewerbfleißes in Preußen. 1ste Lieferung 1837, S. 51.

Stroh. Es gehört, wie Hanf, Flachs und Baumwolle, zum Pflanzenreich, besteht wie Hanf und Flachs aus starken Längenfasern, ist wie sie der Fäulniß wenig ausgesezt und läßt sich überall um geringen Preis in großer Menge haben. Wir wollen daher genauer untersuchen, in wie weit das Stroh nach seiner natürlichen Beschaffenheit wirklich zur Papierfabrication dienlich seyn kann, und welche Verrichtungen nöthig sind, um es zu verarbeiten und zu bleichen.

Eine Substanz, welche zur Papierfabrication geeignet seyn soll, muß sehr feine und fein zertheilte Fasern haben, welche von der Flüssigkeit durchdrungen werden können, die man anwendet, um einen Brei aus ihnen zu machen. Diese Fasern müssen sich leicht von einander trennen lassen, ohne zu zerreißen und einen dünnen Brei geben, dessen Theilchen weich, fein und flokig sind; sie müssen sich von Neuem in einander schließen und nach ihrer Vereinigung durch Troknen fest werden.

Bei der Untersuchung zeigt sich nun, daß das Stroh aus gelben Fasern besteht, die durch eine harzige Materie mit einander verbunden sind. Diese Materie löst sich in Alkalien auf. Die in Freiheit gesezten Fasern sind weich und flokig, wie die des Hanfes, lassen sich von Flüssigkeiten durchdringen, zu einem Brei umschaffen und wieder zu dünnen Blättern vereinigen. Es ist also vorauszusehen, daß es möglich ist, Papier aus Stroh zu verfertigen, und man hat auch darüber schon seit vielen Jahren eine Menge verschiedener, mit mehr oder weniger Erfolg gekrönter Versuche angestellt.

Da aber sowohl die von mir in meinem Traité de la fabrication du papier angegebenen, als auch die von anderen empfohlenen Methoden, Papier aus Stroh zu verfertigen, mit großen Schwierigkeiten verbunden sind und eine besonders kostspielige Verarbeitung erfordern, so habe ich die Versuche wiederholt, um eine Abkürzung jenes weitläufigen Verfahrens zu finden, und im Großen danach zu arbeiten. Das Resultat meiner Versuche will ich hier mittheilen.

Das Pflanzenreich liefert uns zweierlei Stroh, das von Getreide und das von Hülsenfrüchten. Die erstere Art ist Stroh von Roggen, Weizen, Gerste oder Hafer, die zweite Art kommt von Bohnen, Erbsen oder Linsen. Der Mais reiht sich wegen seiner Blätter, die man allein zur Verfertigung des Papiers gebrauchen kann, den Hülsenfrüchten an.

Dieser Ordnung nach wollen wir nun untersuchen: 1) wie man die einzelnen Arten von Stroh in ihrem natürlichen Zustande zu Papier oder Pappendekeln verarbeiten kann, und welche Eigenschaften die so erhaltenen Producte haben; 2) wie man Stroh bleicht, um weißes Papier daraus zu erhalten.

**1. Von der Verarbeitung des Strohes im natürlichen
Zustande.**

a) Getreideſtroh.

Einige vorläufige Operationen, die man für jede Art von Ge-
treideſtroh anwenden muß, ſind das Sortiren, das Schneiden und
das Wannen.

Viele Pflanzen, die im Getreide wachſen, widerſezen ſich den
Mitteln, die man anwendet, um das Stroh zu erweichen und weiß
zu machen; ſie müſſen alſo nothwendiger Weiſe entfernt werden.
Das ausgeſuchte Stroh wird in Stüke geſchnitten, welche 2 bis
3 Linien lang ſind. Dazu kann man mancherlei Maſchinen gebrauchen, die bekannteſte iſt die gewöhnliche Häckſellade. Auf ihr kann
ein Mann in 12 Stunden gegen 6 Cntr. ſchneiden. Die angegebene
Größe von 2 bis 3 Linien iſt nöthig, damit man die Gliedknoten
beſſer von den Röhrchen ſcheiden kann. Läßt man die Knoten unter
den Röhrchen, ſo erhält man ein unvollkommenes Product und leidet
einen bedeutenden Verluſt. Die Röhrchen verwandeln ſich nämlich
leichter in einen Brei, und würden beim Waſchen größtenTheils verloren, wenn man die ganze Maſſe ſo verarbeiten wollte, daß auch
die Knoten weich würden. Wenn aber die Knoten nicht hinreichend
erweicht werden, ſo erhält man ein ſehr rauhes Papier. Mit einer
guten Wannmühle, wie man ſie gewöhnlich gebraucht, um das Getreide zu wannen, iſt die Sonderung der Knoten von den Röhrchen
leicht, da ein Mann und ein Kind in einer Stunde 4 bis 5 Cntr.
wannen.

Nach dieſen vorläufigen Verrichtungen fangen diejenigen an,
welche zum Zwek haben, die Faſern des Strohes durch Zerſezung der
klebrigen Materie in Freiheit zu ſezen. Verſuche haben mir gezeigt,
daß es völlig unmöglich iſt, aus geradeweg gemahlenem Stroh Papier zu machen.

Roggenſtroh. Das Roggenſtroh, welches an klebrigen oder
harzigen Materien am reichſten und deßwegen am härteſten iſt, erfordert die meiſte Arbeit, um jene Materie zu zerſtören, behält aber
immer noch einen bedeutenden Theil derſelben zurük und liefert deßwegen das härteſte Papier.

Nachdem man das Stroh, wie wir oben bemerkt haben, ſortirt,
zerſchnitten und gewannt hat, werden die Röhrchen in einem großen
Keſſel durch Dampf oder directes Feuer in reinem Waſſer gekocht.
Man drükt das Stroh ein und wendet einige Kraft an, um den
Keſſel ſo voll als möglich zu bringen, beſchwert auch den Dekel.
Wenn das Waſſer anfängt zu kochen, ſo drängt ſich das Waſſer

nach Oben, bald aber sezt sich das Stroh so, daß es kaum mehr die Hälfte des Raums einnimmt. Man verstärkt nun das Feuer, und läßt die Masse während 3 Stunden kochen. Diese erste Operation, welche zum Zwek hat, das Stroh so zu erweichen, daß man es zu Halbzeug umarbeiten kann, um dessen Fasern für die Wirkung der Lauge vorzubereiten, nimmt dem Stroh seine natürliche hellgelbe Farbe und ändert sie in rothbraun. Das Stroh ist zwar noch hart, hat aber wegen der Feuchtigkeit, die es ganz durchdringt, seine Elasticität verloren, und schon scheint die Oberhaut sich loszuheben.

Das aus dem Kessel genommene Stroh wird nun wie die Lumpen in Halbzeug verwandelt, in eine Lauge von 2 Pfd. Potasche und 50 Pfd. frischen Kalk auf 100 Pfd. Stroh gebracht, und wieder während 3 Stunden gekocht. Die Lauge, welche stärker auf das in Halbzeug verwandelte Stroh einwirkt, hat nach diesen 3 Stunden ihre äzende Kraft verloren, nachdem sie angefangen hat die klebrige Materie zu zerstören und die Röhrchen zu erweichen. Sie ist doch nicht hinreichend, um dem Roggenstroh die nöthige Biegsamkeit geben zu können. Deßwegen vermindert man nach 3stündigem Kochen das Feuer, läßt die Lauge durch einen am Boden befindlichen Hahn ablaufen, dreht den Hahn wieder zu und gießt, ohne das Stroh wieder herauszunehmen, sogleich eine frische Lauge in den Kessel. (1 Pfd. Potasche und 30 Pfd. Kalk für 100 Pfd. Stroh). Nachdem die Masse 3 Stunden gekocht hat, wiederholt man noch zwei Mal die nämliche Operation mit derselben Lauge. Es kommen also 6 Laugen auf das Stroh. Nach dem vierten Kochen ist das Stroh weich, die Fasern trennen sich von einander und geben nach ihrer Zermahlung einen gehörigen Brei.

Die Lauge hat die klebrige Materie des Strohes aufgelöst und führt sie mit sich, wodurch sie syrupartig, dunkelbraun geworden ist, und einen Bodensaz liefert. Dieser besteht aus Strohtheilchen und den Substanzen, welche die Lauge und die harzige Materie bilden, als Potasche, Kalk, Kieselerde und mehreren Salzen. Obschon die Potasche bei den verschiedenen Laugen in geringer Quantität zugesezt wird, so wirkt sie doch merklich auf die klebrige Materie; wollte man keine Potasche anwenden, so würde das Stroh nicht ganz erweicht, und man erhielte kein vollkommenes Product.

Was die Knoten betrifft, so werden sie auch in reinem Wasser, aber während 12 Stunden gekocht, dann als Halbzeug, wie die Röhrchen, in die Lauge gebracht und sechs Mal hintereinander unter den nämlichen Umständen, wie jene gekocht. Dann lassen sie sich verarbeiten. Sie erfordern also beinahe noch ein Mal so viel Arbeit als die Röhrchen.

Das Roggenstrohpapier ist gelblichbraun, hat eine außerordentliche Stärke und kann in mancher Hinsicht mit dem Pergament verglichen werden. Ungeleimt hält es die Tinte beinahe so gut, wie ganz geleimtes Papier, besonders wenn der Zeug wenig gewaschen wurde, und die durch die Lauge aufgelöste Materie größten Theils in der Masse zurückbleibt. Es ist nicht so biegsam als Weizenstrohpapier, ist aber stärker und zu Packpapier ganz besonders geeignet.

Weizenstroh. Das Weizenstroh ist weicher, als das Roggenstroh. Es wird zuerst während 3 Stunden in reinem Wasser gekocht, hierauf in Halbzeug verwandelt und 3 Stunden in einer Lauge von 2 Pfd. Potasche und 50 Pfd. frischem Kalk auf 100 Pfd. Stroh gekocht. Die Lauge wird abgegossen und noch zwei Mal (1 Pfd. Potasche und 30 Pfd. Kalk auf 100 Pfd. Stroh) erneuert. Dann ist das Weizenstroh ebenfalls brauchbar. Die Gliedknoten werden wie die des Roggenstrohes verarbeitet. — Das Weizenstroh zermahlt sich leicht, es bildet einen sehr magern Zeug, der auf der Form bald troknet und schnell verarbeitet seyn will.

Das Papier hat eine helle, lebhaft gelbe Farbe, ist nicht so stark, als Roggenstrohpapier, bricht aber nicht so leicht, wenn man es biegt und hat auch einen, wiewohl schwächeren, natürlichen Leim.

Gerstenstroh. Das Gerstenstroh nähert sich viel dem Weizenstroh, obschon es weicher und reicher an Blättern ist. Doch hat es das Eigene, daß seine Gliedknoten, wenn sie auch nicht so zahlreich sind, als bei dem anderen Stroh, vielmehr den Erweichungsmitteln widerstehen. Nachdem die Knoten in Wasser gekocht und in Halbzeug reducirt sind, werden sie mit 8 frischen Laugen während 24 Stunden gekocht. Um die viele Mühe zu sparen, kann man die Gliedknoten nach dem ersten Kochen in einen Faulkeller werfen und während 4 Wochen maceriren lassen, wie man früher den Gebrauch für die Lumpen hatte. Die Röhrchen werden nach dreistündigem Kochen in reinem Wasser in Halbzeug verwandelt, und noch ein Mal in 2 frischen Laugen hintereinander gekocht.

Die Masse von Gerstenstroh arbeitet sich eben so leicht, als die von Weizenstroh. Das Papier ist etwas dunkler und hat ungefähr die nämliche Stärke und den nämlichen Leim. Da es nun weniger Arbeit erfordert, so ist es dem Weizenstroh vorzuziehen, wenn man es übrigens so billig haben kann.

Haferstroh. Die Materie, welche die Fasern des Haferstrohes zusammenhält, ist nicht so reich an Bindungsstoff, als bei dem anderen Stroh, enthält weniger Salze, aber mehr Wasser und befindet sich darin in geringer Menge. Deßwegen ist dieses Stroh das zarteste und erfordert weniger Arbeit, um weich genug zu werden.

Nachdem es sortirt, geschnitten, gewannt, in Wasser gekocht und in Halbzeug verwandelt ist, wird es ein Mal während 3 Stunden in einer Lauge, die aus 2 Pfd. Potasche und 50 Pfd. Kalk bereitet ist, gekocht. Dann zerreibt es sich unter den Fingern und hat die erforderliche Biegsamkeit. Dieser Zeug verarbeitet sich noch leichter, als der von dem anderen Stroh, troknet so schnell, daß er anstatt auf dem Filz zu kleben, leicht an der Form hangen bleibt. Deßwegen muß er mit kaltem Wasser und schnell verarbeitet werden. Er gibt vorzügliche Pappendekel, welche biegsam sind ohne zu brechen und eine gehörige Stärke haben.

Das Papier hat eine angenehme, hellgelbe Farbe, ist vielleicht nicht so stark als das früher beschriebene, dient aber gut zum Einpaken und Schreiben und besitzt eine natürliche halbe Leimung.

Da das Haferstroh so wenig Arbeit erfordert, so ist zu bedauern, daß man es nicht in großer Menge haben kann, indem es meistens zum Füttern verbraucht wird. — Eben so ist es auch mit dem Stroh von Hülsenfrüchten; manche Art derselben ist besonders zur Papierfabrication geeignet, aber nicht in bedeutender Masse vorhanden.

b. Stroh von Hülsenfrüchten.

Obschon das Stroh von Hülsenfrüchten, wenigstens das der Erbsen, Bohnen und Linsen, einige Aehnlichkeit mit dem Getreidestroh hat, so nähert es sich doch mehr dem Hanfstroh. Mit ihm hat es nicht nur die Fasern, und die klebrige Materie, sondern auch noch das gemein, daß es Sprossen gibt. Da es aber schwierig wäre, die Fasern von den Sprossen zu trennen, und diese lezteren auch wegen der Höhlung des Halms nicht so beträchtlich sind, so kann man alles zusammenlassen und verarbeiten. Die Sprossen bilden, wenn sie gemahlen sind, zwar kein Gewebe, doch tragen sie mit den Fasern gemischt zur Ausfüllung des Papiers bei und schaden seiner Stärke nur wenig.

Die vorläufigen Operationen, von welchen beim Getreidestroh die Rede war, das Sortiren, Schneiden und Wannen sind hier weder nöthig, noch anwendbar; man findet darunter wenig fremde Pflanzen. Die Unregelmäßigkeit dieser Gewächse läßt es nicht zu, sie wie Stroh in regelmäßige Stückchen zu schneiden; auch sind die Knoten beinahe nicht härter, als die Röhrchen und können darunter bleiben. Das Stroh wird zuerst in unregelmäßige Stüke von 3 bis 8 Zoll gehakt, nachher durch einen gewöhnlichen Lumpenschneider, oder eine Maschine der Art zerrissen.

Erbsenstroh. Dieses Stroh scheint durch einige besondere Eigenschaften zur Papierfabrication geeignet. Es hat an sich etwas

Klebriges, welches den Leim des Papiers vermehren könnte, seine Gliedknoten sind nicht so hart, seine Hülsen sind zart, die Blätter sind es ganz besonders, und die Stengel haben wenig Holz. Um es gehörig zu verbrauchen, müßte man die Gliedknoten, die Röhrchen, die Schoten und die Blätter, jedes besonders, verarbeiten. Da dieses aber zu schwierig ist und man selbst die Stengel nicht einmal absondern kann, so muß alles zusammen verarbeitet werden, natürlich mit der Gefahr viel von der feinen Masse zu verlieren und kein so vollkommenes Product zu erhalten.

Obschon die Hülsen und die Blätter des Erbsenstrohs weich sind, so muß doch das Ganze wegen der Stengel, der Röhrchen und der Knoten, einer ziemlich langen Reihe von Manipulationen unterworfen werden, um zur Papierfabrication brauchbar zu seyn. Nachdem alles zerschnitten, während 3 Stunden in reinem Wasser gekocht, und zu Halbzeug umgearbeitet worden ist, wird es in eine Lauge gebracht, wo für 100 Pfd. Stroh 2 Pfd. Potasche und 60 Pfd. Kalk genommen werden. Die Lauge wird nach dreistündigem Kochen abgegossen und noch zwei Mal und zwar mit 1 Pfd. Potasche und 50 Pfd. Kalk erneuert. Der stärkere Zusatz von Kalk hat zum Zwek die Stengel so zu erweichen, daß sie im Holländer ganz fein zerrieben, und mit dem Waschwasser größten Theils ausgeschwemmt werden. Deßhalb muß man auch das Stroh von Erbsen, Bohnen und Linsen länger waschen, als das andere Stroh.

Das Erbsenstroh zermahlt sich leicht, arbeitet sich gut auf der Form, troknet schnell ein, und gibt ein rothgelbes Papier von ziemlich angenehmem Aussehen. Wenn es nicht in einer zu starken Lauge gekocht ist, so bemerkt man, wenn man es durch das Licht betrachtet, in seinem Gewebe einen Theil von den nicht zerriebenen Stengeln. Es sieht nur dann gleichförmig aus, wenn das Stroh gehörig gekocht, rein zermahlen und gut ausgewaschen wurde. Für Pakpapier ist dieses freilich nicht nöthig, kann aber bei weißem Papier nicht unterlassen werden. Das Papier von Erbsenstroh ist übrigens fest, bricht nicht, wenn man es zusammenfaltet, und ist als Pakpapier recht brauchbar.

Bohnenstroh. Das Stroh der welschen Bohnen gibt ein hellbraunes Papier, von geringer Festigkeit; durch einen Zusatz von Lumpen erlangt es hinlängliche Stärke, um zu Pakpapier zu dienen. Dieses Stroh enthält mehr Stengel, als das Erbsenstroh; es braucht darum eine Lauge mehr, muß feiner gemahlen werden, und verarbeitet sich nicht so leicht. Bei ihm ist der besondere Umstand, daß das Wasser, in welchem man es kocht, statt wie bei jedem anderen Stroh gelblichroth zu seyn, ins Graue fällt. Durch Alkalien bekommt es die braune Farbe. Die graue Farbe kommt daher, daß die oberste Haut des Bohnenstrohs schwarz wird, wenn es eine Zeit lang gelegen hat, und die inneren Theile weiß bleiben. Das Bohnenstroh ist leicht zu bleichen und verdient in dieser Hinsicht beachtet zu werden.

Linsenstroh. Das Linsenstroh nähert sich sehr dem Erbsenstroh; seine Fasern haben die nämliche Gestalt und beinahe die nämliche Farbe, sie bilden auch einen magern Zeug. Er hat aber mehr holzige Theile und kann deßwegen, obschon wie Erbsenstroh verarbeitet, doch für sich kein Papier geben. Mischt man es aber mit eben so viel Zeug von Lumpen, so gibt es ein rothgelbes, ziemlich starkes Pakpapier.

Maisstroh. Weit fester und von einer ganz anderen Beschaffenheit sind die Blätter des Mais. Nachdem man sie geschnitten, in Wasser gekocht und in Halbzeug umgearbeitet hat, werden sie mit 40 Pfd. Kalk und 1 Pfd. Potasche gelaugt. Dieses ist hinreichend, um die harzigen Theile zu zerstören. Der Zeug mahlt sich etwas schwieriger, arbeitet sich nicht so leicht auf der Form und zieht sich während des Troknens sehr zusammen, gibt aber ein festes Papier, welches viele Aehnlichkeit hat mit dem Pergament- oder Lederpapier, und fast die nämliche Stärke besizt. Seine Farbe ist schmuzig gelb. Es ist reicher an natürlichem Leim, als das andere Strohpapier und bleibt, auch wenn es geglättet wird, rauh beim Schreiben. Beim Reiben bricht es. Zu Pakpapier und Pappendekel wäre dieses Stroh das vorzüglichste, wenn man es recht in Menge haben könnte.

Wir haben nun gesehen, daß eine jede Art von Stroh, besonders verarbeitet, in ihrem natürlichen Zustand durch einfache, leichte und wohlfeile Arbeit zur Papierfabrication brauchbar wird. Es zeigte sich, daß das Roggenstroh wegen seiner Menge und seiner Beschaffenheit vorzuziehen ist, und daß Stroh von Weizen, Gerste und Hafer zwar weniger Arbeit erfordern, aber kein so festes Product geben. Erbsenstroh ist brauchbar zu Pakpapier, Bohnenstroh läßt sich gut bleichen; vom Linsenstroh ist wenig zu hoffen. Maisstroh ließe sich mit vielem Vortheil verarbeiten, wenn es leichter zu haben wäre.

Es bleibt nun die Frage übrig: wie man die verschiedenen Arten Stroh bleichen könne, um sie so gut wie Lumpen zu feinem Papier anzuwenden. Vorher wollen wir aber noch einige allgemeine Bemerkungen über die Fabrication des Strohpapiers überhaupt mittheilen.

Je nachdem das Stroh im Holländer gemahlen, oder im Hammerstok gestampft wird, zeigt sich ein auffallender Unterschied im Papier. Wenn es nämlich im Hammerstok, wo es 8 bis 10 Stunden gehen muß, gewaschen und zerrieben wird, so hat das Papier ein bhliges Ansehen, ist durchsichtig, gleichförmig, frei von Knoten und ungeriebenem Zeug, klingender und stärker. Wird es aber im Holländer gemahlen, so braucht es zwar nur 2 Stunden, das Papier hat das bhlige und durchsichtige Ansehen nicht, es hat aber nicht die nämliche Stärke, bricht eher und zeigt ein ungleiches Gewebe. Die Ursache dieser Erscheinung läßt sich wohl einsehen. Im Hammerstok wird das Stroh zerquetscht und nicht zerschnitten, daher bleiben seine Fasern länger. Diese längeren Fasern vereinigen sich leicht und bilden darum ein kernhaftes Papier. Durch das lange Zerreiben verschwinden alle Knoten und die in den Pflanzen enthaltene bhlige Materie wird auch dadurch frei. Im Holländer wird dagegen das Stroh mehr zu kurzen und körnigen Fasern zerschnitten. Diese schlingen sich nicht so durcheinander, sezen sich vielmehr übereinander und geben darum kein so festes und gleichförmiges Fabricat. Da nun das Pakpapier stark und fest seyn muß und ein bhliges Ansehen ihm nichts schadet, so muß man dafür den Hammerstok gebrauchen; für weißes Papier ist aber das bhlige Ansehen schädlich, darum kann für solches nur der Holländer angewendet werden. Mischt man aber mehr oder weniger Lumpen mit dem Stroh, so ist es einerlei, wo man dasselbe mahlt. Geschieht es im Holländer, so erhält es doch seine gehörige Stärke; geschieht es in der Stampfmühle, so verliert sich das bhlige Ansehen. Auch ist es in keinem Fall und bei keinem Stroh schädlich, wenn man ihm Lumpen beimischt. Der Fabrikant muß dieses nach seinen Umständen ermessen.

So ist es auch mit dem Kochen im Wasser und in heißen Laugen. Dieses ist nicht nöthig und läßt sich durch ein mehr oder weniger langes Eintauchen in Wasser und Lauge ersezen. In diesem Fall legt man das Stroh während 14 Tagen in Wasser, verwandelt es in Halbzeug und wirft es dann in die Lauge. Hier bleibt es 3 bis 8 Wochen, je nachdem es hart ist. Die Lauge wird alle 8 Tage erneuert und jeden Tag durcheinander gerührt. Steht aber das Brennmaterial nicht zu hoch und erlauben es die Umstände, so ist es immer besser, das Stroh durch Kochen zu behandeln. Dieses kostet nicht so viel Arbeit und erfordert weniger Zeit. Der Zeug wird mehr zart und verursacht weniger Verlust. Der Verlust hängt sehr davon ab, wie der Zeug gewaschen wird; aber auch hier kann man, wie wir bald sehen werden, die Sache so einrichten, daß er doch nur unbedeutend ist.

2. Vom Bleichen.

Die Hauptmittel, welche sich zum Bleichen des Strohes darbieten, sind: Potasche und Soda, Schwefelsäure, Salpetersäure, Salzsäure und Chlor.

Das Chlor wird auf eine dreifache Art gebraucht, luftförmig,
an Wasser gebunden, oder mit einer Base, z. B. Natron und Kalk
verbunden. Da man in Fabriken das Einfachste suchen und so viel
als möglich weitläufige Processe, besonders chemische, die immer
schwierig sind, zumal wenn der Fabrikant sind nicht eigens damit
beschäftigen kann, vermeiden muß, so ziehe ich das mit Kalk oder
Natron verbundene Chlor dem anderen vor, ohne jedoch dieses ganz
auszuschließen. Nichts ist leichter, als der Gebrauch dieser Mittel.
Die Weise, diese Salze zu bereiten und ihre Auflösung zu machen,
findet sich in allen technischen Büchern und ich kann dorthin verweisen.

Die erste Methode das Stroh zu bleichen, ist diese: Nachdem
es, wie oben beschrieben, gekocht, in Halbzeug reducirt und gelaugt
ist, wird es in eine Natronlauge gelegt (5 Pfd. Soda auf 100 Pfd.
Stroh); hier bleibt es 24 Stunden, dann wird es ausgewaschen und
kommt in ein schwefelsaures Bad (3 Pfd. Säure auf 100 Pfd.
Stroh). Die zwei Bäder werden wiederholt und die Masse zwischen
jedem gut ausgewaschen. Nun wirft man das Stroh in eine Auflösung von Chlorkalk (8 Pfd. Chlorkalk auf 100 Pfd. Stroh). Wir
ziehen den Chlorkalk dem Chlornatron vor, da er kräftiger und billiger ist. In dieser Auflösung läßt man den Zeug 24 Stunden und
rührt ihn alle 6 Stunden um. Dann ist das Stroh gewöhnlich
weiß. Sollte dieses aber der Fall nicht seyn, was von der Art des
Strohes abhängt, so müssen die verschiedenen Operationen wiederholt
werden, bis es die gehörige Weiße besizt.

Der Verlauf dieser Arbeiten liefert einige interessante Beobachtungen. In den Laugen hat der Zeug eine mehr oder weniger braun-
gelbe Farbe; kommt er ins Natronbad, so wird diese dunkel, aus
dem Rothen ins Gelbe ziehend. In der Säure wird diese weißgelb.
Kommt er von da wieder in das Natron, so wird sie wieder röthlich, dann in der Säure wieder weißgelb, jedoch wird bei jedem Bad
die Farbe, welche sie auch seyn mag, schwächer, bis sie endlich durch
den Chlorkalk ganz zerstört wird.

Zuweilen sind diese plözlich entstehenden Farben sehr stark, dieses
hängt von der Menge des Alkalis, der Säure, oder des Chlors ab.
Es ist nöthig, sich an die angegebenen Verhältnisse der bleichenden
Stoffe zu halten, da, wenn man zu wenig davon anwendet, der

Zeug nicht weiß wird, und wenn man zu viel davon nimmt, andere
Nachtheile entstehen. Zu viel Alkali gibt dem Zeug eine braunrothe
Farbe, die man ihm nicht mehr nehmen kann, zu viel Säure verbrennt den Stoff, zu viel Chlor erfordert ein langes Waschen und
schadet dem Papier. Die oben angegebenen Verhältnisse zeigten sich
mir nach vielen Versuchen als die richtigsten.

Es ist nöthig, zwischen jedem Bad die Strohmasse gehörig zu
waschen und sie jedes Mal von dem Alkali, von der Säure und von
dem Chlorkalk zu befreien. Geschieht dieses bei dem ersten nicht, so
neutralisirt sich das Alkali durch die Säure, und diese bleibt ohne
Wirkung; bleibt Chlorkalk im Stoff, so zieht dieser die Feuchtigkeit
der Luft an und zerstört nach und nach das Papier. Aber dieses
Waschen ist beim Bleichen das Schwierigste, es mag nun im Holländer, im Hammerstok, oder in Bütten geschehen. Es ist immer
langweilig und mit Nachtheil verbunden. Wird nämlich der Zeug
im Holländer oder im Hammerstok gewaschen, was nur da geschehen
kann, wo noch Kraft übrig bleibt die anderen Maschinen zu betreiben, so geht gar viel von dem Zeug verloren. Er wird nämlich dabei immer noch mehr zertheilt, die feinsten Theile gehen mit dem
Wasser fort, und oft geben 100 Pfd. Stroh kaum 20 Pfd. Papier.
Will man aber den Zeug in Bütten, oder sonst in Gefäßen waschen,
so hat man eine lange weitläufige Arbeit und erhält doch nur ein
unvollkommenes Resultat.

Der Verein für Gewerbfleiß in Preußen sezte in den Verhandlungen vom Januar und Februar 1831 demjenigen Papierfabrikanten
die silberne Denkmünze und 100 Thaler aus, welcher bei der Anwendung des Chlors, oder Chlorkalks, als Bleichmittel der Lumpen,
oder des Papierstoffes folgendes Verfahren, um die lezten Spuren
des Chlors und der Schwefelsäure aus dem Zeug zu entfernen, einer
genauen Prüfung unterwerfen und zugleich ermitteln würde, wie es
am besten ausgeführt werden könnte, und dann die Resultate dieses
Verfahrens, in Vergleich zu dem gewöhnlichen bei der Anwendung
der Chlorbleiche, sowohl hinsichtlich des Kostenpunkts, als der Vorzüge des Fabricats am vollständigsten nachweisen würde.

„Die mit Chlor oder Chlorkalk gebleichten Lumpen, oder der
„Papierstoff wird mit Wasser gewaschen, darauf mit verdünnter
„Schwefelsäure behandelt, um Kalk und Eisenoxyd zu entfernen,
„hierauf wieder mit Wasser ausgewaschen, dann mit reiner Natron-
„lauge, um die noch rükständige Säure zu neutralisiren. Ist dieses
„geschehen, so wird im Holländer, oder einer anderen Vorrichtung,
„gehörig nachgewaschen, um alle Salztheile vollkommen zu entfernen.‟

Ich bin überzeugt, daß man auf die angegebene Weise seinen

Stoff von Säure, Chlor oder sonstigen fremden Theilen befreit, aber welche Reihe von Manipulationen, wie viele Auswaschungen sind erforderlich!

Hr. H. W. v. Kurrer schlägt vor: die Masse in nicht zu eng geflochtenen Weidenkörben in den Bach, oder in Flußwasser zu bringen, und sie mit Stöken so lange zu waschen, bis man denkt, daß sie frei von Säuren oder Chlor sey; oder noch besser, statt der Weidenkörbe hölzerne Kästen, gleich den Fischkästen, zu nehmen, welche an den drei das Wasser berührenden Wänden viele Löcher hätten, damit das unreine Wasser beim Auswaschen schnell ablaufen, und durch frisches stets ersezt werden könne. In diesem Kasten wird die Masse vermittelst hölzerner Stößer ausgestoßen und gut gewaschen.

In meinem genannten Werk gab ich selbst folgende Methode an, die mir vortheilhaft scheint. Man verfertigt eine runde Kiste aus Drahtgewebe, macht durch sie eine Are und legt die Zapfen dieser Are so auf Pfannen, daß der Kasten wenigstens der Hälfte nach wagerecht im Wasser liegt. Nun läßt man ihn durch irgend eine Vorrichtung, z. B. einen ledernen Riemen, oder eine Kette, in Verbindung mit dem Wasserrad beständig herumtreiben. So wird die Masse ohne Mühe recht gut gewaschen.

Erlauben die Umstände es nicht, dieses Verfahren anzuwenden, so kann man eine viereckige Bütte auf dem Boden mit einem Drahtgewebe versehen, und in dieser einen Zeugrührer anbringen, der auf irgend eine Weise beständig gedreht wird. Ein regelmäßiger Wasserstrom bringt fortwährend so viel Wasser in die Bütte, als durch das Drahtgewebe herausfließt. Die Masse wird dann in der Bütte durch den Rührer in beständiger Bewegung gehalten, und ohne kostspielige Arbeit ausgewaschen. Zwei oder drei Bütten sind hinreichend, um in wenig Zeit eine große Menge Stroh ohne vielen Verlust zu waschen. Man kann die Operation so lange fortsezen, bis Reagentien zeigen, daß die Masse weder Alkali, noch Säure, noch Chlor enthält.

Es mag nun mit diesen verschiedenen Waschmethoden, die immer ihre Schwierigkeiten behalten, seyn wie es will, so wäre es in jedem Fall gut, wenn man sowohl bei Stroh, als bei Lumpen, das Waschen vermindern, oder ganz entbehren könnte. Ich habe vor, für diesen Zwek einige Versuche zu machen, und will darüber vorläufig einige Worte sagen. — Wenn man eine Methode finden könnte, das Stroh auf ein Mal zu bleichen, so wäre die Sache sehr vereinfacht und nur ein einmaliges Waschen nöthig. Dazu kann man nur durch gasartiges Chlor, schweflige Säure, oder durch Entwikelung des Chlors aus dem Chlorkalk mittelst einer Säure gelangen. Bedient man sich des Chlors im gasförmigen Zustand, so richtet man eine luftdicht verschlossene Bütte vor, in welche man das Stroh, nachdem es in Wasser gekocht, in Halbzeug reducirt, in Kalk und Potasche gelaugt und so ausgepreßt wurde, daß es nur etwas feucht ist, auf hinlänglich geräumige Horden legt. Diese Horden sind von hölzernen, oder bleiernen, vielfach durchlöcherten Röhren umgeben, aus welchen das in sie aus den Entwiklungsflaschen geleitete Gas über den Zeug strömt. Das Gas greift das Stroh an, die Farbe verschwindet, und es behält nur ein gelblichweißes Ansehen, welches sich verliert, wenn man den Zeug, ohne ihn zu waschen, in ein Bad von verdünnter Schwefelsäure bringt. Diese rasche Bleiche erfordert aber besondere Sorgfalt, und einige Kenntnisse bei der Bereitung des Chlors. Auch ist oft nur ein Theil der Masse weiß, der andere mehr oder weniger gelb, indem das Chlor sich nicht gleichförmig verbreitet und einen Theil mehr als den anderen angreift. Greift es zu viel an, so verbrennt es den Stoff und gibt ihm eine gelbliche Farbe, die ihm nicht mehr zu entziehen ist.

Die schweflige Säure zeigt ungefähr die nämlichen Erscheinungen. Man legt auch das wie oben zubereitete Stroh auf Horden in einen dichten Kasten und sezt diesen mit der Mündung einer mit Schwefel gefüllten, durch irgend eine Vorrichtung erhizten Retorte in Verbindung. Das Stroh wird durch die schweflige Säure angegriffen, verliert etwas von der Stärke seiner Farbe, wird aber erst ganz weiß, wenn es 12 Stunden der Wirkung der Säure unterworfen war.

Diesen beiden, obschon schnellen Bleichmethoden wird man diejenige vorziehen, wo durch irgend eine Säure das Chlor aus dem Chlorkalk entwikelt wird. Nachdem das Stroh gehörig zubereitet ist, wird es in ein schwefelsaures Bad geworfen (3 Pfd. Säure auf 100 Pfd. Stroh). Nach zwölfstündigem Weichen ist die Säure in den Zeug gedrungen und das Bad enthält keine Kraft mehr. Es wird abgegossen, über die Masse sogleich eine Auflösung von Chlorkalk gebracht, und das Ganze durch einander gerührt. Das Chlor entwikelt sich augenbliklich und in solcher Menge, daß man besonders Acht haben muß, um sich vor seinem schädlichen Einfluß auf die Gesundheit zu bewahren.

Es ist nicht leicht zu bestimmen, in welchen Verhältnissen man den Schwefel und den Chlorkalk nehmen soll, da man Chlorkalk von 50 bis 100 Proc. hat. Darum ist es zwekmäßig, die Stärke des Chlorkalkes zu kennen, da ein Atom Säure ein Atom Kalk zersezt, also die Operation nicht gelingt, wenn mit schwachem Chlorkalk wenig Säure gebraucht wird, oder wenn man zu viel Säure nimmt. In diesem lezteren Fall entwikelt sich kein Chlor, wahrscheinlich we-

gen der besonderen Weise, auf welche die großen Quantitäten wirken.
Man muß also mit Hülfe eines Chlorometers die Kraft des Kalkes
untersuchen und nach seiner Stärke die Säuren vermehren oder ver=
mindern. Das Chlor zerstört bei seiner Entwikelung die Farbe des
Strohes gänzlich; die Säure verbindet sich mit dem Kalk und bildet
Gyps, welcher, wenn die Operation gut geführt ist, sich in kaum
sichtbaren Theilchen niederschlägt. Nimmt man zu viel Kalk und
Säure, so enthält die Masse zu viel Gyps, das Papier ist mit grau=
weißen Pünktchen besezt und unbrauchbar. Um diesen Umstand zu
vermeiden, kann man statt der Schwefelsäure eine Säure nehmen,
die mit Kalk ein auflösliches Salz bildet, z. B. Salzsäure, Salpe=
tersäure, oder Essig, da die mit diesen Säuren gebildeten Kalksalze
im Wasser leicht löslich sind. In diesem Fall aber ist die Arbeit
dadurch etwas schwierig, daß die Gegenwirkung des Chlors bei einem
auflöslichen Salz nicht so leicht, als bei einem unauflöslichen ge=
schieht, jedoch ist sie sicher, da das Chlor zu dem Wasserstoff, wel=
cher ein Bestandtheil der Pflanzenfarben ist, und Kalk zu den Säu=
ren größere Verwandtschaft hat. Die Operation muß in diesem Fall
öfter wiederholt werden. Obschon zu diesem Zwek jede Säure mehr
oder weniger dienlich ist, so ziehe ich doch die Salzsäure wegen ihres
geringen Preises und ihrer größeren Stärke vor, und arbeite damit,
wie mit der Schwefelsäure. Wo aber die Säure theuer ist, kann
man das Stroh zuerst der Wirkung der schwefligen Säuren aussezen,
wie oben beschrieben, und dann in die Chlorkalkauflösung werfen.
Es bildet sich ein auflösliches, schwefligsaures Kalksalz und das Stroh
wird eben so weiß.

Diese zulezt genannten Bleichmethoden ersparen den größten
Theil der Arbeit, da bei ihrem Gebrauch nur eine Waschung nöthig
ist. Obschon auch sie mit einigen Schwierigkeiten verbunden sind
und manche Arten Stroh, besonders die weichen, leicht zu stark an=
greifen, so ziehe ich dieselben doch überhaupt den anderen Methoden
vor und rathe, nach langer Beobachtung, für die verschiedenen Arten
Stroh folgende Bleiche an.

Die starke Farbe des Roggenstrohs muß durch das gasförmige
Chlor, oder die Zersezung des Chlorkalks durch Schwefelsäure, zer=
stört werden. Die Masse behält in jedem Fall eine etwas gelbliche
Färbung, welche man ihr durch ein Bad von verdünnter Schwefel=
säure und durch einen schwachen Zusaz von Blau benimmt. Weizen=
stroh bleicht sich leicht auf die zu allererst beschriebene Weise; noch
leichter durch die Zersezung von Chlorkalk vermittelst Salzsäure.
Weizenstroh ist am zwekmäßigsten zum Bleichen, und Roggenstroh
ist am besten zum natürlichen Gebrauch. Gersten= und Haferstroh

bleichen sich wie Weizenstroh, jedoch etwas schwieriger. Die gelblichweiße Farbe, welche sie nach der Bleiche behalten, verbessert man
durch einen Zusaz von Blau.

Erbsenstroh würde, wegen der Zartheit seiner Fasern, die zuerst
beschriebene Bleiche erfordern, muß aber wegen der Stärke seiner
Farbe durch Chlorgas gebleicht werden. Bohnenstroh im Gegentheil
bleicht sich sehr leicht durch jene Bäder. Es verliert schon in der
Säure einen Theil seiner Farbe, welche der Chlorkalk ganz zerstört.
Wäre dieses Stroh häufiger, so könnte man es im Großen zur Verfertigung von weißem Papier benuzen. Das Linsenstroh verhält sich
beim Bleichen wie das Erbsenstroh. Das Maisstroh, welches schon
das vorzüglichste Stroh zur Bereitung des Pakpapiers ist, bleicht
sich durch Zersezung des Chlorkalks leicht. Es erhält eine angenehme
Weiße und kann, wenn man es im Holländer mahlt, das feinste
Papier liefern.

Also kann man jede Art Stroh bleichen, um sie zu weißem
Papier zu benuzen, so gut wie man sie ungebleicht zu gewöhnlichem
Papier verarbeiten kann. Allein dieser Bleiche bedarf es kaum, da
mehrere Sorten von Strohpapier, ich nenne nur das von Haferstroh,
im ungebleichten Zustand eine so angenehme und helle Farbe haben,
wie die Weiße bei feinem Lumpenpapier nur seyn mag.

Es wäre mein Wunsch, daß wakere Fabrikanten diese meine
Versuche prüfen und sie nach ihrer Meinung und ihren Umständen
in Anwendung bringen wollten. Schwierigkeiten dürfen nicht ab-
schreken; Beharrlichkeit und Muth vollenden mehr, als man erwartet. Die Fortschritte der Civilisation fordern von uns, daß wir
frühzeitig dem ihr durch den bevorstehenden Mangel an Material
für Papier drohenden Hemmnissen begegnen und auch der Hand der
Unbemittelten dieses unerläßliche Agens für alle Bildung in Kunst
und Wissenschaft um geringen Preis darbieten. Eine milde, alles
Gute stüzende und hebende Regierung, ein sicherer Friede, vortheilhafte Verträge für den vaterländischen Handel, Alles unterstüzt uns
dazu.

LXXIV.

Ueber die Scheidung des Iridiums zum technischen Gebrauch im Großen, aus den Rükständen von der Ausscheidung des Platins in Petersburg; vom Geheimen Bergrath Frick.

Aus Poggendorff's Annalen der Physik und Chemie 1837, No. 3.

Drei Pfund Rükstände von der Ausscheidung des Platins wurden in einem eisernen Mörser möglichst fein gestoßen und gesiebt. Es blieben etwa 1¼ Loth grobe, schwarze, metallischglänzende Körner zurük, die so hart waren, daß sie Eindrüke in den gußeisernen Mörser und in die geschmiedete eiserne Mörserkeule machten, ohne sich in Pulver zu verwandeln. Diese groben Körner, die aus Osmiumsirid bestehen, wurden zu einer besonderen Bearbeitung zurükgelegt. Das feingesiebte Pulver wurde auf einem Reibstein von weißem Quarz mit einem eben solchen Läufer und destillirtem Wasser feingerieben, getroknet und zu der nachfolgenden Arbeit aufbewahrt.

2 Pfund 30¾ Loth des feingeriebenen schwarzen Pulvers wurden mit dem gleichen Gewicht chemisch reinen gepülverten Salpeters gemengt. Das Gemenge wurde in sieben cylindrische Porcellanschmelztiegel vertheilt, wovon jeder 5 Zoll hoch, rund und oben von 3 Zoll Durchmesser war. Die Tiegel waren etwas über die Hälfte angefüllt. Ein solcher mit dem Gemenge angefüllter Porcellanschmelztiegel wurde in einen hessischen Schmelztiegel gesezt, dieser mit einem Dekel zugedekt und im Schmelzofen mit Holzkohlen langsam angefeuert. Das Feuer muß behutsam regiert werden, damit der Inhalt des Tiegels, wenn er ins Glühen kommt, nicht herausschäumt. Das Schmelzfeuer wird so lange fortgesezt, bis sich kein Sauerstoffgas mehr aus der schmelzenden Mischung entwikelt, was man leicht daran erkennt, wenn keine Flamme am Aufguß des Tiegels vom verbrennenden Kohlenwasserstoffgas der Holzkohlen mehr sichtbar ist. — Der Tiegel muß alsdann langsam abkühlen, und wird, wenn dieß geschehen ist, bei Seite gestellt.

Wenn alle sieben Porcellanschmelztiegel mit ihrem Inhalt nach einander auf diese Weise abgeschmolzen und erkaltet sind, so wird jeder Porcellantiegel einzeln in einen Porcellannapf mit drei Quart kochenden destillirten Wassers gelegt, und, nachdem der schwarze Inhalt des Tiegels aufgeweicht ist, mit einem eisernen Spatel möglichst rein herausgekrazt, der Schmelztiegel mit heißem destillirtem Wasser so lange nachgespült, bis sich nichts Schwarzes mehr von seinen inneren Wänden ablöst, und dann fortgeworfen. Auf gleiche Weise wird mit allen sieben Porcellanschmelztiegeln verfahren.

Die in den Porcellannäpfen enthaltene Flüssigkeit mit dem schwarzen Bodensaz wird in zwei große Cylindergläser gefüllt, wovon jedes Raum zu 14 Quart destillirten Wassers enthalten muß. Man sieht danach, daß in jedes Glas eine gleiche Menge von dem in den Näpfen befindlichen Bodensaz kommt, spült diese mit destillirtem Wasser nach und gießt es zu dem Uebrigen. Der Inhalt der Cylindergläser wird mit einer Glasstange umgerührt, worauf sie mehrere Tage ruhig stehen bleiben, bis sich ihr Inhalt so ziemlich geklärt hat. Mit der Fahne einer Schreibfeder wischt man zuweilen den schwarzen Staub, der sich unter der Flüssigkeit an die innere Fläche der Cylindergläser anzuhängen pflegt, behutsam ab.

Hat sich der Inhalt der Cylindergläser nach mehreren Tagen so ziemlich geklärt, so wird die stark nach Osmium riechende Flüssigkeit ab- und in große Cylindergläser gegossen, diese werden mit Papier verbunden, mit A bezeichnet, und bei Seite gestellt.

Der schwarze Bodensaz aus beiden großen Cylindergläsern wird in ein solches zusammengegossen, das Glas mit lauwarmem destillirtem Wasser vollgefüllt, der Inhalt mit einer Glasstange umgerührt und bei Seite gestellt. Er wird längere Zeit als früher stehen müssen, bis sich die Flüssigkeit geklärt hat. Wenn dieß der Fall ist, wird die ziemlich klare Flüssigkeit in ein anderes Glas abgegossen und mit der Bezeichnung B aufbewahrt, der Bodensaz aber in einem Porcellannapf getroknet. Das gewonnene trokene feingeriebene Pulver wird wiederum mit dem gleichen Gewicht chemisch reinen pulverisirten Salpeters gemengt, in mehrere Porcellanschmelztiegel vertheilt und wie das erste Mal geschmolzen. Aus den erkalteten Schmelztiegeln wird mit reinem, kochendem, destillirtem Wasser und mit Beihülfe der zurükgestellten Flüssigkeit B der Inhalt derselben aufgeweicht, losgekrazt, die Schmelztiegel fortgeworfen, die Flüssigkeit mit dem Bodensaz in die zwei großen Cylindergläser gefüllt, destillirtes Wasser nachgegossen, der Inhalt der Gläser tüchtig umgerührt und ihm dann Zeit zum Klären gelassen.

Die klare Flüssigkeit wird ab- und zu der mit A bezeichneten gegossen, der Bodensaz aber noch ein Mal mit erwärmtem destillirtem Wasser übergossen und umgerührt. Nach dem Klären der Flüssigkeit wird diese abgegossen und aufbewahrt, um beim nächsten Auflösen der geschmolzenen Rükstände wieder, wie früher, verwendet zu werden. Die Rükstände im Glase werden in einem Porcellantiegel getroknet und zum dritten Mal mit dem gleichen Gewicht reinen pul-

verisirten Salpeters gemengt, und im Porcellanschmelztiegel, wie
früher, geschmolzen.

Nach dem Erkalten der Schmelztiegel wird der Inhalt wieder,
wie früher, aufgeweicht und ausgesüßt. Das erste Aussüßwasser
wird, wie früher, zu A gegossen, die folgenden Aussüßwasser aber
aufbewahrt, um jeder Zeit beim Aufweichen der mit Salpeter geschmolzenen Rükstände benuzt zu werden.

Der ausgesüßte schwarze Rükstand wird ganz schwach in einem
geräumigen Porcellannapf getroknet und mit einer porcellanenen
Mörserkeule feingerieben. Er wird hierauf mit einer hinreichenden
Menge Salpetersalzsäure, aus zwei Theilen reiner starker Salzsäure
und einem Theile reiner starker Salpetersäure, in demselben Porcellannapf übergossen und dieser vorsichtig erhizt.

Die Flüssigkeit muß fast bis zur Hälfte eindunsten, darf aber
nicht zu stark kochen, indem das Ganze sonst durch seinen Kieselge-
halt zu einem gallertartigen Stüke coagulirt, wodurch die fernere
Bearbeitung sehr erschwert wird. Oftmaliges Umrühren der Flüssigkeit und des Bodensazes mit einem Porcellanlöffel verhindert, daß
sich dieselbe fest an den Boden des Porcellannapfs ansezt. — Sobald kein merkliches Auflösen mehr Statt findet, wird der Porcellannapf vom Feuer genommen und zum Abkühlen bei Seite gesezt. Die
erhaltene dunkelrothbraune Flüssigkeit, nebst dem schwarzen Bodensaz,
wird in einem großen Cylinderglase mit wenigstens zwölf Quart lau-
warmen destillirten Wassers verdünnt, tüchtig mit einer Glasstange
umgerührt und ihr dann Zeit zum Klären gelassen.

Nach Verlauf von 24 Stunden wird die dunkelbraun gefärbte
Auflösung vom Bodensaz ab- und in andere Glasgefäße gegossen,
und diese mit C bezeichnet. Der Bodensaz wird nun wiederholt so
lange mit lauwarmem destillirtem Wasser ausgesüßt, bis dieses nur
schwach gelbbraun gefärbt ist. Die Aussüßwasser werden dann zu
C gegossen, der schwarze Rükstand aber in einem Porcellannapf getroknet und feingerieben. Der getroknete feingeriebene Rükstand
wird mit dem gleichen Gewicht reinen gepülverten Salpeters gemengt,
und, wie schon öfter angegeben, in Porcellanschmelztiegeln dem
Schmelzfeuer ausgesezt. Der Inhalt der Schmelztiegel pflegt aber
nun nicht mehr in Fluß zu kommen, doch muß das Glühen so lange
fortgesezt werden, bis sich kein Sauerstoffgas mehr entwikelt. —
Der erkaltete Inhalt der Schmelztiegel wird mit erwärmtem destillirtem
Wasser aufgeweicht und mit solchem ausgesüßt. Die Aussüßwasser
werden nicht mehr zu A gegossen, sondern besonders aufbewahrt und
mit D bezeichnet.

Die Rükstände nach dem Aussüßen werden getroknet, abermals

mit dem gleichen Gewicht reinen gepülverten Salpeters gemengt und wiederum in Porcellanschmelztiegeln geschmolzen, — der Inhalt der Tiegel nach dem Erkalten mit destillirtem Wasser ausgesüßt, die Aussüßwasser zu D gegossen und aufbewahrt, der Rückstand aber, nachdem er im Porcellannapf getroknet, zum dritten Mal mit dem gleichen Gewicht reinen Salpeters geschmolzen. Nach dem Erkalten wird der Inhalt der Schmelztiegel, in destillirtem Wasser aufgelöst, ausgesüßt, die Aussüßwasser zu D, der schwarze Rückstand aber in einen geräumigen Porcellannapf gegossen, mäßig getroknet, und, wie oben angegeben, mit Salpetersalzsäure behandelt.

Die saure Auflösung wird, wie früher angegeben, nachdem sie sich geklärt hat, ab= und zu C gegossen. Dasselbe geschieht mit den Aussüßwassern. Der Rückstand wird getroknet, und nun so lange damit das dreimalige Schmelzen mit dem gleichen Gewicht gepülverten Salpeters, jedesmalige Auslaugen und dann Behandeln mit Salpetersäure fortgesezt, bis der Rückstand zu unbedeutend ist, um ferner mit Salpeter geschmolzen zu werden. Er wird dann getroknet und aufbewahrt, um bei neuer Bearbeitung von 3 Pfd. Rückständen von der Platinarbeit mit hinzugenommen und verarbeitet zu werden.

Nach der Behandlung mit Salpetersalzsäure bemerkt man beim Aussüßen der Rückstände zuweilen zwischen denselben gallertartige, durchscheinende Klümpchen. In diesem Falle werden die Rückstände nicht getroknet, sondern nur durch Abgießen vom überflüssigen Wasser befreit, in einem eisernen Gefäße mit Liquor kali caustici tüchtig aufgekocht und nach dem Erkalten mit vielem heißem destillirtem Wasser ausgesüßt, dann getroknet und wieder mit Salpeter geschmolzen.

Die Producte der Arbeit sind nun die Flüssigkeiten A, C und D.

Fernere Bearbeitung der Flüssigkeit A.

Durch längeres Stehen pflegt sich die Flüssigkeit A vollständig zu klären. Sie wird vom Bodensaz abgegossen, der leztere ausgesüßt, getroknet und den Rückständen beim Schmelzen mit Salpeter wiederum zugesezt.

Die klare Flüssigkeit und die Aussüßwasser werden durch Einbunsten in einer Porcellanabdampfschale etwas concentrirt. Nach dem Erkalten der Flüssigkeit wird dieselbe mit reiner Salpetersäure so lange versezt, bis sie ein wenig sauer ist. Man hüte sich vor dem Uebersezen mit Säure, weil sich ein Theil des entstandenen Niederschlags sonst wieder auflöst. Der entstandene voluminöse Niederschlag wird durch Klären und Filtriren abgesondert, mit destillirtem Wasser

ausgesüßt, filtrirt, gelinde getroknet, mit E bezeichnet, und einstweilen aufbewahrt.

Die klare goldgelbe Flüssigkeit und die Aussüßwasser werden in
eine große gläserne Retorte gefüllt, eine geräumige Vorlage angefügt,
und in diese der achte Theil so viel Kalkmilch, aus gebranntem weißem Marmor und destillirtem Wasser, gegossen, als der Inhalt der
Retorte beträgt. Aus der Retorte wird die Hälfte ihres Inhalts
in die Vorlage übergetrieben, wobei die Flüssigkeit in der Retorte
sieden muß.

Nach dem Erkalten wird der Inhalt der Retorte in ein großes
Cylinderglas gegossen; er pflegt trübe zu seyn, klärt sich aber nach
einigen Tagen. Die klare Flüssigkeit wird abgegossen, der Rückstand
filtrirt, ausgesüßt, getroknet und zu E geschüttet.

Die klaren, gelben, chromsaures Kali haltenden Flüssigkeiten
werden mit salpetersaurer Quecksilberauflösung zu chromsaurem Quecksilber niedergeschlagen, dieses ausgesüßt, filtrirt, getroknet und ausgeglüht, und dadurch der Chromgehalt der bearbeiteten Erze gewonnen.

Fällt das chromsaure Quecksilber beim Niederschlagen nicht schön
roth, sondern dunkel rothbraun nieder, so ist die Flüssigkeit nicht frei
von Osmium gewesen, und dieselbe vor dem Destilliren nicht gehörig
neutralisirt worden, oder die Destillation ist nicht bei gehörigem Sieden der Flüssigkeit in der Retorte oder nicht hinreichend bewerkstelligt
worden.

Der Inhalt der Vorlage, der stark nach Osmium riecht, wird
in ein Cylinderglas gegossen, so lange mit reiner Salzsäure versetzt,
bis diese deutlich vorsticht, worauf sich die Flüssigkeit klären muß.
Das Klare wird abgegossen, der geringe Bodensaz filtrirt, ausgesüßt
und fortgeworfen.

In die mit den Aussüßwassern zusammengegossene, klare, wasser-
helle Flüssigkeit wird so lange eine reine glatte Zinkstange gehangen,
bis die Flüssigkeit, die zuerst eine braune Farbe anzunehmen pflegt,
völlig wieder wasserhell geworden ist, und sich nichts Schwarzes mehr
niederschlägt. Die völlig klare Flüssigkeit wird dann abgegossen und
fortgeschüttet, der schwarze Bodensaz aber mit destillirtem Wasser
ausgesüßt, filtrirt, getroknet und als Osmium aufbewahrt.

Die getrokneten, feingeriebenen Niederschläge E werden in einem
Porcellannapf mit reiner Salzsäure übergossen und im Sandbade
digerirt. Sie lösen sich größten Theils auf. Der Inhalt des Napfs
wird dann nach dem Erkalten mit destillirtem Wasser verdünnt und
durch Löschpapier filtrirt. Die durchgelaufene grüne, klare Flüssigkeit wird mit F bezeichnet und zurückgestellt. Der im Filter verblei-

benbe Rükstand wird ausgesüßt, mit Liquor kali caustici gemengt und in einem eisernen Gefäße fast bis zum Trokenwerden eingedunstet. Hierauf wird der Rükstand ausgesüßt, filtrirt und getroknet, und beim Auflösen der mit Salpetersäure geschmolzenen ausgesüßten Rükstände in Salpetersäure diesen mit zugesezt.

Die Flüssigkeit F wird so lange mit Liquor kali caustici versezt, bis der entstandene Niederschlag größten Theils aufgelöst ist, und die Flüssigkeit die frühere klare, grüne Farbe wieder angenommen hat. Hierauf wird die filtrirte Flüssigkeit in einem Porcellannapf bis zum Sieden erhizt und eine Zeit lang in dieser Hize erhalten. Es sondert sich während des Siedens grünes Chromoxyd ab, welches nach dem Erkalten der Flüssigkeit durch Filtriren abgesondert, ausgesüßt und getroknet wird. Dieses Chromoxyd ist in der Regel nicht rein. Es muß durch Schmelzen mit Salpeter in chromsaures Kali verwandelt, dieses mit salpetersaurem Quekfilber zu chromsaurem Quekfilber niedergeschlagen, ausgesüßt, filtrirt, getroknet und ausgeglüht werden, wodurch man es als reines Chromoxyd erhält.

Fernere Bearbeitung der Flüssigkeit G.

Die durch die Behandlung der mit Salpeter geschmolzenen ausgesüßten Rükstände, mit Salpetersalzsäure erhaltenen rothbraunen Auflösungen, mit den gewonnenen Aussüßwassern, werden durch Zusammengießen möglichst gleichartig gemacht, und dann in mehrere große Cylindergläser vertheilt. In jedes, wenigstens zwölf Quart Auflösung enthaltende Cylinderglas wird zu der braunen Auflösung vier Loth concentrirte Schwefelsäure gegossen, und in jedes Cylinderglas zwei starke glatte Zinkstangen gehangen. Die Zinkstangen werden alle 24 Stunden in der Flüssigkeit abgespült, und der daran haftende Niederschlag durch Aneinanderreiben und Abspülen von beiden Zinkstangen abgespült. — Es bildet sich sehr bald ein schwarzer Niederschlag auf dem Boden des Cylinderglases. Wenn nach Verlauf von zwei, auch drei Wochen sich kein schwarzer Niederschlag mehr an den Zinkstangen absezt, wenn die Flüssigkeit klar und kaum schwach gelblich gefärbt ist, wird sie abgegossen, bei Seite gestellt und mit G bezeichnet.

Der schwarze Niederschlag wird filtrirt und getroknet, mehrmals mit sehr verdünnter Salzsäure digerirt, alsdann ausgesüßt, filtrirt und getroknet, und als Iridium aufbewahrt. Er muß rein dunkelschwarz aussehen.

Die oben bemerkte Flüssigkeit G wird in einem Porcellannapf bis zum Trokenseyn eingedunstet, und der Napf mit seinem Inhalt einem schwachen, aber anhaltenden Rothglühfeuer ausgesetzt. Nach

dem Erkalten wird der Inhalt des Napfes mit destillirtem Wasser
losgeweicht, mit heißem destillirtem Wasser ausgesüßt, einige Mal
mit schwacher Salzsäure digerirt, wiederum ausgesüßt, filtrirt und
getroknet. Das gewonnene gräuschwarze Pulver wird beim Schmelzen der Rükstände mit Salpeter diesen wiederum zugesezt.

Bearbeitung der Flüssigkeit D.

Die alkalische Flüssigkeit D hat in der Regel eine bräunliche
Farbe. Sie läßt beim Sättigen mit reiner Salpetersäure eine Verbindung von schwarzem Iridium- und Osmiumoxyd fallen, welche
abgesondert, filtrirt, ausgesüßt, getroknet und den Rükständen beim
Schmelzen mit Salpeter wiederum zugesezt wird.

Die Flüssigkeit, aus welcher das Iridium-Osmiumoxyd niedergefallen ist, wird ganz wie die Flüssigkeit A behandelt, nur muß der
Inhalt der Retorte fast bis zur Trokne im Sandbad abbestillirt werden. Aus der in der Vorlage enthaltenen Kalkmilch wird noch eine
bedeutende Menge Osmium durch das oben angewandte Verfahren
erhalten.

Die Rükstände von der Ausscheidung des Platins in Petersburg
enthalten nur einen sehr geringen Theil Iridium, höchstens 3½ Loth
auf das Pfund. Der größte Theil des Gehaltes besteht in Osmium,
das bei dem angegebenen Verfahren größten Theils verloren geht. —
Wünscht man dieses ebenfalls zu gewinnen, so muß das Schmelzen
der Rükstände mit Salpeter, statt in einem Porcellanschmelztiegel, in
einer Retorte von Porcellan geschehen, deren Hals in einen Ballon
mit Kalkmilch geleitet ist, aus welcher das Osmium auf die mehrer-
wähnte Weise abgeschieden wird. Die vielen Destillationen in Por-
cellanretorten machen aber die Arbeit im Großen sehr beschwerlich
und kostbar.

Das auf dem angegebenen Wege gewonnene schwarze Iridium-
oxyd hat eine ungemeine Intensität der Farbe.

Völlig reines Platin, durch Zink niedergeschlagen, gibt nur dann
auf Porcellan, mit Schmelzglas versezt, ein völlig ungefärbtes Glas,
wenn das Platin auch nicht ein Minimum von Iridium hält, was
übrigens nicht so leicht zu bewerkstelligen ist, als man glauben
möchte. — Reines Osmium, durch Zink niedergeschlagen, gibt ebenfalls auf Porcellan, mit Schmelzglas versezt, ein ungefärbtes Glas.
Hält das Platin oder das Osmium aber nur ein Minimum Iridium,
so sind die Schmelzgläser davon auf Porcellan grau gefärbt.

LXXV.

Ueber eine beim Probiren des Silbers auf nassem Wege nöthige Vorsichtsmaßregel; von Hrn. Gay-Lussac.

Aus den Annales de Chimie et de Physique. November 1836, S. 334.

Beim Probiren des Silbers auf nassem Wege, welches täglich im Bureau de garantie in Paris vorgenommen wird, hatte ich Gelegenheit, einen neuen Umstand kennen zu lernen, wodurch man in Irrthum geführt werden kann, wenn man nicht darauf aufmerksam gemacht wird. [69]) Es ist dieser, daß das Schwefelsilber von Salpetersäure nicht sehr leicht angegriffen wird; so daß es also, wenn das zu probirende Silber einige Tausendtheile Schwefelsilber enthielte, möglich wäre, daß sich dieses Sulfurid nicht auflöst, wodurch folglich der Silbergehalt zu niedrig geschäzt würde. Die Ursache hievon wäre allerdings nur, daß man die Salpetersäure nicht von der nöthigen Stärke und nicht in hinreichender Menge angewandt hätte. So viel ist gewiß, daß wenn das Silber auch Schwefelsilber enthält und von diesem ein Theil unaufgelöst bleibt, man dieß durch die Erscheinung eines sehr zarten, aber schweren Pulvers von schwarzer Farbe gewahr wird, welches sich von dem bisweilen im Silber enthaltenen Gold durch ein weniger flokiges Aussehen unterscheidet. Auf Zusaz einer neuen Quantität concentrirter Salpetersäure würde sich das Schwefelsilber allerdings auflösen; besser thut man aber, wenn man die Silberauflösung, worin man Schwefelsilber vermuthet, mit fünf bis sechs Kubikcentimetern concentrirter Schwefelsäure versezt. Das Schwefelsilber löst sich dann augenbliklich auf, um aber vollkommen sicher zu seyn, hält man die salpetersaure Auflösung einige Augenblike in ein kochendes Wasserbad.

Die Schwefelsäure muß natürlich frei von Salzsäure seyn; sollte sie es nicht seyn, so müßte man sie einige Zeit im Sieden erhalten und den Theil, welcher bei der Destillation überging und die Salzsäure mit sich riß, unbenuzt lassen. Ich habe öfters concentrirte Schwefelsäure, wie sie im Handel vorkommt, auf Salzsäure untersucht, ohne jedoch merkliche Spuren von Salzsäure darin entdeken zu können.

---

69) Bekanntlich hat Hr. Gay-Lussac schon früher gezeigt, daß wenn eine Silberbaare etwas Queksilber enthält, dieses als Calomel mit dem Chlorsilber bei der Fällung durch Kochsalz abgeschieden wird; Polyt. Journal Bd. LVI. S. 436. Die Silberprobe auf nassem Wege ist ausführlich beschrieben im Polyt. Journal Bd. XLIX. S. 108. X. d. R.

LXXVI.

**Verbeſſerte Methode Kautſchuk aufzulöſen und zuzubereiten,
um ihn zu verſchiedenen Zweken anwendbar zu machen,
worauf ſich James Martin von Charing Croß, Weſtminſter, auf die von einem Fremden erhaltene Mittheilung am 27. Febr. 1836 ein Patent ertheilen ließ.**

Aus dem London Journal of Arts. März 1837, S. 331.

Durch die unter gegenwärtigem Patente begriffene Erfindung ſoll
man in Stand geſezt werden, eine ätheriſche, zur Auflöſung des
Kautſchuks dienende Eſſenz zu bereiten, um ſich damit eine Auflö
ſung zu verſchaffen, aus der ſich der Kautſchuk nach geſchehener Anwendung weit vollkommener und ſchneller wieder in ſeinem natürlichen und urſprünglichen Zuſtande abſcheidet, als dieß bisher bei
Anwendung irgend eines anderen Auflöſungsmittels der Fall war.

Ich bringe, ſagt der Patentträger, um mir die ätheriſche Eſſenz
zu verſchaffen, 3 bis 400 Gallons Waſſer zum Behufe der Verwandlung in Dampf in einen Keſſel, und leite den erzeugten Dampf in
einen Kolben, in welchen ich vorher 50 Gallons Waſſer mit 15 Pfd.
oder mehr concentrirter Schwefelſäure, ſogenanntem käuflichen Vitriolöhle verſezt, gebracht habe. Wenn die Säure durch Umrühren gut
mit dem Waſſer vermengt worden iſt, ſo trage ich 300 Gallons rohen oder braunen flüchtigen Oehles oder Geiſtes, daſſelbe mag vegetabiliſchen, mineraliſchen oder animaliſchen Urſprunges ſeyn, ein, ſo
daß ungefähr 5 Proc. Säure auf das flüchtige Oehl kommen. Hierauf laſſe ich den Dampf aus dem Keſſel durch eine Röhre, welche
beinahe am Grunde des Kolbens einmündet, übergehen, um dadurch
das Ganze ſchnell bis zur Siedhize zu erwärmen, wo dann die flüchtigeren Theile des rohen ätheriſchen Oehles übergehen, und nachdem
ſie in dem Schlangenrohre verdichtet worden ſind, zugleich mit dem
verdichteten Waſſer in einer Vorlage aufgefangen werden.

Ich beſchränke mich übrigens nicht auf das angegebene oder irgend ein anderes Verhältniß der Schwefelſäure zum flüchtigen
Oehle; meine Anſprüche gründen ſich vielmehr auf die Benuzung der
verkohlenden Eigenſchaft der Schwefelſäure, wobei die Schwefelſäure
in ſolchen Verhältniſſen oder Quantitäten angewendet wird, wie es
der Qualität des benuzten rohen Oehles oder dem gewünſchten Grade
oder der ſpecifiſchen Leichtigkeit des zu bereitenden flüchtigen Oehles
entſpricht. Der Stärkegrad des Auflöſungsmittels muß nämlich je
nach der Qualität des aufzulöſenden Kautſchuks und je nach dem
Zweke, zu welchem die Auflöſung beſtimmt iſt, verſchieden ſeyn;

Braucht man z. B. ein sehr flüchtiges und schnell wirkendes Auflösungsmittel, so nehme ich 10 Proc. Schwefelsäure; die Quantität
der ätherischen Essenz wird dann zwar geringer ausfallen; allein sie
wird auch um so flüchtiger und leichter seyn.

Wenn nur mehr so wenig Essenz aus dem Verdichter überläuft,
daß sie nur den zehnten Theil des überlaufenden Wassers beträgt,
so lasse ich keinen Dampf mehr einströmen, und ziehe sowohl das
Wasser als das zersezte Oehl ab. Lezteres gebe ich dann in die Blase,
aus welcher roher Theer destillirt wird, indem dadurch sowohl die
Quantität des Peches vermehrt, als dessen Qualität verbessert wird.
Oder ich verwandle es auch in einen Firniß, indem ich es abdampfe
und ihm ein Zehntheil schwarzes oder gewöhnliches Harz zuseze.

Den Kessel lasse ich mir aus Eisenblech oder aus Schmiedeisen,
den Kolben hingegen aus Blei verfertigen; der Hals des Kessels muß
aus Eisenblech von solcher Stärke bestehen, daß es einem Druke von
1½ Atmosphären oder von 26 Pfd. auf den Quadratzoll zu widerstehen vermag; der Hals des bleiernen Kolbens muß aus Blei und
das Schlangenrohr aus zinnernen, zusammengelötheten und mit irgend einem guten unauflöslichen Firnisse überstrichenen Röhren
bestehen.

Wenn die Arbeit für einen Tag vollbracht ist, so verstopfe ich
das untere Ende des Schlangenrohres mit einem hölzernen Zapfen,
damit keine Luft durch den Apparat dringen kann, und damit weder
das Eisen, noch das Blei, noch das Zinn hiedurch oxydirt wird.

Das Schlangenrohr muß in einem eigenen Gestelle unter einem
Winkel von 45° erhalten und durch bleierne oder eiserne Gewichte
niedergehalten werden. An dem Dampfkessel bringe ich ein gewöhnliches Sicherheitsventil, und außerdem auch noch ein Vacuumventil
an, welches sich nach Innen öffnet, und welches das Eindrüken des
bleiernen Kolbens durch den Druk der äußeren atmosphärischen Luft
verhindert, im Falle der Dampfzufluß plözlich unterbrochen würde,
oder im Falle aus irgend einer anderen Ursache ein Vacuum im Kolben entstünde. Ein solches Ventil soll auch an dem eisernen Kessel
angebracht werden.

Der Vorsicht wegen ist es gut, den bleiernen Kolben mit einem
eisernen oder auch mit einem hölzernen bereiften Gehäuse zu umgeben, um ihn sowohl gegen den Druk, den er von Innen erleidet,
als auch gegen zufällige äußere Beschädigungen zu schüzen. Dieß
würde zugleich auch noch den Vortheil gewähren, daß der Kolben
durch Ausstrahlen der Wärme nicht so leicht auskühlt.

Was den Dampfkessel betrifft, so verfertige ich ihn lieber etwas
größer, als es durchaus nöthig ist, damit ich, wenn der Dampf

sehr reichlich ist, die ätherische Essenz im Nothfalle auch mehrmals
des Tages verarbeiten kann. Ich beschränke mich übrigens durchaus
auf keine Form und Größe der Apparate, so wie auch auf kein bestimmtes Material; denn in meine Erfindung schlägt jedes Verfahren
ein, nach welchem irgend ein rohes mineralisches, vegetabilisches oder
thierisches Oehl zum Behufe der Erzeugung einer ätherischen Essenz
von flüchtigerer und kräftigerer Beschaffenheit als sie nach irgend einem anderen bekannten Verfahren hervorgebracht werden kann, durch
Schwefelsäure verkohlt oder zersezt wird. Die nach der angegebenen
Methode bereitete Essenz ist ein ganz vortreffliches Auflösungsmittel
für den Kautschuk; denn sie löst denselben nicht nur sehr schnell auf,
sondern sie läßt ihn, nachdem sie verflüchtigt worden ist, auch in
seinem ursprünglichen und natürlichen Zustande zurük, ohne daß er
auch nur eine Spur des Geruches des Auflösungsmittels beibehält.
Meine Essenz eignet sich daher auch ganz vorzüglich zur Verfertigung
aller Arten wasserdichter Gegenstände aus dem Kautschuk.

LXXVII.

Ueber den Dienst der Apparate, mit welchen im Hôpital Saint-Louis in Paris, und in dem Hospice général in Lille Knochengallerte und Knochensuppe bereitet wird. Von Hrn. d'Arcet, Mitglied der Akademie in Paris. [70]

Aus dem Recueil industriel, Februar 1837, S. 104.

Der Apparat, womit in dem Hôpital Saint-Louis nach meiner
Angabe Knochensuppe bereitet wird, arbeitet seit dem 9. Okt. 1829
beinahe unausgesezt, und hat innerhalb 7 Jahren nicht weniger als
1,081,982 Liter Gallertauflösung und 4776 Kilogr. Fett geliefert.

[70] Dieß ist nach längerer Zeit wieder der erste ausführlichere Bericht, den
Hr. d'Arcet über einen seiner Lieblingsgegenstände erstattete. Wir müssen, damit man ihn vollkommen würdigen könne, auf das hinweisen, was das Polytechn.
Journal Bd. XXXIII. S. 222, Bd. XLIII. S. 88 und Bd. XLVIII. S. 316
hierüber enthält. Die wesentlichste Verbesserung, die man in der Benuzung des
d'Arcet'schen Apparates bemerken wird, und die allerdings geeignet seyn dürfte,
demselben nunmehr allerwärts größeren Eingang zu verschaffen, besteht darin, daß
man den minderen Gehalt der Suppe dadurch ersezt, daß man den Reconvalescenten und Armen eine größere Menge guten gebratenen Fleisches reicht, ohne daß
daraus im Vergleiche mit den früheren Kosten der Nahrung ein größerer Geld-
aufwand erwächst. Es wäre demnach zu wünschen, daß man in allen größeren
Städten d'Arcet'sche Suppenanstalten errichtete; namentlich scheint es uns, daß
dieß den Armenpflegschafts-Administrationen zu empfehlen wäre; denn gewiß würde
ihr Zwek besser erreicht werden, wenn man den Armen einen täglichen Naturalien-
oder Kostbezug anwiese, als dadurch, daß man diesen wöchentlich einiges Geld
spendet, welches gewöhnlich an einem einzigen Tage durchgebracht wird.
A. d. R.

Diese Producte dienten zur Bereitung von 2,167,559 Rationen Gallertspeisen, wovon 1,736,859 Rationen an die Kranken, 417,900 an das Dienstpersonal, und 12,800 an arme Familien abgegeben wurden. Die Zahl der Personen, welche diese Nahrungsmittel genossen, belief sich auf 60,549, worunter 47,119 Kranke, 630 Individuen vom Dienstpersonale und 12,800 Arme.

Die nunmehr siebenjährige Dauer dieses diätetischen Regime und der Ruf, den sowohl das genannte Spital als dessen Verwaltung genießt, geben einen neuen Beweis für den bereits öffentlich und auch zu wiederholten Malen von der medicinischen Facultät anerkannten Grundsaz, daß die gehörige Verwendung der Gallerte als Nahrungsmittel dem menschlichen Organismus nicht im Geringsten nachtheilig ist. Der große Vortheil, den dieses Nahrungsmittel vielmehr gewährt, ergibt sich daraus, daß der Mensch stikstoffhaltiger Stoffe zu seiner Nahrung bedarf; daß man sich die Gallerte für sehr wohlfeilen Preis verschaffen kann; und daß man, wenn man sich ihrer bedient, sowohl den Reconvalescenten als den Gesunden ohne alle Kostenerhöhung eine größere Menge Gebratenes, Ragout und andere nahrhafte Speisen reichen kann, als dieß bisher in Spitälern und Wohlthätigkeitsanstalten möglich war.

Folgende Tabelle enthält die Details des siebenjährigen Dienstes des Apparates, welcher dem Hôpital Saint-Louis angehört.

Datum.	Verbrauch		Producte.			
	Jährl. Verbrauch an Kohlen.	Jährl. Verbrauch an Knochen.	Gallerte auflösung.	Fett.	Knochen, aus denen aller Nahrungsstoff ausgezogen worden war.	Gallerte.
	Hect.	Kil.	Liter.	Kil.	Kil.	
Vom 9. Okt. 1829 bis 9. Okt. 1830	305,0	9,983	145,615	677,95	7,997,45	1133
Vom 9. Okt. 1830 bis 9. Okt. 1831	311,0	10,113	150,110	691	8,055,15	—
Vom 9. Okt. 1831 bis 9. Okt. 1832	319,50	10,201	165,215	6 9,05	8,166	—
Vom 9. Okt. 1832 bis 9. Okt. 1833	307,0	9,899	149,325	681,50	7,810	—
Vom 9. Okt. 1833 bis 9. Okt. 1834	303,50	9,950	155,615	565,50	7,787	—
Vom 9 Okt. 1834 bis 9. Okt. 1835	302,50	9,990	155,525	660,0	7,708	—
Vom 9. Okt. 1835 bis 9. Okt. 1836	306,0	10,010	156,015	701,0	8,040	—
Summa	2,154,50	70,146	1,077,450	4,776,0	55,561,60	1133[71])

71) Diese 1133 Liter Gallerte repräsentiren 4532 Liter Gallertauflösung von gewöhnlicher Stärke; läßt man also zur Vereinfachung des Calculs diese 1133 Liter weg und zählt man dafür bei der dritten Colonne 4532 Liter Gallertauflösung hinzu, so gibt dieß eine Gesammtzahl von 1,081,982 Liter Gallertauflösung. A. d. Ü.

Hieraus ergibt ſich als mittlerer Durchſchnitt für jeden Tag ein Verbrauch von 67,44 Kilogr. Steinkohlen und 27,454 Kilogr. friſcher Knochen [72]); dafür aber ein Ertrag von 423,476 Liter Gallertauflöſung, von 1,869 Kilogr. Fett, und von 21,746 feuchten Knochenrükſtandes. [73])

Reducirt man die friſchen Knochen und den feuchten Knochenrükſtand auf den Zuſtand der Trokenheit, ſo ergibt ſich ein täglicher Verbrauch von 67,44 Kilogr. Steinkohlen und 25,257 Kilogr. trokener Knochen; dagegen ein Ertrag von 423,476 Liter Gallertauflöſung, von 1,869 Kilogr. Fett und von 16,309 trokenen Knochenrükſtandes.

Nach einem ſiebenjährigen Durchſchnitte gaben alſo 100 Kilogr. trokene Knochen 1676 Liter Gallertauflöſung oder 28,029 Kilogr. trokene Gallerte, 7,399 Kilogr. Fett, und 64,572 Kilogr. Knochenrükſtand, ſo daß demnach 100 Kilogr. trokene Knochen 36 Kilogr. trokenen Nahrungsſtoff lieferten, und daß die erzielte Gallertauflöſung im Liter 16 bis 17 Grammen trokene Gallerte aufgelöſt enthielt.

Damit man dieſe Reſultate noch beſſer würdigen könne, muß ich bemerken, daß der Apparat, den das Hôpital Saint-Louis beſizt, nichts weniger als muſterhaft, ſondern vielmehr ſchlecht iſt, und für geringe Koſten aus vier alten Röhren einer Dampfmaſchine zuſammengeſezt wurde. Ferner kommt zu berükſichtigen, daß von dem zum Füllen der Cylinder nöthigen Knochenbedarfe täglich 6 bis 7 Kil. Knochen fehlten, weßhalb alſo der Apparat auch nie das Maximum ſeines Nuzeffectes geben konnte; daß man denſelben nicht nebenbei zum Heizen benuzte; daß man gar keine Vorſichtsmaßregel anwandte, um das Auskühlen ſeiner 6 Quadratmeter großen Oberfläche zu verhüten; und endlich, daß ſich die zu ſeinem Betriebe verbrauchte Quantität Brennmaterial leicht um die Hälfte vermindern ließe.

Was die Gallertauflöſung betrifft, ſo reicht ein Gehalt von 10 Grammen trokener Gallerte per Liter Auflöſung hin, um dieſelbe mit Vortheil und mit einer Erſparniß von der Hälfte oder ſelbſt von ⅔ Fleiſch bei der Suppenbereitung zu benuzen. In dieſer Hinſicht läßt der Apparat allerdings nichts zu wünſchen übrig; denn man kann mit demſelben nach Belieben Gallertauflöſung bereiten, welche ſo concentrirt iſt, daß ſie beim Abkühlen zur Gallerte erſtarrt.

---

72) Die friſchen, aus den Fleiſchhäfen kommenden Knochen enthalten 8 Proc. Waſſer. A. d. O.
73) Der Knochenrükſtand enthält, ſo wie er aus den Cylindern kommt, gegen 30 Proc. Waſſer; ich will jedoch, um ſicher zu ſeyn, nur 25 Proc. annehmen. A. d. O.

Wendet man Knochen an, die nicht sehr fett sind, so ist es ein
Leichtes, sich eine Auflösung zu verschaffen, welche bis an 20 Gram=
men trokener Gallerte in einem Liter enthält.

In Beziehung auf den Kostenpunkt bleibt gleichfalls kaum et=
was zu wünschen übrig; denn die Erfahrung hat gezeigt, daß, wenn
man sich guter Apparate bedient, und wenn man gehörig verfährt,
der Liter Auflösung gewöhnlich nur auf einen Centime, manchmal selbst
auf gar nichts zu stehen kommt. Kann man mehr verlangen, und
wird man nicht einst bedauern, daß man eine so reiche Nahrungs=
quelle so lange gänzlich unbenuzt ließ? Ich hoffe, daß die Bekannt=
machung des gegenwärtigen Berichtes die Einführung des fraglichen
Apparates von Seite der Administrationen der Versorgungs= und Armen=
häuser und anderer Wohlthätigkeitsanstalten beschleunigen wird. Meine
Ansicht hierüber steht fest, und ich kann nachdrüklich versichern, daß
alle die Discussionen, welche ich im Laufe von 22 Jahren in Betreff
der Anwendung der Gallerte als Nahrungsmittel zu bestehen hatte,
mich nur mehr und mehr in der Meinung bestärkten, daß ich auf
dem rechten Wege bin, und daß ich fest auf demselben zu behar=
ren habe.

Ich füge nunmehr nur noch den Bericht bei, den mir das Bu=
reau der Wohlthätigkeitsanstalten der Stadt Lille erstattete.

„Unser Apparat, heißt es in diesem Berichte, arbeitet seit März
1832. Er hatte anfangs sowohl von Seite der Dürftigen, für die
er hauptsächlich bestimmt war, als auch von Seite jener, die bei al=
len Neuerungen erschreken, das Vorurtheil gegen sich: ein vierjäh=
riger Dienst hat dieses glüklicher Weise größten Theils verscheucht.
Wir vertheilen gegenwärtig an Kranke, Wöchnerinnen und Recon=
valescenten eine Suppe, welche mit Gallerte und mit einem Zusaze
von 20 Proc. Fleisch bereitet und sowohl ihrer Kraft als ihres Wohl=
geschmakes wegen allgemein jener vorgezogen wird, die nach der
gewöhnlichen Methode bereitet wurde. Außerdem vertheilen wir an
arme Familien anstatt eines Theiles des ihnen bewilligten Brodes,
je nach der Jahreszeit, Reis, Kartoffeln oder Bohnen, die mit Gal=
lertauflösung zubereitet worden sind. Dieses Gericht, welches an=
fangs nur mit Widerwillen von den Armen, die das Brod vorzo=
gen, angenommen wurde, wird nunmehr von der Mehrzahl gie=
rig gesucht; denn diese animalisirten Gemüse geben in der That eine
wohlschmekende und nahrhafte Speise. Wir wachen mit aller Sorg=
falt über unserer Anstalt, und können uns zur Einführung einer Verpfle=
gungsweise, die so viel leistet, und die unter allenfalls eintretenden
schwierigen Zeitumständen noch mehr verspricht, nur Glük wünschen.

„Unser Apparat lieferte, seit er in Gang ist, und obwohl er wöchentlich nur zwei Mal arbeitet[74]), gegen 146,250 Liter Suppe, eben so viele Portionen gekochtes und ausgelöstes Fleisch, jede zu beiläufig 2 Unzen und 108,780 Liter Gemüse. Jeder Liter Suppe kam mit Einschluß von 2 Unzen Fleisch auf 25 Centimen; jeder Liter mit Gallerte-Auflösung gekochten Gemüses auf 8¾ Cent. zu stehen.

„Wir geben in finanzieller Hinsicht folgende weitere Aufschlüsse:

Die vier Cylinder unseres Apparates enthalten zusammen 140 Kilogr. Knochen, welche 4 Tage lang oder 96 Stunden hindurch extrahirt werden.

Die 140 Kilogr. Knochen zu 12 Cent. kommen auf	16 Fr.	80 C.
5 Cntr. Steinkohlen zu 2 Fr. 35 Cent. auf	14 —	10 —
4 Arbeiter, jeder des Tages zu 1 Fr.	16 —	— —
Interessen des Capitales und Unterhaltungskosten	5 —	20 —
Summa	52 Fr.	10 C.
Davon ab die rückständigen 70 Kilogr. Knochen zu 3 Cent. das Kilogr.	2 —	10 —
Summa der Kosten	50 Fr.	— C.

Die vier Cylinder geben stündlich 25 Liter Brühe, mithin in 96 Stunden 2400 Liter, so daß also der Liter auf 2²/₁₀ Cent. zu stehen kommt. 1000 Liter dieser Brühe geben mit 100 Kilogr. Fleisch eine eben so starke Suppe, wie 1000 Liter Wasser mit 250 Kilogr. Fleisch.

---

74) So rühmenswerth das von Lille gegebene Beispiel auch ist, so zieht man daselbst von dem fraglichen Verfahren doch nichts weniger als den vollen Nuzen. Der Apparat gibt nämlich nur dann den vollen Nuzeffect, wenn er Tag und Nacht arbeitet, und keineswegs, wenn er wie in Lille nur zwei Mal in der Woche benuzt wird.   A. d. O.

Vergleichsweise Zusammenstellung der Kosten der mit Wasser und Fleisch und mit Gallertbrühe und Fleisch bereiteten Suppe.

250 Kilogr. Fleisch und 1000 Liter Wasser.	Fr.	C.	100 Kilogr. Fleisch und 1000 Liter Gallerte-Auflösung.	Fr.	C.
1000 Liter Wasser . . .	—	—	1000 Liter Gallerte-Auflösung zu 2^1/$_{12}$ Cent.	20	83^1/$_5$
250 Kilogr. Fleisch zu 90 C.	225	—	100 Kilogr. Fleisch zu 90 C.	90	—
12 Kilogr. Kochsalz zu 50 C.	6	—	. . . .	6	—
30 Kil. frische Gemüse zu 25 C.	7	50	. . . .	7	50
Gebrannte Zwiebeln, weiße Zwiebeln, Thymian, Lorbeerblätter	3	—	. . . .	3	—
2 Cntr. Steinkohlen zu 2 Fr. 35 Cent.	4	70	. . . .	4	70
2 Arbeiter mit 1 Fr. Tag'ohn	2	—	. . . .	2	—
Interessen und Unterhaltungskosten	2	—	. . . .	2	—
Summa	250	20	Summa	136	03^1/$_5$
Davon ab den Werth von 125 Kilogr. gekochten und ausgelösten Fleisches zu 90 Cent. per Kilogramm . . .	112	50	Davon ab 50 Kilogr. gekochten und ausgelösten Fleisches zu 90 Cent.	45	—
Rest	137	70	Rest	91	03^1/$_5$
Rechnet man auf 1000 Liter den sechsten Theil oder 166 Liter Verlust, so bleiben 834 Liter, so daß also der Liter Suppe zu stehen kommt auf	—	16^1/$_2$	. . . .	—	11

Vergleichsweise Zusammenstellung der Preise verschiedener Gallertsuppen per 1000 Liter.

	Mit Schwarzbrod.		Mit Reis.		Mit Erbsen oder Bohnen.		Mit Kartoffeln.	
	Fr.	C.	Fr.	C.	Fr.	C.	Fr.	C.
130 Kilogr. Brod zu 20 Cent. das Kilogr.	26	—	—	—	—	—	—	—
100 Kilogr. Reis zu 70 Cent. . .	—	—	70	—	—	—	—	—
200 Liter Erbsen oder Bohnen zu 20 C.	—	—	—	—	40	—	—	—
10 Hectol. Kartoffel zu 3 Fr. 50 C.	—	—	—	—	—	—	35	—
1000 Liter Gallerte-Auflösung zu 2^1/$_{12}$ C	20	83^1/$_2$	20	83^1/$_2$	20	83^1/$_2$	20	83^1/$_2$
12 Kilogr. Kochsalz zu 50 C. das Kil.	6	—	6	—	6	—	6	—
^{1}/$_2$ Kilogr. Pfeffer zu 2 Fr. das Kil.	—	50	—	—	—	50	—	50
5 Kilogr. Fett zum Bräunen der Zwiebeln	5	—	5	—	5	—	5	—
^{1}/$_2$ Hectol. weiße Zwiebeln . . .	4	—	4	—	4	—	4	—
2 Cntr. Steinkohlen	4	70	4	70	4	70	4	70
2 Arbeiter zu 1 Fr.	2	—	2	—	2	—	2	—
Interessen und Unterhaltungskosten . .	2	—	2	—	2	—	2	—
Summa für 1000 Liter	71	53	115	53	85	53	80	53
Der Liter kommt also auf	—	07^1/$_6$	—	11^1/$_{10}$	—	08^1/$_{10}$	—	08^1/$_{10}$

Alles dieß liefert den klarsten Beweis, wie viel der Gallert-suppenapparat zur Verbesserung der Kost der Armen beitragen kann: es braucht nämlich nichts weiter, als daß man die·Ersparniß nicht wirklich realisirt, sondern daß man sie verwendet, um entweder die Kost zu verbessern, oder um eine größere Anzahl von Individuen zu unterstüzen.

LXXVIII.
Miszellen.

Verzeichniß der vom 20. Sept. bis 17. Dec. 1836 für Schottland ertheilten Patente.

Dem Elisha Haydon Collier, Civilingenieur, East India Cottage, City Road, Grafschaft Middlesex: auf Verbesserungen an Dampfkesseln.· Dd. 20. Sept. 1836.

Dem William Barnett, Gießer in Brighton, Grafschaft Sussex: auf Verbesserungen an den Apparaten zur Erzeugung von Leuchtgas. Dd. 21. Sept. 1836.

Dem Francis Coffin, im Russel Square, Grafschaft Middlesex, auf Verbesserungen an den Drukmaschinen oder Pressen. Von einem Ausländer mitgetheilt. Dd. 24. Sept. 1836.

Dem Matthew Hawthornthwaite, Weber in Kendal, Grafschaft Westmoreland: auf ein neues Verfahren gewisse Muster in gewissen Geweben hervorzubringen. Dd. 4. Okt. 1836.

Dem John Isaac Hawkins, Civilingenieur, Chase Cottage, Grafschaft Middlesex: auf eine Verbesserung der Blasröhre für Gebläseöfen und Schmieden. Von einem Ausländer mitgetheilt. Dd. 4. Okt. 1836.

Dem Georg Richard Elkington, in Birmingham: auf eine Methode Kupfer, Messing und andere Metalle und Legirungen zu vergolden. Dd. 4. Okt. 1836.

Dem William Hinks Cox, Gerber in Bedminster bei Bristol: auf Verbesserungen im Gerben. Dd. 14. Okt. 1836.

Dem John Pickersgill, Kaufmann in Colman Street, London: auf Verbesserungen im Zubereiten und der Anwendung des Kautschuks zu verschiedenen Fabricaten. Von einem Ausländer mitgetheilt. Dd. 14. Okt. 1836.

Dem Thomas John Fuller, Civilingenieur, Commercial Road, Grafschaft Middlesex: auf einen verbesserten Mantel (Schirm), um die von den Kesseln und Cylindern der Dampfmaschinen ausstrahlende Hize aufzufangen oder abzuhalten. Dd. 18. Okt. 1836.

Dem George, Marquis von Tweeddale: auf eine verbesserte Methode Ziegel und Baksteine zu verfertigen. Dd. 19. Okt. 1836.

Dem William Hale, Civilingenieur in Crooms Hill, Greenwich: auf gewisse Verbesserungen an der Maschinerie der Dampfboote. Dd. 23. Okt. 1836.

Dem Thomas Grahame, in St. James Street, Grafschaft Middlesex: auf ein verbessertes Verfahren Boote von einem Niveau auf ein anderes zu bringen. Dd. 25. Okt. 1836.

Dem William Brindley, Papierfabrikant in Caroline Street, Birmingham: auf ein verbessertes Verfahren Theebüchsen und andere lakirte Waaren zu verfertigen, so wie auf ein verbessertes Material dazu. Dd. 26. Okt. 1836.

Dem Michael Linning, Beamter in Edinburgh: auf sein Verfahren Moose in Zunder zu verwandeln, so wie im Zubereiten und Troknen dieser Moose und in der Bereitung von Farbstoffen, Theer, Gas, Oehl, Ammoniak ꝛc. aus denselben. Dd. 29. Okt. 1836.

Dem George Sullivan, im Morley's Hotel, Grafschaft Middlesex: auf

Verbesserungen an den Apparaten zum Messen von Flüssigkeiten. Zum Theil von einem Ausländer mitgetheilt. Dd. 18. Nov. 1836.

Dem Robert Walter Swinburne, in South Shields, Grafschaft Durham: auf Verbesserungen in der Fabrication von Tafelglas. Dd. 18. Nov. 1836.

Dem Augustus Applegath, Kattundruker in Crayford, Grafschaft Kent: auf Verbesserungen im Druken von Kattunen und anderen Geweben. Dd. 18. Nov. 1836.

Dem John Yule, Ingenieur in Sauchiehall Street, Glasgow: auf eine verbesserte rotirende Dampfmaschine. Dd. 18. Nov. 1836.

Dem Joseph Whitworth, Ingenieur in Manchester: auf Verbesserungen an den Maschinen, Werkzeugen und Apparaten zum Drehen, Bohren, Ebnen und Schneiden von Metallen und anderen Materialien. Dd. 24. Nov. 1836.

Dem William Watson, Kaufmann in Liverpool: auf ein verbessertes Verfahren Zuker aus Runkelrüben und anderen Substanzen zu fabriciren. Von einem Ausländer mitgetheilt. Dd. 3. Dec. 1836.

Dem Henry Huntly Mohun Med. Dr. in Walworth, Grafschaft Surrey: auf Verbesserungen in der Zunderfabrication. Dd. 5. Dec. 1836.

Dem Robert Copland, Ingenieur in Courland in der Grafschaft Surrey: auf eine Combination von Apparaten um Trebkraft zu erlangen. Dd. 5. Dec. 1836.

Dem William Sneath, Spizenmacher in Ilson Green in der Grafschaft Nottingham: auf eine verbesserte Maschinerie, womit auf Spizen, welche mittelst der Bobbinnetmaschinen fabricirt wurden, gewisse Arten von Verzierungen hervorgebracht werden können. Dd. 9. Dec. 1836.

Dem Thomas Henry Russell, in Handsworth bei Birmingham: auf sein Verfahren zusammengeschweißte eiserne Röhren zu verfertigen. Dd. 9. December 1836.

Dem John Buchanan, in Ramsbottom in der Grafschaft Lancaster: auf einen verbesserten Apparat zum Färben und ähnlichen Operationen. Dd. 9. Dec. 1836.

Dem Luke Hebert, Civilingenieur in Paternoster Row, London: auf Verbesserungen an den Mühlen zum Mahlen und Sichten mehliger Substanzen. Dd. 9. Dec. 1836.

Dem John Gordon Campbell und John Gibson, beide in Glasgow: auf ein verbessertes Verfahren seidene und mit Seide gemischte Fabricate zu produciren. Dd. 9. Dec. 1836.

Dem Joseph Hanson, Architekt in Hinchley, Grafschaft Leicester: auf ein verbessertes Fuhrwerk zum Transportiren von Lasten auf gewöhnlichen und anderen Straßen. Dd. 9. Dec. 1836.

Dem Daniel Chambers in Carey Street, Grafschaft Middlesex und Joseph Hall, in Margaret Street in derselben Grafschaft: auf eine Verbesserung an Pumpen. Dd. 17. Dec. 1836.

Dem James Sinathan Smith, Kaufmann in Liverpool: auf Verbesserungen an den Eisenbahnen und den darauf gehenden Dampfwagen. Von einem Ausländer mitgetheilt. Dd. 17. Dec. 1836.

Dem George Guynne in Holborn in der Grafschaft Middlesex und James Young im Brick Lane, in derselben Grafschaft: auf Verbesserungen in der Zukerfabrication. Dd. 17. Dec. 1836.

(Aus dem Repertory of Patent-Inventions. Februar 1837, S. 123.)

Bourdon's kleine Dampfmaschinen.

Unter den verschiedenen Gegenständen, welche bei Gelegenheit der lezten Generalversammlung der Société d'encouragement in Paris in den Sälen dieser Gesellschaft ausgestellt waren, fand besonderen Anklang eine kleine Dampfmaschine von 1½ Pferdekräften, welche aus der Werkstätte des Hrn. Eugène Bourdon in Paris, Faub. du Temple, No. 74, hervorgegangen war. Hr. Bourdon, der bereits durch die kleinen Modelle, welche er zur Demonstration der Dampfmaschinen in Lehranstalten verfertigte, rühmlich bekannt ist (vergl. Polyt. Journal Bd. LII, S. 314), hat durch seine kleinen Dampfmaschinen einem Bedürfniffe abgeholfen, welches in der Industrie täglich fühlbarer ward. Seine eben so zierlichen, als einfachen und soliden Maschinen laffen sich leicht auf die meisten jener Arbeiten anwenden, die eine conftante, aber wohlfeilere und regelmäßigere Triebkraft erheischen, als sie durch Menschen oder Thiere erzeugt werden kann. In den Drukereien, mechanischen Sägemühlen, Karden-, Farben- und Neftelfabriken, in den Werkstätten der Mefferschmiede, Polirer, Dreher, in kleineren Spinnereien, kurz überall, wo Pferde oder verticale, von Menschen in Bewegung gefezte Räder als Triebkraft benuzt werden, kann man sich ihrer mit Vortheil und Ersparniß bedienen. In den Brauereien, Raffinerien, Gerbereien und zu landwirthschaftlichen Zweken'kann man sie bald zum Betriebe diefer oder jener Apparate, bald zum Schöpfen von Waffer verwenden. Die Maschine, welche ausgestellt gewesen war, kann in 24 Stunden 600,000 Liter Waffer 30 Fuß hoch heben; sie arbeitet ohne Verdichtung, und daher kann der Dampf, nachdem er als Triebkraft gedient hat, auch noch zum Heizen von Werkstätten, Trokenapparaten, Wafferbehältern und verschiedenen anderen Zweken verwendet werden. (Aus dem Mémorial encyclopédique. März 1837, S. 159.)

Einiges über den Einfluß der Eisenbahnen auf die Zunahme des Verkehres.

Hr. Jobard gibt im Recueil industriel, Januar 1837, S. 72 eine Zusammenstellung einiger Eisenbahndaten, die, wenn sie unferen Lefern auch bereits im Einzelnen größten Theils bekannt sind, doch einen nicht unintereffanten Ueberblik gewähren.

An der Liverpool-Manchefter-Eisenbahn belief sich die Zahl der Reifenden

	im Jahre	1831 auf	445,047
—		1832 —	356,945
—		1833 —	386,492
—		1834 —	436,637
—		1835 —	473,847.

Hieraus folgt, daß wenn auch der Andrang zu den Eisenbahnen anfangs nur der Neugierde wegen fehr groß ist, der wirkliche Verkehr in kurzer Zeit so zunimmt, daß er das Aufhören der Refultate der Neugierde weit überwiegt.

Die Einnahme für Perfonentransport betrug im Jahre 1835 schon

		101,751 Pfd.	St.	19 Sch.	6 D.
im Jahre 1836	112,684	—	16	—	4 —
mithin Zunahme	10,932 Pfd.	St.	16 Sch.	10 D.

Die Einnahme für Waarentransport betrug

im Jahre 1835 nur	78,290	—	2 —	5 —
— 1836 —	85,068	—	16 —	7 —
mithin Zunahme	6,778 Pfd.	St.	14 Sch.	2 D.

Die ganze Zunahme der Einnahme vom Jahre 1835 auf das Jahr 1836 belief sich alfo auf 17,711 Pfd. St. 11 Sch.

Der Ertrag der Tare, welche auf die Poftpferde gelegt ist, gab im Jahre 1835 für England und Wallis einen Ausfall von 2000 Pfd. St., wenn man den Diftrict von Liverpool nicht mit in Anschlag' bringt. Diefen Diftrict hingegen mitgerechnet, ergab sich im Vergleiche mit dem Jahre vorher ein Mehrertrag von 3000 Pfd., der lediglich davon herrührt, daß gegenwärtig weit mehr Poftpferde gebraucht werden, um aus der Nachbarschaft an die Eisenbahn zu gelangen. Die Furcht der Pferdebefizer und Miethkutschenunternehmer vor den Eisenbahnen erwies sich hier als vollkommen ungegründet; denn gerade in den Eisenbahndiftricten hat sich die Zahl der Pferde, der Omnibus und der Fiaker außerordentlich vermehrt, weil der so hoch angewachsene Zufluß zu den Eisenbahnen und der Abfluß von ihnen nur auf diese Weise gefördert werden kann.

Der Hafen in Dundee in Schottland zählte im Jahre 1832 nur 43,000 Seelen; und die Perfonenfrequenz zwischen diefem Hafen und dem benachbarten Orte Newtyle ward auf 4000 angeschlagen. Im Jahre 1832 verband man beide Orte durch eine Eisenbahn. Die Folge davon war im Jahre 1832 eine Frequenz von 31,169, im Jahre 1833 eine von 29,702, im Jahre 1834 eine von 49,143, und im Jahre 1835 eine von 54,756 Personen. Dabei war die Bevölkerung von Dundee bis zum Jahre 1836 bereits auf 50,000 Seelen angewachsen.

Eine eben so außerordentliche Zunahme des Verkehrs zeigte sich auf dem Canale zwischen Glasgow und Paisley seit der Einführung der sogenannten fliegenden Barken, welche 10 engl. Meilen in der Stunde zurücklegen. Die Personenfrequenz belief sich nämlich im Jahre 1831 auf 79,455

— 1832 — 148,516
— 1833 — 240,062
— 1834 — 507,275
— 1835 — 373,299

In Hinsicht auf die Preise müssen wir bemerken, daß es auf der Liverpool-Manchester-Bahn nur zwei Classen von Wagen gibt; in der ersten Classe zahlt man 30, in der zweiten 23 Cent. für die Meile. In Belgien hingegen hat man vier Classen, und man zahlt in der ersten 4½, in der zweiten 7¼, in der dritten 12 und in der vierten 14 Cent. für die Meile. Man kann also in Belgien, wo die Bahn Staatseigenthum ist, um das Fünffache wohlfeiler reisen, als in England, wo die Bahnen Eigenthum von concessionirten Gesellschaften sind.

Mathieu's Reductionsdrehebank.

Hr. Mechanikus Mathieu in Brüssel zeichnete sich bei der daselbst gehaltenen Industrieausstellung durch mehrere, mit seltener Vollendung gearbeitete Maschinen aus. Wenn diese Maschinen auch größten Theils englische und französische Erfindungen waren, so war doch auch Manches darunter, was Hrn. Mathieu eigenthümlich war. Dazu gehörte namentlich seine Reductionsdrehebank (tour à réduire): ein Apparat, welcher hauptsächlich dazu bestimmt ist, Medaillen von 8 Centimeter auf solche von 2 bis 3 Centimeter im Durchschnitte zu reduciren oder auch zu vergrößern. Ein Grabstichel wird von einer Art von Taste, welche beständig gegen die zu copirende Medaille drükt, geführt, und beseitigt nach und nach an der neuen Medaille all das überflüssige Metall, so daß man eine dem gegebenen Muster vollkommen ähnliche, jedoch in kleinerem Maaßstabe gearbeitete Copie erhält. Der Künstler braucht am Ende den Umrissen nur mehr die nöthige Schärfe zu geben. Der Apparat, für den der Erfinder eine Medaille zweiter Classe erhielt, läßt sich auch zu manchen anderen Zweken verwenden: namentlich zur Verfertigung mathematischer Instrumente, denen man kleinere oder größere, jedoch genau proportionelle Dimensionen geben will. (Recueil industriel, Febr. 1837.)

Kohlenerzeugung mittelst der Gichtflamme der Hohöfen.

An dem Hohofen in Mont-Blainville bei Varennes, Dept. de la Meuse, bedient man sich seit zwei Jahren des Verfahrens des Hrn. Jauveau-Deliars, auf welches im Polyt. Journal Bd. LXI. S. 480 aufmerksam gemacht wurde. Die Resultate, die sich ergaben, sind folgende: 7 Klafter Holz von 50 bis 52 Kubikzoll gaben nach dem älteren Verfahren 4 Kiloliter Holzkohlen, womit man 800 Kilogr. melirtes Roheisen (fonte mêlée) ausbrachte. Rechnet man dazu noch das Kohlenklein, welches verwendet wurde, so kamen gegen 4⅓ Kiloliter Kohlen auf 800 Kilogr. Roheisen. Nach dem neuen Verfahren hingegen erhält man mit 3½ Klafter Holz von denselben Dimensionen eine eben so große Quantität Roheisen, und zwar ein Roheisen, welches weniger melirt und zäher ist, welches sich milder arbeitet, und welches beim Frischen, dieß mag mit Steinkohlen oder mit Holzkohlen bewerkstelligt werden, ein Eisen von besserer Qualität und weniger Verlust gibt. Es entstehen hiebei auch keine Kohlenabfälle, weil die Kohle gleich, so wie sie fertig ist, und noch heiß in den Hohofen geschafft wird. Der ganze Gang des Ofens wird auf diese Weise sehr beschleunigt und weit regelmäßiger, so daß zu den Kostenersparnissen auch noch der Vortheil hinzukommt, daß sich die Fabrication um den dritten Theil höher treiben läßt. (Bulletin de la Société d'encouragement. Februar 1837, S. 71.)

Ueber Hrn. Deleschamps's Beize für den Stahlstich.

Wir haben im Polyt. Journal Bd. LVIII. S 35 dasjenige abgehandelt, was bis dahin über die von Hrn. Deleschamps erfundene Beize für den Stahlstich bekannt geworden ist. Als Nachtrag hiezu mag nun das dienen, was dem Institut No. 172 gemäß in einem Berichte vorkommt, der über denselben Gegenstand der Akademie in Paris erstattet worden war. „Der Erfinder,“ heißt es nämlich daselbst, „bedient sich, um zu seinem Zwecke zu gelangen, einer Mischung aus saurem essigsaurem Silber und Salpeteräther-Hydrat (éther nitreux hydraté). Sobald diese Mischung mit den bloßgelegten Stellen der Metallplatten in Berührung kommt, stürzt sich das essigsaure Salz, welches nur in geringer Menge in ihr enthalten ist, auf den unteren Theil der gravirten Züge, wo es sehr rasch eine kräftige Wirkung ausübt, während die oberen Theile der Züge durch den Salpeteräther gewisser Maßen gegen diese Wirkung geschützt bleiben. Es findet hiebei Folgendes Statt: das essigsaure Salz fällt auf den Grund der gravirten Züge; wegen der großen Leichtigkeit, womit dasselbe zersezt wird, wenn es mit gewissen Metallen, wie z. B. mit Stahl, Kupfer und dessen Legirungen in Berührung kommt, höhlt es diese nach und nach in der Tiefe aus, während es durch die überschüssige Säure immer wieder neu belebt wird, und also die Aezung wie vorher weiter bewerkstelligen kann. Nach dieser Theorie läßt sich Alles erklären, was während der Aezung vorgeht, so daß diese leicht zu dirigiren ist, wenn man auf die Natur des Metalles und die zu vollbringende Arbeit gehörige Rüksicht nimmt.“

Gerard's Specificum zum Härten des Stahls.

Dieses Specificum, welches zum Hauptzwek hat, dem Metalle den Kohlenstoff wieder zu erseyen, den es durch die Einwirkung des Feuers verloren haben kann, bereitet man auf folgende Art: man schmilzt zehn Pfund gepulvertes Harz mit fünf Pfund Fischthran zusammen und sezt dann unter Umrühren drei Pfund geschmolzenen Talg zu. Der Stahl wird, nachdem er die Braunrothglühbize erreicht hat, in dieses Specificum getaucht, und soll dadurch nach dem Erfinder viel besser werden, als er zuvor war. (Descript. des brevets d'invent.)

Ueber die Erzeugung verschieden gefärbter Kameen aus Porzellanmasse.

Nach Hrn. Ollivier soll man bei der Erzeugung der Kameen aus Porzellanmasse nach folgendem Verfahren zu Werke gehen. Man bereitet sich zuerst eine Fritte, indem man auf 25 Pfd. weißen Quarzsand 16 Pfd. schöne weiße Potasche und 8 Pfd. alicantische Soda nimmt, und indem man diese Substanzen, nachdem sie gestoßen, gesiebt und gut vermengt worden sind, in ein mit gut geschlagenem Sande ausgekleidetes Beken bringt, welches auf dem Heerde eines Fayenceofens angebracht und von solcher Größe ist, daß die erwähnten Stoffe eine gegen 6 Zoll dike Schichte darin bilden. Diese Fritte muß, wenn sie aus dem Ofen kommt, gereinigt, gestoßen, und in einer Fayencemühle mit Steinen aus Sandstein gemahlen werden. Auf zwei Theile dieser gut gemahlenen Fritte nimmt man einen Theil Porzellanmasse, die vorher nach dem gewöhnlichen Verfahren geschlämmt worden ist. Um sich eine blaue Farbe für die Kameen zu bereiten, nimmt man auf 5 Unzen Kameenmasse 2½ Quentchen ausgewaschene oder geschlämmte Porzellanerbe und 5½ Quentchen Kobaltblau. Um sich Lezteres zu bereiten, sezt man ein Pfund schwedischen oder pyrenäischen Kobalt, den man vorher gestoßen und gesiebt hat, in einen Tiegel, den man bis zur Mitte seiner Höhe in Sand einsenkt, einem starken Fayenceofenfeuer aus, um den Arsenik zu verdampfen. Man erhält auf diese Weise am Grunde des Tiegels regulinischen Kobalt, den man zerstößt und siebt, und den man, nachdem man ihm auf 2 Theile eine Unze Fritte zugesezt hat, neuerdings in den Ofen bringt, wo man dann ein schönes Kobaltblau erhält. — In Hinsicht auf die Verfertigung der Kameen selbst soll man auf folgende Weise zu Werke gehen. Man fülle einen ringförmigen kupfernen Model so gleichmäßig als möglich mit weißer Kameenmasse, lege darunter und darüber weißes Papier und Filzscheiben und bringe das Ganze in eine Presse.

Wenn es aus dieser kommt, so trage man nach Entfernung der Filzscheiben und der Papierblätter mit einem Pinsel eine Schichte des angegebenen Blau von der Dike eines Zweisousstükes auf, und bringe das Ganze, nachdem man wieder Papier= und Filzscheiben darauf gelegt, abermals in die Presse. Wenn es aus die= ser kommt, so bewahre man es zwischen nassen Tüchern an einem feuchten Orte auf. Das Auftragen der Kamee geschieht nunmehr folgender Maßen. Man reibt die Kupferplatte, auf welche der Gegenstand, den man wünscht, in Form eines Petschaftes gravirt worden ist, mit mildem Oehle oder Terpenthingeist ab; füllt die gravirten Stellen mit weißer Kameenmasse aus, legt sie hierauf auf die be= schriebene, mit Blau überzogene Masse, und bringt endlich das Ganze unter die Presse. Nach vollbrachtem Pressen und nach Abnahme der Kupferplatte brennt man die Kameen bei demselben Feuer, bei welchem man Fayence zu brennen pflegt." (Aus dem Journal des connaissances usuelles, Jan. 1837, S. 36.)

Desmoulin's Bereitungsart des Zinnobers auf nassem Wege.

Im XXX. Band der Descript. des brevets d'invention ist das Verfah= ren des Hrn. Desmoulin's zur Fabrication des Zinnobers auf nassem Wege mitgetheilt. Man gebraucht dabei gewöhnliche aus Baksteinen erbaute Oefen, welche 5 Schuh hoch und eben so breit sind. Am oberen Theil derselben befindet sich ein gußeiserner Tiegel, der mit Sand gefüllt ist, auf welchen man ein Gefäß von glasirtem Fayence oder Porzellan stellt; in diesem Gefäß amalgamirt man zwölf Theile Queksilber mit drei Theilen Schwefelblumen. Das Ganze läßt man dann im Sandbade fünf bis sechs Stunden lang erwärmen, indem man es mittelst einer Aezkalilauge von 12 bis 14° Baumé in der Consistenz eines diken Breies erhält und das Gemenge mit einem Glasstabe beständig umrührt. Der Glasstab muß einen Fuß lang und mit einem 6 Fuß langen hölzernen Stiel ver= sehen seyn, damit sich die Arbeiter bei diesem Geschäft den schädlichen Queksilber= dämpfen nicht auszusezen brauchen. Wenn man zehn bis zwölf Theile Lauge über dem Schwefelqueksilber eindampfen läßt, erhält man dunkeln Zinnober. Um blossen Zinnober zu erhalten, zerreibt man den dunkeln eine gewisse Zeit über in einer Porzellanmühle unter Wasser. Nachdem der Zinnober ganz fertig ist, wascht man ihn mit reinem Wasser, um das während der Operation gebildete Schwefel= kalium auszuziehen.

Chemische Silberprobe.

Hr. E. Koch, Goldarbeiter in Stolzenau, hat dem hannöverschen Gewerbs= verein folgende Methode mitgetheilt, um unedle Metallmischungen, welche so weiß und geschmeidig wie Silber sind, durch den Strich auf dem Probirsteine vom Silber zu unterscheiden.

„Man nimmt 1 Loth Kupfervitriol und 1¼ Loth Kochsalz, stößt beide in einem Mörser fein, übergießt sie in einem Glase mit 2 Loth Wasser, schüttelt die Mischung um, und bewahrt sie zum Gebrauche auf."

„Der Probirstein wird mit einer Holzkohle oder mit Bimsstein und Wasser rein geschliffen und wieder abgetroknet. Dann nimmt man das zu probirende Metall, reinigt eine Stelle desselben vom etwaigen Sude oder von der Versilbe= rung, macht damit einen festen, gleichen Probirstrich auf dem Steine, streicht eine dem Anscheine nach dazu passende Probirnadel daneben, und macht endlich auch einen Strich mit Kupfer auf die Weise, daß alle drei Striche nahe beisammen stehen. Mit einer Benezfeder (einer reinen, weichen Federfahne) oder einem klei= nen Pinsel in die oben erwähnte, aus Kochsalz und blauem Vitriol bereitete Flüs= sigkeit getaucht, überfährt man nun die drei Striche zugleich so lange, bis von dem Kupferstriche keine Spur mehr zu sehen ist; hierauf taucht man den Stein in reines Wasser, spült ihn mit den Fingern ab, troknet ihn mit einem Tuche, und reibt die angelaufenen Striche (ohne sie feucht zu machen) mit zartgepulver= ter Knochenasche und einem leinenen Tuche rein ab. Während nach dieser Be= handlung der Strich der Probirnadel seine weiße Farbe und sein Ansehen (im Verhältnisse zum Feingehalte) unverändert zeigt, ist der Strich des probirten

Metall — falls daffelbe ein geringhaltigeres Silber aber eine unedle (kein Silber enthaltende) Composition war—viel dunkler geworden oder gar verschwunden."

Die Redaction der Mittheilungen des hannöverschen Gewerbsvereines fand die Probe vollkommen gut; Argentan und die Metallcompositionen mehrerer falschen Münzen, welche sämmtlich in der Farbe des Striches auf dem Probirsteine mit Silber übereinstimmten, ließen sich durch diese chemische Probe leicht und sicher unterscheiden, indem die damit gemachten Striche gänzlich verschwinden. Doch muß hinzugefügt werden, daß auch sehr geringhaltiges Silber (namentlich solches, welches 4 bis 6 Loth und darunter fein ist) bei der Koch'schen Probe sich wie unächtes Metall verhält.

Die Wirkung der Probeflüssigkeit erklärt sich durch Folgendes. Aus Kochsalz und Kupfervitriol, welche zusammen im Wasser aufgelöst werden, entsteht salzsaures Kupferoxyd, welches sich durch die grüne Farbe der Mischung zu erkennen gibt. Diese Verbindung vermag Kupfer aufzulösen (wobei sich salzsaures Kupferoxydoxydul bildet), und nimmt daher den Kupferstrich, so wie den Strich stark kupferhaltiger, gar kein oder sehr wenig Silber einschließender Compositionen von dem Probirsteine weg. Uebrigens dürfte das Verhältniß der Zuthaten bei der Bereitung der Probeflüssigkeit etwas abgeändert werden. 1¼ Loth Kochsalz ist weit mehr als zur Zersetzung von 1 Loth Kupfervitriol erfordert wird: ½ Loth Kochsalz auf 1 Loth Vitriol genügt völlig.

Ueber die Gewinnung von krystallisirtem Zuker aus dem Tobby oder aus dem Safte der Cocospalme auf der Insel Ceylon

gibt Obristlieutenant Colebrook in Nr. 27 des Journal of the Royal Asiatic Society folgende Aufschlüsse. „Der Tobby wird in vollkommen reinen Gefäßen, in welche man, um die Gährung zu verzögern und das Abstringirende zu beseitigen, eine geringe Quantität des indischen Feigenbaumes (àl oder banyan tree) gibt, gesammelt. Bevor die Flüssigkeit in Gährung tritt, wird sie durch ein reines Tuch geseiht, und in einer messingenen oder anderen Pfanne so lange gekocht, bis sich die Unreinigkeiten auf die Oberfläche begeben und als Schaum entfernt werden können. Wenn sie dann ihr wässeriges Aussehen verloren und eine etwas röthliche Farbe angenommen hat, so bringt man sie in einer anderen Pfanne über ein starkes Feuer, wobei sie gleichfalls wieder abgeschäumt wird. Man vermindert das Feuer allmählich, bis sich auf der Oberfläche ein weißer Schaum zeigt. Wenn die Flüssigkeit hiebei klebrig geworden ist und die gehörige Consistenz erlangt hat, wovon man sich überzeugt, indem man eine kleine Quantität davon abkühlen läßt, und zwischen dem Daumen und Zeigefinger probirt, so nimmt man sie vom Feuer. Der Faden muß sich beiläufig einen Zoll lang ziehen lassen, ohne zu brechen; ist dieß der Fall, so gießt man den Syrup in ein anderes Gefäß, in welchem man ihn abkühlen läßt, bis er kaum mehr als lauwarm ist. In diesem Zustande wird er mit etwas grobem Candiszuker vermengt, und in ein Gefäß gebracht, welches am Boden mit einer Oeffnung, welche verstopft ist, versehen ist, damit man den nicht krystallisirten Rükstand abfließen lassen kann. Die Krystallisation ist nach einer Woche beendigt; 8 Tage später wird der krystallisirte Zuker in einem Sake in die Nähe eines Feuers gehängt. Die Bereitungskosten berechnen sich in Ceylon, abgesehen von den Kosten der Gefäße, auf einen Penny per Pfund."

Cellier-Blumenthal's Apparat zum Abkühlen des Bieres,

welcher sowohl in Frankreich, als in Belgien patentirt ist, besteht aus nichts weiter als aus verzinnten kupfernen Schlangenröhren, durch welche man das Bier unmittelbar, wie es aus der Pfanne kommt, laufen läßt, und welche von Außen durch kaltes Wasser abgekühlt werden. Das Kühlwasser, welches hiebei bis auf einen gewissen Grad erwärmt wird, soll dann bei der Bierfabrication, z. B. beim Maischen, angewendet werden. (Recueil industriel. Februar 1837.)

Kitt für Glaswaaren.

Als den besten (?) Kitt für Gegenstände aus gewöhnlichem oder aus Kryftall-glas empfiehlt der Recueil industriel folgendes Präparat. Man soll eine Unze Fischleim oder Hausenblase vier und zwanzig Stunden lang in einer halben Pinte Weingeist einweichen, und sie dann bei gelindem Feuer, und indem man das Ge-fäß verschlossen hält, darin auflösen. Ferner soll man 6 Knoblauchköpfe in einem Mörser stoßen, deren Saft durch ein Tuch in die Hausenblasenauflösung pressen und das Ganze gut vermengen, womit das Präparat fertig ift.

Gewinnung des Fettes aus den zum Waschen der Wolle verwende-ten Seifenwässern.

Dieser Industriezweig, welcher zuerst im Jahre 1827 in Reims von Hrn. Houzeau-Muiron ausgebeutet wurde, und welcher auf einer Zersetzung der Seifenwasser, deren man sich zum Entfetten der Wolle bediente, beruht, gewinnt im-mer mehr und mehr an Ausdehnung. Bereits beftehen in Sedan und an einigen an-deren Orten, wo die Wollenwaaren-Fabrication in Schwung ift, eigene Anftalten hiezu, und eine Flüssigkeit, welche früher eine wahre Laft war, und die man auf die Straßen laufen ließ, wo sie die Luft verpeftete, liefert dermalen einen jährlichen Ertrag von 60,000 Fr.! Das gewonnene Fett wird theils in den Seifensiede-reien, theils in den Leuchtgasfabriken benuzt. (Bulletin de la Société d'en-couragement. Februar 1837, S. 67.)

Ueber die Schuh- und Handschuh-Fabrication in Frankreich.

Hr. Say schäzte vor einigen Jahren die Zahl der in Frankreich jährlich fabricirten Schuhe auf 100 Mill. Paare, und den Arbeitslohn, den die Arbeiter dafür empfangen, auf 300 Mill. Fr. In England belief sich der Arbeitslohn, welcher sich unter 264,300 Arbeiter theilte, um dieselbe Zeit nur auf 8 Mill. Pfd. St. oder auf 200 Mill. Fr. Noch weiter vorgerükt ist in Frankreich aber die Handschuhmacherei, welche der englischen den Vorrang abgelaufen hat. Man kann annehmen, daß in Frankreich jährlich für 30 Mill. Fr. Handschuhe fabricirt werden. Vor 12 bis 15 Jahren wurden nur in Grenoble curante Handschuhe, die man gants de Grenoble nannte, verfertigt. Gegenwärtig beuten Paris, Chaumont, Luneville und mehrere andere Städte diesen Induftriezweig aus. Die Fabriken von Luneville allein beschäftigen gegen 10,000 Arbeiter. Vendôme erzeugt faft ausschließlich gewöhnliche Handschuhe; Rennes die Handschuhe aus Hirsch-leder, und Niort hat sich beinahe ausschließlich die Fabrication der Caftorhand-schuhe angeeignet. England bezieht aus Frankreich jährlich gegen 1½ Mill. Paare Handschuhe, obschon Woodftock, London, Yeovil, Ludlow und Lominfter sehr große Quantitäten in diesem Fache erzeugen. Worcefter, welches der Hauptsiz der englischen Handschuh-Fabrication ift, liefert jährlich 500,000 Paare Caftor-handschuhe, 5,600,000 Paare Handschuhe aus Lamm- und Ziegenfellen, deren Werth auf 9,575,000 Fr. angeschlagen werden kann. Dazu kommen noch die Maffen baumwollener und seidener Handschuhe, welche in Nottingham, Leicefter zc. erzeugt werden. — Die französische Sattlerei genießt im Auslande einen großen Ruf; in Südamerika namentlich findet man beinahe keinen Luxussattel, der nicht in Paris verfertigt worden wäre. Man kann annehmen, daß Frankreich jährlich für 2 Mill. Fr. Sattlerarbeiten ausführt. Was die Saffiane betrifft, so hat Frankreich die orientalische Fabrication beinahe ganz niedergelegt. Man kann nichts Schöneres sehen als die Saffiane der Fabrik in Choisy. (Echo du monde savant, No. 204.)

Schlumberger's Maschine zum matten Apprete für Baumwollzeuge.

Hr. Albert Schlumberger in Ste-Marie-aux-Mines hat bei der in Mülhausen im vorigen Jahre abgehaltenen Industrieausstellung des Elsasses eine
Maschine ausgestellt, womit Baumwollzeugen der sogenannte matte Appret gegeben werden soll. Diese Maschine, vom Erfinder Machine Tenoxere genannt,
besteht nach dem Berichte des Bulletin de la Société industrielle de Mulhausen aus zwei an eine eiserne Welle geschirrten eisernen Rädern von 1,50 Meter im Durchmesser. In den Furchen dieser Räder und an deren innerer Seite
läuft spiralförmig ein kupfernes Stäbchen, welches seiner ganzen Länge nach mit
kleinen, aus demselben Metalle bestehenden Spizen besezt ist. An diese Spizen
wird die Sahlleiste des zu appretirenden Zeuges gehakt. Das eine der beiden
Räder ist firirt; das andere hingegen läßt sich mittelst einer Rußschraube längs
seiner Welle bewegen, damit man den Zeug in seiner ganzen Breite gleichmäßig
anspannen kann. — Der Hauptzwek bei dieser Maschine ist Ersparniß an Raum
und an Brennmaterial, da der Aufwand an beiden bei den gegenwärtig gebräuchlichen großen Rahmen sehr bedeutend ist. In dieser Hinsicht scheint sie ihrem
Zweke auch vollkommen zu entsprechen; ob sie hingegen auch den übrigen Anforderungen, welche man an derlei Apparate machen kann, entspricht: ob sie z. B.
die Faden der Kette und des Einschusses unter rechten Winkeln anzieht; ob sie
den Zeug mehr in die Länge als in die Breite zieht 2c., darüber kann nur die
Praxis Aufschluß geben.

Verbesserungen an dem Strumpfwirkerstuhle.

Die gewöhnlichen Strumpfwirkerstühle hatten, um die Arbeit zu erleichtern,
nur eine sehr geringe Breite, meistens unter 2 Fuß. Der Stuhl des Hrn. Decamps in Tournai hat hingegen eine Breite von 3 Fuß, so daß der Arbeiter mit
Hülfe zusammengesezter, in der Mitte des Stuhles angebrachter Hebel, die durch
zwei Kurbeln in Bewegung gesezt werden, mehrere Stüke auf ein Mal erzeugen
kann. Gewisse Fabricate, wie z. B. wollene und baumwollene Unterröke, die bisher wenigstens aus drei Stüken verfertigt werden mußten, lassen sich mit Hrn.
Decamps's Stuhle aus zweien fabriciren, woraus eine nicht unbedeutende Ersparniß an Arbeitslohn erwächst. Der Erfinder erhielt für seinen Stuhl in Belgien die silberne Medaille. (Recueil industriel. Februar 1837.)

Mittel gegen die Raupen in Obstgärten.

Ein Grundbesizer in der Grafschaft York empfiehlt neuerdings die Stämme
der Bäume und Sträucher mit Fischthran zu bestreichen, um sie gegen das Em-
porkriechen der Raupen zu schüzen, und um zugleich zu verhüten, daß von keiner-
lei Insecten Eier in die Risse der Rinde gelegt werden. Er versichert dieses Mittel seit einer Reihe von Jahren mit größtem Vortheile und ohne irgend einen
Nachtheil benuzt zu haben, namentlich auch an Stachelbeerstauden, die den Raupen so sehr ausgesezt sind. (Recueil industriel. Januar 1837.)

Ueber die Feuersbrünste in London im Jahre 1836

gibt das Mechanics' Magazine in seiner No. 705 einen ausführlichen, aus der
Feder des rühmlich bekannten Feuer-Statistikers W. Baddeley geflossenen Bericht, dessen Resultate wir gleich jenen der früheren Jahre unseren Lesern vorlegen.
Das Jahr 1836 brachte für London und seine nächsten Umgebungen im Vergleiche mit dem Jahre 1835 eine bedeutende Vermehrung der Feuerlärme mit sich;
denn deren Zahl stieg bis auf 756, während man ihrer im Jahre 1835 nur 643
zählte. Alle diese Lärme lassen sich den Monaten nach in folgende Tabelle bringen.

Monate.	Zahl der Feuersbrünfte.	Zahl der Feuersbrünfte wobei Menfchen verunglükten.	Zahl der verunglükten Perfonen.	Feuerlärme wegen brennender Schornfteine.	Falfche Feuerlärme.
Januar	56	0	0	16	8
Februar	41	1	1	8	4
März	46	0	0	13	9
April	43	2	2	12	2
Mai	57	2	2	5	2
Junius	59	0	0	12	5
Julius	55	1	1	7	6
Auguft	35	0	0	8	5
September	45	2	2	7	2
Oktober	44	1	1	12	7
Roovember	47	1	1	13	10
December	58	4	4	13	6
Summa	564	14	14	126	66

Von ben 564 wirklichen Feuersbrünften führten 33 zu gänzlicher Zerftörung, 134 zu bebeutenben unb 397 zu unbebeutenben Befchäbigungen ber in Brand gerathenen Gebäube: ein Verhältniß, welches weit mehr zu Gunften ber Löfchanftalten fpricht, als jenes ber früheren Jahrgänge. Befonbers wenn man bebenkt, baß von ben 33 Brünften, welche zu gänzlicher Zerftörung führten, 8 in folcher Entfernung von ben Löfchftationen vorfielen, baß bei Ankunft ber Sprißen fchon Alles verloren war; baß 9 biefer Brünfte auf kleine, ganz ober größten Theils aus Holz gebaute Gebäube, bie wenigftens 3 engl. Meilen von ber nächften Station entfernt waren, trafen; baß 2 in Brand gerathenen Häufer einftürzten, bevor bas Feuer noch irgend bebeutenbe Fortfchritte gemacht hat; baß in 9 Fällen bie Häufer mit höchft brennbaren Stoffen angefüllt waren, unb baß in 3 Fällen wegen Mangels an Waffer wenig geleiftet werben konnte. Die Gefammtzahl ber burch Feuer befchäbigten Gebäube belief fich auf 794.

In Hinficht auf bie Affecuranzen ergab fich folgenbes Verhältniß. Bei ben 564 Brünften waren in 169 Fällen Gebäube unb Mobiliar, in 73 nur bie Gebäube allein; in 104 nur bas Mobiliar allein, unb in 218 gar nichts affecurirt.

An Montagen ereigneten fich 76, an Dienftagen 76, an Mittwochen 87, an Donnerftagen 80, an Freitagen 91, an Samftagen 74 unb an Sonntagen 80 Feuersbrünfte. Deren Vertheilung nach Stunden war folgenbe.

	1 Uhr	2	3	4	5	6	7	8	9	10	11	12
Vormittag	32	24	18	16	12	13	12	16	5	13	17	17
Nachmittag	20	11	18	17	22	42	22	46	37	53	56	45

Den genaueften Nachforfchungen ungeachtet war über bie Urfachen all biefer Feuersbrünfte nur Folgenbes ausfinbig zu machen:

Durch verfchiebene, größten Theils unabwenbbare Unglüksfälle wurben veranlaßt	11
Durch Entzünbung ber Bekleibung von Perfonen	7
Durch Entzünbung von Bettvorhängen	71
Durch verfchiebene Unfälle mit Kerzen	51
Durch offenbare Unvorfichtigkeiten	18
Durch tragbare Kohlenfeuer	2
Durch Kinber, welche mit Feuer fpielten	6
Durch Feuer, welche auf Heerben angezünbet worben	5
Durch fehlerhafte ober brennenb geworbene Schornfteine	73
	Summa 245

	Transport	243
Durch Räuchern		5
Durch Ueberhitzung von Oefen rc.		9
Durch verschiedene Unfälle mit Gas, welche meistens während der Reparaturen der Apparate vorfielen		38
Durch Schießpulver		1
Durch Selbsterhitzung von Heu		1
Durch Selbsterhitzung von Kalk		3
Durch Selbsterhitzung von Lumpen		2
Durch Selbsterhitzung von Ruß		1
Durch Funken von Lampen		2
Durch unvorsichtiges Troknen von Wäsche		31
Durch überhitzte Oefen		6
Durch Entzündung von Spänen		13
Durch Feuerfunken		7
Durch fehlerhaft gesezte und überhitzte Oefen und Ofenröhren		28
Durch unzwekmäßige Anwendung von Hize bei verschiedenen Gewerben		34
Durch Tabakrauchen		1
Durch Entzündung von Vorhängen an Fenstern		35
Durch Brandstiftung		8
Durch unbekannte Ursachen		96
	Summa	564

Was die Feuergefährlichkeit gewisser Gebäude und Gewerbe betrifft, so reihten sich diese im Jahre 1836 nach folgender Ordnung.

In Privatwohnungen brachen aus	211
In Miethgebäuden	35
Bei licentirten Speisewirthen	36
Bei Zimmerleuten und Holzarbeitern	26
In Kaufläden, Bureaux rc.	25
Bei Bäkern	20
Bei Buchhändlern, Buchbindern und Schreibmaterialhändlern	12
Bei Hutmachern	12
In Ställen	12
In Häusern, welche Reparaturen unterlagen	9
Bei Schreinern	9
Bei Schneidern	8
Bei Traiteurs	6
In Gießereien	6
In Bierhäusern	5
Bei Käsehändlern	5
Bei Kurzwaarenhändlern rc.	5
Bei Lampenschwarz-Fabrikanten	5
Bei Oehl- und Farbenhändlern	5
Bei Kerzengießern	5
Bei Zinngießern, Gelbgießern und Schmieden	5
In Badehäusern	4
In Fabriken chemischer Waaren	4
Bei Baumwollwaaren-Arbeitern	4
In Gaswerken	4
Bei Gewürzkrämern	4
In öffentlichen Gebäuden	4
Bei Wein- und Weingeisthändlern	4
In Kirchen	3
Bei Kutschenbauern	3
Bei Kaffeeröstern	3
Bei Pächtern	3
Bei Zündhölzchen-Fabrikanten	3
In Magazinen	3
In Arbeitshäusern	3
Bei Zukerbäkern	2

Bei Korkschneidern 2
Bei Kornhändlern 2
Bei Färbern 2
Bei Federhändlern 2
Bei Glasbläsern 2
Bei Friseurs 2
In Gasthäusern 2
Bei Latirern 2
Bei Händlern mit Marine-Requisiten 2
Bei Müllern 2
Auf Schiffen 2
Bei Strohhutmachern 2
Bei Firnißfabrikanten 2
Bei Schiffbauern 1
In Brauereien 1
In Ziegelbrennereien 1
Bei Tröblern 1
Bei Baumeistern 1
Bei Kerzenhändlern 1
In Kaffeehäusern 1
Bei Tuchhändlern 1
Bei Feuerwerkern 1
Bei Hanf- und Flachshändlern 1
Bei Kautschukfabrikanten 1
Bei Fabrikanten von Musik-Instrumenten 1
Bei Senffabrikanten 1
Bei Bortenmachern 1
Bei Buchdrukern 1
Bei Kupferstichdrukern 1
Bei Lumpenhändlern 1
Bei Seilern 1
In Sägmühlen 1
Auf Dampfbooten 1
Bei Seidenwebern 1
Bei Rußhändlern 1
Durch Dampfmaschinen 1
Bei Holzhändlern 1
In Theatern 1
In unbewohnten Gebäuden 1
Bei Tapezierern 1

Unter den 14 verunglükten Individuen befanden sich nicht weniger als 8 weibliche, deren Kleidung Feuer gefangen hatte, und welche hauptsächlich durch unzwekmäßiges Benehmen hiebei den schmerzhaftesten Tod fanden.

Hr. Babbeley erwähnt in seinem Berichte mehrerer Verbesserungen welche in der Einrichtung und Ausstattung der Stationen der Londoner Löschanstalt gemacht wurden, und welche wir jenen, die besonderes Interesse an dieser Sache nehmen, zur Nachlese empfehlen. Mit großen Lobeserhebungen führt er hiebei den aus unserer Zeitschrift bekannten Apparat des Hrn. Obristlieutenants Paulin in Paris an, von dem er jedoch behauptet, daß er 8 Jahre früher von dem Engländer Dean angegeben wurde.

LXXIX.

Verbesserter Fortschaffungsapparat für Dampfboote und andere Fahrzeuge, worauf sich Francis Pettit Smith, von Hendon in der Grafschaft Middlesex, am 31. Mai 1836 ein Patent ertheilen ließ.

Aus dem Repertory of Patent-Inventions. April 1837, S. 172.

Mit Abbildungen auf Tab. VI

Meine Erfindung besteht in einer Art von Schraube oder Schnecke, welche unter dem Wasser und in einem Ausschnitt oder offenen Raum, der sich an dem Hintertheile des Schiffes (an dem sogenannten dead-rising oder dead-wood) befindet, angebracht ist, und mit bedeutender Geschwindigkeit umläuft oder vielmehr umgetrieben wird.

Fig. 23 gibt eine seitliche Ansicht eines meiner Erfindung gemäß gebauten Bootes. A, A ist der erwähnte Raum, welcher zur Aufnahme der Schnecke bestimmt ist. Leztere B sieht man hier in der Form einer hölzernen Schraube mit breiten Gewinden, welche mit ihrer Achse in den beiden Anwellen oder Endblöken C, D ruht. Der Blok D trägt auch die aufrechte umlaufende Spindel E, die mit der Dampfmaschine oder mit der sonstigen Triebkraft communicirt, und die die Schnecke in Bewegung sezt, wie dieß aus den anderen Figuren noch deutlicher erhellen wird.

Fig. 24 gibt nämlich eine Ansicht eines Bootes mit meinem verbesserten Fortschaffungsapparate, so wie dasselbe vom Hintertheile aus betrachtet erscheint.

Fig. 25 zeigt diesen Apparat, und jene Maschinerie, die ihn in Bewegung sezt, einzeln für sich. K ist die Haupttreibwelle einer gewöhnlichen Dampfmaschine. J ist ein Winkelrad, welches in ein anderes, an der senkrechten Spindel E umlaufendes Winkelrad I eingreift. An dem unteren Ende derselben Spindel befindet sich ein ähnliches Winkelrad G, welches in das an dem Ende der Schneken-spindel aufgezogene Winkelrad H eingreift. Die Geschwindigkeit, mit der die Schnecke umgetrieben wird, hängt demnach von dem Durchmesser des Rades H im Vergleiche mit dem Durchmesser des Getriebes G, und von der Bewegung des Kolbens der Dampfmaschine ab.

Fig. 26 zeigt den Blok C und Fig. 27 den Blok D im Grundrisse.

Fig. 28 ist ein Grundriß der Vorrichtung, womit der Spindel E Stätigkeit gegeben ist, nach der in Fig. 25 angedeuteten punktirten Linie genommen.

Dergleichen Vorrichtungen können, je nachdem man es für nöthig hält, und je nach der Länge der aufrechten Spindel E mehrere angebracht seyn. Aus der Abbildung ergibt sich, daß die Spindel E mit einem Gehäuse L, M, N, N umschlossen ist, in welchem das Wasser, worin das Fahrzeug schwimmt, bis zur Höhe der Wasserlinie emporsteigt, und welches daher wasserdicht gebaut seyn muß.

Es erhellt offenbar, daß die Schneke auch auf verschiedene andere Weise in Bewegung gesezt werden kann. So ließe sie sich vielleicht eben so gut und mit einem geringeren Maschinenapparate in Bewegung sezen, wenn das Getrieb H aus einer kleinen, das Rad J hingegen aus einer großen Rolle bestände, und wenn über beide ein Treibriemen geführt wäre. Da ich jedoch keine Gelegenheit hatte diese Betriebsweise im Großen zu probiren, so habe ich lieber das hier beschriebene Räderwerk angenommen. Ich brauche wohl kaum zu bemerken, daß man die Schneke sowohl aus Holz, als aus Eisenblech, als auch aus verschiedenen anderen Substanzen bauen kann; daß man ihr eine verschiedene Anzahl von Schraubengängen geben kann, und daß sich diese in Hinsicht auf die Achse der Schneke unter verschiedenen Winkeln stellen lassen. Meine Ansprüche beschränken sich auf die Anwendung des beschriebenen Fortschaffungsapparates, derselbe mag einzeln oder zu beiden Seiten der angegebenen Stelle, oder auch weiter nach vor- oder rükwärts, oder mehr oder minder tief getaucht angebracht seyn. [75]

---

75) Diese Ausdehnung der Ansprüche des Patentträgers macht, wie uns scheint, das ganze Patent unhaltbar; denn gerade das Princip, auf welches er sich stüzt, ist nicht neu, indem, wie unsere Leser aus unserem Journal wissen, die Schneke bereits auf mehrfache Art und Weise zum Treiben von Booten aller Art in Vorschlag gebracht wurde.   A. d. R.

LXXX.

Verbesserungen an den Apparaten zum Treiben von Fahrzeugen, so wie auch an den Dampfmaschinen und an der Methode einige Theile derselben in Bewegung zu sezen, worauf sich Samuel Hall, Civilingenieur von Basford in der Grafschaft Nottingham, am 24. Junius 1836 ein Patent ertheilen ließ.

Aus dem Repertory of Patent-Inventions. Mai 1837, S. 327.

Mit Abbildungen auf Tab. VI.

Meine Erfindung bezwekt, was das Treiben von Fahrzeugen betrifft, eine Verminderung der zitternden Bewegung der Dampfboote, so wie auch eine Verminderung des Rükwassers, welches die gewöhnlichen Ruderräder zu erzeugen pflegen, ohne daß dabei die Triebkraft selbst beeinträchtigt wird. Diesen Zwek suche ich, wie aus Fig. 1 und 2 hervorgehen wird, durch eine eigenthümliche Befestigungsmethode der Schaufeln an den Ruderrädern zu erreichen. Das Wasser soll nämlich hiedurch während der einen Hälfte des Umganges eines jeden Ruderrades nach der einen, während der zweiten Hälfte hingegen nach der entgegengesezten Richtung bewegt werden, damit die Schaufeln stets in schiefer Richtung gegen die durch sie selbst erzeugten Strömungen des Wassers treffen. Ich bringe daher die eine Hälfte der Ruderschaufeln in diagonaler Stellung an den Rädern an, damit sie nicht in einer mit ihrer Oberfläche parallelen, sondern in einer diagonalen Richtung in das Wasser eintreten; ich bringe ferner die zweite Hälfte der Schaufeln so an, daß sie in entgegengesezter Richtung in das Wasser eintreten.

Fig. 1 zeigt ein nach meinem System gebautes Ruderrad in einem seitlichen Aufrisse; in Fig. 3 sieht man ein solches vom Ende her betrachtet. Man ersieht hieraus, daß die Schaufeln nicht wie gewöhnlich unter rechten Winkeln mit den Kränzen der Räder und parallel mit deren Achse, sondern gegen beide in schiefer Stellung angebracht sind. Der Winkel, den die Schaufeln mit der Achse zu bilden haben, kann von 30 bis zu 60° wechseln; am geeignetsten finde ich jedoch einen von 45°. An großen Ruderrädern kann die schiefe Stellung der Schaufeln in einem Umgange der Räder 4 anstatt 2 Mal wechseln. Ich weiß wohl, daß Schaufeln, welche in diagonaler Richtung in das Wasser eintreten, nichts Neues sind: meine Patentansprüche gründen sich deßhalb auch nur darauf, daß ich die eine Hälfte der Schaufeln in der einen und die andere in der entgegengesezten diagonalen Stellung anbringe, und daß ich an großen

26 *

Rädern deren Stellung selbst vier Mal auf einen jeden Umgang verändere.

Was meine Verbesserungen an den Dampfmaschinen betrifft, so zähle ich ihrer sechs auf. Durch die erste glaube ich einen Apparat hergestellt zu haben, in welchem die Verbrennung des Brennmaterials vollkommener, als an irgend einem anderen von Statten geht, und der das Entweichen von Rauch oder von unverbrannten entzündbaren Gasen, Kohlenstoff oder anderen Brennstoffen durch den Schornstein der Dampfmaschinen sehr vermindert oder gänzlich verhindert. Der Apparat, womit ich dieß bewirke, treibt an dem Eingange der Feuerstelle erhitzte atmosphärische Luft ein, damit diese, indem sie das Feuer von einem Ende zum anderen durchstreicht, die aus dem Brennmateriale aufsteigenden brennbaren Gase und brennbaren Stoffe entzünde, bevor sie noch in Gestalt von Rauch in den Rauchfang oder auch nur in die an diesen führenden Feuerzüge oder an die Stege der Oefen gelangen. Zugleich kann in Folge dieser Einrichtung die Quantität jener Luft, welche man bei dem Aschenloche und unter dem Feuer eintreten läßt, auch mit Vortheil vermindert werden; denn der mit dieser Luft eintretende Sauerstoff wird größten Theils zur Erzeugung von Kohlensäure verwendet, welche das Brennen der entzündbaren Stoffe eher beeinträchtigen als begünstigen muß. Man soll daher unter dem Feuer nur so viele Luft einströmen lassen, als durchaus nöthig ist; während über und durch das Feuer so viele erhitzte Luft streicht, als mit Vortheil benutzt werden kann. An einer meiner Dampfmaschinen von 10 Pferdekräften, unter deren Aschenfall sich unter den Roststangen ein Raum von 3 Fuß 3 Zoll Breite und 12 Zoll Tiefe oder von 468 Quadratzoll Oberfläche befand, habe ich diesen Flächenraum bis auf den dritten Theil reducirt. Die Erfahrung allein kann jedoch hiebei den richtigen Maaßstab geben. Wenn die Feuerstelle nicht in die Länge gezogen ist, wie dieß z. B. an den Kesseln der Locomotiven und einiger anderer Maschinen der Fall ist, so lasse ich die erhitzte Luft im ganzen Umfange des Feuers oder von so vielen Seiten her, als ich es für geeignet finde, eintreten, um auf diese Weise die aus dem Brennmateriale emporsteigenden Gase und Brennstoffe zu entzünden. Die hiezu nöthige heiße Luft verschaffe ich mir durch gehörige Benutzung der Hitze der in den Schornstein entweichenden Gase und Flammen.

Fig. 3, 4 und 5 zeigen diesen meinen Apparat an dem Kessel eines Dampfbootes angebracht; und zwar in Fig. 3 in einem Längendurchschnitt durch den Apparat und durch einen Theil des Kessels; in Fig. 4 in einem Frontaufrisse und in Fig. 5 in einem Grundrisse. a ist der Schornstein, in welchem in irgend einer geeigneten

Entfernung von einander (welche Entfernung, wie später gezeigt werden soll, durch die Länge der Röhren c, c regulirt wird) zwei Platten b, b aus Gußeisen oder aus einem anderen tauglichen Metalle angebracht sind. Ich nehme 10 Fuß als diese Entfernung an; die untere Platte soll ihren Sitz so tief als möglich in dem Schornstein haben. c, c sind metallene Röhren, die irgend einen geeigneten Durchmesser haben können; ich nehme sie von 7 bis zu 9 Zoll. Sie sind an beiden Enden offen und in die Löcher der beiden Platten b, b eingesezt, wobei sie durch Winkeleisen an Ort und Stelle erhalten werden. So nahe als möglich an dem oberen Ende dieser Röhren und dicht unter der oberen Platte b, sind rings in den Umfang des Schornsteines Löcher gebohrt, die auch in kleine Trichter auslaufen können, wie man dieß an der Locomotive in Fig. 6 sieht. Unmittelbar über der unteren Platte b, b befinden sich in dem Schornsteine bei e, e Fig. 3, ähnliche Löcher. welche in ein den Fuß des Schornsteines umgebendes Gehäuse f, f führen. Von diesem Gehäuse aus führen die Canäle g, g in die Oeffnungen h, h, welche sich vor der Feuerstelle und über den Feuerthürchen befinden. Die atmosphärische Luft tritt bei den Oeffnungen d, d ein, strömt an der Außenseite der Röhre c, c durch den Schornstein herab, entweicht durch die Löcher e, e in das Gehäuse f und gelangt endlich durch die Canäle g, g an die Oeffnungen h, h. Sie wird auf diesem Wege bedeutend erhizt und gelangt vorne auf einer solchen Temperatur an die Feuerstelle, daß sie die aus dem Brennmateriale emporsteigenden brennbaren Gase und Stoffe größten Theils, wo nicht ganz in Brand stekt.

In Fig. 6, 7 und 8 sieht man meinen Apparat an dem Kessel einer Locomotive angebracht. Fig. 6 ist ein Längendurchschnitt der Maschine durch deren Mitte genommen. Fig. 7 ist ein Querdurchschnitt nach der punktirten Linie x, x. Fig. 8 ist ein eben solcher nach der Linie y, y. a, a ist ein aus Eisenblech oder einem anderen entsprechenden Metalle bestehendes Gehäuse. welches den Schornstein so umschließt, daß zwischen beiden ein beiläufig einen Zoll weiter Raum bleibt. Mit ihm communicirt ein anderes Gehäuse b, b, welches einen Theil des Kessels einschließt; beide zusammen bilden ein ununterbrochenes Gehäuse, welches von dem Scheitel des Schornsteines bis zu der Feuerstelle reicht. c, c, c sind kurze, rings um die Feuerstelle herum angebrachte Röhren, die das Gehäuse oberhalb der Roststangen mit der Feuerstelle verbinden. Auf zwei Oeffnungen, welche sich an dem oberen Ende des den Schornstein umgebenden Gehäuses befinden, sind zwei Trichter d, e aufgesezt. Wenn nun dieser Apparat arbeitet, so dringt die äußere atmosphärische Luft bei einem dieser Trichter d, wenn die Maschine nach der einen, und bei dem anderen o, wenn sie nach der entgegengesetzten Richtung läuft, ein. Sie trifft hiebei auf zwei Scheidewände, welche sich, wie in der Abbildung durch punktirte Linien angedeutet ist; von dem Scheitel des Gehäuses bis etwas unter die Oeffnungen d, d herab-erstrecken, um dann in dem zwischen dem Gehäuse und dem Schornsteine gelassenen Raum herab zu strömen, hierauf zwischen dem Gehäuse b, b und dem Kessel hin zu ziehen, und endlich durch die Röhren e, e, e von allen Seiten und dicht ober dem Brennmateriale in die Feuerstelle zu gelangen.

Wenn die Luft durch das Herabströmen längs der Außenseite des Schornsteines bis auf einer Temperatur erhitzt worden ist, welche jene des im Kessel befindlichen Dampfes übersteigt, so gibt sie auf ihrem Wege an die Feuerstelle etwas von ihrer Hize an den Kessel ab; ist dieß hingegen nicht der Fall, so gibt umgekehrt der Kessel einen Theil seiner Hize an die Luft ab, damit diese auf den gehörigen, zur Erreichung meines Zweckes nöthigen Grad erhizt wird.

In einigen Fällen läßt sich die Verbrennung des Rauches auch dadurch erzielen, daß man die Luft nur über den Kessel allein in die Feuerstelle strömen läßt. Dieses Verfahren ist nämlich der Hize des Kessels nicht so nachtheilig, als man allenfalls glauben möchte; denn die Hize, die diesem von Oben entzogen wird, wird ihm von Unten wieder gegeben, verstärkt durch jene Hize, welche aus einer vollkommeneren Verbrennung der brennbaren Gase und anderer den Rauch bildenden Stoffe erfolgt. Wo man daher die Erhizung der Luft nicht wohl auf eine andere Weise bewerkstelligen kann, möchte dieses Verfahren immer empfehlenswerth seyn. Uebrigens kann man, anstatt den Kessel der Locomotiven mit einem Gehäuse zu umgeben, auch Röhren in den Schornsteinen anbringen, und zwar auf die oben aus Fig. 3 ersichtliche Art und Weise.

Fig. 9 ist ein Längendurchschnitt einer Landdampfmaschine, welche mit meinem Apparate ausgestattet ist. Fig. 10 ist ein horizontaler Durchschnitt des Schornsteins und der in ihm befindlichen Röhren. In dem Schornsteine a, a befinden sich zwei gußeiserne Platten b, b, welche den oben in Fig. 3, 4 und 5 beschriebenen ähnlich sind, mit dem Unterschiede jedoch, daß sie der Form des Schornsteines entsprechend viereckig sind, und daß sie in Fugen ruhen, die zu deren Aufnahme in die Wände des Schornsteines geschnitten sind. Die Röhren c, c, welche gleichfalls vierseitig sind, denen man aber eben so gut auch eine cylindrische Form geben kann, sind auf die bei dem Dampfbootkessel angegebene Methode in den Platten b, b firirt. Die in den Schornstein gemachten Oeffnungen d, d lassen die Luft eindringen, damit sie in ihm längs der Außenseite der Röhren c, c und

zwischen ihnen herabströme. e ist eine Oeffnung, welche an dem
unteren Theile des Schornsteins in der dem Kessel zunächst liegenden
Wand desselben angebracht ist. Zwischen dem aus Baksteinen oder
einem anderen geeigneten Materiale gebauten Gewölbe f, f und dem
Kessel ist ein hohler Raum g, g gelassen, der mit der eben erwähnten Oeffnung e communicirt, und der durch einen langen schmalen
Schliz dicht über dem Thürchen der Feuerstelle mit dieser in Verbindung steht. An diesem Schlize ist ein Schieber anzubringen, womit sich die Quantität der in die Feuerstelle eingelassenen erhizten
Luft reguliren läßt.

Hieraus erhellt offenbar, daß dieser Apparat ganz auf dieselbe
Weise wirkt, wie der oben bei Fig. 3, 4 und 5 beschriebene: d. h.
die Luft strömt durch den Schornstein a an der Außenseite und zwischen den Röhren c, c herab, um dann durch die Oeffnung e in den
Raum g, g und endlich durch den Schliz h in die Feuerstelle zu gelangen.

Ich weiß, daß man bereits auf verschiedene Weise versucht hat,
in den Kesseln der Dampfmaschinen eine vollkommenere Verbrennung
des Brennmateriales und der aus diesem entwikelten brennbaren Gase
und Stoffe zu erzielen, und daß auch schon auf mehrere dieser Methoden Patente genommen wurden. Erstens wollte man dieß dadurch
bezweken, daß man die Luft, nachdem sie durch ein eigenes Feuer,
oder durch den Ofen selbst, oder durch die Feuerzüge des Kessels erhizt worden ist, an dem Stege oder an dem Eingange der in den
Schornstein führenden Feuerzüge, mithin also außer der Feuerstelle,
einleitete. Zweitens glaubte man diesen Zwek dadurch zu erreichen,
daß man die Luft an dem Stege und folglich abermals außerhalb
der Feuerstelle eintreten ließ, nachdem man sie vorher zum Behufe
der Erhizung mittelst eines Gebläses oder vermöge der Zugkraft des
Feuers durch gewundene, innerhalb des Schornsteines oder innerhalb
einer in diesen führenden Kammer angebrachte Röhren strömen ließ;
oder nachdem man sie zu demselben Zweke durch mehrere Röhren
emporsteigen und dann durch eine weite Hauptröhre wieder herabströmen ließ. Drittens versuchte man dieß auf mannigfache andere
Weise dadurch zu bewirken, daß man die Luft mit Gebläsen durch
ausgedehnte, im Zigzag geführte, und mit den gleichfalls im Zigzag
laufenden Rauchröhren abwechselnde Röhren trieb, und endlich unter
dem Feuer in einen geschlossenen Aschenfall leitete. Meine Methode
weicht nun aber von allen diesen ab, wie man aus dem bisher Ge-
sagten ersehen haben wird. Meine Ansprüche gründe ich in dieser
Hinsicht: 1) auf die Erhizung der Luft in Röhren, welche auf die
beschriebene Art in einem Schornsteine oder in einer an diesen führen-

ben Kammer angebracht sind, oder in einem den Rauchfang umgebenden Gehäuse. 2) auf die Leitung der Luft über den Kessel hin
in einem hiezu bestimmten Gehäuse. 3) endlich auf die Einführung
der erhizten Luft an dem einen Ende der Feuerstelle und zwar an
den Thürchen oder dicht oberhalb diesen, damit dieselbe auf ihrem
Wege an die Feuerzüge die mit einem offenen Aschenfalle versehene
Feuerstelle durchstreiche. Ich behalte mir vor die Erhizung durch
Röhren mit der Erhizung in dem Gehäuse zu verbinden, und die
erhizte Luft direct und ohne sie über den Kessel strömen zu lassen, in
die mit offenen Aschenfällen versehenen Feuerstellen über deren' Thürchen einzuleiten. Ich behalte mir vor die Luft vor ihrem Eintritte
in die Feuerstellen lediglich dadurch zu erhizen, daß ich sie mit Hinweglassung der Röhren in dem Schornsteine über die Kessel hinleite.
Ich behalte mir vor an Locomotivmaschinen die nach den beiden ersten
Methoden erhizte Luft entweder bei offen gelassenem Aschenfalle nur
über den Roststangen, oder bei geschlossenem Aschenfalle sowohl über
als auch unter den Roststangen einzuleiten. Ich behalte mir endlich
vor, auch an Locomotiven die in die Feuerstelle gelangende Luft lediglich dadurch zu erhizen, daß ich sie durch das den Schornstein umgebende Gehäuse führe; oder auch lediglich dadurch, daß ich sie nur
über den Kessel leite. Unter allen diesen Umständen muß die zu er-
hizende Luft durch das die Röhren enthaltende Gehäuse stets in gerader Richtung und durchaus nicht im Zigzag strömen, indem durch
alle Veränderungen ihres Laufes eine Verminderung des Luftzuflusses
entstehen muß, ausgenommen man wendet ein Gebläse oder andere
mechanische Mittel an.

Durch meine zweite Verbesserung an den Dampfmaschinen soll
der raschen Abnüzung gesteuert werden, die gegenwärtig aus der Einwirkung des Feuers auf die Röhren, aus denen die Feuerzüge der
Dampfmaschinen und anderer Röhrenkessel bestehen, erwächst. Um
diesen Zwek zu erlangen, bringe ich in die Röhren der Kessel dünne
bewegliche Fütterungen aus Kupfer, Messing oder anderen entsprechenden Metallen, welche, wenn sie kalt sind, so dicht an die Kesselröhren passen müssen, als dieß möglich ist, ohne die Leichtigkeit des
Einsezens und des Herausnehmens derselben zu beeinträchtigen. Diese
Metallbleche können entweder zu vollkommenen Röhren zusammenge-
schweißt seyn, oder sie können einander nur an ihren Rändern berühren, oder sie können mit ihren Rändern über einander klappen:
je nachdem sich das eine oder das andere als besser bewährt. Wenn
diese Fütterungen in der Kälte schon genau an die Kesselröhren passen, so werden sie sich in der Hize so innig an deren Wände anlegen,
als wenn beide gleichsam nur aus einem Stüke bestünden. Die

Folge hievon ist, daß die Fütterungen die Röhren, welche mit dem Wasser in Berührung stehen, gegen Abnuzung schüzen. Man sieht in Fig. 11 bei a eine solche Kesselröhre mit ihrer Fütterung c, die an jenem Ende, welches am weitesten von dem Feuer entfernt ist, etwas Weniges über die Röhre hinausragen muß, damit sie leicht heraus genommen werden kann, wenn eine neue Fütterung eingesezt werden muß. Die Abnuzung trifft hier nicht die Röhren selbst, sondern die auszuwechselnden Fütterungen, auf deren Anwendung ich Patentansprüche geltend mache.

Meine dritte Erfindung betrifft eine Verbesserung jenes Apparates, womit im Vacuum so viel Wasser destillirt werden soll, als zum Ersaze der bei dem Betriebe der Maschinen verloren gehenden Quantität erforderlich ist, und worauf ich am 13. Febr. 1834 ein Patent nahm.[76]) Mein neuer Apparat, der nur einen sehr kleinen Raum einnimmt, vermag eine weit größere Menge Wasser zu destilliren, als der frühere seiner weit größeren Ausdehnung ungeachtet zu liefern im Stande war; denn er bietet in einem kleinen Raum eine weit größere Metalloberfläche dar, die zur Uebertragung der Hize des in den Kesseln befindlichen Wassers und Dampfes an das zu destillirende Wasser verwendet werden kann.

Fig. 12 ist ein Längendurchschnitt meines verbesserten Destillirapparates. Er besteht aus einer metallenen Kammer a, a, an der mittelst Stangen c, c eine zweite kleinere Kammer b, b aufgehängt ist. Beide Kammern stehen durch kupferne Röhren d, d von beiläufig einem Zoll im Lichten, welche an beiden Enden offen sind, mit einander in Verbindung. Die Löcher, durch die diese Röhren in die Platten der Kammer geführt sind, sind zum Behufe der Aufnahme eines Wäschers etwas weiter als die Röhren; dieser Wäscher selbst wird mittelst einer messingenen Zwinge fest oder vielmehr dicht an die Röhren geschraubt, damit auf dieselbe Weise, die ich in meinem früheren Patente an den Röhren der Verdichter beschrieben habe, ein wasser- und dampfdichtes Gefüge erzeugt wird. Die Röhre e dient zur Speisung des Destillirapparates mit Wasser; sie ist mit einem Hahne f versehen. Die Büchse g enthält ein Ventil, welches das Speisungswasser eintreten läßt, und welches durch den Schwimmer h regulirt wird. Durch die Röhre k, an der bei l ein Hahn angebracht ist, gelangt der Dampf aus der oberen Destillirkammer a in die obere Kammer des Verdichters oder Condensators. Bei der Röhre m, die an den Hahn n gestekt ist, kann das unreine Wasser mit dem

76) Dieses Patent ist ausführlich beschrieben im Polyt Journ. Bd. LV.
S. 401. A. d. R.

Gaze, der sich während der Destillation abscheidet, abgelassen werden. Man braucht nämlich zu diesem Zwecke nur die Hähne f und l zu schließen, und dafür die Hähne n und o zu öffnen; denn dann wird bei lezterem und durch die Röhre p von dem Kessel her Dampf in die Kammer a eintreten, so daß das unreine Wasser in Folge des Drukes, den der Dampf ausübt, bei der Röhre m ausgetrieben wird. In der Abbildung sind die kupfernen Röhren und die Kammer b, b als in den Kessel eingesenkt dargestellt; man kann jedoch den ganzen Apparat auch außen an dem Kessel anbringen, wenn man die Röhren mit einem Gehäuse umschließt, welches oben und unten durch Röhren mit dem Kessel in Verbindung steht. Meine Ansprüche betreffen, was diese meine dritte Erfindung angeht, die Anwendung von Röhren oder anderen Vorrichtungen, welche in einem kleinen Raume eine ausgedehnte Metalloberfläche zur Uebertragung der Hize von siedendem Wasser oder Dampfe an das zur Destillation im Vacuum bestimmte Wasser gewähren.

Meine vierte Erfindung beruht darauf, daß ich in einigen Fällen den erwähnten Verlust an reinem Wasser ausgleiche, ohne zur Destillation im Vacuum meine Zuflucht zu nehmen. Ich bediene mich, wenn der Kessel aus mehreren Fächern oder Kammern besteht, einer solchen, und wenn dieß nicht der Fall wäre, eines eigenen kleinen Kessels zur Aufnahme des unreinen, zur Destillation bestimmten Wassers. In ersterem Falle muß diese Kammer auf solche Weise von den übrigen getrennt seyn, daß jede Vermengung der in den verschiedenen Kammern enthaltenen Flüssigkeiten unmöglich ist. In lezterem Falle leite ich den in dem kleinen Kessel erzeugten Dampf in jene Röhre, die den Dampf von den Kesseln an die arbeitenden Cylinder führt, damit er, wenn er in den Verdichter gelangt, in Wasser verwandelt werde.

Meine fünfte Erfindung fußt darauf, daß ich in solchen Fällen, in denen die Unreinigkeiten des Wassers durch Filtration abgeschieden werden können, nicht nur den mehr erwähnten Verlust an reinem Wasser, sondern wohl auch sämmtlichen, zur Speisung der Kessel nöthigen Bedarf auf diese Weise liefere. Der Filtrirapparat, den ich zu diesem Zweke erfand, ist so einfach und nimmt einen so kleinen Raum ein, daß der Filtrirproceß selbst für große Kessel in dem Maschinenraume der Dampfboote vorgenommen werden kann. Fig. 13 zeigt diesen Apparat in einem Längendurchschnitte; Fig. 14 ist ein Querdurchschnitt; Fig. 15 ein Grundriß nach der Linie x, x; Fig. 16 endlich ist ein Frontaufriß. Die Kammer a, a enthält das zur Filtration verwendete Material, welches entweder aus Sand, Schwämmen oder irgend einem Zeuge bestehen kann, und wozu ich Wollentuch oder Calico vorziehe. Unter ihr und durch eine mit feinen Löchern versehene Metallplatte davon getrennt befindet sich die Kammer b, b. Die runde Oeffnung d läßt das unreine, zu filtrirende Wasser in den flachen Canal e eintreten. Bei einer ähnlichen Oeffnung f hingegen und durch einen dem Canale e ähnlichen Canal g entweicht jenes unreine Wasser, welches nicht durch das Filtrationsmedium dringt. Diese beiden Canäle und Oeffnungen bilden einen Theil der Kammer c, und sind mit dieser in einem Stüke gegossen. Um die beiden Walzen h, h, die mit den Kurbeln j, j umgedreht werden können, ist ein Stük Zeug geschlungen, so daß dasselbe unter den Canälen e, g von einer Walze zur anderen, und mithin zwischen dem zu filtrirenden Wasser und dem in der Kammer a, a befindlichen Filtrationsmedium hindurch läuft. Damit es hiebei in einer geraden Linie zwischen den Canälen e, g und dem Filtrationsmedium hindurch geleitet werde, sind die beiden Leitwalzen k, k angebracht. Die kreisrunde Bürste m, die mit einem Rigger und einer Rolle versehen ist, dient zur Beseitigung des Schlammes, der sich sonst auf dem Zeuge absezen würde. Die Röhre n verbindet die Kammer b, b mit dem Verdichter oder mit dem Boden der Luftpumpe, um das Durchdringen des Wassers durch das Filtrationsmedium zu begünstigen, und das Filtrat in die Kessel gelangen zu machen. Uebrigens kann man, um ein Vacuum zu erzeugen und um das filtrirte Wasser in die Kessel zu treiben, auch eine Pumpe von irgend einer geeigneten Art in Anwendung bringen.

Meine sechste Erfindung besteht in einer Verbesserung des Apparates, womit meinem Patente vom 13. Febr. 1834 gemäß der Eintritt des Dampfes aus den arbeitenden Cylindern in die Verdichtungsröhren regulirt werden kann. Ich bringe nämlich, abgesehen von der daselbst beschriebenen Vertheilungsplatte, auch noch andere Platten an, welche den Dampf auf solche Weise von dem arbeitenden Cylinder an die Vertheilungsplatte zu leiten haben, daß die Vertheilung noch weit gleichmäßiger Statt findet. Man sieht diesen Apparat in Fig. 17, wo der obere Theil eines nach meinem Patente vom 13. Febr. 1834 eingerichteten Verdichters in einem Querdurchschnitte dargestellt ist. Der Dampf tritt durch die Oeffnung a von dem arbeitenden Cylinder her in die obere Kammer des Verdichters oder Condensators, und gelangt daselbst an die Vertheilungsplatte b, b, b, an der die drei Platten c, c, c angebracht sind, damit der Dampf in möglichst gleichen Quantitäten an die Vertheilungsplatte b, b, b geleitet wird. Die Enden dieser Leitplatten stoßen an die Oeffnung a und theilen also den Dampf, so wie er bei dieser austreten will, in vier beinahe ganz gleiche Quantitäten, in welchen er dann an die Vertheilungsplatte gelangt. Hieraus erhellt, daß jeder vierte Theil des aus dem arbeitenden Cylinder entweichenden Dampfes beiläufig auch auf den vierten Theil der Verdichtungsröhren verbreitet wird. In den flachen Theilen der Leitplatten befindet sich eine große Menge kleiner Löcher, damit sie nicht aus der Form kommen können, wenn allenfalls der zwischen ihnen befindliche Dampf einen ungleichen Druk ausüben sollte. Diese Löcher werden die Leitungskraft der Platten nur sehr wenig beeinträchtigen. An jeder Leitplatte, so wie auch an der Vertheilungsplatte selbst sind kleine Säulchen angebracht, damit weder zu starke Schwingungen, noch auch Verbiegungen derselben eintreten können.

Meine Verbesserungen an der Betriebsweise meines am 14. Febr. 1834 patentirten Apparates bestehen: 1) in folgender Methode die Verdichtungsröhren zu reinigen, wenn dieß aus irgend einer zufällig eintretenden Ursache nöthig werden sollte. Ich lasse nämlich, während die Maschine so langsam als möglich arbeitet, einen Strom alkalischer Lauge oder einer Seifenauflösung oder eines Gemisches aus beiden durch die Oeffnung, welche von dem arbeitenden Cylinder in die obere Kammer des Verdichters führt, treiben. Dieser Strom, der nicht in den Kessel gelangen darf, und der also bei einem Hahne, welcher an irgend einer geeigneten Stelle zwischen dem Entleerungsventile der Luftpumpe und dem Kessel angebracht ist, entweicht, muß so lange fortwähren, als er noch verunreinigt bei dem erwähnten Hahne abfließt. Fließt keine Unreinigkeit mehr ab, so muß die Maschine noch so lange ohne Speisung des Kessels mit Wasser in Gang erhalten werden, bis das durch die Verdichtung des Dampfes entstandene Wasser alle die seifenhaltigen und alkalischen Theile weggeschwemmt hat, wo dann das ganze Spiel der Maschine auf die gewöhnliche Art und Weise beginnen kann. Dieses Verfahren ist nicht zur allgemeinen Anwendung, sondern für gewisse Fälle bestimmt, und diese sind folgende. Man brachte nämlich schon einige Male Pferdemist oder andere Unreinigkeiten in die Kessel einiger nach meinem Systeme erbauten Dampfmaschinen, wo dann Theilchen von diesen in die arbeitenden Cylinder und aus diesen in die Verdichter übergingen, deren Röhren sie verunreinigten. Andererseits gibt es Leute, welche zweifeln, daß diese Röhren rein bleiben dürften, obschon nur Dampf, der aus reinem destillirtem Wasser entwikelt wird, in dieselben gelangt. In ersterem Falle nun wird mein Apparat allen wirklichen Unrath schnell entfernen; im zweiten dagegen wird er allen Zweifeln begegnen. Meine Verbesserungen in dieser Hinsicht bestehen aber 2) auch noch in der Anwendung einer Pumpe an dem untersten Theile der Luftpumpe der Maschine, um dadurch alles Waffer, welches sich allenfalls daselbst oder in dem Verdichter ansammelt, abzuleiten und in den Keffel zu treiben.

Die Nuzanwendung, welche einige meiner hier beschriebenen Erfindungen und Verbefferungen auch noch zu anderen Zweken finden, ergeben sich beim Erhizen, Verfieden und Eindampfen aller Arten von Flüffigkeiten.

LXXXI.

Verbefferungen an den Oefen der Keffel für Dampfmaschinen, worauf sich John Hopkins, Geometer in Exmouth Street, in der Grafschaft Middlesex, am 18. Jun. 1836 ein Patent ertheilen ließ.

Aus dem Repertory of Patent-Inventions. Mai 1857, S. 261.

Mit Abbildungen auf Tab. VI.

Meine Erfindung besteht lediglich darin, daß ich dem sogenannten Feuerstege (fire-bridge) eine dermaßen gebogene oder gewölbte Gestalt gebe, daß er die Flammen von dem Ende des Ofens zurükwirft, damit sie zum Theil wieder über das entzündete Brennmaterial zurükströmt, und damit hiedurch die unverbrannten, aus dem Brennstoffe emporsteigenden Dünste und Gase entzündet werden. Mein Ofen bedingt daher nicht nur einen größeren Nuzeffect des Brennmateriales, sondern er verhindert auch großen Theils die Entwikelung von Rauch.

In der beigegebenen Zeichnung, Fig. 22, sieht man den Ofen einer Dampfmaschine, an welchem mein verbefferter Feuersteg angebracht und aus Baksteinen aufgeführt ist. Man sieht hieraus, daß der Feuersteg a, anstatt wie gewöhnlich gerade emporzusteigen und dadurch Flammen und Rauch mit größerer Kraft an den Boden des Keffels anschlagen zu machen, eine nach Vorwärts aufgebogene Gestalt hat, wodurch die Flamme und die erhizte Luft nicht nur aufwärts getrieben wird, sondern wodurch zugleich auch die zunächst an dem Stege aus dem Brennmateriale entwikelte Flamme und erhizte Luft so zurükgeworfen wird, daß sie die Richtung gegen das Ofenthürchen hin bekommt, und also gezwungen wird, noch ein Mal über das entzündete Brennmaterial hin zu streichen, damit sie hiebei entzündet und verbrannt werde. Es versteht sich, daß dieser Feuersteg sowohl an den Keffela der Dampfboote, als auch an den Keffeln anderer Maschinen aus Metall anstatt aus Baksteinen, und zwar innen hohl verfertigt werden kann, damit das Waffer aus dem Keffel in ihn übergehe und darin erhizt werde. Dieß läßt sich entweder durch Röhren oder auch dadurch vermitteln, daß man in jenen Fällen, in welchen sich der Ofen innerhalb des Kessels befindet, den Feuersteg mit den Seitenwänden des Kessels verbindet. Ein Sachverständiger wird hienach leicht die gehörigen Anordnungen zu treffen wissen.

Ich habe hier zwar nur solche Oefen, welche für die Kessel auf den Dampfbooten bestimmt sind, beschrieben; allein es versteht sich von selbst, daß meine Verbesserung auch auf die Oefen anderer Kessel anwendbar ist, in so fern sich Feuerstege von gewöhnlicher Art in ihnen befinden.

LXXXII.

Ueber die Heizung und Ventilirung von Gebäuden. Von Dr. Andrew Ure, F. R. S. ec.

Im Auszuge aus einem vor der Royal Society gehaltenen Vortrage; auch im Mechanics' Magazine, No. 713 u. f. f.

Mit Abbildungen auf Tab. VI.

Die Heizung und Ventilirung der Gebäude, die von so unendlichem Einflusse auf die Gesundheit und das Wohlbefinden ihrer Bewohner ist, zog erst in neuerer Zeit die verdiente Aufmerksamkeit auf sich. Nicht nur die Commission, welche das Parlament mit Untersuchung der Umstände, unter denen die Fabrikarbeiter leben, beauftragte, richtete ihr Augenmerk hierauf; sondern eine eigene Commission hatte über die beste Heiz- und Ventilirmethode für die neuen Parlamentsgebäude zu berichten. Ich selbst widmete mich diesem Gegenstande mit allem Eifer, besonders nachdem ich von den Directoren einer Lebensversicherungs-Anstalt über die häufige und beinahe allgemeine Kränklichkeit jener Beamten befragt wurde, die (gegen 200 an der Zahl) in der sogenannten langen Halle (Long Room) der Mauth in London beschäftigt sind. Die Resultate meiner hierüber angestellten Beobachtungen sind es, welche ich der Gesellschaft vorzulegen die Ehre habe.

Das Unwohlseyn der erwähnten Beamten äußert sich durch ziemlich gleiche Erscheinungen: nämlich durch Eingenommenheit des Kopfes mit zeitweiser Aufgetriebenheit des Gesichtes, durch Klopfen an den Schläfen und Schwindel, zu dem sich nicht selten eine sehr unangenehme Verwirrung der Gedanken gesellt; durch Kälte und Schwäche in den Extremitäten; durch einen mehr schwachen, frequenten und mehr irritablen Puls, als er der Körperconstitution der einzelnen Individuen nach seyn sollte. Alle diese Erscheinungen deuten auf Undrang von Blut nach dem Kopfe, der auch nicht selten bei aller Mäßigkeit einen solchen Grad erreicht, daß Aderlässe nöthig werden.

Die Aehnlichkeit dieser Beschwerden an Personen von verschiedenem Alter und verschiedenem Temperamente deuten zu sehr auf Gleichheit der Ursachen, als daß ich nicht hierauf hätte eingehen müssen.

Die Temperatur der langen Halle betrug an den drei Tagen, während denen ich meine Beobachtungen anstellte, beständig zwischen 62 und 64° F., obschon die Temperatur der äußeren atmosphärischen Luft während dieser Zeit zwischen 50 und 35° F. wechselte; jene in dem Gemache des untersuchenden Beamten hatte zufällig um einige Grade weniger, nämlich 60° F. Die heiße Luft, welche aus zwei cylindrischen Röhren in die lange Halle einströmte, hatte an dem einen Tage 90, an dem anderen dagegen 110° F.; sie ward jedoch vor ihrem Eintritte in die Halle durch einen Strom kalter Luft verdünnt. Jene heiße Luft hingegen, die in das Gemach des Untersuchungsbeamten gelangte, strömte nicht unähnlich dem glühenden Simson der Wüsten mit einer Temperatur von vollen 170° F. ein, und hatte in einem hohen Grade den unangenehmen Geruch, den die Luft durch rothglühendes Eisen jederzeit mitgetheilt erhält.

Die Luft in beiden Räumen zeichnete sich durch Trokenheit und unangenehmen Geruch aus; in der langen Halle zeigte sie an Daniell's Hygrometer 70 Proc. Trokenheit, während die äußere atmosphärische Luft ganz mit Feuchtigkeit gesättigt war. In dem Hofraume hinter der Mauth, wo die Temperatur der Luft 35° hatte, sezte sich bei einer Temperaturerniedrigung von 3° Thau auf die schwarze Kugel des Hygrometers ab; in der langen Halle hingegen war hiezu eine Temperaturerniedrigung von 34° nöthig. Luft von diesem Grade der Trokenheit wird in 24 Stunden 0,44 Zoll des Wasserstandes in einer Cisterne verflüchtigen, und muß nothwendig auch auf die Hautausdünstung einen mächtigen Einfluß üben.

Da das Gußeisen immer mehr oder weniger Kohlenstoff, Schwefel, Phosphor, und auch Spuren von Arsenik enthält, so ist es möglich, daß der Geruch der Luft, welche über das glühende Eisen strömte, nicht bloß von der Verbrennung der in dieser schwebenden Theilchen, sondern auch von der Aufnahme einiger jener Stoffe herrührt, da dieselben schon in äußerst geringer Quantität auf die Geruchsnerven und auch nachtheilig auf die Lungen wirken. Ich brachte zur Probe ein mit salpetersaurer Silberauflösung getränktes weißes Papier an das Ventil, und bemerkte eine Färbung desselben wie von schwefeligen Dämpfen; dagegen ward Papier, welches mit Schwefelwasserstoff-Wasser befeuchtet worden war, nicht im Geringsten gefärbt.

Erstere Färbung mag übrigens wohl auch von den Myriaden ani-
malischer und thierischer Theilchen, welche beständig in der Luft schwe-
ben, herrühren. Die Luft, welche der berüchtigte Simson über die
brennenden Wüsten Afrika's und Arabiens her treibt, zeichnet sich
durch große Hize, Trokenheit und einen hohen Grad von Elektricität
aus. Da nun trokener, aller Vegetation entblößter Sand ihr nicht
wohl schädliche Gase oder Dämpfe mittheilen kann, so rühren die
schädlichen Folgen dieses Windes wahrscheinlich von den eben erwähnten Eigenschaften der von ihm herbeigeführten Luft her. Aehn-
liche Eigenschaften, jedoch in geringerem Grade, besizt nun aber auch
die Luft, die der Heizapparat in dem Mauthgebäude liefert. Der
Apparat besteht nämlich aus mehreren umgekehrten, hohlen, gußeisernen Pyramiden mit länglicher Basis, deren Dimensionen jedoch nicht
bedeutend sind, damit sie auch bei kalter Witterung mit mäßiger
Heizung Genüge leisten. Diese Pyramiden, welche man Gloken zu
nennen pflegt, werden von Innen mit Kohlsfeuer beinahe bis zum
Glühen erhizt, während auf deren äußere Oberfläche durch zahlreiche
Canäle aus Eisenblech kalte Luft strömt. Daß die Luft hiebei in
bedeutendem Grade elektrisch wird, ergibt sich nicht nur daraus, daß
sie ein Gefühl wie von Spinnweben um den Kopf erzeugt, sondern
ich überzeugte mich hievon auch mittelst eines Goldblättchen-Elektro-
meters, der durch die Divergenz merkliche negative Elektricität beur-
kundete. Die Wirkung einer mit Elektricität überladenen Luft in
Hinsicht auf die Erzeugung von Kopfweh u. dergl. ist bekannt; und
doch ist der üble Geruch der Luft und deren Gierde nach Feuchtigkeit
allein schon hinreichend, um die im Eingange erwähnten krankhaften
Erscheinungen hervorzubringen.

Die Wirkung einer künstlich getrokneten Luft auf den thierischen
Organismus ist ungefähr folgende. Der lebende Körper dünstet beständig aus, und der Betrag dieser Ausdünstung beläuft sich an einem Erwachsenen unter gewöhnlichen Umständen im Durchschnitte
auf 20 Unzen in 24 Stunden. In einer sehr trokenen Luft wird
diese Ausdünstung nothwendig erhöht, und die Folge davon ist, wie
bei jeder Verdünstung die Erzeugung von Kälte, die sich am auf-
fallendsten an den Extremitäten, als an den vom Herzen am weitesten entfernten Theilen, zeigen wird. Das Gehirn, welches durch
den Schädel vor dieser Verdünstung geschüzt ist, wird dagegen eine
verhältnißmäßig hohe Temperatur behalten, und daher mit jenen
Flüssigkeiten überladen werden, die durch die Kälte und die daraus
entspringende Contraction der Blutgefäße aus den Extremitäten zurükgetrieben werden, so daß also nothwendig die angegebenen Erscheinungen von Blutandrang nach dem Kopfe eintreten müssen.

Nach sorgfältiger Erwägung all dieser Umstände bin ich der Ueberzeugung, daß die längere Einwirkung derselben auf den menschlichen Organismus nothwendig nachtheilige Folgen für die Gesundheit haben müsse; und daß die Directoren ganz richtig vermutheten, daß es hauptsächlich die Heizmethode ist, welche die Gesundheit und die Lebensdauer der an der Mauthhalle in London Angestellten so sehr beeinträchtigt.

Um die Luft in den Gebäuden, in welchen die darin Verwendeten ihr Geschäft sizend vollbringen, auf einen angenehmen und zuträglichen Grad zu erwärmen, dürfte es am geeignetsten seyn, Dampf von beiläufig 212° F. in gußeisernen Röhren längs des Bodens und in der Nähe der Arbeitstische oder Schreibpulte hin zu leiten. In dem unteren Theile der Scheidewände der Tische oder Pulte wäre eine entsprechende Reihe kleiner Oeffnungen, durch welche die warme Luft freien Zutritt zu den Beinen der Arbeitenden bekäme, anzubringen; und diese Oeffnungen wären mit Schiebern zu versehen, damit jedes einzelne Individuum den Grad der Wärme nach seinem Behagen und seiner Körperconstitution reguliren könnte. Zugleich wären hoch oben in den Gemächern selbstthätige Registerventile, die die verdorbene Luft entweichen ließen und eine gehörige Ventilirung bedingten, herzustellen.

Ich wüßte nicht leicht eine Methode, die sowohl in ökonomischer als in wissenschaftlicher Hinsicht verkehrter wäre, als jene, nach der man die lange Halle in London beizt. Hier wird nämlich die heiße Luft in deren Mitte durch zwei weite senkrechte Tunnels eingeführt; sie steigt also von der Eintrittsstelle aus rasch an die Deke empor, und kann folglich den unten in der Halle Sizenden nur dadurch Wärme mittheilen, daß sie mit den Ausdünstungen der Menschen verunreinigt wieder von der Deke herab zurükgeworfen wird. Dagegen ist es die große Aufgabe und Princip der Ventilirung, daß nie dieselbe Luft ein zweites Mal an die Oberhaut und an die Lungen geräth, sondern daß leztere bei jedem Athemzuge mit einer frischen Quantität einer Luft versehen wird, welche sowohl in thermometrischer als in hygrometrischer Hinsicht günstige Verhältnisse bietet. Eine derlei Luft soll beständig an dem Boden der Gemächer oder in deren Nähe durch unzählige kleine Oeffnungen eindringen, und nachdem sie über den menschlichen Körper hingeströmt ist, nie mehr an diesen zurükkehren, sondern durch eine entsprechende Anzahl kleiner, in der Deke angebrachter Oeffnungen wieder entweichen. Leztere Oeffnungen müssen jedoch so klein seyn, daß sie keine Gegenströmung kalter Luft bedingen können. Bei einer solchen ununterbrochenen Circulation der Luft wird nicht nur die Gesundheit erhalten werden, sondern es wird sich wahrscheinlich der vierte Theil jenes Brennmateriales ersparen lassen, welches gegenwärtig hauptsächlich auf Verderbniß der Luft verwendet wird.

Es ist wirklich zu verwundern, daß in dem neueren Berichte der Parlamentscommission der in den Fabriken gebräuchlichen Heiz= und Ventilirmethoden auch mit keiner Sylbe erwähnt ist, obschon diese, als das Resultat zahlreicher, im Großen unter Berüksichtigung der Wissenschaften und mit Beihülfe der tüchtigsten Ingenieurs angestellten Versuche wirklich die besten Muster abgeben. Die Heizung geschieht hier mittelst horizontaler Reihen gußeiserner Dampfröhren, welche so angebracht sind, daß für die aus dem Wechsel der Temperatur folgende Ausdehnung und Zusammenziehung hinreichender Spielraum gestattet ist; daß für eine gleichmäßige Vertheilung des Dampfes von niederem Druke gesorgt ist; und daß das verdichtete Wasser leicht abfließen kann. Es unterliegt kaum irgend einem Zweifel, daß dieß das einzige System ist, wonach in einem oder mehreren Vorzimmern mit Sicherheit und für geringe Kosten eine Masse warmer Luft angehäuft werden kann, die sich dann in beiden Häusern und in den Commissionszimmern verbreiten ließe. Nur über die Erneuerung der Luft, d. h. über die Ventilirung, kann noch eine Frage seyn; und auch in dieser Hinsicht müssen die Ingenieurs der großen Hauptstadt jenen Manchesters und einiger anderer Manufacturdistricte nachstehen.

Es wurden verschiedene Vorschläge zur Ventilirung des alten Hauses der Lords gemacht. Wenigstens zwei derselben empfahlen die Errichtung eines Ofens in einem über diesem Hause befindlichen Gemache, und die Speisung dieses Ofens mit der verdorbenen, an der Deke des Hauses angesammelten Luft. Die Ventilirkraft eines derlei Apparates würde mit der Quantität des verbrannten Brennmateriales und der Raschheit der Verbrennung im Verhältnisse stehen, welche beide ihrerseits wieder von der Höhe des Schornsteines abhängen. Bekanntlich zeigte sich jedoch dieses System gerade da, wo man seiner Thätigkeit am meisten bedurfte, nämlich bei überfülltem Hause ganz ungenügend.

Es scheint, daß die Quantität Luft, welche der Zug eines Schornsteines innerhalb einer bestimmten Zeit gibt, bisher noch nicht zum Gegenstande genauer Versuche gemacht wurde. Wenn ein bestimmtes Volumen Luft von dem Gefrier= bis zum Siedepunkte des Wassers erhizt wird, so dehnt es sich auf 1⅜ Volumen aus; die Kraft, mit der sie in diesem Falle emporzusteigen trachtet, wird also der Differenz zwischen dem Gewichte des Volumens kalter Luft, dessen Raum sie einnimmt, und ihrem eigenen Gewichte gleichkommen: d. h. es handelt sich in dem hier gegebenen Falle um die Differenz zwischen 1⅓ und 1 oder zwischen 11 und 8.

Gesezt, es handle sich um einen Schornstein von 50 Yards Höhe, der von Unten beständig mit Luft von 212° gespeist wird, während die äußere atmosphärische Luft eine Temperatur von 32° F. hat, so wird die Kraft, mit der die Luft aufsteigt, offenbar der Differenz zwischen zwei Luftsäulen von 50 Yards Höhe, von denen sich die eine auf dem Siede- und die andere auf dem Gefrierpunkte des Wassers befindet, entsprechen. Diese columnare Gewichtsdifferenz ist die einzige Ursache der Bewegung; auch ist theoretisch und praktisch erwiesen, daß die durch diese Differenz bedingte Ausströmungsgeschwindigkeit, welche in gegenwärtigem Falle 18¼ Yards beträgt, jener Geschwindigkeit gleichkommt, die ein fester Körper erreicht, wenn er frei von eben dieser Höhe herabfällt. Da nun ein Körper, welcher 56¼ Fuß hoch herabfällt, in einer Secunde 60 Fuß durchfallen würde, so gibt leztere Zahl die gesuchte Ausströmungsgeschwindigkeit. Von dieser Zahl muß jedoch etwas Weniges abgezogen werden, weil die verbrannte Luft in den Schornsteinen eine etwas größere Dichtheit hat, indem an die Stelle eines Theiles ihres Sauerstoffes Kohlensäure trat. Die Dichtheit der aus den Schornsteinen austretenden Luft verhält sich zur Dichtheit von atmosphärischer Luft von gleicher Temperatur, wie 104 zu 100. In der Praxis kann man bei Berechnungen annehmen, als wäre die Luft in beiden Fällen chemisch gleich, und dann das Resultat am Ende mit 0,97 multipliciren. Hienach würden sich obige 60 Fuß auf 58,2 Fuß reduciren.

Diese aus der Theorie abgeleiteten Resultate erleiden jedoch in der Praxis bei verschiedener Länge und Gestalt der Schornsteine durch Reibung, Abkühlung ꝛc. bedeutende Abweichungen. An den hohen schmiedeisernen Schornsteinen, z. B. wie man sie an den Dampfbooten hat, ist die Abkühlung sehr bedeutend, so daß hier eine weit größere Abnahme der Geschwindigkeit erwächst, als an gut gemauerten Schornsteinen. Aus einer Vergleichung der Zahlen, die sich aus den an Schornsteinen von verschiedenen Materialien und verschiedenen Formen angestellten Versuchen ergaben, hat man den Schluß gezogen, daß die Beeinträchtigung des Luftzuges oder der Abzug, den man von der theoretischen Ausströmungsgeschwindigkeit zu machen hat, mit der Länge der Schornsteine und mit dem Quadrate der Geschwindigkeit in geradem, mit deren Durchmesser hingegen in umgekehrtem Verhältnisse steht. An einer gewöhnlichen schmiedeisernen, auf einen mit Holzkohle geheizten Ofen gesezten Röhre von 4 bis 5 Zoll im Durchmesser ist die Differenz zwischen der nach obiger theoretischer Regel berechneten Geschwindigkeit, und jener, die sich mit einer guten Uhr beobachten läßt, wenn man etwas Weniges in Terpenthinöhl getauchtes Werg rasch in das Feuer wirft und den aufsteigenden Rauch erwartet, sehr bedeutend. An einem Schornsteine von 45 Fuß Höhe, und bei einer Temperatur der Luft von 68° F. war die Geschwindigkeit:

bei dem Versuche 1 der Theorie nach 26,4 Fuß, dem Versuche nach 5 Fuß,
die mittlere Temperatur des Schornsteines 190° F.

— — 2 der Theorie nach 29,4 Fuß, dem Versuche nach 5,76 Fuß,
die mittlere Temperatur des Schornsteines 214° F.

— — 3 der Theorie nach 34,5 Fuß, dem Versuche nach 6,3 Fuß,
die mittlere Temperatur des Schornsteines 270° F.

Um die Berechnung mit der Wirklichkeit in Einklang zu bringen, müssen noch verschiedene Umstände mit in unsere Formel aufgenommen werden. Erstlich ist die theoretische Geschwindigkeit mit einem Factor zu multipliciren, der verschieden ist, je nachdem der Schornstein aus Backsteinen, thönernen Röhren, Eisenblech oder Gußeisen besteht. Dieser Factor ist mit der Quadratwurzel des Durchmessers des Schornsteines (diesen als rund angenommen), getheilt durch dessen Länge plus seinem vierfachen Durchmesser zu multipliciren. So ergibt sich z. B. für Schornsteine aus Töpferwaare der Ausdruk $2,06 \sqrt{\dfrac{D}{L + D}}$, wobei D den Durchmesser und L die Länge des Schornsteines bezeichnet.

Ein Schornstein aus Töpferwaare von 33 Fuß Höhe auf 7 Zoll im Durchmesser hatte, wenn seine mittlere Temperatur die Temperatur der atmosphärischen Luft um 205° F. überstieg, einen Druk heißer Luft, welcher 11,7 Fuß gleichkam und eine Geschwindigkeit von 7,2 Fuß in der Secunde. Führt man die Berechnung nach der eben gegebenen Formel, so ergibt sich beinahe dieselbe Zahl. Bei keinem Versuche betrug die Geschwindigkeit über 12 Fuß in der Secunde, wenn der Temperaturunterschied mehr dann 410° F. ausmachte.

Für jede verschiedene Form von Schornstein muß der Factor durch eine eigene Reihe von Versuchen bestimmt werden. Ersparen ließe sich diese mühselige Arbeit jedoch durch gehörige Benutzung eines empfindlichen Differential=Barometers, wie z. B. das von Wollaston eines ist. Wenn man nämlich in den einen Schenkel dieses Differential=Barometers Wasser, in den anderen dagegen feines Wallrathöhl gießt, so hat man zwei Flüssigkeiten, die sich in Hinsicht auf Dichtheit zu einander verhalten, wie 7 zu 8. Wendet man Weingeist von 0,918 sp. G. anstatt Wasser an, so ergibt sich beinahe ein Verhältniß von 20 zu 19. Ich habe sowohl mit dem einen als mit dem anderen Versuche über den Zug der Oefen angestellt, und ge funden, daß der Wasser- und Oehlheber hinreichende Empfindlichkeit besizt; obschon zur Ermittelung des schwächeren Zuges gewöhnlicher Feuerstellen Weingeist und Oehl als barometrische Flüssigkeiten den Vorzug verdienen.

Ich fand es für nöthig, an der seitlichen Röhre des von Wollaston beschriebenen Instrumentes einen Sperrhahn anzubringen, um die Wirkung des Schornsteines auf dasselbe aufzuheben, während der Heber in einer solchen Stellung fixirt wird, daß die Linie, in der das Wasser und das Oehl an einander gränzen, dem Null der Scala entspricht. Da schon eine leichte Abweichung der Heberschenkel von der senkrechten Linie beträchtliche Abweichungen in der Niveaullinie veranlaßt, so muß dieser Adjustirung dadurch gehörige Stätigkeit gegeben werden, daß man die horizontale Röhre in einem runden, in den Schornstein oder durch das Ofenthürchen gebohrten Loche fixirt. Wenn man, nachdem dieß geschehen ist, den Sperrhahn sachte dreht, so wird die dem Zuge im Schornsteine entsprechende Differenz im Druke der Luft sogleich durch das Emporsteigen der Verbindungslinie beider im Heber enthaltenen Flüssigkeiten angedeutet werden. Bei dieser Einrichtung des Apparates kann man jeden Versuch leicht wiederholen und rectificiren; denn da die seitliche Röhre des Barometers nur in den Sperrhahn gestekt ist, ohne luftdicht damit verbunden zu seyn, so wird die Luft, wenn man den Zug langsam absperrt, wieder in den Heber eindringen, so daß die Verbindungslinie in einigen Minuten wieder auf das Null der Scala zurükkehren wird.

Ich will von den vielen Versuchen, die ich mit diesem Instrumente vornahm, nur bei ein Paaren verweilen, die ich theils in einigen Brauereien, theils in der Maschinenwerkstätte des Hrn. Braithwaite anstellte, und bei denen mir Capitän Ericsson beistand. Bei den Versuchen in den Brauereien ward das Ende des am Differential-Barometer angebrachten Sperrhahnes mit Hanf umwikelt, und in dem Guklloche des Ofenthürchens eines Würzekessels, welches mit zwei aufrechten parallelen Schornsteinen von 18 Zoll im Quadrate und 50 Fuß Höhe communicirte, befestigt. Das Feuer brannte mit mittlerer Intensität. Nach hergestellter Adjustirung des Niveau's wurde der Sperrhahn geöffnet, wo dann die Verbindungslinie von Oehl und Wasser bis 1¼ Linie stieg, was $\frac{1{,}25}{8} = 0{,}156$ eines Zolles Wasser oder einer Luftsäule von 10,7 Fuß Höhe entspricht. Diese Differenz im Druke deutet eine Geschwindigkeit von 26 Fuß in der Secunde an. Bei einer zweiten Reihe von Versuchen ward das Ende des Sperrhahnes in ein Loch eingesenkt, welches durch den Schorn-

stein einer Boulton= und Watt'schen Dampfmaschine von 20 Pfer=
bekräften gebohrt worden war. Der Schornstein hatte im Niveau
des Bohrloches genau 18 Quadratzoll Flächenraum, und stieg 50 F.
hoch über das Loch empor; das Feuer auf dem Roste befand sich
gegen 10 Fuß unter diesem Loche. Beim Oeffnen des Sperrhahnes
stieg die Verbindungslinie um 2¼ Zoll. Diese Versuche wurden an ver=
schiedenen Tagen wiederholt, wobei das Feuer mit mittlerer Intensi=
tät brannte, und stündlich per Pferdekraft 12 Pfd. der besten Stein=
kohlen oder in 12 Stunden beinahe 1½ Tonne verzehrte. Theilt man
die Zahl 2¼ durch 8, so erhält man als Quotienten 0,28 eines Zol=
les Wasser, welches in dem Heber von dem unaufgewogenen Druke
der Luft im Schornsteine getragen wird, und welches einer Luftsäule
von 19¼ Fuß oder einer Geschwindigkeit der Luftströmung im Schorn=
steine von 35 Fuß in der Secunde entspricht. Der Verbrauch an
Brennmaterial war dabei auf dem ungeheuren Roste des Würze=
kessels weit größer, als unter dem Kessel der Dampfmaschine.

Bei den in Braithwaite's Fabrik angestellten Versuchen be=
trug das Maximum der Versezung der Verbindungslinie nur einen
Zoll, wenn der Differential=Barometer mit dem zu einem Dampfkes=
sel gehörigen Schornsteine von 15 Quadratzoll in directe Verbindung
gebracht und das Feuer so lebhaft geschürt wurde, daß beim Oeffnen
des Sicherheitsventiles der überschüssige Dampf mit Heftigkeit aus=
strömte und das ganze Gebäude erfüllte. Der Druk von ⅓ Zoll
Wasser deutete auf eine Geschwindigkeit des Zuges von 23,4 Fuß
in der Secunde. Ich brachte den Differential=Barometer hierauf in
die Saugkammer eines Ventilators, der nach dem von Braith=
waite und Ericsson genommenen Patente zum Behufe des Durch=
leitens der Luft durch die Feuerstelle an einem Dampfkessel ange=
bracht war. In diesem Falle war der Zug so stark, daß das Oehl
ganz entfernt und statt dessen nur ein Wasserheber benuzt werden
mußte. Wenn der Umfang der umlaufenden Flügel des Ventilators
in einer Secunde 120 Fuß zurüklegte, so war die Saugung so stark,
daß sie 2 Zoll Wasser trug. Diese Wassersäule deutete jedoch nur
auf eine Geschwindigkeit von 94 Fuß in der Secunde, und keines=
wegs auf eine von 120 Fuß, bei der die Säule 3¼ Zoll Höhe ge=
habt haben müßte. Es muß aber in Betracht gezogen werden, daß
die Treibpunkte der Ventilatorflügel nur ⅞ der Geschwindigkeit ihrer
äußersten Enden, mithin nur eine Geschwindigkeit von 105 Fuß in
der Secunde hatten. Würde hierauf nicht Rüksicht genommen, so
könnte man zu dem Schlusse verleitet werden, daß an einem excen=
trischen Ventilator von der besten Centrifugalgestalt zwischen den
Flügeln und den Wänden des Gehäuses, in welchem sich diese be=

wegen, durch Trägheit so viel entweicht, daß der austretende Luftstrom beinahe den vierten Theil seiner Geschwindigkeit verliert. Die
Grundsäze der Physik gestatten uns nicht, mit einigen Ingenieurs
die voreilige Behauptung aufzustellen, daß der Heberdruk nur ¼ jener Wirkungen andeutet, welche die Luftströmung auf das atmosphärische Gleichgewicht ausübt. Ich erlaube mir in dieser Hinsicht noch
einige weitere Beobachtungen beizufügen.

Wenn die Flügel des Ventilators dadurch, daß man das Laufband auf eine größere Treibrolle brachte, mit einer Geschwindigkeit
von 180 Fuß in der Secunde umgetrieben wurden, so stieg die Differenz des Wasserstandes in den beiden Heberschenkeln nur bis auf
3 Zoll. Dieser Druk deutete jedoch nur eine Ausströmungsgeschwindigkeit der Luft von 115 Fuß in der Secunde an; die Wirkung blieb
daher um 30 Proc. zurük, wenn man die effective Geschwindigkeit
der Flügel wie oben zu ¼ der Geschwindigkeit ihrer Enden annimmt:
ein Verlust, der offenbar der bei dieser Geschwindigkeit wachsenden
Wirkung der Trägheit zuzuschreiben ist.

Bei einer dritten Reihe von Versuchen, bei der die Enden der
Flügel mit einer Geschwindigkeit von 80 Fuß in der Secunde umliefen, stand das Wasser in dem einen Heberschenkel um einen Zoll
höher, als in dem anderen, was nur auf eine Geschwindigkeit von
66 Fuß in der Secunde deutete, so daß also der durch die Trägheit
und durch das Wirbeln der seitlichen Lufttheile veranlaßte Verlust an
Geschwindigkeit hier nur 6 Proc. der effectiven Geschwindigkeit beträgt.

Folgende Tabelle zeigt die Luftgeschwindigkeiten, welche verschiedenen Höhen des Differential-Wasserbarometers entsprechen.

12 Zoll Wasser entsprechen einer Geschwindigkeit von 231 Fuß in der Secunde.

6	—	—	—	—	—	163 — —
3	—	—	—	—	—	115 — —
2	—	—	—	—	—	94 — —
1½	—	—	—	—	—	81 — —
1	—	—	—	—	—	66 — —
½	—	—	—	—	—	47 — —
¼	—	—	—	—	—	33 — —
⅐	—	—	—	—	—	25 — —
⅛ = 1 Zoll des Wasseröhlhebers					—	23,4.

Es ist erwiesen, daß eine Pferdekraft an einer Dampfmaschine
genügt, um einen Ventilator, von dessen Flügeln und Einsaugcanälen
jeder einen Flächenraum von 18 Quadratzoll hat, und der also in
dieser Hinsicht dem oben erwähnten Dampfkessel-Schornsteine gleichkommt, mit einer Geschwindigkeit von 80 Fuß in der Secunde umzutreiben. Die Geschwindigkeit der Luft, die in dem Schornsteine
durch Verbrennung einer Masse Brennstoff, welche 20 Pferdekräften

entsprach, erzeugt wurde, belief sich nicht höher als auf 35 Fuß
in der Secunde; während der Ventilator von einer einzigen Pferde=
kraft getrieben, eine solche von 66 Fuß bedingte. Hieraus folgt, daß
sich die Ersparniß an Ventilirung, welche sich mit dem Ventilator
erzielen läßt, zu der durch den Schornsteinzug erzeugten Ventilirung
wie 66 zu ³⁵/₃₆ oder wie 38 zu 1 verhält; und daß man mit einem
Bushel oder mit einer Tonne Steinkohlen, welche zum Dampfbetriebe
eines excentrischen Ventilators verwendet werden, eine eben so große
Ventilirung erzeugen, oder eben so viel Luft aus der Stelle treiben
kann, wie durch Verbrennung von 38 Bushels oder Tonnen zum
Behufe der Erzeugung eines entsprechenden Zuges im Schornsteine.
Uebrigens sind Wohlfeilheit, Reinlichkeit und Dauerhaftigkeit nicht
ein Mal die einzigen Vortheile, welche das mechanische Ventilirsystem
vor dem physikalischen gewährt. Dasselbe bewährt sich nämlich selbst
noch unter solchen Einflüssen von Wind und Wetter, unter denen
jeder Schornsteinzug nothwendig leiden muß. Das Bewegungsmo=
ment der ausgetriebenen Luft ist über diese Einflüsse erhaben; es
kann in jedem Augenblike durch einfache Versezung des Laufbandes
von einer Scheibe auf eine andere vermehrt, vermindert oder auch
ganz unterbrochen werden. Die mit Menschenausdünstung überladene
Luft eines angefüllten Saales wird mit derselben Sicherheit ausge=
trieben werden, wie die trokenste und ausdehnbarste Luft.

Der Vorzug, der dem mechanischen Systeme gebührt, wird für
Jedermann ersichtlich, wenn man erwägt, welche geringe Kraft selbst
mit dem besten Bratenwender=Apparate durch Benuzung des Schorn=
steinzuges erzielt werden kann. Es unterliegt keinem Zweifel, daß
dasselbe Brennmaterial, welches zur Dampferzeugung verwendet,
an der oben erwähnten Dampfmaschine 20 Pferdekräfte erzeugt,
durch den Impuls, den ein von demselben emporsteigender Luftstrom
auf irgend einen Mechanismus auszuüben vermöchte, kaum eine halbe
Pferdekraft hervorzubringen im Stande ist.

Bei einem ähnlichen Versuche, den ich in einer Brauerei an=
stellte, und bei dem ich den Differential=Barometer wie oben mit
dem Schornsteine des Dampfkessels in Verbindung brachte, fand eine
Niveauveränderung von 2¼ Zoll Statt, was 0,28 eines Zolles Was=
ser entspricht. Der Schornstein hatte an der Stelle, an der die
seitliche Röhre des Barometers in ihn eingesezt wurde, einen Flä=
chenraum von 16 auf 18 Zoll, und stieg um 50 Fuß über diesen
Punkt empor. Es wurden stündlich gegen 12 Pfd. Steinkohlen per
Pferdekraft verbrannt, und in jedem Kessel Dampf erzeugt, der we=
nigstens 15 Pferdekräften entsprach: ein Resultat, welches mit obi=

gem so nahe übereinstimmt, als es füglich bei derlei Versuchen erwartet werden darf.

Der Werth der Ventilatoren als Luftreinigungsmittel wird in
den englischen Fabriken immer mehr und mehr erkannt: namentlich
in den Maschinenwebereien, in welchen viele Personen in einem verhältnißmäßig geringen Raume zusammengehäuft sind.   Es ist daher
um so auffallender, daß keines der Mitglieder der Parlaments-Com-
mission auch nur die leiseste Hindeutung auf die mechanische Ventilation machte; ja es ist dieß um so unverzeihlicher, als schon vor
100 Jahren ein berühmtes Mitglied der Royal Society, Hr. Desaguliers, einen ähnlichen Vorschlag, „zur Reinigung des Hauses der
Gemeinen von der verderbten Luft“ machte.   Ich sehe mich veranlaßt, folgende in mehrfacher Hinsicht interessante Stelle aus der, hierauf bezüglichen Abhandlung dieses Gelehrten anzuführen.

„Im Jahre 1736 wurde ich von Sir George Beaumont und
einigen anderen Mitgliedern des Hauses der Gemeinen, welche bemerkt hatten, daß die Abkühlung des Hauses mittelst der zu diesem
Zweke erbauten Feuermaschinen (welche mit den neueren Pumpenöfen
des Marquis de Chabannes Aehnlichkeit haben) nicht wohl von
Statten ging, befragt, ob ich nicht irgend eine Vorrichtung wüßte,
womit die verderbte Luft aus dem Hause ausgetrieben werden könnte.
Ich machte mich anheischig, eine solche herzustellen, und baute im
Auftrag einer Commission eine Maschine, deren Rad den Namen
eines Centrifugal- oder Gebläsrades bekam, während der Arbeiter,
der dasselbe in Bewegung sezte, der Ventilator genannt wurde. Dieses Rad hat zwar in einigen Dingen Aehnlichkeit mit Papin's hessischen Gebläsen, unterscheidet sich jedoch wesentlich davon: namentlich dadurch, daß es je nach den Befehlen des Sprechers die verderbte Luft austreiben und frische dafür einsaugen kann.“

Dieses Rad hatte 7 Fuß im Durchmesser und einen Fuß in
der Breite; es nahm die Luft in der Nähe seines Mittelpunktes auf
und lief concentrisch mit seinem Gehäuse um.   Es wurde vom Jahre
1736 bis zum Jahre 1743, wo die erste Auflage von Desaguliers
Experimental-Physik erschien, wenigstens zeitweise in Bewegung gesezt, und verblieb höchst wahrscheinlich über dem Sizungssaale des
Hauses der Gemeinen, bis dieses ein Raub der Flammen wurde. Da
dieser Ventilator von einem Individuum mit Hülfe einer Kurbel
umgetrieben werden mußte, so konnte es füglich nicht über 40 Umgänge in einer Minute machen; die mittlere Geschwindigkeit der Enden seiner Flügel konnte also nicht über 15 Fuß in der Secunde betragen.   Wahrscheinlich in Betracht seines fehlerhaften Baues und
des kleinen Flächenraumes seiner Entleerungsröhre ward es auch von

Sir Jakob Ackworth, damaligem ersten Lord der Admiralität, „ein physicalisches Spielzeug (a philosophical toy)" genannt.

Es scheint nicht, daß seit Desaguliers Zeiten der Ventilator zum Gegenstande wissenschaftlicher Versuche gemacht wurde; wenigstens beschrieb Pouillet im Jahre 1835 im sechsten Hefte des Portefeuille Industriel mit großen, aber unverdienten Lobsprüchen einen Ventilator oder Windfang, der in Rouen zum Ventiliren einer Gießerei erbaut worden war, der sich aber als ganz ungenügend erwies, obschon er durch seine Bewegungen den Boden, auf dem er stand, heftig erbeben machte. Er ist concentrisch gebaut, und muß folglich den größten Theil der auf seinen Betrieb verwendeten Kraft zum Umtreiben der Luft mit seinen Flügeln und nicht zum Austreiben derselben an der Austrittsröhre verbrauchen. Die in Rouen etablirte englische Maschinenbau-Compagnie, der er gehört, mußte ihn deßhalb auch nach dem neuerlich im Lancashire eingeführten Plane abändern.

Die Zeichnungen, welche ich in Fig. 32 bis 35 vorzulegen die Ehre habe, dürften, wie ich hoffe, einiges Licht auf die Leistungen eines Ventilators werfen. Aus Fig. 32 erhellt, daß an einem concentrischen Ventilator mit 5 Flügeln nur ihrer zwei wirklich thätig seyn können, und daß kaum mehr dann die Hälfte der Ausführungsröhre von dem regelmäßig durch das Umlaufen der Flügel erzeugten Luftstrome erfüllt wird. Die Quantität, welche in Folge des Drukes, unter dem die Luft durch die Centrifugalkraft erhalten wird, ausgetrieben wird, ist mithin sehr gering, indem sie durch den Strom des Flügels a, dessen Tangente sich mit der Ausführungsröhre vollkommen und beinahe unter einem rechten Winkel kreuzt, unterbrochen wird.

Fig. 33 dagegen zeigt, daß an dem excentrischen Ventilator sämmtliche Flügel wirksam sind, und daß die Ausführungsröhre abgesehen von irgend einem durch die Centrifugalkraft erzeugten Druke bloß durch den Impuls der Flügel gänzlich mit einem Luftstrome erfüllt wird: mit Ausnahme jedoch des von der Mitte her Statt findenden Luftzuflusses, der offenbar von dem unausgeglichenen Druke der atmosphärischen Luft abhängt. Auf den ersten Blik scheint es ausgemacht, daß die Luft mit keiner geringeren Geschwindigkeit in die Ausführungsröhre eintreten kann, als jene ist, mit der die Punkte a, c, e, g, k umlaufen; denn die Summe der Linien ab, cd, ef, gh und kl ist der Länge der senkrechten Achse der Ausführungsröhre gleich. Da sich nun die Punkte a, c, e ꝛc. mit ⅞ bis zu ⅑ der Geschwindigkeit der Enden der Blätter bewegen, so sollte, wenn erstere 120 Fuß per Secunde durchlaufen, die Geschwindigkeit wenigstens

$\frac{748}{120} = 105$ Fuß in der Secunde betragen. Die Versuche ergaben jedoch eine Geschwindigkeit von nicht mehr als 94 Fuß per Secunde: eine Differenz, welche, wie bereits erwähnt, der Trägheit der Luft, der seitlichen Communication und den dadurch entstehenden Wirbeln zugeschrieben werden muß.

Fig. 34 und 35 geben einen Durchschnitt und einen Grundriß eines Ventilators, der nach den Ansichten meines Freundes Erics-son einer der besten seyn dürfte. Die Zeichnung ist so deutlich, daß sie gar keiner weiteren Beschreibung bedarf. Die Quantität Luft, welche ein nach diesem Systeme gebauter Ventilator auszutreiben vermag, läßt sich approximativ bestimmen, wenn man die Geschwindigkeit der Punkte c, e ꝛc. mit dem Durchschnitts-Flächenraum der Ausführungsröhre multiplicirt. Die absolute, zum Betriebe des Ventilators erforderliche Kraft läßt sich mit hinreichender Genauigkeit auf folgende Weise berechnen: Gesezt die Enden der Flügel bewegen sich mit einer Geschwindigkeit von 80 Fuß in der Secunde, und der Durchschnittsflächenraum der Ausführungsröhre betrage zwei Quadratfuß, so ist $2 \times 80 = 160$ Kubikfuß. Diese Zahl multiplicirt mit 60 Secunden gibt als Product 9600 Kubikfuß Luft, die per Minute ausgetrieben werden. Reducirt man diese Quantität durch 13 auf Gewicht, so erhält man 738 Pfd., welche in jeder Minute mit einer Geschwindigkeit von 80 Fuß in der Secunde bewegt werden. Um nun eine Geschwindigkeit von 80 Fuß in der Secunde zu erlangen, muß ein Körper frei durch einen Raum von $\frac{80 + 80}{64} = 100$ Fuß fallen; mithin wird die Kraft, die nöthig ist, um 738 Pfd. eine Geschwindigkeit von 80 Fuß in der Secunde zu geben, $738 \times 100 = 73,800$ Pfd., die einen Fuß hoch gehoben werden, betragen. Theilt man diese Zahl endlich durch 33,000, so erhält man als Quotienten 2¼ als die Pferdekräfte, welche zum Betriebe eines solchen Ventilators nöthig sind.

Diese Berechnung stimmt gut mit den Resultaten zusammen, die sich mit einem großen Ventilator ergaben, den Ericsson im Jahre 1831 in Liverpool baute, um in dem Ofen eines Kessels von 100 Pferdekräften, der sich an Bord des Dampfbootes Corsair befand, die Verbrennung ohne Schornstein zu unterhalten. Der Durchmesser dieses Ventilators hatte 4 Fuß 6 Zoll; die Ausführungsröhre hatte einen Flächenraum von 4 Fuß; die effective Geschwindigkeit der Flügel betrug 80 Fuß in der Secunde. Zum Betriebe desselben wurde eine Dampfmaschine mit vierzölligem Cylinder und mit einem Kolbenhube von 10 Zoll gebaut. Als Resultat ergab sich, daß

mit Dampf von 45 Pfd. Druk auf den Quadratzoll 120 Kolbenhube
per Minute erforderlich waren, um eine Geschwindigkeit des Ventilators von 80 Fuß zu erzielen. Man kann annehmen, daß der effective Druk des Dampfes wenigstens 30 Pfd. per Quadratzoll betrug.
Diese Zahl multiplicirt mit dem Flächenraum des Kolbens in Quadratzoll gibt 360 Pfd. für die bewegende Kraft; und diese multiplicirt
mit 200 Fuß oder mit der Geschwindigkeit des Kolbens gibt 72,000
Pfd. in jeder Minute auf einen Fuß Höhe gehoben als die Kraft
der Maschine. Die Quantität Luft ist = 80 × 30 = 240, multiplicirt mit 60 Secunden = 14,400 Kubikfuß per Minute. Die
Temperatur, mit der die Luft in den Ventilator eintrat, betrug gegen
300°; reducirt man daher obige Quantität Luft durch 20 Kubikfuß
auf Pfunde, so erhält man $\frac{14400}{20} = 720$ Pfd. Luft, welche in
jeder Minute ausgetrieben werden. Diese auf 100 Fuß, als auf
jene Höhe gehoben, die zur Erzeugung einer Geschwindigkeit von
80 Fuß in der Secunde nöthig ist, wird eine Kraft von 720 × 100
= 72,000 Pfd., die in jeder Minute einen Fuß hoch gehoben werden, erheischen, was genau mit der Kraft der Dampfmaschine zusammen trifft.

Ich muß hier, obschon das Factum ohne dieß jedem praktischen
Ingenieur einleuchtend seyn dürfte, bemerken, daß, wenn die Ausführungsröhre des Ventilators verstopft und nur etwas weniges
Dampf in die Maschine eingelassen wurde, die Ventilatorflügel mit
ungeheurer Geschwindigkeit umliefen, indem die eingesperrte Masse
Luft beständig in rotirender Bewegung erhalten wurde; daß aber,
sobald die Röhre wieder geöffnet wurde, so daß die stagnirende Luft
eintreten konnte, die Maschine durch den Widerstand des Gewichtes
und der Trägheit beinahe zum Stillstehen kam.

Aus den Beobachtungen, welche Saussure und andere auf
den Alpen anstellten, ergibt sich, wie schwer es fällt, in sehr verdünnter Luft Muskel=Anstrengungen zu machen; ja selbst im Flach-
lande wirkt ein niederer Barometerstand auf zarte Körper unangenehm; während ein vermehrter Luftdruk, so wie ihn ein höherer
Barometerstand andeutet, sowohl auf den Körper als auf den Geist
zuträgliche Einflüsse hervorbringt. Man soll daher beim Ventiliren
von Gebäuden, in denen viele Menschen versammelt sind, keineswegs
zu dem Zuge der Schornsteine, wie dieß bisher gewöhnlich geschah,
seine Zuflucht nehmen, indem hiedurch die Luft beständig ausgepumpt
oder verdünnt wird (eine Erscheinung, welche man mit Wollaston's
Differential=Barometer sehr gut beobachten kann); sondern man soll
vielmehr, wenn man nach richtigen physiologischen Grundsätzen ver-

fahren will, die Dichtheit und Elasticität der Atmosphäre dadurch zu vermehren suchen, daß man fortwährend einen Strom frischer Luft, die, wenn es nöthig ist, vorher in einer eigenen Kammer gehörig erwärmt und mit Feuchtigkeit versehen worden ist, eintreibt. Wenn man den Ein= und Austritt der Luft unter die Controle von Ventilen bringt, welche sich durch Zeiger und Zifferblätter reguliren lassen, so kann man deren Dichtheit sehr mannigfach modificiren, und folglich den Körper der Bewohner eines jeden Gebäudes mit einer zur Erhaltung der Gesundheit und Thätigkeit höchst geeigneten Luft versehen.

Um ein Gebäude wie jenes, welches für das Parlament bestimmt ist, nach diesem Principe zu ventiliren, soll man in einem kleineren Gemache im Erdgeschoße, und zwar zum Behufe der leichteren Verbreitung so ziemlich in der Mitte des Gebäudes zwei oder mehrere der beschriebenen Ventilatoren anbringen; und diese mit einer kleinen, nach Braithwaite's Sicherheitsprincipe gebauten und mit Koakks geheizten Dampfmaschine, die weder Rauch erzeugt, noch auch eines hohen, das Gebäude verunstaltenden Schornsteines bedarf, in Bewegung sezen. Von diesen Ventilatoren aus sollen an die Fußböden der einzelnen zu ventilirenden Gemächer geeignete Canäle aus Holz, Baksteinen oder Eisenblech geführt werden; und die Enden dieser wären mit Ventilen zu versehen, die zum Behufe der Regulirung der Ventilation mit einem Zifferblatte und einer Schnur oder einem Drahte ausgestattet werden müßten.

Bei den Fortschritten, welche die Künste gemacht haben, kann kein Zweifel darüber obwalten, daß es geeignet wäre, die neuen Parlamentsgebäude mit Hülfe mehrerer diker gußeiserner Röhren mit Dampf zu heizen. Diese Röhren müßten in einem unter dem Niveau der Gemächer versenkten Raume angebracht seyn; und von diesem Raume aus könnte gesunde, in Hinsicht auf Wärme sowohl, als auf Feuchtigkeit entsprechende Luft mit Leichtigkeit überall hin in solcher Quantität geschafft werden, als es zur Erneuerung der Luft in jedem einzelnen Gemache nöthig oder wünschenswerth ist. Derselbe Kessel, der die Maschine mit Dampf versieht, würde bei gewöhnlicher Witterung auch ausreichen, um die Heizröhren mit Dampf zu versehen. Bei strengerer Kälte müßte jedoch auch noch ein Hülfsdampfkessel in Anwendung kommen. Die Aufgabe bleibt immer die: eine Luft zu erzeugen, welche der frischen Luft eines angenehmen Sommertages so nahe als möglich kommt, und die nicht mit der Ausdünstung der Menschen auf eine unangenehm fühlbare Weise überladen ist.

In gut gebauten englischen Baumwollmühlen weiß man so ziemlich genau, welche Dampfröhrenoberfläche von 212° F. Wärme man braucht, um ein bestimmtes Volumen Luft in den größeren Sälen zu erwärmen. In runden Zahlen kann man annehmen, daß ein Fuß Röhrenoberfläche hinreicht, um 150 Kubikfuß Raum auf einer gleichmäßigen Temperatur von 62° F. oder auf der mittleren Temperatur eines englischen Sommertages zu erhalten. Hr. Fairbairn, einer der erfahrensten Fabrikingenieurs in Manchester, hat mich versichert, daß zwei Reihen gußeiserner Röhren von 8 Zoll im Durchmesser vollkommen ausreichen würden, um die lange Mauthhalle in London, welche 190 Fuß lang, 64 Fuß breit und 46 Fuß hoch ist, und die volle 20,000 Kubik-Yards faßt, den Winter über zu heizen, wenn dieselben dicht am Boden der Schreibtisch-Scheidewände längs der beiden Seiten und Enden der Halle hingeführt und durch schmiedeiserne Röhren von 2 Zoll im Durchmesser, die im Bogen über die Thüren zu führen wären, verbunden würden. Ein diesem Zweke entsprechender, sich selbst speisender Dampfkessel von niederem Druke kostet mit den dazu gehörigen Röhren und Vorrichtungen nicht über 500 Pfd. Sterl., und erheischt um mehr als die Hälfte weniger Brennmaterial als die gegenwärtig gebräuchlichen, die Luft bratenden und die Gesundheit zerstörenden Heizvorrichtungen.

Die gefährlichsten unter den vielen unserer jezigen Ofenverbesserer (stove-doctors) sind die, welche unter dem Vorwande von Ersparnissen und Bequemlichkeit besonders anrathen eine große Menge Kohks langsam und bei schwacher Circulation der Luft zu verbrennen. Wer auch nur etwas in der Chemie bewandert ist, muß wissen, daß durch stille Verbrennung von Kohks oder Holzkohlen bei einer geringen Production an Hize viel Kohlenstoff-Oxydgas erzeugt und viel Brennmaterial verzehrt wird. Eben so muß ihn die Physik lehren, daß, wenn der Zug im Schornstein schwach ist, die verbrannte Luft eine große Neigung hat durch jede Oeffnung oder Spalte zu bringen und dadurch die Luft in den Gemächern höchst verderblich zu machen. Um die größte Menge Hize aus dem Brennmateriale zu gewinnen, muß dessen Verbrennung sehr lebhaft von Statten gehen, und der hiedurch entwikelte Wärmestoff über die möglich größte Oberfläche wärmeleitender Materialien verbreitet werden. Dabei ist sorgfältig darüber zu wachen, daß diese Oberflächen nicht über 240° F. erhizt werden.

Es ist erwiesen, daß Arbeiter, welche in Calico-Trokenstuben, die auf die gewöhnliche Weise geheizt werden, beschäftigt sind, in kurzer Zeit kränklich und sehr geschwächt werden; während sie in Localen, die noch stärker, aber mit Dampfröhren geheizt sind, vollkommen gesund und kräftig bleiben. Unter den vielen Ursachen, welche die Pathologen für die Kränklichkeit und Schwäche solcher Personen angeben, die ihr Leben großen Theils in warmen Zimmern zubringen, und die nur selten in die frische freie Luft kommen, hat man eine der einflußreichsten: nämlich die durch verminderten Druk und Wärme bedingte Verdünnung der Luft, die sie einathmen, ganz übersehen.[77] Ich fand, daß, wenn man die horizontale Röhre eines Differential-Barometers, der in dem einen Schenkel Weingeist und in dem anderen Oehl enthält, in das Schlüsselloch eines geschlossenen Winterwohnzimmers stekt, beim Umdrehen des an dieser Röhre angebrachten Sperrhahnes die Verbindungslinie beider Flüssigkeiten, je nach der Genauigkeit der Verschließung dieses Zimmers und je nach der Stärke der Feuerung, um einen halben bis zu einem ganzen Zoll steigt. Oeffnet man die auf die Straße führende Thüre, so wird ein noch weiteres Steigen eintreten. Unter solchen Umständen müssen die Muskel-, Nerven- und Verdauungssysteme nothwendig leiden, und ich habe die volle Ueberzeugung, daß die Kränklichkeit vieler unserer in Wohlstand lebender Leute großen Theils von der häufigen Einathmung einer durch den Schornsteinzug zu sehr verdünnten Luft herrührt. Jedes gut gebaute und gut eingerichtete Wohnhaus soll sein unterirdisches Wärmemagazin haben, und von diesem aus soll in die einzelnen Gemächer fortwährend so viel gute, warme Luft geleitet werden, als zur Behaglichkeit nöthig ist, wobei die Luft eher verdichtet als verdünnt werden wird. Offene Feuer sollen in diesem Falle nur geduldet werden, um den Aufenthalt, oder, wenn ich so sagen darf, die Scenerie zu beleben; sie können auch, wenn die Ventiliröffnungen einen hinreichenden Zufluß an Luft bedingen, keine merkliche Verdünnung erzeugen.

77) Ich finde erst so eben, daß Hr. Junot in Paris in neuerer Zeit eine Abhandlung über die Wirkungen der comprimirten und der verdünnten Luft auf den menschlichen Organismus herausgab. Wenn ein Mensch in verdichtete Luft gebracht wird, sagt derselbe, so athmet er gleichsam neu auf; er hat ein Gefühl, als wenn seine Lungen eine größere Capacität bekommen hätten; seine Athemzüge werden voller und minder häufig, nach 15 Minuten verspürt er eine angenehme Wärme in seiner Brust, und der ganze Organismus saugt gleichsam mit jedem Athemzuge einen neuen Vorrath an Kraft und Lebensfülle ein. Das arterielle System bekommt eine gesteigerte Thätigkeit, während die auf der Haut sichtbaren Venen oder Blutadern einsinken und selbst ganz unsichtbar werden. Selbst die Functionen des Gehirnes gehen mit größerer Lebendigkeit von Statten; die Einbildungskraft wird gesteigert, und die Ideen gewinnen einen eigenen Reiz. Die Muskelbewegungen werden freier und kräftiger, und die Verdauung rascher, ohne daß eine Vermehrung des Durstes erfolgt. In verdünnter Luft dagegen tritt gerade das Entgegengesetzte von allem diesem ein: das Athmen wird beschwerlich, schwach, häufig, und endigt zuletzt mit einem Anfalle von Engbrüstigkeit; der Puls wird schnell und leicht comprimirbar, es entsteht Neigung zu Blutungen und Ohnmachten; die Thätigkeit der Nieren und Speicheldrüsen vermindert sich, und endlich erfolgt allgemeine Schwäche als Resultat. Weiteres über die Versuche des Hrn. Junot findet man in den Archives générales de Médecine, Sec. Serie. Tom. IX. pag. 157.   A. d. O.

LXXXIII.

Ueber einen neuen, für Kupferstecher bestimmten Apparat zum Ziehen paralleler Linien. Von Hrn. Percy Heath in London. [78]

Aus den Transactions of the Society of arts.   Vol. LI. P. I. S. 25.

Mit Abbildungen auf Tab. VI

Die geraden und parallelen Linien, mit denen man bei Zeichnungen von Gebäuden und Maschinen die Schatten hervorzubringen pflegt, werden gewöhnlich mit einem feinen Grabstichel, den man mit der Hand längs des Randes eines Parallellineales hinzieht, in die mit dem Aezgrunde bedekte Kupferplatte gravirt; das Auge des Künstlers gibt hiebei den Maaßstab für die Entfernung, in welcher die Linien von einander gezogen werden. Bei langer Uebung, ruhiger Hand und großer Sorgfalt war man im Stande selbst unter diesen ungünstigen Umständen Untadelhaftes zu Tage zu fördern; im Allgemeinen jedoch waren die Arbeiten meistens mehr oder minder unvollkommen, indem bald wegen der Ungleichheit des mit der Hand auf den Grabstichel ausgeübten Drukes und wegen der Schwierigkeit diesen stets gleich scharf und spiz zu erhalten, eine Ungleichheit in der Dike der Linien; bald wegen der zitternden Bewegung der Hand keine vollkommene Geradheit derselben; bald endlich wegen nicht hinlänglich genauer Regulirung der Bewegung des Lineales ein Mangel in dem Parallelismus und in der Gleichheit der Entfernung der Linien von einander zu bemerken war.

Der sel. Wilson Lowry, wohl einsehend, daß die Anwendung des Parallel-Linienstiches bei größerer Gleichförmigkeit weit ausgedehnter werden würde, und daß in vielen Fällen aus der Vollbringung dieser Arbeit mittelst einer eigenen Vorrichtung eine bedeutende Zeitersparniß erwachsen dürfte, erfand schon vor mehr dann 40 Jahren einen derlei Apparat, welcher den eben gerügten Mängeln steuern sollte. Er befestigte zu diesem Zweke die Platte, nachdem sie auf die beim Aezen übliche Methode grundirt worden war, in gehöriger Entfernung unter der Linirmaschine, welche aus einem flachen Metallstabe, dessen äußerer gerader Rand als Führer für den Grabstichel oder das sonstige Instrument diente, bestand. Dieses Instrument selbst wurde nicht mit der Hand geführt, sondern auf solche Weise in einem Wagen befestigt, daß es der Platte nicht nur immer eine

---

78) Der Erfinder erhielt für dieses Instrument von Seite der Society of arts eine silberne Medaille zuerkannt.   A. d. R.

und dieselbe Schneide darbot, sondern auch während seiner Bewegung immer einen und denselben Winkel mit ihr bildete. Um es stets unter einem gleichen Druke wirken zu machen, ward es beschwert; und eben so konnte es nach Belieben auf und nieder bewegt werden, damit der Künstler die Linien da, wo er es für nöthig hielt, unterbrechen konnte. Endlich bestand die Spize, womit gravirt wurde, nicht aus Stahl, sondern aus einem Diamante, da mit diesem feinere Linien gezogen werden konnten, als mit irgend einem Grabstichel, und da dieser auch nicht so sehr der Abnüzung unterlag. Die Anwendung des Diamantes anstatt des Stahles war ein wesentlicher Theil der Erfindung; denn nur vermöge dieser konnte der Künstler von der Genauigkeit, welche der Apparat gewährte, vollen Nuzen ziehen.

Zur Regulirung der Entfernung zwischen den Linien wendete Lowry anfänglich eine Mikrometerschraube an. Diese ward jedoch bald aufgegeben, und zwar wegen der Abnüzung, die sie nothwendig erleiden mußte, da sie den Linirapparat, welcher um ihm gehörige Stätigkeit zu geben und um ihn gegen das Werfen zu sichern, schwer und massiv war, zu bewegen hatte. Endlich blieb der Erfinder bei der Anwendung zweier auf einander wirkender Keile stehen. Man denke sich, um sich dieß zu versinnlichen ein Parallelogramm, welches beiläufig 8 oder 10 Mal länger als breit, und der Diagonale nach in zwei Dreieke getheilt ist. Man denke sich ferner, daß eines dieser Dreieke an dem linken Rande des Richtscheites befestigt ist; während sich das andere auf solche Weise längs eines geraden unnachgiebigen Stabes bewegen kann, daß die schrägen Ränder beider Dreieke an einander zu liegen kommen. Die Folge dieser Anordnung muß nun nothwendig seyn, daß, wenn das bewegliche Dreiek längs des unnachgiebigen Stabes fortgezogen wird, dasselbe jenes Dreiek, welches an dem flachen den Grabstichel führenden Stabe befestigt ist, fortwährend nach Auswärts drängen wird, und daß mithin jede mechanische Vorrichtung, die das bewegliche Dreiek allmählich und nacheinander um gleiche Räume vorwärts bewegt, zwischen den mit dem Diamante gezogenen Linien auch gleiche Entfernungen erzeugen wird. Die Breite dieser zwischen den Linien gelassenen Räume wird gleich seyn der Quantität, um welche das Dreiek bewegt wird, dividirt durch die Differenz zwischen der Länge und der Basis desselben.

Der sel. Turrel, ein Schüler Lowry's, fertigte gleichfalls einen zu demselben Zweke bestimmten Apparat an, welcher sich in mehreren Beziehungen und namentlich dadurch von jenem seines Lehrmeisters unterschied, daß die Entfernung der Linien von einander nicht durch eine Versezung des Grabstichels, sondern durch eine Ver-

schiebung der Kupferplatte selbst hervorgebracht wurde. Es scheint
jedoch nicht, daß hiedurch irgend etwas gewonnen wurde, wenigstens
waren die Arbeiten Turrel's in keiner Hinsicht vorzüglicher als
jene, die Lowry mit seinem einfacheren Apparate vollbrachte.

Da zur Darstellung des Firmamentes und mancher anderer Gegenstände keine vollkommen geraden, sondern lieber etwas wellenförmige Linien gewählt werden, so suchte man auch solche von jeder
beliebigen Form zu erzeugen, indem man in die Oberfläche des flachen Richtscheites eine entsprechende Fuge schnitt, und indem man
einen der Zapfen oder Füße des Wagens in dieser laufen ließ. Die
unter diesen Umständen gezogenen Linien waren daher sämmtlich Fac-
simile's jener Linie, in der sich der Grabstichel bewegte. Allein obschon die auf diese Weise erzeugten Linien einzeln den mit freier
Hand erzeugten ähnlich waren, so wurde das Auge, da alle diese
Linien unter sich vollkommen gleich und ähnlich waren, bei dem Anblike der aus ihnen bestehenden Tinten, durch das gegenseitige Entsprechen der Wellen der Linien unangenehm afficirt, d. h. das Ganze
bekam etwas Musterartiges und eine gewisse Härte (rowiness), welche den Effect, den der Künstler hervorrufen wollte, zerstörte. Es
wurden verschiedene Vorschläge gemacht, wonach diesem Mangel abgeholfen werden sollte; in diese einzugehen, liegt jedoch hier außer
meinem Bereiche.

Das Eigenthümliche meines Apparates, zu dessen Beschreibung
ich nunmehr gleich übergehen will, besteht hauptsächlich darin, daß
er Mittel an die Hand gibt, womit die Linien in Hinsicht auf einander so abgeändert werden können, daß alle Härte vermieden wird,
und Zeichnungen zum Vorscheine kommen, die den mit der Hand
angefertigten vollkommen gleichkommen, während zugleich auch eine
vollkommene Gleichheit der Distanzen der Linien und eine vollkommene Gleichförmigkeit ihrer Stärke, wie sie nur den Maschinenzeich-
nungen eigen ist, erzielt werden.

Fig. 36 zeigt den ganzen Apparat von Oben betrachtet, und in
dem sechsten Theil seiner natürlichen Größe gezeichnet. Fig. 37 ist
ein seitlicher Aufriß. a, a ist das Lager oder das Bett, auf welches
die Kupfer- oder Stahlplatte b, b gelegt, und mittelst einer oder
zweier Federn c, c, deren Enden auf die untere Seite der Schienen
d, d drüken, niedergehalten werden. Die gegenüber liegenden Seiten
oder Flächen dieser Schiene müssen vollkommen gerade und parallel
seyn, damit sie ein Schiebbrett e, e, welches man in Fig. 38 einzeln
für sich und in kleinerem Maaßstabe abgebildet sieht, zwischen sich
aufnehmen können. Dieses Brett ist an die untere Fläche einer
Metallplatte f, f, welche auf den Schienen d, d ruht, geschraubt; es

hängt daher von dieser Platte herab, und ist so zwischen die Schienen eingesezt, daß es mit aller Genauigkeit über der Kupferplatte hin und her geschoben werden kann. Das eine Ende des Brettes ist so eingeschnitten, wie man es bei h, h sieht; an seinen beiden Enden sind die Knöpfe g, g. g. g angebracht, womit es ohne alle Erschütterung zwischen den Schienen d bewegt werden kann. i, i, i sind drei spizige Füße, mit denen der Wagen j auf einer stählernen Platte k, welche auf der größeren Platte f fixirt ist, steht oder läuft. Zwei dieser Füße sind beweglich, damit sie so gestellt werden können, daß sie entweder in einer oder in zwei beliebigen Linien der auf der Stahlplatte k gezogenen Linien laufen. l ist der über die Kante der Platte f hinausragende Zeichenstift oder Grabstichel. m, m sind zwei Aufhälter, womit die Bewegung des Wagens in irgend einer beliebigen Ausdehnung beschränkt werden kann. An dem Wagen selbst ist eine Feder n mit einem Däumlinge o angebracht, die den Rahmen p, an welchem der Zeichenstift festgemacht ist, empor hält. Drükt man die Feder n herab, so wird der Zeichenstift l dadurch so herabgesenkt, daß er die Platte berührt; und bewegt man den Wagen in der durch einen Pfeil angedeuteten Richtung von einem der Aufhälter m zum anderen, so wird der Stift eine Linie auf der Platte ziehen. Entfernt man hierauf den Finger von dem Däumlinge o, so wird die Feder n den Stift wieder empor halten, während der Wagen zurükkehrt, um sich zum Ziehen einer neuen Linie in Bereitschaft zu sezen. Ist diese Rükkehr erfolgt, so verschiebt man die große Platte f mit dem auf ihr befindlichen Wagen auf den Schienen d, d genau um so viel, als zwischen der ersten und zweiten Linie Distanz gelassen werden soll. Diese Bewegung wird durch zwei Zapfen oder Stüzpunkte, welche abwechselnd fest und lose werden, so daß sich der eine vorwärts bewegt, während der andere fixirt ist, hervorgebracht. Einer dieser Zapfen oder Stüzpunkte ist absolut fix oder lose; der andere dagegen wird bloß durch das Gewicht des Theiles, an welchem er angebracht ist, fixirt. Die Distanz zwischen beiden läßt sich so reguliren, daß sie den feinsten Linien entspricht.

Zu diesem Zwecke befindet sich der erste Stüzpunkt in dem Stabe q, der sich unter der Federplatte r bewegt ohne sie zu berühren. Wenn es jedoch nöthig ist, so drükt eine Bindeschraube, die mittelst des Griffes s in Thätigkeit gesezt wird, die Platte herab, wodurch dann der Stab q festgehalten wird. Da Vorsorge getroffen seyn muß, daß der Stab q ganz ruhig und bequem auf dem flachen, unter der Bindeschraube befindlichen Lager aufruht, so besteht nicht die geringste Neigung zu einer Verschiebung oder Bewegung dieses Armes, während derselbe durch die Schraube gebunden wird. Von

28 *

dem Arme s hängt, wie Fig. 37 zeigt, ein Zapfen herab, welcher mit dem Aufhälter t in Berührung kommt, wenn der Stab hinlänglich festgehalten oder eingespannt ist. Diese große Genauigkeit in Hinsicht auf die Bindung oder Fixirung des Stabes q, der zu diesem Zweke überall von vollkommen gleicher Dike ist, verbürgt auch eine große Genauigkeit und Sicherheit in der Bewegung. Um Zeit zu ersparen, ist auch noch ein zweiter Aufhälter u vorhanden, gegen den der Zapfen des Armes s drükt, wenn der Stab in hinlänglichem Grade nachgelassen worden ist. Wenn der Stab q fixirt ist, so wird das in demselben befindliche Loch r zum Stüzpunkte eines Zapfens, der von dem Schwanze des Zeigers w aus durch dieses Loch emporragt. Der Hebel oder Zeiger w selbst dreht sich um einen Zapfen x, der von der Platte f emporragt und den zweiten Stüzpunkt bildet. Fig. 39 zeigt einen Durchschnitt durch diese beiden Stüzpunkte r und x, deren Entfernung von einander den fünfzehnten Theil des Zeigers w bildet.

Der Zeiger ruht, während er an dem Grabbogen auf Null deutet, auf dem Aufhälter y. Die Entfernung der Linien, welche gezogen werden sollen, hängt von der Quantität der Bewegung des Zeigers ab, wobei der Raum, den er an dem grabuirten Bogen durchläuft, 15 Mal größer ist, als der zwischen je zwei Linien gelassene Zwischenraum. Um den Zeiger mit Genauigkeit in seiner Bewegung zu beschränken, ist eine Schraube z angebracht, die, damit die Bewegung ruhig von Statten geht, durch ein mit hartem Holze ausgefüttertes Loch geht. Der Zeiger wird mittelst des Griffes oder Knaufes 1, der sich gleichfalls gegen die Schraube z stemmt, in Bewegung gesezt, so daß also durch die dem Zeiger mitgetheilte Bewegung keine Gewalt auf ihn ausgeübt wird.

An dem Rande oder an der Kante des Brettes e ist eine gebogene Feder 2 angebracht, die mit ihrem losen Ende durch das in dem Stabe q befindliche Loch 3 ragt, und deren Aufgabe es ist, den Stab nach Auswärts oder in der Richtung q, r zu treiben.

Während des Ziehens einer Linie bleibt der Stab q mittelst seiner Bindeschraube fixirt, und der Zeiger w wird mit dem Finger der einen Hand in der durch Punkte angedeuteten Stellung erhalten; dagegen bewegt man mit der anderen Hand den Wagen und damit auch den Stift oder den Grabstichel l in der Richtung des Pfeiles. Ist diese Linie gezogen, so läßt man die Bindeschraube des Stabes q nach, indem man den Arm s vom Aufhälter t an den Aufhälter u bewegt, worauf dann der Zeiger w, indem man ihn los läßt, in Folge der Wirkung der Feder 2 unmittelbar auf Null zurükkehrt. Die Feder bewirkt nämlich, indem sie den Stab q in der Richtung von q,r bewegt, daß sich der Zeiger um den Zapfen x dreht, der durch das Gewicht der Platte f, aus der er hervorragt, verhindert wird, sich zu bewegen. Nunmehr wird der Stab q wieder firirt, indem man den Arm seiner Bindeschraube von dem Aufhälter u gegen den Aufhälter t und den Zeiger w von dem Aufhälter y weg in die durch punktirte Linien angedeutete Stellung bewegt; so daß jezt der Zapfen v zum Stüzpunkte wird, und daß der Zapfen x die Platte f mit dem Zeiger in Verbindung bringt. Während sich demnach der Zeiger längs des graduirten Bogens bewegt, bewegt sich die Platte um den fünfzehnten Theil der von dem Zeiger durchlaufenen Streke, wodurch der Zwischenraum zwischen der bereits gezogenen und der nächsten Linie gebildet wird. Zugleich wird die Feder 2 hiebei wieder in einen solchen Grad der Spannung versezt, daß sie den Stab q nach Vollendung der zweiten Linie abermals um einen Zwischenraum bewegt. Die beiden Zapfen v,x schreiten demnach abwechselnd um die zwischen je zwei Linien zu lassende Distanz vorwärts, wobei der Zeiger w als Hebel das Lager des ganzen Apparates und die Feder 2 den Stüzpunkt v genau um dieselbe Quantität bewegt. Diese Bewegung bedingt also eine beständige Wiederholung eines und desselben Maßes, wobei weder durch Abnüzung, noch durch eine Erschütterung der Löcher ein Irrthum Statt finden kann, weil die Feder 2 die Zapfenlager für die Zapfen v und x immer an einer und derselben Seite der Löcher erhält. Die Federplatte r ist unter der Schraube s vollkommen steif und so breit als der Stab q; auch ist sie solcher Maßen firirt, daß sie gar keine seitliche Bewegung zuläßt, damit der Stab also weder im Zustande der Ruhe, noch auch während der Bewegung irgend eine Neigung zu einer seitlichen Bewegung bekommen kann.

Wenn der Apparat über irgend einen Theil der Platte bewegt werden soll, so hat dieß ohne Ausübung von Gewalt, und ohne daß irgend eine seitliche Neigung dabei Statt findet, zu geschehen. Um dieß zu bewerkstelligen, ragt aus der Mitte des Brettes e ein Griff 4 empor; da sich jedoch auch der Stab q in der Mitte befindet, und da dieser nicht berührt werden darf, so ist der Griff durch ein längliches, in den Stab geschnittenes Loch geführt. Durch denselben Ausschnitt ist ferner auch die mit einem T förmigen Kopfe versehene Schraube 5 geführt, wodurch der Stab noch stätiger an Ort und Stelle erhalten wird.

Damit man die Maschine mit noch größerer Genauigkeit, als dieß mittelst des Zeigers w und seines Gradbogens möglich ist, so stellen kann, daß irgend eine gegebene Zahl von Linien auf den Zoll kommt, ist auch noch ein zweiter, den Gradbogen 7 durchlaufender

Zeiger 6 angebracht, und zwar so, daß er durch den Zeiger w in
Bewegung gesezt wird, und daß er also die Bewegung dieses lezteren
in vergrößertem Maaßstabe darstellt. Wenn daher der Künstler
irgend eine bestimmte Tinte mit dem Apparate hervorgebracht hat,
so wird er, wenn er sich die Stellung des lezteren Zeigers notirt hat,
jeder Zeit im Stande seyn später wieder genau dieselbe Tinte hervorzubringen.

Nachdem ich hiemit die Bewegung des Apparates im Allgemeinen angedeutet, habe ich nunmehr noch den Wagen und die übrigen
Theile genauer zu beschreiben. Fig. 40 zeigt den Wagen von Oben
und an der ihm zukommenden Stelle angebracht. Fig. 41 stellt
einen Frontaufriß desselben vor; Fig. 42 ist ein Endaufriß und Fig.
43 endlich gibt eine Ansicht vom Rüken her.

Der Wagen ruht, wie bereits gesagt, auf drei scharfen stählernen Spizen i, i, i, von denen der mittlere seine Stelle beibehält und
auf einer glatten stählernen Oberfläche gleitet, während die beiden
anderen beweglich sind und auf die stählernen Stäbe 8, 9 gesezt werden. Diese Stäbe, die mit der Bewegungslinie unter rechten Winkeln gestellt sind, sind absichtlich, und um ihnen etwas Federkraft zu
geben, nur an dem einen Ende fixirt. Die stählernen Spizen passen
genau, jedoch so, daß ihre freie Bewegung dadurch nicht gehemmt
ist, in die in diese Stäbe gravirten Linien. In die stählerne Platte
k sind 10 Linien von verschiedener Beschaffenheit, d. h. vom vollkommen Geraden bis zum Wellenförmigen gravirt, und entweder in
einer dieser Linien oder in je zwei derselben können die beiden abju-
stirbaren stählernen Spizen i, i laufen. Außerdem sind aber auch
noch in einen langen und vollkommen geraden, stählernen Stab 11, 11
Fig. 36, 40 und 41, welcher sich unter den Stegen 12, 12 schiebt,
mehrere Linien geschnitten. In jedem dieser Stege befinden sich
zwei Federn, von denen die eine den Stab herabdrükt, während ihn
die andere gegen die Stellschraube 13 drängt. Mit Hülfe dieser
Schrauben und Federn kann der Stab immer mit den auf der Platte
k befindlichen Linien parallel gestellt und auch in dieser Stellung erhalten werden, wenn er auch der Länge nach verschoben wird. Die
auf diesen Stab gravirten Linien sind von ganz eigenthümlicher Beschaffenheit: die erste ist eine mit freier Hand gezogene, gerade Linie,
welche mithin die durch die Führung der Hand bedingten Eigenschaften besizt; die übrigen Linien hingegen wechseln von einer feinen
ungleich wellenförmigen (unequally joggled) bis zu einer hinlänglich
groben Linie. Die Wirkung, die diese Linien auf den Wagen hervorbringen, wird aus Folgendem erhellen.

Wenn einer der scharfen Füße i längs des Stabes 9 verschoben

wird, bis er in eine gerade Linie auf der Platte k eintritt, und
wenn ein auf dem Stabe 8 befindlicher Fuß in eine der wellenförmigen Linien auf dem Stabe 11 eintritt, so wird sich beim Verschieben des Wagens die Spize 9 gerade, die Spize 8 hingegen in einer
Linie bewegen, die je nach der Linie, in der sie läuft, von einer
geraden abweicht. Wenn nun der Grabstichel l solcher Maßen auf
seinem Stabe 14 angebracht ist, daß er dem Ende des Stabes 9
gegenüber die Kupferplatte berührt, so wird die Bewegung der an
dem Stabe 8 befindlichen Spize kaum irgend eine Abweichung von
einer geraden Linie verursachen; so wie sich der Grabstichel aber gegen 8 annähert oder über 9 hinaus bewegt, so wird er, je nachdem
er mehr oder weniger weit von dem Ende 9 entfernt ist, von dem
Ende 8 Bewegung mitgetheilt erhalten. Man kann daher der Bewegung des Grabstichels jede Bewegung mittheilen, die zwischen den
Eigenschaften der beiden Linien möglich ist. Wenn die an dem
Stabe 9 befindliche Spize in eine wellenförmige Linie gesezt wird,
so wird nur eine solche allein, jedoch mit einem beliebigen Grade von
Unbiegung gezeichnet werden. Wollte man die Maschine jedoch unter diesen Umständen ebenso adjustirt anwenden, wie dieß oben beschrieben worden ist, so würde die bereits erwähnte Härte (rowiness)
der Zeichnung daraus folgen, indem sich dieselben Wellen immer an
denselben Stellen wiederholen würden. Ein ganz anderer wird der
Effect dagegen seyn, wenn man den Stab 11 nach Vollendung einer
jeden Linie etwas weniges verschiebt; denn dann werden die Wellen
zweier auf einander folgender Linien hinreichend von einander abweichen, so daß der angedeuteten Unvollkommenheit gesteuert ist, ohne
daß der Parallelismus der Linien irgend eine Beeinträchtigung erleidet; und daß folglich der Effect, den man mit freier Führung des
Grabstichels erreicht, so viel als möglich auf mechanische Weise hervorgebracht wird.

Die Zusammensezung einer jeden Linie aus zwei ungleichen und
in verschiedenem Grade wellenförmigen Linien, und die fortwährende
Abänderung dieser Zusammensezung beim Ziehen einer jeden Linie
macht es ganz unmöglich, daß zwei an einander gränzende Linien
unter einander gleich werden können; und selbst wenn zwei Linien
gleich wären, so würde doch das Zusammentreffen ihrer gleichen Theile
durch die dem Stabe 11 mitgetheilte Bewegung verhindert werden.
Die Wellen der Linien lassen sich demnach so gleichmäßig über die
liniirte Oberfläche vertheilen, daß eine sehr weiche Tinte dadurch
zum Vorschein kommt; und wenn man eine der Spizen i in einer
geraden oder schwach gewellten Linie laufen läßt, so kann man, welcher Grad der Wellung auch durch die andere Spize mitgetheilt wer-

den mag, diese Wellung doch der möglich feinsten Tinte anpassen, wenn man den Grabstichel in der Nähe jener Spize fixirt, die in der geraden oder schwach gewellten Linie läuft.

Wenn irgend eine besondere Tinte wiederholt werden soll, so genügt es nicht, wenn man mittelst des zweiten Zeigers 6 wieder die frühere Entfernung der Linien von einander hervorbringt; sondern die Entfernung des Grabstichels 1 von der an dem Stabe 9 befindlichen Spize muß ebenfalls genau dieselbe seyn. Zu diesem Zweke ist eine Messingplatte 15, 16, Fig. 41, in der aus Fig. 44 erscheinlichen Form gebogen: so zwar, daß der Scheitel 16 auf den verschiebbaren Stab 11 und auf die Linien 10 der Platte k zu liegen kommt, während ihr Boden 15 die Kupferplatte berührt. Diese Platte ist in Fig. 41 so verschoben, daß sie die an dem Stabe 9 befindliche Spize berührt; wenn dann der Grabstichel 1 so lange adjustirt wird, bis er mit jener der Abtheilungen 15, die früher notirt ward, in Berührung kommt, so wird er ganz genau wieder die frühere Tinte hervorbringen.

Es bleibt nunmehr nur noch ein Theil des Wagens zu beschreiben. Der Grabstichel wird mit einer Schraube in dem Hause 17 befestigt, welches sich, um einen Zapfen dreht, der sich in dem auf dem Stabe 14 verschiebbaren Stüke 18 befindet. In Fig. 42 sieht man eine Schraube 19, die das Haus 17 an einen kleinen, am Grunde des Stükes 18 angebrachten Bogen bindet. Auf diese Weise wird dem Grabstichel die gehörige Neigung gegeben. Der stählerne Stab 14 ist an einen messingenen Rahmen p, Fig. 40, geschraubt, der mit einem stählernen Rüken 20,20, womit er sich zwischen den beiden Schrauben 21,21 schwingt, und wodurch er mit dem Wagen j in Verbindung steht, versehen ist. Dieser Rahmen nun führt den Grabstichel, der die Möglichkeit gestatten muß, daß er so hoch emporgehalten werden kann, daß er die Kupferplatte nicht berührt. Es ist zu diesem Zweke in dessen Mitte eine Schraube 22, Fig. 40 und 43, angebracht, deren Spize auf eine Feder n drükt. Der Grabstichel wird auf diese Weise gerade um so viel, aber um nicht mehr, emporgehoben, als daß er die Kupferplatte eben nicht berührt. Diese Adjustirung ist nöthig, weil der Rahmen p zuweilen beschwert wird: eines der Gewichte sieht man z. B. bei 23. Von der Feder n ragt ein Däumling o empor, womit die Feder niedergedrükt und der Grabstichel herabgesenkt wird. Damit der Grabstichel keiner zufälligen Beschädigung ausgesezt ist, so ist zu seinem Schuze ein Steg 24, der über den Däumling o wegläuft, und außerdem weiter vorne auch noch der Steg 25 angebracht. Man bewegt den Wagen, indem man den Daumen und einen Finger an diese beiden Stege sezt,

während man den Mittelfinger bereit hält, um mit ihm den Däumling o und damit auch den Grabstichel herabzudrüken. Damit sich
die Feder n nicht unnüzer Weise zu weit bewegen kann, ist unter
ihr, und gewisser Maßen als ein adjustirbarer Aufhälter für dieselbe
eine Schraube 26 mit Tförmigem Kopfe, Fig. 42 und 43, angebracht.

Man fühlt es mit dem Finger, wenn die Feder diesen Schraubenkopf berührt, und weiß daraus, daß der Grabstichel eindringt.
Das Gewicht des auf den Stegen 24, 25 ruhenden Fingers und
Daumens trägt dazu bei, daß die Füße oder Spizen i, i während
der Bewegung des Wagens sicherer in den für sie gezogenen Linien
verbleiben. Der Rahmen p, der den Grabstichel führt, wird nie berührt, indem die Herabsenkung oder das Emporsteigen dieses lezteren
lediglich dadurch bewirkt wird, daß der Künstler auf die Feder n
drükt oder nicht. Damit der Wagen auf geeignete Weise abgehoben
werden kann, ist ein Griff 27 an denselben geschraubt.

Man wird finden, daß bei der ganzen Anordnung dieses In-
struments sorgfältig darauf geachtet wurde, jede Bewegung auf das
Minimum zu reduciren und alle Gewalt so viel als möglich zu vermeiden, damit alle Gefüge stets in guter Ordnung verbleiben, und
damit bei aller Freiheit der Bewegung keine weitere Erschütterung
Statt findet, als durchaus nöthig ist.

Ich muß endlich noch bemerken, daß ich mich durch Erfahrung
überzeugt habe, daß selbst, wenn es sich nur um das Verzeichnen
gerader Linien handelt, stählerne Spizen, welche sich in Linien oder
Furchen bewegen, besser sind, als gerade Schneiden, die man in Furchen laufen läßt.

LXXXIV.

Verbesserungen an den Maschinen zum Weben glatter und gemusterter Zeuge, worauf sich Clinton Grey Gilroy, Ingenieur von Argyle Street, New-Road in der Grafschaft Middlesex, am 25. Februar 1836 ein Patent ertheilen ließ.

Aus dem Repertory of Patent-Inventions. Mai 1837, S. 249.

Mit Abbildungen auf Tab. VI.

Meine Erfindung betrifft jenen Theil der mechanischen Webe-
stühle, welcher die sogenannte Aufnahms- oder Aufwindbewegung
vollbringt.

Fig. 20 zeigt mehrere Theile eines gewöhnlichen Webestuhles in
einem Längendurchschnitte.

Fig. 21 zeigt das Riethblatt und die dasselbe führenden Theile vom Rüken her betrachtet.

a, a ist das Riethblatt, dessen Rahmen sich, wie bekannt, mit den Zapfen b, b in Zapfenlagern bewegt, und der von den Federn c, c nach Vorwärts gedrängt wird. Der Eintrag wird mehr oder minder fest eingeschlagen, je nachdem diese Federn mehr oder minder stark sind. Um den Druk der Federn zu reguliren, braucht man nur die Schieber d, d mittelst Stellschrauben dem Riethblatte anzunähern oder sie davon zu entfernen. e ist der Kettenbaum, an dem wie gewöhnlich ein Strik mit einem Gewichte angebracht ist. f ist der Zeugbaum, auf den das fertige Fabricat folgender Maßen aufgewunden wird. g ist ein Krummhebel, welcher in h seinen Drehpunkt hat, und an dessen einem Ende sich eine Klinke i befindet. Leztere greift in die Zähne eines Sperrrades j, welches an der Welle k, die in dem Gestelle der Maschine ruht, läuft. An der vorderen Fläche des Sperrrades ist ein Getrieb l befestigt; dieses dreht sich zugleich mit dem Sperrrade, und greift in das Zahnrad m, welches an der Welle des Zeugbaumes aufgezogen ist: woraus denn folgt, daß sich dieser Baum umdrehe und den gewebten Zeug aufwinde. Da die Gestalt des Hebels g aus der Zeichnung vollkommen deutlich erhellt, so wird auch dessen Wirkungsweise klar und deutlich seyn. Der Hebel n bewegt sich um Zapfen o, die an dem Schwerte, welches das Riethblatt führt, angebracht sind; er drükt vermöge einer Feder auf das Ende des Riethblattes; wird jedoch, während der Webestuhl arbeitet, nach Aufwärts gedreht, damit er auf den Hebel g wirke.

Der hiemit beschriebene Apparat, zu dessen Versinnlichung wir eine Darstellung der übrigen, zu dem Webestuhle gehörigen Theile durchaus nicht erforderlich schien, arbeitet auf folgende Weise. In Fig. 20 sieht man die Theile in der Stellung, in der sie sich unmittelbar, nachdem das Riethblatt den Eintrag eingeschlagen hat, befinden. Durch das Zurükfallen des Riethblattes wird der Hebel g von dem an dem Schwerte angebrachten Zapfen oder Vorsprung q emporgehoben werden, wo sich dann die Klinke um einen Zahn des Sperrrades weiter bewegt, während das Zurüklaufen des Zeugbaumes mittlerweile durch einen Sperrkegel r auf die bekannte Art verhütet wird. Während des Actes des Einschlagens wird das Riethblatt von dem Eintrage zurükgetrieben, wodurch der Hebel n veranlaßt wird, sich gegen den Hebel g zu bewegen und dadurch den Zeugbaum zum Behufe des Aufwindens in Bewegung zu sezen. Sollte die Schüze keinen Eintrag führen, so würde das Riethblatt nicht zurükgetrieben werden, indem der Einschuß dann keinen Zuwachs erhielte; die Folge hievon wäre, daß der Hebel n nicht auf den Hebel g

träfe, und daß mithin keine Aufnahmbewegung einträte. Dasselbe
würde sich ereignen, wenn der Eintragfaden bräche, indem dann die
Schüze von einer Seite zur anderen fliegen würde, ohne Eintrag mit
sich zu führen.

Ich weiß sehr wohl, daß alle die hier beschriebenen Theile mit
Ausnahme des Hebels g und der daran befindlichen Klinke nicht neu
sind. Ich nehme daher auch weder sie, noch die beschriebene Regulirung der Stärke, womit das Riethblatt den Eintrag einschlägt, als
meine Erfindung in Anspruch. Die zulezt erwähnte Regulirung läßt
sich namentlich auch auf verschiedene andere Weise erzielen. Meine
Ansprüche beschränken sich demnach auf den Hebel g, und die daran
befindliche Klinke, wodurch die Aufnahmbewegung vermittelt wird,
so lange Eintrag eingeschossen wird; während sie aufhört, so wie das
Einschießen aus irgend einer Veranlassung eine Unterbrechung erleidet.

LXXXV.

Verbesserungen an der Leuchtgasbereitung, worauf sich Samuel
Brown, Ingenieur von New Boswell Court in der
Grafschaft Middlesex, am 14. Jul. 1836 ein Patent er-
theilen ließ.

Aus dem Repertory of Patent-Inventions. April 1837, S. 170.

Mit Abbildungen auf Tab. VI.

Bei der Methode, nach welcher man bei der Gasbereitung gewöhnlich zu verfahren pflegt, werden die Retorten und Oefen da,
wo das Feuer direct auf sie einwirkt, in Kürze verbrannt, so daß
sie entweder ausgebessert oder gar ausgewechselt werden müssen.
Dasselbe gilt auch von allen übrigen Retorten, Oefen oder Gefäßen,
die einer bedeutenden Hize ausgesezt werden. Meine Erfindung besteht nun in der Anwendung schmelzbarer metallener Gefüge, in
welche Wasser oder irgend eine andere Flüssigkeit gebracht wird, und
welche, so lange die Destillation in den Retorten oder Oefen von
Statten geht, die Theile dieser lezteren auf solide Weise verbinden.
Dagegen gerathen diese Gefüge in Fluß, wenn der untere Theil der
Retorte oder des Ofens durch die Einwirkung des Feuers Schaden
gelitten, so daß dann die Theile aus einander genommen und der
beschädigte Boden leicht herausgenommen und ausgewechselt werden
kann.

Fig. 29 stellt einen nach meinem Systeme gebauten Apparat

im Querdurchschnitte vor; Fig. 30 ist ein Längendurchschnitt, und Fig. 31 ein Grundriß.

a ist der obere Theil einer Gasretorte; b deren Boden. Beide treten mit ihren seitlichen Rändern in einen Falz, welcher in dem hohlen Rahmen c angebracht ist. Dieser Rahmen, der aus Schmied= eisen oder irgend einem anderen entsprechenden Materiale bestehen kann, muß seiner Form nach der Retorte oder dem Ofen entsprechen. In den Falz d dieses hohlen Rahmens c muß eine aus Blei, Zinn und Wismuth bereitete Legirung, welche über 212° F. in Fluß geräth, gebracht werden. Der Grad der Schmelzbarkeit dieser Legirung hängt bekanntlich von den Verhältnissen ab, in welchen die einzelnen Bestandtheile angewendet wurden; ich beschränke mich übri= gens durchaus nicht auf sie allein, so wie sie auch nicht mit zu meiner Erfindung gehört. e ist eine Röhre, durch die das Wasser von einem geeigneten Wasserbehälter herbeigeleitet wird; f eine Röhre, durch die es wieder abfließt, nachdem es erhizt worden war. Denn bliebe das Wasser eingeschlossen und dem Druke ausgesezt, so würde es zu heiß werden und die Legirung in Fluß bringen, während seine Aufgabe gerade darin liegt, das metallene Gefüge d,d kühl und unter dem Schmelzpunkte zu erhalten. Würde das Wasser durch Umstände irgend einer Art in dem hohlen Rahmen c unter einem Druke erhalten, so müßte die Legirung so zusammengesezt seyn, daß ihr Schmelzpunkt über jenem Hizgrade eintritt, auf dem das Wasser erhalten wird, wenn die Retorte oder der Ofen arbeitet. Ich habe Wasser zur Abkühlung des schmelzbaren Gefüges d vorgeschlagen, weil dieses nicht nur am wohlfeilsten zu stehen kommt, sondern auch so weit meine Erfahrung reicht, diesen Zwek am besten erfüllt. Ich beschränke mich jedoch nicht auf die alleinige Anwendung dieses Mit= tels, da auch andere Flüssigkeiten in derselben Absicht angewendet werden können.

Wäre nun der Boden b der Retorte oder des Ofens so ausge= brannt, daß er ausgebessert oder ausgetauscht werden müßte, so un= terbricht man den Zufluß des Wassers oder der sonstigen Flüssigkeit an das schmelzbare Gefüge. Alsbald wird dieses dann in Fluß ge= rathen, so daß man den Theil b entfernen kann. Ist er ausgebes= sert oder ausgewechselt worden, so gestattet man dem Wasser wieder Zufluß, damit es die Legirung abkühle und zum Erstarren bringe: was erfolgen wird, wenn auch der Theil b einem noch so heftigen Feuer ausgesezt wäre.

Es ist offenbar, daß auf diesem Wege bei der Gasbereitung eine große Ersparniß an Zeit und Kosten erzielt werden kann, und daß sich dasselbe Verfahren auch zu verschiedenen anderen Zweken benuzen läßt.

LXXXVI.

Maschine und Methode zur Erzeugung künstlicher Häute, welche sich wie gewöhnliche Häute, Leder, Pergament benuzen lassen, und worauf sich Thomas Robinson Williams Esq., in Lamb's Buildings Bunhill Row in der Grafschaft Middlesex, am 14. Februar 1833 ein Patent ertheilen ließ.

Aus dem Repertory of Patent-Inventions. Mai 1837, S. 243.

Mit Abbildungen auf Tab. VI.

Meine Erfindung besteht in einer neuen, durch Maschinen zu bewerkstelligenden Verbindung von Faserstoffen zu künstlichen Häuten. Ich bewirke zu diesem Behufe, daß sich die Faserstoffe, welche ich in der Luft und nicht in Wasser schwebend erhalte, auf gewebte oder durchlöcherte Blätter, Wollenzeuge oder auf metallene oder hölzerne Formen ablagern, indem ich unter diesen ein theilweises Vacuum hervorzubringen suche. Ich sättige dann die solcher Maßen abgelagerten Faserstoffe mit klebenden Compositionen, um hiedurch deren Verbindung zu erzielen. Ich bediene mich hiezu sowohl bekannter, als auch solcher Maschinen, deren Theile, so viel ich weiß, früher nicht auf dieselbe Weise zusammengesezt gewesen. Ich bemerke übrigens im Voraus, daß sich die von mir erfundene neue Verbindung der Faserstoffe wesentlich von der gegenwärtig in der Papierfabrication gebräuchlichen Methode, Faserstoffe in breiartigen Zustand zu verwandeln, so wie auch von dem Spinn-, Web- und Filzprocesse unterscheidet. Ich gehe nunmehr zur Beschreibung meines Verfahrens über.

Verfahren A. In Fig. 17 ist A, B eine Kardätschmaschine, auf deren Speisungstuche ich den Faserstoff, der aus Seide, Baumwolle, Flachs, Hanf, Wolle, oder verschiedenen Haaren oder aus Gemischen dieser bestehen kann, in die Maschine bringe, damit er daselbst mittelst einer der gewöhnlichen Maschinen, z. B. mit einem Wolfe oder Willow gereinigt und geöffnet werde. Ich wende zuweilen jeden Faserstoff einzeln an, zuweilen verbinde ich deren mehrere: wie z. B. gleiche Theile Seide und Baumwolle oder ein Drittheil Seide und zwei Drittheile Baumwolle. Wenn das Material durch die Kardätschcylinder gelaufen ist, so sammelt es sich auf dem lezten derselben oder auf dem Streichcylinder C an. Von diesem wird der

Faserstoff in den gewöhnlichen Maschinen in Form eines dünnen
Vließes mittelst eines Kammes oder der dazu gehörigen Vorrichtung
abgenommen. Da jedoch die Form eines Vließes, in welchem die
Fasern oder Haare zu sehr nach der Länge verlaufen, meinem Zwecke
nicht entsprechen kann, so bediene ich mich einer von Oben 1 gedeck=
ten Schwinge D, die mit bedeutender Geschwindigkeit umgetrieben
wird, und welche den geöffneten Faserstoff 2 von dem Streichcylinder
weg in die Luft bläst, damit er sich auf ein endloses, umlaufendes
Gewebe aus Metalldraht, auf Wollenzeug oder andere Zeuge, oder
auf hölzerne oder metallene Tafeln 3, 4, welche um die beiden Wal=
zen 5, 6 laufen, ablagere. Um zu bewirken, daß diese Ablagerung
möglichst gleichförmig und in Form eines ununterbrochenen Vließes
erfolge, pumpe ich in dem Kasten E, der oben offen und zwischen
3, 4 angebracht ist, die Luft theilweise aus. Der hiezu dienende Ap=
parat kann sich in irgend einer Entfernung von der Maschine befin=
den, wenn er nur in gehörige Verbindung mit dem Kasten E gebracht
ist. Gewöhnlich benuze ich zu diesem Zwecke eine Schwinge F, die
unter dem Boden, auf dem die Karbätschmaschine ruht, aufgestellt
ist, und welche mit irgend einer beliebigen Geschwindigkeit umgetrie=
ben werden kann. Die der Achse zunächst liegenden Seitenwände
dieser Schwinge befinden sich in der Nähe zweier Oeffnungen, die
in den seitlichen, mit E in Verbindung stehenden Kästen angebracht
sind. Das Vließ, welches sich solcher Maßen auf dem endlosen um=
laufenden Gewebe oder Schurze ablagert, bewegt sich vorwärts, und
gelangt in dem Troge G, worin die lebende Composition enthalten
ist, zwischen die große Walze H und die kleineren Walzen a, b, c, d,
um dann von hier aus zwischen die beiden großen Walzen H, J zu
treten, deren Entfernung von einander je nach der Dike, die das
Vließ bekommen soll, mittelst des beschwerten Hebels h, i und mit=
telst der Anwellen der Walze I regulirt werden kann. Die beste kle=
bende Composition bereitet man sich, wenn man 4 oder 5 Theile
starken, gut in kaltem Wasser eingeweichten Leim mit einem oder
mit zwei Theilen Stärkmehl, welches mit kaltem Wasser zu einem
dünnen Teige angemacht worden ist, in dem Troge G vermengt,
und mit Dampf, der entweder durch eine im Inneren des Troges
herum geführte Röhre oder auch in einen doppelten Boden eingeleitet
werden kann, nach und nach bis auf den Siedpunkt erhizt. Die
Erwärmung kann auch mit freiem Feuer geschehen, doch verdient Dampf
in jeder Hinsicht den Vorzug. Die Composition selbst läßt sich auf
mannigfache Weise abändern; ich fand jedoch nach vielen Versuchen,
welche ich mit Leim, Mehl, Stärkmehl und auch mit Gummi, die
sich in der Wärme oder Kälte im Wasser lösen, anstellte, die eben angeg=

.bene im Allgemeinen als die beste. Das in dem Troge G gesättigte Vließ wird auf dem Tuche K durch eine gewöhnliche Trokenmaschine geführt, von der man in der Zeichnung drei hohle metallene Cylinder L, M, N, die durch die Dampfröhren 9, 10, 11 und 12 und durch die Stopfbüchsen 13, 14, 15 geheizt werden, ersieht.

Verfahren B. In Fig. 18 ist A, B gleichfalls eine Kardätschmaschine und C der Streichcylinder, von dem der Faserstoff mittelst der Schwinge F abgeblasen wird. Die Auspumpschwinge D befindet sich unter dem Kasten E, der hier mittelst einer großen Scheibe G um seinen Mittelpunkt umgetrieben wird. In dem Scheitel dieses Kastens befinden sich mehrere Oeffnungen, auf welche man verschiedene Formen, wie man sie z. B. bei b und c sieht, bringen kann. Diese Formen sind auf Räder, deren Mittelpunkte zum Behufe des Durchganges der Luft hohl sind, während sie an der unteren Seite auf ähnliche Weise wie der Kasten E mit einer Scheibe versehen sind, gestellt, und erhalten vermittelst einer aufrechten Spindel d und eines Getriebes e, welches genau über dem Mittelpunkte des Kastens E angebracht ist, eine langsame umlaufende Bewegung mitgetheilt. Wenn sich auf einer dieser Formen eine hinreichende Menge Faserstoff angesammelt hat, so stürzt man eine andere, aus zwei Hälften bestehende darüber, damit sich auch auf diese wieder eine gehörige Schichte ablagere. Endlich wird das Ganze abgenommen und in die angegebene klebende Composition getaucht, von den Formen herabgeschafft und getroknet. Die Formen können aus irgend einer durchlöcherten Substanz von gehöriger Stärke bestehen; ich gebe dem Kupfer und dem Zink den Vorzug.

Verfahren C. In Fig. 19 ist A, B, C ein nach der gewöhnlichen Methode eingerichteter Kardätschcylinder, in dessen Umfang jedoch eine größere Anzahl spizer Zähne eingesezt ist; dagegen fehlen ihm die sogenannten Gegenzähne (opposition teeth). Der Faserstoff wird auf das Speisungstuch D gelegt, und nachdem er durch das rasche Umlaufen der Zähne des Cylinders geöffnet worden ist, auf das endlose umlaufende Tuch E abgelagert. Von hier aus gelangt er an die Compressionswalzen 1, 2, 3, 4, 5, 6, 7, von denen die oberen auf den unteren ruhen; und nach dem Austritte aus diesen läuft er auf die bei dem Processe A angegebene Art und Weise in und durch den Trog F. Die klebende Composition, deren ich mich bei diesem Verfahren bediene, ist die oben angedeutete; nur seze ich ihr manchmal etwas Pech oder Harz zu, welches sich leicht damit verbindet, wenn erstere nicht zu viel Wasser enthält.

Verfahren D. In jenen Fällen, in welchen die künstlichen Felle eine sehr feine Textur oder bedeutende Dike und Festigkeit bekommen, und ausgepreßt oder in verschiedenen Figuren ausgeschlagen werden sollen, verfahre ich auf folgende Weise. Ich bringe das Vließ, welches ich mir nach dem unter A oder C beschriebenen Verfahren verschafft habe, zwischen Drahtgewebe oder durchlöcherte Metall= oder Holzplatten oder auch zwischen Weidengeflechte oder Wollenzeug, sättige es zwischen diesen mit der klebenden Composition; und unterwerfe es, wenn es hinreichend abgetroknet und abgekühlt ist, dem nöthigen Druke, wenn ich es nicht lieber in Modeln von der gehörigen Gestalt auspresse.

Verfahren E. In anderen Fällen finde ich es zwekmäßig, die klebende Composition oben über eine Seite oder Fläche der beiden Blätter des dünneren, nach dem Verfahren A bereiteten Fabricates auszubreiten, wobei diese Composition in Kürze so weit abtroknet, daß sie nicht zwischen die beiden Blätter hinein läuft. Wenn die Composition aufgetragen worden ist, so seze ich das Ganze zwischen erwärmten Modeln oder Formen einem starken Druke aus, wodurch die klebende Composition erweicht und durch das Vließ getrieben wird, so daß dieses nach dem Erkalten die Form des angewendeten Models beibehält.

Verfahren F. Um die nach dem Verfahren A und C bereiteten künstlichen Häute gleich den Fischhäuten zum Poliren verwenden zu können, streue ich unmittelbar, nachdem sie in die klebende Composition gebracht worden sind, Schmirgel, Sand oder gestoßenes Glas auf sie, damit sich diese Substanzen vollkommen mit der künstlichen Haut verkörpern und verbinden.

LXXXVII.

Bemerkungen über eine Abhandlung des Hrn. Dana, betreffend das Bleichen der Baumwollenzeuge; von Hrn. August Scheurer in Mülhausen.

Aus dem Bulletin de la Société industrielle de Mulhausen, 1837, No. 48.

Vor einiger Zeit übergab Hr. Eduard Schwarz der Industriegesellschaft eine Abhandlung über die Wirkung der Fette beim Bleichen, welche mit meinem Berichte darüber im Bulletin, Nr. 38 (Polyt. Journal Bd. LVII. S. 290), bekannt gemacht wurde. Es wurde damals von uns der Saz ausgesprochen, daß die Behandlung der Zeuge mit Kalk die Entfernung fettiger Theile aus denselben keineswegs erleichtert und daß das Laugen mit Kalk im Gegentheile sogar nachtheilig wirke, wenn man auf dasselbe nicht unmittelbar ein Säurebad folgen läßt; auch war es uns durch kein

Verfahren gelungen, den Zeugen die befestigten Fette vollständig zu entziehen. Vor einiger Zeit hat nun Hr. Dana, Chemiker in der Indiennefabrik von Prince in Lowell bei Boston, der Société industrielle eine Mittheilung zukommen laffen, in welcher gerade die Anwendung des Kalks vor der Behandlung mit Alkalien als das sicherste Mittel zur Entfernung aller beim Weben in den Zeug gekommenen fettigen Theile gerühmt wird. Dieser scheinbare Widerspruch stößt jedoch die Behauptung, welche wir im vergangenen Jahre aufstellten, keineswegs um; die HH. Dana und Prince wenden nämlich bei ihren Laugen nicht äzendes Natron (äzend gemachte Soda) an, deren wir uns bei allen unseren früheren Versuchen bedienten, sondern kohlensaures Kali (Potasche), welches nicht äzend gemacht, sondern bloß zur Absonderung der fremden Salze und erdigen Unreinigkeiten, in kochendem Wasser aufgelöst wurde. Wer unsere Versuche über die Wirkung des Aeznatrons auf die Fettfleken beim Bleichen wiederholt, wird dieselben vollkommen bestätigt finden; Hr. Dana aber kam auf folgende sehr wichtige und neue Beobachtung, von deren Richtigkeit wir uns vollkommen überzeugt haben: daß nämlich frische oder auch vollkommen befestigte Fettfleken durch kohlensaures Natron den Baumwollenzeugen vollständig entzogen werden, wenn man dieselben zuvor mit Kalk gelaugt hat.

Den Beweis für die Wirksamkeit der kohlensauren Alkalien liefern folgende Versuche:

Man brukte auf einen Zeug Streifen mit geschmolzenem Talg, ließ ihn acht Tage lang in einem warmen Zimmer liegen und laugte ihn dann vier Stunden lang mit trübem Kalkwasser. Der Zeug kam aus dieser Lauge außerordentlich runzelig, und auf den Streifen hatte sich deutlich eine Kalkseife gebildet, welche troken war und sich leicht abkrazen ließ. Der gelaugte Zeug wurde nun getheilt. Die eine Hälfte davon passirte man durch ein laues Schwefelsäurebad von 1° Baumé, welches aber die Kalkseife wenig angriff, indem keine Spur von freiem Fett auf der Flüssigkeit schwamm. Hierauf theilte man den gesäuerten Theil sowohl als den nicht gesäuerten wieder in zwei Theile und laugte sowohl jenen (Nr. 2) als diesen (Nr. 1) zwei Mal 4 Stunden lang mit Aeznatronlauge von 1° Baumé, wobei sich das erste Mal auf der Flüssigkeit unzersezte Kalkseife zeigte. Die beiden anderen Zeugstüken, nämlich das ungesäuerte (Nr. 3) und das gesäuerte (Nr. 4) wurden zwei Mal mit käuflichem kohlensaurem Natron von 1½° Baumé 4 Stunden lang gelaugt.

Ich wandte von der käuflichen Soda eine etwas stärkere Lauge an, weil sie immer mehr oder weniger fremde Salze enthält und daher am Aräometer einen zu hohen Grad zeigt (seitdem habe ich gefunden, daß das Sel de soude von Dieuze, dessen ich mich bediente, so rein ist, daß eine Auflösung desselben von 1° am Alkalimeter beinahe eben so viel reelles Alkali zeigt, als eine kaustische Natronlauge von 1°). Bei der ganzen Sodabehandlung zeigte sich keine Spur von freiem Fett oder Kalkseife; die Lauge verwandelte sich immer in ein schäumendes, vollkommen helles Seifenbad. Die herausgenommenen Zeugstückchen machten beim Klopfen in Wasser dasselbe trübe durch kohlensauren Kalk (der sich in Salzsäure vollkommen auflöste).

Hierauf passirte man alle 4 Zeugstücke durch Schwefelsäure von 1°; dabei war bei den mit kohlensaurem Natron behandelten Kohlensäureentwikelung bemerkbar, bei den mit Aeznatron gelaugten aber nicht.

Nun brachte man die 4 Nummern mit einander in ein mit Kreide und essigsaurer Thonerde versehenes Kuhmistbad, um die Fettfleken zu beizen, wenn sie noch vorhanden seyn sollten; endlich färbte man (mit Krapp) ½ Stunde bis 70° C. (56° R.) und passirte darauf ½ Stunde lang durch ein siedendes Kleienbad. Dieser Gang wurde bei allen Laugversuchen befolgt.

Bei Nr. 1 und 2, welche mit Aeznatron gelaugt worden waren, färbten sich die Streifen stark roth, und zwar bei dem ungesäuerten Zeugstük Nr. 1 viel stärker als bei Nr. 2, welches nach der Kalklauge gesäuert worden war. Dieß beweist wieder, daß ich mit Recht in meinem vorjährigen Berichte ein Säurebad nach der Behandlung mit Kalk so dringend empfahl. Von den mit kohlensaurem Natron gelaugten Zeugstückchen zeigte das gesäuerte (Nr. 4) keine Spur von fettigen Streifen; auch das nicht gesäuerte (Nr. 3) war frei von Fettstreifen, doch weder im Grund noch in den Streifen so rein wie jenes.

Einen anderen Versuch stellte man mit frischen, erst den Tag vorher mit Olivenöhl aufgedrukten Fettfleken an. Man laugte zwei Proben, ohne vorgängige Kalkbehandlung, die eine zwei Mal mit Aeznatron von 1° und die andere mit kohlensaurem Natron von 1½° wie oben 4 Stunden lang. Ich vermuthete nämlich, daß die alkalischen Laugen auch ohne vorgängige Kalklauge hinreichend seyn würden, so frische und also wenig befestigte Fettfleken zu beseitigen; der Erfolg bestätigte dieß aber nicht.

Auf der ersten Aezlauge schwammen nämlich Theilchen von freiem Fett; auf der zweiten zeigten sich hingegen keine mehr.

Die erste Lauge von kohlensaurem Natron bildete dagegen eine schöne Seifenauflösung und enthielt keine Spur von freiem Fett.

Nach dem Ausfärben zeigte die Probe Nr. 2, welche mit Aez-

natron gelaugt worden war, stark gelb gefärbte Streifen, die mit
kohlensaurem Natron behandelte Probe noch deutlichere und rosen=
roth gefärbte Streifen und einen weniger weißen Grund.

Selbst ganz frische Fettfleken widerstehen also der Einwirkung
der ätzenden und kohlensauren Alkalien gleich gut, und leztere sind
noch unwirksamer als erstere, wenn kein Kalkbad vorausgegangen ist.

Auf dieselbe Art mit frischem Oehl gedrukte Streifen, welche
aber den folgenden Tag 4 Stunden lang mit überschüssigem Kalk
gelaugt wurden, gaben andere Resultate. Man theilte den Zeug
nach der Behandlung mit Kalk in zwei Theile und passirte die eine
Hälfte Nr. 1 durch Säure, um nochmals die Wirkung dieser Pas=
sage gegen die andere Hälfte Nr. 2, welche nicht gesäuert wurde,
zu vergleichen.

Es wurde dann ein Stük von dem gesäuerten Theile Nr. 1 und
dem nicht gesäuerten Nr. 2 zwei Mal mit Aeznatron von 1° 4 Stun=
den lang gelaugt; und andererseits das gesäuerte Nr. 3 und das
ungesäuerte Nr. 4 zwei Mal mit kohlensaurem Natron von 1¼°
4 Stunden lang.

Auch bei diesen Versuchen schwamm wieder Kalkseife auf der
Aezlauge, während die kohlensaure Natronlauge, als sie auf den
Siedepunkt kam, wie ein Seifenbad stieg.

Nach dem Färben mit Krapp hatte man folgende Resultate:

Nr. 1, welches mit Aeznatron gelaugt und nach der Behand=
lung mit Kalk durch Säure passirt worden war, zeigte sich schwach
eingefärbt.

Nr. 2, welches mit Aeznatron gelaugt, aber nach der Behand=
lung mit Kalk nicht gesäuert worden war, hatte dunkle rothe Streifen.

Nr. 3, welches mit kohlensaurem Natron gelaugt und gesäuert
worden war, hinterließ nach vollständiger Reinigung keine Spur einer
rothen Färbung mehr.

Nr. 4, welches mit kohlensaurem Natron gelaugt, aber nicht
gesäuert worden war, war noch eingefärbt, aber weniger als Nr. 2.

Durch Laugen mit kohlensaurem Natron erhält man also nach
vorgängiger Behandlung der Stüke mit Kalk bei frischen Fettfleken
sowohl als bei 8 Tage alten ein ohne allen Vergleich besseres Resul=
tat als durch Aeznatron.

Bei einigem Nachdenken über das Verhalten der kohlensauren
Alkalien zu den Kalkseifen hätte man schon durch die Theorie gefun=
den, daß kohlensaures Natron wirksamer seyn muß als Aeznatron.
Bei dem Laugen mit kohlensaurem Natron kann sich nämlich durch
doppelte Zersetzung einerseits kohlensaurer Kalk bilden, welcher sich
auf den Zeug niederschlägt und andererseits eine auflösliche Natron=

29 *

seife, und diese Zersezung muß um so rascher erfolgen, je weniger die Kalkseife auf dem Zeuge fixirt ist; wenn sie aber auch noch so sehr darauf befestigt ist, kann man immer sicher seyn, sie durch kohlensaures Natron vollkommen zu zersezen, während sie sich selbst durch wiederholte Behandlung der Zeuge mit Aeznatron nicht vollständig wird entfernen lassen.

Mit Talg bedrukte Zeugstükchen, welche einen Monat lang liegen blieben, zuerst an einem warmen und dann an einem feuchten Orte, wurden durch eine einzige Lauge mit kohlensaurem Natron nach vorgängiger Behandlung mit Kalk und Säuerung vollkommen von Fett gereinigt. Bei diesem Versuche hatte man sich offenbar den Bedingungen, unter welchen den Zeugen beim Weben Fette einverleibt werden, möglichst genähert, indem eine warme und feuchte Luft ihrer Vereinigung mit dem Gewebe am günstigsten ist.

Durch die Resultate beim Laugen mit Aeznatron überzeugte ich mich auch, daß der Talg auf Zeugstüken, welche nach dem Bedruken einen Monat liegen blieben, sich mehr befestigt hatte, als auf solchen, welche erst 8 Tage aufbewahrt waren. Kohlensaures Natron beseitigte ihn nämlich von beiden vollständig, Aeznatron hingegen, welches das Fett weder den einen noch den anderen ganz entzog, gab bei den Probestükchen, welche einen Monat lang aufbewahrt worden waren, ein schlechteres Resultat als bei denen, welche erst 8 Tage alt waren.

Für alle Fälle liefert also das kohlensaure Natron dem Bleicher ein vortreffliches Mittel zur Entfernung frischer und alter Fettfleken aus den Stüken; um damit gute Resultate zu erhalten, muß man aber auch die Laugoperationen und besonders die Kalklauge gut leiten, damit ihre Wirkung eine vollständige und gleichförmige ist, was sich in Kufen, worin eine große Masse von Stüken über einander gehäuft wird, nur schwer bewerkstelligen läßt, besonders mit einem so wenig löslichen Alkali wie der Kalk; in diesem Falle würde nämlich nicht überschüssige Kalkmilch, sondern bloß ein Kalkwasser auf die Stüke wirken, so daß man am Ende nicht nur keine besseren Resultate als mit Aeznatron, sondern im Gegentheil noch schlechtere erhielte. Auf ähnliche Art kommen oft die besten Verfahrungsarten bei einigen in Mißcredit und außer Gebrauch, während sie von anderen, besser verstanden, mit Erfolg angewandt werden.

Die Kalklauge muß also, als die wesentlichste Operation beim Laugen mit kohlensaurem Natron, wohl verstanden werden; man darf nur wenige Stüke auf einmal in Arbeit nehmen und hat ihr Aufeinanderdruken zu vermeiden. Wiederholt man diese Operation öfter, so kann sie auch in kürzerer Zeit beendigt werden. Sie wird um so beſſer gelingen, je mehr der Zeug mit dem Kalk in Berührung kommt; ich zweiſle aber ſehr, ob ſie bei der Art, wie man die Kalk-lauge in unſeren Bleichereien gewöhnlich gibt, gute Reſultate lie-fern kann.

Um die Wirkung des kohlenſauren Natrons auf die fixirten Fette noch genauer kennen zu lernen, laugte ich einen für Türkiſchroth gebdhlten Kattun mit Kalk, ſäuerte ihn dann und kochte ihn zulezt zwei Mal mit kohlenſaurem Natron von 1½° aus. Die erſte Soda-lauge gab nach dem Erkalten eine dike vollkommene Seife; die zweite zeigte kaum noch Spuren fettiger Subſtanz. Man gab hierauf ein Säurebad und färbte eine Probe in Krapp aus; der Grund färbte ſich nicht mehr als eine vergleichsweiſe gefärbte Probe von nicht gebdhltem, gelaugtem Zeuge; doch waren noch Andeutungen eines Rük-halts von etwas unzerſezter Kalkſeife vorhanden. Man gab alſo dem Zeuge ein ſchwaches Chlorkalkbad, dann ein Säurebad, worauf man wieder eine Sodalauge und dann nochmals Behandlung mit Chlorkalk und Säure folgen ließ; beim nunmehrigen Ausfärben war der Grund des gebdhlten Zeuges von vollkommen gleicher Weiße mit dem des nicht gebdhlten Zeuges.

Ein anderer entſcheidender Verſuch wurde mit einem ſchon vor ziemlich langer Zeit gewebten Stüke gemacht, welches vom Weben Fettfleken hatte; man bedrukte es noch mit Trokenöhl, welches man in der Wärme in daſſelbe eintroknete, und mit Fettfleken, über die man ein heißes Eiſen paſſirte. Man gab ihm nun: 1) eine trübe Kalklauge während 4 Stunden; 2) ein ½ſtündiges laues Säurebad von 1° B.; 3) eine Lauge mit kohlenſaurem Natron von 1½°, wäh-rend 4 Stunden; 4) noch eine ſolche und 5) ein Säurebad. Eine ausgefärbte Probe zeigte nun kein Fett mehr, aber der Grund war nicht weiß genug. Man ließ daher 6) noch ein ſchwaches Chlor-kalkbad und Säure von 1°; 7) ein 4ſtündiges Laugen mit kohlen-ſaurem Natron von 1½° und 8) ein Chlorkalk- und Säurebad wie bei Nr. 6 folgen. Beim nunmehrigen Ausfärben war der Grund ſchön weiß und alle Fettfleken ohne Ausnahme entfernt.

Aus dieſem Verſuche dürfte wohl mit Gewißheit hervorgehen, daß man beim Bleichen durch das kohlenſaure Natron nach vorher-gegangener Kalklauge ohne allen Vergleich beſſere Reſultate erhält, als mit dem jezt allgemein gebräuchlichen Aeznatron, es mag nun lezterem eine Kalklauge vorangehen oder nicht. Dieſer günſtige Er-folg hängt aber ganz davon ab, daß die Kalklauge den Zeugen auf eine geeignete Weiſe gegeben wird, ſo daß alles auf ihnen befindliche Fett in Kalkſeife verwandelt wird. Auch müſſen ſie nothwendig nach der Kalklauge auf geeignete Weiſe geſäuert werben. Man sollte glauben, daß ein Säurebad nach der Behandlung mit Kalk die gebildete Kalkseife zersezen und also den Effect der Kalklauge wieder aufheben müßte. Die Sache verhält sich aber anders; durch die Kalklauge wird nämlich das Fett in eine Kalkseife mit überschüssiger Basis verwandelt und dieser gebundene Kalk wird nebst dem freien, welchen die Zeuge ungeachtet des Auswaschens noch immer enthalten, hinreichend seyn, um das kohlensaure Natron während des Laugens zu zersezen, so daß es zu Aeznatron wird, wo dann die Resultate sich den mit Aeznatron direct erzielten mehr oder weniger nähern; auch lieferte mir bei allen meinen Versuchen, wo ich nach der Kalklauge kein Säurebad anwandte, das kohlensaure Natron nicht viel bessere Resultate als das Aeznatron.

Ich habe mich auch durch Versuche überzeugt, daß das Säurebad der Kalkseife nicht zuviel Kalk entzieht, wenn man es weder zu stark noch zu warm und nicht zu lange anwendet. Man gibt es daher am besten beinahe kalt und sezt die Passage nur einige Stunden fort. Dieß waren wenigstens die Umstände bei meinen Versuchen im Kleinen und die Erfahrung muß uns nun belehren, welche bei der Operation im Großen die günstigsten sind. Während dieses Säurebads zeigt sich nie eine Spur von freiem Fett auf der Flüssigkeit, sondern man bemerkt höchstens bei schwer aufgedrukten Fettstreifen Theilchen mechanisch losgerissener Kalkseife.

Ich habe oben gesagt, daß sich in dem Zeug bei dem Laugen mit kohlensaurem Natron, welches auf die Säurepassage folgt, kohlensaurer Kalk festsezt, welcher durch Zersezung der Kalkseife mittelst des kohlensauren Natrons entsteht; die Kalkseife war also bei meiner Operationsweise durch die Säure nicht zersezt worden, denn sonst könnte man sich das Vorhandenseyn von kohlensaurem Kalk nicht erklären.

Versuche, die mit Salzsäure an Statt Schwefelsäure angestellt wurden, lieferten eben so gute Resultate; bei der Salzsäure hat man nicht nur den Vortheil, daß sie mit dem Kalk ein sehr lösliches Salz bildet, sondern auch den, daß sie den Zeug weniger schwächt, wenn er nach dem Säurebad nicht hinreichend ausgewaschen wurde, was bei den Bleichern, welche gewöhnlich Schwefelsäure benuzen, nur zu oft der Fall ist.

Was nun den Chlorkalk betrifft, so ist bekannt, daß bei dem Verfahren mit Aeznatron eine zu zeitige Anwendung von Chlorkalk durch Säuerung und Fixation der Fettfleken schaden kann; dieß habe ich in meinem ersten Bericht über das Bleichen hinreichend erwiesen, und aus demselben Grunde empfahl ich damals das Chlor erst nach einigen Laugen mit Alkali anzuwenden, um den Fettfleken vorher ihre löslichen Theile zu entziehen.

Das Chlor säuert aber nicht nur die Fettfleken, sondern beizt sie auch mit Kalk und verwandelt sie also in wahre Kalkseifen, welche der auf den Chlorkalk folgenden Säurepassage widerstehen. Wenn man dann mit Aeznatron laugt, so wirkt daselbe also auf Kalkseifen, welche es nicht zu zersezen vermag; es wird zwar bei wiederholter Anwendung der Kalkseife einen Theil fetter Säure entziehen, aber sie immer nur unvollständig zersezen.   Da hingegen bei dem Laugen mit kohlensaurem Natron die Hauptoperation gerade darin besteht, alle Fette in Kalkseifen zu verwandeln (was bei Anwendung von Aeznatron vermieden werden muß), so begreift man leicht, daß der Chlorkalk nicht nachtheilig wirken kann, so frühzeitig man ihn auch anwenden mag.   Auch haben mir neue Versuche über Fettfleken, die nach dem Verfahren mit kohlensaurem Natron gebleicht worden waren, bewiesen, daß der Chlorkalk, wenn man ihn unmittelbar nach der Kalklauge und selbst vor dieser Lauge anwendet, keine schlechteren Resultate liefert, als wenn man ihn erst nach den alkalischen Laugen gibt: in allen diesen Fällen wurden die Fleken vollkommen beseitigt.   Bei dem Laugen mit kohlensaurem Natron kann man also die Chlorpassagen öfters wiederholen als bei Anwendung von Aeznatron, und folglich ein reineres Weiß erzielen.

Ich habe im Verlauf meiner Versuche bemerkt, daß Zeuge, die vollkommen mit Alkali gebleicht wurden, jedoch ohne Anwendung von Chlor und ohne Auslegen auf die Wiese, sich im Krapp immer stark roth einfärben.   Durch das Chlorkalk= und Säurebad wird aber diese Neigung des Bodens im Krapp anzuziehen, sehr vermindert. Es scheint also, daß das Chlor gewisse Theile des rohen Zeuges zu zerstören sucht, auf welche die Alkalien nicht wirken und die beim Krappfärben anziehen; dadurch erklärt es sich, warum bei Stüken, die nach verschiedenen Methoden gebleicht sind, die Böden so verschiedenartig im Krappbad einfärben und warum man selbst bei demselben Bleichverfahren nach der Anzahl und Dauer der Chlorpassagen so verschiedenartige Resultate in dieser Beziehung erhält.

Bisweilen färbt sich auch der Grund deßwegen stärker ein, weil man die Stüke nach den verschiedenen Bleichoperationen nicht hinreichend walkte, wovon man sich leicht im Kleinen überzeugen kann, wenn man ein Zeugstükchen nach jeder Lauge und Passage von Grund aus reinigt und dagegen ein anderes bloß in Wasser auswascht; lezteres wird sich im Krappbade viel stärker einfärben, obgleich die Fettfleken von beiden Zeugstükchen vollkommen beseitigt worden sind.

Das Bleichverfahren von **Dana** besteht aus folgenden 11 Operationen:

1) Sengen; 2) 24 bis 36stündiges Einweichen in lauem Wasser; 3) 12stündiges Kochen mit Kalk, im Winter 70 bis 80 Pfund, im Sommer 60 Pfd.; 4) 20stündige Behandlung mit einer Lauge von 80 Pfd. Potasche; 5) 6stündiges Chlorkalkbad von ½° Baumé, Abtropfen und 6stündiges Schwefelsäurebad von 2½° B.; 6) 15stündiges Laugen mit 60 Pfd. Potasche; 7) Säurebad wie Nr. 5; 8) 15stündiges Laugen mit 40 Pfd. Potasche; 9) Säurebad wie Nr. 5; 10) 10stündiges Laugen mit 30 Pfd. Potasche; 11) Chlorkalkbad von 2½° B., Auswaschen und Passiren durch Schwefelsäure von 3° B. Im Sommer fallen die Operationen Nr. 8 und 9, in den heißesten Tagen wohl auch Nr. 10 weg.

Man wendet die beste käufliche Potasche (oder auch calcinirte Soda, dann aber ⅕ weniger) an, welche man in kochendem Wasser bis zur Sättigung auflöst, erkalten und absezen läßt, die gesättigte Lösung abzieht und im Laugbottich dann noch mit so viel Wasser versezt, daß das Ganze 250 Gallons von 4° B. ausmacht. Zum ersten Laugenbade bringt man 500 abgetropfte Stüke Zeug in den Bottich, welcher dann 604 Gallons Wasser enthält; dann läßt man Dampf hinein; durch die Verdichtung desselben vermehrt sich die Wassermenge um 146 Gallons, so daß das Gesammtvolum der Flüssigkeit gewöhnlich 1000 Gallons von 2° Baumé beträgt. Vom Beginn des Kochens (2 Stunden nach dem ersten Einlassen des Dampfes) fängt man an, die Dauer des Laugens zu rechnen; von da an vermehrt sich auch die Wassermenge nicht mehr, weil sich der Zufluß des Dampfes und der Abgang durch den Austritt desselben aus dem Bottich ziemlich gleich bleiben.

Hr. **Dana** hat öfters die rükständigen Flüssigkeiten von den Laugoperationen untersucht. Er fand, daß nur nach der ersten, selten noch nach der zweiten Lauge fettige Säuren in der Flüssigkeit vorhanden sind. Das nach dem Laugen in der Flüssigkeit noch vorhandene freie Alkali beträgt nach der ersten Lauge 83,45 Proc. des angewendeten Alkali, nach der zweiten 93,45 und nach der dritten 97 Proc. In dem Rükstande des ersten Laugenbades findet sich keine Spur freien, unveränderten Fettes. - In dem Moment, wo das Kochen beginnt, enthält das Bad eine beträchtliche Menge einer humusartigen Substanz, welche in geringerer Menge auch in den späteren Laugen vorkommt und wahrscheinlich ein Product der Einwirkung des Alkali auf die Baumwollenfaser ist.

Die so behandelten Zeuge werden mit Krapp gefärbt und dann zwei Mal durch Seife passirt; zu jeder Passage nimmt man 500

Gallons Wasser von 82° C. (66° R.), welche für 50 Stüke 2½ Scheffel Kleie und ein Pfund Seife enthalten; hierauf werden die Stüke durch ein schwaches kochendes Chlorkalkbad passirt. Die weißen Gründe sind dann vortrefflich, den englischen gleich, aber den französischen an Reinheit der Weiße etwas nachstehend. Fettfleken sind nirgends zu bemerken und in so fern ist der Zwek vollständig erreicht.

Wir haben gesehen, daß die HH. Dana und Prince unmittelbar nach der Kalklauge, ohne eingeschobenes Säurebad, eine Lauge mit kohlensaurem Kali (Potasche) folgen lassen, worauf ein schwaches Chlorkalk= und ein Säurebad gegeben wird. Erst dann wird zum zweiten Mal mit Potasche gelaugt. Bei dieser Operationsweise sind sie auch ohne ein Säurebad nach der Kalklauge anzuwenden, sicher, daß die Fettfleken wenigstens bei dem zweiten Laugen beseitigt werden. Doch bemerken sie, daß sie nur selten Spuren von Fett in der zweiten Lauge fanden: dieß kann daher kommen:

1) weil ihre Zeuge wenige Tage nach dem Weben schon gelaugt werden und man zur Schlichte Fischthran benuzt, welcher vielleicht eine geringere Verwandtschaft zur Baumwolle als der Talg hat;

2) daß sie sie nach der Behandlung mit Kalk zwei Mal waschen und also besser von Kalk reinigen.

Der Umstand, daß sie schon nach der ersten alkalischen Lauge ein Chlorbad geben, kann nach meinen Beobachtungen bei Anwendung kohlensaurer Alkalien nicht schaden. Sie wenden auch mit Recht zuerst eine ganz starke Lauge an, nämlich 80 Pfd. Potasche auf 500 Stüke,[79] und dann immer weniger Potasche, so daß auf die vierte Lauge nur 30 Pfd. davon kommen. Auch bemerken sie, daß für Fayenceblau zwei Potaschelaugen immer hinreichend sind und daß sich nie eine Spur Fett auf solchen Stüken zeigte; im Sommer genügen ihnen diese zwei Laugen sogar zur Erzielung eines vollkommenen Weiß.

Wir sind diesen Herren für ihre Mittheilung sehr verbunden, denn die Bleicher haben dadurch eine neue und sehr wichtige Thatsache kennen gelernt, welche sonst vielleicht noch lange unbekannt geblieben wäre.

---

79) Das Stük ist 30 Yards lang, 30 Zoll breit und 5 bis 6 Pfd. (avoir du poids) schwer.

LXXXVIII.

Ueber Schützenbach's neues Verfahren kryſtalliſirten Zuker aus Runkelrüben darzuſtellen.

Ueber Schützenbach's neues Verfahren in der Rübenzuker=
fabrication, welches für die deutſchen Oekonomen höchſt wohlthätig
zu werden verſpricht und dieſen Fabricationszweig erſt zu einem rein
induſtriellen umgeſtaltet, können wir unſeren Leſern Folgendes mit=
theilen:

Die Anlage einer Fabrik, in welcher jährlich eine gegebene
Menge kryſtalliſirter Zuker erzeugt werden ſoll, koſtet nach der neuen
Methode weniger als nach den bis jezt bekannt gewordenen franzö=
ſiſchen Verfahrungsarten und die Koſten der Verarbeitung einer ge=
gebenen Menge Runkelrüben auf kryſtalliſirten Zuker ſind unter ganz
gleichen Umſtänden, durchſchnittlich berechnet, bei Anwendung des
neuen Verfahrens nicht größer, als nach den älteren Methoden. Das
neue Verfahren iſt ferner zuverläſſiger und liefert eine weit größere
Ausbeute an kryſtalliſirtem Zuker als die beſten älteren Verfahrungs=
arten, wie aus Folgendem zu entnehmen iſt:

Hundert Gewichtstheile Rüben von mittelmäßiger tadelfreier
Beſchaffenheit, deren Saft 7 bis 8° Baumé wiegt, geben ſechszehn
Gewichtstheile trokene Rüben, welche 10 bis 11 Gewichtstheile bis
zum Kryſtalliſationspunkt eingedikten Syrup liefern und von lezterem
bleibt höchſtens ein Sechstel als Melaſſe, d. h. als unkryſtalliſirbarer
Zuker zurük. Rüben von vorzüglicher Beſchaffenheit geben 20 und
mehr Procent trokene Rüben und in gleichem Verhältniß mehr Zuker=
maſſe und mehr kryſtalliſirten Zuker.

Der nach der neuen Methode erhaltene Rübenzuker iſt beſſer
und reiner von Geſchmak als der franzöſiſche Rübenzuker.

Die getrokneten Rüben können während des ganzen Jahres mit
dem gleichen Erfolge auf kryſtalliſirten Zuker verarbeitet werden.

Bei Anwendung des neuen Verfahrens wird den Rüben aller
Zuker rein entzogen, und alle übrigen nahrhaften Beſtandtheile bleiben
als Rükſtand; lezterer enthält keine der Geſundheit der Thiere ſchäd=
liche Subſtanz und kann folglich mit Nuzen zur Fütterung des Vie=
hes verwendet werden.

Neu iſt bei Schützenbach's Verfahren:

1) daß er, während die Fabricationskoſten nicht größer ſind,
als bei den beſten bisher bekannten Methoden (namentlich derjenigen
des Hrn. Creſpel Deliſle und des Hrn. v. Utzſchneider) aus
friſchen Rüben von den Species Beta alba im Minimum ſieben bis

acht Proc. kryställisirten Rohzuker von der vorzüglichsten Beschaffenheit erzeugt;

2) daß der von ihm gewonnene Saft oder Extract schon vor der Läuterung durchsichtig und klar ist;

3) daß dieser Saft gleich anfangs so concentrirt erscheint, daß er 40 bis 50 Proc. Zuker enthält, also drei Mal so stark mit Zuker gesättigt ist, als der aus rohen Rüben erhaltene Saft.

Diese in der Fabrication des Runkelrübenzukers neuen Resultate beruhen nun besonders darauf:

a) daß er den Rüben mit einer besonderen Maschine, ohne nachtheilige Verlezung des Zellengewebes die entsprechende Verkleinerung gibt;

b) daß er die so zerkleinerten Rüben nach dem allerdings bekannten Princip der Troknung mit warmer Luft, jedoch nach einem neuen, bisher noch niemals im Großen gelungenen Verfahren fabrikmäßig und in beliebiger Ausdehnung so troknet, daß der darin enthaltene kryställisirbare Zuker durchaus nicht verändert wird und Jahre lang zur Verarbeitung auf Zuker aufbewahrt werden kann. *)

c) daß er die so getrokneten und zerriebenen Rüben mittelst verschiedener Flüssigkeiten extrahirt, die den Zuker nicht verändern, ihn vollständig aufnehmen und die schleimigen Theile dem größten Theile nach zurükläffen.

LXXXIX.
Ueber die Darstellung der weißen Politur für Tischler. 81)

Zur Darstellung der weißen Politur braucht man vor Allem zwei Dinge: 1) eine Auflösung von Schellak in Weingeist, wie man sie gewöhnlich zum Poliren des Holzes anwendet, und 2) Chlorwasser. Für die Bereitung der ersteren, welche jedem Tischler bekannt ist, ist hier zu bemerken, daß man sich eine feine, lichte Schellaksorte aussuche, und diese dann mit dem fünffachen Gewichte starken Weingeistes (Alkohol) in mäßiger Wärme und unter öfterem Umschütteln auflöse.

Das Chlorwasser bereitet man sich für diesen Zwek, und so lange man nicht die besagte Politur im Großen darstellt, am vortheilhaftesten dadurch, daß man

5 Loth Mennig (rothes Bleioryd) und

2 — Kochsalz

---

80) Ueber die mannigfaltigen und nützlichen Anwendungen, welche die Trokenmethode des Hrn. Schützenbach noch zu anderen Zweken gestattet, findet man einige Andeutungen im Polyt. Journal Bd. LXI. S. 483.

81) Bayerisches Kunst- und Gewerbeblatt, 1837, H. 2.

in einer gläsernen. oder steinzeugenen Reibschale zusammen reibt, und recht innig mit einander vermengt, dann nach und nach 4 Pfd. reines Brunnenwasser zusezt, und das Ganze in eine gläserne Flasche, welche etwa 6 Pfd. Wasser fassen kann, bringt. Man spült nämlich hiebei das rothe Pulver aus der Reibschale allmählich mittelst des Wassers. in die Flasche hinüber. Dieser rothgefärbten trüben Flüssigkeit sezt man tropfenweise oder nur in einem sehr dünnen Strahle 2½ Loth concentrirte Schwefelsäure (Vitriolöhl) zu.

Man kann mit dem Eintröpfeln der Säure auch einige Male absezen, und die ganze Flüssigkeit, nachdem man; den Kork auf die Flasche gesezt hat, gut durch einander schütteln, was auch öfters noch geschehen muß, nachdem die Säure vollständig zugesezt ist. Nach wenigen Stunden wird man bemerken, daß der Bodensaz, welcher sich immer schnell aus der Flüssigkeit absezt, seine Farbe verändert und nach und nach weiß wird. In dem Maaße, als dieser weiß wird, nimmt die darüber stehende Flüssigkeit an Chlor zu, was man bei vorsichtigem Riechen leicht erkennen kann. Sobald der Bodensaz nur ganz oder wenigstens größten Theils weiß ist, was in 24 Stunden geschehen seyn kann, wenn man mit dem Aufschütteln nicht zu säumig war, so ist das Chlorwasser fertig, welches man in wohlverstopften Flaschen an einem kühlen und dunklen Orte aufbewahren kann, oder zum Bleichen vollkommen klar in ein Cylinderglas oder in einen Topf abgießt. [*)]

Will man nun den Schellak dadurch bleichen, so erwärmt man die oben erwähnte geistige Auflösung in einer Quantität von einer halben Maaß auf einem warmen Stubenofen oder in warmem Sand bis zu 34 — 36° R., was man bei einiger Uebung schon mit der Hand bestimmen kann. Das Gefäß mit der gehörig erwärmten Schellakauflösung nimmt man hierauf in die rechte Hand, und gießt jene in einem fadenförmigen Strahle ganz langsam in das Chlorwasser im Topfe, welches zwei Maaß betragen darf, während man in der linken Hand einen zugeschnittenen Holzspan oder einen Glasstab hält, und damit so schnell als man kann, das Chlorwasser umrührt, bis die ganze Quantität der Schellakauflösung eingetragen ist. Der Topf wird jezt zugedekt, und das Ganze bleibt 3 Stunden ruhig stehen, wobei sich der gebleichte Schellak in Gestalt eines gröblichen Pulvers absezt. Nach dieser Zeit schüttet man das Ganze auf

---

82) Auf diese Weise wird schon seit langer Zeit in Nordamerika das Chlorwasser zum Bleichen der Leinewand im Großen bereitet, indem die Mischung der genannten Ingredienzien in horizontal liegenden Fässern, die sich um ihre Achse drehen, gemacht, und darin fortwährend durch Umdrehen des Fasses durch einander geschüttelt wird, wobei das Chlorwasser schon nach wenigen Stunden fertig ist.
A. d. B.

ein ausgespanntes' reines Leinentuch, läßt 'die Flüssigkeit ablaufen, und wascht'den gebleichten Schellak auf dem Seihtuche noch einige Male mit kaltem reinem Wasser ab, damit er von allem Chlor be= freit wird, und läßt ihn an der Luft, oder wenn möglich, an der Sonne, ja' nicht am erwärmten Ofen, troknen. Hat man sehr star= ken Weingeist (Alkohol), so darf man das völlige Austroknen nicht abwarten, sondern kann den noch etwas feuchten weißen Schellak, welchen man nur zwischen Drukpapier abgetroknet hat, sogleich darin auflösen, was wieder eben so geschieht, wie bei der Herstellung der gewöhnlichen Tischlerpolitur.

Die weiße Politur, welche auf diese Weise dargestellt wor= den ist, bringt auf dem Holze einen schönen, dauerhaften, spiegelig glänzenden Ueberzug hervor, der vollkommen durchsichtig ist, so daß die Fasern des Holzes deutlich darunter sichtbar sind. Der Verlust an Schellak ist bei dem Bleichen unbedeutend, und das Product im= mer gleich, wenn man die angegebenen Umstände, besonders die Temperatur genau eingehalten hat. Man kann diesen gebleichten Schellak auch zu farblosen, härteren Firnissen gebrauchen, wenn man ihm noch Mastix und Sandarak zusezt, wofür folgende Formeln aus Prechtl's Encyklopädie Bd. VI. S. 118 dienen können:

Schellak 4, Mastix 1, Alkohol 20
— 4, Sandarak 2, Mastix 1, Alkohol 30
— 4, — 1, venet. Terpenthin ½, Alkohol 25
— 4, — 4, Mastix 2, Alkohol 40
— 4, Mastix 3, Sandarak 2, venet. Terpenthin 1, Alkohol 32
Schellak 4, Sandarak 8, Mastix 2, Elemi 2, venet. Ter= penthin 4, Alkohol 64

⎫
⎬ Gewichtstheile.
⎭

Je mehr man Sandarak nimmt, desto härter wird der Firniß. Mastix und Sandarak werden dazu fein gepulvert und mit etwas feinem Glaspulver vermengt, damit sie nicht so leicht beim Auflösen in der Wärme zusammenklümpern.

Es wird das Bleichen des Schellaks auch auf die Art anem= pfohlen, daß man denselben zuerst in kochender Aezkalilauge auflöst und dann durch die Auflösung Chlorgas leitet, worauf sich der Schel= lak gebleicht abscheidet. Dagegen muß ich aber bemerken, daß bei diesem Verfahren der Schellak verändert wird, 'indem er sich nachher sehr schwer und nur theilweise im Weingeiste auflöst; denn so wie man aus einer Seife das Fett nicht mehr unverändert durch eine Säure abscheiden kann, eben so wenig kann man den Schellak aus einer alkalischen Auflösung als Harz durch Chlor absondern.

Kfr.

XC.
Miszellen.

Neuere Preisaufgaben verschiedener Gesellschaften.

I. Die Société royale et centrale d'Agriculture in Paris hat für das Jahr 1839 nebst Beibehaltung von 20 älteren Preisaufgaben folgende neue ausgeschrieben.

1. Preis von 2000 Fr. für denjenigen, dem es gelingt, durch bereits bekannte oder neu entdekte Mittel den Ausbruch der Muscardine unter den Seidenraupen zu verhüten, oder die Fortschritte der ausgebrochenen Krankheit zu hemmen. Die Concurrenten müssen ihre Methode wenigstens bei einer mit 4 Unzen Samen veranstalteten Raupenzucht bewährt haben, und alle Thatsachen genau beschreiben und durch Documente belegen. Abgesehen von diesem Preise behält sich die Gesellschaft vor, goldene und silberne Medaillen an diejenigen zu ertheilen, die ihr die wichtigsten Mittheilungen über diesen Gegenstand machen.

2. Sechs Preise, jeder zu 1000 Fr., von dem Handelsministerium gegründet, für Abfassung kleiner landwirthschaftlicher Elementarbücher für den Gebrauch der Kinder in den Primärschulen.

Die Preise werden in der öffentlichen Generalversammlung im Jahre 1839 vertheilt.

Das ausführliche Programm erhält man unentgeltlich bei Madame Huzard in Paris, rue de l'Eperon, No. 7.

II. Die Société libre d'émulation in Rouen ertheilt eine goldene Medaille von 300 Fr. im Werthe demjenigen, der eine Methode angibt, nach der auf wohlfeile Weise und unter Anwendung einer von den Säuren höchst wenig angreifbaren Substanz das Verfahren ersezt werden kann, nach welchem man dermalen die in der Zeugdrukerei gebräuchlichen gravirten Platten erzeugt. Der Concurs wird mit dem 20. April 1838 geschlossen.

III. Die Société royale des sciences, de l'agriculture et des arts in Lille hat unter mehreren Preisen, die blos von örtlichem Interesse sind, auch folgende von allgemeiner Wichtigkeit ausgeschrieben.

1. Medaille von 100 Fr. im Werthe für den Verfasser der besten Abhandlung und Beobachtungen über die Anwendung des Runkelrübenmarkes und der Melassen als Viehfutter, so wie über die daraus erwachsenden Vortheile und Nachtheile.

2. Goldene Medaille von 200 Fr. im Werthe für die beste Abhandlung über die Mittel, womit man vergleichsweise den Werth der zur Destillation bestimmten Melassen abschäzen kann; und über die Ursachen, denen der große Unterschied der Rübenmelassen in Hinsicht auf den Ertrag an Alkohol zugeschrieben werden muß.

3. Goldene Medaille von 200 Fr. im Werthe für den Bleiweißfabrikanten, der nachweist, die besten Maßregeln gegen die mit dieser Fabrication verbundenen Gefahren für die Gesundheit getroffen zu haben.

4. Goldene Medaille von 200 Fr. dem Erfinder eines landwirthschaftlichen Instrumentes, aus dessen Anwendung ein großer Nuzen erwachsen muß.

Die Preisbewerber haben sich bis zum 1. Jul. 1837 zu melden.

Verbessertes eisernes Dampfboot für seichte Flüsse.

In Nantes wurden Ende April die Probefahrten mit dem Dampfboote „la Ville de Rennes," welches zum Verkehr auf der Vilaine zwischen Rennes und Redon bestimmt ist, unternommen. Man glaubte früher, daß die engen Brükenbogen und die kurzen Schleußen der Beschiffung dieses Flusses mit Dampfbooten ein unübersteigliches Hinderniß in den Weg legen würden; allein gegenwärtig ist man überzeugt, daß das von den HH. Alliot und Rocher aus Eisenblech erbaute Boot über alle Schwierigkeiten den Sieg davon tragen wird. Dieses Boot besteht aus zwei Rümpfen, von denen der hintere die Maschinen, die Kessel und die Cajüte für die Reisenden trägt, während der vordere zur Aufnahme der Waaren bestimmt ist, von denen er 25 bis 30 Tonnen fassen kann, ohne mehr bann 20 Zoll tief im Wasser zu gehen. Der hintere Rumpf, der den vorderen vor sich her zu schieben hat, und den man daher den Treiber (propellateur) nennen kann, endigt sich in einen Sporn, der mit dem vorderen Rumpfe in einem Vförmigen Ausschnitte articulirt. Beide Rümpfe sind durch einen einfachen hölzernen Balken verbunden; sie lassen sich durch Abnahme dieses Balkens in ein Paar Minuten trennen, damit einer um den anderen in die Schleußen, die zur gleichzeitigen Aufnahme beider zu klein sind, eintreten kann. Mit einander verbunden scheinen die beiden Fahrzeuge gleichsam nur aus einem einzigen zu bestehen, dessen Verdek 95 Fuß lang und 12 Fuß breit ist. Die Ruderräder sind nicht wie gewöhnlich an den beiden Seiten des Fahrzeuges angebracht; sondern sie befinden sich rükwärts in zwei Austiefungen, die an den beiden Seiten einer schmalen Kammer, worin die Maschine von 10 Pferdekräften untergebracht ist, bestehen. Die Maschinen arbeiten mit hohem Druke und ohne Condensirung, und sind aus zwei sich schwingenden, und unter einem Winkel von 45° gegen einander geneigten Cylindern zusammengesetzt. Ihre Kolben wirken direct und ohne Kurbelstüte oder Verzahnungen auf die Achse der Räder, die sie mit einer Geschwindigkeit von 30 bis 36 Umgängen in der Minute umtreiben. Die Kessel sind zur Herstellung des Gleichgewichtes an dem anderen Ende des Treibers untergebracht; sie sind Röhrenkessel und nach einem neuen, von Hrn. Alliot angegebenen Systeme gebaut. Zwischen ihnen und den Maschinen befindet sich die sorgfältig decorirte und geräumige Cajüte für die Passagiere. (Aus dem Echo du monde savant, No. 228.)

John Collier's Apparat zur mechanischen Heizung der Dampfkessel.

Die Nachtheile der gewöhnlichen Heizung der Dampfkessel, mit der jedes Mal eine merkliche Abkühlung des Ofens, so wie auch eine Unterbrechung der Verbrennung verbunden ist, sind längst anerkannt. In England suchte man ihnen auf mehrfache Weise, namentlich durch mechanische Heizapparate zu steuern. In Frankreich fanden diese Apparate jedoch noch keinen Eingang, obschon einer der vollkommensten und besten von Hrn. John Collier in Paris erfunden und von dem Erfinder nach England übergetragen wurde, wo er günstige Aufnahme fand. Hr. Corbier fand es daher für nöthig, die Aufmerksamkeit der Akademie auf jenen Apparat zu lenken, den Hr. Collier für die Fabrik des Hrn. Griolay in Paris baute. Er besteht der gegebenen Beschreibung gemäß aus einem Aufschütttrichter, aus zwei horizontalen, diamantartig geschnittenen Zermalmungscylindern und aus zwei kreisrunden, an einander gränzenden, in einer und derselben horizontalen Fläche gelegenen Projectoren, die nach entgegengesetzten Richtungen umlaufen. Die Steinkohlen werden, so wie sie an die Cylinder herabgelangen, von diesen zum Theil in Splitter, zum Theil in Pulver verwandelt, um dann in den zwischen den Achsen der Projectoren befindlichen Raum herabzufallen, und von diesen fortwährend über die glühende Heizstelle ausgestreut zu werden. Die Projectoren haben die Gestalt eines Rades, welches aus einer kegelförmigen geraden Scheibe besteht, um welche herum senkrecht sechs trapezoidale Flügel eingesezt sind; ihre Geschwindigkeit beträgt gegen 200 Umgänge in der Minute, so daß sie also nothwendig auch einen leichten Grad von Bentilation bedingen. Die Quantität des auszustreuenden Brennmateriales läßt sich leicht mittelst Rußschrauben reguliren. Die Roststangen sind nicht über 8 Millimeter von einander entfernt. Der Apparat arbeitet nun seit beinahe sechs Monaten, und ergab folgende Resultate: 1) ist die Heizung vollkommen regelmäßig; 2) werden alle oder beinahe alle Brennstoffe unter den Siederöhren oder unter dem Kessel verbrannt. 3) entweicht beim Schornsteine nicht mehr Rauch, als in vielen Haushaltungen ein mit Holz aufgezündetes Heerdfeuer gibt. 4) ist der Verbrauch beinahe um ein Zehntel geringer als bei der gewöhnlichen Heizung. 5) kann man ohne alle Schwierigkeit auch die gewöhnliche wohlfeile Steinkohle verwenden. 6) läßt sich das Feuer leicht und ohne daß man den Ofen zu öffnen braucht, mit einem Haken schüren. 7) kann der Heizer als minder beschäftigt auch verschiedene Nebengeschäfte verrichten. 8) endlich läßt sich der Apparat auf alle Arten von Oefen anwenden. — Hr. Blin bemerkte der Akademie hiegegen, daß die in England seit mehreren Jahren gebräuchlichen Feuerspeiser, fire-feeder genannt, vor dem französischen Apparate bei weitem den Vorzug verdienen, weil sie einen Regulator besitzen, der allen den Nachtheilen steuert, die aus der Anwendung von Steinkohlen von verschiedener Qualität erwachsen müssen, indem die einen in einer gegebenen Zeit mehr Wärmestoff liefern, als die anderen. Der englische Regulator besteht bekanntlich aus einer Quecksilberröhre, die mittelst einer Heberröhre mit dem Kessel communicirt, und welche je, nach dem Druke des Dampfes in einer eisernen Röhre steigt oder fällt. Erreicht sie eine gewisse Höhe, so trifft sie auf einen Schwimmer, wodurch die Communication zwischen dem Kessel und dem Feuerspeiser augenblicklich so lange unterbrochen wird, bis die Hize wieder auf den gehörigen Grad vermindert ist — (Wir bemerken zu diesem aus dem Echo du monde savant gezogenen Artikel nur noch, daß man im Polyt. Journal die meisten der englischen Fire-feeders beschrieben und abgebildet findet.)

Ueber die Anwendung der Reibungsrollen an den Wagenrädern und an den Wellzapfen.

Unter Reibung zweiter Art versteht man bekanntlich ein Glitschen, wie z. B. jenes eines Schlittens über den Schnee oder über den Erdboden; unter Reibung erster Art dagegen ein Rollen, wie z. B. die Reibung eines Rades. Man hat bereits versucht an den Achsen der Räder Reibungsrollen anzubringen; die Folge jedoch war, daß sich an den Achsen dieser Rollen ihrerseits eine Reibung erster Art ergab. Hr. Joseph Kraft in Mülhausen suchte nun durch ein neues Verfahren alle Reibung zweiter Art oder alles Glitschen zu beseitigen. Er brachte zu diesem Zwecke zwischen den inneren Wänden der Nabe und dem Umfange der Achse des Wagens kleine Cylinder an, die sich um sich selbst, und zugleich auch um die Achse drehen. Nach demselben Systeme werden in Holland die Windmühlen zum Behufe der Orientirung mit großer Leichtigkeit gedreht, indem der ganze Bau auf einer bestimmten Anzahl gegen die Mitte der Mühle hin convergirender Kegel aufgeführt ist. Nach demselben Systeme schaffte man den großen Felsblok, auf dem die Statue Peters des Großen steht, nach St. Petersburg; nach demselben Systeme bewegen endlich Maurer und Steinmeze die schwersten Massen durch untergelegte Walzen, die gleichfalls nur eine Reibung erster Art erzeugen. Um nun von dieser Theorie Nuzen zu ziehen, bringt Hr. Kraft die Achse eines Rades über den Zapfen einer Welle in eine metallene Nabe, die in die Nabe des Rades oder in die Anwelle des Wellzapfens eingesezt wird. Die Zwischennabe ist merklich größer als die Achse, dafür aber kleiner als die Nabe oder Anwelle, so daß sie sich unabhängig von dieser bewegen kann. Sie dient eigentlich nur als Conductor für die aus gehärtetem Eisen bestehenden Reibungsrollen, welche genau den zwischen den beiden Naben befindlichen Raum ausfüllen. Es sind zu diesem Zweke so viele Längenspalten, als Reibungsrollen vorhanden sind, in sie geschnitten: und zwar je nach der Länge der Achse bald in einer einfachen, bald in einer doppelten Reihe. In lezterem Falle correspondiren die Reibungsrollen der einen Reihe mit dem Zwischenraume zwischen zwei Rollen der anderen Reihe, damit auf diese Weise die Zahl der Stüzpunkte im Umfange der Achse vermehrt wird. Hr. Kraft hat nach diesem Systeme bereits mehrere Lastwagen erbaut, und es ist vollkommen erwiesen, daß diese Wagen und deren Last mit einem weit geringeren Aufwande an Kraft gezogen werden können. Dieß gilt jedoch nur von ebenen Straßen; denn, so wie die Last über Anhöhen hinweg geschafft, und mithin gehoben anstatt horizontal gezogen werden muß, ist der durch die Reibung geleitete Widerstand nur mehr ein secundäres Hinderniß. Das neue System wird also in diesem Falle unwirksam, während man beim Abwärtsfahren öfter und stärker einsperren muß. In der Theorie scheint diese Methode allerdings gut; die Praxis muß jedoch erst zeigen, ob durch die Schwierigkeit der Ausführung und durch eine lange Abnüzung nicht neue ungünstige Reibungen entstehen. (Bulletin de la Société industrielle de Mulhausen. No. 45.)

Zur Geschichte des Strumpfwirkerstuhles.

Wir entnehmen aus Dr. Ure's neuestem Werke über die Baumwollwaaren-Fabrication in England folgende interessante Notiz über die Geschichte des Strumpfwirkerstuhles. „In der Strumpfwirkerhalle in London, Red Cross Street, ist das

Porträt eines Mannes aufgehängt, welcher auf einen eisernen Strumpfwirkerstuhl
deutet, und dabei mit einem Weibe spricht, welches mit Nadeln strikt. Dieses
Gemälde trägt folgende Inschrift: „Im Jahre 1589 erfand der talentvolle William Lee, I. M. vom St. Johns College in Cambridge diesen vortheilhaften
Strikapparat, welcher zu Hause verachtet nach Frankreich kam, und der, obschon
er für den Erfinder nur aus Eisen bestand, für uns und andere zu Gold wurde.
Zum Andenken an ihn wurde dieses Gemälde gefertigt." Die Kunst Strümpfe
mit Drähten, die mit den Händen bewegt wurden, zu striken wurde nur 28 Jahre
vor der Erfindung der Strikmaschine aus Spanien nach England verpflanzt.
Nach einer Sage wurde Lee von der Universität vertrieben, weil er sich den
Statuten derselben entgegen verheirathete. Da er mit seinem Weibe nach seiner
Vertreibung nichts zu leben hatte, so mußte er sich mit Strumpfstriken fortbrin-
gen, wo er dann von Noth gezwungen und um seine Production zu vermehren
den Strumpfwirkerstuhl erfand. Wahrscheinlicher lautet jedoch eine andere Sage,
welche zu Woodborough bei Nottingham, dem Geburtsorte Lee's geht. Nach
dieser wäre seine Erfindung ein Kind der Liebe und der verweigerten Gegenliebe.
Der junge Lee soll sich nämlich in eine schöne Strikerin verliebt haben, die dadurch, daß sie mehrere Mädchen mit Strikerei beschäftigte, reich geworden war.
Der junge Schüler machte sich durch eifriges Studium der gewandten Bewegungen der Hände seiner Geliebten nicht nur die Strikerkunst eigen, sondern kam
auch bald auf die Idee künstlicher Finger, womit mehrere Maschen auf ein Mal
gestrikt werden sollten. Sey es nun, daß dieß die Eifersucht seiner Geliebten
erregte, oder daß seine männlichen Reize durch die weibliche Beschäftigung in
ihren Augen verlor, so ist so viel gewiß, daß seine Bewerbungen mit Spott abge-
wiesen wurden. Rache trieb ihn nun an auf Realisirung seiner Idee zu sinnen;
Tage und Nächte widmete er dem Studium und dem Baue seiner Maschine, und
in Kürze brachte er sie auch wirklich beinahe so vollkommen zu Stande, wie er
sie seinen Nachkommen hinterließ. Nachdem er die Anwendung dieser Maschine
seinem Bruder und seinen übrigen Verwandten gezeigt hatte, stellte er dieselbe in
Stoverton bei Nottingham auf, um als furchtbarer Rival der weiblichen Hand-
arbeit aufzutreten, und um seiner ehemaligen Geliebten zu zeigen, daß die Liebe
eines Mannes von Talent sich nicht ungestraft verachten läßt. Nach fünfjähriger
Arbeit mit seinem Stuhle erkannte er die nationale Wichtigkeit, die derselbe erlangen könnte; und brachte ihn daher nach London, um daselbst bei Hofe Unterstüzung und Aufmunterung zu finden. Die Zeit war ihm jedoch nicht günstig;
Elisabeth war am Ende ihrer Laufbahn, und ihr Nachfolger war so sehr in po-
litische Intriguen verwikelt, als daß er sich mit einem beginnenden Industriezweige
hätte abgeben können. Ja man sagt sogar, daß, obschon Lee in des Königs Gegenwart ein Paar Strümpfe auf seinem Stuhle wirkte, dieser die Maschine dennoch als eine gefährliche Neuerung ansah, die die Armen eher um Arbeit und
Brod bringen müßte, als daß sie zur Vermehrung der Hülfsquellen der Industrie
und zur vortheilhaften Beschäftigung vieler Tausende führen könnte. Die Aufmunterung, welche der schwachsinnige Pedant Jakob dem englischen Erfindungs-
geiste versagte, ward von Heinrich dem IV. und seinem weisen Minister Sully
gewährt; denn Lee wurde eingeladen mit seinen Maschinen nach Frankreich zu
kommen. Er firirte sich mit diesen zu Rouen, und trug dadurch nicht wenig zur
Gründung der Industrie bei, die nunmehr im Departement der unteren Seine
einen so hohen Aufschwung erlangte. Nach Heinrichs Ermordung ward Lee aber
von den Eingebornen, deren Talente er verdunkelte, neidisch angesehen und als
Kezer verbannt, so daß er gezwungen war in Paris einen Schlupfwinkel gegen
die Verfolgungen einer blutdürstigen Bigotterie zu suchen. Hier endete er seine
Tage in geheimem Kummer und in Sorge. Einige seiner Arbeiter entkamen jedoch nach England, wo sie unter der Anleitung Aston's, eines gewandten Lehr-
lings Lee's, den Strumpfwirkerstuhl neuerdings einführten und verbesserten, und
dadurch ihrem Vaterlande eine Erfindung wiedergaben, die ihm beinahe verloren
gegangen wäre. Der erste Stuhl ward im Jahre 1640 in Leicestershire errichtet,
und von daher datirt sich die Strumpfwirkerei, die in den Grafschaften Nottingham und Derby eine so außerordentliche Ausdehnung erlangt hat."

Ueber die Kartoffel- und Runkelrüben-Reiben des Hrn. Quentin Durand.

Hr. Quentin Durand besizt ein Patent auf verbesserte Reiben für Kartoffeln und Runkelrüben, die sich weit leichter in gutem Stande erhalten lassen, als die gewöhnlichen. Der Arbeiter, welcher sie handhabt, kann selbst die Sägeblätter auswechseln, ohne daß der Cylinder abgenommen zu werden brauchte; er braucht nur einen der Keile um den anderen heraus zu nehmen, und die Stahlblätter, die an beiden Seiten mit Sägezähnen versehen sind, umzukehren, wenn die eine Seite abgenüzt ist. Er verfertigt Kartoffelreiben von 8 Nummern zu folgenden Preisen:

Nr. 1 kleine mechanische Reibe mit Kurbel	120	Fr.
Nr. 2 größere derlei Reibe mit zwei Kurbeln	200	—
Nr. 3 Reibe von einer Pferdekraft mit ihrer Treibrolle . .	450	—
Nr. 4 Reibe von einer Pferdekraft mit doppelten Gängen . .	600	—
Nr. 5 Reibe von zwei Pferdekräften mit einfachem Gang . .	650	—
Nr. 6 Reibe von zwei Pferdekräften mit doppelten Gängen .	800	—
Nr. 7 Reibe von 3 bis 4 Pferdekräften mit einfachem Gang . .	1000	—
Nr. 8 Reibe von 3 bis 4 Pferdekräften mit doppelten Gängen .	1150	—

Die Runkelrüben-Reiben haben eine andere Einrichtung, und stärkere und gröbere Sägeblätter, die auf ähnliche Weise in den Cylinder eingesezt werden. Lezterer ist mit einer mechanischen Bürste, die das Reibgeschäft sehr beschleunigt, versehen. Die Preise dieser Reiben sind, wie folgt.

Nr. 1 Reibe mit einer Kurbel	150	Fr.
Nr. 2 Reibe mit zwei Kurbeln	250	—
Nr. 3 Reibe von einer Pferdekraft mit Treibrolle . . .	600	—
Nr. 4 Reibe von einer Pferdekraft mit doppeltem Gang . .	750	—
Nr. 5 Reibe von zwei Pferdekräften mit einfachem Gang .	850	—
Nr. 6 Reibe von zwei Pferdekräften mit doppeltem Gang . .	1050	—
Nr. 7 Reibe von 3 bis 4 Pferdekräften mit einfachem Gang . .	1150	—
Nr. 8 Reibe von 3 bis 4 Pferdekräften mit doppeltem Gang .	1400	—

Alle diese Apparate können mit Pferden, Wasserrädern oder Windmühlflügeln in Bewegung gesezt werden. Weitere Aufschlüsse ertheilt die Société polytechnique-pratique in Paris. (Recueil industriel, März 1837.)

Chomel's Methode die Melasse von dem in Krystallisationsgefäßen enthaltenen Zuker zu scheiden.

Hr. Chomel in Montreuil sur mer bringt in dem obersten Stokwerke der Trokenanstalt einen Behälter oder ein Reservoir an, welches den bis zum Krystallisiren eingedikten Syrup aufzunehmen hat. Dieser Behälter hat einen falschen Boden aus Metallgitter oder aus einer mit vielen Löchern durchbrochenen Kupferplatte. Eine mit diesem falschen Boden communicirende Röhre steigt 25 Fuß tief in ein Erdgeschoß herab, und endigt sich daselbst in einen Hahn, der, wenn er geschlossen ist, in der Röhre eine Melassensäule von 25 Pfd. zu tragen hat; während er, wenn er offen ist, dieselbe in einen kleinen Trog entweichen läßt, den man stets mit Melasse gefüllt erhält, und in welchen man die Röhre untertauchen läßt, damit keine Luft in diese eindringen kann. Die überschüssige Melasse fließt aus diesem Troge in das Melassen-Reservoir über. Zwischen dem wirklichen und dem falschen Boden des Krystallisationsbehälters sind zwei kleine Tubulirungen angebracht, von denen jede mit einem Hahne ausgestattet ist, und von denen sich die eine in einen Trichter endigt, durch den man Melasse eingießen kann. Um die Melassensäule in der Röhre herzustellen, wird der untere Hahn geschlossen und bei dem Trichter so lang heiße Melasse eingegossen, bis dieselbe an dem Ende der anderen Tubulirung sichtbar wird; denn dieß ist dann ein Beweis, daß Alles gefüllt ist, und daß weder in der Röhre, noch zwischen dem wirklichen und falschen Boden des Krystallisationsbehälters mehr Luft enthalten ist. Ist die Säule ein Mal hergestellt, so hat man sämmtliche Hähne genau zu verschließen; und ist der versottene Syrup hierauf in den Behälter eingetragen, so läßt man Alles ruhig stehen, bis die Krystallisation vollkommen beendigt ist. Ist dieß der Fall, so durchbricht man die Kruste, die sich gebildet hat, und öffnet den unteren Hahn, wo dann die Melassensäule also gleich auf 23 Fuß herabsinken wird, weil die Atmosphäre keine höhere Säule zu tragen vermag. Es entsteht daher unter dem Zuker ein absolut luftleerer Raum, der sich sogleich mit der die Zukerkrystalle umgebenden Melasse füllen, und aus dem angegebenen Grunde immer wieder frisch erneuert wird, so daß ein fortwährendes und ununterbrochenes Abfließen der Melasse wie durch einen Heber Statt finden wird. In der Werkstätte muß, wie in den gewöhnlichen Reinigungsanstalten, eine Temperatur von 15 bis 18° unterhalten werden. Die Zuker lassen sich auf diese Weise in wenigen Minuten besser reinigen, als nach der gewöhnlichen Methode in mehreren Tagen. (Aus dem Mémorial encyclopédique.)

Ueber Marsh's Methode kleine Quantitäten von Arsenik auszumitteln.

Hr. L. A. Buchner jun. theilt im Repertorium für die Pharmacie Bd. IX. H. 2 folgende interessante Bemerkungen zu Marsh's Prüfungsart auf Arsenik mit:

„Ich habe Marsh's Verfahren zur Ausmittelung kleiner Quantitäten Arsenik (Polyt. Journal Bd. LXIII. S. 448) geprüft und bestätigt gefunden. Die hiebei beschriebenen Apparate sind keine anderen als das bekannte Döbereiner'sche Wasserstoffgas-Reservoir für kleinere, und eine gewöhnliche Döbereiner'sche Zündmaschine für größere Mengen der zu prüfenden Flüssigkeit. Da aber nicht Jeder im Stande ist, einen solchen Apparat sich verfertigen zu lassen, so will ich hiezu ein einfacheres und eben so sicheres Verfahren beschreiben: Man bringe die zu prüfende Flüssigkeit (ich nahm eine sehr verdünnte Auflösung der arsenigen Säure) mit einigen Zinkstückchen in ein Sezölbchen oder eine kleine Arzneiphiole, säure sie mit so viel Schwefelsäure oder Salzsäure an, daß nur langsame Gasentwiklung Statt findet, füge mittelst eines durchbohrten Korkes eine Gasentwiklungsröhre an und fange das sich entwikelnde Gas unter Wasser in einer kleinen Gloke (ein Opodeldoc-Gläschen leistet denselben Dienst) auf. Ist diese mit Gas gefüllt, so ziehe man sie in senkrechter Stellung aus dem Wasser und bringe in demselben Momente eine Flamme unter die Mündung, um das Gas anzuzünden, während dem man die Mündung aufwärts kehrt und gegen die Nase hält. Waren in der Flüssigkeit nur Spuren von Arsenik, so erkennt man diese durch den knoblauchartigen Geruch des verbrennenden Gases; bei größeren Mengen desselben sezen sich außerdem noch nach dem Verbrennen glänzend schwarze Fleken von reducirtem Arsenik an der inneren Wandung der Gloke an, und der Geruch ist viel stärker, und bei noch größeren Quantitäten überzieht sich die ganze Gloke theils mit einem metallglänzenden Ueberzug, theils, und besonders an der Mündung mit einem weißen Anfluge von arseniger Säure. Es läßt sich also bei diesem Verfahren die Gegenwart des Arseniks auf dreierlei Weise erkennen: durch den knoblauchartigen Geruch des verbrennenden Gases, durch den metallischen Ueberzug von Arsenik und durch den weißen Anflug von arseniger Säure. Spült man außerdem die Gloke mit etwas Ammoniakliquor aus, säuert die Flüssigkeit mit Salzsäure an und sezt Hydrothionsäure hinzu, so erhält man den gelben Niederschlag von Schwefelarsenik noch obendrein. Daß man zu dem sich entwikelnden Gase selbst nicht riechen darf, versteht sich bei der höchsten Giftigkeit des Arsenikwasserstoffs von selbst; ohne Nachtheil kann aber dieses bei dem verbrannten Gase geschehen. Eben so wenig werde ich zu erwähnen brauchen, daß man zu diesem Versuche kein arsenikhaltiges Zink oder eine arsenikhaltige Schwefelsäure nehmen darf; die Reinheit derselben kann ebenfalls aus dem damit entwikelten Wasserstoff erkannt werden."

„Noch muß ich ausdrüklich bemerken, daß bei diesem Versuche nur Zink zur Entwiklung des Gases genommen werden darf, und interessant ist es, daß bei Anwendung von Eisen, wenigstens der gewöhnlichen kohlenstoffhaltigen Drehspäne, das entweichende Wasserstoffgas keinen Arsenik aufnimmt. Sollte dieses verschiedene Verhalten daher kommen, daß der aus Eisen entwikelte Wasserstoff schon zu sehr mit Kohlenstoff gesättigt ist, um noch Arsenik aufnehmen zu können, oder von einem verschiedenen elektrischen Verhalten der zur Gasentwiklung verwendeten Metalle? Ich glaube das leztere, weil bei Anwendung von reinem Zinn zur

Entwikelung des Gases aus einer mit Salzsäure angesäuerten arsenikhaltigen
Flüssigkeit das aufgesangene Gas ebenfalls wenig oder gar keinen Arsenik verräth.
Beim Verbrennen des so erhaltenen Gases konnte ich wohl manchmal einen sehr
schwachen knoblauchartigen Geruch wahrnehmen, niemals aber, selbst wenn die
Flüssigkeit sehr arsenikhaltig war, einen metallischen Anflug, der jeder Zeit erfolgte, so bald ich nach Zuwerfen von etwas Zink mit der Gasentwicklung fort-
fuhr."

Bemerkungen über den Knochenleim.

Der Knochenleim und dessen vortreffliche Eigenschaften erfahren heut zu Tag,
wo man über der Wohlfeilheit beinahe alles Uebrige unberücksichtigt läßt, nicht
die gehörige Würdigung. Der einem Leime zukommende Werth läßt sich mit
ziemlicher Genauigkeit ermitteln, wenn man denselben 24 Stunden lang in kaltes
Wasser einweicht, indem er hiebei eine seinem wirklichen Gehalte an Leim entsprechende Quantität Wasser absorbirt. Wenn man daher die vorher gewogenen
Stüke Leim durch Abtroknen von dem ihnen anhängenden Wasser befreit und dann
abermals wiegt, so wird man das Gewicht des eingesogenen Wassers, aus dem
man die Güte des Leimes bemessen kann, erfahren. Der Knochenleim gibt um
⅓ bis zu ¼ mehr Gallerte als der gewöhnliche Tischlerleim, und zwar eine
feste, weißliche, der Zersezung lange widerstehende Gallerte, während die Gallerte
des Tischlerleimes gewöhnlich weich, ohne Consistenz und braun ist, und dabei
einer raschen Zersezung unterliegt, besonders im Sommer. Der Tischlerleim kann
daher auch nicht zum Colliren der Kette bei im Faden gefärbten Baumwollzeuge
verwendet werden, indem er durch die Fäulniß, in welche er geräth, den Farben
Schaden bringt; anders verhält sich dieß mit dem Knochenleime, der nicht nur
hiezu, sondern sehr wohl auch zum Colliren seidener Ketten verwendet werden
kann. Die Bindungskraft des Knochenleimes ist überdieß so stark, daß Holz,
welches damit geleimt worden ist, lieber an einer anderen, als an der geleimten
Stelle nachgibt. — Um sich einen Leim von gehöriger Consistenz zu verschaffen,
soll man die Gallerte, welche man durch 24stündiges Einweichen des getrokneten
Leimes in kaltem Wasser erhält, ohne Zusaz von Wasser in einem mit Dampf
geheizten Kessel mit doppeltem Boden auflösen. In der Bergwerksadministration
in Bourwiller, wo man Knochenleim fabricirt, hat man gefunden, daß der frisch
aus den Knochen ausgezogene Leim das Wasser nicht beigemengt, sondern gebunden
enthält, und daß daher dieser frische Leim weit schwerer zu troknen ist, als solcher, der bereits ein Mal getroknet gewesen war, und in welchem die frühere innige Verbindung von Wasser mit Leim nicht mehr Statt findet. Der getroknete
Leim ist hygrometrisch, und zwar in um so höherem Grade, je schlechter er ist.
Der frische oder sogenannte grüne Leim, dessen man sich häufig in den Papier-
fabriken und zu anderen Zweken bedient, kann daher keine gute Wirkung geben.
Um sich Leim zu verschaffen, auf den die Feuchtigkeit der Luft keinen Einfluß hat,
soll man denselben wiederholt auflösen und troknen; denn auf diese Weise verliert
er das Wasser, welches er gebunden hält und seine hygrometrische Beschaffenheit.
Die Holzarbeiter und besonders die Instrumentenmacher wissen dieß recht gut,
und troknen sich deßhalb ihren Leim eigens, nachdem sie ihn vorher noch ein Mal
aufgelöst haben. In Frankreich steht der Knochenleim um 25 bis 30 Proc. höher
im Werthe; er ist auch allen Leimsorten vorzuziehen: mit Ausnahme jedoch des
sogenannten Kölner Leimes, der der beste ist. (Bulletin de la Société industrielle de Mulhausen, No. 45.)

Lightning Source UK Ltd.
Milton Keynes UK
UKHW020759111218
333785UK00014B/993/P

9 780483 136922